1 MONTH OF
FREE
READING

at
www.ForgottenBooks.com

By purchasing this book you are eligible for one month membership to ForgottenBooks.com, giving you unlimited access to our entire collection of over 1,000,000 titles via our web site and mobile apps.

To claim your free month visit: www.forgottenbooks.com/free1011587

ISBN 978-0-332-29226-7
PIBN 11011587

ARCHIV

FÜR

LITTERATURGESCHICHTE

HERAUSGEGEBEN

VON

Dr. FRANZ SCHNORR von CAROLSFELD,

K. BIBLIOTHECAR IN DRESDEN.

XIV. Band.

LEIPZIG,

DRUCK UND VERLAG VON B. G. TEUBNER.

1886.

Inhaltsverzeichniss.

Jacob Wimpfeling und Daniel Zanckenried.

Ein Streit über die Passion Christi.

Von

GUSTAV KNOD.

In Wimpfelings „Appologetica declaratio in libellum suum de integritate: de eo: An sanctus Augustinus fuerit monachus. Cum epistolio Thome Volphij iunioris. Keyserspergij epistola elegantissima de modo predicandi passionem domini. Oratio Wymphelingij metrica" (o. O. u. J. [Argent. 1505]. 12 Bll. 4⁰) findet sich Bl. Biiij^b bis Cij ein mit dem übrigen Inhalte dieses Werkes in keinem erkennbaren Zusammenhang stehender Abschnitt eingeschaltet, eine Epistola elegantissima Ioannis Keysersbergij de modo predicandi dominicam passionem et de nuditate Crucifixi enthaltend, welcher folgendes Argument vorausgeschickt ist: Predicauit quidam Salassa in dominica passione coram omni populo uirginibus et matronis satis inconsiderate inter alia quedam apocrifa, cristum ex omni parte nudum in cruce pependisse, quibusdam Ambrosij verbis innixus. Alter paulopost tam ineptum Salasse sermonem moderaturus, rationibus et testimonijs alio in loco contrarium persuasit. Salassa ille vocauit alterum in ius, acerrime contra ipsum actionem instituens. Et nihilo minus postea mordacissime in eum in cancellis inuexit. Ille vero patientiam amans Keysersbergium per epistolam consuluit, qui prudentissime et elegantissime in modum sequentem respondit. — Die Worte sind dunkel und ohne besonderes Interesse; man mag unter dem alter wol den Verfasser des Argumentes, Wimpfeling selbst, vermuthen, doch treten hier ebenso wenig wie in dem darauf folgenden Briefe Geilers

irgend welche greifbare persönliche Beziehungen zu Tage. Wimpfelings Biographen haben diese Stelle bisher übersehen; nur
Charles Schmidt thut in seiner Biographie Geilers der Epistola de modo predicandi dominicam passionem et de nuditate
Crucifixi dieses letztern Erwähnung, doch sind ihm die Vorgänge, worauf sich dieselbe bezieht, dunkel geblieben, da er
einen Freiburger Praedicanten als Wimpfelings Gegner auftreten lässt.[1]

Und doch ist in den wenigen Zeilen des Arguments eine
überaus interessante Episode aus dem kampfbewegten Leben
des streitbaren Humanisten angedeutet, deren Kenntniss das
Lebens- und Charakterbild des merkwürdigen Mannes um
einige nicht unwesentliche Züge bereichert. — Den Schlüssel
zum Verständnisse jener im Argumente berührten Vorgänge
liefert eine erst vor kurzem durch die Strassburger Universi-
täts- und Landesbibliothek erworbene Wimpfeling-Handschrift[2],
die unter der Aufschrift „Apologia Amicorum Jacobi wymppfl.
Sletzstatini ad danielem Zanckenried[3] memmingensem theologum Salassam" nicht weniger als zehn Actenstücke zu diesem
Streit über die Passion Christi enthält.[4] Sie genügen, um

---

1) Histoire littéraire de l'Alsace. Paris 1879. t. I, 424: „Un pré-
dicateur de Fribourg ayant dit dans un sermon que Jésus-Christ fut
attaché à la croix ex omni parte nudus, Wimpheling, qui le réfuta, fut
menacé d'une dénonciation devant l'université. Geiler, dont il demanda
l'avis, lui écrivit qu'il faut traiter ces sujets avec une extrême délica-
tesse . . ."

2) Dieselbe ist, soweit mir bekannt, bisher nur von Prof. Martin zu
seiner Germania des Jacob Wimpfeling, Strassb. 1884, verwerthet worden;
und zwar findet sich dort S. 117 nur der Anfang eines Briefes Geilers
an Wimpfeling abgedruckt, der mit unserm Gegenstande keinen Zusammenhang hat. Ebendaselbst auch eine Beschreibung des Ms.

3) So ist wol zu lesen — nicht Zanckenrud, wie Martin schreibt —,
da die hier gemeinte Persönlichkeit ohne Zweifel mit dem Daniel Zanckenried de Memmingen, Constant. dioc. quinta Septembri 1480, b. art. v. ant.
6/11. 1481 der Heidelberger Matrikel (ed. Töpke 1884) identisch ist.
Vgl. a. Töpke S. 421: „Rectoratus magistri Danielis Zanggenried de
Memingen, sacre theologie professoris, Heydelbergensium predicatoris,
concorditer in vigilia natiuitatis Johannis baptiste electi anno domini
1496 (23. Juni 1496)."

4) Die einzelnen Stücke sind nach dem Inhaltsverzeichniss folgende:
Epistola Jacobi Wympfl. Sletz. ad Joh. Keysersberg. ‖ responsio eius-

uns über die Person der Gegner, über Ort und Zeit, Veranlassung und Verlauf des Streites aufzuklären. Wir lassen diese Actenstücke, soweit sie nicht bereits anderweitig gedruckt sind[1]), hier folgen:

(Bl. 287.)

I.

Heidelberg.   10. April 1499.

Disertissimo sapientissimoque Sacrarum litterarum professori M. Ioh. Keysersberg. argent. ecclesie Concionatori. patri maiori preceptorique obseruandissimo Ja. W. s. p. d.

Concionator quidam inter cetera apocrifa de dominica passione predicauit, Christum captum fune ante et retro longo hinc inde a iudeis tractum, dum transiret torrentem cedron, uarioque trahentium impulsu prostratum humi cecidisse quoque super lapidem cum facie, collisumque duos dentes excussisse, quorum vestigia in ipso lapide tempore Iohannis capistrani visa fuerint. Preterea triplici ordine christum flagellatum: primo virgis deinde flagellis postremo cathenis quibus infixi fuerint uncj per quos multa et magna frusta seu porciones carnis fuerint euulse, et quod christus nudatus vestimentis suis caruerit subligaculis sic quoque nudus in crucem sit suspensus. quod videns mater miserta nuditatis super iniecit peplum ad cooperienda verenda. Taceo de alijs multis. Ego hec et alia a multis fide dignis certo agnoscens monebam quosdam vt super hijs predicatori loquerentur aut saltem scriberent. Responsum michi fuit eum esse huius condicionis vt nihil equo animo a quocumque susciperet

dem. (Diese letztere ist, wie oben erwähnt, in Wimpfelings Apologetica declaratio gedruckt.)

Epistola Jacobi Wymppf. ad quendam religiosum | responsio eiusdem.
Ep. Ja. W. ad facultatem artisticam heydelberg.
Sermo Ja. W. in IX propositiones redactus.
Verba danielis quibus inuexit in Jaco. W.
Expurgacio Ja. Wympflingi Missa decano facultatis theologie.
Epistula Ja. Wympflingi missa Danieli (nicht vollständig).
Confirmacio et exaggeracio dictorum a Jaco. Wympfelingio.
Carmina in aquis grani scripta que astipulantur Wympfelingio.
Tersissimum doctissimumque nostratis Rhabani dysthicon Ja. W. sentencie itidem suffragans (nicht vollständig).

Ueber die übrigen im Inhaltsverzeichniss genannten, jedoch theilweise fehlenden Stücke vgl. Martin a. a. O.

1) Vgl. die vorige Anm. — Die Hdschr. kl. 4°, fortlaufend foliiert von Bl. 287 bis Bl. 298, rührt von der Hand eines Abschreibers her. Sie ist höchst nachlässig und unleserlich geschrieben, so dass einzelne Stellen nicht zu entziffern waren.

quin pocius si a quoquam moneretur consueuisse eum proximis sermonibus carpere et in eum inuehere. Ego (nescio quo) zelo succensus in feriam secundam pasce predicaui in ecclesia parua xenodochij (eum tamen sermonem ante quidem non facturum me pollicitus fui) dixique de feruore ac ardore caritatis quibus uijs accendi possemus a causis intrinsecis ad incrementum caritatis et deuocionis in deum conseruacionisque gratie quam nos preteritis diebus consecuturos sperassem. Inter reliquas uias adieci uiam meditacionis passionis dominice: citans Burchardum, super omnia te mihi amabilem. Mox autem adieci haec consiliaria (uerba) in effectum. Et sufficit apud bonum christianum ea passio domini, quam euangelistae[1]) eum sustinuisse narrant ad deuocionem ad contemplacionem ad compassionem. Neque opus esse superaddere fabulas visiones fantasias murmura vetularum dicta somnia beguttarum, quem enim dicta euangelistarum non mouent, quomodo eum mouebunt dicta sine certo autore. Numquid enim plus pro nobis debuit christus pati: Nonne sufficit ad compassionem magnam et feruorem caritatis sanguines eius sudor uendicacio predicacio dicti osculacio oris fetidi captiuitas ligacio ductio stacio accusacio blasphemie interposicio ad mortem condemnacio conspuicio colaphisacio alopisacio faciej velacio percussio prophetandi requisicio et .... secundum articulos lxv. passionis dominice. Hora enim matutina continet viginti, hora prima continet octo, hora tercia continet duodecim, hora sexta continet decem et octo. Hora nona quinque Hora vespertina vnum hora completorij vnum sicque resultarent lxv articuli qui omnes expressi sunt in euangelistis. videretur ergo michi, quod non sit opus adijcere quod dentes perfregerit in lapide et quod cathenis percussus vncisque carnes secte sint euulse et quod absque subligaculo pependerit, quod non crediderim secundum simplicem meam opinionem, quia omnis sacerdos sacrificans in veteri lege quodcumque sacrificium siue uitulum siue arietem tenebatur secundum legem habere vestem illam lineam, quae tegebat abstrusas secretissimasque corporis sui partes vti Leuit. vj et xvj et Exod. xxviij Christus fuit sacerdos, vt in psalmis: tu es sacerdos etc. et obtulit semet ipsum in ara crucis obtulitque summum sacrificium deo patri vt ait Augustinus in fine libri confessionum cuius quidem sacrificij holocausta et victime ve. le. fuerint figere et tempus. omnisque missa quam quilibet sacerdos legit hodie est re-

---

1) Vgl. hiermit Wimpfelings der Germania ad rem publ. Argentin. angehängte Rede De annuntiatione dominica oratio Jac. Wi. ad illustr. Vniuers. Heydelb. (IX kal. apr. 1500): „Ego uero mihi persuadeo Euangelicam historiam esse absolutissimam: esse consummatissimam: esse perfectissimam: et ipsam dominice quidem passionis satis idoneam et sufficientem: ad inflammandum affectum nostrum: ad excitandam in nobis deuotionem: nisi saxea corda geramus“ etc. (Bl. giiij[b]).

capitulacio et non cassauit legem (sicut dixit non ueni soluere legem). ergo christus indutus fuit vestimentis illis secretissimis quae ad virum pertinent.

Predicator ille de hijs cercior redditus requisiuit decanum facultatis theologie dominum doctorem pallantem[1]) ad iustificandum et defensandum honorem suum. Innititur in primo puncto uerbis capistrani. secundum ait se legisse in scribentibus qui ambrosium citant In tercio similiter dicto Ambrosij Nudus crucem ascendit et talis ascendit quales nos auctore deo natura formauit. Ita talis ascendit qualis primus homo in paradiso habitauit. Vocatus ergo a venerabili magistro nostro pallante subieci me sententie facultatis theologice. Opus est autem michi patrocinio et fideli consilio. Te itaque precor et oro per meam in te summam caritatem fidem et obseruanciam vt scripto consilium michi tuum impendas. Et si quid habes quod scripta mea defensare et praedicatoris apocrifa eneruare possit. quantum copiose potes ad me rescribas. sum enim in humane articulo vexationis. potissimum quod de alia via (puto modernorum) appellor, fac igitur vti amicus in quem pre ceteris spem atque fiduciam meam collocaui. De subligaculo confortat me Ioannes Gerson de exercicio discreti de aspectu nudi corporis et femoralibus christi, tamen eum non adduxeram. Tota summa et conclusio dicti mei fuit sufficere passionem dominicam quattuor euangelistarum ad deuocionem boni christiani cum dictis antiquerum doctorum ab ecclesia tamen dudum approbatorum. Et profecto moleste tuli quod Christo fuit tributa illa horrenda nuditas verendorum coram virginibus et matronis et quidem multis, quod non michi ad deuocionem sed pocius ad quandam vilitatem aut despectum Dni Jhesu (ni fallor) deseruire uisum fuit. zelus meus bonus fuit. fateor ordinem forsitan caritatis non esse a me obseruatum sed ex causa quam tibi superius descripsi. Vale foelix ex heidelbergis X. die aprilis 1499.

(Bl. 288ᵇ.)　　　　　　II.

Io. Keysersbergius Concionator ecclesie Argent. Jacobo wympflingio Sletzstatino S. p. d. (s. d.)

(Gedruckt Appologetica declaratio Bl. Biiijᵇ — Bl. Cij.)[2])

1) **Pallas Spangel aus Neustadt a. d. H.**, „ausgezeichnet durch Geistesgaben, Gelehrsamkeit und Feinheit" (Hautz, G. d. Univ. Heidelbg. 1862. I, 349).

2) Vgl. Geilers Fragmenta passionis 1508. IX. Dico primo secundum Ludolfum, quod Maria videns filium suum denudatum accelerat eique approximans velo capitis sui eum cingit et velat. Quantus hic dolor erat matri sanctissime cum oculis suis aspiceret filium suum sic vulneratum et dispositum, ac coram omni populo vestibus proprijs

(Bl. 289.)

III.

Heidelberg.   23. Mai 1499.

Religioso et deuoto priorj N.[1]) ord. Augustin. noricj montis pre-
dicatorj . patrj et amico in ch.° Ihesu sincerissime dilecto Jacobus
Wympf. Sletzstat. s. d.

Imprudencie mee adscribj posset quod te uirum optimum et
sacratissimjs exercicijs occupatissimum ego tibi incognitus et nihil
vnquam de te bene meritus interpellare audeo in re michi necessaria
et christiane pietati nonnihil profutura. Verum etsi mei nullam
amiciciam habeas ego tamen te ab annis circiter viginti potissime
ex sermonibus tuis quos innumerabiles ex te audiui perspectum
habeo, videorque michi videre tantam in te humanitatem, tantam
pietatem, tantum diuini honoris zelum et sincere veritatis amorem
vt michi non sis negaturus quod ad gloriam dei ueritatisque mani-
festacionem prestare facile potes. Neque enim non potes flagrare
caritate qui ardentissimi et amantissimi Augustini communis es
lector, quod dudum ex accuratissimis tuis sermonibus manifeste de-
prehendi. Te itaque per amorem tuum in deum optimum maximum,
illustrissimum Augustinum peculiarem meum preceptorem atque patronum[2]) obsecro vt mihi non desis sed communices quod absque
diminucione mecum potes diuidere. In quo et censeo christi dni.
nostri gloriam et honorem amplificari. Quid velim accipe paucis.

Predicatum est palam coram matronis et uirginibus christum
nudum omni ex parte eciam in secretissimis corporis sui partibus in
cruce pependisse. Ego paulopost concionem habui et de feruore
caritatis loquutus quibus modis in nobis inflammari possit inter cetera dixi de meditacione passionis dominice, quod ea nobis incrementum prestaret maioris caritatis, et adieci quod sufficeret passionem
dominicam meditari a quattuor euangelistis conscriptam. Nec opor-
tere addi nuditatem omnimodam crucifixi, neque verisimile esse, quod
sacerdos sacrificaturus lege tenebatur habere femoralia, Christum

---

exspoliatum: quisque fidelis perpendat. Quare dicit Ludolfus quod velo
filium suum velauerit. Dicunt alij quod omnino nudus in cruce pependerit, innitentes dicto Ambrosij videlicet. Nudus crucem ascendit et
talis ascendit quales nos auctore deo natura formauit. Talis ascendit
qualis primus homo in paradiso habitauit . et talis secundus homo para-
disum introiuit. Hec Ambrosius. Posset tamen dici quod a falsarijs sibi
impositum sit etc. etc. (vgl. No. X).

1) Nicolaus Besler, 1495—1500 Prior des Augustinerklosters zu
Nürnberg (Kolde, die deutsche Augustiner-Congregation. Goth. 1879.
S. 242).

2) Vgl. Wimpfelings Soliloquium ad diuum Augustinum s. l. e. a.
8 Bll. 4°. Bl. Aij . . . Te in peculiarem patronum delegi.

autem sacrificasse se ipsum in ara crucis et legi videri satisfecisse.
— Qui plenam illam nuditatem predicauerat expertus sermonem
meum paulopost denuo idem repecijt pluribus uerbis quam antea,
me reprehendens quod . . . . insufficienter perspexerim et argumen-
tum pessimum adduxerim, cum multis alijs contumelijs et acerri-
mis inuectivis in me. Allegauitque Ambrosium dicentem quod
christus nudus sicut eum natura profuderit pependit et sepe repecijt
sese id dicere velle et in hac sentencia persistere, idque populum
cui predicabat credere debere cum quadam quasi inuocacione illu-
strissimi principis[1]), cuius clemenciam eum contra me tutari et manu
tenere speraret. Suborta est non mediocris murmuracio contra me
tanquam ego grauiter et periculosissime errauerim. Ego uero iudi-
cans hanc plenissimam nuditatem pre se ferre quendam despectum
aut vilitatem domini neque deseruire ad deuocionem fidelium et esse
contrariam sentencie christianissimi Ioannis de Gerson, cupio
me defendere, nec est quod michi aduersetur nisi dictum Ambrosia-
num quamuis sciam Ieronimum in alio quodam loco ambrosio
contradicere.
 Verum quum audiui ex optimo uiro quondam te contrarium predicasse, sermonem Ambrosij dissoluisse et multa preclara simul ad-
duxisse, quibus corroboraueris ueritatem, quam ego pie sincere et
humiliter sencio, si ea quibus usus es media consequi possem, ego
ueritatem tibi acceptam et a te defensam similiter tutari possem.
Quare te suauissime in Christo frater oro et per deum immortalem
obsecro, per crucifixi volnera deprecor, per dulcissimam eius matrem
flagito, per sapientissimum Augustinum communem nostrum doctorem obtestor, vt omnia ea que tibi de hac materia constant, saltem
que tu predicasti (credo inesse longa) exscribi facias et castiges et
ad me Heidelbergam mittas meis impensis certo et fideli nuncio
mittas. Ego tibi conabor quoad vixero gratus esse pro labore, pro-
que hac beneuolencia et caritate tua qua me iuuabis ueritatem de-
fendes honorem domini promouebis, deuocioni fidelium consules, errorem supprimes, et officium christiani predicatoris implebis.
 Defendamus rogo te pientissime pater honorem domini et hanc
ignominiosam contumeliam abstergamus. Sis precor ex parte Sem
et Iaseph (!) qui paterna pudenda versis vultibus contexerunt. Non
participemus cum Cham qui ea detexit. Vale ex Heidelberga xxiij
die . maij. Anno 1499.

(BL 290.)

IV.

 (Respondet ille ex Norico monte remisit Jacobo Wympflingo
hanc infra scriptam epistolam cum argumentis pro et contra.)

---

 1) Kurfürst Philipp, der erst kurz vorher, im Spätherbst 1498,
Wimpfeling von Speyer nach Heidelberg berufen hatte.

Die Frage, ob Christus nackt am Kreuze gehangen, ist schwer
zu entscheiden, da sich gewichtige Gründe pro und contra anführen
lassen. Möge es sich indess damit verhalten, wie es wolle — auf
alle Fälle sei es unpassend, vor Frauen und Jungfrauen von der
Kanzel herab die Nacktheit des gekreuzigten zu besprechen.

(Bl. 290ᵇ.)

V.

(Heidelberg.)   5. Juni 1499.

Prestantissimo dno decano et toti facultati artistice heidelber-
gensi Jacobus W. Sletzstatensis.

Optimi viri in christo michi carissimi ac obseruandissimi. Venit
ad aures meas frequentatis vicibus me publice et grauiter esse re-
prehensum . nescio quorum errorum quos predicasse debuerim. Si
de vita et moribus meis reprehensus sum, fateor me sponte esse
miserum et indignum qui predicarem, si in doctrina et in scientia
fateor me indoctum et omnium bonarum literarum ignarum. Verum
ne existimer errores heresim ac falsitates seminare velle aut vnquam
uoluisse, sermonem meum, de quo contra me rumor subortus est in
nouem propositiones redegi . quas caritatj vestre mitto ut cognoscatis
innocenciam meam. Ultime autem propositionis veritatem solum
obiter et festinanter inbecillj medio uolui tunc persuadere . sed alia
forciora suo tempore me adducturum profiteor. Cum enim me senem
canum et ferme silicernium sciam ne cum infamia et suspicione se-
minate heresis et cum eneruacione omnium sermonum quos xxiiij
annos utcunque feci hinc rapiar, visum est mea multum referre, ut
hoc vestre ditioni manifestarem. Dolui sepe iam dudum apocrifa
predicarj . dum veritatis tanta copia prestaretur presertim circa ma-
teriam passionis dominice ne forte propter ineuidenciam dictorum
que canon biblie non habet aut doctores antiqui et ipsa ecclesie lu-
mina non addiderunt euangelice veritatis fidei quiddam detraheretur,
et visum est mihi hoc quod quemcunque dicta euangelistarum non
moueant ad compassionem eum apocrifis difficile moueri posse. Crediderim eciam maiori reuerencia et modestia pudiciciaque loquendum
esse de christo domino nostro quam ut de femoralibus de verendis
eius coram virginibus et matronis sermo fiat. Quanto enim magis
christus homo et deus ipsum Noe excellit, tanto minus eius nuditas
mihi detegenda videtur. Itaque viri prestantissimi michi colendissimi
rogo per crucifixum ut hec mea scripta in meliorem partem inter-
pretari velint vestre humanitates, et si vestre videbuntur mee propositiones (quibus in sermone meo nichil addidi quod ad hanc rem
pertinet) me quoque excusatum habere sicut et ego omnibus et sin-
gulis vobis in consilij causam reuocatis fideliter facturus essem. Ex
edibus nostris V die Junij anno 1499.

VI.

Summarium totius sermonis mej.

Extrinseca et principalis causa feruoris Incrementique caritatis nostre est deus.

Nichilominus ex parte nostra cause esse possunt eiusdem feruoris intrinsece.

Earum causarum non minima est sedula studiosaque beneficiorum in nos dei, potissimum vero christi passionis meditatio.

Ad feruorem caritatis ad excitandam deuocionem ad inflammandum affectum ad compassionem nostram sufficit meditacio passionis christi quam eum pro nobis quattuor euangeliste sustinuisse describunt.

Historie dominice passionis a quattuor euangelistis descripte pro feruore caritatis nostre in deum suscitando non est necessarium superaddere visiones fabulas vetularum somnia beguttarum dicta dantes.

Sufficiunt ad inflammandum caritatis feruorem et ad excitandum in nobis deuocionem articuli passionis dominice sexaginta quinque qui omnes in quattuor euangelistis expressi continentur.

Non fuit necessarium Christum maiora pro nobis pati quam quatuor euangelistae expresserunt.

Non est necessarium ad feruorem caritatis addicere christum dentes in lapide quodam perfregisse eique inter flagellandum vncjs in cathenas fixis porciones ac massas carnium a corpore esse euulsas. Aut quod christus omni ex parte nudus absque subligaculo in cruce pendens abstrusissimas secretissimasque sui corporis partes humanis aspectibus exposuerit videndas.

Non est verisimile (saltem sermonem meum imprudens iudicat) secretissima christi corporis loca subligaculo caruisse. Si quidem omnis sacerdos quoduis sacrificium in ve. le. facturus legique et praecepto levitis vj et xvj et exo. 28 . expresso satisfacturus, vestem illam lineam femoraliaque habere tenebatur. Cristus fuit sacerdos ymmo pontifex ad hebre. 9 et obtulit se ipsum ad hebre. 7 et Io. nec legi detrectauit iuxta propria verba etc.

(Bl. 291.)

VII.

Verba D. Daniel Zanckenriede de memmyngis predicatoris in . . . . quibus contra me Inuexit . . . . penthecoste predicata anno Christi 1499.

Surrexit quidam predicator ut credo In hospitali qui predicauit contra ea quae dixi in sermone de passione domini quod christus non pependerit nudus in cruce sine femorali . equidem vellem eum

non fecisse putassem denique eundem plura legisse et non sic
blaterasse *was har uffer gelallet* . neque stramineis usum fuisse argumentis quae causa breuitatis omitto. Hec namque veritas quod
christus pependit in cruce sine femorali ut dixit Ambrosius . alios-
que allegauit qui michi pro nunc non occurrunt, cum hac veritate
(quam et vos debetis tenere) confido me illustrem principem nostrum manutenturum. *Ist es als vmb ein clein ding vmb ein prediger.* Item subiunxit. Idem ecclesie dixit non est magistraliter
dictum . *es ist meisterlich gesagt* . quod ego sum doctor et magister.
Idem fere dixit de flagellacione et dencium fraccione seu crucione
quod scilicet christus cesus cathenis ferreis fuerit et sibi fregerit
dentes quod probat quibusdam auctoritatibus fereque ijsdem verbis
ut supra. Huc usque daniel. Sequencia misi dno pallanti decano.

(Bl. 291.)

VIII.

(Expurgacio Ja. Wympflingi Missa decano facultatis theologie.)[1]

— —

    Quis nostrum magis exorbitauerit et alterum plus leserit indi-
cet equus iudex a condicionibus personarum vie ac burse abstrahens.
Ego sancte iurare ydoneisque testibus probare et primam veritatem
testari possum me nunquam meminisse horum uel similium verbo-
rum 'sicuti sic quidam predicauit' aut 'predicatum est', neque
passionis quidem mencionem habuisse, hoc est sermonis de passione
verbi gratia . *als man Im paſſion gepredigt hat.* Sed meditacionem
articulorum et tenoris quatuor euangelistarum sufficere ad inflammandum affectum . prosuperposita causa principali et extrinseca et
non esse necessarium Alia quasi somnia visiones et dicta dantis superaddere. D. predicator autem dixit Surrexit quidam predicator, locum
specificauit quod in hospitali. — Ego in minima ecclesia ipse in ma-
xima huius ciuitatis Heidelbergensis. Ego coram lxx aut lxxx, ipse
coram mille, ymmo maluisset decem milia audiuisse ut suspicor
propter maiorem meam confusionem.

    Ego qui locutus sum ad honorem dei, ad honorem quatuor euan-
gelistarum in laudem et perfectionem (?) sancti et conseruantissimi
euangelij, ad demonstrandam eius absolucionem et sufficienciam
pro inflammando affectum locutus sum . quo animo . qua intencione
ipse denuo ista predicauit deus nouit et sua ipsius consciencia. Ego
neminem notaui nec descripsi, forte conscius ipse sibi de se putat
omnia dici. Item Daniel dixit . putassem eum plura legisse quod

---

1) Die Ueberschrift nach dem Inhaltsverzeichniss, da der Anfang
des Briefes in der Hdschr. fehlt. Auch sonst ist der Brief schwer be-
schädigt, da Bl. 292 der Hdschr. am Rande 2—3 cm breit abgerissen ist.

hec verba in se contineant puer olfaceret et fateor plane me pauca
legisse et si plura legerim me minimam eorum partem intellexisse .
citra iactantiam fateor, me libenter lactantium, leonem, Ciprianum, Tertullianum et quatuor columnas ecclesie legere sed minimam partem intelligere et fateor me eciam quondam legisse Jacobum
de Voragine in historia lampartica addiciones . . . . Nicodemi
meditaciones que falso tribuuntur Anshelmo etc. Sed parum aut nihil
ex eis vnquam predicasse, quippe quod nolebam sentibus aut vrticis
rosas, siliquis aut lolio bonas segetes, spurcijs vitulaminibus vineam
domini contaminare. Legi eciam apocrisim quod d. predicator dicitur
predicasse. De ligno crucis quod fuerit ex ligno vetito paradisi, adam
illuc misisse filium suum et surculum asportasse quod sepulchro suo
insereret etc. De reliquis puer in materna lingua patri meo legi .
quae somnia putabat cum essem simplex et imperitus laicus . quamuis de hijs lira commemorat non tamen affirmando.

Dixit me vsum stramineis argumentis . ego solum vno topica
loco vsus sum . ad quam me monuit glosa ordinaria quae verba
veteris legis de femoralibus de sacerdote sacrificante exponit de
christo. Ego propter amorem domini mei Jhesu hoc feci, de cuius
nuditate michi videtur maiori reverencia, maiori modestia, maiori
pudicicia loquendum esse presertim in ecclesia in cathedra in die
luctus a doctore theologie presertim seculari . et in vniuersitate
illustri coram virginibus et matronis . neque ego femorale neque
pudenda transtuli in vernacula sed per circuicionem quoad fieri potuit
egi. Et si bene memini dominus predicator dixit in parasceue beatam
Virginem pudenda peplo contexisse postea verbo vero contrarium,
nescio si secundus sermo quadret primo. Vtinam dignus essem pro nomine Jhesu multam contumeliam pati. Malo inproperium sustinere cum
sem et japhet non detegendo verenda domini quam cum Cham ignominiose detegente contumelijs carere. Et dixit „Confido me principem cum
hac veritate manutenturum" ista verba non possum intelligere an velit
contra meam personam lacessere mansuetissimum clementissimumque principem in cuius clemencia et ego confido. An princeps debeat
edicto publico confirmare veritatem a se predicatam quod honeste
eciam fieri poterat per aliquem magistrum ex facultate theologica . pio
et bono sermone ad populum. Non sperno principem . nec in eo
vllam tyrannidem timeo quod iustissimum et clementissimum scio.
Dominus doctor Daniel predicator est, fateor, ego non sum illius
temeritatis quod eum supprimere aut exterminare velim neque potencie ut possim. Vt opus sibi fuerit opem principis implorare.

Ego nichilominus non nichil attineo ad defensionem principis . . . .
sub sua aduocacia constitute quod principem . . . .
fideliter palacio sepe seruiuit . et seruiet . . . .
Dns doctor Daniel multas impensas . . . .
tor Daniel profuit incremento vniuersit . . . .

potuisse dominum doctorem danielem l....·
ac manutenencium. Vel in dno rectore ....
capitulo vel in theologica facultate ....
fecit cui me subieci . et inter deliberan ....
abs manifesto contemptu theologice faculta ....
Vindicem pro me dominus. Ego contra caritates v ....
in sermone meo. Si ipse contra caritates non d ....
quod michi scripsit) viderit ipse ....
Dixit „*ist es als ein clein ding vmb ein predi* ....
co ... presertim es qui per hostium ingreditur qu ....
bohemico non dum sacris iniciatus . populo predica ....
siliquis non supprimit veritates necessarias et ....
riam non despicit ex qua sola vera oras orandi pers ....
enim reuera est persuasor et orator ....
De cathenis ferreis subiunxit, ego dixi de vncis quibus in ....
·euulsi sint et extracte de corpore domini quod credidi non esse ....
ad inflammandum affectum . non negaui ego flagelacionem factam ....
negaui dencium effraccionem neque inpugnaui . sed dixi non esse ....
ad 4^{or} euangelia quem enim dicta 4^{or} euangelistarum non mouerent
ad compass ... ciam et collisionem dencium eum eciam vix mouere
posse dicebam . quod hodie sen ... ciam quo ad a venerabilibus
dominis meis theologice facultatis decano et doctoribus de ... for-
matus fuero aut ab amicis meis quibus scripsi et vniversum sermonem meum ... ad sedandam infamiam meam et notam. In quam
me multi simplices incidisse putant tanquam heresim aliquam pre-
dicauerim et magnum aliunde errorem.

Cum bona venia legant paternitates venerabilium dominorum
meorum et preceptorum facultatis theologice magistrorum necessitas
enim honor et fama (quo nihil michi melius residuum est) me cogunt
et impellunt ... si dominus predicator pergit in me invehi (sicut ...
meum erit me defendere et famam meam, vtatur ipse dictis ego
scriptis, vtatur ipse clamoribus ego impressionibus, sequatur ipse
passionem ego vero racionem. Si ut cunque in me latrabit profecto
irritabit crabrones.

(Bl. 293.)

IX.

(Heidelberg.)   7. Juli 1499.

(Epistula Ja. Wympflingi missa Danieli.)

— — — — — — — — — — — — — — —

Hec ex caritate scribo non vt te docere velim cuius et sum et
esse cupio discipulus. Sed vt si quiddam contra hoc me forsitan
dicturum ac scripturum sencies, non habeas tamen in me iterum

inuehendi et culpandi prius a me premonitum non fuisse. Vale et si deum diligis si deum times indignacionem (ne dicam furorem) in me tuum depone te rogo per crucifixum. Nec credat tua dilectio me ex contemptu et irreverencia tibi loqui numero singulari. Sic enim apud me mos inoleuit vt id mutare non possim eciamsi magno principi si vel R^{mo} domino meo archiepiscopo Maguntino scribam . . . . Optarem eciam te in tuis sermonibus non omne fere uerbum adiectiuum in vernaculam traducendam in suum participium et uerbum substantiuum resoluere [1]) que quidem resolucio apud dyalecticos locum habet quod preposicionum predicata et copulas pro pueris inuestigant, dicere enim soles dixit Jhesus ibat ambulabat sanauit respondit *er was sagen er was gon er was wandeln er was gesunt machen er was antwurten* vbi simplex uerbum germanicum sufficeret vt puta *er sprach er ging er wandelte* et forsitan apud Memmingenses hec barbara et inepta superfluitas obseruatur. Non autem in terris nostris apud Rhenum vbi Rhenensium more est loquendum . contra huiuscemodi tuam et stacionariorum insulsam consuetudinem quidam adolescens[2]) esox tam rustice superfluitatis sequens edidit thetrasticon:

Aduena sueue solo cupiens hic uiuere nostro
Rhenani nimium captus amore meri
Ne studeas curua nostras corrumpere lingua
Terras sed patrio desine more loqui.

Vale iterum ex casula mea philosophica nonas Julij Anno Chr[i] 1499.

---

1) Vgl. Diatriba Jacobi Wimpfelingii De proba pueror. institutione (Hagen. 1514. 4°) c. III (Bl. aiiij) „Latinus sermo non potest semper alludere Germanico. et de corruptis puerorum locutionibus". — In der Ep. excusatoria ad Sueuos (Arg. 1506. 4°) schreibt Wimpfeling an Bebel: „Quod autem quorundam sacrificulorum qui inter concionandum omne uerbum adiacens in suum participium et uerbum „sum" more dyalecticorum copulam aut conuersionem indagantium vulgaribus verbis resoluunt, ineptam superfluitatem taxaui. Non id Sueuiae non id elegantibus atque doctis detrahit . . ." — Vgl. De inepta et superflua uerborum resolucione in cancellis etc. s. l. e. a. (1503) 4°: „. . . dixit Iesus, ibat, ambulabat, sanabat, docebat, respondebat: *der Herre was sprechen, er was gon, er was wandeln* etc. ubi simplex uerbum Germanicum sufficeret: *der Herr sprach, er ging* etc. uellem omnibus illis ineptis expositoribus persuaderi posse, ne sic Germanicam linguam deprauarent neue talem abusum patriae nostrae inferrent." Vgl. auch Wi. Vita Keiserspergij.

2) Thomas Aucuparius (Nachtigall) aus Strassburg.

X.

Confirmacio dicti mei de nuditate.[1])

Iudei quamuis ignominiosissima morte Christum affecerint nihil
tamen in eo patrare potuerunt nisi quod ipse Christus vellet aut
permitteret in se committi et fieri, dicente ysaia oblatus est quod
ipse voluit. Sed Christus nihil permisit in se exerceri quod esset
contra decorum et honestum, inhonestum autem et indecorum fuisset
Christum vel coram matre virgine pudicissima et alijs virginibus et
matronis que stabant iuxta crucem Ihesu genitalia sua sustinuisse
videri. Et si poncius aut centurio romanam honestatem (quod in
scenas absque subligaculo nemo prodibat) in nostro saluatore non
obseruasset, tamen verisimile est vel Nicodemum vel alium deuotum
discipulum exuto vestibus Ihesu genitalia tegmine aliquo contexisse
ne absque subligaculo pendens ab uniuerse circumstantibus saltem
venerandis pudicissimisque virgunculis integerrimisque matronis ex
omni parte nudus conspiceretur. Si sanctum Franciscum a paren-
tibus exutum subligaculo et vili amictu cooperuit episcopus crediderim eam pietatem et honestatem ab aliquo vel romano vel occulto
saltem discipulo circa Ihesum fuisse impletam. Et nisi hoc factum
fuisset christus conformasset in ara crucis sacris priapi, in quibus
pudenda gentiles populo denudabant . pius modus autem inductus
est sacerdotibus foemoralium vsus ad tegmentum pudendorum, vt
hoc thomas in prima oracione. Absit ut Christus uiui et ueri dei
filius in hoc summo et saluberrimo sacrificio in quo ipse fuit sacerdos
et sacrificium fuit ille qui offerebat et cui offerebatur et hoc quod
offerebatur non abhorruisse a similitudine sacrificij priapei. Possem
hic adducere Lactantium antiquum theologum lv quod detestando
inter cetera dicit Quomodo pudiciciam tuebuntur qui colunt deam
nudam et quasi apud deos prostitutam. Quantam deuocionem sugge-
reret meditacio crucifixi eciam per pudenda denudati nouit probe
inclytus Iohannes Gerson, vir apud parisienses maxime auctori-
tatis et reuera doctus purus atque deuotus et summus animarum
zelator et ad serenandas pacificandasque consciencias aptissimus
doctor (misereatur illorum deus qui sue fame suisque studiosissimis-
que scriptis detrahunt). Is inquam Gerson in fine de exercicijs
discretis deuotorum simplicium (vbi eciam expresse femoralium
christi mencionem facit) satis pensiculate recenset compertum esse
ex nimia nudi corporis dominici consideracione execrandas et pla-

---

1) Theilweise gedruckt in Wimpfelings Appologetica declaracio
Bl. Cij unter der Ueberschrift Defensio et munimenta contra Salassam de
nuditate Crucifixi.

sphemas cogitaciones profluxisse.[1]) Non aliter uidetur sensisse diuus Augustinus in quarto de doc. christiana ante finem, vbi noe a medio filio denudatum et a maiore et minore conteotum typum dicit fuisse future vite et ymaginem dominice passionis expressisse. Si ergo Noe nudatus et mox opertus fuit cur non Christus a Judeis omnino denudatus ab alio homine honestatem amante fuisset in ea corporis parte de qua disputamus pie contectus? Ambrosius dixit contrarium. Ad Ambrosium dico (cum eius bona venia) quod auctoritas sua tantum probat quantum_racio convincit? Ambrosio Hieronimus obuiat asseuerans eius scripta a falsarijs deprauata. Et Augustinus videtur id ipsum velle atque Gerson, nobiscum consentit et deuotissimus Bernhardus singularis cultor et exactissimus deuotissimusque explorator passionis dominice. In cantico suo sic loquitur ad Christum. O quam pauper o quam nudus qualis es in cruce ludus diuersorum iocus factus sponte tamen non coactus attritus membris omnibus, sanguis tuus habundanter fusus fluit incessanter, totus lotus in cruore stans immotus in dolore precinctus, vili tegmine. Quid quod et seraphicus ille doctor bonauentura huic nostre sentencie astipulatur in libro cui lignum uite nomen est Ita dicens in capitulo Ihesus cruci clauatus ibique totus exutus vili dumtaxat tectus ad renes sudariolo. Neque crediderim clerum aquensem septingentis iam annis errauisse qui panniculum eum quo christus contectus fuit populo ostentant. Et a Carolo magno germano cum alijs sacratissimis reliquijs ad germaniam et ciuitatem aquensem aduectus perhibetur, de quo (Bl. 297) ibidem iam dudum hec sequencia carmina haud dubie non ab re neque falso conscripta fuisse et in perpetuum lectum iri constat.

Carmina sequencia sunt in ciuitate aquensi describencia reliquias quas Carolus magnus ex terra sancta secum adduxit post archam beate virginis in Aquisgrani.[2])

> Hic matris Christi camisia clauditur isti
> iungitur et pannus cum quo fuit in cruce tectus
> Nudus saluator hominis lapi reparator
> Et sunt hic grati panni tibi dico locati

---

1) In der Appologetica declar. (1505) ist hier eingeschaltet: „Idem Gerson multis iam et miris apud Lugdunum claret miraculis vt grauissimi viri referunt Et lugdunen. capitulum ad reuerendum patrem Christophorum Basilien. episcopum clarissime scripsit." Dieser letzterwähnte Brief dd. 22. Febr. 1504 findet sich in Wimpfelings De vita et miraculis Ioannis Gerson s. l. e. a. (1506) fol. Aiij b.

2) Von dem folg. ist nur das in Klammern eingeschlossene gedruckt. Ob die Verse von Wimpfeling herrühren, was höchst wahrscheinlich ist, liess sich nicht feststellen.

Cum quibus in stabulo natus mox uoluitur ipso
Pannum baptiste domini retinet locus iste
Mortis memento rubricatum quisque memento
Singula predicta dextra Charoli benedicta
De grecis lata . nobis fore munera contra
que nos et gentes conseruent huc uenientes.

In latere ymaginis beate uirginis In aquisgrani alia carmina
magis tersa priorem continentia sentenciam.

[Aduena siste pedem . locus hic tibi mira relatu
  Christifere ostendet uirginis indusium
Subligarem et pannum quo nostre membra salutis
  In cruce carnigeri tecta fuere dei
Panniculi et quibus est puer ad presepe uolutus
  Factus et immunis frigoris omnipotens
Adde eciam pannum baptiste morte sacratum
  Septenni spacio hec cernere quisque potest
Carolus a grecis nostram huc aduexit ad vrbem
  Hoc posuitque loco . laus tibi summe deus.]

Neque uolo silencio pretereundum existimari facille tersissimum
illud deuotissimumque disthycon nostratis eruditissimi Rhabani Re^{mi}
quondam Metropolitani sedis Maguntine archiepiscopi quod in eius
ipsius admirabili opere de laudibus sancte crucis[1]) inscripto iam
pridem offendi. Hunc enim in modum canit in eo carmine cuius
principium est Ast soboles dni . . . .

Hec pie sencio subiciens me florentissimo et maximo parisiensi
gymnasio ymmo (si opus sit) iudicio sacro sancte Romane ecclesie
et Romani pontificis definicioni quem uerum christi vicarium confiteor
omni veneracione dignum, cuius censuras metuendas affirmo cuius-
que potestati et protectioni me dedo offero subdo et humillime commendo.

----

1) Wimpfeling liess selbst vier Jahre später Magnencii Rhabani
Mauri De laudibus sancte crucis opus eruditione versu prosaque miri-
ficum (Phorce 1503. f^o) erscheinen.

M. Luthers Bilderpolemik gegen das Pabstum von 1545.

Von

Camillus Wendeler.

Janssens und Köstlins wiederholte Erörterungen über die in einem Wittenberger Nachdruck „Abbildung | des | Bapstum | durch | Mart. Luth. D. | Wittemberg. | 1545." genannte[1]), zuerst aber ohne Titelblatt erschienene Flugblattfolge, deren grobkörnige Satire in gewissen Einzelheiten selbst dem an Nuditäten jeder Art gewöhnten Geschmack des 16. Jahrhunderts roh und widerwärtig erschien, haben die Frage nach dem Ursprung derselben eher verdunkelt als aufgeklärt.[2])

·Dass zunächst das aus zehn parweise zusammengehörigen Caricaturen mit lateinischer Ueberschrift und gereimter deutscher Erklärung bestehende Heft unter Martin·Luthers Werke einzureihen ist, ·wird niemand zweifelhaft sein, der das Wesen der für die niederen, des lesens wenig kundigen Volksschichten

---

1) In 4°, zuerst beschrieben im Allgemeinen litter. Anzeiger IV (1799) S. 94. Exemplare je zwei in Berlin und Weimar. Die hier in sehr abgenutzter und beschädigter Form verwandte Titeleinfassung benutzte von 1528—1537 der Wittenberger Drucker Joseph Klug, daneben auch 1530 (Ein Wid-|deruff vom Fegefeur. | Mart. Luther. | Wittemberg.| 1530. |) Georg Rhaw und 1537 Nickel Schirlentz (Zwo | schöne tröst-|liche Predigt zw| Smalkalden | gethan, | durch | D. Mart. Lut. | M. D. XXXVII). Der Holzstock ist hier zuletzt in· der Oeffnung rechts ausgebrochen und dadurch bei weiterm Gebrauch die Abstossung der Ränder veranlasst.

2) Vgl. Jul. Köstlin, Luther und J. Janssen etc. Halle 1883. S. 64. Dagegen Joh. Janssen, Ein zweites Wort an meine Kritiker etc. Freiburg 1883. S. 97 und wiederum Köstlin, Ueber Janssens Schrift: Ein ·weites Wort etc.. Halle 1883. S. 79.

bestimmten Bilderlitteratur der Reformationszeit kennt. Zum Ueberfluss stellen diese Thatsache unverdächtige Zeugnisse, die bis auf Luther selbst zurückgehen, durchaus sicher.

Das bereits von Schuchardt, Lucas Cranach III (1871) S. 230 erwähnte Exemplar des Oberdompredigers Dr. Augustin in Halberstadt, jetzt in der Luther-Halle zu Wittenberg, welches ich durch die Gefälligkeit des Herrn Professor Dr. Dorner mit Musse in Berlin benutzen konnte, hat auf dem ersten Folioblatte, dessen Rückseite den Holzschnitt 'ORTVS ET ORIGO PAPAE' zeigt, unten folgende Einzeichnung:

„1545.

Cum eodem anno, quo sunt æditæ hæ imagines, describentes papam, papatum et totum eius regnum, Reuerendum patrem foelicis memoriæ, d. doctorem Martinum Lutherum, interrogarem, de caussis æditionis, Respondebat: Scio me non diu superstitem fore, et tamen milia adhuc habeo, quæ mundo de papa et eius regno reuelanda essent, Quare has ædidi figuras et imagines, quarum singulæ integrum librum repræsentant, contra papam et eius regnum scribendum, vt coram toto mundo testarer, quid senserim de papa et eius diabolico regno. [Et sint meum testamentum aiebat.[1])] Atque ideo nomen addidi meum, ne ut famosi libelli accusari possint. Jam si quisquam est, læsus, aut lædetur his imaginibus, coram toto imperio paratus sum reddere rationem æditionis.

Hæc respondebat mihi interroganti ex parte Lutherus primo Vitenbergæ in suo hypocausto[2]) Idibus Maij, deinde Mersenburgi Nonis Augusti, etc. An: 1545.

M. Mathias Wanckel."

Darüber liest man am oberen Rande von derselben Hand:

„Paulo ante obitum, Reuerendus pater, d. doctor Mart. Lutherus, Islebiæ vbi et diem clausit 18. Feb. Anni 1546 Hæc dixit quæ sequuntur de his suis imaginibus:[3])

---

1) Das in [ ] gesetzte mit Einordnungsstrichen am Rande.
2) Du Cange ed. Henschel III, 740 belegt auch hypocaustorium.
3) Die nachfolgende deutsche Stelle auch in den. von J. Aurifaber

Ich hab den Bapst, mitt den bösen Bildern sehr
erzürnet, O wie wird die Saw den bürtzel regen, Vnd
wen[n] sie gleich mich tödten, so fressen sie den Dreck,
so der Bapst in der hand hatt, Ich habe dem bapst
eine gulde[n] schaln in die hand gegeben, do sol ersz
erst credentzen. Ich hab einen grossen vorteil. Mein
Herr heist Schefflimini, der sagt, Ego resuscitabo vos
in nouissimo die, vnd wird so sagen, Doctor Martine,
Doctor Jonas, Herr Michael, kompt herführ, und alle
bey namen nennen, wie Christus im Johanne saget, Et
vocat eas nominatim, Wolan seit vnerschrockhen etc."

Es kann wol kaum bezweifelt werden, dass diese bald
nach Luthers-Tode gemachten Aufzeichnungen des seit 1542
als Pastor an der Moritz-Kirche zu Halle angestellten M. Mathias
Wanckel, der dem Reformator in den letzten Jahren ziemlich
nahe gestanden[1]), schon dem Bruder desselben, jenem Hammel-
burger Bürgermeister Andreas Wanckel, bei Abfassung seines
Manuals vorgelegen haben — sie erscheinen dort (Unschuldige
Nachrichten Von Alten und Neuen Theologischen Sachen etc.
Auff das Jahr 1712. Leipzig, Joh. Fr. Braun, S. 951 und 952[2])
unter „Gedancken und Sprüche H. Schrifft, die zum Andencken
theils in Bücher geschrieben, theils sonsten geschrieben

---

herausgegebenen Tischreden . . . Mart. Luthers etc. Eisleben, bey Vrban
Gaubisch 1566 2°: Bl. 26ᵇ mit einigen Abweichungen: Berzel in die
höhe — Vnd wen] aber ob — fresse sie erst dreck — Bapst,
welcher auff der Sawen reit — hab — güldne schalen — da
— heisset — Schefflemini — saget — suscitabo — er] fehlt —
denn also — Jona — Coeli kömet — wird vns alle — der HErr
Christus — eos. Vgl. Förstemanns Ausgabe 1, 82.

1) Ueber ihn siehe Gedenkschrift an das 700jährige Jubelfest der
St. Moritz-Kirche in Halle. Halle 1856. S. 39, besonders aber Leben
Barth. Bernhardi, von Feldkirchen etc., vorgestellet Von J. H. Feustking
zu Kemberg. Sampt einem Anhang Derer daselbst gewesenen Pröbste.
Wittenberg, G. Zimmermann, 1705. 4°. S. 54—60. Seidemann in de Wettes
Briefen Luthers VI, 265, resp. V, 422, ferner Burkhardt, Luthers Brief-
wechsel S. 2 und 409.

2) Die a. a. O. 951 dazwischen stehenden Sancta νοήματα Rever.
Patris D. M. L. 16. Febr. 1546 sind Abschrift eines Zettels von Luthers
Hand: s. Seidemann a. a. O. VI, 414.

2*

übergeben seyn von Herrn Luthero und seinen Gehülffen etc."
fast wörtlich wieder, nur unter irriger Datierung von 1544 —
und sie müssen somit als Originalquelle der, nach Burk-
hardts Vorgang a. a. O. S. 470, von J. Janssen gegen
Köstlin in dem zweiten Wort an seine Kritiker S. 98
angezogenen Stelle gelten, welche beweisen soll, dass
Luther dem Maler Lucas Cranach die „Anleitung" zu den
Bildern bis ins einzelne gegeben und daher für die ganze
Roheit derselben als Erfinder in Anspruch zu nehmen sei.

Aber gesetzt auch, bei Herstellung der polemischen Bilderlitteratur des 16. Jahrhunderts wäre die Thätigkeit des aus-
führenden Künstlers eine mehr receptive gewesen, derselbe
habe oft nicht nur die allgemeine leitende Idee — was von
Lucas Cranach d. ält., Tobias Stimmer und andern Meistern
gleicher Bedeutung zu glauben schon schwer fällt —, sondern
sogar die Durchführung derselben bis ins Detail vom bestellen-
den Autor vorgeschrieben erhalten: angesichts der von Schuchardt
(II, 253) zusammengestellten brieflichen Aeusserungen Luthers
über das „Ortvs et origo Papae" überschriebene, aller Wahrscheinlichkeit nach erste Bild der Reihe, kann eine unbefangene
Kritik in Bezug auf diese Spottblätter Luther nur für das
verantwortlich machen, was seine als Directive dem Maler
übergebenen, keineswegs erst nach Fertigstellung der Holzschnitte fabricierten Reime besagen. Es verschlägt dabei
gar nichts, dass Förstemann am Schluss seiner Beschreibung
des Hallischen Exemplars im Serapeum II; 40 Luthers am
3. Juni 1545 an N. Amsdorf gerichteten Brief mit der Bemerkung: „Nepos tuus Georgius[1]) ostendit mihi picturam
Papae, sed Meister Lucas ist ein grober Maler (Schuchardt
a. a. O.: sed mester Lucas est ein grober maler). Poterat
sexui feminino parcere propter creaturam Dei et matres nostras.

---

1) Nicolaus Amsdorff blieb unverheiratet. Hier ist der älteste der
fünf Söhne seines Bruders Bartholomäus gemeint, den er mit den andern
nach dem Tode des Vaters (1545) zu erziehen hatte: s. Jul. Meier, Nicol.
v. Amsdorfs Leben in Meurers Altvätern der luth. Kirche III, 230. Er
studierte in Wittenberg, wurde des Naumburger Bischofs wegen mannigfach begünstigt, war aber ein etwas lockerer Geselle: a. a. O. 231. Im
Corp. Ref. VI, 93 wird er fälschlich Amsdorffs Sohn genannt.

Alias formas Papa dignas pingere poterat, nempe magis diabolicas: sed tu judicabis." anzieht und daraus auf noch ein anderes jetzt unbekanntes Bild Cranachs gegen den Pabst zu schliessen geneigt ist, „da sonst Luther mit der Rüge gewiss nicht zurückgehalten und das Bild unterdrückt haben würde". Diese Voraussetzung, noch mehr aber die daran geknüpfte Vermuthung über einen ursprünglich als Titelblatt für Nic. Amsdorffs „Kurtzen auszug auss der Cronica Naucleri, wie vntrewlich, aigenwillig vnd betrüglich die Bäpste zů Rom mit den Rhömischen Kaysern, Beuorab Teutsches nammens und blůts, gehandelt haben ... M. D. XXXXV." von Cranach geplanten anstössigen Holzschnitt, der durch Luthers Dazwischenkunft weggeblieben, wird sofort hinfällig, wenn man sich vergegenwärtigt, dass die Aeusserung vom 3. Juni in Verbindung mit der voraufgegangenen vom 8. Mai und der folgenden vom 15. Juni nur auf eine bildliche Darstellung zu einer Luther'schen Publication gehen kann, die der Reformator bis dahin selbst noch nicht gesehen, von der aber Amsdorff — vielleicht durch seinen Neffen, den erwähnten Georg — Kunde erhalten. In seinen, wie es scheint, leider verlornen Briefen, die jeden Zweifel heben könnten, äusserte er Bedenken über die Anbringung heidnischer mythologischer Gestalten auf diesem ersten Bilde der Folge. Darauf erwiderte Luther, dem das Spottblatt bis zum 8. Mai noch nicht vor Augen gekommen — die Identität desselben geht mit absoluter Gewissheit aus dem Schreiben vom 15. Juni (de Wette V. 743) hervor — an diesem Tage (a. a. O. V, 740), also wol auf Grund der voraufgegangenen Verabredungen mit Cranach: „De furiis tribus, Reverende in Christo Pater, nihil habebam in animo, cum eas Papae appingerem, nisi, ut atrocitatem abominationis papalis atrocissimis verbis in lingua Latina exprimerem. Latiui enim ignorant, quid sit Satan vel Diabolus, sicut et Graeci et omnes gentes. Ideo a posteriori et effectu finxerunt ista nomina. Megaera dicitur ab invidia et odio. Haec est Diaboli malitia, qua invidet humano generi salutem aeternam et temporalem (hindert das Gute) sicut et Papa facit, imitator et simia Satanae. Alecto dicitur quasi incessans, indesinens. Hanc poëtae omnium pessimam et luctificam faciunt, (treibt alles Böse) quae ista

horribilia in mundo perpetrat, ut parricidia, matricidia. Hunc
Diabolum nos Christiani possumus appellare serpentem anti-·
quum, qui in Paradiso genus hominum aeternis et temporalibus
per infinita genera miseriarum malorumque luctibus perdidit,
et adhuc quotidie novis luctibus, per Papam, Mahmet, Cardi-
nales, Moguntinum Episcopum etc. mundum replet, nec potest
cessare aut moderari suas luctificas calamitates etc. Tisiphone
dicitur ultrix caedium. Ea fingitur esse passiva furia (reizet
seinen Zorn) i. e. ira Dei, qua puniuntur tyranni et mali pro
effectibus duarum priorum furiarum, qualem patiebatur Cain,
Saul, Absolon, Ahitophel, apud gentes Orestes, Ajax et multi.
Hanc nos christiani proprie diceremus istos daemones, quibus
obsessi tenentur et 'insani furunt, qui etiam blasphemant Deum.
Haec regnat praecipue in Papae et haereticorum opinionibus
et dogmatibus blasphemis, digna mercede erroris sui damnatis.
Alia non habeo.".

· Stellt nun der von Lucas Cranach ausgeführte Holzschnitt,
für welchen Luther ausser der Ueberschrift ORTVS ET ORIGO
PAPAE als Erklärung die Reime

> Hie wird geborn der Widerchrist
> Megera sein Seugamme ist:
> Alecto sein Kindermeidlin,
> Tisiphone die gengelt jn.
>
> Mart. Luth. D.

im voraus entworfen und festgesetzt, die Furien als bei der
Wartung und Pflege des Pabstkindes beschäftigt dar, so werden
wir darin, auf Grund der vorstehenden Erläuterungen, den
adaequaten bildlichen Ausdruck Lutherscher Gedanken anerkennen müssen: ausgehend von der in seiner Schrift „Wider
das Bapstum zu | Rom vom Teuffel gestifft, | Mart. Luther D. |
(Holzschnitt) | Wittenberg, 1545. | durch Hans Lufft in 4⁰."
lebhaft vertheidigten These über den teuflischen Ursprung des
Pabstums und seiner Träger, wollte er hier, der Fassungs-
kraft ungebildeter Volkskreise angepasst[1]), vorführen, wie das

---

1) Joh. Mathesius sagt in „Historien Von des Ehrwirdigen . . .
Martini Luthers anfang etc. Nürnb. 1566." 4⁰. Bl. Yy1ᵇ (1570 Bl. 167ᵇ):

„Monstrum Satanae" (de Wette V, 713. 737. 754 u. ö.) getränkt, geleitet und gegängelt werde durch die nach antiker Weise personificiert gedachten Eigenschaften des bösen. Die Schilderung des Geburtsactes selber, welche Cranach daneben anbrachte — eine breitmäulige Teufelsfratze mit hängenden Brüsten und aufrechtstehendem Schwanz befördert in hockender Stellung auf dem natürlichen Wege den Pabst nebst fünf Cardinälen[1]), die Köpfe nach unten, ans Tageslicht — lag so wenig in seinen Intentionen „propter creaturam Dei et matres nostras", dass er am 3. Juni 1545 „der teuflischen· Natur des Pabstes mehr angemessene Formen" wünschte und am 15. ejusd. m., wiederum an Amsdorff, unter heftigen Steinschmerzen schrieb (de Wette V, 742 ff.): „Ego hac tota nocte nihil dormivi neque quievi, a doloribus carnificis mei[2]) et Satanae mei, calculi etc. Nescio quando sim enixurus hunc foetum odibilem ... Agam diligenter, si superstes fuero, ut Lucas pictor foedam hanc picturam mutet honestiore. Ego jam institueram secundam partem contra Papam, et Breve illud contra Sacramentarios; et ecce irruit calculus meus, meus, utinam non meus, sed etiam Papae et Gomorraeorum Cardinalium, quo habebent, quod esse eos diceret homines."

Es scheint so, als wenn sich Nic. Amsdorff zum zweiten Male über das anstössige Bild geäussert hätte. Dass aber Luther hier von keinem zu Amsdorffs harmlosem „Auszug auss der Cronica Naucleri" geplanten extravaganten Holzschnitt

---

„Drauff liesz er im 45. Jar, das gewaltig vnd ernstlich buch wider das Bapstumb vom Teufel gestifft, vnnd mit lügenhafften zeychen fortgebracht, vnnd bestetigt, auszgehen, wie er auch disz Jar viel scharpffer gemelde abcryssen liesz, darinn er den Leyen, so nicht lesen kondten, des Antichrists wesen vnnd grewel fürbildet, wie der Geyst Gottes inn der offenbarung Johannis die rote Braut von Babilon hat abcontrofactirt, vnnd M. Johan Husz sein sach inn bilder fasset, darinn er den Herrn Christum und den Antichrist allen leuten fürstellet."

1) Der Pabst wird hier wie sonst durch die dreifache Krone kenntlich gemacht, die Cardinäle durch ihre Hüte; nur der eine (Albrecht von Brandenburg?) trägt wie auf der 7. Caricatur eine Mütze.

2) Sicherlich mit Bezug auf den 7. Holzschnitt gesagt.

sprechen kann, der dort weder vorhanden noch in dieser
Form überhaupt denkbar ist — wenigstens passte ein
solcher gar nicht zu der ruhig referierenden, ausser einem
Vorwort nichts eignes enthaltenden magern Schrift —, sondern nur von einem in dem mehrerwähnten Heft wirklich
vorliegenden, machen auch die oben markierten entfernteren
Anspielungen auf ein anderes Blatt desselben (Nr. 7) zur Genüge deutlich.

Soweit sich aus Luthers Reimen („Hie wird geborn der
Widerchrist" u. s. w.) und den angezogenen Briefstellen ergibt,
insbesondere auch aus der Bemerkung „M. Lucas poterat
sexui feminino parcere" etc., hätte Cranach seiner Absicht
mit einer Wochen- oder Kinderstube vollauf entsprechen, in
der die Furien des Pabstkindleins warteten und allenfalls die
Teufelsmutter im Bett lag, etwa wie bei der bekannten jüdi-
schen Säubetterin Tobias Stimmers mit den Versen Fischarts
(Kurz III, 70ff., vgl. S. XVIII); die widerwärtige Darstellung
des Geburtsactes selbst kommt allein auf das Conto des Malers,
wenn sie sich vielleicht auch durch ein Missverständniss der
ihm als Directive übergebenen Reime Luthers erklärt.

Was übrigens die Zeit des erscheinens der Folge angeht,
so ist es durchaus irrig, aus Luthers Aeusserung vom 15. Juni
1545 „Ego jam institueram secundam partem contra Papam ..."
auf die bis dahin noch nicht veranlasste Ausgabe derselben,
wie zur Unterstützung der Förstemannschen Hypothese von
der Existenz eines andern jetzt unbekannten Cranachschen
Bildes gegen den Pabst bemerkt wurde, zu schliessen. Diese
pars secunda contra Papam geht nicht auf unser Heft mit den
zehn Caricaturen, sondern auf eine Fortsetzung der unter sehr
beengten Verhältnissen ausgearbeiteten und schliesslich abgebrochenen Schrift „Wider das Bapstum zu Rom vom Teuffel
gestifft". In dieser, einer Antwort auf das bekanntgewordene
päbstliche Breve vom 24. August 1544 an Karl V. über das
neu zu eröffnende Trienter Concil, welche Ende März ausgegeben wurde[1]), klagt Luther schon am Ende der Einleitung

---

1) S. den Brief an Philipp von Hessen vom 21. März 1545 (Seidemann bei de Wette VI, 873): „Mein Büchlein wider das teuffelische
Bapstum wird bis Donnstag ausgehen." Bis spät in den Januar hinein

Bl. F 3ᵃ: „ich mus hie auffhören oder sparen, was ich mehr wider die Brieue vnd Bulla zu schreiben habe, denn mein kopff ist schwach, vnd füle mich also, das ichs villeicht nicht möchte hinaus füren, vnd doch noch nicht bin komen dahin, das ich mir fürgenomen habe in diesem Büchlin zu schreiben, Welchs ich wil zuuor ausrichten, ehe mir die kreffte gar entgehen. Denn drey stück hab ich mir fürgenomen u. s. w. Bleibt mir etwas vber von krefften, wil ich wider an seine Bullen vnd Brieuè mich machen" u. s. w. Ferner am Ende des ersten Stücks Bl. V 3ᵇ: „Es ist mir dis Büchlin zu gros vnterhanden worden, vnd wie man sagt, Das alter ist vergessen vnd wesschicht, ist mir villeicht auch also geschehen" u. s. w. Dann Bl. X 1ᵃ: „Obs war sey, das den Papstesel niemand vrteilen noch richten könne . . . ., kau ich dismal nicht in die lenge handeln, Wils aber, so ich lebe hernach thun, ob Gott will." Und endlich Bl. Aa 3ᵇ: „Aber hie mus ichs lassen, wils Gott im anders (l. andern) Büchlin wil ichs bessern. Sterbe ich in des, So gebe Gott das ein ander tausend mal erger mache."

Aehnlich bestimmt und keineswegs auf die Bilderfolge deutend lauten die Aeusserungen in den Briefen des Reformators, z. B. sogleich in dem Dankschreiben an Amsdorff vom 14. April, das auch sonst werthvolle Nachrichten über den unmittelbaren Eindruck der Schrift enthält (de Wette V, 728): „institui reliquum libellum contra Papatum absolvere, dum vires sinunt." Ebenso in dem Billet an Fr. Myconius vom 1. Mai (a. a. O. 731): „Alia nunc mihi seni et moribundo sunt, quae agam, cum nunc totus sim Papista, denuo factus" etc. und, wieder an Amsdorff, am 7. ejusd. m. (a. a. O. 737): „Ego meditor alterum librum contra papatum. Sed differt me capitis valetudo, imo epistolarum scribendarum infinitas" etc.

Mindestens Mitte Mai lagen, wie aus Mathias Wanckels Einzeichnungen hervorgeht („Haec respondebat mihi interroganti ex parte Lutherus primo Vitenbergae in suo hypocausto Idibus Maij [also am 15. d. Mts.], deinde Mersenburgi

hatte er das Breve noch für ein Pasquill gehalten (s. de Wette V, 713. 720), indessen war er gleich anfangs zum schreiben bereit, „si valetudo et otium permiserit".

Nonis Augusti [d. i. 5. August] Anni 1545.") Cranachs Holzschnitte mit Luthers Reimen vor, während — wie gesagt —
der geplante zweite Theil der Schrift wider das Pabstum am
15. Juni noch ausstand und schliesslich ungeschrieben blieb.
Die Angaben Mathias Wanckels sind, soweit sie sich auch
sonst controlieren lassen, genau: z. B. gewährleisten das angegebene Augustdatum über sein damaliges zusammensein mit
Luther auch die von ihm am 4., 5. und 6. August in Merseburg und Halle nachgeschriebenen und dann in Druck gegebenen Predigten Luthers.[1]) Der Reformator hatte damals
Wittenberg, aus Unmuth über die dort bestehenden Verhältnisse, heimlich verlassen, s. den Brief an seine Hausfrau bei
de Wette V, 752 und dazu Burkhardt a. a. O. S. 475—477,
ferner Koldes Analecta Lutherana S. 416. 417.

Ausser dem durch K. E. Förstemanns Aufsatz im Sera-
peum II (1841) S. 33—40 bekannt gewordenen Exemplar einer
Originalausgabe auf der Marien-Bibliothek in Halle (= H) weiss
Schuchardt (II, 254. III, 230) noch von zwei andern, dem, wie
es scheint, in Bezug auf die Legenden nicht völlig mit dem
Hallischen übereinstimmenden der Goethischen Bibliothek in
Weimar (= G) — vorausgesetzt, dass Schuchardts Beschrei-
bung a. a. O. 249—252 auf diesem beruht[2]) — und dem

---

1) „Zwo Predigt D. | Martini Luthers, Die erste, Vom | Reich Christi
. . . | Die ander, Vom Ehestand . . . | Gepredigt zu Merseburg. |
Gedruckt zu Wittemberg | durch Georgen Rhaw | Anno XLVI", in 4°, mit
Vorrede M. Wanckels, „Pfarrers zu Halle zu S. Moritzen", an Georgen
Fürsten zu Anhalt. Die erste hielt Luther am 6. August 1545, die andere zwei Tage vorher, wie die Ueberschrift Bl. E 8b ergibt, „auf des
Ehrwirdigen herrn Sigmunds von Lindenau, des Stiffts Merseburg De-
chants Hochzeit, den vierden tag Augusti, im M. D. XLV. jare",
beide in Merseburg. Dazwischen, am 5. August, predigte er in dem
nahegelegenen Halle: „Ein Sermö | Vber . . . Joannis am V. Su-|cbet
in der Schrift. | D. Mart. Luth. | Gedruckt zu Wittem-|berg etc 1546",
in 4°. Die Widmung M. Wanckels geht an „Bürgermeister vnd Radt-
manne[n] der loblichen Stad Halle".

2) Durch Flüchtigkeit bei der Benutzung der im Serapeum vorliegenden Angaben können die zum Theil charakteristischen Textab-
weichungen kaum entstanden sein, zumal Schuchardts Schilderung der
Holzschnitte selbst durchaus selbständig, auf Grund eines ihm vorliegenden

Augustinschen (= *Wa*). Die von ihm nach Förstemann erwähnten beiden Berliner Blätter aus v. Naglers Sammlung auf dem kgl. Kupferstichcabinet in Berlin (= *B*, in Mappe IV, o) gehören aber weder zu *GH* noch zu *Wa*, sondern sind spätere, allerdings noch aus dem 16. Jahrhundert stammende Nachschnitte, keineswegs die von Schuchardt III, 231—235 erwähnten mit der Jahreszahl 1617. Weiter sah ich vor Jahren sechs zur Folge *GH* tretende Blätter im Germanischen Museum (= *N*), die vielleicht aus Drugulins Besitz stammen; wenigstens verzeichnet dieser in seinem Historischen Bilderatlas I, 135 Nr. 3088—3090. II, 20 Nr. 104—110ᵃ neun Holzschnitte, d. h. die ganze für den Wittenberger Nachdruck von 1545 (?) copierte Reihe. Endlich hat auch Herr Rittmeister Heyl in der von ihm am 10. Novbr. 1883 gestifteten „Luther-Bibliothek des Paulus-Museums der Stadt Worms" als Nr. 48 auf S. 47 „9 Holzschnitte in Folio von Lucas Cranach, mit darunter befindlichen derben Versen Martin Luthers, dat. 1545 (und numeriert I—IX)", welche er soeben durch K. Th. Völckers Verlag in photographischer Reproduction (= *Wh*) weiteren Kreisen zugänglich macht.

Da indessen auch diese in der Anordnung erheblich abweichende Reihe unvollständig ist, der Text derselben sich ausserdem nicht völlig mit *Wa* oder *GHN* oder *B* deckt, wenn auch die Holzschnitte in *Wh* mit denen von *Wa* identisch sein dürften — also wol von späterer Benutzung derselben Stöcke herrühren —; so glaube ich nichts unnöthiges zu thun, wenn ich jetzt auch noch das in der Luther-Halle befindliche Exemplar der Editio princeps hier ausführlich beschreibe, unter Beifügung der Varianten, auch der orthographischen, von allen mir bekannten Ausgaben.

I. Bild: s. oben S. 22.

Die Breite des durch einen Strich umzogenen Holzschnittes beträgt 10½ Cmtr., die Höhe 14½ Cmtr., ebenso bei dem folgenden. In *GH* ist er der zweite, in dem Wittenberger Nachdruck aber auch der erste; in *Wh* unten mit IX. bezeichnet.

Exemplars, gemacht ist. Nur die unterlassene Anwendung der Versalbuchstaben bei den Ueberschriften dürfte auf sein Conto kommen.

Letztere Ausgabe hat an den Seiten des Holzschnittes noch
Randleisten, hier wie immer. Der Holzschnitt des Nachdrucks (angeblich von 1545) ist dem Original nur wenig ähnlich. Drugulin a. a. O. II, 21 Nr. 108. Fehlt in *N* und *B*.
Jede der Furien wartet ein besonderes Pabstkind; die eine
säugt es, die andere leitet seine ersten Schritte, die dritte setzt
die Wiege in Bewegung. Varianten in *GH*: 'geboren', in *G*
und im Nachdr. 'M. seine', im Nachdruck: 'Seugamm' und
'1545', letztere Zahl auch unter dem Namen in *GH Wh*, in
Wh hier wie immer 'Luther' ausgeschrieben. Auch weicht
die Interpunction ab.

II. Bild.

Ueberschrift: MONSTRVM   ROMAE   INVENTVM
MOR|TVVM IN TIBERI . ANNO 1496.

Unterschrift:

> Was Gott selbst vom Bapstum hellt
> Zeigt dis schrecklich bild hie gestellt:
> Dafür jederman grawen sollt:
> Wenn ers zu hertzen nemen wollt.

Mart: Luth: D.

Der Holzschnitt, auf einem mit dem vorhergehenden unmittelbar zusammenhängenden Folioblatt — es ist eine Nachbildung jenes berühmten, nur in wenigen Exemplaren (aber z. B.
in Dresden) erhaltenen Kupferstichs ROMA CAPVT MVNDI[1]),

---

1) Derselbe, früher dem Wenceslaus von Olmütz zugeschrieben (siehe
Passavant, Peintre-Graveur II, 135 Nr. 71; Champfleury, Histoire de la
Caricature sous la réforme etc. Paris, E. Dentu [1880] S. 65; a. a. O. 66
eine verkleinerte Reproduction desselben), wurde mit grösserm Rechte
(vgl. auch Bucher, Geschichte der technischen Künste II, 21) von Moriz
Thausing im Leben Dürers (Leipzig 1876) S. 185 ff. dem Lehrmeister
Dürers, Michael Wolgemut, beigelegt. Melanchthon hatte ihn
vorher schon einmal nachzeichnen lassen, 1523 für die „Deuttung der
zwo grewlichen | Figuren Bapstesels zu Rom vnd Munchkalbs | zu Frey-
berg jn Meyssen funden | Philippus Melanchthon | Doct. Martinus luther. |
Wittemberg M. D. XXIII“ in 4° (Panzer, Annalen II, 164 Nr. 1805), wo
er auf der Rückseite des Titelblattes erscheint, jedoch etwas schmäler
und im einzelnen abgeändert, s. auch Schuchardt a. a. O. II, 249 Anm.
Die kgl. Bibliothek in Berlin besitzt 8 verschiedene Drucke der „Deuttung“ mit zum Theil immer wieder neuen Holzschnitten. Erheblich

der die Bilderpolemik gegen das Pabstum schon vor der Reformation eröffnet — zeigt links im Hintergrunde die Engelsburg mit fliegender Fahne, in welcher die gekreuzten Schlüssel sichtbar sind, rechts einen viereckigen Thorthurm mit Schiessscharten. Dazwischen fliesst der Tiber. Auf dem diesseitigen Ufer des Flusses hoch aufgerichtet ein an Hals, Armen und Beinen struppiges Unthier mit weiblichen Brüsten, blossem Bauch und Eselskopf, der sogenannte Pabstesel. Nur seine linke Hand ist menschlich, seine rechte ein Elephantenhuf — in Wolgemuts Kupferstich eine Löwen- oder Katzenpfote —; sein linker Fuss wird durch eine Greifenklaue gebildet, sein rechter durch ein Ochsenbein. An seinem Hintertheil sieht man zunächst ein bärtiges Männerhaupt mit Thierohren, dahinter einen langgestreckten Drachenhals mit züngelndem Vogelschnabel.

Wolgemuts antike Vase rechts unten fehlt hier. In *G H Wh* erscheint das Blatt als erstes, in dem Wittenberger Nachdruck aber auch als zweites. Fehlt in *N* und *B*. Drugulin a. a. O. I, 135 Nr. 3088. II, 20 Nr. 105. Varianten in *Wh* und dem Wittenberger Nachdruck: 'selbs' — 'helt' (auch in *G*) — 'solt' — 'wolt' und die Jahreszahl '1545', ausserdem in *Wh* und im Nachdruck noch 'von dem' (statt 'vom'), 'Bild', 'gestelt' und 'Luther' ausgeschrieben, ferner in der Ueberschrift: 'MORTVVM | IN'.

III. Bild.
Ueberschrift: PAPA DAT CONCILIVM IN | GERMANIA.

---

weicht ab Luther 3089, ein anscheinend Strassburger Druck: „Ausslegüg Philippi Melanchthonis vber den Bapsteszell zů Rom erfunden in der Tyber . . .", in 4°, noch mehr der Titelholzschnitt in Luth. 3041. Selbst 1632 ist er noch einmal variiert (Luth. 3048). Identisch mit der ersten Cranachschen Form von 1523 ist das Bild auf „Figur des Antichristlichen | Bapsts vñ seiner Synagog" (= Ce 500. 4°), 2 Bl. in 4°, mit unserer zweiten auf „Ein grausam Meerwunder, den Bapst | bedeutende, zu Rom gefunden, vnd zu Wittemberg erstlich Anno | 23. vñ darnach abermal Anno 46. mit der auslegung Philippi gedruckt. | Mit einer Vorrede Matthiæ Flacij Illyrici." Am Ende: „Gedruckt zu Magdeburg bey | Christian Rödinger" (= Dg 8. 4° Nr. 12. 8 Bll.).

Unterschrift:

> Saw du must dich lassen reiten:
> Vnd wol spoern zu beiden˙ seiten.
> Du wilt han ein Concilium
> Ja dafür hab dir mein merdrum.

Der Holzschnitt stellt den Pabst auf einer Sau reitend dar. Mit der rechten Hand segnet er den auf der Höhlung seiner linken ruhenden Menschenkoth, dessen seitwärts entströmenden Duft das Thier mit erhobenem Rüssel einschnüffelt. In *GH*, wie im Nachdruck sechstes Bild, in *Wh* siebentes (und mit VII. bezeichnet). Fehlt in *B*, aber nicht in *N*. Drugulin II, 20 Nr. 104. Das Original in spätern Abdruck auch auf der Rückseite des Titelblatts von der Schrift „Eine prophetische ab-|conterfeiung des ̤Tridentischen | Conciliabuli. Durch D. Marti-|num Lutherum. | Mit einer erklerung M. Fl. Illyr. | Apoca. 16. | Ich sahe aus dem munde des Drachens ∴ . . drey vnreine Geister gehen gleich den fröschen | . . .“ A. Ende: „Gedruckt zu Magdeburg bei Christi-|an Rödinger“, 10 Bll. in 4⁰.[1] Varianten in *G* 'wohl' und 'Seiten', in *G Wh*, im Nachdruck und bei Flacius: 'sporen', an beiden letzteren Orten: 'beidin', 'dafur' und die Jahreszahl '1545', ausserdem

---

1) In Berlin — Luth. 8029, 4⁰. Des Flacius „Erklerung“ beginnt Bl. A 2ᵃ: „JHr viel.. meinten vor etlichen wenig jaren, das diese vnd etliche dergleichen Figurn, des heiligen mans D. Martini Luthers vom Antichrist, schandgemelde, vnd von einem mutwilligen alten Narren gefantasiert weren. . . . Es sind one zweiffel dieselbigen figurn, alzumal dahin gericht gewest, das, weil dieser dritte Elias im Geist gesehen hat, das viel falscher Propheten . . . den Römischen Beerwolf, widder vber die Herde vnd Kirche des HErrn, als einen öbersten . . . setzen werden wollen, Darumb, als er nu aus diesem Jammertal scheiden solte, hat er mit etlichen deudlichen Figurn, gleich als mit grossen greiflichen buchstaben, seine meinung vom Antichrist allen menschen vorlegen wollen etc. Diese figur aber ist eine Prophecey gewest, von dem Trentischen Conciliabulo, welchs vor 6. jaren angefangen, . . . darnach in die 4. jar in der helle begraben gelegen, vnd nun widder- [Bl. A 2ᵇ.] umb . . . aufferwecket wird etc.“ — Neben Amsdorff scheint besonders Bugenhagen zu denen gehört zu haben, die im eignen Lager „den Doctor baten mit den Figuren die er widder den Bapst liess ausgehen inn den letzten Jharen jnnen zu halten“, s. M. Cyr. Spangenbergs 12. Predigte von Luthero 1569 Bl. E 2ᵇ. (Exemplar in Erxleben.)

in *Wh* 'musst' und die Unterschrift: 'Mart. L...." ('Luth.' im Nachdruck, 'Martinus Luther D. Anno 1545' bei Flacius).

IV. Bild.

Ueberschrift: PAPA DOCTOR THEOLOGIAE ET | MAGISTER FIDEI.

Unterschrift:

> Der Bapst kan allein auslegen
> Die schrifft: vnd jrthum ausfegen.
> Wie der Esel allein pfeiffen
> Kan: vnd die noten recht greiffen.

Der Holzschnitt stellt den Pabst mit Eselskopf dar, wie er auf einem Polsterstuhle unter einem Thronhimmel sitzt und die Sackpfeife bläst. In *GH*, wie im Nachdruck siebentes Bild, in *Wh* achtes. Fehlt in *B*, aber nicht in *N*. Drugulin II, 20 Nr. 104. Dieses und das vorhergehende Bild in *G(H)N Wa Wh* auf einem 21½ Cmtr. breiten und 14 Cmtr. hohen Holzstock, in der Mitte durch eine Säule getrennt. Varianten in *G*: 'kann', in *HN*: 'ausfegē', 'notē', in *N*: 'greiffē', im Nachdruck: 'Schrifft', 'irthum' und die Unterschrift: 'Mart. Luth. D. 1545' (in *GH*: 'M. Luther D.', in *N Wa* mitten unter den Versen der beiden letzten Bilder: 'Mart. Luth. D. | 1545.', in *Wh*: 'Mart. Luther D. | VII. VIII.'). In *Wh* Zeilentheilung: 'THEOLOGIAE | ET'.

V. Bild.

Ueberschrift: PAPA AGIT GRATIAS CAESARIBVS | PRO IMMENSIS BENEFICIIS.

Unterschrift:

> Gros gut die Keiser han gethan
> Dem Bapst: vnd vbel gelegt an.
> Dafür jm (!) der Bapst gedackt hat
> Wie dis bild dir die warheit sagt.
>
> Mart: Luth: D.

Rechts eine Zeile tiefer: 1545.

Der Holzschnitt, 10½ Cmtr. breit, 14½ Cmtr. hoch, zeigt den mit einem grossen Schlachtschwert ausholenden Pabst; abgewandt kniet der König mit blossem Hals, den Todesstreich erwartend. Ueber seinem gekrönten Haupt liest man:

Conradinus Conradi IIII Im-|peratoris filius, Siciliæ
et Neapo-|lis Rex, a Clemente IIII Papa | capite trun-
catus.

Darunter mit etwas kleinerer Schrift:

Accipe nunc Papæ insidias, et crimine ab uno |
Disce omnes.

Auch in *GH* fünftes, in *Wh* sechstes, im Nachdruck
achtes Bild. Fehlt in *B*, aber nicht in *N*. (Drugulin II, 21
Nr. 106 mit abweichender Ueberschrift: Ecce duo gladii etc.
gehört zu der hier uns nicht berührenden Ausgabe von 1617:
s. Schuchardt III, 235, J.) Varianten in *GHN*: 'Dafur', in
Wh und dem Nachdruck: 'gedanckt' (auch *G*), 'Bild', 'War-
heit', in *G*: 'ihm'. In *Wh*: 'Luther' und bei der Ueberschrift
Zeilentheilung: 'PRO | IMMENSIS'. Ferner in *GHN Wh*:
'Cunradinus, Cunradi IIII Impe-|ratoris (*Wh*, Im-|peratoris
N und Nachdr.) filius, Siciliæ et Neapolis, | (*Wh*, Nea-|polis
N und Nachdr.) Rex (rex *GHN* und Nachdr.), a Clemente
IIII Papa | ('Pa-|pa' *N* und Nachdr.) capite truncatus. | ...
(crimine] ab *Wh* und Nachdr.)' Zeilentheilung in *GH* nicht
angegeben.

Eingerahmt und unter Marienglas befindet sich im Hand-
schriftenzimmer der kgl. öffentlichen Bibliothek zu Dresden,
wie mir der Herr Herausgeber unter Hinweis auf Falkensteins
Beschreibung S. 511 ff. und (Götzes) Merckwürdigkeiten derselben II (1744) S. 417 gütigst mittheilte, ein der Tradition
nach aus Luthers Wohnzimmer in Wittenberg stammender Orig-
inalabzug ohne jeden Typendruck, dem der Reformator
die sonst aufgedruckte Ueber- und Unterschrift eigenhändig
beifügte. Die Echtheit der jetzt sehr verblassten Schriftzüge
ist nach Ermittelungen des Herrn Custos Dr. Buchholz, insbesondere nach Vergleichung mit den Luther-Autographen im
Dresdener Briefcodex R 96 fol., ganz zweifellos. Varianten
ausser der durchweg cursiv gegebenen Ueberschrift: 'Kaiser' —
'Da fur yhn' — 'gedanckt' — 'Wahrheit' — 'Lutherus'
(Falkenstein irrig: 'und übel' — 'Bild'). Zwischen 'Bapst' und
'gedanckt' ist ein Zwischenraum ersichtlich, der jedoch mit
Buchstaben beschrieben ist, welche nicht mehr zu entziffern
sind. Vor 'bild' ist ausgestrichen: 'bid'.

VI. Bild.

Ueberschrift: HIC PAPA OBEDIENS S. PETRO HO-|
NORIFICAT REGEM.

Unterschrift:

> Hie zeigt der Bapst mit der that frey,
> Das er Gotts vnd menschen feind sey.
> Was Gott schafft vnd wil geehrt han,
> Mit füssen tritt der heiligst man.
>
> Mart. Luther D. 1545.

Der Holzschnitt, 11 Cmtr. 8 Mm. breit und 11 Cmtr. hoch,
stellt eine Landschaft dar, in welcher der Pabst dem an der
Erde liegenden Kaiser als Sieger auf den Nacken tritt.

In derselben Abdrucksgattung findet sich das Blatt in der
Schrift „Bapstrew Hadriani IIII.| vnd Alexanders III. gegen Keyser |
Friderichen Barbarossa geübt. Aus der Hist|oria zusamen ge-
zogen nützlich | zu lesen. | Mit einer Vorrhede | D. Mart. Luthers. |"
(am Ende:) „Gedruckt zu Wittem|berg, durch Joseph | klug.
Anno. | M. D. XLV |." (Bogen A—H 3, in 4°, in Berlin =
Luth. 8041ᵇⁱˢ) Bl. A 4ᵇ, am Schluss der Vorrede Luthers.
Spätere Drucke derselben Firma (in Berlin = Luth. 8041 und
8042) geben dem Bilde noch die Ueberschrift: „Historia von
Bapst Alex-|ander III. wie er den Keiser Fried-|richen Barba-
rossa dem Türcken verrhaten | hat. Ist ein fein Exempel der
nach-|uolger S. Petri."

Das in *Wh* und im Nachdruck wie in *B* und *N* fehlende
Blatt erscheint als viertes in *GH*. Varianten dort: 'trit' und
'Luth.', ohne Jahreszahl, in *G* noch: 'That'.

VII. Bild.

Ueberschrift: DIGNA MERCES PAPAE SATANIS-
SIMI | ET CARDINALIVM SVORVM.

Unterschrift:

> Wenn zeitlich gestrafft solt werden:
> Bapst vnd Cardinel auff Erden.
> Ir lesterzung verdienet hett:
> Wie jr recht gemalet steht.
>
> Mart. Luth. D.

Der Holzschnitt zeigt einen dreistieligen Galgen: drei
Cardinäle hängen bereits — darunter Albrecht von Brandenburg in der Mütze, aber den Hut in der Hand —, der Pabst
wird soeben von dem Henker, welcher auf einer Leiter steht,
angenagelt. Ueber dem Galgen tanzen drei Teufel.

In *GH* achtes Bild, in *Wh* fünftes, im Nachdruck neuntes.
In *N* und, völlig neu, in *B*. Drugulin II, 21 Nr. 107. Der
Berliner Holzschnitt, der Anordnung nach nicht abweichend,
ist im einzelnen etwas ausgestaltet: die Gesichter der gehängten,
die Fratzen der Teufel variieren erheblich; dabei steht er in einem
Rahmen, jedoch nicht in dem von Schuchardt III, 231 erwähnten
mit Korinthischen Säulen. Das Bild selbst ist $10\frac{1}{4}$ Cmtr. breit,
$14\frac{1}{4}$ Cmtr. hoch — mit Rahmen 16 Cmtr. breit, $22\frac{1}{4}$ Cmtr.
hoch, Erklärung und Unterschrift je von einer besonderen
Oeffnung des Rahmens umschlossen.

Varianten in *GHN* und im Nachdruck: 'erden', 'recht
hie', 'Luther D. | 1545'; in *G* noch: 'seht' (statt 'steht'); in
Wh: 'Lesterzung', 'het.', 'Recht hie', 'Luther D. | 1545.' und
Zeilentheilung 'ET | CARDINALIVM', in *B*: 'Bäpst', 'Car-
dinäl', 'erden', 'recht hie' und Zeilentheilung: 'SATA-|NIS-
SIMI', im Nachdruck noch 'lesterung'. Die Verse sind auch
in *B* nicht unterzeichnet.

VIII. Bild.

Ueberschrift: REGNVM SATANAE ET PAPAE. | 2.
THESS. 2.

Unterschrift:

> In aller Teufel namen sitzt
> Alhie der Bapst: offenbart jtzt:
> Das er sey der recht Widerchrist
> So in der Schrifft verkündigt ist.
>
> Mart. Luth. D.

Rechts eine Zeile tiefer: 1545.

Der Holzschnitt, in derselben Abdrucksgattung zum Titel-
blatt für Luthers Schrift „Wider das Bapstum zu | Rom vom
Teuffel gestifft, | Mart. Luther D. | (Holzschnitt) | Wittemberg,
1545. | durch Hans Lufft." kurze Zeit vorher benutzt —

11½ Cmtr. breit und 12 Cmtr. 8 Mm. hoch — stellt den gezähnten Rachen des Abgrundsthiers dar, nach links hin geöffnet.[1]) Die Flammen schlagen daraus hervor. Von Teufeln wird der Pabst auf seinem Thron hinabgelassen oder auf die brennenden Holzscheite gesetzt: ein Teufel raubt ihm die Krone mit der Kothspitze. Von links her fliegen allerlei Teufelsfratzen herbei, von denen eine in Narrenkappe einen Baumstamm (zum schüren des Feuers?) hält, eine andere mit Fuchsschwanz sich an den Füssen des Pabstes zu schaffen macht. — In Originalrechnungen Lucas Cranachs für Kurfürst Johann Friedrich zu Sachsen, quittiert „am montag nach barbara [d. i. am 7. December] im 1545 yar", findet sich ein Posten (Schuchardt, Lucas Cranach I, 170): „XXVIII gl. vor die drei figuren geluminirt vom pabst wie er auf der hel siczt". Man schliesst hieraus wol mit Recht auf drei illuminierte Exemplare unseres Holzschnittes für den Kurfürsten.

In *GH* wie im Nachdruck drittes Blatt, in *Wh* zweites. Fehlt in *N*; vorhanden in *B*. Drugulin II, 21 Nr. 110ᵃ. Der Berliner Holzschnitt — Copie von der Gegenseite, so dass der Höllenrachen mit dem obern Rande links liegt — ist dem Original frei nachgeschnitten: besonders tritt dies an den Teufelsbildern hervor, auch an dem hier links höher über dem Rande befindlichen Auge des Thierkopfes. (Der Nachdruck gleicht in dieser Beziehung wieder dem Original.) *B* steht wie vorige Numer in einem 16 Cmtr. breiten und 22⅛ Cmtr. hohen Rahmen, dessen Oeffnungen oben und unten Ueberschrift und Unterschrift — wiederum ohne Namen und Jahreszahl — aufnehmen. Es ist nicht der von Schuchardt III, 232 beschriebene. Die Breite des Bildes selbst beträgt 10¼ Cmtr., die Höhe 14¼ Cmtr. Von Herrn von Meusebachs Hand liest man auf der Rückseite des ehemals dem Generalpostmeister von Nagler gehörigen Blattes: „... dauon der selige Luther kurtz für seinem abschied, dem Stadhalter Christi zu ehren, folgenden Triumphbogen gesetzt, mit einer bildnis vnd nachgeschrieben Reimen.

---

1) Wie gewöhnlich, ist der Standpunct hier vor dem Bilde.

3*

REGNVM SATANAE ET PA-|PAE.
2. Thessal. 2.

In aller Teufel Namen sitzt,
Allhie der Bapst, offenbaret jtzt,
Das er sey der recht Widerchrist,
So in der Schrifft verkündigt ist.

Mart. Luth. D.

Also sagt M. Cyriac. Spangenberg in dem Buche »Wider die bösen Sieben, | ins Teufels Karnöffelspiel.« A. Ende: »Gedruckt zu Jhena, durch Thomam Rhebart, | vnd Donat Richtzenhayn.« (1562). 4°. Bl. o 1ᵇ."

Varianten in *GH*: 'widerchrist', 'schrifft' und ohne Jahreszahl, in *G* noch: 'offenbaret itzt', in *Wh*: 'Allhie', 'offenbar', 'Luther', in *B*: 'Satane', '2. Thess. 2.', 'Teuffel', 'jetzt', 'So jn', 'verkundigt', im Nachdruck: 'itzt'.

IX. Bild.

Ueberschrift: HIC OSCVLA PEDIBVS PAPAE FI-|GVNTVR.

Unterschrift:

Nicht Bapst: nicht schreck vns mit deim ban
Vnd sey nicht so zorniger man.
Wir thun sonst ein gegen wehre,
Vnd zeigen dirs Bel vedere.

Mart. Luth. D.

Der Holzschnitt — 10½ Cmtr. breit, 14½ Cmtr. hoch und oben nicht völlig geschlossen — zeigt den Pabst auf seinem Thronsessel unter dem Thronhimmel, wie er eine Feuer und Steine sprühende Bulle gegen zwei Bauersleute kehrt, die entweichend und die Zunge heraus steckend ihm die entblössten und dampfenden Hintern zeigen. Ihm steht zur Seite je ein Praelat.

Darüber folgendes Zwiegespräch:

PAPA LOQVITVR.

Sententiæ nostræ etiam iniustæ | metuendæ sunt.

RESPONSIO.

Aspice nudatas gens $\frac{maledetta}{furiosa}$ nates.

Ecco qui Papa el mio bel uedere.

In *GH* ebenfalls das neunte Bild, in *Wh* das dritte, im Nachdruck das vierte. Fehlt in *B*, nicht in *N*. Drugulin I, 135 Nr. 3089. II, 21 Nr. 110. Varianten in *GHN*: 'iniu-|stae' (inju|stae *G*) und 'Responsio', in *G* noch: 'Papa loquitur', 'maledetta gens furiosa', 'Papae el' und 'dein', in *Wh*: 'Bann', 'Man', 'Gegenwehre' 'Luther', 'Rensponsio. | maledetta' und die Zeilentheilung 'PAPAE | FIGVNTVR', im Nachdruck: 'Bann', 'bis' (statt 'sey'), die Jahreszahl '1545' und dieselbe Verschiebung wie in *Wh*: 'Responsio. | maledetta', endlich 'Papae mio'.

X. Bild.

Ueberschrift: ADORATVR PAPA DEVS TERRENVS.

Unterschrift:

> Bapst hat dem reich Christi gethon,
> Wie man hie'handelt seine Cron.
> Machts jr zweifeltig: spricht der geist.   Apoc. 18.
> Schenckt getrost ein.   Gott ists ders heist.
>   Mart: Luth: D.

Der Holzschnitt, welcher eine Breite von 10½ Cmtr. und eine Höhe von 14¼ Cmtr. hat, zeigt die gekreuzten Schlüssel auf einem Wappenschilde, darüber die päbstliche Krone umgekehrt, in welche sich ein Bauer entledigt. Ein anderer steht neben ihm auf dem vierseitigen Unterbau, die Hosen abgenestelt und zu demselben Geschäfte bereit, indem er sich halb umwendet. Am Boden neben dem Schilde ein dritter Bauer, der beim ordnen der Kleider ist, also wol zuerst in dieser schnöden Weise dem Aftergott seine Achtung bezeugte.

In *GH* ebenfalls das zehnte Bild, in *Wh* das vierte, im Nachdruck das fünfte. Nicht in *B*, wol aber in *N*. Drugulin I, 135 Nr. 3090. II, 21 Nr. 109. Varianten in *GH* und im Nachdruck: die in *Wa Wh N* fehlende Jahreszahl '1545', in *Wh*: 'Kron', 'ist s', 'Luther', im Nachdruck: 'ir'.

Die anscheinend letzte Ausgabe der Cranachschen Originalholzschnitte zum ersten Reformationsjubilaeum 1617 mit lateinischen und deutschen Versen, welche — abgesehen von dem ihr

fehlenden „Ortus et origo papae" und dem am Ende angefügten
„Mönchskalb" — in Reihenfolge (2. 8. 9. 10. 3. 4. 7. 5.
„Mönchskalb") und Druckfehlern (z. B. bei Nr. 7 „lesserung"
statt „lesterzung") dem von Götze, Merckwürdigkeiten II, 417
Nr. 567 gar ins 18. Jahrhundert gesetzten Nachdruck sehr
nahe kommt, hat Schuchardt a. a. O. III, 231—235 ausführlich
beschrieben; ihr vorher geht eine diesem Kunstforscher wie
allen Bibliographen unbekannt gebliebene von 1609, auf der
kgl. Bibliothek in Dresden in dem Bande „Hist. pont. 125".
Dieselbe, nach Mittheilungen der Direction identisch mit den
von Falkenstein (Beschreibung der kgl. öffentl. Bibliothek in
Dresden S. 512) erwähnten neun Blättern in gr. Fol., „welche
der römischen Hierarchie in den ausschweifendsten Zerrbildern
spotten", zeigt wiederum eine abweichende, durch die Buchstaben a—i in der Mitte der untersten Randleiste des von
Schuchardt für die Ausgabe von 1617/18 genau beschriebenen
Passepartout-Rahmens bezeichnete Anordnung; darnach folgen:
5. 4. 3. 8. 9. 7. 10. 1. und zwischen Nr. 7 und 10 der
Titelholzschnitt aus den Quartausgaben der oben zu Nr. 8
erwähnten Schrift des M. Cyriacus Spangenberg „Wider die
bösen Sieben ins Teufels Karnöffelspiel" von 1562. Hierfür trat in der Ausgabe von 1617/18 das „Mönchskalb" ein,
dort aber ans Ende. Eine Beschreibung des bei Spangenberg
reichliche Erklärung findenden Blattes scheint hier entbehr-
lich. Es ist wie die übrigen fast sämmtlich — nur Nr. 3 und 9
machen eine wenig ansprechende Ausnahme — oben mit einem,
unten mit zwei lateinischen Distichen (und der Jahreszahl
„ANNO M. DC. IX.") versehen, die ich trotz ihres mehr als
schülerhaften Charakters in der Reihenfolge hieher setze, wie
sie das durch die Güte der Dresdener Bibliotheksverwaltung
mir vorliegende Exemplar bietet.

Die eingeklammerten Numern gehen auf die Originalholzschnitte der Editio princeps; der deutsche Text fehlt.

Die zur Hervorhebung häufig angewandten Versalbuchstaben bleiben unberücksichtigt.

a (5).

Ecce | duo gladii | sunt hic. | Calcate monarchas,
    Et bene pro placito | dividite imperia.

En Sauli vibrat gladium, regesque cruentat
   Successor, Petri qui cupit esse loco.
Omnia vertuntur. Petro sunt biblia, stricti
   Enses arma papae. En digna patrocinia.

b (4).

Sic bene | conjvngvnt, et in | una sede tuentur |
   Auriculas asinorum et | diadema papae.

Qvi non ad ronchos papæ saltabit, is urbi
   Orbique et coelis esto anathema. Ratum est.
Scilicet e coelis aliud profitetur Jesus.
   Hunc qui deridet, basiet ille asinos.

c (3).

Fraus | ambitio | superstitio]
   Tergeminam | papæ peperere | coronam.[1])

Naso dignus odor. Papæ qui pronus adorat
   Dreccreta, hoc miserè pascitur ille cibo.
Non sic, ò non sic. Moniti meliora sequamur.
   Distendant tales talia dona sues.

d (8).

Seu] venit ex orco, | seu rvrsvm tendit | ad orcum]
   Papa, redit domino | quod fvit ante | suum.

Magnum iter ad superos, Styx papam deprime. Quidni?
   Jamdudum pretio vendidit ille polum.
Ergo jure suo jam Tartara visitat. Aere
   Vendita non redeunt, nec juvat arte dolus.

e (9).

Rvsticvs | est Corydon, | nec digno novit honore, |
   Sed bombis, | sanctum condeco-|rare patrem.

Perfecto odi odio asprum anguem, orcumque arctum Erebumque.
   Odi illum, hic me. Haut, si hic sum, erro, alibi adsum asinus.

f (7).

Parcite | vos sociis, o sanctis | parcite sancte |
   Animulis | blandulis | vagabundvlis.

Qvi coelum vendunt terramque, hos proximus aèr
   Sic beet, et faciat littera longa crucem.
Fallor? An et papas fallaces expuit aèr?
   Expult. Ergo orcum visitet illa cohors.

---

1) Das sonst gemeinte Metrum vermag ich hier nicht heraus-
zulesen.

g.

Sic contra | Christum facilis | concursus in | unum est.
Atqui non verbo | nititvr, ille | perit.

Cogite concilium, sint irrita vota. Quid obstat?
In promtu causa est. Militat hic ratio.
Quid ratio? Furit hic et pro ratione voluntas,
Et vulpina tegit cauda, quod error habet.

h (10).

Papæ | cuncta patent | scriptvræ scrinia, | Jovæ,
Si lubet, ambigua | clave probabit | opvs.

Rvstica simplicitas pompas non curat aniles,
Nec facile incauto mutat honore fidem.
Recte. Inconstantes non Jovæ magna coronat
Dextera, sed stabiles iu statione animos.

i (1).

Matrvm | et nutricum | discit gens perfida mores |
Ergo papa | hinc qvo sit di-|gnvs honore vide.

Mater Persephone est, nutrices turpis Alecto,
Tysiphone, atque atra nocte Megaera sata.
En curam. Hæc lactat puerum. Hæc cunabula ductat.
Ast hac instabiles dirigit æqua gradus.

Das „Monstrum Romae inventum" fehlt.

Zu Paul Fleming.

Von

Hermann Oesterley.

Die Breslauer Universitätsbibliothek besitzt eine meines
wissens noch nirgends erwähnte Sammlung von Trauergedichten auf den am 10. September 1631 erfolgten Tod der
Frau des Buchhändlers Matthias Götze in Leipzig, welche
eine nähere Betrachtung verdient, weil sie nicht nur bis jetzt
unbekannte Gedichte Flemings und seiner nächsten Freunde
und Gönner enthält, sondern auch über das Leben des Dichters
in seinem Leipziger Freundeskreise neue und authentische
Aufschlüsse darbietet und daher die von Lappenberg in seiner
Ausgabe von Flemings deutschen Gedichten 2, 867 u. f. gemachten Mittheilungen wesentlich bereichert. Denn dort werden
von den Freunden des Dichters, namentlich aus dem vertrauten
Freundeskreise der Schlesier, nur diejenigen erwähnt, deren
Namen in Flemings und Glogers Gedichten verherrlicht oder
doch aufbewahrt worden sind, während hier ein grosser Theil
derselben und ferner noch eine lange Reihe bisher völlig unbekannter Mitglieder des Kreises mit eigenen Gedichten auftritt. Die ganze Anlage der Sammlung, die mit dem Rector
der Universität beginnt und mit einer Anzahl von Studenten,
resp. dem Universitätsorganisten, schliesst, liefert nämlich den
Nachweis, dass wir es hier nicht mit einem zufällig zusammengewürfelten Leichenzuge, sondern mit einem wolgeordneten
Trauergefolge von Gönnern und Freunden zu thun haben, und
es wird dies durch die in Flemings Gedichten verstreuten
Angaben vollständig bestätigt, da ein Bruder der verstorbenen,
Christoph Schürer, ein Studiosus der Theologie und Philo-

sophie, der nebst einem nicht näher. bekannten Bruder auch
in der vorliegenden Sammlung als leidtragender auftritt, bei
seinem im Jahre 1633 erfolgten Tode sowol lateinisch (Man.
Gloger. 7, 20) als auch deutsch (Oden 2, 10) warm besungen
wird, wobei die früher gestorbene Schwester Katharina Erwähnung findet, während einer jüngeren Schwester, Maria, im
Jahre 1632 ein besonderes Begräbnisslied geweiht ist. Der
Vater dieser vier Kinder, Zacharias Schürer, war wie sein
Schwiegersohn Matthias Götze ein angesehener Leipziger Buchhändler.

Die Sammlung, neun Bogen in Quart umfassend, hat fol-
genden Titel: „Epicedia Götziana, Oder Trawer-Gedichte
Vber das noch frühzeitige, doch selige Absterben Der Erbarn
Viel-Ehren-Tugendsamen Frawen Catharinen, gebornen Schü-
rerin, Des Ehrnvesten vnd Wolgeachten Herrn Matthiae Götzens,
Bürgers vnd Fürnehmen Buchführers in Leipzig hertzgeliebten
Ehelichen Haußfrawen, So den 10. Septemb. 1631: zu Nacht
nach 11. (mit Tinte corrigiert zu: 10.) Vhrn zu Torgaw in
GOtt sanfft vnd seliglich verschieden, vnd darauff den 13. ejusd.
alldar Christlichem Brauch nach zur Erden bestattet worden.
Gedruckt zu Leipzig bey Gregorio Ritzsch." Die Rückseite
des Titelblattes ist leer, Blatt A 2 beginnt ohne weiteres mit
sechs lateinischen Distichen, unterzeichnet: Johannes Höp-
nerus D. Pastor ad D. Nicolai, p. t. Acad. Rector. Dann
folgt: Polycarpus Lyserus D., der in Flemings Gedichten
mehrfach erwähnt wird, mit drei lateinischen Distichen, Hein-
ricus Höpffnerus, Th. D. et Prof. publ. (vgl. Fleming, lat.
Ged. 408) mit fünf dergleichen, Christianus Lange, SS.
Theol. D. et Prof. P. ad D. Thomae Archid., mit neun dergleichen, Sigismund. Finckelthaus D. (vgl. Fleming, deutsche
Ged. 637) mit vier dergleichen, und Caspar Jungerman D.
mit sechs dergleichen. Christophorus Preibisius, J. U. D.
Professor publicus, Sacrae Caesariae Majestatis Aulae et Palatii
Imperialis Comes, von Fleming mehrfach besungen, liefert ein
deutsches Sonett: „Ein trewer Vater hier, ob er sein Kind
gleich schicket", Jean Michel, Docteur en Philosophie et
Medicine, der von Fleming und Gloger in einer ganzen Reihe
von Gedichten gefeierte Lehrer, zehn französische Alexandriner,

der ebenfalls mehrfach besungene L. Philippus Müller, Profess. Math. publ., zehn lateinische Distichen, L. Zacharias Schneider, Prof. publ. Scholae ad D. Nicolai Rector (vgl. Fleming, deutsche Ged. 842), drei dergleichen. Dann folgt Cunr. Bavarus, dem Fleming das erste Buch seiner Silvae zugeeignet hat, mit einem Gedichte von acht Alcaeischen Strophen: „Josua praeibit et prosternet hostes“, nebst Uebersetzung in deutschen Versen, Mag. Johan. Schneider, P. et S. Bitterf., mit sechs Distichen, M. Sebastianus Abesser, Ecclesiae Sulanae Pastor et Decanus, mit zwölf dergleichen, M. Andreas Bauer, ad D. Nicol. Lipsiae Archidiaconus, dessen Bekanntschaft mit Fleming durch das Hochzeitsgedicht Epigr. 3, 8 bezeugt ist, mit drei dergleichen, M. Mauritius Burchardus, ad D. Thom. Diac., mit fünf dergleichen, M. Martinus Cramerus, SS. Theol. Baccal. et ad D. Thom. Lipsiae Diaconus, mit drei dergleichen, M. Jacobus Andreas Graul, S. Ling. Professor publ., von Fleming in Man. Gloger. 7, 30 gefeiert, mit fünf dergleichen, M. Andreas Corvinus, Orat. Profess., mit einem einzigen Distichon, M. Hieronymus Reckleben, Org. Arist. Profess. publ., von Fleming deutsche Ged. 586 erwähnt, mit neun Distichen, und M. Christian Bauman, Diac. Pat. (Torgae), mit zwei dergleichen. Samuel Zehner, Verbi Divini Minist. Meiningae, in Ill. comit. Henneberg., weiht ein Epicedion Ebraicum Μονόρυθμον, in quo potissimum alluditur ad locum Sir. 37. v. 27, und ein Epicedion Germanicum, ad eundem locum siracideum alludens, M. Martin Rinckart, in seinem Vaterlande zu Eilenburg Archidiac., der bekannte Freund Flemings, ein deutsches Gedicht mit Akrostichen, M. Ernestus Colbius, Eccles. Torgens. Diaconus, drei Distichen, M. Gotfridus Raspius, Dialecticae Professor, von Fleming in Man. 7, 9 gefeiert, sechs dergleichen, sowie ein längeres deutsches Gedicht: „O Todt, du Sold vnsrer Sünden“. M. An. Rivinus, Halis Sax. P. L., von Fleming mehrfach gefeiert, steuert eine „Ἀποθέωσις Oder Poetische Canonisirunge der Fraw Catharinen Götzin S.“ und „Ein leidig Kling-Gedichte Oder Teutsch-Italiänisirtes Sonnet“ bei, M. Christian Hahn von Hall, Pfarrer zu Oßmunda, zwei Seiten deutsche Alexandriner, M. Joh. Rhenius, von Fleming Epigr. 4, 27 besungen,

sechs lateinische Distichen, und M. Joach. Meissner, Scholae
Torg. R., acht dergleichen. Das folgende deutsche Sonett mit
der Ueberschrift „Le Sainct Pelerinage" ist zwar nur mit den
Initialen M. C. M. W. unterzeichnet, aber es unterliegt wol
keinem Zweifel, dass der Verfasser der Jurist M. Caspar
Michael Welsch ist, der im Jahre 1633 mit zahlreichen
Freunden dem scheidenden Olearius Glückwünsche auf die
Reise nach Moskau und Persien nachsandte. Schwieriger ist
der unter den Buchstaben M. C. S. versteckte Verfasser der
nächsten vier deutschen Alexandriner zu bestimmen; die Initialen würden auf den als Dichter bekannten (vgl. Fleming,
lat. Ged. 104. 336; deutsche Ged. 226) Matthias Casimir Sarbiev
passen; da aber die nachfolgenden wie die vorausgegangenen
Verfasser schon eine akademische Würde bekleiden, so kann
das M. kaum einen Vornamen, sondern nur Magister bedeuten,
und aus diesem Grunde muss auch der sonst passende Coelestin
Schröer ausser Betracht bleiben, weil er den Magistergrad noch
nicht besass; der Zusatz „aus trewen Hertzen geschrieben"
und die in achtungswerther Selbsterkenntniss ausgesprochenen
Worte des Verfassers, er lasse (das dichten) bleiben, weil
seine Worte zu schlecht seien, berechtigen vielleicht zu der
Vermuthung, dass hier überhaupt kein Dichter versteckt sei,
sondern nur ein Magister. Das folgende Gedicht ist von Adam
Olearius, und seine Stellung in der Litteraturgeschichte wird
den Abdruck wol rechtfertigen:

> Was ist doch der Mensch allhier auff dieser Erden.
> 　　Ein Jammerthier, des Teuffels Pfeilen Ziel,
> 　　Ein Sünden Meer, der Vnglücks Wellen Spiel,
> Ein zerbrechlich Ding, vnd muß zur Erden werden.

> Was ist vnser Thuen in diesem Jammerthale?
> 　　Ein nichtig Ding, ein vnvollkommen Werck,
> 　　Ein Stein, den man stets waltzet an den Berg,
> Vnd herwieder fällt mehr als zum zehnden mahle.

> Was ist dann allhier der Sterblichen jhr Leben?
> 　　Nur ein Gewölck, ein Schatten, eine Fluth,
> 　　Ein Nebel, Rauch, das bald verschwinden thut.
> Dann es muß sich bald dem schnöden Todt ergeben.

Was wird dann endlich seyn der Mensch in jenem Leben?
  Ein Frewden-Kind, ein Bürger in der Stadt,
  Da Gottes Sohn selbst seine Wohnung hat,
Da der Engel Schaar in Frewden vmb jhn schweben.

Da wird vnser Thuen nur seyn ein stetes Dancken,
  Daß Gott vns hat aus diesem Jammerthal
  Gebracht hinauff in seinem [!] FrewdenSaal,
Vnd er vnsern Fuß zum Fall nicht mehr lest wancken.

Mit den Zeiten wird allda das Leben streiten,
  Vnd siegen ob, weil denn auch keine Zeit
  In Schrancken schleist, der vns jhm hat bereit.
Wol dem, den bey Zeit der Todt dahin thut leiten!

Wol dir, liebe Seel, es ist dir auch gelungen,
  Du hast nunmehr dein Vnglück, Angst vnd Noth,
  Vnd was sonst mehr vor sich herschickt der Todt,
Vnter dich gelegt, vnd bist durchgedrungen.

Darumb gebet euch, Herr Götze, nun zufrieden,
  Ewr Ehschatz ist, da ewer vnd mein Geist
  Auch wollen hin, wann es nur Gott vns heist,
Vnd dahin vor vns viel Fromme seynd geschieden.

Demnächst bringt ein M. Michael Schultz Torgensis
einen Trostgesang; „Freund der Nymphen, die da wohnen",
und ein nur als C. C. V. G. bezeichneter Dichter reichlich zwei
Seiten Alexandriner. Der nächste, M. Andreas Voigt Lips.,
SS. Theol. Stud., ist dreimal von Fleming und Gloger besungen
worden, während der folgende, M. Paulus Mühlman, seinerseits Fleming angesungen hat (vgl. Fleming, deutsche Ged. 586);
beide bringen Alexandriner. Nach einem deutschen strophischen Gedichte von einem nicht näher bezeichneten Andreas
Gey folgen Gedichte der bereits erwähnten Brüder Henning
und Christophorus Schürer, denen sich vierzehn Distichen
von Rudolphus Putscher anschliessen. Eine persönliche
Bekanntschaft des letztgenannten mit Fleming ist allerdings
nicht bezeugt, aber dieser hat zur Verheiratung Margarethe
Putschers mit Martin Schördel lateinisch und deutsch gratu-
liert. Ferner klagt Tobias Petermann, Philos. Baccal. et
Alumn. Electoral., in zwölf, Johannes Beltzerus, SS. Theol.
Stud., in neun Distichen, und damit hören die lateinischen

Verse in dieser Sammlung auf, alles folgende ist deutsch. Zunächst tritt Georg Gloger, Flemings Herzensfreund, mit zwei vollen Seiten Alexandrinern auf, deren Mittheilung ich mir aus Rücksicht auf den Raum nur ungern versage. Dagegen wird mir der Abdruck der nächstfolgenden Reliquie von „Pauli Flemming", wie er hier unterzeichnet, nicht verwehrt werden:

Es fehlte noch an dir, nun ist die Zahl gantz voll,
Die Gott für seine Rach im Himmel preisen soll.
Jetzt gehstu her geputzt in einem newen Kleide,
Das dir die Seligen gewebt von zarter Seyde,
So nicht aus Indien zu Euch hinauff gebracht,
Die das erwürgte Lamb aus seiner Wolle macht,
Vnd färbt mit eignem Blut. Vmbher ist auffgeleget
Das pure Sternengold, das Gott selbst an sich träget,
Vnd alle Heiligen. Kein Onych, kein Sapphyr,
Wie klar vnd werth er ist, spielt recht vnd funckt für dir;
Nacht ist er gegen Tag. Was wir für schön erkennen,
Ist gegen jener Pracht nur Vngestalt zu nennen,
Ein Schlacken gegen Gold, ein Kießling für Demant,
Für Silber dunckel Bley, für Perlen grober Sand,
Mit einem worte, Nichts. Der bundte Regenbogen
Hat sich vmb deinen Leib an Gürtels statt gezogen,
Vnd dich mit sich geschürtzt. Das außgeschlagne Haar
Vmbgläntzt die Krone dir, die vor am Himmel war,
Vnd deine nun wil seyn. Die hellen Seraphinnen
Sind vmb vnd neben dich; wie auch die Cherubinnen,
Die nichts als Fewer seyn. Die laute Cantorey,
So die gestirnte Burg mit Lob vnd Danckgeschrey
Ohn vnterlaß erfüllt, führt dich auff jhre Chore.
Du kanst die Lieder schon, die keinem jedem Ohre
Zu hören kommen für. Der Text, den du giebst an
Wird sonder zweiffel seyn, was GOtt an vns gethan
In dieser Monats frist, der billich Heilig heissen
Bey vns in künfftig sol; da alles hin zu reisen
Vns schon der Feind vmbschloß, vnd doch durch Gottes Krafft
Vnd trewer Helden Muth vns Freyheit ward geschafft.
Nun, einmal sind wir durch. Du aber hast stracks künnen
Auff einmal aller Angst vnd Eitelkeit entrinnen,
Glückseliger als wir. Wir sehen ferner zu,
Vnd müssen furchtsam seyn. Du bist in deiner Ruh.

Fleming steht zwischen seinen beiden nächsten Freunden Gloger und Martin Christenius aus Jägerndorf. Von letzte

rem sind mehrere Gedichte erhalten, so dass die hier gebotenen,
fast sechs Seiten voll Alexandriner, leicht entbehrt werden
können. Das folgende Sonett ist von Thomas Matthias
Götze, einem Sohne der verstorbenen, unterzeichnet, der aber
beim Tode seiner Mutter noch ein kleines Kind war. Ferner
schliessen sich an: Christian Mühlman mit vier Seiten
Alexandrinern, Georgius Scharbockius, Rauthenâ-Sil., mit
drei, und Joannes Vechnerus, Sprottav. Silesius, mit fast
zwei Seiten derselben Verse; nur der letztgenannte ist durch
ein Gedicht auf Glogers Tod (Fleming, deutsche Ged. 179) als
dem Freundeskreise zugehörig beglaubigt. Weitere Alexandriner liefern S. F. von Schleusingen und ein nur G. R. (= Gre-
gorius Ritzsch, der als Verfasser zahlreicher Gelegenheitsgedichte bekannte Drucker der Epicedia?) unterzeichneter Autor,
sowie Elias Küchler, der den Namen der verstorbenen zu
Akrostichen verwendet, obgleich ihm die Alexandriner schon
schwer genug werden. Den Schluss des ganzen bilden die
„Letzten Sterbens-Gedancken“, in Verse gebracht und vier-
stimmig gesetzt von Georg Engelman, Organisten der
Universität und der Thomas-Kirche in Leipzig.

Briefe Joh. Elias Schlegels an Bodmer.

Mitgetheilt von

JOHANNES CRÜGER.

In Bodmers Nachlass auf der Zürcher Stadtbibliothek ruhen im ganzen vier Briefe Joh. Elias Schlegels an ihn, die wol verdienen näher gekannt zu werden und bisher nur zum Theil gedruckt sind. Hier ist, was davon noch nicht veröffentlicht worden.

I.

Brief vom 15. September 1745 aus Kopenhagen.

Der Anfang ist gedruckt in dem von seinem Bruder Joh. Heinrich verfassten Leben Schlegels.[1]) Die Titulaturen sind fortgelassen, ebenso „Dero" durch „Ihre" u. s. w. ersetzt. Der Eingang lautet im Original: „Ew. HochEdelgeb. sind nicht die erste Person, der ich zu erkennen gebe, wie hoch ich Dieselben schätze, und wie hoch ich iederzeit Dero Schrifften so wohl als Herrn Profeßor Breitingers Werke gehalten habe. Wenn ich daher diese Gelegenheit ergreiffe u. s. w." A. a. O. S. XXXX Z. 10 steht vor „an einem Orte" „in Coppenhagen", Z. 15 nicht „Ihres Widersachers", sondern „Irer Widersacher". Hinter „verwickelt worden" — denn „bin" fehlt im Original — heisst es weiter:

„Ich ersuche daher Ew. HochEdelgeb., meine beyden Trauerspiele Herrmann und Dido, welche sich in der Deutschen Schaubühne[2]) befinden, und meine Abhandlung von der Nachahmung in

---

1) Joh. El. Schlegels Werke herausgeg. von Joh. Heinr. Schlegeln S. XXXIX unten im Leben des Verfassers, das vor dem fünften Theile (1770) steht.

2) Ersteres im vierten, letzteres im fünften Theile.

den critischen Beyträgen[1]), von welcher der letzte Abschnitt schon längst von mir gearbeitet, aber noch nicht gedruckt ist, durchzulesen, und wenn ich mir die Hoffnung machen darff, daß ich eine Antwort von Ihnen erhalten werde, mir zu sagen, was wohl darinnen zu ändern seyn möchte, wenn ich sie noch einmal durchsähe. Ew. HochEdelgeb. können Sich hiebey versichert halten, daß ich weder zu denenjenigen Leuten gehöre, welche sich über Ihre Arbeiten deßwegen mit vieler Höflichkeit scharfe Urtheile ausbitten, um desto gelindere zu erhalten, noch zu denen, welche in der Absicht eine Menge von Lobeserhebungen. an berühmte Männer schreiben, um von ihnen gerühmet zu werden. Ich bin überzeuget, daß ich zu einem solchen Endzwecke mir niemanden weniger als Ew. HochEdelgeb. aussuchen dürfte, und es kann mir kein größres Vergnügen wiederfahren, als wenn ich bey erster Gelegenheit aus Ihrer Antwort schließen kann, daß Dero Willfährigkeit, die Verbeßerung poetischer Stücke durch Ihre Urtheile zu befördern, eben so groß ist, als Dero Einsicht hierinnen."

Eine etwaige Antwort brauche Bodmer nur an Hagedorn in Hamburg einzuschliessen. Der Brief ist vier Seiten lang. Chronologisch hinter ihn gehören die drei Schreiben Schlegels an Bodmer, vom 19. April und 8. October 1746 und vom 15. April 1747, die Stäudlin in den „Briefen berühmter und edler Deutschen an Bodmer" (Stuttgart 1794). S. 30. 38. 45 veröffentlicht hat. Die Originale sämmtlicher Briefe, die Stäudlin aus Zürich bekommen hat, sind dorthin nicht zurückgekehrt.

II.

Coppenhagen den 18. Sept. 1747.

„HochEdelgeborner
Hochgeehrtester Herr Professor.

Ew. HochEdelgebornen Schreiben vom 15. März, welches ich erst vor acht Tagen erhalten, ist mir desto angenehmer gewesen, ie länger ich es erwartet hatte. Sie werden seitdem meinen vor der verwichnen Ostermeße geschriebnen Brief nebst meinen theatralischen Werken bekommen haben.[2]) Wollen Ew. HochEdelgebornen mir etwas öffter schreiben, so wird es mir eine große Gefälligkeit

---

1) Bd. VIII S. 46 und 371. Vergl. Neuer Büchersaal der schönen Wissenschaften und freien Künste Bd. I S. 415.

2) Vergl. bei Stäudlin S. 47. Die Theatralischen Werke waren 1747 zu Coppenhagen erschienen.

und eine besondre Ermunterung in meiner Entfernung seyn. Bloße
Briefe kann ich allemal ganz geschwind erhalten, wenn Sie dieselben
in Leipzig an meinen jüngern Bruder, Joh. Heinrich Schlegel,
Studenten in der Theologie, der auf der Reichsstraße in goldnem
Huthe wohnet, bloß unter einem couvert adressiren wollen. Pacquete
aber weiß ich nicht anders als zu Meßzeiten von Leipzig aus zu bekommen. Doch dürfen Ew. HochEdelgebornen, was gedruckte Sachen
sind, mir nur die Titel in Ihren Briefen melden, indem allezeit die
hiesigen Buchführer wenigstens einige Exemplare auch von Schweitze-
rischen Schrifften hierherbringen. Ich fand neulich Hn. Hallers Gedichte in eines vornehmen hiesigen Ministers Hand, der mir mit
vielem Vergnügen alle Stellen daraus vorlas, welche von den Welt-
bezwingern handelten.

Was Ew. HochEdelgebornen von Holbergs Comödien melden,
daß er sie um etliche Töne höher stimmen sollen, ist auch das
Urtheil des ganzen hiesigen Hofes, davon ein großer Theil so weit
gehen, daß sie seine Comödien für lauter platitudes ausgeben, [2]
Holberg beklagt sich aus dieser Ursache über den schlechten Geschmack der Großen, und behauptet, daß der Mittelstand allhier
den guten Geschmack besitze, und zwar einen Geschmack, den er noch
darinnen den Franzosen und Engländern vorziehet, weil er noch
nicht verdorben wäre, ungeachtet er bekennen muß, daß er sehr
stark ist. Man hat in Deutschland seinen moralischen Abhandlungen[1]), so viel man mir gesagt, kein großes Lob beylegen wollen.
Nach meinem Bedünken sind sie meistentheils mehr ein Spiel des
Ingenii als gründlich, indem hin und wieder alle Beweise fehlen,
und die Sachen bloß mit Historien erläutert sind. Demungeachtet
ist eine große Menge sinnreicher Gedanken und auch viel Wahrheiten darinnen. Was Ew. HochEdelgeb. an seiner Historie auszusetzen finden, schreibe ich nicht seiner eignen Schmeicheley zu, sondern es sind gewiß die Gedanken der ganzen Nation, welche lieber
unter einem unumschränkten Herrn als unter dem Adel stehen will.

Wir haben itzo hier einen Anfang einer dänischen Comödie, in
welcher man noch nichts als Holbergs Stücken gesehen hat, eine
Uebersetzung des blöden Schäfers aus dem Deutschen ausgenommen.
Die beyden kleinen Stücke, die Langeweile und die stumme
Schönheit[2]), welche ich, wenn es sich thun läßt, Ew. HochEdelgeb.
hierbey überschicken werde, habe ich für selbiges Theater verfertigt,
und ich arbeite itzo an einer Comödie in Prosa, welche den Titel
führt der strenge Ehemann[3]), und wozu mir der zärtliche Ehemann
Richard Steelens die erste Idee gegeben. Meine Lust, Comödien

---

1) 1744 erschienen.

2) Werke II, 521 und 469.

3) Nachher Triumph der guten Frauen genannt, Werke II, 323.
Vergl. Br. 4.

zu machen, ist mir zwar gefährlich, indem es mir selten damit
glückt, und ich viele Proben davon unterdrücket habe. Meinen Ge-
heimnißvollen[1] wollen viele deß[3]wegen nicht für gut finden,
weil sie meynen, daß der Charakter deßelben selten vorkömmt, ungeachtet ich in keinem Stücke mehr nach Originalen gearbeitet
habe, als in diesem. Die Wahrheit zu gestehen, halte ich dafür,
daß darinnen eine Verkleidung zuviel ist, und daß die Verkleidung
deßelben in einen Perruquen-Macher genug wäre, in dem ersten
Aufzuge aber der Geheimnißvolle in seiner eignen Person erscheinen
sollte, um ein wenig mehr zu interessiren, weil er die Hauptperson
des Stückes ist. Unterdeßen werde ich doch suchen, das Stück auf
das dänische Theater zu bringen, wäre es auch nur, um meine Zuschauer beßer kennen zu lernen.

Ich finde Ew. HochEdelgeb. Urtheil von meinem Gärtner König[2]
gegründet, da ich zumal meinen Plan nicht wohl genug erkläret habe.
Ich war Willens, dabey nicht allein bloß mein Absehen auf die
Critik zu haben, sondern es so einzurichten, daß uncritische Zu-
schauer nicht einmal merkten, daß es eine Satyre auf andre Theater-
Stücken seyn sollte. Unter dem Gärtner Abdolnim wollte ich einen
Mann von vieler gesunden Vernunft und von einer untadelhaften
Gerechtigkeit vorstellen, dem aber die Sitten der Welt und des
Hofes fehlen, und der in seinem Ausdrucke nicht bloß einfältig,
sondern grob dabey redet, welches sehr wohl mit einer Art zu
denken zusammenstehen kann, die im Grunde edler ist, als die Art
zu denken vieler Leute, die sehr boshaften und niederträchtigen
Gedanken eine Farbe des edlen zu geben wißen. Es ist wahr,
niederträchtige Reden verrathen ein pöbelhaftes Herz. Hierinnen
aber ist ein Unterschied unter dem Wesentlichen einer Gedanke[3]
und unter den zufälligen Nebenumständen derselben zu machen. Ist
eine Rede in demjenigen, was das Wesentliche einer Gedanke[3] betrifft, niederträchtig: so kann sie nichts anders als ein pöbelhaftes
Herz verrathen. Die Nebenumstände oder die Einkleidung einer
edlen Gedanke[3] aber, kann gleichwol nicht allein einfältig (denn
so wäre nichts darwieder zu sagen), sondern grob seyn, daß man
sie einem Helden [4] unanständig findet. Die vornehmste Ursache,
warum Abdolnim sich anfangs halb und halb bereden läßt, die Crone
anzunehmen, ist seine Frau, welche sich ein Ansehen nach der großen
Welt geben will, und alle die gezwungnen und übelangebrachten
Ausrufungen der neuen deutschen Tragödien, das precieuse Wesen
der Panthea[4], und alle wunderliche Aufführung eines Frauenzimmers,

---

1) Werke II, 183.

2) Fragmente davon Werke II, 619. Stäudlin S. 52.

3) So! Offenbar dreimal verschrieben. Es ist unschwer, jedesmal
das richtige zu substituieren.

4) Tragoedie der Gottschedin, Schaubühne Bd. V.

das zu hohem Stande jähling gelanget ist, nachahmet, ihrem Manne
Regeln geben will, wie er sich anständiger aufführen soll, ihrer
Tochter Anschläge auf das Herz Alexanders und auf alle Herzen
überhaupt giebt. Ein Petit-Maitre im Lager Alexanders, welcher
sich für einen Sohn des vertriebnen Königs von Sidon [ausgäbe]
(der dünkt mich Sostratus geheißen, denn ich habe keinen Curtius
bey der Hand, wie überhaupt fast keine Bücher) wäre eine voll-
kommne Copie eines schlechten tragischen Helden, und suchte, um
zur Crone von Sidon wieder zu gelangen, die Tochter Abdolnims in
sich verliebt zu machen. Diese Tochter wäre vernünftig, und ein
Schäfer, den sie liebte, und welcher der wahre junge Sostratus
wäre, der sich aus Furcht vor Alexanders Zorn in dieser Kleidung
versteckte, folgte seiner Geliebten bis dahin nach. Abdolnim würde
sehr bald der Thorheiten seiner Frau müde, und erkennte, daß, um
einen Helden würdig vorzustellen, nicht allein gesunde Vernunft,
sondern auch eine Uebung in den Sitten der Welt erfodert würde,
die zu lernen er zu alt wäre, daß ein ieder Mensch eine lächerliche
Rolle spielte, wenn er aus dem Stande weggenommen würde, auf
den er sich einmal eingerichtet hätte, und in dem er eine lange Zeit
gelebt hätte. Der wahre Sostratus würde erkannt und zum Könige
von Sidon gemacht und Abdolnims Tochter zur Königin. Abdolnims
Frau stellte sich sehr ungeberdig, daß sie wieder zur GärtnersFrau
würde, und der falsche Sostratus würde gestraft. Dieses waren ungefähr meine ersten Einfälle. Es dünkte mich, daß es geschickt wäre,
[5] vielerley Fehler der neuen Tragödien deutlich zu machen; wenn
man aber diese Absicht auch ganz aus den Augen setzet, so kann
es nach meinen Gedanken doch eine gute Materie zu einer Comödie
von der Art seyn, wie der Amphitruo ist, und wie der Democritus
des Regnard seyn sollte. Ich habe meine Gedanken über den
tragischen Ausdruck unterdeßen in der Vorrede meiner theatralischen
Werke zu erkennen gegeben, welche ich zuerst sammlete, da mir
dieses Stück zu machen einfiel. Sollte ich es noch verfertigen, so
würde es noch ein wenig Zeit haben. Indem ich, nächst meinem
strengen Ehemann, schon vor etlichen Jahren ein Stück angefangen
hatte, das die drey Philosophen Plato, Diogen, Aristipp an dem
Hofe des Dionys vorstellet, und deßentwegen mich meine guten Freunde
in Leipzig immer erinnert haben, daß ich es fertig machen möchte.

Es ist gewiß, die Critik sollte ihr Amt nunmehr in Deutschland, was die Theaterstücke zumal betrifft, gethan haben. Die Critischen Briefe[1]) enthalten sehr gute Regeln davor in einem guten
und gründlichen Zusammenhange, und es ist sehr nützlich, daß Dieselben darinnen gewießen, daß der Bau der Intrigue eines Stückes
nicht das erste sey, worauf man zu sehen hat, weil sonst die Trauer-

---

1) Zürich 1746. Gemeint ist besonders Brief 1 und 2.

und Lustspiele nicht nützlicher werden würden, als die meisten
Romane, wenn es einreißen sollte, daß man bloß darauf sähe. Ich
weiß nicht, ob ich im Stande seyn sollte, viel Anmerkungen dazu
zu machen. Meine vormaligen Gedanken waren, auf meine Sätze
von der Nachahmung eine ganze Theatralische Dichtkunst zu bauen.
Bey Gelegenheit des hiesigen neuaufgerichteten Theaters habe ich
einigemal die Versuchung gehabt, zum Unterrichte der Comödianten
einige Anmerkungen über [6] die Wahl guter Stücke und über andre
zum Theater gehörige Dinge aufzusetzen, welche einestheils die ver-
kehrten Begriffe Herrn G . . . hiervon niederreißen würden. Wenn
es noch geschieht, so werde ich sie Ew. HochEdelgeb. mittheilen.

Ihren Mahler der Sitten[1]) habe ich schon vor einiger Zeit mit
sehr grossem Vergnügen gelesen, und ich finde ihn als ein Werk,
das man nunmehr nicht allein, wie vordem, wegen der Gründlichkeit
der Gedanken, sondern auch wegen der Schönheit der Schreibart zu
lesen hat. Um unsern Briefwechsel durch kleine freundschaftliche
Streitigkeiten desto nützlicher zu machen: muß ich Ihnen gleichwol
sagen, daß ich Ihre Gedanken von dem Meißner-Dialect gern ein
wenig eingeschränkt wißen wollte. Derjenige, welcher behauptet,
daß alle andre Nationen in Deutschland sich nach der Meißnischen
Schreibart und den meißnischen Redensarten richten sollen, kann
nicht anders als ein närrisches Vorurtheil für sein Vaterland haben.
Es sind eine unzählige Menge Redensarten und Wörter, die in
Meißen bräuchlich sind, welche doch ein Mensch, der gut Deutsch
reden und schreiben will, eben so wohl vermeiden muß, als ein
Schwabe einen Theil seiner Redensarten wird verlernen müßen, um
gut Deutsch zu sprechen. Eine iede Landschaft, ja eine iede Stadt,
hat ihre eignen Worte, und die Sprache ist in Dresden und Leipzig
bey weiten nicht dieselbe. Es scheinet aber, daß Ew. HochEdelgeb.
zu gleicher Zeit weiter gehen, und so wohl in ihrem Mahler der Sitten,
als in der Vorrede der neuen Fabeln[2]) die deutsche Hauptsprache,
worinnen kein Wort einfließen soll, das nicht an allen Orten Deutsch-
landes ohne Mühe [ausgestrichen] verstanden wird, [am Rand: „ich
sage nicht, daß es darum gebräuchlich und allgemein seyn soll, denn
ein Wort kann sehr verständlich seyn, ob es gleich gar nicht gebräuchlich ist"] und worinnen alle wohlgesitteten Leute aus allen
Provinzen übereinstimmen, [7] für eine bloße Meißner Sprache ansehen und aus diesem Grunde dieselbe hindangesetzt haben wollten,
und lieber sähen, daß eine iede Nation, die Deutsch redet, ihre eignen
Worte und Redensarten mit in ihre Schrifften mischte.

---

1) „Der Mahler der Sitten". Zürich 1746. 2 Bde. Zweite ver-
hochdeutschte und erweiterte Auflage der Discourse der Mahlern. Das
nachfolgende bezieht sich auf Blatt 85, 97 und 102 im zweiten Bande.
2) Ein halbes Hundert neuer Fabeln durch L. M. v. K. Zürich 1744.

Ew. HochEdelgeb. wißen selbst, daß die Vielfältigkeit der
Sprachen kein Vortheil ist. Je mehr Worte man lernen muß, desto
weniger Zeit und Gedächtniß behält man übrig, Sachen zu begreiffen.
Es ist wahr, Sie haben die Freyheit, sich in der Schweitz eine eigne
Sprache zu machen, die eben so von der deutschen unterschieden ist,
als die Holländische: Und wir Deutschen werden eben so wohl viel
gute Schrifften, die sie in ihrer Muttersprache schreiben, dadurch
verlieren, als sie viel gute und schlechte Schrifften in der unsrigen
entbehren werden. Eine iede Provinz in Deutschland hat eben diese
Freyheit. Denn es ist kein Reichsgesetz, daß ihnen gebiethet, ihre
Sprache Hochdeutsch zu machen. Geschieht dieses, so wird von
zweyen Uebeln nothwendig eins erfolgen. Entweder es wird statt
einer Sprache eine ganze Menge derselben entstehen, und derjenige,
der itzo schon seufzet, daß er viel lebendige Sprachen, neml. die
Französische, die Englische und die Italiänische lernen muß, wird
hernach alle seine Zeit anwenden müßen, daß er die Schrifften seiner
Nachbarn, die etwa 6. Meilen weit von ihm wohnen, verstehen kann,
und an die fremden Sprachen nicht einmal kommen können. Oder,
wenn es geschehen sollte, daß eine iede Nation die Worte der andern
lernte und unter das Hochdeutsche mitaufnähme, so würden wir
nothwendig eine Menge von Worten bekommen, die einerley oder,
welches schon ein großes Unglück wäre, beynahe einerley [&] hießen;
dadurch würden die Tautologien unsre Sprache überschwemmen,
weil es natürlich ist, daß man sich einbildet, etwas anders zu sagen,
wenn man andre Worte sagt, ungeachtet sie eben daßelbe bedeuten.
Ew. HochEdelgeb. werden darwider sagen, es giebt Worte bey einer
ieden Nation und besonders in der Schweitz, die sehr nachdrücklich
sind, und dafür ich in der Hochdeutschen (d. ist) in der allgemeinen
oder Hauptsprache der Deutschen gar nichts finde, was ich sagen kann.
Sind es Begriffe, die der Hochdeutschen Sprache ganz fehlen: so
erweisen sie derselben eine Wohlthat, wenn sie diese Worte ins
Hochdeutsche einführen. Und ich hoffe, daß derselben nicht so viel
seyn werden, daß dadurch ihre Schreibart gebornen Deutschen unverständlich werden könnte. Sind es aber welche, dafür sie zwar
sehr nahe kommende Worte finden können, die ihnen aber noch
nicht völlig Genüge thun, so wäre die erste Untersuchung, ob diese
Worte nicht in der That eben so nachdrücklich wären, und nur deßwegen ihnen nicht so vorkämen, weil Sie Ihre Gedanken an die
andern gewöhnt, welches wie mich dünkt öfters geschieht, und wäre
dieses nicht, so würden dergleichen Worte leichtlich durch ein Bey-
wort, das ihre Bedeutung beßer bestimmte, zu einem mehrern Nach-
drucke erhoben werden können. Es ist kein Vortheil für eine Sprache,
an solchen Worten reich zu seyn, die zwar nicht synonyma sind,
aber doch einander sehr nahe kommen, und nur einen verschiednen
Grad derselben Sache, oder species specierum andeuten. Wenn man

für allzuviele einzelne oder besondre Fälle in der Natur eigne
Worte hat: so macht dieses, daß der Mensch nicht genug auf Uni-
versalia kömmt, und sich zu viel bey den individuis oder speciebus
specierum aufhält. Es. nimmt über dieses den Beywörtern ihren
Gebrauch, welche dazu bestimmt sind, diese species anzudeuten, und
welche eine Sprache mit weniger Worten viel reicher machen, weil
sie sich zu vielerley Worten setzen laßen, anstatt daß ein ganzes
Wort, so eine ganz besondre Sache andeutet, nur auf einerley Art
gebraucht werden kann, und ich [9] also eine große Anzahl solcher
Worte haben müßte, ehe ich alle Dinge in der Natur würde benennen können. Wenn ich Leute reden höre, die sich an verschiednen Orten in Deutschland einige Zeit aufgehalten, und das Nach-
denken nicht gehabt, daraus die Deutsche Hauptsprache zu erlernen,
welche gesittete Leute am allerreinsten durch den Umgang mit
vielerley Deutschen Nationen begreiffen, sondern die überall die
Sprache des gemeinen Mannes angenommen haben: So kann ich
daraus ungefähr schließen, was die Deutsche Sprache für ein Ding
seyn würde, wenn man die eignen Redensarten iedes kleinen Landes
zusammenbringen, und in die Hochdeutsche Sprache aufnehmen
wollte. Es wäre dieses ungemein bequem für die Plaudrer. Und so
wie es Leute giebt, die, weil sie Französische Worte in das Deutsche
bringen, zweyerley zu sagen glauben, wenn sie einem Menschen viele
Glückseeligkeit und prosperité anwünschen, so würde man Worte
neben Worte gesetzt finden und den Verstand vergebens suchen.

Ich mache Ihnen diese Einwürfe nicht, als ob ich eine Schrifft
ganz und gar verwürfe, weil sie eigne Redensarten ihres Landes mit
in sich hat. Alles, was die Sprache betrifft, ist mir ziemlich gleichgültig. Aber es ist dieses nicht so mit den Leuten, die keine Pro-
feßion aus dem Lesen und aus dem Witze machen, die nur zu ihrem
Zeitvertreibe lesen, und welche nach meinen Gedanken eigentlich
diejenigen sind, für welche der witzige Kopf arbeitet und sie zu
unterrichten suchet. Die Gelehrsamkeit ist eine schlechte Sache,
wenn sie nur für diejenigen arbeitet, die auch gelehrte werden wollen.
Der Gelehrte und der bel esprit denken für diejenigen, die nicht
genug denken und nicht schreiben wollen, und die ihren Verstand nur
zum Zeitvertreib mit dergleichen Sachen unterhalten wollen; So wie
der meiste Theil der Menschen thun. Diesen muß man das Werk-
zeug des Witzes, die Sprache, so leicht als möglich zu verstehen
machen, damit sie ihre Gedanken ganz für den Witz selbst übrig
behalten. Ich werde Ihre Schrifften gern lesen, wenn sie [10] auch
in einer mir ganz fremden Sprache abgefaßet wären, und wenn
Schweizerisch auch eine andre Sprache seyn wird, als Deutsch, so
werde ich mich bemühen, es zu lernen, wie ich mich bemühe, eine
andre fremde Sprache zu verstehen. Aber wenn es möglich ist,
strafen sie die Deutsche Sprache nicht damit, daß sie von ihr Abtrünnig

werden; der Meißner hat nicht mehr Recht an die Deutsche Sprache,
als sie daran haben. Ich versichre sie es, er wird mit seiner Mundart und seinen eignen Worten und Redensarten ebenso ausgelachet,
wenn er in eine andre Provinz kömmt, als er andre auslachet, die
ihm nicht nach seinem Ohre reden. Und Sie dürfen gar nicht
fürchten, daß sie ihm zu viel Ehre anthun und sich nach ihm richten,
wenn sie ein Deutsch schreiben, das durch ganz Deutschland für gut
und rein gehalten werden muß, und das eben so wenig in seinem
als in ihrem Vaterlande vollkommen rein geredet wird. Sie haben
in dem Mahler der Sitten durchgehends eine Probe einer guten Hochdeutschen Schreibart gegeben. Aber ihre Vorrede zu den neuen
Fabeln machet mir die Furcht, daß sie es wider ihren Willen gethan haben und ihr Vaterland immer noch in der Sprache von uns
übrigen Deutschen abzusondern Lust haben. Die reimlosen Verse[1])
in ihrem Mahler finde ich beßer, als ich noch irgend wo gelesen habe.

Ihre Erzählung von Pygmalion und Elise[2]) hat mich ver-
anlaßet, des St. Hyacinthe seine zu lesen. Ich finde die Ihrige
in den vielfältigen Beschreibungen und besonders in den Aus-
drückungen des Carakters der Elise weit artiger. Ungeachtet ich
in der französischen das materialische, das Sie daran aussetzen,
ungerechnet, eine große Feinigkeit und eine überaus polirte Schreibart bewundre. Eine Person, der ich beyde zu lesen gegeben, sagte
mir, daß die Statue in beyden zu metaphysisch redete, so bald sie
auf die Welt kömmt. Es ist wahr. Es scheint so. Und in des
St. Hyacinth seinem Pygmalion bin ich überzeugt, daß es so ist. In
dem ihrigen kömmt mir es auch so vor, weil es dieselben Worte
sind, die man in der Metaphysik zu brauchen gewohnt ist, wenn man
Schlüße von seinem Seyn machen will. Aber es ist doch einmal
gewiß, daß eine Person, [11] die auf einmal anfängt, sich selbst zu
fühlen, nicht anders denken kann. Und ich kann also nicht finden,
wie sie anders reden sollte. Folglich scheinen diese Reden nur deßwegen unnatürlich, weil man niemals eine solche Person reden gehöret, und sie sind gleichwol natürlich, so bald ich eine solche Person
voraussetze. Hingegen finde ich, daß Pygmalion der lebendig ge-
wordnen Statue begegnet, ohne sich sonderlich darüber zu verwundern,
oder es mangelt vielmehr die Beschreibung und die Ausdrücke seiner
Verwunderung, und Pygmalion antwortet ihr in seiner Rede auf ihre
ersten Fragen mit einer Kaltsinnigkeit, nach welcher es scheinet,
als ob er die Belebung seiner Bildsäule längst vermuthet hätte.
Sonst ist die Neugierigkeit der Elise, ihre Gedanken über die
Stimmen der Vögel, der Anblick ihres eignen Bildes im Waßer, ihr
Schrecken vor der Nacht und vor dem Donner, ihr Verlangen nach

1) Solche kommen dort öfter vor. Besonders betont wird die Reim-
losigheit Bd. I S. 190.

2) Frankfurt und Leipzig 1747.

mehr Mannspersonen, die sie alle lieben wollte, ihre Beschreibung
einer Galere, daß sie aus der Höle gehet, ungeachtet es ihr Pygmalion verbothen, ihre Plauderey und ihr übriges Bezeigen gegen
deßen Bruder lauter sehr angenehme Bilder, welche in dem Französischen nicht sind, und welche Ihrer Erzählung besondre Vorzüge geben.
Ich habe die Ehre u. s. w."

III.

Aus dem Jahre 1748. Vollständig gedruckt in den „Litterarischen Pamphleten. Aus der Schweiz. Nebst Briefen an
Bodmern" (Zürich MDCCLXXXI) S. 121—29. Im Original
elf Seiten lang. Die Veränderungen mannigfacher Art, die
Bodmer sich erlaubt hat, schädigen nicht den Sinn und scheinen
nach dem Muster der von Joh. Heinr. Schlegel vorgenommen
zu sein.

IV.

Brief vom 31. März 1749. Aus Soroe. Zum Theil gedruckt.

„HochEdelgebohrner,
Hochgeehrtester Herr Professor,
Da ich an voriger Michaels-Meße keine Briefe von Ew. Hoch-
Edelgeb. erhalten habe: so muß ich fürchten, daß Sie Sich durch
den langen Weg, den unsre Briefe gehen müßen, endlich haben ab-
schrecken laßen, unsern Briefwechsel fortzusetzen. Ich bitte aber,
daß Sie das Vergnügen, welches ich auf meiner Seite darinnen finde,
mehr als die Entfernung in Betrachtung nehmen wollen. Es ist doch
gewißermaßen gleichviel, zehen oder hundert und funfzig Meilen
entfernt zu seyn, wenn man einander nicht sprechen kann, und wenn
man genöthigt ist, seine Gedanken nur auf dem Pappiere abzuschildern.
Es ist mir gar nicht zuwider, daß Ew. HochEdelgeb. hierinnen einen
Secundanten angenommen haben, und ich weiß nicht, ob ich in vorigem
Sommer in meinem letzten Briefe Ew. HochEdelgeb. schon gebethen
habe, diesen Herrn Schuldheiß wegen seiner Critik über meine
Probe eines Heldengedichtes meiner Hochachtung zu versichern,
welches ich also nochmals bitten will. Doch wollte ich, daß Die-
selben nicht darum aufhören wollten zu schreiben, und wenn Sie
Zeit übrig haben, ihren Secundanten nicht allein schreiben ließen.
Es wird mir desto angenehmer seyn, doppelte Briefe zu erhalten.
Da ich keinen Bruder mehr in Leipzig habe, und nicht weiß, ob Sie
mit meinen dasigen Freunden, dem Herrn Prof. Kästner, [2] dem

Herrn Gellert oder dem Herrn Rabner, denen ich zwar selbst
nur selten schreibe, hierinnen zu thun haben wollen: so wird das
beste seyn, wenn Sie Ihre Briefe an mich allemal an einen der
Coppenhagenschen Buchführer, Mümme, Wenzel oder Rothe geben
laßen wollen, deren wenigstens einer zur Meßzeit in Leipzig zu seyn
pflegt.

Ich bin voritzo mehr mit den politischen Wißenschaften beschäftiget, als mit dem Witze. Diese Dinge sind, zumal in Deutschland, leider so getrennt, daß man den guten Geschmack beynahe
verschwören muß, wenn man in dergleichen Wißenschaften etwas
thun will, und ich will fast lieber alle Chroniken der mittlern Zeiten
lesen, als einen einzigen von den neuern Barbaren, welche mehr ver-
wirrte Sammlungen als Abhandlungen daraus geschrieben haben.
Natürlicher Weise führt mich dieses zu einer Sache, die Deutschland
nöthig hat, und den guten Geschmack am besten in Schwang bringen
kann, nemlich bey allen Gelegenheiten eine gute und lebhafte Schreibart in die Wißenschaften zu bringen. Ich arbeite noch immer in
meinen Nebenstunden, wie ich Ew. HochEdelgeb. schon gemeldet,
an der Geschichte Heinrichs des Löwen, welche in dieser Meße schon
schon erscheinen sollte, weil ich von meinen Patronen ein wenig zu
sehr angetrieben werde, die aus einem Eifer für meine Ehre gern
etwas von meiner historischen Schreibart vorzeigen wollten. Aber
zu allem Unglück habe ich die Beneidenswürdige Gabe nicht, alle
Tage sechs bis acht Stunden Collegia [3] zu lesen, und doch dabey
den Bayle zu verbeßern und zu erläutern, Trauerspiele und Lustspiele zu machen, critische Beyträge oder Büchersäle zu schreiben,
und auch noch an einer Sprachkunst 20. Jahre mit größtem Fleiße
zu arbeiten. Weil ich aber in der ganzen Woche nur 8. Stunden zu
lesen habe, wozu ich aber die Sätze selbst ausarbeite, so habe ich
diese Geschichte noch nicht über die Hälfte fertig machen können,
ich hoffe aber, daß sie künftige MichaelisMeße gedruckt seyn soll.
Man könnte sagen, daß mir der Herr von Bünau durch seine Geschichte Friedrichs des Ersten vorgearbeitet, und daß man sich
viel unterstehe, Bücher zu schreiben, wenn man nicht eine so große
Bibliothek hat, als er. Ich will nicht von seiner guten Schreibart
reden, welche meistentheils darinnen besteht, daß er keine fremden
Worte gebraucht, und die Perioden etwas weniger verwirret, als in
dergleichen Büchern sonst zu geschehen pflegt, im übrigen aber mir
sehr trocken vorkömmt. Caraktere, oder die Ursachen der Dinge,
oder Anmerkungen, die den damaligen Zustand des deutschen Reichs
betreffen, oder auch nur einige Anleitung zu moralischen Betrachtungen darf man nicht bey ihm suchen. Ich kann nicht vergeßen,
was ein alter kluger Franzose, der in Dresden in einer großen Bedienung stehet, für ein Urtheil von ihm gefället, nemlich der Herr
von Bünau sey ein Minister, und habe eine Geschichte geschrieben,

wie ein Schulmann, und gegen ihn zu rechnen habe Mascov, der
doch nicht viel mit dem Hofe zu thun gehabt, als ein großer Staatsmann geschrieben. Breitkopf wird mein Werk verlegen. [4]

Ich lebe hier in einer gewißen Entfernung von neuen Büchern.
Ich habe weder die Meßiade noch Gottscheds Sprachkunst gesehen. Endlich also hat man doch von diesem letztern ein Werk,
woran er sich Zeit genommen; und ein Mann, der ganze Trauerspiele
in acht Tagen fertig gemacht, hat die Geduld gehabt, 20 Jahre an
einer Sprachkunst zu arbeiten. Ich habe eine ganz artige Bibliothek
bey der Akademie unter meinem Beschluß, die ein Dänischer Minister in Holland, Herr Griis, gesammlet hat, worinnen ich aber
unter einer ganzen Anzahl griechischer, lateinischer und französischer
Poeten und andrer geistreicher Schrifften nicht ein einziges deutsches
Buch finde. Weil es auch in Dännemark viel Leute giebt, die wider
den deutschen Witz eingenommen sind. Gleichwol lese ich einige
Stunden ein Collegium von der Kunst seine Gedanken wohl auszudrücken, wozu ich die Sätze selbst schreibe. Diese enthalten fürs
erste diejenigen Regeln, welche der Dichtkunst und der Beredsamkeit
mit einander gemein sind, und hernach die besondre Anwendung derselben nach dem verschiednen Endzwecke einer von diesen Wißenschaften. Sie können denken, wie sauer es mir wird, gute Exempel
zu den Regeln zu finden, da ich weder Gottscheds alte noch neue
Dichtkunst, noch seine Redekunst, noch seine Muster noch etwas
anders von dergleichen Büchern bey der Hand habe, und mich mit
dem Cicero, Plinius, Virgil, Boileau und dergleichen Leuten
behelfen muß. Es verlangt mich sehr nach Ihren neuen critischen
Briefen.[1] Ich hoffe, wie sie in den vorigen, die ich schon vor mehr
als zehn[2] Jahren [5] mit Nutzen gelesen, einige Materien, die besonders das Trauerspiel angehen, ausgeführet; aber, wo ich mich
recht erinnre, dabey nur wenig Exempel angeführt; so werden Sie
in diesen Briefen, die sie kürzer machen wollen, noch viele andre
Materien ausführen, und vielleicht etwas mehr Exempel anführen,
besonders die Fehler handgreiflicher zu machen. Da öfters die jungen
Leute, ehe sie ihre Philosophie genugsam inne haben, die Regeln
der Beredsamkeit und Dichtkunst nicht allein lernen, sondern auch
selbst schreiben wollen, so verfallen sie meistentheils auf diejenigen
Bücher, welche Ihnen dergleichen Regeln am sinnlichsten und hand-
greiflichsten vortragen, am ersten. Finden sie keine solchen, die
von guter Hand geschrieben sind, so nehmen sie diejenigen, in denen
die Sachen nur obenhin und nach Gutdünken abgehandelt werden;
und ehe die gründlichen Erweise dazu kommen können, ihren Verstand zu bilden: so sind diese Leute schon mit Vorurtheilen einge-

---

1) Erschienen 1749.

2) Wol verschrieben für zween. Bodmers „Kritische Briefe" erschienen zuerst 1746.

nommen. Es fehlt zwar sonst auch nicht an dergleichen Büchern,
aber da die Briefe eben solche Schrifften sind, wo man am leichtesten
eine oder die andre kleine Feinigkeit in der Schreibart und in den
Gedanken untersuchen kann, die in dem Zusammenhange eines ganzen
Systems nicht genugsam ausgeführet werden kann: so dünkt mich,
Ew. HochEdelgebohrnen könnten mit ihren Briefen der Critik eben
den Dienst thun, [6] den der Spectator. und andre der Moral durch
ihre kleine Schrifften gethan haben; nemlich einzelne Materien oder
Exempel zu untersuchen, die dazu dienen können, den Geschmack
nicht allein gründlich, sondern auch fein zu machen.

Was Sie mir von den Minnegesängen schreiben, vergnügt mich.
Ein Kenner der Alterthümer der Deutschen kann nicht zweifeln, daß
die schweizerische Mundart vordem mit der Schwäbischen einerley
gewesen, und in der That ist dieses dasjenige, was man eigentlich
hochdeutsch nennen kann, wenn man dieselben Zeiten ansieht, und
wo wollte sonst der Sitz der hochdeutschen Sprache seyn, da der
größte Theil des itzigen Sachsens noch mit Wenden besetzt war.
Ew. HochEdelgeb. werden ohne Zweifel eine deutsche Uebersetzung,
welche sich so genau nach den Worten richtet, als möglich ist, dazu
gesetzt haben; diese Uebersetzungen dünken mich bequemer als die
lateinischen, weil sie die Veränderung der Sprache und die Ableitung
der neuern Wörter aus den alten beßer erläutern. Ich wollte, daß
ich die Isländer genug verstünde, um eben den natürlichen Geist
der Poesie in denenjenigen bewährten Ueberbleibseln zu zeigen, die
wir noch davon haben. Ich weiß nicht, wie man auf die Einbildung
gerathen ist, daß die Reime ihren Ursprung in Norden haben.[1]
Die ältesten Isländischen Lieder sind nicht gereimt, und mich
dünkt, man kann leichtlich beweisen, daß man in Norden erst von
den München, welche allemal die Wortspiele [7] geliebt, reimen
lernen.

Ich weiß nicht, ob Ew. HochEdelgeb. meinen Triumph der
guten Frauen bekommen haben. Ich habe Ihnen denselben nicht
zugeschickt, weil Sie ihn eher haben haben können, als ich selbst. Es ist
eben dasjenige Stück, davon ich Ihnen zuvor unter dem Titel des
strengen Ehemanns gemeldet.

Ich überschicke Ew. HochEdelgeb. hierbey ein Gedicht auf die
Geburth unsers Cronprinzen[2]), welches man hier sehr wohl aufgenommen hat, zumal bey Hofe. Ich fürchte nicht, daß Sie Schmei-
cheleyen darinnen finden werden. Sie würden mir aber vorwerfen,
wenn Sie hier zugegen gewesen wären, was ich mir selbst vor-

---

1) Geht gegen Gottsched. Vergl. critische Dichtkunst. 3. Aufl.
§ 14 im ersten Capitel des ersten Theils.
2) Werke IV, 136.

geworfen habe, da ich nachdem eine kleine Reise nach Coppenhagen
that, daß ich nemlich die Freude des Volkes nicht groß genug beschrieben, und nicht lebhaft genug abgeschildert habe. Es ist einem
Republicaner schwer zu glauben, daß man mit so vielem Vergnügen
einer unumschränkten Regierung unterworfen seyn könne, als man
hier würklich mit Grunde ist.

Ich lege zugleich eine kleine Schrifft bey, worinnen Sie mir das
viele Münchslatein nicht zurechnen werden, welches aus den Ge-
schichtschreibern, die ich gebraucht, mit eingefloßen.[1]) Es ist eine
Kleinigkeit, deren Inhalt man unter diejenigen Sätze rechnen kann,
denen nicht so wohl der Nutzen als der Menschen Begierde zu wißen
den Werth giebt. Ich weiß nicht, ob Ihnen beygehender Plan von
Egyptischen Reisen zu Gesichte gekommen ist, ein Buch, worzu schon
alles fertig ist, und worinnen [8] würklich viel schönes und neues
vorkömmt, dasjenige aber, was man auch bisher gewußt, genauer
und verbeßerter abgebildet wird.

Man hat itzo in Coppenhagen drey Schaubühnen. Eine Italiänische Opera, die für das, was sie ist, ganz artig ist, eine französische
Comödie, welche die Lustspiele mittelmäßig und die Trauerspiele
schlecht vorstellet, wo etwa drey gute Acteurs und kaum eine gute
Actrice sind; eine Dänische Comödie, welche es in 2 Jahren so weit
gebracht hat, als es kaum eine Schaubühne in Deutschland in 10.
Jahren bringen können. Sie haben Mittel gefunden, ein großes
Theater, schöne Kleider und alles, was zum äußerlichen Zierath gehört, anzuschaffen, Sie spielen nicht schlecht, welches alles ist, was
man von ihnen vor itzo verlangen kann. Und diese, wie überhaupt
alle drey Schauspiele, finden so gut ihre Rechnung, daß man den
Eifer und in gewißen Stücken auch den ziemlich guten natürlichen
Geschmack bewundern muß, der sich dadurch hervorthut. Gleichwol erweckt dieser Fortgang noch zur Zeit keine dänischen Autoren.
Der Hof will Holbergs Stücken nicht eben leiden. Man behilft
sich also wie in Deutschland meistentheils mit Uebersetzungen, wovon der größte Theil ziemlich sehlecht ist, und wobey man eben
nicht allemal die besten französischen Originale aussucht.

Da ich in einer Gegend wohne, welche man unter die schönsten
von ganz Norden rechnet, und mein Haus fast in einem Walde liegt:
so weiß ich nicht, ob ich nicht diesen Sommer im Spazierengehen
wieder an ein Trauerspiel denken werde; welches aber kaum in
einem Sommer zu Stande kommen wird.

Ich schreibe Ihnen viel, und vielleicht viel, was Ihnen gleich-

---

1) Ist wol die im Leben S. XXXXIX von Joh. Heinr. Schlegel aufgeführte „Conjectura pro conciliando veteris Danorum historiae cum Ger-
manorum gestis consensu", wovon ich durch die Güte der Kieler Universitätsbibliothek ein Exemplar kenne.

gültig ist; ich wiederhole auch vielleicht einiges, was ich Ihnen schon gesagt habe, weil ich nicht weiß, ob Sie meinen letzten Brief erhalten haben. Ich verharre übrigens u. s. w."

Somit sind nun wol alle Briefe, die Schlegel an Bodmer geschrieben hat, zur öffentlichen Kenntniss gebracht. Darf man hoffen, dass Bodmers Briefen an Schlegel, die in Kopenhagen liegen sollen und gewiss zu dem interessantesten jener Periode gehören, ein gleiches Schicksal zu Theil werden wird?

Zwei Briefe Bürgers.

I.

Bürger an Brockmann.

Als ich im dritten Bande des „Archivs" S. 431 f. aus G. Kestners Handschriftensammlung einen Brief des Schauspielers Joh. Franz Hieron. Brockmann an Bürger veröffentlichte, wusste ich nicht, dass Bürgers Antwortschreiben auf diesen Brief schon damals gedruckt vorhanden war. Auch die bald nach meiner Veröffentlichung von Strodtmann herausgegebenen „Briefe von und an Bürger" liessen Bürgers Antwort vermissen. Nun aber finde ich dieselbe unter einigen „bisher ungedruckten Briefen merkwürdiger Männer" aus Franz Gräffers in Wien Autographensammlung im 20. Jahrgange des „Gesellschafters herausgeg. von F. W. Gubitz" (Berlin 1836. 4°. Bl. 3 S. 9 f.).[1] Ihr Wortlaut ist folgender:

---

[1] Als Verfasser der übrigen aus Gräffers Autographensammlung veröffentlichten Briefe nenne ich: Lessing (an Gebler, 25. Oct. 1772), Wieland (an Gebler, 1. Sept. 1782), Schiller (an Schauspieldirector Koch, 1. Jun. 1786); Ramler (an Gebler, 17. Oct. 1778), Luther (an Kurfürst Johann, 9. Jul. 1530), J. J. Rousseau (an v. Scheyb, französ., 15. Jul. 1756), C. Th. Dalberg (an Armbruster, 5. Jan. 1793), Lichtenberg (an Dieterich, o. J.), Voltaire (an Algarotti, ital., 7. Marzo o. J.), Sonnenfels (an Maria Theresia, Promemoria über die Einrichtung der Theatralcensur, o. J.), Hebel (an Treitschke, 31. Jan. 1807), Leibniz (an den Reichs-Hofrath, 21. Apr. 1713), Joh. v. Müller (an einen Grafen, französ., o. J.), Lavater („An einen Freund nach meinem Tode, Kannst du Grosses nichts für die Deinen oder die Welt thun — Thue mit stiller Treue das Kleine, wozu Du Beruf hast. 5. III. 1799."), Kotzebue (an Koch, 5. Aug. 1798), Müllner (an Manfred? oder Schreyvogel?, 10. Sept. 1817).

Wollmershausen den 6. Apr. 1777.

Vom Stral der Sonntagsfrühe war
Des Kirchthurms Schiefer-Kuppel blank;
Wohllieblich klungen hell und klar
Die Glocken hohen Feierklang;
Wohllieblich tönten die Gesänge
Der Andachtsvollen Christenmenge.

So stand es, als mein zum wilden Jäger promovirter
Wildgesell eintritt; und so steht es hier in Wollmershausen,
da ich mich hinseze, an meinen lieben Brockmann zu schreiben.
Ich sollte zwar wohl in die Kirche gehen, aber was kann ich
dafür, dass ein Seelengespräch mit Brockmann mir lieber, als
meines Ehren-Pastors Predigt ist?

Glücklich, mein lieber, bin ich wieder bey den meinigen
angelangt. Ihren Brief erhielt ich, kurz vorher, ehe ich mich
in H. auf die Post sezte. Ueber das, was Sie mir von Klopstock schreiben bin ich erstaunt. Um Gottes willen, was
hab ich dem Manne gethan, dass er den Ueberbringer eines
herzlichen Grusses von mir fragen kann, ob das Ernst sey?
— Ich habe freylich meine besondern Grillen und Meinungen,
die aber jeder freye Mann, der selbstständig und kein Knecht
eines Andern seyn will, wohl haben darf. Hat Klp. deswegen
Grund, mich für seinen Widersacher zu halten, der ihn nicht
von Herzensgrunde grüssen lassen kann?

Ich habe ja nicht gegen ihn, sondern gegen den teutschen Hexameter — und das nicht einmal — sondern nur
gegen eine teutsch hexametrische Uebersetzung Homers geschrieben und zwar, bey Gott! zu einer Zeit, da ich mir noch
nicht träumen liess, dass eine solche jemalen sich hervorthun
würde. Kl. muss nothwendig glauben, ich habe ihn auf dem
Korn gehabt. Sie können ihn aber mit Gewissheit versichern,
dass meine Seele nicht an ihn gedacht habe, ja, dass ich Ihn
noch für den einzigen Teutschen halte, der dem teutschen
Hexameter Vergebung seiner Sünden verschaffen kann. Glauben
Sie mir, liebster Brockmann, hätte ich gegen Kl. geschrieben,
so hätt ich solches nicht heimlich und verdeckt, sondern gerade
zu und offenbar gethan, und ihm vor allem Volk den Hand-

schuh vor die Füsse geworfen, wäre er auch noch eines Kopfs länger, als er ist.

Gehn Sie doch hin, liebster Brockmann, und bringen ihm noch einmal einen herzlichen Gruss von mir, und wenn er dann wieder fragt: Ob das Ernst sey? so bedeuten Sie ihm das, was ich Ihnen hier geschrieben habe. Sagen Sie ihm, dass ich, troz meinen absonderlichen Grillen, seinen Geist verehre und sein Herz liebe. Sagen Sie ihm, dass ich diese Versicherung gewiss nicht gäbe, wenn sie nicht wahr wäre. Sagen Sie ihm endlich, dass ich mehr Ursache hätte, ihn für meinen Widersacher zu halten, indem mir für gewiss gesagt worden, dass Hr. Stollberg den Homer auf sein Veranlassen überseze, ich aber dem ohngeachtet im geringsten nicht darüber piquirt wäre. Denn jeder muss seine eigene Haut zu Markte tragen. Jede Waare muss sich doch am Ende selbst und das Werk seinen Meister loben.

Leben Sie wohl, mein liebster — ich liebe Sie mehr, als ich Ihnen jemals werde sagen können — denn eben weil ich Sie so herzlich liebe kann ich Ihnen nichts sagen.

Bürger.

Meinen besten Gruss an unsere gemeinschaftl. Freunde und Bekannte Herr und Madame Schröder, Schüz, Lamprecht u. s. w. An die liebe Ackermann lege ich selbst ein Briefchen bey, welches Sie Ihr einzuhändigen die Güte haben wollen.

II.

Ein ungedruckter Brief an Scheufler.

Mitgetheilt von JOHANNES BOLTE.

A[ppenrode]. d. 21. Jul. 1781.

P. P.

Hole mich dieser und Jener! ich kann jezt nicht mehr als beigehende 10 Ld'or schicken. Habe Geduld mit deinem Knecht, ich will dir alles bezahlen. Nur jezt nicht.

Haben Sie doch die Gewogenheit, mir eine Abrechnung meiner Schuld mit Inbegrif der Zinsen zu machen. Oder melden

Sie mir, wie hoch Sie die Carolinen und Laubthaler mir an-
gerechnet wissen wollen? Dann will ich die Abrechnung selbst
machen. Laubthaler habe ich 90 Stck, Carolinen 20 Stck, aus
der Conv. Münze 22 *ß* erhalten. Ich wolte alsdann den bleibenden Rückstand auf eine runde Summe sezen und wünschte
dass Sie sich gütigst gefallen liessen, die Zalung *successive* in
runden Summen anzunehmen, weil es mir vor der Hand zu
sauer wird, das ganze auf einmal abzutragen. Höchst empfindlich ist mirs, dass ich das ganze nicht schon längst abführen
und meinen Credit bei Ihnen wieder befestigen können. Es ist
mir aber seit Jahr und Tag ganz infam ergangen, weil mir
nicht nur ein ansehnliches Capital verlohren gegangen ist,
sondern ich auch ein anderes, das ich *erga cautionem de resti-
tuendo* aus einem Concurs er-[1b] [halten] hatte, *ad massam*
habe restituiren müssen. Dazu bin ich mit meinen viel-
geliebten Schwestern in einen Erbtheilungs Process gerathen,
der mir noch auf andre Weise vor der Hand die Hände bindet.

Hierneben erfolgt auch der *Ridingcoat* mit allem Dank
zurück. Ich wünsche gesegnete Brunnen u badecur und beharre unausgesezt

Ew Hochedelgeboren
Treugehors. Diener u Fr.
G A Bürger.

[2b]   An
HErrn Amtman Scheufler
Hochedelgeboren
in
hierin 10 *Ld'or.*   Wittmarshof.

Der vorstehende Brief Bürgers ist einer Autographensammlung auf der Bibliothèque royale zu Brüssel (no. 19 676 ff.)
entnommen, welche auch eine Reihe von Handschriften deutscher Dichter enthält. Beachtenswerth sind hierunter: ein
Brief Goethes vom 9. März 1822 an Dr. Noehden in London,
veröffentlicht von Bm. [Anton Bettelheim], Im neuen Reich
1880 Band 2 S. 508 f., ein Schreiben Lessings an Gleim,

längst, jedoch nicht fehlerfrei gedruckt[1]), ein Jugendbrief
Wielands an einen Freund aus Tübingen, 2. Juni 1752, den
schon Herr Doctor Seuffert hat copieren lassen, ferner ein
kurzer Brief Friedrich Schlegels aus der Dresdener Zeit,
den ich in der Anmerkung[2]) mittheile, ein andrer von Tieck
aus München vom 12. März 1805 an einen Verleger. Endlich
sind durch meist unbedeutende Billets vertreten: Gleim, Stammbuchblatt mit Versen von Uz, dat. Halberstadt, 22. Aug. 1780;
Voss, an seinen Verleger, Eutin, 5. März 1797; Göckingk an
Schütz, Berlin, 1. März 1817; Iffland, Berlin, 7. Dez. 1802;
E. M. Arndt, Empfehlung für einen jungen Schweizer Theologen Tappolet an einen Berliner Freund, Bonn, 31. Aug. 32
Bettina von Arnim an Herrn Klein, 30. Juni; Rückert an
Dräxler-Manfred, Erlangen, 11. Dec. 39; A. v. Humboldt an
Dr. Girtanner, ohne Datum.

Bürgers Schreiben an seinen Nachbarn, den fürstlich
Hessen-Rothenburgischen Amtmann P. H. Scheufler zu Witt-

---

1) Aus Hamburg, 24. Sept. 1768. Gedruckt in der Hempelschen
Ausgabe von Lessings Werken 20, 1, 283. Dort muss Z. 8 *den* fehlen.
Ebenda l. *welches*. Z. 9 *des Herrn Zachariä*. Z. 15 *das erst*. Z. 19 *wäh-
rend meinem Hierseyn*. Z. 22 *Briefe* fehlt. Z. 23 *liebster Freund* fehlt.
Ebenda l. *mich auch ja*. Gleim hat darauf bemerkt: *beantwortet d. Z.*
[soll heissen 28.] *Sept. 1768.*

2) Ohne Adresse. —   Dresden den 20. Dec. 95.
Hochgeehrtester Herr,
Ew. Wohlgeb. würden mich durch eine Zeile Antwort betreff die
Uebersetzung des *Essai sur la vie de Barthelemy par Mancini* [so!]. —
Es steht zwar im Intelligenzblatt der Allg. Litt. Zeitung v. 27ten Octob.
eine Ankündigung, allein da sich weder der Verleger noch der Ueber-
setzer genannt hat, so glaube ich für meine Person nicht die geringste
Rücksicht darauf nehmen zu müssen. — Sollten Sie eben dieser Meynung
seyn, so werden Sie selbst am besten ermessen können, in wiefern eine
Ankündigung noch nöthig und nützlich seyn möchte.
Ich verharre mit vollkommenster Hochachtung
                    Ew. Wohlgeb.
                       gehorsamster
Moritzstrasse nro. 748.   Friedrich Schlegel.
[Die in vorstehendem Briefe erwähnte Ankündigung im Intelligenzblatt
der A. L. Z. vom 24. (nicht 27.) Octob. 1795 lautet: „Essai sur la vie de
J. J. Barthelemy par Louis-Jules Barbon Mancini Nivernois. Von dieser
interessanten Piece erscheint demnächstens eine deutsche Uebersetzung."]

marshof, reiht sich den elf von Strodtmann[1]) bekannt gemachten Briefen als zwölfter an und dient, das trübe Bild der
Geldnoth, in die der Dichter in verschiedenen Zeiten seines
Lebens mit und ohne eigene Schuld verwickelt war, zu vervollständigen. Von Darlehen ist schon im Jahre 1776 in den
Briefen an Scheufler die Rede, und aus dieser Zeit mag sich
auch die hier erwähnte Schuld herschreiben.

1) Briefe von und an G. Á. Bürger, Berlin 1874. I 181. 217. 273.
328. 338. II 335. 339. 343. III 112. 117. 164; aus den Jahren 1773—1785.
Scheufler starb 1797, drei Jahre nach Bürger.

Die Tauchersage in ihrer litterarischen und volksthümlichen Entwickelung.[1]

Von

HERMANN ULLRICH.

Wir alle kennen die Tauchersage in ihrer vollendetsten
Fassung, in Schillers Romanze. Obgleich diese uns von früher
Jugend an vertraut ist, zwingt sie uns doch in gereiftem
Alter bei erneuter Lectüre zu immer neuer Bewunderung
und wir befinden uns mit dieser Bewunderung in voller Uebereinstimmung mit Goethe, der 1799 an Schiller schrieb: „Ich
habe bei dieser Gelegenheit Ihren Taucher wieder gelesen, der
mir wieder ausserordentlich. wohl und, wie mich sogar be-
dünkt, besser als jemals gefallen hat." Sonach mag sich und
wird sich jeder, der nicht aus der Geschichte der Litteratur
Profession macht, bei Schillers prächtigem Gedichte zufrieden
geben. Anders der Litterarhistoriker. Um den Dichter in
seiner Werkstätte zu belauschen, ist nichts geeigneter als eine
Vergleichung des von jenem vorgefundenen Rohstoffes mit
dem, was seine Kunst daraus zu machen verstanden hat. Nun
ist zwar, um dies im voraus zu sagen, die Quelle des Schillerschen Gedichtes noch nicht über. allen Zweifel feststehend;

1) Vorstehende Arbeit ist eine verbesserte und erheblich vermehrte
Wiederholung einer Skizze, die ich als Beilage zu einem Programme
vom Jahre 1884 (No. 509) gegeben hatte.

Eben im Begriffe diese Arbeit zum Druck zu befördern, erhalte
ich eine auf Anlass der Redaction von „Mélusine, revue de mythologie,
littérature populaire etc. dirigée par H. Gaidoz et E. Rolland" veranstaltete, in Einzelheiten gekürzte, aber auch in einigen Puncten be-
reicherte und in No. 10 des zweiten Bandes jener Zeitschrift abgedruckte
französische Uebersetzung meiner Skizze. So habe ich die Anmerkungen
des Uebersetzers noch benutzen können.

aber bei dem suchen danach hat sich herausgestellt, dass
eine ganze Reihe von Aufzeichnungen vorhanden sind, die —
wol auf einem wirklichen Vorfall basierend, der sich in Italien
zugetragen hat — mehr oder weniger übereinstimmend jenen
Vorfall berichten, und ausserdem hat sich eine beträchtliche
Anzahl von Volksliedern gefunden, die mit Uebergehung alles
nebensächlichen, sogar des Namens des Tauchers, jene Begebenheit zur Darstellung bringen. So schien es interessant,
alles über die Tauchersage bereits vereinzelt veröffentlichte
und neu gefundenes vergleichend zusammenzustellen.. Wenn
auch, wie schon bemerkt, Schillers Quelle betreffend nichts
neues mitzutheilen ist, so dürfte die Zusammenstellung doch
für die Sagenkunde nicht ganz ergebnisslos sein. Ausserdem
werden wir sehen, dass die Schillersche Romanze nach Durch-
musterung alles Materiales in ein noch helleres Licht gerückt wird.

    Alles über die Tauchersage bereits vorher ermittelte
knüpft an die Namen Val. Schmidt[1]), F. Liebrecht[2]),
K. Goedeke[3]) und H. Düntzer[4]) an. Die älteste Aufzeich-
nung über · den Taucher scheint die zu sein, die sich bei
Gualterus Mapes, und zwar in den Nugae curialium
(Distinctio IV, caput 13) findet. Aus diesem von Thomas
Wright im Jahre 1850 neu herausgegebenen Buche[5]) hat
F. Liebrecht das auf Sagengeschichte bezügliche ausgehoben
und besprochen.[6]) Gualterus Mapes lebte am Ausgange. des
12. Jahrhunderts; das in Rede stehende Buch ist (nach
Liebrecht S. 26) zwischen 1188 und 1193 entstanden. Da

---

    1) Balladen und Romanzen der deutschen Dichter Bürger, Stollberg,
Schiller, erläutert und auf ihre Quellen zurückgeführt. Berlin (1826).

    2) Des Gervasius von Tilbury Otia imperialia. In einer Auswahl
herausgegeben und mit Anmerkungen begleitet (Hannover 1856) Anmk. 24;
und desselben Verfassers: Zur Volkskunde. Alte und neue Aufsätze
(Heilbronn 1879) S. 49—50.

    3) Schillers sämmtliche Werke. Historisch-kritische Ausgabe Bd. XI.

    4) Schillers lyr. Ged. erläutert Bd. 2. 1865. S. 115 ff.

    5) Walter Mapes de nugis curialium distinctiones V, edited from
the Bodleian manuscript by. Th. Wright. London. Camden Society.
1850. 4.

    6) Zur Volkskunde S. 49.

.Mapes, bevor er die Stellung eines Kanonicus zu Salisbury, später die eines Archidiakonus von Oxford bekleidete, sich in Italien aufgehalten hatte, so konnte er die Sage oder Begebenheit wol selbst von da mitgebracht haben. Der Bericht ist übrigens dürftig genug: Nikolaus der Taucher (bei Mapes Pipè genannt) leistet, durch ·seinen fast ununterbrochenen Aufenthalt im Meere mit diesem vertraut, den Schiffern nützliche Dienste, indem er ihnen drohende Stürme voraussagt. Er kommt um, als er auf Befehl König Wilhelms (nach Wright ist Wilhelm IV. gemeint), der den merkwürdigen Menschen zu sehen verlangt, vor diesen gebracht wird, da er in Folge des steten Aufenthaltes im feuchten Elemente den längeren Aufenthalt ausserhalb desselben nicht.ertragen kann.

Der nächste, der der Sache Erwähnung thut, ist Gervasius von Tilbury in seinem gegen das Jahr 1210 für den deutschen Kaiser Otto IV. verfassten Buche: Otia imperialia.[1]) Gervasius, ein Enkel König Heinrichs II. von England, war erst Lehrer des kanonischen Rechtes, dann in Sicilien und Neapel längere Zeit in königlichen Diensten, · kam unter Otto IV. nach ·Deutschland und wurde gegen 1240 dessen Kanzler und Reichsmarschall. Er nennt den Nikolaus aus Apulien gebürtig und erzählt, dass derselbe auf Befehl König Rogers (nach Liebrecht: Roger II. 1127—1154) in den Strudel der Meerenge von Sicilien getaucht sei und bei seinem wiedererscheinen eine Beschreibung des Meeresbodens gegeben habe. Von dem Tode des Tauchers weiss er noch nichts, dagegen erzählt er bereits den in mehreren späteren Versionen wiederkehrenden Umstand, dass Nikolaus sich, um sich das tauchen zu erleichtern, von den ihm auf dem Meere begegnenden · Schiffern Oel ausgebeten habe.

Die drittälteste Fassung der Sage scheint die zu sein, die sich in des Johannes Junior Scala celi (Ulm 1480. fol. de missa, quinto folio 131 b) findet.[2]) Hier ist die Geschichte

---

1) Zuerst herausgegeben von Leibniz in den Scriptores ·rerum Brunsvicensium vol. 1 S. 881; in einer Auswahl, mit sagengeschichtlichen Anmerkungen von Felix Liebrecht (s. o.).

2) K. Goedeke hat die Geschichte abgedruckt in Bd. XI der historisch-kritischen Ausgabe von Schillers sämmtlichen Werken.

bereits geistlichen oder moralischen Zwecken dienstbar gemacht und in die bekannte Parabel von den drei Lehren
eines Vaters an seinen Sohn, sowie in die vom Gange nach
dem Kalkofen verflochten. Bei Johannes Junior lesen wir
auch zum erstenmal von einem Seckel Goldes, den der tauchende
heraufholen soll. — Johannes Junior lebte in der ersten Hälfte
des 14. Jahrhunderts und schöpfte, wie Goedeke sagt, aus
Quellen, die selten jünger sind, als aus der Mitte des 13. Jahrhunderts.

Einer weiteren und noch sehr epitomarischen Form der
Aufzeichnung der Geschichte, die auch noch nichts von einer
dem Taucher verheissenen Belohnung weiss und ebensowenig
seinen Tod berichtet, begegnen wir bei Raphael von Volterra
(Raphael Volaterranus) in den Commentarii urbani (Parrhisiis
1511. fol.). Die Stelle ist die folgende[1]):

> Non praeteribo rem miram quae hoc tempore[2]) contigit.
> Nicolaus quidam Colapiscis cognominatus, ex Apulia oriundus,
> a puero in mari assuetus agebat interque marinas beluas
> illaesus plures dies continuos versabatur profunda maris
> penetrando. Nautis saepe visus tamquam marinum mon-
> strum apparebat futuras quoque tempestates praedicebat.[3])

Der nächste Gelehrte, der unsern Taucher erwähnt und für
eine Reihe von andern Berichten die Quelle wurde, ist der
Philosoph, Dichter, Redner und Geschichtschreiber Jovianus
Pontanus (1426—1503), der verschiedene politische Stellungen,
zuletzt die eines Hofmeisters und Secretärs von Alfonso II.
von Neapel bekleidete. Für ihn scheint die Persönlichkeit
des Tauchers von besonderer Anziehungskraft gewesen zu
sein, denn er erwähnt ihn nicht nur in einer Abhandlung:
De immanitate[4]) in folgender noch nicht angezogener Stelle:

> Quod (d. h. Verwandlung in ein Thier) factitatum videtur
> ab Cola Pisce, homine Siculo, qui relicta humana societate

---

1) In der Ausgabe von. 1603 S. 234b.
2) Vorher ist ein Heinrich VII. erwähnt.
3) Nach Mélusine Nr. 10 ist dieser Bericht, mit Auslassung des
Namens, dem Gervasius entlehnt.
4) Ioaunis Ioviani Pontani in philosophia, in civilibus et milita-
ribus virtutibus summi Opera, a mendis expurgata et in quatuor tomos
digesta. Basileae, s. a. Tom. I, 939.

omnem fere vitam ab ipsa pueritia in mari egit atque inter pisces. Qua ex re factum est illi piscis agnomentum, ut non hominis mores tantum exuerit, verumetiam ipsam paene effigiem, lividus, squamosus, horridus u. s. w.

sondern hat auch die Begebenheit dichterisch verwerthet in seiner Urania sive de stellis[1]), wo er von dem Einfluss der Gestirne auf menschliche Schicksale ausgehend, den Taucher in 114 Hexametern in elegantem Latein besungen hat. Diesen Text gebe ich, weil noch nicht wieder abgedruckt, hier wieder:

Quo coeli sub sydere natum,
Quave poli sub parte Colan rear? Alta Pelori
Saxa virum genuere, aluit quoque Sicilis Aetna,
Et puer humanos hausis[2]) de matre liquores,
Instructusque hominum curis, et ab arte magistra,
. Sed tamen ut paulatim aetas tulit, avia montis
Nulla petit, nulla ipse feris venabula torquet.
Littoribus tantum assistit, neptuniaque antra
Sola placent, solis gaudet piscator arenis.
Saepe pater sinuantem hamos, plumboque onerantem
Retia, nexilibus mater persaepe sagenis
Intentum increpuit, dictisque exarsit amaris.
Ille autem irato sese committere ponto
Audet, Nereidum et thalamos intrare repostos,
Tritonnm penetrare domos Glaucique recessus,
Et tentare imi pulsans clausa ostia Nerei.
Saepe illum Galatea, cavo dum prodit ab antro,
Mirata est stupuitque viri per caerulea gressum,
Saepe suas Arethusa comas dum siccat, euntem
.Obstupuit simul et vitreo caput abdidit amne.
Nec vero maris occultos invadere saltus
Addubitat, ferro aut latebras violare ferarum
Ense canes, ense et tauros, ense horrida cete,
. Et totas sese ante acies agit unus, et antris
Includit; natat elato per Nerea telo,
Rheginoque mari Sicula et regnator in unda.
Nanque etiam quo Scylla cavo fremit abdita in antro,
Cui latrant centum ora canum, centum ora luporum
Exululant, ferro irrupit: siluere remisso
Ore canes, siluit rabidorum turba luporum
Victa metu Scylla immanis dum pandit hiatus,
Perforat hic gladio assurgens cava guttura: ibi illa.

1) Ioviani Pontani Opera. Tom. IV, 3036—3040.
2) Druckfehler für: hausit.

In latebras fugit, et ponti procul abdita quaerit.
Ingressusque antrum juvenis Catinensis adesa
Ossa hominum, attritosque artus et pabula cernit
Dira canum, truncasque manus, et pectora et armos.
Tum puppes videt effractas, divulsaque transtra
Saxa super, rostra aeratis squalentia truncis.
Et jam tertia lux roseo surgebat ab ortu,
Quum juvenis laetus spoliis, tantoque labore,
Summa petit, summae nanti famulantur et undae,
Et pelagus posito praestat se ad jussa tumultu.
Occurrit laeta ad litus Messenia turba:
Gratantur matres reduci, innuptaeque puellae
Mirantur: stupet effusum per littora vulgus.
Ille suos peragit cursus, aestuque secundo
Et portum petit, et cursu portum intrat amico.
Victorem pelagi e muris urbs laeta salutat,
Praedaque per scopulos, strataque exponitur alga,
Alga Colan, littusque Colan, Colan antra sonabant.
Hinc omnem pelago vitam, atque in fluctibus egit
Nereidum choreis mistus, quem coerula Protei
Iam norant armamenta, vagique per aequora circum
Adnabant delphines et Ionio in toto
Mulcebat vario Tritonum buccina cantu.
Saepe etiam mediis sub fluctibus alta secantem
Obstupuere virum nautae, quibus ipse reposto
Mox scopulo, madidum exiccans sub sole capillum
Horrentem caeco signat sub marmore cautem,
Declinent qua arte et cumulos variantis arenae.
Quinetiam maris occultos instare tumultus,
Incumbant quibus aut coeli de partibus euri,
Quaque die cogant atro se turbine nubes,
Immineantque hyemes pelago, et nox horreat umbra,
Neptunique minas, inceptaque tristia monstrat.
Hinc illi vela in portum, expediuntque rudenteis,
Ac juveni ingentem Baccho cratera coronant.
Ille autem gratam ut cepit per membra quietem
Stratus humi, pelagoque atrox desaevit et Auster,
Non mora, spumantem in laticem se dejicit alto
E saxo, relegens pontum, vadaque invia tentat,
Sola illa intacta, et factum exitiale Charybdis,
Hanc timet, huic ausus nunquam contendere monstro.

Forte diem solennem urbi Federicus agebat,
Et promissa aderant celeris spectacula cymbae,
Victori meritum chlamys, ac super aurea torquis,
Hinc certant quibus est et vis et gloria nandi.

Praemia caelatus crater, atque insuper ensis.
Ingentem tum rex pateram capit, atque ita fatur:
Victorem maris ista Colan manet: et jacit illam
In pontum, qua saepe ferox latrare Charybdis
Assuevit, quum caeruleo sese extulit antro.
Insonuere undae jactu, ac lux candida fulsit,
Sole repercussa et flammis radiantis aheni.
Cunctatur juvenis, fatoque exterritus haeret.
At rex, ni pateram ex imo ferat ille profundo,
Vinciri jubet actutum; expepiuntque[1]) catenas.
Vincant fata, inquit, fato et rex durior, haud me
Degenerem aspiciet tellus mea: seque sub undas
Demisit: quantumque acer per inane columbam
Delapsus caelo accipiter sequiturque, feritque,
Iamque alis, jamque ungue petens: tantum ille rotatam
Per fluctus, per saxa secans, imum usque profundum,
Sectatur pateram, atque illam tenet impiger, ecce
De latebris fera proripiens, latrantia contra
Objecit rabida ora canum: quibus ille nitentem
Pro clypeo objecit pateram, seque ense tuetur.
Dumque aciem huc illuc ferri jacit, et micat acer
Perque lupos, perque ora canum versatus, et agmen,
Datque locum, rursusque locum tenet, ilia monstri
Incumbens telo strinxit: dedit icta fragorem
Alta cutis, squama horrisonas natat acta per undas.
Stridorem hic illa ingentem de faucibus imis
Sustulit: infremuit quo aequor: cava rupibus Aetna
Assultat; tremit aeratis sub postibus antrum
Vulcani: Siculae nutant cum moenibus urbes,
Horrescitque novos procul Ausonis ora tumultus.
Tum caudam explicitans, totoque illata Charybdis
Corpore, ter pavidum assuitu, ter verbere torto
Excussitque solo, caudaeque volumine cinctum
Illisit tandem scopulo, traxitque sub antrum,
Impastosque canes et hiantia guttura pavit.
Ille igitur coelo impulsus tellure relicta
In ponto degit vitam et fatum aequore clausit.

Dies ist der Bericht des Jovianus Pontanus. In ihm begegnen
wir zum erstenmal einer ausführlichen, wenn auch gemäss
dem Charakter der Renaissancedichtung ausgeschmückten Erzählung, die, soweit sie Thatsachen enthält, Quelle aller folgenden
geworden zu sein scheint. Aus diesem plötzlichen auftauchen

---

1) Druckfehler für: expediuntque.

einer detaillierten Schilderung lässt sich aber der Schluss ziehen, dass Jovianus selbst wieder nach einer schriftlichen Aufzeichnung gearbeitet hat, und diese dürfte man in einer unter den letzten Hohenstaufen oder unter den späteren Königen von Neapel bewirkten Niederschrift zu suchen haben. Wenigstens beruft der nachher zu nennende Athanasius Kircher sich ausdrücklich auf einen solchen Bericht.

Der mündlichen Erzählung (— a Joviano Pontano relatum audivimus —) des Jovianus folgt nun zunächst der Neapolitanische Rechtsgelehrte Alexander ab Alexandro (1461—1523) in seinem in den „Dies geniales" enthaltenen und von Goedeke[1]) zum Abdruck gebrachten Bericht. Bei ihm ist der Taucher gleichfalls aus Catana gebürtig und kommt um, als er eine von einem ungenannt bleibenden Könige ins Meer geworfene Schale heraufholen will. Auf dem Berichte des Neapolitanischen Gelehrten fussen nun wieder die Aufzeichnungen des Pedro Mexia, des Simon Majolo, des Tommaso Fazello und des Benito Geronimo Feyjoo. Den ausserordentlich weitschweifigen Bericht des Pedro Mexia, enthalten in dem oft aufgelegten und in fünf Uebersetzungen (darunter zwei deutschen) verbreiteten historischen Notizenbuch Sylva de varia leccion (Sevilla 1542. fol.) dieses Chronographen Kaiser Karls V. in seiner ganzen Ausdehnung abzudrucken unterlasse ich und gebe nur die folgenden Stellen wieder zum Vergleich mit den andern Darstellungen. Der Bericht findet sich im Capitulo 23 der I. Silva:[2])

> Estos dos pues escriven, que en su tiempo en Catanea en el reyno de Sicilia fue un hombre, a quien por lo que se dira, llamavan todos el Pece Colan: el qual hombre desde muy niño tuvo tanta inclinacion a andar en la mar nadando, que noches y dias, y en todos tiempos no era su descanso otra cosa. — Y en esta tal vida vivio este hombre muchos años, y muy sano y muy rezio, hasta que en una fiesta que el Rey don Alonso de Napoles hizo en la mar en Mecina puerto de mar notable en Sicilia, por experimentar el nadar deste hombre, y de otros que dello se preciavan mucho, hizo echar en la mar una copa de oro de muy grande valor, para-

---

1) Schillers sämmtliche Werke. Historisch-kritische Ausgabe Bd. XI.
2) Nach der Ausgabe: Madrid 1602. 4°.

que el que con mas presteza la buscasse, se quedasse con
ella para si: y assi pensava echar otras pieças sacada aquella.
Y como a esto se avian juntado muchos, y el dicho Colan
con ellos, el entre otros se dexò yr a lo hondo del agua,
muy confiado de salir con su copa en la mano, y de su
ventura, el que avia passado y hecho en la mar lo que te-
nemos dicho, esta vez que se metio en ella, nunca mas salio
ni parecio, ni se supo mas del. Creese que el se entro en
alguna concavidad de las peñas de aquella mar que ay en
el hondo y fue tal, que no pude salir, y murio alli.

Die französische Uebersetzung dieses Buches von Mexia
erschien unter dem Titel: Les diverses Leçons de Pierre
Messie, par Cl. Gruget. Lyon 1592. — Auch der kurze Be-
richt des Majolo möge hier folgen. Er ist enthalten in den
„Dies caniculares: hoc est, colloquia-physica nova et admiranda"
(Moguntiae 1615. fol.), und zwar im Colloquium II des Tomus I:

> Volaterranus autem tradit ante a suo seculo annos plus
> quam ducentos nempe, sub Gregorio novo, in Apulia vixisse
> hominem adeo marinis fluctibus ac belluis assuetum, ut qui
> antea Nicolaus diceretur, postea Colapiscis fuerit nominatus;
> de quo et Bugatus scribit historiae suae libro tertio. Sed
> et in Siciliae ora homo erat, cui piscis Colanus nomen fuit,
> qui a pueritia tanta natandi libidine diu noctuque fluctibus
> obversaretur gaudens et ad quingenta stadia natando perse-
> verans, benigne comiterque navigantibus occursans; anxie
> vivens extra fluctus, sub Rege Alphonso proposito natantibus
> praemio in mare prosiliens, ulterius non emersit aliquo casu
> incognito extinctus. Narrat Alexander ab Alexandro libro
> undecimo capite. vigesimo primo.

Hier sehen wir, wie Majolo, weil er verschiedene nicht
ganz identische Berichte kennt, die den Taucher einmal als
aus Apulien, sodann wieder als aus Sicilien stammend bezeichnen, an das vorhandensein zweier verschiedener Persönlichkeiten glaubt, ohne an den beiden Namen Colapiscis und
Piscis Colanus Anstoss zu nehmen. Es folgen sodann die
Berichte des Thomas Fazellus (1498—1558), enthalten in
den Res Siculae (erste Ausgabe: Palermo 1558) Lib. II cap. 2[1])
(der Taucher ist aus Catana gebürtig, lebt aber in Messina
und wird bei Gelegenheit einer vom König Friedrich von

---

1) Schillers sämmtliche Werke. Historisch-kritische Ausgabe Bd. XI.

Sicilien abgehaltenen Feier aufgefordert, eine von diesem in
den Strudel geworfene goldene Trinkschale heraufzuholen,
kommt jedoch nach zweimaligem glücklichem tauchen nicht
wieder herauf) und des Benito Jeronimo Feyjoo in seinem
Teatro critico universal (Madrid 1743) Tom. VI Discorso 8.
. Feyjoo, der der Tendenz seines Buches entsprechend, die
Geschichte nur erzählt, um den Glauben an das vorhandensein
von Meermännern zu widerlegen, folgt, wie schon bemerkt,
dem Alexander ab Alexandro, fügt jedoch folgende neue Züge
hinzu: der Taucher taucht auf Befehl Friedrichs, des Königs
von Neapel und Sicilien (offenbar ist der Nachfolger und
Oheim Ferdinands. II., † 1504, gemeint) nach einem von
diesem in die Charybdis geworfenen goldenen Becher, bringt
ihn nach dreiviertelstündigem Aufenthalte in der Tiefe zurück,
lässt sich aber durch eine weitere Belohnung, eine goldgefüllte
Börse, zu einem abermaligen tauchen bestimmen, von welchem
er nicht zurückkehrt.

Der Bericht des Thomas Fazellus liegt nun wiederum der
Darstellung zu Grunde, welche der bekannte Vielschreiber
Johannes Praetorius († 1680) in seinem „Anthrópodemos
plutonicus, das ist eine neue Weltbeschreibung von allerley
Wunderbahren Menschen" (Magdeburg 1666) Theil 2 S. 81—83
gegeben hat; in welcher aber einzelne Ausdrücke, wie Poisson
Cola, auf die Benutzung des Pedro Mexia in der obengenannten
französischen Uebersetzung von Cl. Gruget hindeuten. Fazellus'
Bericht ist weiter die Quelle gewesen für Simon Goulart,
der die Begebenheit in seinem Thrésor des histoires admirables (Genève 1620) t. II S. 637 mittheilt.[1]

Endlich schliesse ich hier an den ganz summarischen
Bericht des Gasparo Bugati in seiner Historia universale
(Vinetia 1570. S. 286—287: Libro terzo), der von unserm
Taucher kaum mehr als den Namen nennt, dafür aber com-
pilatorisch ähnliche Berichte über Meerwunder aus den ver-
schiedensten Quellen, unter denen er Alexander ab Alexandro,
Jovianus Pontanus, Theodoros Gaza und Georgios Trapezuntios
am Schlusse nennt, erzählt. — Wie ich einem anonymen

1) Nach Mélusine No. 10.

interessanten Aufsatze der Beilage zur Augsburger Allgemeinen Zeitung[1]) entnehme, wird auch in den verschiedenen Geschichten der Stadt Messina jener Begebenheit gedacht, so· von Sampieri (Messina illustrata) und Domenico Gallo (Annali della Città di Messina Bd. II, 185). Gallos Bericht ist in dem Aufsatze der „Allgemeinen Zeitung“ zum Abdruck gebracht worden. Es ist sehr wahrscheinlich, dass er auf Aufzeichnungen beruht, die in den Annalen der Stadt Messina gemacht worden sind. Auf einen solchen Bericht nun beruft sich ausdrücklich der Verfasser der von den meisten späteren ausgeschriebenen und daher am bekanntesten gewordenen, auch durch ihre Detailausführung sehr interessanten Darstellung, Athanasius Kircher, mit folgenden Worten: „Hanc historiam prout in actis regiis descripta fuit a secretario archivi mihi communicatam apponere hoc loco visum fuit“. Der Bericht findet sich in Kirchers Mundus subterraneus, in XII libros digestus (Amstelodami 1678. fol. Lib. II cap. XV) und ist von Goedeke vollständig abgedruckt worden.[2]) Kirchers Bericht, auf den ich, weil er in der vorerwähnten Schiller-Ausgabe bequem erreichbar vorliegt, nicht näher eingehe, ist zunächst von zwei Vielschreibern des 17. Jahrhunderts fast wörtlich benutzt worden: Erasmus·Francisci, der in seinem Buche „Ost- und Westindischer, wie auch Sinesischer Lust-· und Statsgarten“ (Nürnberg 1668. fol.) auf Seite. 68—74 die Geschichte vom Taucher erzählt[3]), und Eberhard Werner Happel (1648—1690), der dieselbe in seinen „Grösten Denkwürdigkeiten der Welt oder Relationes Curiosae“ (Hamburg 1683—1691 5 Bde.), und zwar Bd. I S. 91—93 wiedergibt.[4]) Die Kirchersche Darstellung liegt auch der Schilderung zu Grunde, die F. W. Otto in seinem „Abriss einer Natur-

---

1) Der Aufsatz ist betitelt: „Schillers sicilianische Dichtungen“. und findet sich in Nr. 306 und 307 des Jahrgangs 1881.

2) Schillers sämmtliche Werke. Historisch-kritische Ausgabe Bd. XI.

3) Franciscis Erzählung habe ich nebst einigen Bemerkungen zur Tauchersage zum Abdruck gebracht im Archiv für Litteraturgeschichte Bd. X S. 220—228.

4) Happels Bericht hat Joachim Meyer im 3. Bde. des Archivs für das Studium der neueren Sprachen, herausgegeben von L. Herrig, S. 232—237 mitgetheilt.

geschichte des Meeres. Ein Beitrag zur physischen Erdbe-
schreibung" (2 Bde. 8. Berlin 1792), und zwar Bd. I S. 23—24
vom Taucher gibt. Die Begebenheit hat ferner eine Erwähnung
gefunden in der Schrift des Oronzio de' Bernardi, L'uomo
galeggiante. Napoli 1792. 2 tom. (Deutsche Uebersetzung
von Kries. Weimar 1797. 8.) Auch in einem im „Morgenblatt für gebildete Stände" (Stuttgart 1823 Nr. 232—242) enthaltenen Aufsatze, betitelt „Geschichtliche Bemerkungen über
das Tauchen und die Taucherglocken" ist der Bericht des
Athanasius Kircher, weil der ausführlichste und interessanteste,
deutsch wiedergegeben. Von grösserem Interesse ist, dass
schon im Jahre 1792, also vor Schiller, ein deutscher Dichter,
allerdings dritten Ranges, unsern Stoff dichterisch behandelt
hat. Von Franz von Kleist[1]) nämlich erschien im dritten
Bande (1792) der „Deutschen Monatsschrift" (Berlin, bei
Fr. Vieweg dem jüngeren) ein in Wielandscher Manier abgefasstes Gedicht in Knittelversen im Umfange von 554 Vers-
zeilen, auf welches zuerst Goetzinger[2]) anlässlich der Erläuterung von Schillers Taucher ausführlich eingegangen ist und
auf welches sodann R. Boxberger[3]) noch einmal hingewiesen
hat. Das Gedicht Kleists hält in keiner Weise einen Vergleich mit Schillers Romanze aus. Schillers meisterhafte Behandlung der Sage wurde, seinem Kalender[4]) zu folge, am
5. Juni 1797 angefangen und am 14. desselben Monats be-
endigt. Ueber die Quelle des Dichters ist noch nichts sicheres
zu ermitteln gewesen.

Der um die Geschichte besonders der mittelalterlichen
Litteratur hochverdiente Valentin Schmidt nimmt in seinem
obenerwähnten Buche: „Balladen und Romanzen der deutschen
Dichter Bürger, Stollberg, Schiller", da er von den bis jetzt
von mir namhaft gemachten Berichten über den Taucher

---

1) Ueber ihn siehe die kurze Notiz von Karl Goedeke im Grundriss zur Geschichte der deutschen Dichtung Bd. I S. 1116.

2) Deutsche Dichter erläutert (4. Aufl. 2 Theile 1863) Bd. I
S. 275—299.

3) Archiv für Litteraturgeschichte Bd. I (1870) S. 504—506.

4) Schillers Calendér vom 18. Juli 1795—1805. Herausgegeben von
Emilie von Gleichen-Russwurm geb. von Schiller. (Stuttgart 1865. 8.)
S. 43—44.

Nikolaus nur den des Alexander ab Alexandro und den des
Geronimo Feyjoo kannte, den letzteren deswegen als Quelle
von Schillers Romanze an, weil er mehrere Züge der Romanze
enthält, die sich bei Alexander ab Alexandro noch nicht finden.
Von den anderen Schiller-Commentatoren vertritt H. Düntzer
in seinem Buche: „Schillers lyrische Gedichte erläutert" (2. Aufl.
2 Bde. Leipzig 1879) Bd. II S. 246 die Ansicht, dass Schiller
überhaupt keinen gedruckten Bericht, sondern nach Goethes
mündlicher Erzählung den von diesem aus Kircher geschöpften
Bericht benutzt habe. Diese Ansicht stützt sich nur auf den
bekannten Brief Schillers an Goethe vom 7. August 1797,
worin ersterer bei letzterem anfragt, was für eine Bewandtniss
es mit der Aeusserung Herders habe, er, Schiller, habe
nur die Geschichte eines Nikolaus Pesce bearbeitet. Herders
jedesfalls flüchtig hingeworfene Aeusserung ist Schiller so unverständlich gewesen, dass er in Zweifel ist, ob Herder mit
dem Nikolaus Pesce einen andern Bearbeiter der Geschichte
oder den Helden derselben gemeint hat. Goethe antwortet
ihm: „Der Nikolaus Pesce ist, soviel ich mich erinnere, der
Held des Märchens, das Sie behandelt haben, ein Taucher von
Handwerk." — Goetzinger entscheidet sich in seinem oben
angeführten Buche folgendermassen: „Es bleibt also nichts
übrig, als anzunehmen, Schiller habe seinen Stoff aus einer
Art Novelle geschöpft, die uns unbekannt ist. Dass der No-
vellist aber nur den Kircher ausgeschrieben, und zwar wörtlich
ausgeschrieben hat, geht deutlich aus Schillers Ballade hervor.
Die Verwandlung des Tauchers von Handwerk, der aus Gewinn
sein Leben wagt, in einen Jüngling, den Ehre und Liebe zum
Wagniss treiben, scheint Schiller schon vorgefunden zu haben."
Die letztere, die Persönlichkeit des Tauchers betreffende Bemerkung des Commentators möchte ich nicht unterschreiben.
Denn einmal ist in keinem der bis jetzt aufgefundenen Berichte
über den Taucher an seiner Persönlichkeit etwas geändert
worden, offenbar, weil ihr etwas geschichtliches zu Grunde
liegt, sodann aber würde man den dichterischen Instinct
unseres grossen Dichters beleidigend gering anschlagen, wenn
man ihm nicht die Verwandlung eines für die reale Welt
passenden, aber für die Dichtkunst unbrauchbaren Motivs in

ein der dichterischen Empfindung congruentes zutrauen wollte.
Bestätigt wird dies indirect durch eine Vergleichung mit Kleists
Gedicht einerseits, dessen Verfasser (augenscheinlich im An-
schluss an Kircher, den er aus Ottos „Naturgeschichte des
Meeres" gekannt hat) das unedle Motiv der Habsucht beibe-
hält, und durch eine Betrachtung der später zu besprechenden
Volkslieder anderseits, in denen allen das Motiv des Wag-
nisses das gleiche wie bei Schiller ist. — Beachtenswerth ist
sodann die von Goedeke ausgesprochene Vermuthung, dass
Schiller den Stoff aus Thomas Fazellus kennen gelernt (den
er für die „Malteser" studiert hatte), aber den Namen des
Tauchers wieder vergessen hatte. Ebensowol wäre denkbar,
dass Schiller einen Bericht, der aber dem Kircherschen nahe
gestanden haben muss, vor Augen gehabt hat, der als Namen
für die Persönlichkeit des Tauchers nur das Fremdwort Pes-
cecola enthalten hat, welches Schiller entfallen oder überhaupt
unverständlich geblieben ist, und welches sich noch bei Düntzer
falsch mit Fischlein, anstatt Fisch-Nikolaus, übersetzt findet. Das
wahrscheinlichste ist mir jedoch, dass Schillers Vorlage in den
beiden „Fischbüchern" zu suchen ist, die Goethe am 16. Juni 1797,
also unmittelbar nach Vollendung des „Tauchers", von Schiller
zurück erbittet, über die ich aber nichts mitzutheilen weiss.

Endlich muss ich noch hier, am Schluss der Durch-
musterung der litterarischen Ueberlieferung der Tauchersage,
die Anmerkung Düntzers berichtigen, als hätte Addison die
Sagen über den Taucher im „Spectator" zusammengestellt.
Diese Anmerkung ist, einer gütigen Mittheilung dieses Gelehrten zufolge, aus J. S. T. Gehlers Physikalischem Wörterbuch, neu bearbeitet von Gmelin, Horner, Littrow, Muncke,
Pfaff (Leipzig 1836. 8°) Bd. VIII S. 710 (Anmerkung) übernommen, bestätigt sich aber nach wiederholter Durchsicht der
achtbändigen Zeitschrift meinerseits nicht.

Die volksthümliche Ueberlieferung eines Ereignisses
wird erwiesen durch das vorhandensein von Märchen, Sagen,
Volksliedern und Sprichwörtern, oder auch, wo alles dies fehlt,
indirect durch Anspielungen bei Schriftstellern, die ohne Erläuterung gelassen sind und daher das Verständniss der Sache
seiten der grösseren Menge des lesenden Publicums voraussetzen.

Naturgemäss sollte man nun in Italien als dem Schauplatz der Handlung, speciell in Sicilien, das vorhandensein einer mündlichen Ueberlieferung der Sage durch eine reichliche Anzahl von Volksliedern und dergleichen bezeugt finden.· Wenn dies sich nicht bestätigt, so muss es auf den ersten Blick befremden, lässt sich aber doch auf doppelte Weise erklären. Einmal nämlich wäre denkbar, dass, da die gelehrten Schriftsteller dieses Landes sich des Stoffes zu frühzeitig bemächtigt und gerade in diesem Lande mit Vorliebe denselben behandelt hatten (— man denke an Raphael Volaterranus, Jovianus Pontanus, Alexander ab Alexandro, Thomas Fazellus, Simon Majolo, Gasparo Bugati —), derselbe für die Volkspoesie keine Anziehungskraft mehr besessen habe; anderseits . wäre die be-. schränkte Anzahl von Liedern wahrscheinlicher daraus zu erklären, dass von dem reichen Schatze derselben bis jetzt erst ein kleiner Theil gehoben sein mag. Trotz der letzteren Erklärung muss man aber staunen, dass das bekannte, ausdrücklich der volksthümlichen Litteratur Siciliens gewidmete Werk von G. Pitré, Biblioteca delle tradizioni popolari siciliane (12 vol. Palermo 1871—1881), nichts auf die Tauchersage bezügliches enthält.

Die verschiedenen bis jetzt aufgefundenen Volkslieder haben, wie das kaum anders sein kann, viel gemeinsames, bedingt · zum Theil durch äusserliche Abhängigkeit der Lieder von einander, besonders aber durch das oben schon angedeutete gemeinsame echt poetische Grundmotiv, welches nur durch die äusseren Umstände hie und da ausgeschmückt oder variiert auftritt. In allen ist es ein zufällig in das Wasser gefallenes Kleinod (Halsband, Kamm, Wäschpläuel, Ring, goldene Schlüssel) einer schönen Jungfrau, welches ein berufsmässiger Fischer oder ein zufällig vorübergehender schöner Jüngling aus Liebe zu der Jungfrau dem Wasser zu entreissen versucht. Wo die Lieder vollständig sind, findet der Jüngling bei diesem Wagniss den Tod. Eine Belohnung in Geld wird von dem Volksdichter nicht nur stets (von zwei Ausnahmen abgesehen) als dichterisches Motiv verschmäht, sondern ausdrücklich der Liebe der betreffenden Jungfrau als minderwerthig gegenüber gestellt. Eine schärfere Kritik des noch von Kleist verwendeten Motivs der Habsucht ist kaum denkbar.

6*

Die vier mir bekannten italienischen Volkslieder brechen sämmtlich mit der Festsetzung des Lohnes für das Wagniss ab. Wenn wir aber aus den vorhandenen französischen uns einen Schluss erlauben dürfen, so ist der Ausgang derselbe gewesen. Das erste ist aufgezeichnet von Ferraro[1]) und hat folgenden Wortlaut:

Ra bela Giurdanin-nha
Si la riva de lo mar,
A ra mattin bunura
Ra bela ra va a lavar.
Chirra a s' penten-nha[2]),
Chirra si fa bela,
Chirra si betta
Soi pandin[3]) d'or.
E ant ir bitèsi[4])
Li pandin d'or,
Drenta dir mar
Si i sun caschèe.
Da là u j passa d' Ÿu giuvo
D' Ÿu giuvo cavalier:
— Csa suspirè[5]), Giurdanin-nha,
Su la riva de lo mar?
— Mi a piurava[6])
I mei pandin d'or,
Drenta d'ir mare
Mi sun caschèe.[7]) —
— Cosa paghreive[8]),
O Giurdanin-nha

Che i pandin d'oru
Fisso[9]) tacai? —
— Mi paghireiva
Sent schi d'or,
E poi ancura
In basin d'amur. —
Sur cavalieru
Su si dispoglia,
Drenta dir mare
Su s'è campà.
Nè ra prim'unda
Nè ra sicunda,
Poi a ra tersa
Su i ha ciapà.
— Cosa pagheive,
O Giurdanin-nha,
I vocc[10]) pandin-nhi
Mi ai ho ciapà. —
— Mi paghireiva
Sentu schi d'oru,
In basin d'amur
Lasèle andèe. — ·

1) Canti popolari Monferrini raccolti ed annotati dal Dr. Giuseppe Ferraro (Torino — Firenze. Löscher 1870), No. 36 S. 49. Für den Hinweis auf diese Sammlung und manchen Wink, sowie für die liberale Ueberlassung von Büchern der Weimarer Bibliothek bin ich Herrn Oberbibliothecar Dr. Reinhold Koehler zu ausserordentlichem Danke verpflichtet.

2) pettina.
3) pendenti.
4) mettersi.
5) sospirate.
6) piangeva.
7) caduti.
8) paghereste voi.
9) fossero.
10) i vostri.

— Cosa m'na fasso
De li schì d'oru?
U m'è pì car
In bel basin.

Pir fèe l'amure
Cun ina fijetta
Drenta dir mare
Mi sun bitèe.

Ein zweites Lied, ebenfalls unvollständig, von Righi aufgezeichnet[1]), lautet folgendermassen:

E chiaro sia quel monte
Andòé che leva el sọl,
Che ghè le due fantine
Che jè tute d'amor.
Una l'è la Giuleta,
E l'altra Bianca-fior.
Giuleta monta in barca
Scominzia a navigar.
La navega pur tanto
Che al porto l'è arivà;
In te 'l passar el porto
L'anelo ghè cascà.
La alza i oci al cielo,
No la vede gnissun;

La sbassa i oci al mare
La vedẹ un pescador:
— Oh pescador che pesca
Vegni a pescar fin quà,
Che m'è casca l'anelo,
L'anelo che m'à sposà. —
— Cossa me dèu, Giuleta,
Quan' l'avarò pescà? —
— Zento ducati d'oro,
'Na borsa recamà.
— No voi zento ducati,
Ne borsa recamà:
Solo un basin d'amore,
Con quel sarò pagà.

Nur in der Form und im Anfang ein wenig verändert
erscheint die folgende Barcarolle aus Venedig, die J. Caselli
nebst einer Uebersetzung veröffentlicht hat[2]):

Oh pescator dell' onda,
  Fidelin,
Vieni pescar in qua!
  Colla bella sua barca,
  Colla bella se ne va,
  Fidelin, lin, la.

Che cosa vuol, ch' io peschi?
  Fidelin,
L'anel che m'è cascà.
  Colla bella etc.

Ti darò cento scudi,
  Fidelin,

Sta borsa ricamà.
  Colla bella etc.

Non voglio cento scudi,
  Fidelin,
Nè borsa ricamà.
  Colla bella etc.

Io vo' basin d'amore,
  Fidelin,
Che quel mi pagherà.
  Colla bella sua barca,
  Colla bella se ne va,
  Fidelin, lin, la.

1) Saggio di Canti popolari veronesi, per cura di Ettore-Scipione
Righi. Libreria alla Minerva in Verona (1863), S. 27.
2) J. Caselli, Chants populaires de l'Italie. Texte et traduction
(Paris 1865. 8°), S. 231.

Das letzte der mir bekannten italienischen Volkslieder stammt gleichfalls aus Venetien und steht mit den genannten in enger Beziehung. Es ist aufgezeichnet von G. Widter[1]) und hat folgenden Wortlaut:

A quel chiaro su quel monte,
Dove che se leva el sol,
Che gera do fanciule
E tute do d'amor.

—————

Una ga il nom Giulieta
E l'altra il nom d'un bel fior.
Giulieta la più bela
S'ha messo a navegar.

—————

Navanda navigando
Sul porto la sé rivà.
Co la s'é giunta al porto
L'anelo lè cascà.

—————

La tra un ochiato al cielo,
Nessun la vede là.
La entra en alto mare,
La vede un pescator.

—————

— O pescator che pesca
Pesca un poco più in quà,

Mi sè cascà l'anelo
Vene me lo trovar.

—————

— Quando vel ho trovato
Cosa mi donari?
— Ve dono cento scudi
E la borsa ricamà.

—————

Non voj ne cento scudi
Ne borsa ricamà,
Un basin sol d'amore
Il mio cuor inamorera.

—————

— Cosa dira la gente
Quando ci siamo basà?
— Se baserem di note
Nessun ci vedera.
La luna e le stele
Splendor i mi fara.

—————

Ehe ich zu den Liederproducten anderer Länder fortgehe, halte ich den Hinweis nicht für überflüssig, dass in allen mitgetheilten italienischen Liedern ausser dem Monferrinischen der zum tauchen aufgeforderte Jüngling ein berufsmässiger Fischer ist, ein Umstand, der sicher dem vorhandensein der Cola-Pesce-Sage in Italien zugeschrieben werden muss.

Was Spanien betrifft, so darf wol die Bekanntschaft eines grösseren Theiles des Volkes mit der Sage von Nikolaus — etwa durch das vielgelesene Sammelwerk des Pedro Mexia — angenommen werden. Wenigstens scheint eine Stelle bei Cervantes, auf die Val. Schmidt[2]) hingewiesen hat, dafür zu

—————

1) Volkslieder aus Venetien, gesammelt von Georg Widter, herausgegeben von Adolf Wolf (Wien 1864), S. 53 No. 76.
2) Balladen und Romanzen etc. S. 165.

sprechen. An der Stelle des Don Quijote nämlich, wo der
Held alle Wissenschaften, Künste und Fertigkeiten aufzählt,
die ein irrender Ritter verstehen müsse [1]), heisst es: „Digo que
ha de saber nadar, como dicen que nadaba el pexe Nicolas o
Nicolao" — eine Stelle, die in der Uebersetzung von L. Tieck
ganz weggelassen, in der von Soltau durch das andere Bild:
„er muss schwimmen können wie ein Kork" ersetzt ist. —
Von eigentlicher volksthümlicher Litteratur in Spanien in Betreff der Tauchersage ist mir nichts bekannt.

Zu Frankreich übergehend muss man billig erstaunen über
die daselbst sich in relativ grosser Anzahl vorfindenden Volkslieder. Ich zähle derselben, Varianten eingerechnet, fünfzehn,
die ich nach ihrer wahrscheinlichen Verwandtschaft besprechen
und wiedergeben werde. — Vorher jedoch muss erwähnt
werden, dass von einem Kunstdichter Südfrankreichs, dem
Troubadour Raimon Jordan, der am Ende des 12. Jahrhunderts lebte und dichtete, eine Erwähnung des Tauchers
Nikolaus vorhanden ist, die, wenn auch ausführlicher als diejenige bei Cervantes, doch immer wieder eine gewisse Kenntniss der Geschichte des Tauchers seiten der Hörer des Gedichts voraussetzt. Das Gedicht des Troubadours ist aus einer
Vaticanischen Handschrift von Grüzmacher im XVIII. Jahrgang (Bd. 33 S. 466) des Archivs für neuere Sprachen abgedruckt, die betreffende Strophe von K. Bartsch in No. 15 des
Jahrgangs 1878 der Wochenschrift „Die Gegenwart" deutsch
mitgetheilt worden; der Wortlaut der Strophe ist:

> Tals estarai cum nichola debar
> Qesi uisqes lonc temps savis hom fora
> Qesfet gran temps mest los peisos enmar
> E sabia qei-morria cal que hora
> Eges pertant non uolo ueuir ensai
> Esi ofetz tost tornet morir lai
> En la gran mar don pois non poc issir
> Enans i pres lamort senes mentir.

Einen ziemlich breiten Raum nehmen von den französischen Volksliedern diejenigen ein, welche die Jungfrau zu einer

---

1) Cervantes, Don Quixote, Theil 2 Capitel 18.

Königstochter machen. Das umfänglichste und in sich abge-
schlossenste Lied dieser Gruppe stammt aus den westlichen
Provinzen und ist aufgezeichnet von J. Bujeaud.[1]) Der Wortlaut ist der folgende:

a)

La fille du roi d'Espagne
   Falira la la,
La fill' du roi d'Espagne
   Falira la la,
Veut apprendre un métier.

———

Falira la la,
Quel métier veut-elle prendre,
   Falira dondé,
De coudre et de filer.

———

De couler la lessive
La couler, la laver.

———

Dans l'jardin de son père
Il y a un douet.[2])

———

Du premier coup qu'elle frappe
Son badras[3]) a cassé.

———

Du second coup qu'elle frappe
Son anneau a coulé.

———

La belle se désole
Ell' se met à pleurer.

———

Par-là le chemin passe
Un jeune cavalier.

———

„O qu'avez-vous, la belle,
Qu'avez-vous à pleurer?"

———

— „L'anneau de ma main droite
Dans la mer est tombé." —

———

„Que me donnerez-vous, belle,
Que je l'accrocherais?"

———

Un baiser de ma bouche
Et deux si vous voulez.

———

Du premier coup qu'il plonge
L'anneau a ferliné.[4])

———

Du second coup qu'il plonge
Le galant s'est noyé.

———

Jamais, jamais la belle
N'a pu se r'consoler.

———

Eng zusammenhängend mit diesem erscheinen die folgenden, die E. Rolland erst ganz kürzlich veröffentlicht hat[5]):

———

1) Chants et chansons populaires des provinces de l'ouest, Poitou,
Saintonge, Aunis et Angoumois, avec les airs originaux, recueillis et
annotés par J. Bujeaud (2 vols. Niort 1866), Bd. I S. 168 ff.
   2) douvet = amas d'eau, lavoir.
   3) battoir.
   4) rendu un bruit métallique.
   5) Mélusine, revue de mythologie, littérature populaire, traditions
et usages, dirigée par H. Gaidoz et E. Rolland, Tome II No. 5 (Août
1884), Sp. 105—108.

b)

La fille au roi d'Espagne
　Lura dondaine
Veut apprendre un métier
　Lura dondé.
Veut apprendre un métier. (bis.)

Elle veut apprendre à coudre
A coudre et à tailler.

Elle a fait ses chemises
Elle s'en va les laver.

Ell' a-t-un battoir d'or
Un lavoir argenté.

Du premier coup qu'elle frappe
Son lavoir a cassé.

Du second coup qu'elle frappe
Son battoir a cassé.

Du troisième coup qu'elle frappe
Ses anneaux sont tombés.

La fille était jeunette,
Elle se mit à pleurer.

Par le grand chemin passent
Trois jeunes cavaliers.

Ils ont demandé, belle,
Qu'avez-vous à pleurer?

Ce sont mes beaux anneaux
Dans la rive sont tombés.

Que donneriez-vous, belle
A qui irait les chercher?

Tout mon petit cœur en gage,
Je vous les donnerai.

Le plus jeune se débotte
Dans la rive s'est jeté.

Du premier tour de nage
Les entendit trinquer.

Du second tour de nage
Les apporte à son pied.

Du troisième tour de nage
Le garçon s'est noyé.

N'allez pas dire au prince
Que je me suis noyé.

Allez plutôt lui dire
Que je me suis marié.

A la plus jolie fille
Qu'il y a dans l'évêché.

Elle a les cheveux jaunes
Et les sourcils dorés,

Et la bouche vermeille
Comme la rose au rosier.

Et les mains bien plus blanches
Qu'une feuille de papier.

Dieses Lied stammt aus dem Arrondissement Loudéac (Côtes-du-Nord) und ist, nach E. Rolland, aufgezeichnet im Jahre 1855 von Rousselet in einer Sammlung Poésies populaires de la France. Recueil manuscrit de la bibliothèque nationale. T. IV feuillet 284. —

c) Ein wenig abweichendes Lied ist das folgende, welches aus der Vendée stammend und derselben Sammlung ent-

nommen (T. VI feuill. 426) gleichfalls von E. Rolland veröffentlicht worden ist [1]):

Falira la la   ⎫
La fille du roi d'Espagne   ⎬ bis.

Que donneriez-vous, belle?
J'entre vous les chercher.

Falira don dé   ⎫
Veut apprendre un métier.   ⎬ bis.

La moitié de ma bourse,
Toute si vous voulez.

Quel métier veut-elle prendre?
A coudre et à filer.

Le garçon remercie
Dans l'eau va se jeter.

A fairé la lessive
La faire et la laver.

Du premier coup qu'il plonge
Le sable a-t-apporté.

La bell' prend sa courgette
Son beau battoir doré.

Du second coup qu'il plonge
Les anneaux ont sonné.

S'en va-t-à la rivière
C'était pour y laver.

Du troisième coup qu'il plonge
L'beau garçon s'est noyé.

Du premier coup qu'elle frappe
Ses anneaux sont tombés.

Sa mère est aux fenêtres
Qui voit son fils noyer.

Elle se retira sur l'herbette
Sur l'herbette à pleurer.

Pleurez pas tant, la mère
Nous le f'rons enterrer.

Un cavalier il passe
Qui lui a demandé:

Nous l' f'rons porter en terre
Par quatre-z-officiers.

Qu'avez-vous donc, la belle,
Qui vous fait tant pleurer?

Je pleure mes amourettes
Mes anneaux sont noyés.

Nous mettrons sur sa tombe
Un bouquet de laurier.

d) Zu diesem Kreise gehört auch eine Version, die aus
Paimpont (Ille-et-Vilaine) stammend anlässlich der Mittheilungen von E. Rolland von Ad. Orain mitgetheilt worden ist [2]):

Au premier coup qu'il (sic!) frappe (bis)
Son battoué a cassé — digne don ma don daine,
Son battoué a cassé — digne don ma dondé.

---

1) Mélusine, a. a. O.
2) Mélusine, a. a. O. (No. 6. Septembre 1884), Sp. 189—140.

La fille est désolée
Ell' se mit à pleurer.

Du second coup de nage
Au fond il est allé.

Par le grand chemin passe
Beau jeune cavalier,

Du troisième coup de nage
Le garçon s'est noyé.

Qui lui demande belle
Qu'avez-vous à pleurer?

La fille s'est écriée:
— Monsieur, vous nous voyez.

J'ai beau pleurer, dit-elle,
Mon battoué est cassé.

— Faut pas l'dire à ma mère
Que je me suis noyé.

Que donneriez-vous, belle,
J'irais vous le chercher?

Faudra plutôt lui dire
Que je m', suis marié.

J'ai cent écus-t-en bourse
Je vais vous les donner.

O (avec) la plus bell' fille
Qu'il y a dans l'évêché;

Le garçon se dépouille
Dans la mer a sauté.

Ell' a les deux mains blanches
Comm' une feuille de papier;

Du premier coup de nage
Il a très bien plongé.

Ell' a la bouche vermeille
Comme la rose au rosier.

Wegen des Schlusses dieses Gedichtes sehe man b).

Als letztes zu diesem Cyklus gehöriges Volkslied ist ein
Lied zu verzeichnen, das wir in der Hauptschen Sammlung[1])
antreffen. Es erscheint wie eine verkürzte Fassung eines
Liedes, welches dem oben mit a) bezeichneten nahe gestanden
haben muss. Möglicher Weise ist die Verkürzung auf Rechnung des ursprünglichen Finders, des Dichters Chamisso, zu
setzen, der es am 17. Juni 1810 von Paris aus an den Dichter
Fouqué übersandte.[2]) Chamisso hat es aber nicht nur dem
Berliner Freunde mitgetheilt, sondern auch Uhland überlassen, der sich vom Mai 1810 bis Januar 1811 gleichfalls in
Paris aufhielt und damals ganz in der Beschäftigung mit alt-

---

1) Französische Volkslieder zusammengestellt von Moriz Haupt
und aus seinem Nachlass herausgegeben (von Adolf Tobler). Leipzig
1877, S. 78.

2) P. Eichholtz, Quellenstudien zu Uhlands Balladen. Berlin
1879, S. 21.

französischer Litteratur aufgieng.[1]) Jedesfalls reizte es ihn
zu einer Uebersetzung und aus einem Briefe an Fouqué (vom
29. October 1810) erhellt deutlich, dass er gerade dieses Lied
für vollendet gehalten hat. Seine Uebersetzung findet sich in
seinen Gedichten, Abtheilung: Altfranzösische Lieder, unter
dem Titel: „Die Königstochter". Das von Chamisso aufgefundene Original ist das folgende:

e)

La fill' du roi d'Espagne
Veut apprendre un métier.
Ell' veut apprendre à coudre
A coudre ou à laver.

A la premièr' chemise
Que la belle a lavé
L'anneau de la main blanche
Dans la mer est tombé.

La fille était jeunette
Ell' se mit à pleurer.
Par de là il y passe
Un noble chevalier.

Que me donneriez-vous, la belle?
Je vous l'aveinderai.

„Un baiser de ma bouche
Volontiers donnerai."

Le ch'valier se dépouille
Dans la mer est plongé;
A la première plonge
Il n'y a rien trouvé.

A la seconde plonge
L'anneau a brindillé.
A la troisième plonge
Le ch'valier fut noyé.

La fille était jeunette
Ell' se mit à pleurer;
Ell' s'en fut chez son père,
„Je ne veux plus d'métièr".[2])

Nach Bujeaud soll noch eine Variante unter dem Titel
„La fillole à la reine Lionor" vorhanden und als „légende
Santone" im Indicateur de Cognac vom 21. April 1861 ab-

---

1) Uhland an Chamisso, von Paris, am 23. December 1810: „Was
ich mir gesammelt, gedenke ich in Uebersetzungen und Bearbeitungen
herauszugeben ... Diesen epischen Stücken hätte ich gewünscht einige
lyrische Anklänge von Romanzen und dergleichen voranzusenden, allein
ich konnte in dieser Art noch nichts von Bedeutung finden, als die Sie
mir zurückgelassen. Ich habe sie übersetzt, wie hier folgt, die Beibe-
haltung desselben Reimes durch das ganze Stück, die mir wesentlich
schien, legte freilich einigen Zwang auf. Würden Sie mir etwa gestatten, diese Uebersetzung zu dem Uebrigen aufzunehmen?" u. s. w.

2) Leben und Briefe von Adelbert von Chamisso, herausgegeben
von Julius Eduard Hitzig. Leipzig 1839, Bd. I, 259; auch bei Eichholtz, a. a. O.

gedruckt sein. Sie ist mir nicht zugänglich. Nach Puymaigre
gäbe es in der Champagne noch eine andere, von P. Tarbé,
Romancero de la Champagne II 230, veröffentlichte Fassung.
Dieser Hinweis ist unrichtig; das Lied bei Tarbé hat nicht
das geringste mit unserer Sage zu thun.

In die zweite Gruppe verweise ich diejenigen französischen Lieder, die mit einer Ortsangabe beginnen, sei es, dass
mit dieser letzteren der Ort der Handlung gemeint ist, oder
dass damit nur eine mit dem Liede selbst in keinem inneren
Zusammenhange stehende Einleitung beabsichtigt wird.

Das umfangreichste liefert uns wieder die Sammlung von
Bujeaud[1]); es ist betitelt: „Les clefs d'or".

f)

Là-haut sur ces rochettes
Y a-t-un' fille à pleurer,
C'est la voix de ma maîtresse
J'avais la reconsoler.
J'aim'rai toujours ma Nanon
Qui tient mon cœur en prison.

———

C'est la voix de ma maîtresse
J'avais la reconsoler.
— Oh, qu'avez-vous, la belle,
Qu'avez-vous à pleurer?
J'aim'rai etc.

———

Oh, qu'avez-vous, la belle,
Qu'avez-vous à pleurer?
— „Les clefs d'or de mon père
Dans la mer sont tombé."
J'aim'rai etc.

———

„Les clefs d'or de mon père
Dans la mer sont tombé."
— Que donneriez-vous, belle,
Que j'irais les chercher?
J'aim'rai etc.

———

„Que donneriez-vous, belle,
Que j'irais les chercher?"

— „Mes amours, lui dit-elle,
Pêchez, si vous voulez."
J'aim'rai etc.

———

„Mes amours lui dit-elle,
Pêchez, si vous voulez."
L'amant se déshabille
Dans la mer a plongé.
J'aim'rai etc.

———

L'amant se déshabille
Dans la mer a plongé.
Du premier coup qu'il plonge,
Il n'a rien apporté.
J'aim'rai etc.

———

Du premier coup qu'il plonge
Il n'a rien apporté.
Du second coup qu'il plonge
Jusqu'au sable a-t-été.
J'aim'rai etc.

———

Du troisièm' coup qu'il plonge,
Dans la mer est noyé,
N'y a ni poissons ni carpes
Qui n'en aient pas pleuré.
J'aim'rai etc.

———

———

1) Bujeaud, Chants et chansons populaires etc. Bd. II, 160—162.

N'y a ni poissons ni carpes
Qui n'en aient pas pleuré.
N'y a que la sirène
Qui a toujours chanté.
J'aim'rai etc.

—————

N'y à que la sirène
Qui a toujours chanté.
— Chante, chante, sirène,
T'as moyen de chanter.
J'aim'rai etc.

—————

— Chante, chante, sirène,
T'as moyen de chanter.
Tu as la mer à boire,

Mon amant à manger.
J'aim'rai etc.

—————

Tu as la mer à boire
Mon amant à manger.
Le pèr' de sa fenêtre
A vu son fils noyer.
J'aim'rai etc.

—————

Le pèr' de sa fenêtre
A vu son fils noyer.
Pour un petit cœur volage
Qu'il désirait gagner.
J'aim'rai toujours ma Nanon,
Qui tient mon cœur en prison.

—————

Das vorstehend abgedruckte Lied stammt aus Bas-Poitou und steht in Hinsicht auf den Schluss, in welchem die Trauer um den beim tauchen umgekommenen so eigenthümlich in eine Apostrophe an die Sirene ausklingt, von allen erwähnten und noch zu erwähnenden Liedern einzig da. Der Bau des Liedes passt zum Theil auf Chamissos Bericht an Fouqué (Brief aus Paris vom 18. Juni 1810): „Solche Lieder sind es nun; sehr in der Form den spanischen Romanzen ähnlich; — die Art sie zu singen ist also: nach der zweiten Zeile werden einige Refrainsilben eingeschaltet, und nach der vierten ein langer Schlussrefrain; — in der zweiten Strophe nimmt man nun die zwei letzten Zeilen der ersten als erste Zeilen wieder an, und zwei neue dazu etc."[1])

Das folgende Lied führt uns nach der Normandie, und der Ausgang desselben entspricht dem ernsteren Charakter der normännischen Dichtung: die Jungfrau, um deren willen der Jüngling den Tod gefunden, tödtet sich selbst. Der Text findet sich in dem schönen Buche von Eugène de Beaurepaire[2]) und daraus abgedruckt auch in der Hauptschen Sammlung[3]):

—————

1) Leben und Briefe von Adelbert von Chamisso, herausgegeben von Julius Eduard Hitzig, Bd. I S. 258—259.

2) Eug. de Beaurepaire, Etude sur la poésie populaire en Normandie et spécialement dans l'Avranchin. Paris 1856, S. 59.

3) Französische Volkslieder, zusammengestellt von Moriz Haupt. Leipzig 1877, S. 29.

g)

C'est sur le pont de Nantes
(Vogue, beau marinier, vogue),
m'y allant promener
(Vogue, beau marinier, vogue).

En mon chemin recontre
Une fille éplorée.

„Ah, qu'avez-vous, la belle,
Qu'avez-vous à pleurer?"

„Je pleure mon anneau d'or,
A la mer qu'est tombé."

Le galant se dépouille,
A la mer s'est jeté.

Au premier coup qu'il plonge,
Du sable a rapporté.

Au second coup qu'il plonge
L'anneau d'or a touché.

Au troisième coup qu'il plonge
Le galant s'est noyé.

La belle qu'est en fenêtre
Ell' se mit à pleurer.

„Faut-il pour une fille
Que tu te sois noyé?

Prêtez-moi votre dague
Pour couper mon lacet."

Et quand elle eut la dague
Au cœur s'en est donné.

Zu diesem Liede hat kürzlich E. Rolland[1]) eine Variante veröffentlicht, die ich gleichfalls hier folgen lasse. Sie stammt aus der Umgegend von Lorient (Morbihan) und lautet folgendermassen:

h)

Dessur le pont de Nantes
  Ma landerinette
Dessur le pont de Nantes
  Ma landeriné.
Une jeune fille a pleuré
  Ma landerinette
Une jeune fille a pleuré
  Ma landeriné.

Qu'avez-vous, la belle,
Qu'avez-vous à pleurer?

Les clefs de ma ceinture
Dans la mer ont tombé.

Que donneriez-vous, belle,
J'irais vous les chercher?

Cent écus dans ma bourse
Tout prêts à les compter.

Cent écus n'est pas grand' chose
Pour une vie à risquer.

Le galant se dépouille
Dans la mer a plongé.

A la première plonge
Les clefs ont derlingué.

De sa deuxième plonge
Les clefs il a touchées.

Et de sa troisième plonge
Le galant fut noyé.

1) Mélusine (No. 5. Août 1884), Sp. 101—104.

Son père qui est en fenêtre
Voit son fils se noyer.

Surtout il y en a une
C'est la fille du geôlier.

Que Dieu bénisse les filles
Les filles à marier.

Taisez-vous bonhomme,
Votre fils sera-t-enterré.

———

Par quatre-vingt-dix prêtres
Quatre-vingt-dix abbés.

Es folgen nun zwei Lieder mit gleichem Anfange (De Paris à Versailles) und wenig verschiedenen Einschiebungen; beide stammen aus Finistère, und zwar das erstere aus den Arrondissements de Brest et de Morlaix; beide sind von E. Rolland[1]) veröffentlicht, und von diesem Gelehrten das letztere als Ronde bezeichnet. Ich lasse beide ohne weitere Zusätze folgen:

i)

De Paris à Versailles
  Lon la
De Paris à Versailles
Il y a de bell's allées
Vive le roi de France
Il y a de bell's allées
Vivent les mariniers.

———

Me promenant rencontre
Une belle à pleurer.

Je lui demande, belle
Qu'avez-vous à pleurer?

Mon anneau d'or, dit-elle,
Dans la mer est tombé.

Que me donn'rez-vous, belle
Et je l'irai chercher.

———

Cent écus d'or, dit-elle
Et mon cœur à garder.

———

Au premier coup de plonge
Le sable il a touché.

———

Au second coup de plonge
La bague il a touché.

———

Au troisième coup de plonge
Le galant s'est noyé.

k)

De Paris à Versailles
  Lon, la,
De Paris à Versailles
Il y a de bell's allées.
Vive le roi de France,
Il y a de bell's allées.
Vivent les écoliers.

Dans mon chemin rencontre
Une belle à·pleurer.

Qu'avez-vous donc, la belle,
Qu'avez-vous à pleurer?

C'est ma bague, c'est ma bague,
Dans la mer est tombée.

———

1) Mélusine (No. 5. Août 1884), Sp. 103—105.

Que me donnerez-vous, belle,
J'irai vous l'attraper.

———

Cent écus de ma bourse
Je vais vous les compter.

———

A la première plongeade
Rien il n'a touché.

———

A la seconde plongeade
L'anneau il a touché.

A la troisième plongeade
Le galant s'est noyé.

———

Son père à la fenêtre
Qui voit son fils noyé.

———

Faut-il pour une belle
Que mon fils soit noyé?

———

Consolez-vous, bonhomme,
Votre fils sera enterré.

———

Sur le haut de sa tombe
On mettra un laurier.

———

Beide Lieder sind einer handschriftlichen Sammlung der Pariser Nationalbibliothek entnommen: Poésies populaires de la France T. IV feuillets 220—221. — Wie es scheint, sind auf den Schluss von k die Lieder g und h nicht ohne Einfluss gewesen.

Ein anderes, aus Dourdain (Canton de Liffré, Ille-et-Vilaine) herrührendes Lied berührt sich im Anfange mit einer ganzen Gruppe unserer Sage fernstehender Lieder, für die ein Lied der Sammlung von Puymaigre[1]) als Typus gelten, und wegen deren Verzweigungen man die Anmerkungen des Herausgebers vergleichen möge. Bei unserem Liede dient jener öfters ähnlich vorkommende Anfang nur dazu, den Anlass zum Verlust des Kleinodes anders darzustellen, als dies etwa in den Liedern von der Königstochter (von den hier mitgetheilten die mit a—e bezeichneten) geschehen war. Der fernere Verlauf des Gedichtes ist indessen wie in den übrigen.

l)

Marion s'y promène ⎫ bis
Le long de son jardin ⎭
Le long de son jardin
    sur les bords de l'Ille
Le long de son jardin
    sur le bord de l'eau
Tout auprès du ruisseau.

Ell' s'aperçoit une barque
De trente matelots.

Le plus jeune des trente
Chantait une chanson.

Votre chanson est belle
J'aim'rais bien la savoir.

———

1) Puymaigre, Chants populaires recueillis dans le pays Messin, mis en ordre et annotés. Metz 1865, No. 32 (S. 106): La fille du prince

Mettez l'pied dans ma barque
Je vous l'apprendrai.

Ne pleurez point la belle,
Je vous le trouverai.

Quand elle fut dans la barque
Ell' s'y mit à pleurer.

Le premier coup qu'il plonge
Il n'a rien apporté.

Qu'avez-vous donc, la belle,
Qu'avez-vous à pleurer?

Le second coup qu' il plonge
L'anneau a voltigé.

Je pleur' mon anneau d'or
Dans l'eau qui est tombé.

Le troisième coup qu'il plonge
Je plongeur s'est noyé.[1])

Bujeaud (Bd. I S. 165) verweist anlässlich des Liedes „La fille du roi d'Espagne" auf eine in der mir unzugänglichen Sammlung Champfleurys enthaltene Variante „Sur le bord de l'île". Dieses Lied gehört offenbar in unsere zweite Gruppe, und statt l'île ist augenscheinlich zu lesen l'Ille, wie in dem soeben abgedruckten. — Eine andere Version, von Bujeaud erwähnt, stellt die schöne am Meeresufer befindlich dar; ein Seemann ladet sie ein, in seinen Kahn zu steigen; dann beginnt das Lied vom Taucher Diese letztere Variante ist, nach Bujeaud, in Grandlieu (Loire-Inférieure) heimisch.

Als letztes zur zweiten Gruppe gehörendes Lied bleibt zu erwähnen eine von J. Couraye du Parc mitgetheilte[2]) aus dem Canton de Bréhal (Manche) stammende Version, die wie die oben unter g erwähnte aus der Normandie stammende mit der Angabe einer Oertlichkeit beginnt und den gleichen Refrain zeigt:

m)

C'était une frégate,
    Lon, la.
C'était une frégate;
Sur le hâvre est posée —
    Vogue, beau mari, vogue,
    Sur le hâvre est posée —
    Vogue, beau marinier.

Dans mon chemin rencontre
Une belle à mon gré.

Oh, qu'avez-vous, la belle,
Qu'avez-vous à pleurer?

J'y pleure mon anneau d'or
A la mer est tombé.

---

1) Mitgetheilt, anlässlich der Veröffentlichungen E· Rollands, von Ad. Orain in Mélusine (No. 6. Septembre 1884), Sp. 141.

2) Mélusine (No. 8. Novembre 1884), Sp. 179—180.

Que donn'riez-vous, la belle?
Je vous l'repêcherais.

Le père par sa fenêtre
Il ne fait que pleurer.

Cent écus de ma poche;
J'aim'rais mieux un baiser.

J'y pleure mon cher fils
Qui vient de se noyer.

Au premier coup de plonge
L'anneau d'or a sonné.

Ne pleurez pas tant, cher père,
Je le f'rai enterrer.

Au deuxième coup de plonge
Il ne rapporte que du sable.

Aux quat' coins de sa tombe
Quatr' lauriers j'y plant'rai.

Au troisième coup de plonge
Le marin s'est noyé.

Dans la plus haut branche
Le rossignol y chante.

Chante, beau rossignol,
Toi qui as le cœur gai.

Am besten reihe ich hier das letzte mir bekannte Volkslied an, welches in Vernéville heimisch und von Puymaigre[1] mitgetheilt worden ist. Der Anfang ist augenscheinlich lückenhaft; auch in der Mitte scheint ein Stück zu fehlen, denn wir haben hier das erste Beispiel eines Liedes in der Fassung, dass der tauchende schon beim ersten Versuche umkommt. Der Schluss, die eigenthümliche Apostrophe des todten, ist ganz wie oben in b und d:

n)
— Allons, Françoise, allons, allons nous promener, —
Dans mon chemin rencontre une belle qui pleurait.
— Que pleurez-vous la belle, qu'avez-vous à pleurer?
Je pleure mon anneau d'or, dans la mer est tombé.
Que me donnerez-vous, la belle, j'irai le rechercher.
— Allons, Françoise, allons, allons nous promener.
J'ai cent écus en bourse, ma foi, vous les aurez.
Du premier coup qu'il plonge, voilà l'amant noyé:
— Ne dites pas à ma mère que je me suis noyé,
Mais dites-lui plutôt que je me suis marié.
Avec la plus belle fille, qu'il y eut dans la cité.
Allons, Françoise, allons, allons nous promener.

Das in sämmtlichen vorstehend abgedruckten und besprochenen Liedern zur Verwendung kommende Motiv, wonach

[1] Puymaigre, a. a. O. No. 19 (S. 62).

7*

41745

ein Jüngling einem ihm begegnenden Mädchen zu Liebe, welches
irgend ein Kleinod hat in das Wasser fallen lassen, nach dem
Ringe etc. taucht, scheint auch in gälischen Liedern vorhanden zu sein; wenigstens findet es sich, nach Talvj[1]), in den
Liedern aus dem Sagenkreise Finns, und zwar in einem Haupt-
gedichte dieses Kreises: Laoi na Seilge.

Endlich finden wir auch, wie ich in einem früheren Aufsatze[2]) mitgetheilt habe, das Tauchermotiv mit anderen leicht
erkennbaren Sagenbestandtheilen verwebt zu einer der Umgegend von Salzungen in Thüringen angehörenden Localsage,
deren Inhalt ich in dem genannten Aufsatze angegeben habe.
Nur so viel sei wiederholt, dass der Taucher nicht auf Geheiss
einer Jungfrau, sondern eines Schlossherrn nach den in einem
tiefen See versunkenen Schätzen zweimal taucht und beim
zweiten Versuche umkommt.

Wir haben hier offenbar eine ältere Fassung der Sage,
wenn wir nicht vorziehen dieselbe für eine aus ähnlichen Verhältnissen wie die Tauchersage, aber unabhängig von dieser
entstandene zu halten.

Wenn wir auf das besprochene Material zurückschauen,
so muss uns vor allem ein Blick auf die verschiedenen dichterischen Bearbeitungen, die die Sage erfahren hat, von Interesse
sein. Da haben wir zuerst als Probe der gelehrten Renaissancedichtung die auf Grund der Cola-Pesce-Ueberlieferung gefertigte,
mit dem ganzen mythologischen Apparate der antiken Dichtung
schwerfällig ausgerüstete, im heroischen Versmasse sich be-
wegende Darstellung des Jovianus Pontanus, die einer poetischen Wirkung nicht fähig ist; — dann F. v. Kleist mit seiner
sich eng an das geschichtlich überlieferte anschliessenden Bearbeitung, die sich in ermüdender epischer Breite dahin schleppt

---

1) Talvj, Die Unechtheit der Lieder Ossians und des Macphersonschen
Ossians insbesondere. Leipzig 1840, S. 73. Die Zeitschrift Mélusine
No. 10 gibt noch folgende dankenswerthe, aber mir unzugängliche
Nachweise: Miss Brooke, Reliques of Irish poetry, édit. de 1819, p. 412;
O'Sullivan, Irlande, poésie des Bardes (Paris 1853) t. I p. 328—371;
d'Arbois de Jubainville, Essai d'un catalogue de la littérature épique de
l'Irlande (Paris 1883) p. 167.

2) Archiv f. Litteraturgeschichte Bd. X, 227.

und einmal wegen des unedlen Motivs der Habsucht, sodann
aber auch wegen des in Wielands Manier spottenden Tones, der
besonders über die Beschreibung des Hofes und die Charakterzeichnung des Kaisers gebreitet ist, poetisch nicht anmuthet.
— Sodann das fast gleichzeitig entstandene Schillersche Gedicht
mit seiner unübertrefflichen Schilderung des Ortes und der
Naturvorgänge[1]) und der nur mit wenigen Strichen gegebenen
Zeichnung der Personen, seiner dramatisch belebten und fast
scenisch wirkenden Handlung und dem aus einem berufs-
mässigen Taucher zum Edelknappen gewordenen Helden, den
in erster Reihe die Ehre und dann die Aussicht auf den Besitz
des zarten Königskindes zum Wagniss treiben! Schiller nähert
sich, auch abgesehen von dem veredelten Motive, in einzelnen
Zügen der Volksdichtung. So z. B. wenn er die Strophe „Und
würfst du die Krone selber hinein", die sich als Antwort des
Tauchers an den König in mehreren Berichten, z. B. bei Kircher
findet, dem Dichter selbst in den Mund legt. Die Strophe
„steht gerade da, wo alles in Erwartung ist, ob der Taucher
wiederkommen werde oder nicht. Es ist dies eine Nachahmung der Volksdichter, welche häufig sich selbst so einführen."[2])

Stofflich betrachtet ist Schillers Romanze die glückliche
Vereinigung der litterarischen Ueberlieferung, der zufolge der
Taucher aus Gewinnsucht oder aus Ehrgeiz das Wagniss
unternimmt, und der volksthümlichen Auffassung, wenigstens
insoweit die letztere in den Volksliedern zum Ausdruck kommt,
wonach der tauchende aus Liebe für eine Jungfrau sein
Leben wagt.

Und nun die nicht kleine Reihe der Volkslieder! Reich
an naiven Zügen, verschmähen sie jede ausgeführte Charakteristik der Personen, besonders des Helden, kehren aber das
einfache Motiv, welches, wie wir schon oben sagten, nicht das
der Habsucht ist (von zwei Liedern abgesehen, die möglicher
Weise lückenhaft sind), scharf hervor. Die Scenerie ist im

---

1) Man vergleiche den oben genannten Aufsatz der Augsburger
„Allgemeinen Zeitung" No. 306.

2) V. Schmidt, Balladen und Romanzen etc. S. 165.

besten Falle nur angedeutet (man vergleiche die zweite Gruppe
der französischen Lieder), der Anlass zum Verlust des Kleinods
mannigfach verändert! — Und endlich der an den Erzeug-
nissen der Volksdichtung gebildete Uhland, der mit seiner wie
ein deutsches Volkslied sich lesenden Uebersetzung des französischen, welches ihm in seiner Abrundung und Geschlossenheit als vollendet erschienen war, würdig die Reihe der dichterischen Bearbeiter unserer Sage schliesst.

Auf etwaige Nachträge zu meiner Arbeit am Schluss
dieses Bandes will ich schon jetzt hingewiesen haben.

Miscellen.

1.

Zur Biographie der Dichterin Marianne von Ziegler.

Mitgetheilt von Theodor Distel.

In von Webers Archiv für die Sächsische Geschichte (Band 5 S. 430 f.) lesen wir einen Artikel über die unterm 17. October 1733 von der philosophischen Facultät zu Wittenberg gekrönte Dichterin Christiane Marianne von Ziegler, geb. Romanus. In neuester Zeit hat Philipp Spitta in einer Festgabe an Ernst Curtius zum 2. September 1884 einen Aufsatz über die Beziehungen Sebastian Bachs zu ihr veröffentlicht. Sowol über sie als besonders über ihren unglücklichen Vater, den am 14. Mai 1746 am Schlagfluss[1]) auf der Festung König- stein verstorbenen früheren Bürgermeister zu Leipzig, Franz Con- rad Romanus, birgt das K. S. Hauptstaatsarchiv noch manchen ungehobenen Schatz[2]); es dürfte sich daraus die von Spitta als noch nicht beantwortet hingestellte Schuldfrage des seit dem 16. Januar 1705 im Gefängniss verwahrten hochverdienten Mannes entscheiden lassen. Ich theile hier nur mit, dass ihre Mutter Christiane Marie, ihr Bruder, der am 4. December 1727 in Leipzig zum Doctor creierte Franz Wilhelm Romanus war, welcher nach des Vaters plötzlichem Tode mit seiner seit dem 19. September 1741 mit Adolf von Stein- wehr vermählten Schwester auf den aus Büchern und Effecten be- stehenden Nachlass des Vaters zu Gunsten des noch forderungs- berechtigten Bedienten Andreas Frenckel verzichtete.

Spitta gedenkt (S. 17) des Verkehrs der Familie mit dem Grafen Flemming. Ich trage hierzu nach, dass Flemming schon immer in Leipzig im Romanusischen Hause gewohnt hatte, unterm 14. Februar 1716 die Frau Romanus ferner des Umstandes gedenkt, dass ihre Tochter den Generalfeldmarschall zum Taufzeugen ihres

---

1) Loc. 4608: des auf der Festung Königstein etc. Bl. 19 f. (Tod des Gefangenen), Bl. 34, 37 (Verzicht der Erben).

2) Die Acten finden sich in Abtheilung XVI, Band 6 S. 87 an- gezogen.

[zweitgebornen] Kindes gebeten habe[1]), der junge Romanus ihm unterm 2. November 1727 seine Doctordissertation zusandte.[2]) Ein von der Dichterin unterschriebener Brief aus Dresden vom 4. Juli 1720 an den Grafen von Wackerbarth befindet sich in den Acten des Hauptstaatsarchivs, betr. den Arrest des Vaters (Locat 14606 Bl. 34 f.). Demselben entnehmen wir folgendes: Marianne wollte mit zwei Bekannten, einer Frau Anna Katharina Müller, geb. Köhler, und einem Herrn Gervern, den Königstein besuchen und „zur Beschauung derer berühmbten Curiositäten eingelassen werden",

1) Loc. 702 Vol. CCVII Bl. 114, vgl. Bl. 116.

2) Bl. 122 f. Ebenda befindet sich das Ueberreichungs- und das Dankschreiben (vom 6. Januar 1728). Das erstere lautet wörtlich also:

Monseigneur,

    Je me flatte, que Vôtre Excellence m'accordera la grace, de Lui ofrir par écrit ce, que j'avois intention, de Luy presenter en personne a la foire passée de Leipsic. Mais comme nous avons eté privés de cet honneur, j'ose prendre la liberté, d'expliquer a Vôtre Excellence les raisons, qui m'ont engagé a Lui dedier ce petit traité, que je Lui envoye. Si elle trouve de la temerité dans ma conduite, elle vient de la gracieuse compassion, que Vôtre Excellence a temoignée toûjours pour le malheur de ma mere; c'est donc a Vôtre extraordinaire humanité, qu'il faut atribuer une Suite qui ne peut que m'etre d'un grand poids dans la conjoncture, ou je me vois de me faire installer au nombre des Docteurs, qui se créeront à Leipsic le 4. Decembre de l'an courrant. Je regarde donc la protection de Vôtre Excellence comme une main salutaire, qui m'etant favorablement tendüe, m'aidera eficacement à sortir de la poussiere de mon neant, voulant bien etre le Mecaenas de mes etudes. Ces marques de Magnanimité jointes· aux honnêtetes qu'elle a si souvent fait ressentir a notre famille, sont des raisons très-fortes, qui me prescrivent le devoir d'implorer le Ciel, de verser sur Vôtre illustre personne et sur tous ceux, qui ont l'honneur de Luy apartenir, ses plus saintes benedictions, et que la prosperité accompagne toûjours Ses hautes entreprises, afin que les admirateurs d'une conduite aussi epurée et aussi sage ayent le plaisir de voir la Justice couronner les soins qu'elle se donne pour mettre la Saxe dans un etat florissant. Les preàsentimens, que j'ay d'avoir part a ses graces, m'engagent à toutes les reconnoissances, dont je seray capable en qualité de sa creature, et à etre avec tout le respect imaginable

Monseigneur,

De Vôtre Excellence

A Leipsic ce 2. Novembre
1727.

le très-humble et très-obeissant
Serviteur
François Guillaume Romanus.

wozu sie, wie sie schreibt, „umb so viel mehr Begierde trage, weil mein Papa Romanus sich droben in die 16 Jahr aufgehalten, binnen solcher Zeit aber ihn weder gesehen noch gesprochen habe". Sie bittet um die Erlaubniss, ihm in Gegenwart eines Officiers ihre „kindliche Besuchung" abstatten zu dürfen. Bereits „vor etlichen Jahren" war der Frau des Gefangenen eine Unterredung mit ihrem Manne gestattet worden, am 13. Juli 1720 traf die Tochter auf der Festung zum Besuche ihres Vaters ein.

2.

Zu Archiv IV (1875) S. 213.

Was strahlt auf der Berge nächtlichen Höh'n?

Als Verfasser dieses fälschlich Goethe zugeschriebenen Liedes vermuthet Carl Woldemar Neumann S. 192 in seiner interessanten Arbeit: „Goethe in Regensburg" einen preussischen Beamten in Düsseldorf; der wirkliche Verfasser ist aus Ludwig Erks Turnliederbuch, Berlin (Tb. Chr. Fr. Enslin) 1864 S. 32, und aus Goedekes Grundriss Band III Heft 4 (1873 erschienen) S. 687 (vgl. S. 1115) bekannt. Es ist Ernst August Rauschenbusch aus Bünde in Westfalen, 27. Mai 1777 geboren, 1813—15 Feldprediger bei der Bergischen Brigade, gestorben als Pfarrer in Altena in Westfalen (nicht Altona bei Hamburg) am 19. April 1840. Das Lied wurde am 18. October 1814 auch auf dem Grafenberg bei Düsseldorf gesungen; ausser in Karl Hoffmanns Dank- und Ehrentempel, Offenbach 1815 (S. 222 f.), steht es ohne Namen des Verfassers in folgenden Sammlungen jener Zeit:

1. Dank- und Denk-Lieder zur Jahresfeier der Leipziger Schlacht 1817 o. O., Nr. 13 S. 25—27 mit Melodie in der Notenbeilage (Lützows wilde Jagd). Diese Sammlung, 20 Lieder enthaltend, gab F. L. Jahn in Berlin bei Dümmler heraus. (Vgl. Goedeke Grundriss III S. 1184.)
2. Deutsche Lieder für Jung und Alt [herausgeg. von K. Groos und Bernh. Klein], Berlin 1818 (Realschulbuchhandlung), Nr. 87 S. 89. (Vgl. Goedeke Grundriss III S. 261 Nr. 13.)
3. Neues Liederbuch für frohe Gesellschaften, enthaltend die besten teutschen Gesänge zur Erhöhung geselliger Freuden, 2. Auflage. Nürnberg 1818 bei Friedrich Campe, S. 120. 121; wol noch nicht in der 1. Auflage 1815; die 3. erschien 1819, in der 4. 1821 steht es S. 137 f.
4. Freye Stimmen frischer Jugend. Durch Adolf Ludwig Follen. Jena (Kröker) 1819, Nr. 58 S. 75 f. mit der Ueberschrift: Feyergesang für den 18ten des Siegesmondes, das Allerteutschenfest.

5. Auswahl Deutscher Lieder, Halle 1822 (gedruckt bei C. F. Schimmelpfennig), Nr. 35 S. 69 ff.

6. Lieder teutscher Jugend, Stuttgart (J. B. Metzler) 1822, Nr. 79 S. 103 und

7. Teutsches Liederbuch für Hochschulen (aus demselben Verlage) 1823, Nr. 84 S. 141 f.

Auch noch in dem 1847 in Leipzig erschienenen allgem. deutschen Lieder-Lexikon von Wilh. Bernhardi steht es Bd. IV S. 51 ohne Namen des Verfassers; ebenso in der ersten Ausgabe der Trösteinsamkeit in Liedern von Ph. Wackernagel·(Fkf. a. M. 1849), während es sich in der dritten (Fkf. a. M. und Erlangen, 1858) (auch schon in der zweiten: vgl. Goedeke a. a. O.) mit Rauschenbusches Namen S. 302 Nr. 219 findet. Ein ähnliches Lied auf die Leipziger Schlacht: „Schlachtfeier" (Was flimmert dort blendend wie Nebellicht an der Herbstnacht düsterem Himmel?) ist von dem nach dreiundfünfzigjähriger Wirksamkeit am 25. März 1870 in Berlin verstorbenen Gymnasialdirector Ernst Ferdinand August (geb. 18. Febr. 1795); es steht zuerst in der von Goedeke Grundriss III S. 237 Nr. 14 angeführten Sammlung: Drei Vaterländische Gesänge von Arndt, Heinsius und August in Musik gesetzt und allen Vaterlandsfreunden gewidmet von C. F. Moritz, Berlin 1814 bei Adolph Martin Schlesinger, S. 9—11, sodann in Hoffmanns Dank- und Ehrentempel S. 688 ff., unterzeichnet E. F. A., gesungen um Mitternacht an den Dankfeuern in der Hasenhaide bei Berlin, ferner in den oben angegebenen Sammlungen 1 (Nr. 18 S. 34 f.) und 7 (Nr. 85 S. 143 f.), in beiden mit Ferdinand Augusts Namen; in den andern findet es sich nicht. Director August dichtete auch auf Napoleons Flucht aus Russland 1812 das bekannte Lied: Mit Mann und Ross und Wagen, so hat sie Gott geschlagen (Lieder für Alt und Jung, Berlin 1818, S. 92). Das von Moritz componierte Arndtsche Lied ist: „Des Deutschen Vaterland" (Was ist des Deutschen Vaterland?), was Archiv IX S. 242 bei Nr. 908 der Volksthüml. Lieder von Hoffmann von Fallersleben hinzuzufügen ist; das 3. Lied von Heinsius: „An die heimkehrende Landwehr" (Willkommen aus blutigem heiligen Streit) ist nicht weiter bekannt geworden.

Berlin.   Robert Hein.

3.

Zum Lied vom Igel (Archiv XIII S. 427 f.)

ist darauf hinzuweisen, dass in Wolfgang Schmeltzls Sammlung „Gueter seltzamer vnd künstreicher teutscher Gesang" (Nürnberg durch Io. Petreium 1544. qu.-4⁰) an erster Stelle abgedruckt ist ein anscheinend von Schmeltzl selbst „zur Einleitung der Samm-

lung umgestaltetes" Lied „Von Igels art, Lob des Igels, der im
Sommer sammelt, damit seine Igelein im Winter nicht darben".
Vgl. Franz Spengler, Wolfg. Schmeltzl. Wien 1883. 8⁰. S. 68 Nr. I.

Robert Boxberger.

4.

Wolfhart Spangenberg.

In den Strassburger Studien 1, 374—378 hat Wilh.· Scherer
aus den Strassburger Kirchenbüchern und andern Quellen werthvolle
Mittheilungen über den Lebensgang Wolfhart Spangenbergs während
seines Aufenthalts in Strassburg gegeben, während ich im 11. Band
dieser Zeitschrift S. 319 festgestellt hatte, dass Wolfhart Spangenberg ein studierter Theologe war ·und bis 1610 als Corrector bei
einer Strassburger Druckerei beschäftigt war·, aber im Frühjahr
1611· die Pfarrei Buchenbach antrat. Zur Ergänzung dieser Notizen
gebe ich noch einige Aufzeichnungen aus den Kirchenbüchern von
Buchenbach und einiger benachbarter Pfarreien. Bald nach Spangenbergs Amtsantritt starb sein Adoptivsohn Johann Georg Gart
von Strassburg, wahrscheinlich ein Verwandter seiner Frau. Am
29. Januar 1621 starb seine Gattin Judith, worauf Spangenberg
am 26. Februar 1622 die Tochter des alten Seilers Michel Krämer
von Buchenbach Namens Margareta ehlichte. Judith, die älteste
Tochter Spangenbergs, wurde am 12. August 1623 mit Johann
Georg Loder, Georg Loders Sohn von Weikersheim, getraut. Eine
zweite Tochter Susanna verheiratete sich 1627 mit Georg Friedrich
Bien oder Apin, Diakonus in Lendsiedel, dem Sohne des Pfarrers
Apin in dem nahe bei Buchenbach gelegenen Unterregenbach, wurde
aber 1635 Wittwe und zog darauf mit ihren Kindern zu deren
Grossvater nach Unterregenbach. 1638 aber verehlichte sie sich
mit Johann Ludwig Renner, dem Sohne des Hofpredigers in
Langenburg, der erst Pfarrer in Ruppertshofen O.-A. Gerabronn,
dann in Belsenberg O.-A. Künzelsau war. Dort starb Susanna am
10. Mai 1658. Ihre Grabschrift habe ich in der Beschreibung des
Oberamts Künzelsau mitgetheilt S. 370. Da aber die württembergischen Oberamtsbeschreibungen ausserhalb des Landes viel zu
wenig bekannt sind, mag sie hier noch eine Stelle finden.

„Susanna Spangenbergin.

Fida Deo atque marito, animo pia, corpore casta,
Ac tecti sepes, in cruce fortis erat.

Ist geboren zu Straßburg 1603 20. Januar. Ihr Vater war
Herr M. Wolfart Spangenberg und ihre Mutter Judit Spanin, ward
erzogen zu Buchenbach, verheiratet 1627 16. April Herrn M. G.
Friedrich Apino, 1. zu Lendsiedel und zu Öringen Diener am Wort

Gottes, mit dem sie zeugt sieben Kinder, leben noch zwei, Friedrich
Bien, Pfarrer zu Ornberg, und Amalie Elisabet. 2. mit Herrn Johann
Ludwig Renner 1638 28. Aug. Pfarrer zu Rupertshofen, danach
zu Belsenberg, mit ihm erzeugt 6 Kinder, leben noch zwei: Johann
Ludwig und Susanna Judith. Starb selig 1658 10. Mai. Gott ver-
leihe ihr eine fröhliche Auferstehung."

Es kann kein Zweifel sein, dass sie das am 23. Januar 1603
getaufte zweite Kind Spangenbergs ist, dessen Namen das Strassburger Taufbuch nicht nennt.

Im Jahr 1630 wurde Wolfhart Spangenberg noch eine Tochter
Marie Kunigunde geboren.

Vollständig dunkel ist noch, wann und unter welchen Umständen Spangenberg die Pfarrei Buchenbach verliess. Bis jetzt
ergab das freiherrl. v. Stettensche Archiv keinen Anhaltspunct.
1635 wird er noch als Pfarrer genannt; 1637 aber erscheint als
sein Nachfolger Theodoret Braun, der jedoch schon am 29. Dec.
starb. Nun aber wurde nach den Kirchenbüchern von Kirchberg
O.-A. Gerabronn 1636 Dienstag den 26. Juli getraut „der ehren-
hafte Herr" Wolfhart Spangenberg, Wittwer, Bürger und Buch-
binder in Strassburg, und Frau Anna Maria, Herrn Simon Wolf
Eisens sel., weiland Pfarrers zu Capel (Marienkappel O.-A. Cr.)
Wittib. Unter den Communicanten erscheint dieser Wolfhart Spangenberg 1637 23. Dom. p. Trin., 1638 Dom. Laetare, 9. p. Trin., 1639
2. Epiph. und Cantate, aber später nicht mehr. 1637 2. Mai wurde
„Herrn Wolfhart Spangenberger, Bürger zu Strassburg" ein Sohn
Matthias und 20. Oct. 1638 ein Sohn Georg Friedrich getauft.
Als Pathin erscheint Anna Maria, Wolfhart Spangenbergers Gattin,
den 27. Dec. 1638 und 27. Juni 1639. Es wird wol in Strass-
burg zu constatieren sein, in welchem Verhältniss dieser Wolfhart
Spangenberg zu Mag. Wolfh. Spangenberg steht.

Die Personen, mit denen dieser Wolfhart Spangenberg zusammen genannt wird, gehören durchaus den ersten Familien des
Städtchens Kirchberg an, wie auch der erste Gatte seiner Frau,
Simon Wolfgang Eisen, einer wolhabenden und angesehenen Familie
der Markgrafschaft Brandenburg-Ansbach entstammte. Dieser „Buch-
binder" muss demnach eine eigenartige Lebensstellung gehabt haben.
Sollte er mit dem Dichter und Pfarrer identisch sein?

Bächlingen bei Langenburg den 20. Juni 1885.

Gustav Bossert.

5.

Opitiana.

In dem Cod. Palat. 1907 der Vaticanischen Bibliothek [1]) ist ein grosser Theil der Briefe an Janus Gruter aus den Jahren 1617—1620 enthalten. Ich theile aus denselben ein par Stellen mit, die sich auf Opitz beziehen.

Balth. Exnerus de Hirschberga schreibt am Schluss eines Briefes vom 7. März 1620: Tu interim cum Dn. Gebhardo, Schwarzio, Opitio, quibus salutem et omnia fausta precor, Vale.

C. Dornavius empfiehlt (Bethaniae XXIIX April. an. CIϽ.IϽCXIIX) einen jungen adelichen: „Mittimus ad Vos Sebaldum Sakium, ex Equestri Silesiorum ordine, elegantis ingenij juvenem; literaturae quoque haud inamoenae; non minoris modestiae et probitatis" und lässt später (Bethan. V. April. an. CIϽ.IϽCXX) diesen nebst Opitz grüssen: „Sakium ex me quæso salutes, et Gebhar[dum] et Opitium. Atque hunc miror, dedignari me alloquio suo. N[uncia?] Patronum suum Bethaniâ migrare Vratislaviam: excitum à Rege, ut munere Directoris Cameræ Silesiacæ perfungatur."

In dem Cod. Palat. 1906 befinden sich, wie schon früher bekannt geworden ist, zwei lateinische Gedichte von Opitz an Gruter:

1) In III. NON. X̄BRIS, Natalem V. C. JANI GRVTERI (24 Verse, Anfang: Et nobis taciti quiete plectri) (abgedruckt in Opitii silvarum libri III. Fcf. 1631. 12°. S. 61 f.);

2) Ad JANVM GRVTERVM celeberrimum et incomparabilem Virum, post Plautum ab ipso recensitum (Anfang: Quicquid in autorum felix tua dextra salutem) (abgedruckt in Gruters Plautus-Ausgabe vom Jahre 1621 unter den Euphemiae amicorum).

Wilhelm Crecelius.

6.

Bemerkungen zur Entstehungsgeschichte des neueren deutschen Lustspiels.

Im folgenden erlaube ich mir, einige kleine Ergänzungen und Berichtigungen zu meiner Schrift „Zur Entstehungsgeschichte des neueren deutschen Lustspiels" (Halle 1879) mitzutheilen.

Legrand gehört allerdings zu den französischen Dichtern, die für das Pariser italienische Theater arbeiteten (S. 2); es hätte

---

1) In demselben Bande befinden sich die Briefe und Zettel von Zincgref, welche im Archiv VIII abgedruckt sind. Ich bemerke, dass nach meinen Aufzeichnungen der mit fol. 230 bezeichnete Zettel die Unterschrift „Lingelsh" trägt, also nicht von Zincgref herrührt.

jedoch hervorgehoben werden müssen, dass der roi de Cocaigne und der Cartouche zuerst auf dem théàtre français aufgeführt wurden. Legrands galant coureur wurde 1736 von der Neuberin in Frankfurt a. M. aufgeführt (vgl. Mentzel, Geschichte der Schauspielkunst in Frankfurt a. M., 1882. S. 426). Möglicher Weise war dies Stück schon vor der Gottschedischen Reform in Deutschland eingebürgert.

„Die Eifernde mit ihr selbst" (S. 7) ist ohne Zweifel nach der in der Schaubühne englischer und französischer Comödianten (1670) befindlichen Uebersetzung der Boisrobertischen Bearbeitung zur Aufführung gekommen. Unter den im Jahre 1690 in Dresden aufgeführten Stücken befindet sich auch „die gezwungene Heirath", ohne Zweifel Molières Mariage forcé.

Die Stücke mit localen Beziehungen wurden mitunter von den wandernden Truppen in den verschiedenen Städten entsprechend umgestaltet; der in Lübeck aufgeführte „Lübecker Schlendrian" z. B. (vgl. Asmus, die dramatische Kunst und das Theater in Lübeck, Lübeck 1862) ist ohne Zweifel eine Umarbeitung des Dresdener Schlendrians von König (S. 9); die 1741 in Frankfurt a. M. aufgeführte „Piece Comique, betitelt: Der Schmarotzer, oder die unnöthige Höflichkeit und die lustige Spazier-Fahrt nach dem Sau-Steg, mit Arlequin einem lustigen Liedersänger u. s. w." (vgl. Mentzel a. a. O., S. 455) ist natürlich aus der Leipziger Posse „das Rosenthal oder der Schmarotzer" (S. 12) entstanden. Der „Sau-Steg" ist ein im Frankfurter Stadtwalde gelegenes Försterhaus.

Dass der possenhafte Zusatz zur Rolle des Dubois in der Gottschedischen Bearbeitung des Molièreschen Misanthrope (S. 16 f.) auf französischer Tradition beruhe, hat bereits Carriere Doisin in seinem Theatre allemand (1769) S. 45 vermuthet; er nennt dortselbst die lazzi Dubois eine „farce indigne de Molière qui n'avait point fait cette piece pour la populace et que les Allemands auront peut-être empruntée de quelque troupe (Française) foraine".

Das Vorspiel der Neuberin vom Jahr 1734 (vgl. S. 18 Anm.) ist, was ich seiner Zeit unbeachtet liess, bereits von Koberstein flüchtig erwähnt worden.

Die Pietisterei im Fischbeinrock ist nicht, wie ich früher annahm, ein Buchdrama geblieben (vgl. S. 33); Mentzel theilt mit (S. 221), dass Schuch dieses Stück mehrmals in Frankfurt aufführte.

Ueber das räthselhafte Stück „Titus Manlius" (S. 38) bemerkt J. E. Schlegel in einem Briefe an Hagedorn (Werke hggb. von Eschenburg Th. V S. 288): „Es hat etwas komisches und noch mehr von einem Schäferspiele an sich. Doch kann ich von der Einrichtung des Stückes nichts sagen, weil mir auch das wenige, was ich davon gehört habe, alles entfallen ist."

Die 1735 aufgeführte Uebersetzung der „cerimonie" von Maffei,

die, wie Schütze bereits angeführt hat, von Jacob Stählin herrührt, ist bereits 1733 verfasst. 1734 liess Stählin seine Uebersetzung der Lycoris von Maffei im Druck erscheinen (die treue
Schäferin Licoris. Ein theatralisches Singspiel des Grafen Scipio
Maffei, aus dem Italiänischen übersetzt . . . Leipzig 1734. Zu finden
bey Bernhard Christoph Breitkopf). In der Vorrede bemerkt der
Uebersetzer, er habe schon „vor einem Jahre" sowol die Merope
als auch die Complimente von Maffei übersetzt. „Bey jener hatte
ich bloss die Absicht, einen Versuch in reimlosen Versen zu machen,
und also auch einmal im deutschen die Italiäner hierinnen nachzuahmen: Weil wir ohnedem noch gar kein deutsches Schauspiel in
dieser Art haben. Die Mühe der übersetzten Complimente dauret
mich auch nicht, da meine Uebersetzung das Glücke gehabt, von der
Madam Neuberin, einer so vernünftigen als uneitlen Frau, einer
feinen deutschen Dichterin und grossen Kennerin der Schauspielkunst
auf der Leipziger Schaubühne schon etlichemale aufgeführet zu werden."
Was Stählin von seiner Merope-Uebersetzung erzählt, ist, beiläufig
bemerkt, für die Geschichte des fünffüssigen Jambus in Deutschland
von Interesse. Wir erfahren übrigens auch noch aus dieser Vorrede,
dass Stählin durch Lotter, den Mitbegründer der Gottschedischen
Beiträge, zu seiner Uebersetzerthätigkeit veranlasst wurde.

Krakau.   Wilhelm Creizenach.

_____

7.

Vier Schillersche Stellen.

Der Vers: „Die Erde gab Alles freiwillig her" in dem Gedichte
Schillers die Weltalter, Strophe 6, ist eine offenbare Nachahmung
von Ovid (Metamorphosen I, 102): per se dabat omnia tellus.

Dagegen gehen auf Virgil zurück die Worte: „Mütter irren"
in der Glocke, vgl. Aeneide II, 489: tum pavidae tectis matres
ingentibus errant, was Schiller selbst ziemlich frei mit „Der Weiber
jammernd Ach" übersetzt hat; und der Vers im Monolog der
Beatrice in der Braut von Messina (Anfang des 2. Aufzuges, V. 6):
„Es schreckt mich selbst das wesenlose Schweigen", vgl. Aeneide
II, 755: simul ipsa silentia terrent, in Schillers eigner Uebersetzung:
„Es schreckt mich selbst das Schweigen".

Einen ganz anderen Ursprung hat der Ausspruch Wallensteins
in Wallensteins Tod (Aufzug 3, Auftritt 13, V. 28): „Es ist der
Geist, der sich den Körper baut"; derselbe ist entlehnt aus Stahls
(1660—1734) Theoria medica vera. Hal. 1708. 4⁰, S. 260: „Unde
mox tanto justior etiam apparet altera illa collectio, quod ipsa
etiam anima et struere sibi corpus ita, ut ipsius usibus, quibus
solis servit, aptum est, et regere illud ipsum, actuare, movere

soleat, directe atque immediate, sine alterius moventis interventu
aut concursu."

Vgl. Häser, Lehrbuch der Geschichte der Medicin, dritte Bearbeitung, Bd. II. Jena 1881, S. 522: „Nach der Lehre Stahls
ist es die anima, welche den Körper ihren Zwecken gemäss
auferbaut und nach der ihr beiwohnenden Kenntniss aller einzelnen
für dessen Thätigkeit in Betracht kommenden Verhältnisse in Bewegung setzt und leitet." Ebd. S. 521: „In dem Körper erblickt
Stahl nur einen mechanischen Apparat." — Jeder Zweifel, ob Schiller
mit Bewusstsein die Anschauung Stahls, den sogenannten Animismus,
wiedergibt, wird niedergeschlagen durch das ausdrückliche Zeugniss
Schillers selbst in der Abhandlung: Versuch über den Zusammenhang der thierischen Natur des Menschen mit seiner geistigen. § 22.
Physiognomik der Empfindungen (in der Hempelschen Ausgabe
Theil 14, S. 138):

„Wird der Affect, der diese Bewegungen der Maschine sympa-
thetisch erweckte, öfters erneuert, wird diese Empfindungsart der
Seele habituell, so werden es auch diese Bewegungen dem Körper.
— — So formirt sich endlich die feste perennirende Physiognomie
des Menschen, dass es beinahe leichter ist, die Seele nachher noch
umzuändern als die Bildung. In diesem Verstande also kann man
sagen, die Seele bildet den Körper, ohne ein Stahlianer
zu sein."

Auch Schillers Jugendfreund, Friedrich Wilhelm von Hoven
(1759—1838), welcher bei der Medicin blieb, neigte sich anfangs
zu Stahls Ansichten hin; vgl. dessen „Versuch über das Wechsel-
fieber und seine Heilung", Winterthur 1789. 1790. 8°. 2 Thle., so
wie dessen „Biographie von ihm selbst geschrieben. Herausgegeben
von Merkel. Mit (18) Briefen Schillers." Nürnberg 1840. 8° und
Häser a. a. O. S. 531.

Dresden, im Februar 1883.

Paul Hohlfeld.

Englische Komoedianten in Nürnberg bis zum Schlusse des Dreissigjährigen Krieges (1593—1648).

Von

KARL TRAUTMANN.

Für die Geschichte der englischen Komoedianten in Nürnberg, diesem auch in Shakespeares Heimat hochberühmten Mittelpuncte deutscher Cultur im 16. Jahrhundert, musste man sich bisher mit den spärlichen Notizen begnügen, welche Cohn in seinem grundlegenden Werke „Shakespeare in Germany" meist aus gedruckten Quellen zusammengetragen hatte. Eine systematische Durchforschung des noch vorhandenen archivalischen Materials war demnach dringend geboten, wenn anders eine sichere Grundlage für spätere Untersuchungen gelegt werden sollte.

Leider ist für die alte Reichsstadt dieses archivalische Material nicht mehr in der wünschenswerthen Vollständigkeit erhalten. Die wichtigsten Documente, die Supplicationen nämlich, welche die Wandertruppen beim Rathe einreichten, um die Spielerlaubniss zu erhalten, und aus denen sich für die Geschichte der englischen Komoedianten in Frankfurt so interessante Aufschlüsse ergaben, sind sämmtlich zu Verlust gegangen. So kam denn von dem Materiale, welches das k. Kreisarchiv Nürnberg[1]) in liebenswürdigster Weise zur Verfügung stellte, die für den Zeitraum von 1590—1648 vollständig erhaltene Sammlung der Sitzungsprotokolle des Nürn-

---

1) Dorthin ist der grösste Theil des Archivs der Reichsstadt Nürnberg übergegangen. Das erst im entstehen begriffene städtische Archiv enthält, einer freundlichen Mittheilung seines Vorstandes Dr. Mummenhoff zufolge, keinerlei auf Schauspielwesen bezügliches Material.

berger Rathes, der sogenannten Rathsmanualien, als Hauptquelle in Betracht. Ergänzungen hiezu boten einige Stadtrechnungen und die aus den Jahren 1628—1631 vorliegenden
Rechnungsabschlüsse über Komoedien und andere Lustbarkeiten, welche in dem 1628 eröffneten Theater auf der Schütt
veranstaltet wurden. Wie für Ulm[1]), so musste auch in
manchen Fällen für Nürnberg die Combination mit bereits
gewonnenen Resultaten nachhelfen, um die ohne den Namen
ihrer Leiter verzeichneten Gesellschaften identificieren zu können.
Durch fortwährendes heranziehen dieser Resultate war es
ferner möglich, die Reiserouten der englischen Komoedianten
für das südliche Deutschland in ihren Hauptetapen festzustellen und so der ganzen Frage, wenigstens nach dieser
Richtung hin, ein festeres Gefüge zu geben.

Neben den eigentlichen englischen Komoedianten durch-
streifen Seiltänzer, Thierführer und anderes Volk englischer
Abkunft das Land nach allen Richtungen; diese Leute stehen
jedoch, wie die Prüfung der vorkommenden Fälle erwiesen
hat, in keiner Beziehung zu den Schauspieltruppen und mögen
daher unerwähnt bleiben.

Eine Bemerkung noch über die Daten. Wie bekannt,
herrschte zur Zeit, als die englischen Komoedianten in Deutschland umherzogen, durch die nur theilweise erfolgte Annahme
des neuen Gregorianischen Kalenders ein geradezu unleidlicher
Wirrwarr in den Datierungen[2]), besonders in Schwaben und
Franken, wo katholische und protestantische Gebiete sich
vielfach berührten und durchsetzten. Da wir die Wandertruppen fast bis auf den Tag von Ort zu Ort verfolgen,
müssen wir diese Zustände genau berücksichtigen. Von den
hier erwähnten Städten[3]) halten Nürnberg, Frankfurt, Nörd-

---

1) Archiv für Litteraturgeschichte, Band XIII S. 315—324.

2) Ueber die ganze Frage vergleiche man die interessante Schrift
von Felix Stieve „Der Kalenderstreit des sechzehnten Jahrhunderts in
Deutschland. München 1880“. (Aus den Abhandlungen der k. bayer.
Akademie der Wiss., III. Cl., XV. Bd., III. Abth.)

3) F. Stieve hat in Sybels Historischer Zeitschrift Band 42 S. 135
und 136 den Einführungstag des neuen Kalenders für eine Reihe von
deutschen Städten und Gebieten festgestellt.

lingen und Ulm an dem alten Julianischen Kalender fest,
Augsburg und München folgen dem Gregorianischen, der
gegen jenen einen Vorsprung von zehn Tagen ausweist. Für
Nürnberg geben wir die Daten, wie sie in den Urkunden sich
vorfinden, also nach dem alten Kalender, die Umrechnung
wurde nur in den Fällen beigesetzt, in welchen beide Kalender
miteinander collidierten.

Es ist ein wahrhaft grossstädtisches Treiben[1]), das sich
in dem reichen Nürnberg um die Wende des Jahrhunderts
entfaltet, ein Treiben, das frühe schon die englischen Komoedianten anzog[2]) und sie fast jedes Jahr zur Wiederkehr
drängte. Für Jakob Ayrers Entwicklung[3]) hat dies besonderes Interesse: es steht nun actenmässig fest, dass
dem Dichter während seines verweilens in der Reichsstadt
(1593—1605) nicht etwa nur vorübergehend, sondern ununterbrochen Gelegenheit geboten war, die Kunst der Ausländer
sich zu Nutze zu machen.

Am 30. August 1592 meldet der Bürgermeister von
Frankfurt am Main, Hieronymus zum Jungen, dem dortigen
Rathe, es seien „etliche fremde Comödianten aus England
übers Meer herübergekommen", um während der bevorstehenden Herbstmesse ihre Komoedien aufzuführen.[4]) Diese Gesellschaft stand unter des nachmals so bekannt gewordenen
Robertus Browne Führung. Ein Jahr bereits nach dieser
ersten urkundlichen Erwähnung englischer Berufsschauspieler
in Deutschland — 1593 — treffen wir die nämliche Truppe
in Nürnberg. Das Rathsmanual (Jahrgang 1593, No. 5,
Bl. 29ᵃ, Sitzung vom 20. August 1593) schreibt hierüber:

„Ruberto Gruen vnd seinen gesellen, Engellendern, soll

---

1) Einen hübsch geschriebenen Ueberblick bietet das Werk von
A. Kleinschmidt „Augsburg, Nürnberg und ihre Handelsfürsten im fünf-
zehnten und sechszehnten Jahrhunderte. Cassel 1881".

2) Ueber die Beziehungen Englands zu Nürnberg vergleiche man
auch: „Untersuchungen über Shakespeares Sturm von Johannes Meissner.
Dessau 1872" S. 13 u. ff.

3) Die gedruckte Litteratur über J. Ayrer bietet keine urkundlichen Belege für dessen Beziehungen zu den englischen Komoedianten.

4) E. Mentzel, Geschichte der Schauspielkunst in Frankfurt a. M.
Frankfurt 1882 S. 28.

8*

man jhrer alhie gehaltenen comoetien halben ein vrkundt mitheylen, jnmassen die statt Franckfurth jhnen auch eine geben."

Dieser „Rubertus Gruen" ist sicherlich kein anderer als der bekannte Robertus Browne, der ja in der That während der Herbstmesse von 1592 seine „Comödias und Tragödias" in Frankfurt zur Aufführung gebracht und jedesfalls, in Folge seines Wolverhaltens, vom Rathe „ein vrkundt", d. h. ein Empfehlungsschreiben erwirkt hatte. Einige Tage später — am 28. August 1593 — taucht Browne mit seinen Genossen, zu denen auch „Thomas Sachsweil vnd Johan Bradenstreit" gehören, wieder in Frankfurt auf. Sie bitten den Rath, er möge ihnen gestatten, gelehrte, von „einem von ihnen selbst erfundene geistliche Komödien in englischer Sprache" zu spielen, und zwar „die Comödia von Abraham und Loth und vom Untergang von Sodom und Gomora beneben anderen Künsten".[1] Es ist kein Grund vorhanden anzunehmen, dass sie es einige Wochen früher in Nürnberg anders sollten gehalten haben; man kann also füglich behaupten, dass die nämlichen Stücke, und zwar in englischer Sprache, in Nürnberg über die Bretter giengen.

Einer bisher unbekannten Persönlichkeit begegnen wir im Jahre 1594:

(Jahrgang 1594, Manuale No. 1, Bl. 52[b], Sitzung vom 22. April 1594) „Peter de Prun von Prüssel vnd seiner gesellschafft, deßgleichen Martin Koppen von Franckhfurth vnd seinen gesellen, soll man vergunstig(en), das sie biß vff den künfftig(en) donnerstag jhre spil vnd comoedien alhie halten mügen."

(Manuale No. 2, Bl. 5, Sitzung vom 3. Mai 1594) „Den Englisch(en) spilletiten[2]) soll man vergunstigen, das sie jhr spil noch bis vf künfftig(en) montag, yedoch allweg(en) ererst nach der vesper halt(en) müg(en)."

Dass unter diesen englischen Spielleuten Peter de Prun mit seiner Gesellschaft und nicht Martin Kopp verstanden werden muss, dürfte wol selbstverständlich sein. In Frankfurt treten 1594 keine englischen Komoedianten auf, dagegen aber finden wir im August des nämlichen Jahres in Ulm

---

1) Mentzel a. a. O. S. 25.

2) Die Meistersänger, welche in der Martha-Kirche Komoedien aufführen, werden in den Rathsmanualien ebenfalls Spielleute genannt.

Engländer unter der Bezeichnung „Niderländische comödianten vnd springer"[1]), wol die Truppe des aus den Niederlanden kommenden Peter de Prun.

Im Jahre **1596** erscheint zum ersten Male der Name **Thomas Sackville**, allerdings verstümmelt, in den Nürnberger Protokollen:

(Jahrgang 1596, Manuale No. 1, Bl. 24[b], Sitzung vom 26. April 1596) „Thomaß Sachgwde & consorten, Engellenderen, soll man zulassen, das sie jhre comoedias alhie agiren vnd spilen mügen, jhnen aber sagen, das sie ein leidenlichs von den personen nemmen sollen vnd von jhnen hören, was sie zu nemmen begeren."

(Manuale No. 1, Bl. 26[a], Sitzung vom 27. April 1596) „Auf den widergebrachten bericht soll man den Engellendisch(en) comoedianten zulassen, das sie von einer person einen patzen nemmen mügen, doch das sie das erst spil jn St. Egidij closter vmbsonsten, jhrem selbst anerpieten gemeß, halten sollen."

(Manuale No. 2, Bl. 16[b], Sitzung vom 21. Mai 1596) „Die Englische comoetiant(en) vnd spileut soll man erforderen vnd jhnen antzeigen, weiln sie nun lang genug alhie jhre spil gehalten, so solten sie die zwen volgendte tag noch spilen, aber alsdann auffhören vnd jhren weg weitter nemmen."

In Frankfurt zeigt sich Thomas Sackville 1596 nicht; möglicher Weise wandte er sich von Nürnberg aus nach Süden, wo wir im August des nämlichen Jahres in Augsburg auf englische Komoedianten (ohne Namenangabe) stossen.[2])

Kaum hatte Sackville Nürnberg den Rücken gekehrt, als die englischen Hofkomoedianten des Landgrafen von Hessen sich dort einfanden.

(Manuale No. 3, Bl 49[b], Sitzung vom 5. Juli 1596) „Den fürstlich(en) Hessischen dieneren vnd comoetiant(en) soll man 14 tag, aber nitt lenger, zulassen, das sie jhre spil jm Heilspronnerhoff halten mügen, jhnen aber sagen, das sie ein leidenliches von den leutten nemmen sollen."

Hier zum ersten Male lassen sich diese hessischen Schauspieler urkundlich auf einer Gastspielreise nachweisen; vielleicht kamen sie von Prag, wohin sie im Jahre 1595 sich

---

1) Archiv für Litteraturgeschichte, Band XIII S. 316.
2) Archiv für Litteraturgeschichte, Band XII S. 320.

begeben wollten, wie aus einem Schreiben des Landgrafen an
seinen Prager Agenten Lucanus hervorgeht.[1])

1597: (Manuale No. 2, Bl. 31ᵇ, Sitzung vom 12. Mai 1597) „Jan
Gosett vnd seinen gesellen, Englischen comoetianten, soll man auff
jhr suppliciren vnd anlang(en) vergunstigen, das sie vier tag lang,
yedoch ererst nach pfingst(en) albie spilen mügen."
     (Manuale No. 2, Bl. 46ᵃ, Sitzung vom 19. Mai 1597) „Den
Englischen comoetiant(en) soll man noch drey tag, yedoch ausserhalb des sontags, zuspielen erlauben."

Jan Gosett[2]) oder, wie das Nürnberger Rathsbuch[3])
ihn nennt, Bosett ist der Künstlername des schon genannten
Thomas Sackville. Ehe er in Nürnberg eintraf, hatte er
seine Kunst sieben Tage lang (Mai 1597) am Hofe des Herzogs
Friedrich I. von Württemberg gezeigt.[4]) Nach Beendigung
ihrer Nürnberger Vorstellungen müssen die Schauspieler die
Stadt augenblicklich verlassen haben, vielleicht schon am
$\frac{24.\ \text{Mai}}{3.\ \text{Juni}}$, denn am $\frac{31.\ \text{Mai}}{10.\ \text{Juni}}$ werden denselben in Augsburg[5])
acht Tage „zu haltung jrer comedien" bewilligt, ein erneutes
Gesuch dagegen, welches sie am $\frac{7.}{17.}$ Juni, wahrscheinlich um
Verlängerung der Spielerlaubniss einreichen, findet abschlägigen

----

1) Geschichte von Hessen durch Christoph v. Rommel. Sechster
Band. Cassel 1837 S. 402.
     2) Ueber die Beziehungen Th. Sackvilles zu J. Ayrer vergleiche
man Mentzel a. a. O. S. 37 und Joh. Meissner, Die englischen Comoedianten zur Zeit Shakespeares in Oesterreich. Wien 1884 S. 31 und 32.
     3) Die Rathsbücher sind eine auf die wichtigeren Einträge be-
schränkte Abschrift der Rathsmannualien
     4) Cohn, Shakespeare in Germany. Addenda. Leider wird man
sich in Betreff der Anwesenheit englischer Schauspieler in Stuttgart
auch in Zukunft auf die spärlichen Notizen bei Cohn beschränken
müssen. Die Direction der k. württembergischen Staatsarchive theilte
mir auf eine dahin zielende Anfrage mit, dass weder im k. Staatsarchive
zu Stuttgart, noch im k. Staatsfilialarchive zu Ludwigsburg, trotz eingehender Nachforschung Material über das auftreten englischer Schauspieler am württembergischen Hofe aufgefunden worden ist. Im Stuttgarter Stadtarchive fehlen die Rathsprotokolle für den Zeitraum von
1560—1660 vollständig, einzig aus den theilweise noch erhaltenen
Stadtrechnungen liessen sich vielleicht weitere Anhaltspuncte gewinnen.
     5) Archiv für Litteraturgeschichte, Band XIII S. 316.

Bescheid.[1]) Auf der Herbstmesse des nämlichen Jahres finden
wir Sackville in Frankfurt wieder[2]); wo er in der Zwischen-
zeit geweilt, ist unbekannt, Spuren deuten auf Bayern.[3]) Von
Frankfurt aus soll er, einer Angabe E. Mentzels zufolge[4]),
abermals Nürnberg besucht haben. Sonderbarer Weise jedoch
wissen die genau geführten Rathsmanualien, also die amt-
lichen Nürnberger Documente, von diesem Aufenthalte nichts
zu berichten.

1600: (Manuale No. 1, Bl. 37ª, Sitzung vom 12. April 1600)
„Den vier Englischen comoedianten Jorgen Webser, Johann
Hill, Bernhard Sandt vnd Reinharden Matschin, soll man
vergunstigen, das sie jre comoedias vnd spiel 14 tag alhie agiren
mögen, dieweil das volckh sonst vffs landt laufft vnd jr gelt
v(er)zehrt vnd nachdem sie einem Erb. Rhat zu vorderst jrer
historien eine sehen lassen wollen, dem Erb. Georg(en) Starckh
anzaigen, eine bünn, wie zuuor auch geschen, jm Augustinercloster
auffrichten zulassen."

Die hier erscheinenden Persönlichkeiten sind die Führer
der „fürstlich hessischen Komödianten und Musikanten".
Kurz vorher, während der Ostermesse, spielten sie in Frankfurt.[5]) Die Musik nahm in ihren Productionen einen hervorragenden Platz ein; dieselbe findet anlässlich der „Verehrung",

1) Augsburger Rathserkenntnisse von 1596—1599, Bl. 94ᵇ.
2) Mentzel a. a. O. S. 26.
3) Archiv für Litteraturgeschichte, Band XII S. 319.
4) Mentzel a. a. O. S. 37. Der Freundlichkeit von E. Mentzel
verdanke ich den Wortlaut der Stelle, auf welcher diese Annahme beruht: „Nicht näher benannte Supplicanten bitten Ostermesse 1602,
E. E. F. W. wollten ihnen »großgönstiglich« gestatten »in dieser welt-
berühmten Statt« Komoedien und Tragoedien »agiren« zu dürfen. Sie
haben schon Anno 1597 gemeinsam mit »Johannenn Buscheten« (Thomas
Sackeville) in der Herbstmessen hier »vergönstigung zu agiren« erhalten
und auch in anderen »berühmten Stätten«, so »in der Herbstmessen«
desselbichten Jahres« mit Johannen Buscheten in Nürnperg agiret."
Hier scheint jedesfalls ein Versehen des Bittstellers vorzuliegen,
zumal er nur von einem einmaligen Nürnberger Aufenthalte spricht,
was ja mit den Rathsmanualien übereinstimmt Bei dieser Gelegenheit
möchten wir darauf hinweisen, dass eine unverkürzte Veröffentlichung
der für die Geschichte der englischen Komoedianten in Deutschland so
wichtigen Frankfurter Actenstücke dringend geboten wäre.   .
5) Mentzel a. a. O. S. 43.

welche sie am 23. April, wahrscheinlich für die Aufführung
vor dem Rathe erhielten, specielle Erwähnung: (Stadtrechnung
von 1600, Bl. 142ᵃ) „Den Englischen spielleuten, als sie ein
musica vnd commedia im Augustinercloster gehalten, verehrt ..... fl. 24." Im October des nämlichen Jahres zeigen
sich englische Schauspieler in Ulm[1]) und in München[2]),
vielleicht ebenfalls die hessischen Komoedianten, welche sich
alsdann von Nürnberg aus nach Süden gewandt hätten; auf
der Herbstmesse in Frankfurt 1600 erscheinen sie nicht.

1601: (Jahrgang 1600, Manuale No. 13, Bl. 44ᵇ, Sitzung
vom 16. März 1601) „Den Englischen comoedianten, so mit den
Persianischen legaten geraiset, soll man jr begern, comoetias alhie
zu agirn, dieser zeit ableinen vnd mit der gebettenen steuer an jre
landsleut alhie weisen."

Die „legaten", welche der König von Persien an den
Kaiser geschickt hatte, kamen vom Prager Hofe.[3]) In Augsburg, wohin die Gesandtschaft zog, finden wir in diesem
Jahre die Engländer nicht, dagegen treffen wir auf der Frankfurter Ostermesse von 1601 drei englische Schauspielcom-
pagnien[4]), eine nicht näher bezeichnete Truppe, dann die
fürstlich hessischen Komoedianten, die bereits 1600 in Nürnberg aufgetreten waren, und endlich Robertus Browne mit
seinen Genossen. Ob eine dieser drei Gesellschaften vorher
in Prag und Nürnberg gewesen, lässt sich nicht bestimmen,
doch wollen wir bemerken, dass Browne in seiner Eingabe
vom 12. März dem Frankfurter Rathe meldet, er habe sich
„anitzo mit grossen vnstatten anhero erhaben", was auf eine
weite Reise schliessen lässt. Das Datum allerdings stimmt
nicht, aber es ist ja nicht ausgeschlossen, dass dieses Schreiben
brieflich nach Frankfurt gelangte oder von einem voraus-

---

1) Archiv für Litteraturgeschichte, Band XIII S. 317.
2) Archiv für Litteraturgeschichte, Band XII S. 319.
8) Vgl. hierüber F. L. v. Soden, Kriegs- und Sittengeschichte der
Reichsstadt Nürnberg vom Ende des sechzehnten Jahrhunderts bis
zur Schlacht von Breitenfeld, 7. (17.) September 1631. I. Theil. Von
1590 bis 1619. Erlangen 1860 S. 52 und die Starksche Chronik,
Band III, Bl. 1ᵇ (Nürnberger Stadtbibliothek).
4) Mentzel a. a. O. S. 45.

gesandten Mitgliede der Gesellschaft dortselbst überreicht .
worden ist.

Im Laufe des Jahres 1602 bitten drei verschiedene englische Schauspieltruppen um die Erlaubniss, in Nürnberg auftreten zu dürfen.

1602: (Jahrgang 1601, Manuale No. 13, Bl. 33ᵃ, Sitzung vom
5. April 1602) „15 Englischen comoedianten soll man zulassen, das
sie jre comoedias vnd tragoedias acht tag alhie agiren mögen.“
(Jahrgang 1602, Manuale No. 1, Bl. 13ᵇ, Sitzung vom 13. April
1602) „Demnach die Englischen comoedianten sich der gethanen
erlaubnus, jre spiel alhie zu agiren, bedanckht vnd danebens erbotten haben, meinen h(erren) zu ehren ein lustige comoediam, vff
zeit vnd an orten, da es meinen h(erren) gelegen, zu agiren, soll
man jnen anzaigen, das es dieser zeit meiner h(erren) gelegenhait
nit sein wöll vnd mögen sich nunmehr wider an andere ort begeben.“

Am 4. März des nämlichen Jahres bittet in Frankfurt[1])
eine Compagnie von 12 englischen Schauspielern um die Erlaubniss, während ̇der Ostermesse spielen zu dürfen, und zwar
mit dem Beifügen, dass sie „abzuziehen willig sind, wenn die
von Cassel anhero kommen sollten“. Ob die hessischen Hofkomoedianten die hier angedeutete Gastspielreise wirklich ausgeführt und auf derselben im April Nürnberg berührt haben,
bleibt unentschieden.

1602: (Manuale No. 3, Bl. 44ᵃ, Sitzung vom 19. Juni 1602)
„Den Englischen comedianten, so sich alhie beim herren burger-
maister angemeldet, soll man acht tag alhie zu spielen erlauben.“

Welcher Gesellschaft diese englischen Komoedianten angehören, ist zweifelhaft. Den Monat September hindurch
spielt B r o w n e in Frankfurt auf der Herbstmesse[2]), vom
$\frac{8.}{18.} - \frac{12.}{22.}$ Juni petitioniert F a b i a n P e n t o n in Augsburg ohne
Erfolg um Spielerlaubniss[3]); Browne und Penton konnten also
zur fraglichen Zeit in Nürnberg sein.   •

1602: (Manuale No. 9, Bl. 42ᵇ, Sitzung vom 7. December
1602) „R u p r e c h t B r a u n, einem Englischen comedianten sampt
seiner gesellschafft, soll man jhr begern, jhnen alhie zu spielen zu-

---

1) Mentzel a. a. O. S. 49.
2) Mentzel a. a. O. S. 49.
3) Archiv für Litteraturgeschichte, Band XIII, S. 317.

uergunnen, ablainen, mit anzaig, das es anyetzo vngelegene vnd
gefehrliche zeitten sein, vmb welcher vrsach willn man auch der
burgerschafft[1]) dergleichen begern abgelaint; sie mögen aber zu
andern zeitten wider ansuchen."

Robertus-Browne muss damals eine grosse Rührigkeit
entfaltet haben. Im September 1602 finden wir ihn auf der
Frankfurter Herbstmesse[2]), am 5. November ist er wahr-
scheinlich schon wieder in Ulm[3]), am $\frac{25.\ \text{Nov.}}{5.\ \text{Dec.}}$ erhält er in
Augsburg die Zusicherung, nach Lichtmess daselbst spielen
zu dürfen[3]), am $\frac{7.}{17.}$ December wird er in Nürnberg mit
seinem auftreten auf bessere Zeiten vertröstet, Lichtmess
1603 macht er jedesfalls in Augsburg von der ihm ertheilten
Erlaubniss Gebrauch, vom $\frac{15.}{25.}$ Februar ab gibt er, wie wir
gleich sehen werden, Vorstellungen in Nürnberg und auf
Ostern ist er in Frankfurt auf der Messe[4]); wol keine geringe Leistung, wenn man die Verkehrsverhältnisse des
17. Jahrhunderts in Betracht zieht.

1603: (Jahrgang 1602, Manuale No. 12, Bl. 15[b], Sitzung
vom 15. Februar 1603) „Ruprecht Braun, Englischen comedianten sampt seiner gesellschafft, soll man 8 tag alhie jhre comedien zu agiren erlauben, jhnen doch sagen, die leut nit zu vbernemen."

1604: (Jahrgaug 1603, Manuale No. 10, Bl. 61[b], Sitzung
vom 1. Februar 1604) „Vff herren Johann Fridrichs, hertzogen
zu Wurtemberg schreiben, darinnen er .... bittet, ... ettlichen
Englischen comedianten, die sich zu Onoltzbach (Ansbach) auff-
halten, zuerlauben, ettliche comedien alhie zu agirn, ist verlassen,
.... der comedianten begeren zu erwarten vnd ferner räthig zu
werden."

(Jahrgang 1603, Manuale No. 11, Bl. 2[a], Sitzung vom 3. Februar
1604) „Ettlichen Englischen comedianten, welche gebetten, jhre
musicam vnd comedien zu hören vnd jhnen ettliche tag die burger-

---

1) Am 26. November 1602 waren die Meistersänger „aus bedenck-
lichen vrsachen" mit ihrem Gesuche um Spielerlaubniss abgewiesen
worden (Jahrgang 1602, Manuale No. 9, Bl. 22[a]).
2) Mentzel a. a. O. S. 49.
3) Archiv für Litteraturgeschichte, Band XIII S. 318.
4) Mentzel a. a. O. S. 50.

schafft dieselbe sehen vnd hören zu lassen zuerlauben, soll man jhr
erstes begern ablainen, doch jhnen zulassen, auff kunfftigen montag
vnd erichtag [Dienstag] zu agirn vnd jhnen anzaigen, man könne
jhnen nit gestatten, der kirchen halb so in der nehe ligt, am sontag
ein zulauff zu machen."

Der durch seine Beziehungen zum englischen Hofe bekannte Herzog Johann Friedrich von Württemberg[1]), auf
einer Reise nach Dresden begriffen, hatte sich in den Tagen
vom 28.—31. Januar 1604. in Nürnberg aufgehalten[2]) und
war dort in hervorragender Weise ausgezeichnet worden.
Der Rath willfahrte natürlich seiner Bitte, die Engländer
erhielten sofort die gewünschte Spiellicenz. Welcher Gesellschaft diese Schauspieler angehörten, können wir mit Gewissheit leider nicht bestimmen. Wahrscheinlichkeit ist vorhanden,
dass es die Hofkomoedianten des Markgrafen Christian von
Brandenburg, Administrators von Magdeburg[3]) waren, da
wir dieselben einige Wochen später, im März 1604, auf der
Frankfurter Ostermesse antreffen.[4]) Wahrscheinlichkeit ist
ferner vorhanden, dass der bekannte Thomas Sackville sich
bei der Truppe befand, welche damals in der Reichsstadt
weilte, und dass er in Nürnberg den vom 1. Februar 1604
datierten Vers „Omne tulit punctum qui miscuit utile dulci"
in das von A. Cohn[5]) aufgefundene Stammbuch des Nürnberger Syndicus Johannes Cellarius eingeschrieben hat.

1606: (Jahrgang 1605, Manuale No. 12, Bl. 27ᵃ, Sitzung
vom 17. Februar 1606) „Ettlichen Englischen comedianten, welche
angesucht vnd begert, jhnen zuerlauben, alhie zu spielen, soll man
solch jhr begeren ablainen."

Diese Truppe können wir leider nicht identificieren; auf
der Frankfurter Ostermesse von 1606 zeigen sich keine englischen Komoedianten.

1606: (Manuale No. 3, Bl. 33ᵃ, Sitzung vom 2. Juli 1606)

---

1) Ueber Johann Friedrich von Württemberg, seine Reisen und
seine Beziehungen zu England vergleiche man Cohn a. a. O. und W. B.
Rye, England as seen by foreigners. London 1865 S. LV u. ff.

2) Soden a. a. O. I. Theil S. 57.

3) Ueber diese Truppe vergleiche man Meissner a. a. O. S. 34.

4) Mentzel a. a. O. S. 51.

5) A a. O. S. XXXV.

„Vff das mundlich furbringen, das ein Englischer musicus mitt seiner gesellschafft sich angemeldet, mit verwenden, wie er der königin Elisabeth capellmaister camerae gewest, mit erpieten, wann es meinen herrn gefellig, jhre H(errlichkeiten) seine music heren zulassen, jst befohlen, jhne vmb vesperzeit heut nachmittag herauff auffs rathhaus auff den obern sahl zubeschaiden, seine musicam anzuhören vnd jme nach gelegenheit ein duzent gulden oder thaler zuuerehren."

Wer mag wol dieser „capellmaister camerae" der Königin Elisabeth gewesen sein? Sollte es sich vielleicht um den berühmten englischen Componisten und Lautenspieler John Dowland handeln, der ja, wie bekannt, mehrere Kunstreisen nach Deutschland unternommen hat?[1]) Bestärkt werden wir in dieser Vermuthung durch den Umstand, dass sich in dem Stammbuche des Johannes Cellarius auch ein Eintrag Dowlands vorfindet, zwar ohne Datum und Ortsangabe, aber doch nach A. Cohns richtiger Annahme aus den Jahren 1603—1606, also aus dem hier in Frage kommenden Zeitraume.

1606: (Manuale No. 5, Bl. 12ᵇ, Sitzung vom 18. August 1606) „Ettlichen Englischen comedianten soll man auf herrn Moritzen, landgrauen zu Hessen, furpitt vnd intercessionschreiben erlauben, das sie nach der Franckfurter meß sechs oder acht tag alhie spielen vnd jhre music hören lassen mögen."

(Manuale No. 7, Bl. 13ᵃ, Sitzung vom 6. October 1606) „Den Engellendischen comedianten soll man jhr begern, vmb zuerlauben, das sie lenger spielen dörffen, ablainen."

Landgraf Moritz verwendet sich hier für seine eigenen englischen Hofschauspieler, die damals unter Robert Brownes, John Greens und Robert Ledbetters Leitung stehenden fürstlich hessischen Komoedianten.[2]) Nachdem dieselben auf der Frankfurter Herbstmesse ihr Gastspiel absolviert hatten[3]), veranstalteten sie Vorstellungen in Nürnberg, konnten aber in der Folge eine Verlängerung der auf acht Tage normierten Spielerlaubniss nicht erhalten.

1608: (Manuale No. 4, Bl. 15ᵇ, Sitzung vom 1. Juli 1608) „Den Englischen musicant(en) soll man zween tag zu spielen erlauben.

---

1) Cohn a. a. O. S. XXXV u. XXXVI.
2) Vergleiche über diese Schauspieler Meissner a. a. O. S. 67 u. ff.
3) Mentzel a. a. O. S. 53.

doch das es ausserhalb der zeit, da man jn der kirchen das ambt helt, geschehe."

Der Führer dieser Gesellschaft konnte nicht ermittelt werden. Auf der Frankfurter Herbstmesse des Jahres 1608 spielen die Komoedianten, „so von Cassel kummen", unter ihrem alten Director **Rudolphus Riweus**.[1]).

1609: (Manuale No. 3, Bl. 68[b], Sitzung vom 8. Juli 1609) „Ettlichen Englischen comedianten, welche ein comendationschreiben von herren Moritzen landgrauen zu Heßen gebracht, soll man 8 tag alhie zu spielen vnd jhre music hören zu lassen erlauben."

(Manuale No. 4, Bl. 17[b], Sitzung vom 19. Juli 1609) „Den Englischen comedianten soll man noch dise wochen biß auff kunfftigen sambstag zu spilen erlauben."

Es sind dies wahrscheinlich die fürstlich hessischen Komoedianten, welche auch in Frankfurt während der Herbstmesse des nämlichen Jahres auftreten.[2])

1610: (Manuale No. 8, Bl. 21[b], Sitzung vom 2. November 1610) „Ettliche Englische comoedianten, die sich angemelt vnd jhnen zu erlauben gebetten, jhre comedien sehen zu lass(en), soll man dißmal abweisen."

Welche Truppe wir hier vor uns haben, ist aus dem Wortlaute des Eintrages nicht ersichtlich, vielleicht wieder fürstlich hessische Komoedianten. Joh. Meissner nimmt nämlich an[3]), dass die hessischen Hofschauspieler, welche auf der Frankfurter Ostermesse von 1610 „einige schöne Comödien und Tragödien" gespielt hatten, ihren Herrn auf die Fürstenversammlung nach Prag begleiteten, wo Landgraf Moritz am 21. April 1610 eintraf. Diese Annahme wird noch durch die Thatsache wahrscheinlicher, dass die hessischen Komoedianten nach der Ostermesse, obwol sie „den Main auff"[4]) zogen, Nürnberg rechts liegen liessen, eine pecuniäre Einbusse, welche

---

1) Mentzel a. a. O. S. 54.

2) Mentzel a. a. O. S. 54.

3) A. a. O. S. 46.

4) In Würzburger Archiven waren leider Notizen über englische Komoedianten nicht aufzufinden. Das k. Kreisarchiv enthält keine auf Schauspielwesen bezügliche Documente, ebenso das Stadtarchiv. In den noch erhaltenen Rathsprotokollen ist niemals von dramatischen Aufführungen die Rede.

unter gewöhnlichen Umständen sicherlich vermieden worden
wäre. Die hohen Herrschaften blieben in Prag bis zum
September 1610 und folgten hierauf dem Könige Matthias
nach Wien, möglicher Weise sogar mit den englischen Schauspielern im Gefolge. Am 2. November hätten dieselben dann
auf ihrer Rückreise von Wien Nürnberg berührt.

1612: (Manuale No. 7, Bl. 38ᵃ, Sitzung vom 15. October
1612) „Den Englischen comoedianten, so mit herrn landgraff Moritz
von Hessen vf dem fürst(lich) margreuischen beylager gewest, soll
man erlauben, drey tag lang ihre comedias zu agiren, mit der
anzeig, alßdan meine herrn weiter nicht anzulaufen.“

(Manuale No. 7, Bl. 57ᵃ, Sitzung vom 22. October 1612)
„Den Englischen comedianten soll man noch heut zu spielen er-
laub(en).“

(Manuale No. 7, Bl. 59ᵇ, Sitzung vom 23. October 1612)
„Den Englischen comedianten jhr begern wegen fernern spilens
abzulainen.“

In den Tagen des October 1612 fand zu Ansbach die
Hochzeit des Markgrafen Joachim Ernst von Brandenburg
statt.[1]) Moritz von Hessen wohnte den Festlichkeiten bei
und hatte, wie unser Eintrag beweist, seine englischen Komoedianten nach Ansbach mitgenommen. Nach Schluss der
Feierlichkeiten wandten sich die Schauspieler Nürnberg zu,
wo sie jene Vorstellungen veranstalteten, über welche uns
Siebenkees[2]) aus einer gleichzeitigen Chronik Kunde gibt.
Dieser seitdem viel citierte Bericht entstammt den hochinter-
essanten Aufzeichnungen des Nürnberger Patriciers Stark,
deren Manuscript sich jetzt im Besitze der Stadtbibliothek zu
Nürnberg befindet.[3]) Wir geben die Stelle nach dem Originale
(Band IV, Bl. 208ᵃ).

„Den 20., 21., 22. vnd 23. Oktobris haben etliche Engelender,
des Landgraffen Zu Caßel in Heßen bestalte Comedianten, Auß
vergunstigung des Herrn Burgermeisters Jm Halßprunner Hoff
alhie etliche schone vnd Zum theil Jn Teutschlandt vnbekandte
Comedien vnd tragoedien vnd darbey eine gute liebliche Musica

---

1) Soden a. a. O. I. Theil S. 298 u. ff.

2) Materialien zur Nürnbergischen Geschichte. Dritter Band. Nürnberg 1794 S. 52 u. 53.

3) Dorthin ist die Chronik aus dem Besitze der Familie von Oel-
hafen übergegangen.

gehalten, Auch allerley wölsche tantze mit wunderlichem vertrehen,
hupfen, hinter vnd fur sich springen, vberworffen vnd andern seltza-
men geberten getrieben, welches lustig Zu sehen; dahin ein groß
Zulauffen von Alten vnd Jungen, von Man vnd weibs Personen, auch
von Herrn deß Raths vnd Doctorn geweßen, den sie mit Zweien
trummeln vnd 4 trometen in der Statt vmbgangen vnd das volckh
vfgemohnet vnd ein Jede person solche schone kurtzweillige sachen
vnd spiel Zu sehen ein halben Patzen geben mueßen, dauon sie, die
Comoedianten, ein groß geld vfgehoben vnd mit ihnen auß dieser
Statt gebracht haben."

1613: (Manuale No. 3, Bl. 53^b, Sitzung vom 22. Juni 1613)
„Ettlichen Englischen comedianten soll man, auff des churf(ürsten)
zu Brandenburg furbitt, drey tag lang zu spielen erlauben, doch das
sie erst nach der vesper spielen."

(Manuale No. 3, Bl. 66^a, Sitzung vom 26. Juni 1613) „Dieweil es den laut hatt, das die Englische comedianten die burgerschafft gar zu hart vbernemen wollen, soll man sie erfordern, darauf besprach(en) vnd jhnen anzaigen, sie sollen von einer person
mehr nitt alß 3 kr. vnd dann 3 kr. fur einen sitz oder auff den
gang^1) nemen, sonsten werd man jhnen das spilen gar niderlegen."

(Manuale No. 3, Bl. 70^a, Sitzung vom 30. Juni 1613) „Den
Englischen commedianten soll mann noch zwen tag zu agiren erlauben."

(Manuale No. 4, Bl. 7^b, Sitzung vom 3. Juli 1613) „Den Englischen commedianten soll man noch 2 tag zu spielen erlauben, jhnen
aber sagen, sie sollen mitt fernerm begern nitt widerkummen."

(Manuale No. 4, Bl. 23^a, Sitzung vom 9. Juli 1613) „Die Engellendische comedianten haben gebetten, jhnen noch zween tag zuerlauben das sie noch spielen dörffen, jst jhnen aber abgeschlagen worden."

Auch über das auftreten dieser Truppe bringt die Starksche Chronik einen, durch Aufzählung der gegebenen Stücke
besonders wichtigen Bericht^2), den wir ebenfalls nach dem
Originale anführen (Bd. IV, Bl. 362^b).

„Sontag den 27. Junj vnd etliche tage hernach, auß Eines
Erbarn Raths großgunstigen erlaubnuß, haben deß Churfursten Zu
Brandenburg diener vnd Englische Comoetianten schene Comedien
vnnd tragoedien, von Philole vnd mariana, Jtem von Celido vnd
Sedea, Auch von Zerstörrung der Statte Troia vnd Constantinopel,

---

1) Wahrscheinlich die den Hofraum des Heilsbronner Hofes ein-
fassenden Gallerien. Ueber den Heilsbronner Hof, wo diese Vorstel
lungen stattfanden, vergleiche man Lochners Notiz im Anzeiger für
Kunde der deutschen Vorzeit. Neue Folge, zweiter Jahrgang 1854,
Sp. 13 und besonders R. Genée, Lehr- und Wanderjahre des deutschen
Schauspiels. Berlin 1882 S. 127 u. 128.

2) Vgl. auch Siebenkees a. a. O. Bd. III S. 53.

vom Turcken vnd andere Historien mehr, neben Zierlichen täntzen, lieblicher musica vnd anderer lustbarkeit, Jm Halßbrunner Hoff alhie Jn guter teutscher Sprach, Jn Kostlicher mascarada vnd Kleidungen agirt vnd gehalten; hat erstlich ein Person 3 Creutzer vnd letzlich 6 Creutzer Zuzusehen geben mueßen, darumb sie ein groß geld alhie vfgehebt, denn ein groß volckh ihnen Zugelauffen, vnd mit sich hinweg gebracht haben."

Die englischen Schauspieler des Kurfürsten vo . Brandenburg[1]) standen unter der Leitung John Spencers, welcher während der Jahre 1613 und 1614 Franken, Schwaben und Bayern zum besonderen Felde seiner Thätigkeit ausersehen hatte.

Am 9. Juli 1613 wird Spencer in Nürnberg zum letzten Male urkundlich erwähnt. Von Nürnberg zieht er mit seiner Gesellschaft nach Augsburg[2]), wo den Komoedianten bereits am $\frac{8.}{18.}$ Juli, also zu einer Zeit, wo sie noch in Nürnberg weilten, „2 täg" bewilligt worden waren. Am $\frac{27.\ \text{Juli}}{6.\ \text{Aug.}}$ erhalten sie in Augsburg die erste. Verlängerung der Spielerlaubniss um weitere „zween täg", welcher Erlaubniss dann in Folge eines neuen Gesuches am $\frac{8.}{18.}$ August „zue allem vberfluß" noch ein weiterer Tag hinzugefügt wird. Vierzehn Tage lang schweigen nun die Augsburger Rathserkenntnisse über Spencer; wahrscheinlich hatte er die Stadt verlassen, um in den benachbarten Orten (München und Ulm ausgenommen) und Herrensitzen zu agieren. Am $\frac{20.}{30.}$ August taucht er wieder in Augsburg auf[3]), will neuerdings Aufführungen veranstalten, wird zuerst abgewiesen, erreicht aber schliesslich am $\frac{23.\ \text{Aug.}}{2.\ \text{Sept.}}$ doch noch „2 täg". Weiteres spielen schlägt der Rath am $\frac{25.\ \text{Aug.}}{4.\ \text{Sept.}}$ „güetlich" ab.

Von Augsburg wendet sich Spencer nach Nürnberg zurück.

(Manuale No. 6, Bl. 63[b], Sitzung vom 17. September 1613) „Ettliche englische comedianten, dem churfürsten zu Sachsen zu-

---

1) Ueber diese Gesellschaft vergleiche man Meissner a. a. O. S. 34 u. ff.

2) Augsburger Rathserkenntnisse von 1613—1614, Bl. 89[a], 91[a], 93[a].

3) Augsburger Rathserkenntnisse von 1613—1614, Bl. 244[a], 245[a], 246[b].

gehörig, welche gebetten, jhne zuerlauben, jhre comedias sehen zu
lassen, soll man abweisen."

(Mannale No. 7, Bl. 3[b], Sitzung vom 23. September 1613)
„Die Englischen comedianten, die sich abermals angemeldet, soll
man abweisen."

Spencer muss, aus diesem Eintrage zu schliessen, inzwischen
in ein Dienstverhältniss zum Kurfürsten von Sachsen getreten
sein, an welchen ihn, wie bekannt, der Kurfürst von Brandenburg empfohlen hatte.[1) Auf die Abweisung in Nürnberg
hin setzen die Komoedianten ihre Wanderung fort, zunächst
nach Regensburg[2)] auf den Reichstag. Dort spielen sie vor
dem Kaiser Matthias und werden am 24. October für ihre
Mühe mit 200 Gulden abgelohnt.[3)] Am 27. November 1613
abermalige Gesuchstellung in Nürnberg.

(Manuale No. 9, Bl. 26[b], Sitzung vom 27. November 1613)
„Hans Stenzen[4)], Englischen comediant(en), soll man mit seinem
begern, ihne vf die weinachtfeiertage agirn zulassen, abweisen."

Zu Ende des Jahres 1613 oder zu Anfang 1614 wird
Spencer vom Kurfürsten **Friedrich IV.** von der Pfalz nach
Heidelberg berufen[5)], auf der Ostermesse 1614 ist er in
Frankfurt[6)], im August 1614 in Ulm[7)], im August des näm-
lichen Jahres auch in Augsburg.[8)]

1618: (Manuale No. 2, Bl. 63[a], Sitzung vom 28. Mai 1618)
„Robert Braun von Lunden vnd seiner gesellschafft, soll man 8 tag
lang jm Hailßbrunner hoff comedien zu agirn erlauben, wann sie

---

1) In einem Schreiben d. d. Grünnig 16. April 1613. Vgl.
Fürstenau, Zur Geschichte der Musik und des Theaters am Hofe zu
Dresden. Erster Theil. Dresden 1861 S. 76.

2) Ueber das auftreten der englischen Komoedianten in Regensburg wird aus dem dortigen Stadtarchive kaum neue Kunde erbracht
werden können, da für den in Betracht kommenden Zeitraum weder
Acten noch Rathsprotokolle, noch städtische Rechnungen vorhanden sind.

3) Meissner a. a. O. S. 52.

4) Stenzen ist nur eine der so oft in den Acten vorkommenden
Corrumpierungen englischer Namen. Vgl. auch Meissner a. a. O.
S. 55 u. 56.

5) Meissner a. a. O. S. 37.

6) Mentzel a. a. O. S. 58.

7) Archiv für Litteraturgeschichte, Bd. XIII S. 322.

8) Archiv für Litteraturgeschichte, Bd. XIII S. 323.

anderst geubte comedianten sein, doch jhnen sagen, von einer person
mehr nitt alß drey creutzer zu nemen."

(Manuale No. 3, Bl. 27 [b], Sitzung vom 11. Juni 1618) „Den
Englischen comedianten soll man noch heut, morgen vnd biß sontag
zu agirn erlauben."

Auf der Herbstmesse 1618 erscheint Browne mit seiner
Truppe in Frankfurt [1]) und berichtet dem Rathe, dass er
von London in England käme und viele neue und schöne
Stücke mitgebracht hätte. Wie aus dem Beisatze hervorgeht;
„wann sie anderst geubte comedianten sein", war entweder die
Erinnerung an Brownes früheres auftreten in Nürnberg ganz
aus dem Gedächtniss der Behörden geschwunden oder die Zu-
sammensetzung der Gesellschaft musste eine andere geworden sein.

Den Winter 1619 verbringt Browne zu Prag, am Hofe
Friedrichs V. von der Pfalz, des neugewählten Königs von
Böhmen [2]), 1620 spielt er während der Ostermesse in Frankfurt. [3]) Auf der Rückreise von Prag nach Frankfurt hat er
auch Nürnberg wieder berührt.

1620: (Jahrgang 1619, Manuale No. 12, Bl. 82 [b], Sitzung vom
28. Februar 1620) „Robert Braun von Lunden aus Engelland, soll
man sein begern vmb zulassung, comedias zu agirn, dieser zeit abschlagen."

(Manuale No. 13, Bl. 6 [b], Sitzung vom 3. März 1620) „Die
Englische comedianten soll man, vngeachtet jhres abermaligen an-
suchens, abweisen, auch Jörgen Tratzen [4]) anzeigen, sie von fernerm
anhalten abzuhalten."

(Manuale No. 13, Bl. 24 [b], Sitzung vom 9. März 1620) „Vff
das mundlich furbringen, das die alhie anwesende Engellender sich
vntersteh(en), priuatim comoedias zu agirn, wie sie dann gester(n)
vnd vorgestern agirt haben sollen, vnd Jörg Tratzen, wie auch der
Engellender selbs drauff gethane aussag vnd entschuldigung, jst
jhnen anzuzaigen befohlen, sie sollen dißmal jhren pfenning weitter
zehren, dem Tratzen auch zu befehlen, jhnen das agirn ferner nitt
zu gestatten."

---

1) Mentzel a. a. O. S. 60.
2) Meissner a. a. O. S. 65 u. 66.
3) Mentzel a. a. O. S. 61.
4) Jörg Tratz war Wirth im Heilsbronner Hofe, dem gewöhnlichen Spiellocale der Engländer. Vgl. Siebenkees a. a. O. Bd. III
S. 50 und Lochner a. a. O.

1623: (Jahrgang 1622, Manuale No. 11, Bl. 77ᵃ, Sitzung vom 18. Februar 1623) „Thomas Sebastian Schadleutner vnd Johann Spencer, Englischen comedianten, soll man jhr begern, jhnen zuzulass(en), auff vorstehende faßnacht ettliche comedien zu agirn, beschaidenlich ablainen."

Weitere Notizen über den hier zum ersten Male neben Johann Spencer als Principal erscheinenden Thomas Sebastian Schadleutner waren nicht aufzufinden. Durften die Komoedianten auch keine Vorstellungen geben, so liessen sich wenigstens zwei Engländer, wahrscheinlich Mitglieder der Gesellschaft, auf der Laute hören. Es gieng dabei gar stürmisch her; im Gedränge wurde ein Lautenfutteral zerbrochen, welchen Verlust der Rath grossmüthig ersetzte.

(Stadtrechnung von 1622 unter der Rubrik „Gemain Außgeben", Bl. 136ᵇ) „Item adi dito (24. Februar 1623) zweyen Engellendern, so sich auff der lauten hören lassen vnd in dem gedräng ein lautenfutter zerbrochen worden, erstattet . . . . . fl. 1, ß. 12, h. 6."

1627: (Manuale No. 5, Bl. 33ᵇ, Sitzung vom 30. Juli 1627) „Der Churf. Drl. in Sachsen Engellendischen comedianten, welche sich des bieklingherings compagnia nennen, soll man jhr begern vmb erlaubnus, ettlich tag albie zu spielen, mit guten wort(en) vnd wegen jetziger beschwerlichen leufft vnd großer armut der burgerschafft ablainen, ob man wohl sonsten Jhrer Churf. D. gern willfahrn wolte." — [Vergl. Archiv für Litteraturgeschichte, Bd. XII S. 643.]

(Manuale Nr. 5, Bl. 53ᵃ, Sitzung vom 4. August 1627) „Den Englisch(en) comoediant(en) soll man jhr begern nochmahls ablainen."

(Manuale No. 5, Bl. 60ᵇ, Sitzung vom 6. August 1627) „Den Engellendischen comedianten soll man jhr begern, vngeachtet herrn Christian marggrafes[1]) intercefsion, nochmals abschlagen vnd hingegen ein dutzet thaler verehren."

Die Stadtrechnung von 1627 bestätigt die Auszahlung dieser Gratification (Bl. 151ᵇ, unter der Rubrik „Verehrungen"): „Item adi 6. dito (August 1627), etzlichen Englischen comedianten, anstatt gesuchter vergunstigung alhier zu spieln, 12 reichstaler verehrt . . . . . fl. 18."

Auf den ihnen in Nürnberg gewordenen abschlägigen Bescheid hin, zogen die kurfürstlich sächsischen Komoedianten,

---

1) Markgraf Christian von Brandenburg.

welche damals unter J. Green standen[1]), nach Frankfurt auf
die Herbstmesse, wo sie „allerhand neue ausserlesene Comödien wie auch respective Tragödien" zur Aufführung bringen
durften.[2]) Das Verzeichniss der von der Gesellschaft gegebenen Stücke ist uns in dem sogenannten Dresdener Repertoire von 1626 erhalten.[3])

1628: (Manuale No. 4, Bl. 8[b], Sitzung vom 11. Juli 1628)
„Auf das mündlich referirn, das die Engellendische comedianten erschienen seyn vnd vmb erlaubnus, ettliche tag zu spielen angelangt,
die haben sich aber vernemen lassen, das sie von einer person drey
batzen begern.werden, ist befohlen, sie an die deputirte herrn[4]) zu
weisen, denselbigen aber zu sagen, das sie mehr nicht, dan sechs
kreutzer auf ein person gestatten, den spielern auch vber ein drittel
nicht bewilligen."

(Manuale No. 4, Bl. 16[a], Sitzung vom 14. Juli 1628) „Den
Engellandischen comedianten jst erlaubt worden, zwo wochen nacheinander vnd jede drey tag, alß erichtag, mittwoch vnd donnerstags
vnd jm fall deren einer ein feyertag were, erst nach verichter
vesper zu spielen, jhnen auch von den gefällen den halben thail
passirn zu lassen, doch von der person mehr nicht, dan sechs kreutzer
zu nemen, hernacher aber ferner räthig zu werden, ob man jhnen
lenger erlauben wolle."

(Manuale No. 4, Bl. 68[a], Sitzung vom 1. August 1628) „Den
Englischen comoedianten soll man anzeigen, weiln nunmehr die ver-
günstigte tag vnd noch zwen darüber verflossen, alß werden sie sich
damit vor dißmahls hegnügen lassen."

(Manuale No. 4, Bl. 70[b], Sitzung vom 1. August 1628) „Ob-
woln mündlich referirt word(en), daß die Engelender eine supplication vbergeben, darinn sie v(er)melden, d(as) sie allhier vil ein-
kaufft vnd derwegen an geld sich entplöst, dannenhero gebett(en)
jhnen noch ein oder 2 tag zuerlauben, daß sie agirn mög(en), so ist
doch befohlen, es bei heutigen abschlegigen beschaid bewenden zulassen."

(Manuale No. 4, Bl. 72[b], Sitzung vom 2. August 1628) „Den
Englischen comoedianten soll man jhr nochmaliges begern, sie lenger
hier od(er) zu Wehrd[5]) agirn zu laßen, endlich abschlagen, auch
dem richter zu Wehrd solchs allso anzeigen."

---

1) Meissner a. a. O. S. 86.

2) Mentzel a. a. O. S. 64.

3) Cohn a. a. O. S. CXIV u. ff.

4) Die mit der Aufsicht über das neue Fechthaus betrauten Raths-
mitglieder.

5) Jetzt eine Vorstadt von Nürnberg.

(Manuale No. 5, Bl. 32*, Sitzung vom 18. August 1628) „Den Engellendischen comedianten soll man jhr begern vmb verstattung noch zwo oder drey comedien zu spilen abschlagen."

Die hier erscheinenden Engländer — es sind die „Churfürstlich sächsischen Hofkomoedianten" — spielen im neuen Fechthause auf der Schütt[1]), dem ersten in der Reichsstadt eigens für Theaterzwecke errichteten Gebäude, welches am 16. Juni 1628 mit einer „gaistlichen comedy" eröffnet worden war. Unter gewaltigem Zulaufe der Nürnberger nahmen die Vorstellungen der Gesellschaft am 15. Juli ihren Anfang.

Ein glücklicher Zufall hat uns den ersten Band der Rechnungsabschlüsse über die im „Newen Theatrum vf der Schutt" veranstalteten Lustbarkeiten erhalten. Dieses Büchlein, „Rechnungen über Comoedien, Fechtschulen und Ochsenhatzen 1628—1631" betitelt, setzt uns in den Stand, über die Einnahmen der englischen Komoedianten genaue Nachrichten beizubringen. Ehe wir aber Zahlen anführen, müssen wir bemerken, dass die Schauspieler nur die eine Hälfte des Nettoertrages erhielten; die andere Hälfte wurde vom Rathe dem Spital zum heiligen Geist zugewiesen, als Unterstützung zum Besten seines Haushaltes.[2])

Nachfolgend der Rechnungsabschluss über die erste Komoedie der Engländer:

„1628. Adi 15. July von der Engellender
comedy aufgehoben . . . . fl. 266. (kr.) 28.
davon puchßenmännern jedem 6 batzen fl. 2. 48.
2 stattknechten. . . . . fl. — 30.
3 schützen . . . . fl. — 30.
1 provisoner . . . . fl. — 24.
den comedianten für ½ thail . . . . fl. 131. 8.

                                135.   20.
verbleibtt also bahr d(er) cassa . . . . fl. 131.   8."

---

1) Die Acten über den Bau des Fechthauses und die sich daran knüpfenden Beschwerden und Verhandlungen befinden sich im k. Kreisarchive Nürnberg. Vgl. Soden a. a. O. II. Theil S. 436 u. ff.; Siebenkees a. a. O. Bd. III S. 267 u. 268; Hysel, Das Theater in Nürnberg von 1612—1863. Nürnberg 1863 S. 27 u. ff. Wir beabsichtigen der Entstehungsgeschichte dieses Theaterlocals eine besondere Darstellung zu widmen.

2) Dieser Abzug war allerdings bedeutend. In Frankfurt zahlten die Engländer z. B. im Jahre 1605 46 Gulden Miethe für ihr Theater

Die „Puchßenmänner" hatten das Eintrittsgeld zu erheben, die Stadtknechte, Schützen und der „Provisoner" hielten die Ordnung im Hause aufrecht.

Wir geben jetzt eine Uebersicht über den Ertrag der einzelnen Vorstellungen und deren Frequenz.

	Reineinnahme	Kosten	Antheil der Schauspieler	Frequenz
1. Vorstellung (15. Juli)	fl. 266.28	fl. 4.12	fl. 131. 8	2665
2. Vorstellung (17. Juli)	fl. 178.12	fl. 4.36	fl. 86.48	1782
3. Vorstellung[1]) (22. Juli)	fl. 153.10	fl. 3.48	fl. 74.41	1531
4. Vorstellung (23. Juli)	fl. 255.42.2	fl. 5.—	fl. 125.21.1	2557
5. Vorstellung (24. Juli)	fl. 51.33	fl. 3.48	fl. 23.52.2	515
6. Vorstellung (29. Juli)	fl. 117. 3.2	fl. 3.48	fl. 56.37.3	1170
7. Vorstellung (30. Juli)	fl. 121.14	fl. 3.48	fl. 58.43	1212
8. Vorstellung (31. Juli)	fl. 133.22	fl. 3.48	fl. 64.47	1333

Am Schlusse der Abrechnung vom 31. Juli findet sich die Bemerkung: „Nota: Die Englischen comediant(en), so den 6. augusti wied(er) hinweg geraist, haben jnn allem an geldt bekommen fl. 661 — (kr.) 7 — (h.) 2."

Da der Rath den Eintrittspreis auf 6 Kreuzer für die Person normierte, so liess sich auch die Frequenz der Vorstellungen wenigstens annähernd bestimmen. Das Fechthaus bot Raum für 3000 Zuschauer.

Den 6. August also verlassen die kursächsischen Komœdianten Nürnberg, den 24. August, vor dem Beginne der Herbstmesse treffen wir sie in Frankfurt.[2]) In ihrem Bittgesuche an den dortigen Rath erklären sie, dass dies beabsich-

---

(Mentzel a. a. O. S. 52), abgesehen von dem Beitrage zur Stadtarmencasse, welcher z. B. im Jahre 1631 50 Reichsthaler betrug (Mentzel a. a. O. S. 65). Die noch vorhandenen Rechnungen des Spitals enthalten laut gütiger Mittheilung des Stadtarchivars Dr. Mummenhoff keine Einträge über die im Fechthause veranstalteten Schauspiele.

1) An diesem Tage gaben die Deputierten den Engländern, wahrscheinlich aber nur den Leitern der Truppe, ein Mahl, dessen Kosten „Hauß Praun, wirth auf eines E. E. B. Raths fechthauß" mit 1 fl. 36 kr. verrechnet.

2) Mentzel a. a. O. S. 64.

tigte auftreten das letzte in Deutschland sein sollte und dass
sie von hier aus ihren Weg sofort nach der Heimat zurück
lenken wollten. Vorher aber agierte die Gesellschaft noch zu
guter letzt „etzlich neue denkwürdige Komödien und Tragödien",
unter denen sich, einer alten Ueberlieferung zufolge[1]), auch
Shakespeares Hamlet befand.

Bevor wir abschliessen, mag ein Irrthum Berichtigung
finden. Cohn[2]) nimmt auf Grund einer Bemerkung Hysels[3])
an, die Engländer hätten im April 1628 in Nürnberg das Stück
„Die Liebes Süffigkeit verändert sich in Todes Bitterkeit"
zur Aufführung gebracht. Den einzigen Beweis für diese Behauptung bietet ein der Nürnberger Stadtbibliothek gehörender
Zettel folgenden Inhalts:

„Zuwiffen fey jederman daß allhier ankommen eine gantz newe
Compagni Comoedianten, fo niemals zuvor hier zu Land gefehen, mit
einem fehr luftigen Pickelhering, welche täglich agirn werden, fchöne
Comoedien, Tragoedien, Paftorellen, (Schäffereyen) vnd Hiftorien,
vermengt mit lieblichen vnd luftigen interludien, vnd zwar heut
Mitwochs den 21. Aprilis werden fie praefentirn eine fehr luftige
Comoedi, genant

Die Liebes Süffigkeit verändert fich in
Todes Bitterkeit.

Nach der Comoedi foll praefentirt werden ein fchön Ballet, vnd
lächerliches Poffenfpiel.

Die Liebhaber folcher Schaufpiele wollen fich nach Mittags
Glock 2. einftellen vffm Fechthauß, allda vmb die beftimbte Zeit
praecifè foll angefangen werden."

Dass dieses Document[4]) nicht aus dem Jahre 1628 stammen kann, ist zweifellos. Die Vorstellung soll Mittwochs den
21. April im Fechthause stattfinden, am 21. April 1628 aber war
kein Mittwoch und dieses Gebäude noch gar nicht eröffnet.
Der Zettel muss daher der Zeit nach 1628 angehören. Fraglich
ist ferner, ob die Ankündigung von englischen Komoedianten

---

1) Mentzel a. a. O. S. 65.
2) A. a. O. S. XCVIII.
3) A. a. O. S. 29.
4) Ueber diesen Theaterzettel vergleiche man Genée a. a. O.
S. 287 u. 288.

ausgeht. Wir möchten eher an den Nürnberger Hans Mühlgraf[1]) denken, welcher gerade während der hier in Frage kommenden Periode nach 1628 mit seiner Gesellschaft im Fechthause Komoedien spielte. Auch der Umstand, dass Pastorellen zur Darstellung kommen sollen, passt auf Mühlgraf, da dieser im September 1628 an die Deputierten über das Fechthaus schreibt[2]), er „laße auch auß Italia der berümbsten comoedienschreiber jhre comoedien hiehero bringen vnnd jnn Teutsch vbersetzen vnndt transferiren“.

Vom Jahre 1629 an[3]) schweigen die Rathsmanualien über das auftreten englischer Schauspieler; der Dreissigjährige Krieg, welcher kurze Zeit darauf gerade das Gebiet der Reichsstadt mit seinen Schrecknissen heimsuchte, hatte auch Nürnbergs lebenslustigen Bürgern die Freude an Mummenschanz und Komoedienspiel benommen.

Mit den von uns beigebrachten Nachrichten sind natürlich die Forschungen über das auftreten der englischen Komoedianten in Nürnberg nicht beendet. Noch bleibt übrig in den Privatarchiven nach Tagebüchern und andern Familienaufzeichnungen zu suchen, noch sind die Schätze des Germanischen Museums nach dieser Richtung hin nicht ausgebeutet und wol mögen die handschriftlichen Chroniken der Stadtbibliothek noch manche Notiz bergen über die fremden Gesellen — sicherlich ein weites und hoffentlich dankbares Feld für die Localforschung.

1) Mühlgraf, den man auch den „Jubilirer Hannsen“ nannte, ist eine in den Rathsmanualien häufig vorkommende Persönlichkeit, die lange Jahre vor der Erbauung des Fechthauses, neben den Meistersängern, in Nürnberg dramatische Aufführungen veranstaltete. Am 1. Juli 1625 bezeichnet ihn das Rathsmanual als „comediant vnd dantzmaister“, am 4. September 1627 will er sogar mit kleinen Knaben agieren. Ihm wird auch die Ehre zu Theil, das neue Theater auf der Schütt mit einem geistlichen Schauspiele eröffnen zu dürfen.

2) In dem gleichen Gesuche klagt er auch über das häufige spielen der Engländer: „Obwolln die comoedien jetzo etwas schlechtes eintragen, erfolgt es dahero wegen, daß die Engelender offt agirt vnnd daß volckh solches müth worden.“

3) In Frankfurt nehmen die Vorstellungen der Engländer im Jahre 1631 ein Ende (Mentzel a. a. O. S. 65).

Herder oder Knebel?

Von

KARL REDLICH.

Vor reichlich zehn Jahren hat Düntzer im dritten Bande
des Archivs S. 269 ff. „Vierundfünfzig unbekannte Sprüche
Herders" nach Kärtchen, die sich damals im Besitze der Frau
Tosca von Kamptz befanden, mitgetheilt. Ich gestehe offen,
dass mir diese Gabe von jeher etwas apokryph vorgekommen
ist. Die Zahl der bekannten Sprüche Herders ist gross genug,
um mannigfache Gelegenheit zu Vergleichen zu geben, und
es hat mir scheinen wollen, als ob die „unbekannten" nach
Form und Inhalt leichtere Ware wären, als man von dem
„ausgezeichneten Spruchdichter" zu erwarten berechtigt ist.
Wenn noch diese Sprüche von irgend einem Herderschen
Brouillonblatt aufgelesen wären, wie es deren hunderte unter
den Nachlasspapieren gibt, so könnte man sich bei dem Gedanken beruhigen, dass man es mit zwar minderwerthigen
und vom Dichter in der unvollkommenen Gestalt des ersten
Wurfs belassenen, aber doch immerhin echten Distichen zu
thun habe. Aus Nr. 2 geht aber, wie ja auch Düntzer schon
vor seiner Veröffentlichung der Sprüche bemerkt hat[1]), mit
Sicherheit hervor, dass die ganze Sammlung ein Geschenk
des Verfassers für die geistreiche Frau Sophie von Schardt
gewesen ist, und da fragt man unwillkürlich, ob der an ungedruckten Sprüchen reiche Herder seiner Freundin nichts
besseres darzubringen gehabt hätte. Andere Arbeiten haben
mich lang gehindert, der Sache weiter nachzuforschen, und

---

1) Zwei Bekehrte S. 332.

mein Fragezeichen am Rande des Düntzerschen Aufsatzes ist
bisher unerledigt geblieben.

Jetzt erst haben die Vorarbeiten für den Gedichtband
der Suphanschen Herder-Ausgabe mich zu jenen fragwürdigen
Sprüchen zurückgeführt, nach deren Spur ich in dem poetischen Theil des Herder-Nachlasses vergeblich jedes Blättchen
mit ungedrucktem Gedichtmaterial bewegt hatte. Von vierundfünfzig Sprüchen nicht ein einziger in Kladde oder Reinschrift oder wenigstens späterer Abschrift von Carolinens
Hand aufzutreiben, während andere in drei, vier und mehr
Aufzeichnungen vorlagen! Das weckte die alten Zweifel, und
als nur erst die Möglichkeit eines Irrthums ernstlich ins
Auge gefasst war, stellte sich die Lösung des Räthsels in
überraschender Weise ein.

Die „vierundfünfzig unbekannten Sprüche Herders" sind
allerdings vierundfünfzig Sprüche, aber weder unbekannt noch
von Herder gedichtet, sondern gedruckte, zum Theil schon
dreimal gedruckte Verschen Knebels. Knebelsche Gedichte,
der Frau v. Schardt gewidmet, in ihrem Nachlass zu finden
hat nichts befremdendes, da Knebel „der kleinen Schardt"
ebenso herzlich zugethan war als Herder. Ebenso wenig
könnte es auffallen, wenn die nachmalige Besitzerin der vierundfünfzig Kärtchen Knebels Handschrift mit Herders verwechselt haben sollte, da eine entfernte Aehnlichkeit der
Schriftzüge vorhanden ist: eine Verwechslung übrigens, die
man nur einer Dame, nicht Düntzer zutrauen darf, weil dieser
hinreichend Gelegenheit gehabt hat, Autographen Herders und
Knebels zu sehen. Wie dem aber auch sei, an der Autorschaft Knebels für die unter Herders Namen veröffentlichten
Sprüche ist nicht mehr zu zweifeln. Die Geschichte der Entdeckung wird den Beweis für diese Behauptung nicht schuldig
bleiben.

Ich durchblätterte Seckendorfs Musenalmanach für das
Jahr 1807, durch dessen Zusendung mich Erich Schmidt
erfreut hatte. Neben der durchsichtigen Chiffer L. U., unter
welcher Uhland eine Anzahl seiner Romanzen beigesteuert
hat, interessierte mich die Chiffer X., die auf der Jagd nach
den Eigenthümern der Chiffern in den berühmteren, älteren

Almanachen einst so viel Kopfbrechen verursacht hatte, und
reizte zu einem Versuch, auch diesen Anonymus zu entdecken.
Ich fand im Almanach unter X. im ganzen 90 Verschen, von
denen 78 einzelne Distichen unter dem gemeinsamen Titel
„Votivtafeln" S. 70—85 vereinigt, die andern 12 zum Theil
mit, zum Theil ohne Ueberschrift nach Almanachsitte hie und
da zwischen die umfangreicheren Gedichte als Lückenbüsser
zerstreut waren.   Von den 8 mit Ueberschriften versehenen
Stücken bestehen drei aus je zwei Distichen, eins aus zwei
Hexametern.   Eine Vergleichung mit Düntzers „54 unbekannten" ergab, dass 53 von diesen dem Seckendorfschen X.
angehörten.   Anderseits stellte sich heraus, dass von eben-
denselben 90 Almanachsversen 80 in Knebels Nachlass I
S. 89 ff. unter den 122 Sprüchen gedruckt waren, welche von
den Herausgebern als „Lebensblüthen in Distichen" bezeichnet
sind.   Wäre diese gemeinsame·Arbeit Varnhagens und Mundts
unbedingt zuverlässig, so konnte die Sache als erledigt angesehen werden, aber das ist bekanntlich nicht der Fall, und
gerade in Bezug auf eine von ihnen neben dem handschriftlichen Nachlass benutzte gedruckte Quelle für diese Distichen
machen sie a. a. O. S. LIII eine irreführende Angabe.   Sie
citieren eine anonyme Sammlung von Gnomen und Sprüchen
in Distichen unter dem Titel „Lebensblüthen, Jena 1826", die
als erstes Heft erschienen sein soll, ohne dass ein zweites
nachgefolgt wäre.   Diese Sammlung, die im Nekrolog von
1834 und auch noch in dem Knebel-Artikel der Allgemeinen
deutschen Biographie nachspukt, existiert aber gar nicht; ge-
meint· ist die seltene Festschrift „Jahresblüthen von und für
Knebel.   Gedruckt als Manuscript für Freunde und Freundinnen
zur Feyer des XXX. Novembers 1825. Weimar, o. J.", deren
Titel nach dem vom Herausgeber des Archivs mir gütigst
zur Verfügung gestellten Exemplar der Dresdener Bibliothek
hier vollständig wiederholt wird, weil sich auch bei Goedeke
II S. 649 ein doppelter Irrthum eingeschlichen hat.   Auf der
13. bis 15. Seite dieses 21 unpaginierte Seiten umfassenden
Quartheftchens stehen 26 Distichen, „Lebenssprüche von Knebel"
überschrieben, und diese 26 unzweifelhaft echten Knebelschen
Sprüche finden sich alle in Knebels Nachlass a. a. O., im

Seckendorfschen Almanach und also auch — unter Düntzers „54 unbekannten". Die folgende Tabelle ermöglicht am leichtesten die Vergleichung.

Seckendorfs M.-A. 1807 Chiffer X.	Jahresblüthen 1825.	Knebels Nachlass 1837.	Düntzers Anfsts 1874.
S. 37	—	Nr. 14	Nr. 3 (Dist. 1)
„ 44	Nr. 17	„ 44	„ 39
„ 60 Lauf der Welt	„ 10	„ 49	„ 48
„ 62 Vielen	—	„ 19	„ 4
„ 63 Auf die Statue der Büblis in Tieffurt	—	—	—
„ 66	—	Nr. 29	—
„ 70/85 Votivtafeln			
1	Nr. 12	„ 1	Nr. 5
2	—	„ 61	—
3	—	„ 109	—
4	—	„ 58	—
5	—	„ 110	—
„ 71 6	—	„ 111	—
7	—	„ 86	Nr. 13
8	—	—	„ 9
9	—	Nr. 112	—
10	—	„ 56	Nr. 14
„ 72 11	—	„ 113	„ 46
12	—	„ 64	„ 44
13	—	„ 85	„ 33
14	—	„ 68	„ 16
15	Nr. 26	„ 51	„ 11
„ 73 16	—	—	„ 7
17	Nr. 24	Nr. 40	„ 10
18	„ 25	„ 38	„ 1 (Dist. 3)
19	„ 8	„ 48	„ 24
20	—	—	„ 22
„ 74 21	—	„ 24	„ 15
22	—	„ 106	„ 42
23	—	„ 28	„ 17
24	Nr. 22	„ 39	„ 36
25	„ 23	„ 34	„ 40
„ 75 26	—	„ 30	„ 27
27	Nr. 15	„ 43	„ 37
28	—	„ 114	„ 23
29	—	„ 77	„ 41
30	—	„ 115	„ 8
„ 76 31	Nr. 19	„ 85	„ 31
32	„ 20	„ 37	„ 6
33	„ 21	„ 36	„ 1 (Dist. 2)
34	—	—	„ 18
35	Nr. 14	Nr. 42	„ 19
„ 77 36	—	„ 13	„ 1 (Dist. 1)
37	—	„ 62	„ 21
38	—	„ 55	„ 38
39	—	„ 70	„ 35
40	—	—	„ 54

Seckendorfs M.-A. 1807 Chiffer X.		Jahresblüthen 1825.	Knebels Nachlass 1837.	Düntzers Aufsatz 1874.
S. 70/85	Votivtafeln			
S. 78	41	—	Nr. 76	Nr. 30
	42	—	„ 73	„ 28
	43	—.	„ .71	„ 29
	44	—	„ 80	„ 50
	45	Nr. 11	„ 32	„ 34
„ 79	46	—	„ 69	„ 47.
	47	—	„ 65	„ 20
	48	—	„ 22	„ 45
	49	—	„ 28	„ 3 (Dint. 2)
	50	—	„ 72	„ 49
„ 80	51	—	„ 107	„ 12
	52	—	„ 18	„ 51
	53	—	„ 16	—
	54	—	„ 74	—
	55	—	„ 116	—
„ 81	56	—	„ 27	—
	57	Nr. 18	„ 41	—
	58	„ 6	„ 46	—
	59	—	„ 81	—
	60	Nr. 7	„ 47	—
„ 82	61	„ 9	„ 45	—
	62	—	„ 118	—
	63	—	„ 108	—
	64	Nr. 16	„ 50	Nr. 53
	65	—	—	—
„ 83	66	—		—
	67	Nr. 2	Nr. 5	—
	68	—	„ 57	—
	69	—	„ 78	—
	70	Nr. 3	„ 4	—
„ 84	71	—	„ 75	—
	72	Nr. 4	„ 6	—
	73	„ 5	„ 7	—
	74	—	„ 25	—
	75	—	„ 66	—
„ 85	76	—	—	—
	77	Nr. 1	Nr. 3	—
	78	—	—	—
„ 85	Der Verkannte	—	Nr. 52	—
„ 88	Die Rose von Schiras	—	„ 20	Nr. 2
„ 94		—	„ 83	„ 32
„ 96	Der Wundersüchtige	—	„ 15	„ 43
„ 102	Prometheus Fackel	—	„ 21	„ 26
	Seine Söhne	Nr. 13	„ 31	„ 25

Die in dieser Tabelle fehlende Nr. 52 Düntzers steht auch in Knebels Nachlass als Nr. 84.

Da einmal so viele Worte erforderlich waren, um endlich festzustellen, in wessen Garten diese kleinen griechischen

Blüten gewachsen sind, so mögen hier auch noch die fünf
Stücke zum Wiederabdruck gelangen, die bis jetzt nur in der
Verborgenheit des Seckendorfschen Almanachs erhalten ge-
blieben sind:

S. 63   Auf die Statue der Büblis in Tieffurt.
        In ihr atmet der Geist der Gegend, so haucht sie mit Lieb' an,
        Einen Tempel hat ihr Natur und Kunst hier errichtet.

S. 82. Ruhe! der Brust Sehnsucht, nur einen Schritt von dem Grabe
        Komm und reich mir die Hand, dass ich dich fühle, du seist's.

S. 83. Arzt der Seele! du heilst das Krank', und was sich gesund glaubt,
        Sonderst unreines ab, stärkest das Müde mit Kraft.

S 85. Von Ihm sei der Beginn! wenn seine Stralen die Seele
        Oeffnen, Gutes mag dann, Segen und Wonne gedeihn.

        Ausgespannt ist der Himmel, es drängen und schweben die
                                                        Wolken
        Wie die Gedanken um ihn — tief ist der Menschen Gewül!

Herder hat mit allen nichts anderes zu schaffen, als dass
auch sie ihre Entstehung der Anregung verdanken, welche die
durch ihn bewirkte Einbürgerung des antiken Distichons in
Weimar dem ganzen dortigen Musenhofe gegeben hat.

Doch halt! das wäre zu viel behauptet. Herder hat freilich noch eine besondere Beziehung zu den sogenannten unbekannten Sprüchen: er hat selber 20 derselben als „Blumen
aus dem Garten eines Freundes" in der Adrastea II S. 63—67
veröffentlicht, wo Düntzers Nr. 40. 21. 41. 24. 38. 44. 6. 9.
1 (Dist. 3). 1 (Dist. 1). 15. 16. 14. 10. 42. 54. 53. 35. 36
und 23 seit 1801 zu lesen sind.

Zur Kenntniss F. M. Leuchsenrings.

Mitgetheilt von

JAKOB KELLER.

Folgende Briefe Leuchsenrings an Isaak Iselin in
Basel sind nicht insofern wichtig, als der sie schrieb, an sich
in irgend einer Hinsicht ein Mann von ausgezeichnetem Werthe
gewesen wäre. Wie viele seines Zeitalters, verstand er bei
einer umfassenden Bildung sich meisterlich darauf, die Steri-
lität seines, des sublimiertesten Egoismus vollen Busens für
sich und andere durch Funkelschein zu verhehlen, das beste
dieser im Fluge wegzustipitzen, anzueignen oder zu zernagen
und eine Menge von Menschen, die weit gediegener waren
als er, zu täuschen. Wo das blasse, kränkliche Männchen
den Fuss hinsetzte, hinterliess er den Samen zu Missverhält-
nissen und dauernder Verbitterung, so bei Merck, bei Herder,
bei Mendelssohn, bei Lavater, bei Schlosser. Grosses zu
planen, Anekdoten aufzuhaschen und lauschenden Ohren beides
insgeheim zu vermelden war für ihn ein Labsal. Er wollte
aller Welt Freund sein und gab sich so ungeschickt und eigensinnig, dass er keines armen einzigen Freund war; seine Lust
an Verbrüderungen entsprang der Liebhaberei zum geheimen,
wie eine unzufriedene Epoche sie grosszog; niemand war
intoleranter, weniger geneigt, andre Standpuncte hellen Auges
anzuerkennen, als dieser näselnde Priester der Toleranz. Ohne
Amt und Beruf ward er von dem bösen Geiste der Vielgeschäftigkeit herumgejagt und auf Personen gehetzt, die in
grosser Arbeit sich verzehrten. Unvergleichlich im ausforschen,
um verneinen zu können, hat er es nie dazu gebracht, vielleicht auch nicht bringen wollen, das zum runden Ausdruck

zu gestalten, was ihn deutlich von anderen unterscheiden
sollte. Hochachtung vor offenliegendem Verdienst gehörte
nicht zu seinen Fähigkeiten, während er doch im Grund auf
keinerlei ordentliche Leistungen blicken durfte. Wo spröde
oder zähe Stärke der Seele entgegentrat, echtes Feuer des
Genies glühte, da zog er sich, sobald der kecke Anlauf miss-
glückt und er sein bescheiden Theil in Sicherheit gebracht,
auf den Fussspitzen sachte zurück und schoss aus dem dunkeln
etwa vergiftete Pfeilchen. Dass er bei Frauen und Jungfrauen
jener Tage Anklang suchte, ist bei der Unmännlichkeit seines
Wesens leicht erklärlich; ebenso leicht, dass er Anklang fand:
sie nahmen sein süsses Gelispel von Seelenfreundschaft für
Herzlichkeit, sein leises berühren fremder Verhältnisse zarter
Natur für keusche Behandlung des persönlichen. Tönende
Worte flossen über seine Lippen und aus seiner Feder; in der
Darstellung mancher, besonders der geselligen Form besass
er eine Fertigkeit, dass ungeübte ohne weiteres auf einen un-
gewöhnlichen Kern schlossen. Im Südwesten Deutschlands hat
er anfangs der Sturm- und Drangperiode sicherlich weit mehr
von sich reden machen, als er jemals beanspruchen durfte; bei
der Cultur- und Litteraturgeschichte jener Zeit wird trotz alledem sein Name, wenn vielleicht auch nur typisch, immer
wieder genannt werden müssen. Varnhagen begann seine
biographische Charakteristik mit einer Behauptung, gegen
welche kaum etwas stichhaltiges zu sagen ist: „In einer
Galerie Goethescher Personen darf der Name Leuchsenring
einen bedeutenden Platz ansprechen."

Goethe hat unseren Helden bekanntlich zweimal gezeichnet. Das erste Bild „in einer etwas unsauberen Manier"
mag auf Jacobi immerhin den Eindruck des lebenswahren
gemacht haben: es ist doch im trüglichen Hohlspiegel Mercks
gesehen und „Pater Brey" kein Portrait, sondern eine Caricatur ad hoc, „zur Lehr, Nutz und Kurzweil gemeiner Christenheit, insonders Frauen und Jungfrauen zum goldenen Spiegel".
Wir lernen im folgenden die Frau und die Jungfrau kennen,
auf deren endliche Belehrung man es auch abgesehen. Wer
Leuchsenring kannte, musste wol oder übel ihn hier wiederfinden: es war ein derbkräftig gehaltener Holzschnitt, welcher

von zweierlei Eigenarten des Originals wenigstens eine volksmässig übertreibend zur Anschauung brachte. Wol mehr dem wirklichen Leben entsprechend ist dagegen die Manie des kurzsichtigen kosmopolitischen Mittlers episch dargestellt: der Breipater trägt die Signatur der Zeit, welche alle historische und natürliche Besonderheit verpönte, wolmeinend für jeden ein graues Röcklein parat hielt und dann vor den ungeschlachten Originalgenies, weil sie nach Lust und Kömmlichkeit bunt montiert erschienen, entsetzt sich verkroch. Bis jetzt war Leuchsenring hin und wider weggeschoben oder unwirsch fortgewiesen worden; vor unerschrockenen Leuten hatte er Respect, wie der streitbare Herder erfuhr. Aber so nachdrucksvoll unbarmherzig hatte noch niemand in seiner Wolle gewühlt, wie der junge Wolfgang. Dafür blieb dieser denn auch in der Folge von allen beschwerlichen Liebeserweisen des Paters unbehelligt.

Den berühmten artistisch-empfindsamen Congress, welchen Goethe, Merck und Gemahlin zu Ehrenbreitstein mit der Familie La Roche im September 1772 gehalten, müssen wir inskünftig uns ohne Leuchsenring denken, so entschieden derselbe dann auch aus den Fugen zu gehen droht und Goethes Wort am Anfang des XIII. Buches von Dichtung und Wahrheit den letzteren dahin versetzt hat. Leuchsenring konnte nicht gleichzeitig an der oberen Aare und am unteren Rheine sich aufhalten. Eine genauere Betrachtung der schon längere Zeit eröffneten Quellen hätte übrigens zu der Frage führen können, warum doch Caroline Flachsland, seine wolbesorgte Freundin, ihrem Herder am 19. September 1772 bloss mitgetheilt habe: „Goethe, Merck und seine Frau sind in Coblenz bei der la Roche" und nicht auch, der empfindsame Leuchsenring sei von seinem Erbprinzen und Bern weg dorthin „beschieden" worden. Die bekannten Schlagwörter „Malice", „Eifersucht", „sotte Figur" beantworten hier, wo es sich um eine nackte Thatsache handelt, nicht das mindeste. Man erinnert sich aber wieder an Schäfers Vermuthung, es möchte der Congress zumeist der Verfasserin des „Fräuleins von Sternheim" und den Redactoren der „Frankfurter gelehrten Anzeigen" gegolten haben. „Mit der Mutter verband

mich mein bellettristisches und sentimentales Streben" — so
leitet Goethe a. a. O. die Schilderung seiner Verhältnisse zu
der La Rocheschen Familie selber ein.

Für diese Partie könnte aber gleichwol gefragt werden:
Dichtung oder Wahrheit? Ich meine, wenn man das „oder"
in ein „und" verwandelt, so wird kaum viel zu besorgen sein.
Man betrachte jene sonnige Darstellung im Eingang des
XIII. Buches. Frank La Roche, zwar alt und etwas starr
geworden, aber hofmännisch coulant geblieben, im Berufe
thätig und fein in der Gesellschaft, aber unzugänglich lächelnd
gegenüber der empfindungsreichen Jugend, ein zärtlicher Vater
der Max; diese selbst in ihrer Jugendblüte; dann Sophie,
umgeben von allem Farbenschein einer freundlich milden,
klugen und lebensgewandten Frau, die den Kreis ihres Ge-
schlechtes überschwebt hatte und doch Weib geblieben war;
endlich Merck, von Haus aus kalt und unruhig, hier ein er-
fahrener Lehrer für den jungen Freund — wie widerwärtig
wäre das zarte, herzerfreuende und fein individualisierende
Bild von einem lüsternen, lauernden, tadelsüchtigen, zudring-
lichen, aufklärerischen Pater Brey verunstaltet worden! Aber
wie schön fügte der „Leisetreter" Leuchsenring hier sich ein;
wie glimpflich konnte er von dem einen Theil der Gesellschaft eine Lection erhalten, während der andere auf seinen
Spuren gieng! Und es klingt wie eine verstohlene Entschuldigung, ein Sühnversuch, wenn Goethe für zwei Rollen seiner
zur Sache gehörenden Fastnachtspiele ein gutes Wort einlegt.
Wer auch das Urbild des „Satyros" gewesen, Basedow
oder Herder, — sie lebten nicht mehr, als Goethe seine Autobiographie niederschrieb; Leuchsenring war so gut wie todt,
und alle drei hatten in späteren Jahren zu viel schlimmes erlitten, als dass ein Geschichtschreiber nach Goethes Sinn jetzt
noch einmal ihr Bild von der hässlichen Seite hätte zeichnen
mögen. Bekannte der Dichter sich doch auch gern zu dem
Satze des Horaz: hanc veniam petimusque damusque vicissim.
Geschmeichelt oder unwahr sind übrigens hier, sobald man sie
nur näher ansieht, die Züge Leuchsenrings nicht, wie sehr
sie auch von denen des Paters Brey sich unterscheiden. Der
Historiker, der unerfreuliche Erscheinungen seiner Zeit beschreibt,

wird sie, wegen ihrer Nähe ihm doppelt zuwider, etwa so darstellen, wie der fünfundzwanzigjährige Goethe den Darmstädter
Hofrath; handelt es sich um eine abgelaufene Epoche, so bedient er sich, wie der Alte von Weimar, wol der symbolisie-
renden Methode und concentriert gemeinsame Strebungen und
ähnliche Schicksale, von den Zufälligkeiten des persönlichen
gereinigt, auf einen einzelnen Mann. Stellt sich sonst etwa
das Individuum vortheilhaft dar auf dem Hintergrunde der
Zeit, so hier eine allgemein auftretende Erscheinung auf der
Folie des Individuums.

1.

Bergzabern[1]) d. 16. July 71.

Seit dem ich den Nahmen I s e l i n kenne, habe ich Sie immer
als einen der besten Schriftsteller, und, was mir unendlich mehr ist,
als einen der besten Menschen verehret. Mein Herz sagte mir:
Kennte mich Iselin, er würde mich lieben. Deßwegen kan ich Sie
auch zum erstenmale mit einer Vertraulichkeit anreden, die sym-
pathetischen Seelen, und nur diesen, so natürlich ist.

Vor einigen Monaten kam mir der Einfall, zu reisen[2]), um

---

1) V a r n h a g e n, K. W a g n e r, G o e d e k e und noch neulich M u n c k e r
in der Allgemeinen deutschen Biographie nehmen als Geburtsort Leuchsenrings, wol an D e n i n a sich lehnend, ohne weiteres das elsässische
Langenkandel an, während G e o r g Zimmermann (Joh. Heinrich Merck,
S. 33) in dieser Eigenschaft B e r g z a b e r n, doch nur mit dem Zusatz
„wahrscheinlich", nennt. Bei der letzteren Annahme bleibt der Umstand
auffällig, dass unser Leuchsenring zum Unterschiede von seinem älteren
Bruder, dem hessischen Leibmedicus, „celui de Berg-Zabern" genannt
werden konnte (S. L a R o c h e an M e r c k am 18. Mai 1772). Bergzabern
scheint für die Landgräfin von Hessen-Darmstadt und ihr weibliches
Gefolge eine Art von Sommeraufenthalt gewesen zu sein (Carol.
F l a c h s l a n d an H e r d e r d. 6. Mai, Mitte Juli und Ende August 1771
und d. 27. Nov. 1772). Dieselbe meldet an H e r d e r den 26. Juli 1771,
Leuchsenring werde nicht so bald verreisen; „seine Eltern wollen ihm
kein Geld dazu geben". — Er muss schon früher eine Schweizerreise
gemacht haben (?); am 18. Februar 1771 schrieb W i e l a n d von Erfurt
an J a c o b i: „Leuchsenring ist wieder aus der Schweiz zurückgekommen
und hat mir neuerlichst in Gesellschaft mit M e r c k ein Briefchen aus
unsers Dumeiz Zimmer in Frankfurt geschrieben."

2) Leuchsenring „ist jetzt nicht hier und kommt nur noch auf
zwei Tage hierher, und dann geht er in alle Welt" (C. F l a c h s l a n d an
Herder, Darmstadt d. 10. Mai 1771). Ende Mai befand er sich bei
Wieland in dem fürstlichen Jägerhause zu Darmstadt.

Menschen zu sehen und meine Brüder immer mehr lieben zu lernen. Weisheit und Glükseligkeit — kan man diese zu theuer kaufen? Also — keine Hinderniße schrekten mich — in einigen Monaten trete ich meine Reise an, und beginne mit der Schweiz.

Es ist vorzüglich eine Reise des Herzens. Nirgends möcht' ich vorbeygehen, wo Nahrung für dieses anzutreffen ist. Ich denke zwey Monat in der Schweiz zuzubringen, und in diesen zwey Monaten wünscht' ich alle die kennen zu lernen, die von irgend einer Seite mit mir sympathiesiren — als meine natürlichen Brüder und Schwestern.[1]

„Mein Iselin, dacht' ich, wird mir wohl am besten sagen können, wie ich meine Reise einrichten müße, um meinen EndZwek am sichersten zu erreichen. Ich will ihm schreiben."

Wär' es nicht rathsam von Basel gerade nach Schinznach zu reisen, um eine Gesellschaft edler Menschen[2] dort beysamen zu finden? Billigen Sie diesen Gedanken, so bitte ich, mir zu melden, wann ich zu diesem Ende spätestens in Basel eintreffen soll. Es ist mir nicht leicht, mich von meinen hiesigen Freünden loszureißen.

Mehr sollen Sie itzt nicht von mir wißen. Mit Entzüken sehe ich dem schönen Augenblik entgegen, das wir einander von Angesicht zu Angesicht sehen — und mehr noch lieben werden als itzt. Ich bin schon einer der glüklichsten Menschen: ich habe ein Herz und Freünde. Aber meine Glükseligkeit wird einen großen Zuwachs erhalten, wenn ich mir sagen kan: Iselin liebet mich.

Franz Leuchsenring.

Meine Addresse ist: Leuchsenring, Conseiller du Landgrave de Hesse Darmstad a Bergzabern — par Strasbourg et Wissenbourg. Ich erwarte so bald als möglich einige Zeilen Antwort.

---

1) Vgl. dazu die Charakteristik Leuchsenrings in Goethes „Pater Brey":

> „Hab Euch nun gesagt des Pfaffen Geschicht',
> Wie er alles nach seinem Gehirn einricht't,
> Wie er will Berg und Thal vergleichen,
> Alles Rauhe mit Gips und Kalk verstreichen
> Und endlich malen auf das Weiß
> Sein Gesicht oder seinen Steiß.

2) Die „Helvetische Gesellschaft" hielt damals ihre Versammlungen noch zu Schinznach, wo sie zehn Jahre früher gegründet worden war. Die Sitzung fiel gewöhnlich in den Monat Mai. Die litterarisch hervorragendsten Schweizer waren Mitglieder; so Iselin, J. K. Hirzel und sein Bruder, Bodmer, Lavater, Sal. Gessner, Ul. v. Salis u. a.

2.

Mittelhaußbergen[1]) bey Straßburg d. 13. 7[br]. 71.

Zu Anfang künftiger Woche, mein vortrefflicher Iselin, hoffe ich endlich den glüklichen Augenblik zu erleben, da wir uns beyde persönlich werden kennen lernen. Mein Herz sagt mir, daß wir diesen Augenblik zu den besten unseres Lebens rechnen werden.

Fr. Leuchsenring.

Meine Addreße in Straßburg ist: bey Herrn Rath Wiedemann im Hanauer Hotel.

3. [Undatiert.]

Weise ist es, den Umständen nachgeben. Aber leicht ist es nicht immer. Die wenigen Augenblike, die ich in Basel zubringen kan, darf ich nicht einmahl mit Ihnen genießen. Das ist hart.

Beyliegenden Brief bitte ich unserem Füeßli zu schiken.

Die 6 livr. werden Sie ungefähr ausgelegt haben. Wollen Sie mir nicht jemand in Basel nennen, dem ich in Zukunft meine Briefe in die Schweiz zuschiken könte? wo nicht, so wünsche ich, daß Sie Ihre Auslage anzeichneten.

Leben Sie wohl und erinnern Sie sich zuweilen Ihres Leuchsenrings.

Die Bekanntschaft mit Ihrer Gattin bleibt mir ein Vergnügen für die Zukunft. L.

4.

Königsfelden[2]) d. 12. Octob. 71.

Nach langem Stillschweigen, mein lieber Iselin, bekommen Sie endlich einen — flüchtigen Zettel, der also freylich keine Entschuldigung enthalten darf. Ich überlaße es Ihnen, sich meine Apologie selbst zu machen, so gut Sie immer können.

Vorigen Mittwoch bin ich erst wieder von Zürich abgegangen. Schließen Sie, ob ich Nahrung für Geist und Herz dort gefunden.[3])

---

1) Wol in dem Landhause des Herrn von Rathsamhausen.

2) Königsfelden war Sitz eines Bernerischen Verwaltungsbeamten, des sogenannten „Hofmeisters".

3) „In Zürich war er sehr vergnügt, hat viele Bekanntschaften gemacht und viele gute Menschen gefunden; sie haben ihn dort verheurathen wollen, aber der empfindsame Schmetterling flog weg" (C. Flachsland an Herder d. 6. Decemb. 1771). Leonhard Usteri erhielt von Leuchsenring keinen eigentlich klaren Eindruck und berichtete so an die Bondeli (E. Bodemann, Julie von Bondeli S. 352 f.). Iselin war erstaunt, dass Salomon Hirzel seinerseits an dem Umgang mit Leuchsenring kein Vergnügen gefunden: „mir hat derselbe sehr wohl

Hier werde ich vermuthlich den Herrn von Tscharner[1]) erwarten, der heute wieder nach Wildenstein von Bern zurükkommen
soll. Ich wohne hier bey rechtschaffenen Leuten.[2]) Der Pfarrer
von Gebistorf ist seit gestern morgen auch hier — ein Mann, wie
Sie mir ihn geschildert haben.[3])

Bald hoffe ich Ihnen nähere Nachricht zu geben. Meine Empfehlung — mehr als Empfehlung an unsern Frey.[4]) Wir sollten
alle 3 uns etwas näher kennen. Compl. an alle die sich des irrenden Ritters erinnern.

Meine Briefe bitte ich Sie nun nach Bern an Herrn Prof.
Willhelmi[5]) zu recommendiren, und zu Ends künftiger Woche
nach Neuenburg an Julie Bondely de Berthou.[6])

---

gefallen, obgleich er in einigen Stücken wohl ein Enthusiast seyn
könnte. Es ist für mich allemal ein großes Vergnügen, wenn ein
Fremder von Verstand und Einsichten sich zu mir verirret" (Iselin an
Hirzel d. 15. Oct. 1771). Der nüchtern beobachtende Hirzel hatte
bei Leuchsenring eine gewisse Discrepanz zwischen sein und gelten-
wollen bemerkt; darauf deutet das beschwichtigende Wort des Baslers
vom 6. November: „er ist sehr für Zürich eingenommen" und vom
1. December 1771: „Herr Leuchsenring hat hier keinen sonderlichen
Staat geführet. Auch ist er kein Hofmeister, der seinen Dienst verlassen hat. Er stehet, wie ich begriffen habe, noch im Dienste des
darmstädtischen Hofes — und ich zweifle nicht, er werde von da eine
anständige Pension zu erwarten haben."

1) Niklaus Emanuel Tscharner (1727—1794), Bernerischer
Landvogt von Schenkenberg auf Schloss Wildenstein. „Herr von Tscharner" ist Ausdruck der Unkenntniss oder der Adulation.

2) Also wahrscheinlich bei dem damaligen, durch Hallers Nachruf
(Gedichte, herausgegeben von Ludwig Hirzel S. 205) bekannter gewordenen Hofmeister Emanuel Gruber († 1774).

3) Abraham Rengger, Zimmermanns und Iselins Freund und
Vater des helvetischen Ministers Albrecht Rengger, war 1763—1773
Pfarrer in Gebensdorf, welches Dorf eine Viertelstunde östlich von
Königsfelden liegt. (J. J. Stapfer, Denkmal des Herrn . . . Abraham
Renggers . . . 1794.)

4) Johann Rudolf Frey (1727—1800), der „Herzensfreund" Iselins,
war wie dieser und Rengger Mitglied der Helvetischen Gesellschaft.

5) Samuel Anton Wilhelmi, Professor der griech. Sprache in
Bern (1730—1796), „gelehrt, aber allzu gern in der grossen Welt
lebend" (Wolf, Biographien zur Kulturgeschichte der Schweiz I, 354).

6) Leuchsenring war an die Bondeli durch Sophie La Roche
empfohlen. Er traf in Neuenburg anfangs November ein (Bodemann
a. a. O. S. 158 und 356). In Bern muss er auf der Hinreise sich einige
Zeit aufgehalten haben. Iselin hatte den reisenden seinem Freunde

Seyen Sie glüklich!

Fr. Leuchsenring.

5.

Bern d. 23. Dez. 71.

Ich habe schon Briefe geschrieben, habe noch einige zu schreiben, will diesen Morgen Besuche machen, bin schon seit etlichen Tagen krank an Kopf und Brust und von stumpfen Sinnen[1]) — Sie

---

Niklaus Anton Kirchberger empfohlen in der Voraussetzung, Sophie La Roche habe jenem einen Brief an diesen Kirchberger mitgegeben. Am 19. Oct. berichtete Niklaus Anton an Iselin: „Je conjecture pourquoi je ne l' [Leuchsenring] ay pas vu encore; la lettre quil a de Mme La Roche est pour mon cousin Kirchberguer sans doute, qui fut conseiller d'Ambassade en Saxe de la par de la cour de Danemark ou il a travaillé quelques anées dans le departement des affaires Etrangeres sous Mr de Bernstorf. Ce Mr de Kirchb. est apresent a Vevey." Kurz darauf erschien Leuchsenring in Bern: „Jamais Astronome na observé le Passage dune comete avec autant de soin que moi j'ai examiné celui de Mr de [!] Leuchsenring, il fut un Phenomene tout nouveau pour moi. Jai trouvé son genie singulierement bien disposé pour se frayer de routes nouvelles dans la Morale . . . Son fort me paroit léducation de la jeunesse. Jai mis quelques unes de ses idées par écrit, je les trouve neuves, lumineuses et sur tout fertiles" (N. A. Kirchberger an Iselin d. 9. November 1771). — In Neuenburg standen er und Julie anfänglich wie zwei Personen gegenüber, welche einander mit Aufbietung aller Kunstgriffe und Geduld unbemerkt auf den Grund der Seele blicken wollen. Sie hat über dieses Manöver an die La Roche und an Leonhard Usteri Bericht erstattet. Leuchsenring hat in Betreff seiner Empfindsamkeit (Herz) und des scharfen Verstandes (Kopf) bei der Schülerin Rousseaus sehr wol bestanden. Ich wüsste niemanden von Bedeutung zu nennen, dessen Urtheil über den „irrenden Ritter" ebenso günstig gelautet hätte. So deutlich sie aber in ihm einen Mann der Zukunft zu erkennen glaubte, so entschieden stellte sie seine Passlichkeit für die damalige Welt in Abrede, und die letztere Bemerkung spitzte sich nachgerade zur Verurtheilung zu, als sie einige Zeit, nachdem er Neuenburg verlassen und sie also mit ruhigerer Hand wägen konnte, der Freundin Leuchsenrings, S. La Roche, gestand: es sei ihr durchaus nicht leid, dass er gegangen —„denn er stand im Begriff, meinen Kopf auf eine Tonhöhe zu stimmen, die für mich nicht passt. Meiner Meinung nach ist es besser, gar keinen Kopf zu haben, als einen solchen, welcher mit den Köpfen der Umgebung gar nicht in Einklang zu bringen ist" (E. Bodemann a. a. O. S. 159—163).

1) Er war schon in Neuenburg fast immer krank gewesen (E. Bodemann a. a. O. S. 357).

müßen demnach, mein lieber Iselin, sich wieder mit einem trokneu
Zettel begnügen. Und weil ich nicht gern mehr von mir hoffen laße,
als ich leisten will oder kan, so sey Ihnen ein für allemal zu wißen
getban, daß bey meiner Correspondenz sonderlich auf der Reise
dieser Fall sich öfters ereignen wird, daß ich mehr Zettel als
Briefe schreibe.

Lavater und Haller. Diesen hab' ich so ungefehr gefunden,
wie ich mir ihn dachte. Aber Lavater hat vieles bey mir gewonnen.
Ich fühlte mich fast wider willen gegen ihn gezogen und habe mich
ihm mehr geöfnet als einem in Zürich. Desto mehr habe ich es
aber auch bedauert, daß er sein Genie so mißbraucht, und daß eine
so schöne Seele in Gefahr stehe zu verderben. Ich habe ihm mit
cynischer Freymüthigkeit den Ekel bezeugt den ich an einigen seiner
Lieblingsbemühungen habe. Es schmerzte mich, daß wir nicht ganz
Freunde seyn konnten. L. sollte nicht Prediger seyn und Gelegenheit haben durch verschiedene Situationen der Menschheit hindurch
zu gehen. Wahrheit und Traum würden sich bey ihm scheiden, und
er würde mit weniger Ängstlichkeit, aber mit mehrerem Nutzen
wirken. L. liebt mich mehr als ich es vermuthen konnte und Sie
zweiflen wohl nicht, daß ich seine Liebe als einen schäzbaren Zuwachs meiner Glükseligkeit ansehe.[1]) H. hält mich in einer ehrfurchtsvollen Entfernung, worin ich fast wie ein Hofsklave in der
Antischamber aussehe.[2]) Weil mich der Mann ganz kalt läßt, so —

---

1) Am 7. März 1772 schrieb Schlosser an Lavater (ich verdanke
die Benutzung dieses Briefwechsels Herrn Antistes Dr. Finsler in
Zürich): „Einen Ihrer besondersten Freunde, den Hrn. Leisering, habe
ich vor einigen Wochen kennen lernen. Er liebt Sie sehr." Ueber
Leuchsenring sprach sich Lavater gegenüber Iselin kurz so aus: Er
„hat mir von Seiten des Genies und des Herzens unaussprechlich gefallen — wenn ich gleich im Punkte des Christenthums ungleich denke"
(an Iselin d. 20. October 1771). Wie Leuchsenring bei der Bondeli in Neuenburg und zu Bern über Lavater sich ausdrückte, kann
man bei Bodemann a. a. O. S. 858 f. nachlesen. Sein späteres Verhältniss zu Lavater verdiente, in einem besonderen Artikel behandelt
zu werden.

2) Mit Bezug auf Leuchsenring, der ihn „habe zwingen wollen,
von Wieland zu urtheilen und überhaupt mit unerwünschten Besuchen
gequält", schrieb Haller an Gemmingen (22. März 1772): „Ich habe
aus den unvorsichtigen Reden eines wandernden Wielandianers so viel
zusammengebracht, dass die Leute sich wirklich verbunden haben, wider
die Religion zu Felde zu ziehen. Sie greifen durch reizende und
schlüpfrige Bilder mit Fleiß das Herz an, um es zuzubereiten, daß es
die Religion hassen möge. 'Eine Generation', sagte mir der Missionarius
des Unglaubens, 'muß aufgeopfert werden, auf daß man die andere be-
kehre' (nehmlich von der Religion). Das Neue Frankfurtische Journal

ich rede nicht gern von Sachen, die mir mißfallen. Doch muß ich
Ihnen noch geschwinde sagen, daß H. es als einen Schandflek des
Königs von Engl. ansieht[1]), daß er als Christ, Roußeauen eine
Pension geben wollte, und daß H. ein riesenmäsiges Argument
wider Lavaters wunderliche Idéen von Wundern habe: sollten in
einfacher Dispensation Wunder geschehen, sagt er, so wären derer
zur Zeit der Reformation geschehen. Denn da war dignus vindice
nodus. Die Briefe über die christliche Religion sind unter der
Preße. Darinn werden vorzüglich diejenige Stüke der Revelation
vertheidiget, die heut zu Tage am meisten bestritten werden. Es
soll eine Beylage zum Usong geben. Weil aber Us. doch eine Art
von Liebesgeschichte ††† ist, so wurde beschloßen, den asiatischen
Mantel von der Apologie abzuwerfen, sie in ihre erste Simplicität
zu versetzen, und so ist es nun — eine moderne Pieçe. Es sind
Briefe an seine Tochter vermuthlich, sagt jemand, weil Töchter eher
überredet sind, als Söhne.[2])

---

wird in dieser Absicht geschrieben. Diese Verschwörung dünkt mich
bedenklicher als keine catilinarische Unternehmung, und in Frankreich
herrscht eine ähnliche, nur ist daselbst der Druck nicht frey" (Ludwig
Hirzel a. a. O. S. CDLXX f.). Auch für das erste zusammentreffen
mit Haller kann das Schreiben der Julie v. Bondeli an L. Usteri
verglichen werden (bei Bodemann a. a. O. S. 359), ferner der Brief
der Flachsland an Herder vom 6. Dec. 1771.

    1) Brockerhoff, Rousseaus Leben und Werke, Bd. III, 450 ff.

    2) Hallers 1772 erschienene „Briefe über die wichtigsten
Wahrheiten der Offenbarung" waren zunächst seiner Tochter
Charlotte, verheirateter Zeerleder, gewidmet (Mörikofer, die
schweizerische Literatur, S. 61). Vgl. Ludwig Hirzel a. a. O. S.
CDXLIII. Ueber den Usong Hallers brachte Nicolais Allgemeine
Deutsche Bibliothek im XVIII. Band (1772) S. 451—469 eine wenig
anerkennende Recension. Haller hielt Leuchsenring für den Ver-
fasser. Dieser aber hat für jene Zeitschrift, wenn man wenigstens
Parthey glauben darf (vgl. übrigens auch Nicolais Versicherung auf
S. 189 des Anhanges zum VIII. Bande seiner Beschreibung einer Reise
durch Deutschland und die Schweiz), vor 1787 nie etwas geschrieben.
Parthey nennt vielmehr als Verfasser jener Anzeige des Usong aus-
drücklich unseren Rathsschreiber Isaak Iselin von Basel. Schon im
Februar 1772 hatte dieser dem Freund Hirzel in Zürich über jenes
Werk in Ausdrücken geschrieben, welche von seiner getäuschten Er-
wartung Zeugniss ablegen. Dass Haller mit dem Buche zu Bern sich
keine Freunde gemacht, habe wenig auf sich; wenn dasselbe nur seines
Verfassers würdig wäre! „Es ist ungemein viel Schönes, aber wenig
Licht und Wärme darin. Auch ist die Erzählung gar nicht interessant.
Die viele geographische Gelehrsamkeit und arabisch tschinesische Namen

Plin der jüngere sagt irgendwo, daß wir beßer, sanfter werden, wann wir krank sind. Sollten Sie nicht geneigt seyn, aus diesem Schreiben das Gegentheil zu schließen? Wenigstens wäre mir's lieber, im Fall Ihnen diese Laune mißfiele, wenn Sie die Schuld davon auf Rechnung des Nordwinds, als auf die meines Herzens setzten. Ich bin ordentlicher Weise ein **guter** Mensch, der sich nicht gern bey der **lächerlichen** oder **bösen** Seite anderer ve.-weilt. Vielleicht habe ich noch das Vergnügen, H.n auf einer schönern Seite kennen zu lernen, dann sollen Sie es auch wißen.

Ich liebe Kirchbergern [1]) und mir ahndet, daß ich ihn noch mehr lieben werde. Morgen gedenke ich den ganzen Tag bey ihm auf dem Lande zuzubringen, vermuthlich komme ich von Neuenburg noch auf einige Tage hieher zurük.

Von Bodmern, den Hirzeln, Heideggern, Schinzen, Geßnern, Füeßli — **Klynjogg**, wie viel könnte ich Ihnen noch hierüber sagen? Aber itzt nicht Das meiste haben Sie schon errathen [2])

Empfehlen Sie mich unserm Frey, und sich selber sagen Sie, so oft Sie an mich denken, daß L. Sie mit redlichen Herzen liebet. Immer mehret sich meine Glükseligkeit. Immer verschönert sich mir die Welt, in der ich lebe, und das soll trotz der Bise und meiner Kopfschmerzen und meinem Brustdrüken, und meinem überladnen Magen, trotz allen Narren und Schurken so fortgehen biß an mein seliges Ende. Amen.   Fr. Leuchsenring.

schwächen noch das wenige Interesse. Anbey ist gewiss nicht jeder Satz des weisen Usong so zuverläßig, und es herrschet eine große Unordnung im Werke." Weiteres über den Usong s. u.

1) Dieser hatte vorerst noch eine sehr gute Meinung von Leuchsenring: „Il est né pour être un Philosophe; j'ai appris une quantité de choses de lui. Quelques unes de ses Idées n'ont pas été ramené par lui a la pratique et a l'experience. De la peut être quelques erreurs. L'amour pour les points de vue Metaphysique extraordinaires la peut être aussi seduit un peu — avec tout cela je connois peu de personnes avec lesquelles il y ait tant a penser" (an Iselin d. 18. Dec. 1771).

2) „Ueber seine Schweizerreise ist er sehr zufrieden; in Zürich hat er sehr viele Männer, die ihn interessieren, worunter Bodmer von den ersten ist, gefunden, und in Bern viele Frauenzimmer" (C. Flachsland an Herder, Anfangs Februar 1772). — Die beiden Hirzel waren der genannte Salomon und sein Bruder Johann Kaspar, der Verfasser der „Wirthschaft eines philosophischen Bauers", als welcher Jakob Guyer von Wermetschwyl, genannt „Klyjogg", figurierte. — Johann Konrad Heidegger war seit 1768 Bürgermeister in Zürich. — Er meint wahrscheinlich den Freund Iselins Obmann Heinrich Schinz. — Salomon Gessner, der Idyllendichter. — Johann Kaspar Füssli, d. ältere (1706—1781) Maler oder einer von dessen Söhnen. Heinrich Füssli, der bekannte Freund Lavaters, befand sich damals in London.

6.

Bern d. 7. Jan. 72.[1])

Unter die Geschenke der Vorsehung in dem Jahre 71. gehören auch Sie, mein lieber Iselin. Das Maas meiner Freuden hat sich im vorigen Jahr sehr gemehret. Immer mehr Glükseligkeit und immer fester gegründet. Sie kennen mich schon zu gut, vortrefflicher Iselin, um nicht zu fühlen, daß ich Ihnen nicht nur immer fort-schreitende Glükseligkeit wünsche, sondern auch gern etwas dazu beytragen möchte.

Andere Briefe schränken mich ein.

Ich war unpäßlich, bin aber wieder beßer. In Neuenburg ver-weilte ich einen Monat und bin nun schon wieder einen Monat in Bern.

Der Prinz hat seinen Reiseplan geändert und ist itzt in Deutschl. Seine morgenden Briefe sollen es entscheiden, ob ich meine Reise nach Genf fortsetze oder in einigen Tagen nach Deutsch-land zurükgehe und von da über Brüßel nach Paris[2]), nach Genf u. s. w.

---

1) Am folgenden Tage verliess Leuchsenring Bern und eilte per Post nach Darmstadt, wo er Ende Januar (?) „wie eine Erscheinung" eintraf; „vermuthlich dem Erbprinzen zu Gefallen, der seit einigen Wochen hier ist" (C. Flachsland an Herder, Anfangs Februar 1772. E. Bodemann a. a. O. S. 359). — Am nämlichen 7. Jan. 1772 schrieb Leuchsenring einen Brief an Frau Merck (s. u.) und sagte darin, er befinde sich „dans un village, au pied d'une montagne, dans un village, où se trouve une cheminée et deux assez jolies filles de 14 à 17 ans": aus dem letzteren Umstand werde sie den Namen des Ortes errathen können. In Morges ist er nicht gewesen, wie er denn überhaupt diesen Winter nicht in die Waadt geht. Auch ihr verkündet er: „Je digère. Par conséquence ma lettre ressemble à la lettre d'un homme qui digère." [!] Den zweiten Theil des Briefes schliesst er „34 lieues de l'endroit, où je l'ai commencée". Dem „ami Merk" könne er nicht schreiben; das sei übrigens ein „méchant. Il a fait parvenir les accu-sations contre moi par Coblence [Sophie La Roche] jusqu'à Neuchâtel. Depuis que je suis en Suisse — mais je n'ai pas même le temps de démontrer, combien on a tort d'être fâché contre moi. Je suis un si bon garçon, qui ne veut pas faire de la peine à personne" (K. Wagner, Briefe aus dem Freundeskreise von Goethe, Herder, Höpfner und Merck, S. 53).

2) Noch am 9. Februar hiess es in Darmstadt, Leuchsenring gehe nach Paris; am 9. März war er in Darmstadt durchgereist, ver-muthlich nach Buchsweiler, um zuzuwarten, denn er war noch nicht defini-tiver Reisebegleiter des Erbprinzen, der damals noch nach Italien gehen wollte, und zwar in Gesellschaft des Barons Fr. M. von Grimm aus Paris (C. Flachsland an Herder d. 9. Febr., 9. März und Mitte März).

Vermuthlich wird dieser Plan überwiegen. Ich bitte Sie einsweilen
meine Briefe zurükzuhalten. Vielleicht habe ich in Kurzem das Vergnügen Sie zu umarmen. Itzt thue ich es in Gedanken.

Fr. Leuchsenring.

7. [Undatiert.]

Il m'est impossible Monsieur de Vous revoir dans ce moment.
Je Vous prie d'expedier ces lettres et de me procurer une addresse
pour la suite. Car je suis honteux de Vous faire tant de peine —
Mon addresse a Strasbourg est a l'hotel de Hanau.

Je Vous embrasse.

Leuchsenring.

8.

Strasbourg Samedi.

Le Courier part. Je ne puis rien dire cette fois a mon cher
Iselin. Ma santé est bonne. J'ai passé une belle et heureuse soirée
avec mon cher Pfeffel.[1]) Je vous prie d'avoir soin des Incluses.

F. Leuchsenring.

9.

Buchsweiler[2]) d. 18. Merz 72.

Ich bin — — — auf dem Rükwege nach meiner lieben Schweiz.
Aber ich komme nicht allein. Der Erbprinz von Darmst. will die
Schweiz sehen — ich bekleide ihn als Freund. In Zeit von
14 Tagen kommen wir nach Basel. Ich habe das Vertrauen zu
Ihnen, mein lieber Iselin, daß Sie alles anwenden werden, was von
Ihnen abhängt, dem jungen Fürsten seinen Aufenthalt angenehm
und nützlich zu machen. Noch weiß ich nicht, ob er incognito
reisen wird. Was meynen Sie? Wir wollen sparen[3]) und Menschen sehen.

Unser Aufenthalt in Basel wird sehr kurz seyn. Geben Sie
mir Ihren Rath, wie man ihn recht anwenden soll. Ich wünschte,
daß die Ersten Eindrüke in der Schweiz recht angenehm wären.

Antworten Sie mir doch mit umlaufender Post und addreßiren
Sie Ihren Brief nach Strasburg a l'hotel d'Hanau.

---

1) Gottlieb Konrad Pfeffel (1736—1809), der blinde Dichter
von Kolmar, auch Hessen-Darmstädtischer Hofrath.

2) Buchsweiler war zeitweiliger Aufenthalt der grossen Landgräfin (Zimmermann, J. H. Merck S. 36).

3) Merck erklärte der Braut Herders, es fehle dem Erbprinzen
Geld, um reisen zu können (C. Flachsland an Herder d. 30. Dec.
1771). Herder nennt ihn einen „armen Schelm" (an C. Flachsland
Januar 1772).

Eine schöne Stunde, darinn ich meinen Iselin wieder sehe und unsern Frey.

Eh' ich schließe, noch eine kleine Nachricht. Man hat an den Landgrafen geschrieben, ein Hofmeister des Erbprinzen (für den ich mich nie[1]) ausgegeben) habe in Basel allerley Historietten von S. Durchl. erzehlt. Man hat mich darüber verschiedentl. gefragt. Ich konnte nur auf unsern Abend Discours rathen. Ich antwortete, ich hätte an verschiedenen Orten in der Schweiz — auch in Basel von gewißen Dingen gesprochen, wenn andere darvon angefangen — mehrentheils mit Widerwillen. Ich habe mich bemüht, das Gespräch auf die lobenswürdige Seite des Fürsten zu lenken. Was aber eigentlich gesprochen worden, sey mir entfallen. Man müße einige Geschichten in Gesellschaft erzehlt und mich fast zu gleicher Zeit genennt haben, welches wohl veranlaßen konnte, daß man alles auf meine Rechnung widerholte. Die Sache war mir verdrießlich. Sie können mir vielleicht darüber Erläuterung geben. Ich erinnere mich nicht über gewiße Punkte mich eingelaßen zu haben als gegen Sie und Herrn Hauptmann Frey, und itzt kan ich mich in der That nicht eigentlich der Wendung des Gesprächs entsinnen. Ich bitte auch Herrn Frey darüber zu fragen. Ich wünschte den Ursprung dieses Geschwätzes zu wißen. Doch genug davon!

Bald sehe ich Sie — — — Machen Sie noch ein Geheimniß aus der Ankunft des Prinzen.

Wie gefallen Ihnen die Frankfurter Anzeigen?[2])

F. Leuchsenring.

Meine Empfehlungen an unsern Frey.

Findt man in Basel gute Wägen, mit denen man reisen kan, oder ist es beßer seinen Wagen mitzubringen? Wo können wir logieren? Ist es schiklich an der table d'hote zu speisen — oder was zahlen Personen von Stande sonst gewöhnlich par tête, wenn man besonderen Tisch hat? Ich wollte nicht, daß der Prinz zu sehr der Willkühr des Wirths ausgesetzt wäre. — — — Herrn Schloßer habe ich kennen lernen und noch einen merkwürdigen Mann, Nahmens Göethe.[3])

---

1) Vgl. o. S. 149, Anm. 3.

2) Vgl. o. S. 152, Anm. 2 und Bodemann a. a. O. S. 359 f., wo aber mehrere Daten unzuverlässig sind. Am 8. August schrieb Lavater an Iselin: „Kennen Sie keine Verfasser der Frankfurtischen Anzeigen? Herder kenne ich. Es ist viel Genie in einigen Recensionen, aber in den meisten eine unerträgliche Flüchtigkeit." Und am 19. August: „Leuchsenrings Grundsät e herrschen in den Anzeigen; ich glaube aber nicht, daß er schreibt."

3) Am 16. Februar 1772 war Leuchsenring bei Schlosser in Frankfurt. „Ich finde an ihm einen auserordentlichen Mann und wünsche, daß er die Glükseligkeit, sich selbst zu leben, besser als ich genießen

10.

Straßburg d. 3. April 72.

Künftige Mittwoche, mein bester Iselin, hoffe ich das Vergnügen zu haben Sie zu umarmen. Ich erwart' es von Ihnen, daß Sie mir aufrichtig die Eindrüke sagen, die der Prinz auf Sie machen wird. Auser mir wird der Prinz von dem Herrn v. Rathsamhausen[1]) bekleidet, einem würdigen Manne. — Darf ich Sie demnach ersuchen, für 3 Herren, einen Cammerdiener und 3 andere Bediente Zimmer in den 3 Königen zu bestellen? Mittwoch Abends, höchstens Donnerstags denken wir einzutreffen.

Der Prinz liebet die Musik. Aber wird die Fasten Zeit das nicht verhindern?[2]) Wie wär es wenn Sie einsweilen einen Plan entwürfen, wie wir unsern ersten Tag hinbringen könnten? Der Morgen wird auf der Reise des Prinzen immer seine bestimmte Einrichtung haben. Der Nachmittag bleibt willkürlich.

Wir wollen sehr wenige Bekanntschaften machen, eben weil die Zeit zu kurz seyn wird, Menschen zu sehen. —

. Grüsen Sie unsern Frey. Ich freue mich Ihre Familie ein wenig

---

möge", schrieb Schlosser an Lavater am 16. Febr. 1772. Varnhagen (Denkwürdigkeiten IV, 178 und 182) verwechselt die Schweizerreise Leuchsenrings vom Jahre 1771 mit derjenigen vom Jahre 1772 und setzt den „Congress von Ehrenbreitstein" in das erstgenannte Jahr. Auch Ludwig Hirzel (a. a. O. S. CDLXX) ist nicht ganz correct. Und Zimmermann a. a. O. S. 42!

1) Er war der Hofmeister des Erbprinzen, „ein ehrlicher, guter Mann mit recht viel Empfindung" (C. Flachsland an Herder den 9. März 1772). „In künftiger Woche", benachrichtigte Iselin den Freund Hirzel in Zürich, „werden Sie den Erbprinzen von Darmstadt in Zürich sehen. Er reiset unter dem Namen eines Grafen von Lichtenberg. Er wird durch einen Herrn von Rathsamhausen, der ein sehr artiger Mann ist, und durch Herrn Leuchsenring, den Sie kennen, begleitet. Er hat den Herren Häuptern [der Republik Basel] eine Visite gemacht, die sie ihm, wie natürlich, wieder gegeben haben. Auch ist er von zwey Standesgliedern [obersten Magistratspersonen] complimentiert worden."

2) Man habe dem Erbprinzen wegen der Zeit, „die keine solche Belustigungen erlaubet", keinen Ball geben können, weil in Basel bei solchen Anlässen ungeschickte Sachen vorkämen. Auch kein Concert: „es hätte auf die Feyertage auch zu viel Geräusch gemachet". Der Prinz sei „ein sehr bescheidener, wohlgearteter, stiller junger Herr" und habe sehr wenig geredet, „aber was ich ihn gehöret habe sagen, war alles sehr schicklich und sehr gut" (Iselin an Salomon Hirzel den 24. April).

näher kennen zu lernen. Gatte und Vater sind mir so ehrwürdige
Nahmen. Bald seh' ich Sie und umarme Sie nicht blos in Gedanken.

Fr. Leuchsenring.

11. [Undatiert.]

Si Vous croyez, Monsieur, que la Visite chez les Chefs de la
Republique peut etre interessant pour le Comte, il se fera un plaisir
d'etre presenté par Vous. Mais il se deja mis en bottes — ne
sera-t-il pas indecent de faire ces Visites en Negligée? En cas qu'il
y aurait un concert içi devrait il paraitre autrement habillé qu'hier?
Il Vous prie mon cher de me donner la dessus Vos instructions.
Comme nous partons apres demain nous ne pourrons pas faire des
connaissances. Cepandant je voudrai que le Comte puisse faire celui
de Mr Frey. Ne voudriez Vous pas a diner et l'amener? Nous
dinons a midi et demi Stile de Basle. J'attends en toutes choses
Vos Instructions. Vous ferez beaucoup de bien par la. Msr le
Comte et Msr. de Rathsamhausen à Vous font bien des compl. Et
vous aiment tous les deux. Je vous embrasse.   F. L.

12.

Bern[1]) d. 2ten Aug. 72.

Sie werden, mein lieber Iselin, mit Vergnügen zwey Reisende
kennen lernen, die sich merklich von der Art Leuten unterscheiden,
die man unter dieser Rubrik zu sehen bekommt. Die Herren v. Usedom
und v. Geer sind beyde Kammerherren des Königs von Schweden;

---

1) Am 24. April 1772 theilte Iselin an Hirzel mit, Leuchsenring
sei mit seinem Prinzen nach Bern gegangen, werde aber bald nach
Zürich kommen. — In Schinznach waren der Erbprinz, der „Baron
von Ratzenhausen" und Leuchsenring bei der Jahresversammlung als
Gäste anwesend (Verhandlungen der Helvetischen Gesellschaft
in Schinznach. In den Jahren 1771. 1772 und 1773. S. 12). Alle drei
wurden damals Mitglieder der Gesellschaft. — Im Juni traf Julie de
Bondeli den letzteren in Morges, wo er ihr verschiedene seiner Erleb-
nisse in Bern und Zürich mittheilte. Ihr Referat ist allerdings im höchsten
Grad unzuverlässig. Die Frankfurter Anzeigen erschienen erst 1772.
Und auch, wo Lavater über jenes Journal sich aussprechen konnte,
war er weit weniger herb als Haller, mit dem er in religiösen Dingen
keineswegs einig gieng (Ludwig Hirzel a. a. O. S. CDLXXXI f.). Ich
lasse also für Bern unverfängliche Quellen folgen und gebe dann den
famosen Brief Lavaters in extenso: das Urtheil über die Bondeli ergibt sich von selbst. Kirchberger schrieb am 23. Sept. 1772 an
Iselin: „Vous avez sans doute vu la critique ridicule qu'on a fait
d'Usong dans un journal qui s'imprime à Francfort. Il me parait par ce
Journal et par quelques autres indices quil se fait tout doucement un
parti en Allemagne pour abbatre les Reputations établies, et pour elever

ersterer war eine Zeit lang Hofmeister eines Prinzen von Meklen-
burg und wurde mit Undank belohnt.

la Statue de Mr Wieland sur leur debris; Mr Soulzer est traité dans
ce Journal come un ecolier, et je me trompe fort, ou cette ligue de M^r
Wieland, Jacobi, Gleim, Herder etc. n'aye la présomtion d'aller
plus loin et de detruire insensiblement le peu de Religion qui reste
chez la plus part de leurs lecteurs. Ils appellent cela faire une revolution pour eclairer les esprits." Der briefliche Zusammenhang ergibt,
dass diese Bemerkungen aus Hallers Umgebung stammen. Diesem selber
„gereichte Leuchsenring zu solchem Widerwillen, zumal wegen seiner
Predigten für den Unglauben, dass ich mein Missfallen nicht gänzlich
bergen konnte" (an Heyne in Göttingen d. 26. Dec. 1773). Und schon
am 30. April 1772 an Gemmingen: „Wir haben hier mit dem Prinzen
von Darmstadt einen Hrn. Leysering, Wielands Anbeter. Aus dessen
unbedachten Reden merken wir, dass eine förmliche Verschwörung wider
die Religion in Deutschland gemacht ist. 'Man muss', sagte der Mann
zu mir, indem er Wielands Leichtsinnigkeiten entschuldigte, 'eine Generation aufopfern, auf dass die folgende vernünftig werde'" (beide Citate
bei Ludwig Hirzel a. a. O. S. CDLXX f.). Und nun Lavaters Brief
an Leuchsenring vom 12. (!) Jan. 1772!

„Mein wehrtester Herr Leuchsenring.

Nichts als die gantze unabsehliche Menge von Sachen, die ich
Ihnen sagen möchte, und die Hoffnung, etwa einen Brief von Ihnen zu
erhalten, [hat mich abgehalten] Ihnen zu schreiben; aber nun kann und
will ich länger nicht warten, und was meynen Sie mein Theürer, das
ich Ihnen schreiben werde? Nichts als einige Bitten und Mahnungen,
die Sie allenfalls als den Pendant zu meinem lezten Billiet, zu meinem
nächtlichen Abschieds-Gespräche ansehen können.

Um Ihres edlen Menschenfreundlichen Herzens, um der Wahrheit
und Tugend willen, die sie allenthalben aufsuchen, und mit Freuden
(wiewohl nicht unpartheyisch genug) umfangen — Bitte ich Sie das
Projectt welches Ihre Seele beseelet — Daß Ihres Herzens so unwürdige
Projectt vor dem Gott der Menschen, Ihrem und meinem Gotte zu
prüfen, und von neüem auf abzuwägen. Was für ein Projectt? Das in
meinen Augen einfältige unsinnige Projectt — Daß eigentliche Christenthum aus der Welt auszurotten, die Authorität, und die allbelebende
Helfers-Krafft Christi weg zu—raisonieren, oder durch eine neugerüstete
Art von Sentimens weg zu—empfinden.

Sie lächlen mein Lieber! . . .

Mitleidiges Lächlen erlaube mir, dich mit einem mitleidigen
Lächlen, . . . Beynahe mit einer Thräne zubeantworten.

Sie werden nichts ausrichten, Sie werden so redlich Sie es meynen
mögen, (welches ich Ihnen gewiß zutraue) Sie werden zu schanden werden,
mit Wieland Jacobi Semler, und Franz Leüchsenring Nimmt
es der Zimmermann von Nazareth jmmer noch auf.

Viele Empfehlungen von dem Grafen von Lichtenberg und dem Herrn von Rathsamhausen. — Warum kamen Sie nicht nach

---

Sie kennen den grösten Menschenfreünd weder wenig noch viel, wenn Sie Ihn seine Gottesvolle Person von seiner Lehr trennen — wenn Sie jede jungfräuliche Empfindung die mit Nativität oder Wiz ausgedrükt ist, mit Enthusiasmus herum predigen — und Tage und Wochen — bey seinen Freünden ... Gott welch eine mir unerklärte Dis-Harmonie von Sentimens in Ihrer so schönen Seele — Jesu nicht gedenken können! O mein Freünd sagte ich so gerne — und kann es doch nicht mit ganzer ungehemmter Freyheit sagen) o mein theürer: Die allgemeine Religion die sie evangelisieren — die mit Beyfall angenommen wird, die sich leicht ausbreitet, ist nicht die beßte; sie schränckt ein; sie ist dem Herzen zu klein, sie haftet nicht, sie hilft nicht. Eine Religion die nicht ganz rettet, und in jedem Sinne freymacht, — ist keine Religion deren Apostel ein Menschenfreünd seyn sollte.

Sie kennen den Christus nicht, der Ihnen das Evangelium prediget. Kein Wunder das Sie ihn ... ja daß harte Wort muß hergeschrieben seyn, und wenn sie auch gerade wieder die Stimme meines Herzens, das sie umfaßt In — toleranz schreyn oder denken würden — Kein Wunder, daß sie Ihn verfolgen — Nicht wie Saullus; aber mit gleichem Erfolg, feiner — aber schreklicher; so wie er — aber schwehrer zu überzeügen! Ich will nichts weiters sagen, als dieß: Sie mögen meiner Schwachheit und Einfalt lachen — aber der im Himmel wohnet, lachet Ihrer — und ich lache mit ihm; denn dieß mögen Sie allen Mitaposteln einer Christusleeren Religion, allen Jüngern derselben auf der Kirchen und Schul-Kanzel, Allen Jüngerinnen in Sommer-Lauben, auf dem Sopha, und bey den Caminen, aus diesem meinem vor Gott geschriebnen Briefe vorlesen, denn, ich Johann Caspar Lavater von Zürich werde über alle diese meine anstalten, Verabredungen Schriften Briefe Journale mit der Kraft deß Geistes Jesu Christi, samt meinen Mit-Freünden Jesu auf eine Weise triumphieren, die zeigen wird, auf welcher Seite Gott und die beßte Wahrheit sey.

Ich umarme Sie herzlich und wünsche Sie zu sehen.

Zürich d. 12 Jenner Abends um 7. Uhr. 72."

Dieser Brief Lavaters (dessen Abschrift von des Absenders Hand mir vorliegt) ist von dem älteren Leuchsenring in Folge falscher Adresse empfangen und geöffnet worden. Noch existiert die Copie des andern, in welchem Lavater sich bei dem Leibmedicus entschuldigt, doch kein Wort von dem früher gesagten zurücknimmt, nur auf Rechnung des Missverständnisses mehr setzt, als — Haller gesetzt haben würde. Der jüngere Leuchsenring antwortete erst am 22. Februar 1773. Die Vorrede des Briefes betonte wieder, er „könne itzt nicht schreiben". Schliesslich folgt dieser Passus: „Noch wollte ich Ihnen etwas von dem wunderbaren Geschwätze sagen, das sich hie und da in der Schweiz verbreitet

Schinznach? — — Der Graf war bisher nicht ohne Nutzen in der Schweiz. — —

Es war Ihnen ein Brief bestimmt. Aber die Freunde verreisen eher als ich glaubte. So bekommen Sie nur einige Zeilen. Empfehlen Sie mich der Frau Rathschreiberin — und allen denen, die sich meiner in ·Basel erinnern.

Ich umarme Sie.   •

Leuchsenring.

Haben Sie das Werk des Abt Raynal sur les Conquetes et le Commerce des Européens aux deux Indes[1]) noch nicht gesehen? Man ruft überall hier ist mehr als Montesquieu.

13.

Bern d. 7. X^{br}. 72.

Ich werde nächster Tage das Vergnügen haben, mein liebster Iselin, mein Stillschweigen mündlich bey Ihnen zu entschuldigen.

Der Graf von Lichtenberg geht wieder nach Deutschland zurük; er kommt künftigen Freytag (d. 11ten) mit seinen zwey Reise Gefährten nach Basel. Weil er auf den Montag im untern Elsaß erwartet wird, und d. 15ten dieses auf seines Herrn Vaters Geburtstage in Pirmasenz[2]) seyn will, kan er sich unmöglich dießmal in Basel aufhalten. Er ersucht Sie deßwegen mein lieber Iselin, mit dem Herrn Frey, wenn er sich in Basel befindet, künftigen Freytag in den 3. Königen mit ihm zu Nacht zu speisen, deßwegen Bestellung in den 3. Königen zu machen, und wo möglich zu erhalten suchen, daß die Thore gegen Solothurn biß auf unsere Ankunft offen gelaßen, und die gegen Straßburg — noch einmahl, wo möglich, geöffnet werden, weil wir gleich nach Tische abzugehen ge-

---

hatte. Man sahe mich als einen verdächtigen Mann, als einen Feind der Religion an und citirte Lavater und Haller. Einen Feind der Religion? — mich? — Ich wünschte, mein lieber Lavater, daß Sie daraus merkten, wie gefährlich eine gewisse Aktivität werden kan, wie unmoralisch. Was würde ein anderer an meiner Stelle gethan haben? Aber ich kan mißbilligen und Sie doch lieb haben." Womit unfraglich etwas recht grosses gesagt werden wollte. Für Lavater blieb der Mann noch lange Jahre ein Räthsel, der von dem alten Haller und dem jungen Herder sofort durchschaut worden war.

1) Er meint G. Th. François Raynals (1711—1796) zuerst 1770 erschienenes Werk: Histoire philosophique et politique des établissemens et du commerce des Européens dans les Deux-Indes.

2) Landgraf Ludwig IX. hielt sich von 1757 an in Pirmasenz auf (G. Zimmermann, J. H. Merck, S. 36).

denken, um Sonnabend Abends. in Straßburg gewiß einzutreffen.
Der Graf und seine beyde Gesellschafter empfehlen sich Ihnen und
der Frau Rathschreiberin aufs freundschaftlichste. Ich bin begierig
zu sehen wie Sie den Grafen finden werden.

.Franz Leuchsenring.'

14.

Ce 11. Xbr. 72.[1])

Le Comte de Lichtenberg et ses deux compagnons de Voyage
sont tres affligé Monsieur, de se voir privé du plaisir de Vous voir,
et surtout de s'en voir privé par le mauvais état de Votre santé.
Ils esperent de trouver une occasion pour s'en dedommager. Le
Comte s'est proposé de revenir en Suisse, qui lui a fait un bien tres
essentiel. — — — Si nous ne partirions pas d'abord apres avoir
mangé un morceau, je n'aurai pas resisté a l'envie de Vous embrasser.
Le Comte Vous remercie de la peine, que Vous avez bien voulu Vous
donner et il Vous prie, de remercier le Seigneur Tribu pour lui, et
de faire parvenir a toutes ses connaissances ses complimens et ses
regrets de ne pouvoir pas s'arretter. Vous n'oublierez pas de faire
nos complimens a Madm Iselin, et a toute la societé de Meyenfels.[2])
Je pourrai bien revenir en Suisse vers le printems. J'espere de
Vous trouver en bonne santé. Je suis bien aise d'avoir la nouvelle

---

1) „Mr. Leuchsenring partira dans peu dici avec son Prince. Je
crois c'est pour Italie. Je lay peu vu cet Eté" (Kirchberger von
Bern an Iselin d. 23. September 1772). — Zu Darmstadt war „Franz
Leuchsenring" im Juni 1772 „lange vergessen" (C. Flachsland an
Herder); dieselbe weiss (ebd.) am 5. Dec., dass er „zu Ende dieses
Jahres mit dem Erbprinzen hieher kommt. Er soll sehr melancholisch sein;
man hat überhaupt sehr wenig von ihm gehört." Am 1. Januar 1773:
„F. Leuchsenring ist gestern mit dem Erbprinzen wiedergekommen. Er
ist nicht so melancholisch, als das Gerücht war, vielmehr heiterer und
fester, dünkt mich, in seinem Charakter geworden, und für seine
Freunde noch immer — eben derselbe."

·2) Iselin pflegte während der besseren Jahreszeit sich etwa in
Mayenfels, seinem Landhaus, bei Pratteln aufzuhalten. Im Jahre 1772
hatte er eine schwere Krankheit zu überstehen. — Varnhagen (a. a. O.
S. 177) weiss, Leuchsenring habe „besonders das Französische mit
vollkommener Geläufigkeit geschrieben und gesprochen": vorliegende
Briefe erhärten diese Behauptung, so weit sie das schreiben betrifft,
ebenso wenig, als für das sprechen angeführt werden dürfte der Passus
aus Kotzebues Doctor Bahrdt mit der eisernen Stirn, wo Nicolai
sagt: „Da spricht man, wie Monsieur Liserin *sche* für *je* (schlecht Französisch)" (neuerlich von Schröer in s. Ausgabe von Goethes „Pater Brey"
hervorgehoben).

de Votre convalescence en même tems avec celle de Votre maladie.
Je Vous embrasse . . . .

Leuchsenring.

15.

Darmstadt d. 9ten May 73.[1])

Überbringerin dieses, Madame Merk, ist eine von den Personen
aus Darmstadt für die ich mich gern intereßire. Sie ist aus Morges
und reißt itzt mit ihren Kindern zu ihren Eltern.[2]) Die Mdlle
Zimmermann[3]) soll sie begleiten. Wenn Sie, mein lieber Iselin, etwas
vor diese Reise Gesellschaft in Basel thun können, so werden Sie
mir dadurch einen wahren Freundschaftsdienst erweisen. Mit dem
Manne war ich einige Jahre in näherer Verbindung, habe aber (unter
uns sey's gesagt) nöthig gefunden mich zurükzuziehen und loszu-
winden.[4]) Aber das kann mich nicht hindern, mich zu bestreben,
Frau und Kindern — selbst dem Manne nützlich zu seyn.

---

1) Ueber das thun und lassen Leuchsenrings in Darmstadt
während der vier ersten Monate des Jahres 1774 enthalten die Briefe
der Flachsland an Herder recht viel Material; sind es oft nur Kleinigkeiten, so doch bezeichnende Kleinigkeiten. Er sucht sich Herdern wieder zu nähern, und es gelingt ihm leidlich; er vermittelt; er schmiedet
an neuen Projecten; er bewegt sich als Vorleser in Damengesellschaft;
er überwirft sich immer mehr mit Merck.

2) Louise Francisque Charbonnier, die „geistreiche Tochter
eines angesehenen Justizbeamten" (wie K. Wagner sie nennt), nämlich
des Assesseur Baillival in Morges, lebte mit Merck in einer unglücklichen ehelichen Verbindung. Die Frau hatte keine Schuld daran. Will
man Mercks Charakter und dessen Aeusserungsweise gegenüber der
Frau litterarisch würdigen, so müssten auch die Briefe der Flachsland
an Herder benutzt werden, was von Zimmermann auffälliger Weise
verabsäumt worden ist. Zur Kenntniss des Familienlebens Mercks sind
diese Briefe unentbehrlich. Wenn Leuchsenring hier schlichten wollte,
so lag allerding sehr viel äussere Veranlassung dazu vor.

3) Katharina Zimmermann, Tochter des Dr. Johann Georg
Z. von Brugg in Hannover. Sie war am 10. Mai von letzterem Ort verreist, gelangte am 16. Mai nach Darmstadt und kam mit der Frau Merck
am 23. Mai in Basel an, um schon am folgenden Tag nach der Waadt
aufzubrechen (diese Daten nach Briefen von Zimmermann an Iselin
und von Iselin an Frey).

4) Leuchsenring wollte bereits am 24. April von Darmstadt verreisen: er „ist mit Merck sehr abgespannt und hat Ursach, über ihn
zu klagen. Doch geht er noch immer in sein Haus, aber seiner Frau und
Kinder wegen" (C. Flachsland an Herder, Ende Februar 1773).
Mercks Bekenntniss gegenüber Geheimrath Hesse, „er wünsche, seine

Der Erbprinz ist den letzten vorigen Monats in Begleitung des Herrn v. Rathsamhausen und des Herrn von Grimm nach Potsdam abgegangen. Die Land Gräfin mit ihren 3. Töchtern und einem zahlreichen Gefolge sind vorigen Donnerstag (den 6ten) nachgefolget, und werden den 13ten in Potsdam seyn. Eine wichtige Reise. Die Land Gräfin erscheint bey dieser Gelegenheit in ihrer ganzen Größe.[1]

Übermorgen geh' ich auch von Darmstatt ab, deßwegen schreib ich schon itzt, wenn man gleich Mde Merk erst morgen über 8. Tage verreißt. Wenn ich noch etwa 14 Tage bey meinen Freunden herumgezogen bin wende ich mich nach Holland und von da über Brüßel nach Frankreich, wo ich in der Mitte des künftigen Monats seyn werde. Gegen den Herbst hoffe ich wieder in meiner lieben Schweiz zu seyn. Künftiges Jahr hoff' ich wird sie auch der Erbprinz wieder besuchen, und wenn, wie's zu vermuthen, meine Vorschläge gebilliget werden, so ist das nicht seine letzte Reise dorthin. Jedermann hat hier gefunden daß seine Schweizerreise ihm mehr genutzet, als alle übrigen Reisen. Er und der Herr von Rathsamhausen haben mir aufgetragen, Ihnen bey Gelegenheit ihre Compl. zu machen.

Frau nicht geheuratet zu haben" (C. Flachslands Brief an Herder, Ende März 1772), und sein unfreundliches, herzloses Betragen derselben gegenüber hatten ihm von Seiten Leuchsenrings einen „wahren Fehdebrief" zugezogen, worüber er zwar zunächst sich leicht hinwegsetzte. Nichts desto weniger bildete dieser Brief den Anfang der Entfernung zwischen beiden Männern. Merck suchte ihn „bei allen seinen Freunden lächerlich zu machen, und hundert andre solche Falschheiten, die Leuchsenring alle wieder erfahren. Dazu kam noch sein Betragen im Haus gegen seine Frau und sein niedriger Geiz, der auch macht, dass · er keines Menschen Freund ohne Interesse sein kann. Leuchsenring kann ihn fast nicht mehr ausstehen und würde längst brechen, wenn er's nicht seiner Frau wegen unterließe!" (dieselbe an Herder, Anfangs April 1773). Im nämlichen Briefe: Merck habe Goethe „auch schon gegen Leuchsenring gestimmt; und er hat neulich einen Jahrmarkt in Versen hieher geschickt, um Herrn Merck die Cour zu machen und Leuchsenrings Person darin anzuführen."

1) Es handelte sich um die Verlobung der Prinzess Wilhelmine von Hessen und des Grossfürsten Paul von Russland (Zimmermann, Joh. H. Merck, S. 38). Der Baron von Grimm hatte den Erbprinzen schon früher auf der Reise nach England begleitet (C. Flachsland an Herder d. 9. März 1772). Der Zweck der Reise war in Darmstadt nicht überall bekannt (dieselbe an Herder, Mitte März 1772). — Dass Merck ebenfalls und zwar als Rechnungsführer nach Berlin u. s. f. gehe, hat Leuchsenring verschwiegen. Merck hatte übrigens vor einigen Monaten eine Schweizerreise mit seiner Frau und Goethe geplant (dieselbe an Herder, d. 5. Dec. 1772).

Beyliegende Pakete bitte ich zu besorgen und das Avertissement ein wenig zu verbreiten. Meine Absicht ist wichtiger, als es scheint, oder scheinen soll.[1]) Ich wünschte, daß Herr

<hr>

1) Es handelt sich um den Prospectus zu Leuchsenrings „Journal de lecture ou choix périodique de littérature et de morale".
C. Flachsland berichtete schon Anfangs Februar 1773 ihrem Bräu-
tigam von dem Unternehmen: „Merck ist völlig damit unzufrieden und
sagt, daß es schief gehen werde ... Ich hab' ihn gebeten, Leuchsenring davon abzurathen, aber er thuts nicht, und was kann ich Weiblein
rathen, das weder Männer, noch Publicum, noch Autorschaft im Verhältniß zusammen kennt, noch kennen mag. Leuchsenring will die
besten Piecen aus Romanen zusammensuchen und abdrucken. Merck
sagt, daß das Publicum dies als einen Raub ansehen wird und daß es
nicht zu Stande kommen kann." Nach der Praenumeration werde der
Bogen nur zu drei Sols abgegeben. Am 22. Mai sandte Iselin ein
Exemplar des Prospectus an Hirzel, am 30. schrieb ihm Frey über denselben, er gleiche dem „Leuxering comme deux gouttes d'eau, et si,
comme il y a toute apparence, le recueil ressemble au prospectus, cela
ne voudra ma foi grande chose. De la part d'un Allemand le ton et
le Stile de ce prospectus ont au premier coup d'oeil quelque chose de
séduisant, mais à la 2.me lecture vous trouverez ce ton faux, emprunté;
un homme qui court après l'esprit sans l'atteindre. Je consens que la
gaîeté et le badinage président à son recueil, c'est très bien fait; et je
crois avec lui qu'il n'y a rien de mieux pour conserver et prolonger la
vie que d'etre gai et joyeux. Mais, je ne crois pas la gaîeté et le
badinage enfans de l'esprit philosophique. Ils peuvent bien à toute
rigueur se trouver quelquefois dans sa compagnie et lui derider le front;
mais il ne sont point à coup ses enfans. Enfin je doute que ce recueil
fasse fortune, et si notre ami fond la sienne sur son succès, il a bati un
Chateau en Espagne. Et puis qu'est ce que c'est qu'un Journal de
lecture? Qu'est ce que c'est des petites piéces calculées sur
l'horizon des toilettes? et bien près encore des Antichambres; il
revient encore à la 8ème page à ses chères antichambres: c'est donc
un recueil pour les domestiques. Boileau dit en parlant d'un livre bien
chétif, qu'il tombe des mains à la lecture du 1.er feuillet „et va dans
l'antichambre amuser Pacolet". Er resümiert schliesslich: das
ganze sei ein todtgebornes Kind! — Iselin stimmte am 6. Juni ihm
völlig bei: „Au reste son stile allemand est à peu prés le même que le
stile français de ce prospectus, et les auteurs de la gazette litteraire de
Francfourt écrivent presque tous dans ce ton plus que precieux." Jacobi
wollte 500 Exemplare durch seine Empfehlungen anbringen (Varnhagen
a. a. O. S. 184). Iselin fand 1779, das Journal habe weniger geleistet,
als er gewünscht, doch sei es „fort utile". Frey hatte 1778 günstiger
geurtheilt: es sei „d'un très bon choix, et je le trouve calculé sur un
horizon bien plus élevé que celui des toilettes". Damals war Leuchsen-

Schmid[1]) in Aarau (Lenzburg) einige Exemplare davon erhielte — und
der Verfaßer des Ephemerides[2]) zu Paris, wo auch vielleicht das Avertissement könnte eingerükt werden. Es ist sehr eilfertig geschrieben
und abgedrukt worden, zu beydem hatte ich nur wenige Stunden.
Sie werden mir einen Gefallen thun, mein lieber Herr Rathschreiber,
wenn Sie mir Ihren Rath und Ihre Erinnerungen von Zeit zu Zeit
mittheilen wollten. Meine Addresse ist in Zukunft, so lange biß ich
nach Paris komme oder eine andere Addreße habe: a Mr. L.
recommandée a Mr. Jacobi Conseiller des Finances a
Dusseldorp.[3])

Wie geht es nun mit Ihrer Gesundheit? Wenn Sie nur die
Reste derselben nicht mißbrauchen.

Empfehlen Sie mich der Frau Rathschreiberin, unserm Frey
und allen meinen Bekannten und Gönnern in Basel. Bleiben Sie
mir immer gewogen, und versagen Sie mir nie das Vergnügen, Ihnen
etwas angenehmes zu erweisen, wenn Sie mir Gelegenheit darzu sehen.

Mich dünkt fast, ich hätte Ihnen Md. Merk zu kalt empfohlen
und möchte es gerne noch gut machen. Sie verdient durch Charakter
und Situation, daß man sich vor Sie intereßiert.

Leben Sie wohl und schreiben Sie mir bald, sollten's auch nur
zwei Zeilen seyn. Ich umarme Sie und hoffe künftiges Jahr es beßer
zu thun.

Leuchsenring.

16.

Straßburg d. 19ten Xber 76.

Schon lange, mein liebster Iselin, haben wir einander nicht
geschrieben, und doch hoff' ich, werden Sie sich noch Leuchsenrings

---

rings Adresse in Paris „chez Mr. d'Andiran, Banquier, rue Michel le
Comte". Statt d'A. auch Dandiran.

1) Georg Ludwig Schmidt (1720—1805), Legationsrath, Verf.
der „Essays sur divers sujets intéressants de politique et de morale".

2) Pierre Samuel Dupont (1739—1817) (oder Abbé Baudeau?).

3) Leuchsenring war mit Friedrich Heinrich Jacobi seit
1769 bekannt (Varnhagen a. a. O. S. 178). Er unterhielt auch von
Paris aus mit ihm einen, freilich nicht ununterbrochenen Briefwechsel
(ebend. S. 184). Bis 1778 liess er Iselin nichts mehr von sich hören.
Ingleichen wusste der frühere Darmstädter Georg Wilhelm Petersen,
welcher 1774 die jüngsten Söhne Ludwigs IX. von Hessen als In-
formator nach Strassburg begleitete, nicht, was er in Paris treibe, und
bat deshalb, um der häufigen Nachfrage zu genügen, Merck um Auskunft (1775, 9. März; K. Wagner, Briefe an und von J. H. Merck,
S. 51). Im Anfang dieses Jahres war Leuchsenring bei Merck (Goethe
an Sophie La Roche, d. 19. Januar 1775; L. Assing, Sophie von
La Roche, S. 370).

erinnern. Ich hatte mich, als ich Paris vor einigen Monaten verlies, mit dem Gedanken gelabet, über die Schweiz zurückzugehen. Aber ich hab' mich überall länger aufgehalten, als ich vermuthet und soll nun schleunig nach Paris zurückkehren. Nur in einem Fall könnte ich vielleicht noch über Basel gehen. Hier ist der Fall ohne Umschweife. Ich habe (unter uns sey es gesagt,) ein Credit Schreiben von der Frau Erbprinzeß von Baden in Händen folgenden Inhalts: J'autorise M^r. L. d'emprunter sous ma caution la somme de 12000 livres tournois. je garantis le payement de cette somme et promets d'y satisfaire moi-même en cas de besoin. Wenn's nun möglich wäre daß ich gedachte Summe in Basel baar, oder in guten Wechselbriefen auf Paris (die auch in 3. oder 4. Monaten dort erst zahlbar wären) könnte gelehnt bekommen (wenns auch nur auf 6. Monat oder ein Jahr wäre) zu 4. höchstens 5 pct., so würde ich um so freudiger nach Basel kommen, weil ich dadurch aus der großen Verlegenheit gezogen würde. Wenn ich auch nur die Hälfte bekommen könnte, wär's schon gut. Da man so nahe bey Baden ist, so wäre die Sache denk' ich nicht so schwer. Wenn Sie mir in dieser Sache einen tüchtigen Rath geben könnten, würden Sie nicht nur mir, sondern auch der Prinzeß einen Dienst leisten. Diese edle Fürstin kennt meine Umstände und nimmt daran wahren Antheil. Es versteht sich daß nur die ihren Nahmen wißen dürfen, die wahrscheinlicherweise helfen können. Diese Hülfe ist mir in dem itzigen Augenblik um so wichtiger, weil sie mich nicht nur aus einer entsetzlichen Verwirrung errettete, sondern auch in Stand setzte, ein Unternehmen zu beginnen, das Ihnen und allen wahren Menschenfreunden gewiß nicht gleichgültig wäre, von dem ich Sie aber itzt unmöglich unterhalten kann, ob Sie gleich einer von den ersten sind, den ich um Hülfe ersuchen wollte, und der mir dieselbe, wie ich zuverläßig glaube, nicht versagen würde. Ich habe glänzende Aussicht von äuserlichen Glücksumständen und von einer ausgebreiteten recht gemeinnützigen Thätigkeit; und muß auf alles dieses Verzicht thun, muß versinken wenn ich nicht eine unterstützende Hand finde. [1])

---

1) Die projectierte Anstellung Leuchsenrings am Erziehungsinstitute zu Neuwied taucht bereits im Anfang des Jahres auf. Vor der Mitte des Januars 1776 hatte er sich an die La Roche gewendet: sie solle ihm auf die Garantie der Prinzess Louise von Darmstadt (Caroline Louise, die Markgräfin von Baden, geb. hessen-darmstädtische Prinzess, † 1783; von Caroline Flachsland „die gelehrte Markgräfin" geheissen) 12000 Livres verschaffen. „In Neuwied", fährt Sophie an J. H. Merck (Ehrenbreitstein, d. 15. Januar) fort, „wollen sies geben, aber sie denken, er werde es zum Institut verwenden, und er brauchts in Paris, wo er krank und bekümmert ist. Ich bin missvergnügt", schliesst sie, „dass dieser Mann seine Talente nicht besser und nützlicher brauchte; aber das Geld, wie soll ich ihm's schaffen?" Der gute

Ich bitte Sie recht inständig mir mit umlaufender Post zu antworten und den Brief zu addreßieren chez Monsieur le Basse [?] le Fort Mestre de Camp et Chevalier de l'ordre du merite militaire a Strasbourg. Wenns auch nur zwoe Zeilen wären.

Iselin, der nun für Leuchsenring auf einmal wieder Bedeutung erhalten hatte, fand sich nicht in der Lage, zu helfen, und schickte den Strassburger Brief sofort nach Zürich an Lavater. Aber dieser hatte noch die kostspielige „Physiognomik" auf dem Hals. „Ich wollte selber in Basel einige Tausend Gulden entlehnen", antwortete er schon am 22. December, „könnt' ich's — so wollt' ich sie Leuchsenriugen abtreten, weil ich für mich einige Hoffnung in Zürich sehe. Grüßen Sie mir Leuchsenring." Ob letzterer an Iselin wegen dessen, von 1776 an erschienener „Ephemeriden der Menschheit" geschrieben, ob er, wie Schlosser von Emmendingen, seine Gedanken über die Erziehung und die Philanthropine irgendwo zum Ausdruck gebracht, weiss ich nicht.

Wie stand es aber mit seinem „Journal de lecture"? Denina (la Prusse littéraire sous Frédéric II, II. Bd. S. 408) sagt allgemein, er habe durch diese periodisch erscheinende (von 1775—1779) Schrift das Publicum mit seinen Talenten und seinen Kenntnissen bekannt gemacht; Varnhagen (a. a. O. S. 184) weiss, dass diese Zeitschrift sehr geschätzt wurde; Muncker setzt die Zeit ihrer Gründung ins Jahr 1774, ihr erscheinen in die Jahre 1776--1779; es seien im ganzen 36 Hefte herausgekommen. Folgendes, das Leuchsenring am 17. März 1774 an Lavater schrieb, wird nicht unwillkommen sein. Leuchsenring ist in Paris mit Diderot in genauer Verbindung. „Nach vielen Hindernissen, mein Journal in Frankreich einzuführen und zu drucken, habe ich endlich mehr erhalten, als ich anfangs gehofft, ein Privilegium, und die schmeichelhafteste Aufmunterung. Nun habe ich auch meinem Plan eine weitere Ausdehnung gegeben und von der einen Seite gemeinnütziger gemacht, von der andern mehr auf Frankreich calculiert. Vielleicht wird ein Tempel aus dem was anfangs eine Hütte zu werden schien. Die besten Köpfe erster Classe versprechen mir Beyträge und Rath — in der zweyten Classe habe ich regelmäßige Mitarbeiter die nach meinem Plan eigene Ausarbeitungen und Übersetzungen liefern, jeder aus dem Fache, worinn er am meisten zu Hause ist. Da es ein Werk meiner Wahl ist, bin ich streng und behalte das Recht zu verwerfen, was mir nicht ansteht. Deßwegen wird man nicht beurtheilen können, was ich gethan, wenn man nicht aufmerksam ist auf das was ich weglasse. Sie sehen daß ich den Sokrates im Kleinen mache — Hebamme und Bildhauer — entwikeln was da ist — das überflüssige wegmeiseln, daß Apollo in dem Blok Marmor sichtbar werde. So entsteht vielleicht nach und nach eine Encyclopédie élémentaire des connaissances les plus utiles. Es werden sich da finden Geschichte der Griechischen, Römischen — Italienischen, Spanischen, Französischen, Englischen, Deutschen Litteratur . . . des

Im Falle Sie in Basel keine Hülfe sehen, so schicken Sie diesen
Brief an unseren Lavater, den ich immer liebe, ob ich gleich nicht
in allen Stücken mit ihm zufrieden bin. Bitten Sie denselben mir nach

Notices des vies des plus grands hommes — Anekdoten zur Ehre der
Menschheit — alles was eines populären Vortrags fähig ist.

Jährliche Anzeigen des Besten aus dem vorigen Jahr in Litteratur
und politischen Begebenheiten. Die Litteratur Nachrichten jedes Landes
werden in dem Lande selbst ausgearbeitet.

Fragmente der merkwürdigsten Stüke aus ausländischen Schriftstellern — sonderlich gute Übersetzungen aus dem Deutschen . . .

Es erscheinen 24 Theile, jeder zu 5 B. gr. 12. wovon immer 3 Theile
einen Band formieren, der mit einer sauberen Kupfertafel geziert ist,
der erste z. E. mit der Frau und den Kindern Lamons [?] zu Cherea's [?]
Füßen in dem Augenblick vorgestellt, wo die Kinder fragen: ce Monsieur
ne nous rendra-t-il pas notre pere? Man kann in allen Zeiten sub-
scribieren. Die Subscription ist in Paris 24 Ø und 30 Ø dans les Provinces franc de port. Druk und Papier sind sehr sauber.

Wenn Ihre Verleger sich zu 600 Exemplaren anheischig machen,
so überlasse ich Ihnen das Exemplar pris à Paris zu 16 französischen
Livres und überlasse ihnen Schweiz und Italien — mit dem Beding,
daß sie nicht wohlfeiler verkaufen, als ich den Preis gesetzet. Alle
Exemplare, die Sie außerdem zu verkaufen hätten, bekämen sie in eben
dem Preiß. Sie bezahlten mir den ersten Termin gleich anfangs, den
2ten zu Ende Juni, den dritten zu Ende 7brs, und den 4ten zu Ende
Decembers. Im Fall Ihnen Exemplare liegen geblieben, nehme ich sie
zurük vor 16 Ø à compte pour l'année prochaine. Also riskiren Ihre
Verleger nichts als die avançes ihres Geldes. Künftigen Monat erscheinen die 3 ersten Stüke, und sofort alle Monat 3. Stüke, biß die
3. erste Monat eingeholt sind. Dann 2 Stüke monatlich, daß im ganzen
24 St. herauskommen.

Es würde mir in diesem Augenblick, da ich 3. schon gedrukte
Stüke neu druken lasse, und monatlich über 500 Thaler Drukauslagen
habe, ohne den beträchtlichen Aufwand zu rechnen den mich Übersetzungen und Original Manuscript täglich kosten, sehr angenehm seyn,
wenn ich hier einen Credit von 10—12000 Livres wenigstens biß zu Ende
Augusts offen hätte, da meine Subscriptions Gelder einlaufen. Sie würden mir einen [unleserl.] Dienst leisten, wenn Sie das bewerkstelligen
könten. Unvorhergesehene Auslagen und der Versug von einem Jahr
haben mich erschöpft. Bey dergleichen Unternehmungen kommt alles
auf die erste Sensation an, und darf anfangs nichts gespart werden. Ich
wünschte mir desto mehr auch gleich anfangs Vortheil von meinem
Werk zu ziehen, weil ich dadurch in Stand gesetzt würde, eine neue,
correkte und beträchtlich vermehrte Ausgabe Rousseauischer Werke
zu veranstalten, zu der ich, unter uns und unseren Freunden gesagt autorisiert bin. Den Nutzen der daraus entspränge bestimmte ich

Straßburg über diese Sache zu schreiben unter der nähmlichen Addreße. Bin ich nicht mehr hier, so wird mir der Brief nachgeschickt.

Nächstens spreche ich Ihnen von Ihren Ephemeriden. Vielleicht schick' ich Ihnen meine Gedanken über die Erziehung und die Philantropine, so bald ich ein wenig Ruhe geniese, — wenn ich je wieder so glücklich werden darf.

Ich umarme Sie recht von Herzen. Grüßen Sie Herrn Frey, Herrn von Mecheln und wer sich sonst meiner erinnert.

Leuchsenring.

----

theils Roußeauen in seinem Alter Bequemlichkeiten zu verschaffen, die er nicht mit seiner Freyheit erkaufen dürfte, theils einen Theil meine Erziehungs Projekte ohne fremde Geldschulden in Würklichkeit zu setzen." Soweit die noch vorhandenen Lavater-Leuchsenringschen Briefe Auskunft geben, hat Lavater nicht geantwortet. Die nächsten Jahre brachten ihm Händel mit dem Pariser Journalisten, der in der Folge auf dem Boden Deutschlands wieder zum alten Gewerbe des instruierens und destruierens zurücktrat.

Johann Karl Wezel.

Die Sammlung von Quellenmaterialien, welche August von
Blumröder, der Verfasser eines in den „Zeitgenossen" (3. Reihe
4. Band XXVII. XXVIII 1833 S. 141—172) erschienenen biographischen Aufsatzes über Johann Karl Wezel, für seine dem
Andenken dieses unglücklichen Dichters ·gewidmeten Mittheilungen benutzt hat, ist eine sehr reichhaltige gewesen. Sie
enthielt nach des Verfassers eigenen Angaben umfängliche
Aufzeichnungen des Geheimen Raths von Ziegeler und Papiere
aus dem Nachlasse des Forstsecretärs Ludloff, von dem man
schon 1805, vierzehn Jahre vor Wezels Lebensende, durch
einen von Z***r in Sondershausen (d. i. Ziegeler?) in der
Zeitung für die elegante Welt (1805 Nr. 49 vom 22. April
Sp. 387) veröffentlichten Artikel erfahren hatte, dass er in der
Absicht, einige biographische Notizen über den Dichter durch
· den Druck bekannt zu machen, „eine Menge Nachrichten und
verschiedene seiner Handbriefe" zusammengebracht habe.[1])
   Ursachen, welche mit Wezels Schicksalen selbst und gewissen durch sie hervorgerufenen öffentlichen Discussionen zu-
sammenhiengen, hatten veranlasst, dass man, besonders in
seiner Heimat Sondershausen, schon vor seinem am 28. Januar 1819 erfolgten Tode genauer den Gang seines Lebens
zu erforschen sich bemühte, als dies sonst zu geschehen pflegt,
wenn es sich um lebende Personen handelt. Zu Gunsten des
in Geisteskrankheit verfallenen und dabei verarmten, einst
berühmten Verfassers des Romans „Tobias Knaut" hatten sich
in der Tageslitteratur wiederholt Stimmen vernehmen lassen,

---

   1) Im Jahre 1808 liess Ludloff einen .Aufsatz über „Wezel als
Schriftsteller" in den Gemeinnützigen Blättern für Schwarzburg (Nr. 26
bis 29. 31. 32) erscheinen.

welche sich nicht damit begnügten, ihn der allgemeinen Theilnahme zu empfehlen, sondern den Bewohnern seiner Vaterstadt und besonders seinem Landesfürsten die unglückliche Lage, in welcher er sich befand, zu einem Vorwurfe machten. Wie Karl Julius Weber noch im Jahre 1828 in seiner Schrift „Deutschland oder Briefe eines in Deutschland reisenden Deutschen" (Bd. 3 2. Aufl. 1834. S. 242 ff.) Wezels Geschick in einer für die Stadt Sondershausen kränkenden Weise besprach, so hatte schon · Jonas Ludwig von Hess in den „Durchflügen durch Deutschland" (Bd. 1 2. Aufl. Hamburg 1796. S. 214) geäussert, Wezel werde nahe beim Schlosse, wenn seine alte Mutter ihm nicht mehr das nothwendigste darreichen könne, Hungers sterben; und in ähnlichem Sinne hatte Johann Nicolaus Becker in seinem „Nachflug zu Herrn von Hessens Durchflügen durch Teutschland" (Erfurt 1799) „an alle Freunde der schönen Litteratur, die eines der trefflichsten teutschen Genieen nicht länger in unwürdiger Abgeschiedenheit schmachten lassen wollen", einen öffentlichen Aufruf ergehen lassen. Ueber die Frage, mit welchen Mitteln Wezel aus seinem Zustande der Geistesverwirrung errettet werden könnte, hatte man bei seinen Lebzeiten eingehend in öffentlichen Blättern verhandelt, als ob die Rettung lediglich von dem guten Willen einiger mitleidiger Seelen abhienge, und erst ein im Jahre 1800 von dem bekannten Arzte Samuel Hahnemann mit dem kranken angestellter Versuch hatte, als er erfolglos blieb, für die öffentliche Meinung den Beweis erbringen können, dass Menschenliebe und ärztliche Geschicklichkeit über seine traurigen Leiden nichts vermöge.

Uns ist Wezel nicht mehr, wie für manchen seiner Zeitgenossen, eines der ersten deutschen Genies; wir verstehen nicht mehr, wie Herder von Hamann, Wieland von Schubart für den Verfasser seines „Tobias Knaut", dieses aller Grazie und Schönheit entbehrenden, die Seelenvorgänge in einer ganz eigenthümlich unbefriedigenden, durchaus äusserlichen und mechanischen Weise darstellenden, dabei von den plattesten Gemeinheiten nicht freien Romans, gehalten werden konnte. Dennoch hat sein Verfasser Anspruch darauf, dass sich die Litteraturgeschichte mit ihm beschäftige, und nicht nur um

dieses einen Werkes willen, in dem doch auch Herder, obschon
es ihm unbegreiflich war, wie Hamann, Eine Seite gelesen,
ihm die Urheberschaft zutrauen konnte, „im Wasser schwim-
mende Goldkörner" fand.   Wezel liess auf seine „Lebensgeschichte Tobias Knauts" (4 Bde. Leipzig 1774, 1775) noch
mehrere andere, für die Kenntniss des durch „Tristram Shandy"
und Voltaires „Candide" beeinflussten Geschmacks seines Zeitalters sehr charakteristische Romane folgen und auch als
dramatischer Dichter ist er hervorgetreten.   Ueberdies befindet
sich unter seinen Veröffentlichungen ein „Robinson Krusoe"
(Th. 1. 2. Leipzig 1779, 1780), der einen Streit darüber veranlasste, ob er oder Campe sich zuerst dieses dankbaren Stoffes
bemächtigt hätte; und endlich weist die durch Friedrichs des
Grossen Schrift „De la littérature Allemande" hervorgerufene
Litteratur auch ein von ihm verfasstes Buch auf: „Ueber
Sprache, Wissenschaften und Geschmack der Teutschen" (Leipzig
1781), ein Buch, welches Wezel als Gegner des „pöbelhaften
Provincialismus und des Hans-Sachsismus der seinwollenden
Genies und der Volksdichter" erkennen lässt, Luthers Namen
ganz übergeht und den Ruhm der Leibnizischen Theodicee be-
mängelt, aber dennoch die Anschauung verficht, dass die deutsche
Sprache trotz der Verachtung, womit ihr die Anbeter des Französischen begegneten, „trotz der Häkchenperiode" und allem
andern Ungemach, das sie vor kurzem habe leiden müssen,
in kurzer Zeit Riesenschritte gethan habe und in zehn oder
zwanzig Jahren weiter sein werde als die französische in fünf-
zigen; demgemäss auch in Beziehung auf die deutsche Litteratur zu beweisen sucht, dass von einer Inferiorität derselben
gegenüber der französischen und englischen Litteratur nur auf
dem Gebiete der Geschichtschreibung und der Philosophie,
nicht aber auch auf dem der Dichtkunst die Rede sein könne.
    Mit Rücksicht auf merkwürdige Umstände in Wezels
Leben und das angedeutete mehrfache Interesse, welches sich
an die von ihm verfassten Schriften knüpft, hat es denn der
Herausgeber des „Archivs" mit Dank zu erkennen, dass ihm
für die Zwecke seiner Zeitschrift die nachfolgenden Original-
schriftstücke von ihrem Besitzer, Seiner Excellenz dem Herrn
Staatsminister Dr. von Gerber, zugänglich gemacht worden

sind. Dieselben bilden dem Anscheine nach einen Theil derjenigen, welche Blumröder vorgelegen haben; es zeigt sich aber, dass dieser aus seinen Quellen weniger in seine Mittheilungen aufgenommen hat, als zu einer erschöpfenden Ausnutzung gehörte, und dass er insbesondere verschmähte zwei Briefe Wielands, die sich darunter befinden, vollständig zu veröffentlichen

1.

Ernst Ludwig Gerbers Nachricht über Wezel.[1])

Hr. Wetzel, der hier [in Sondershausen] 1747 gebohren ist, zeichnete sich von der zartesten Kindheit an durch eine eigene Zurückhaltung, einen merklichen Stolz und durch heftige Leidenschaften aus. Schon als sechsjährigen Knaben mussten ihm einsmals seine Gespielen eine Axt aus den Händen reissen, mit der er sich aus grimmiger Rache nach dem Halse fuhr. So wie er heranwuchs, zog er sich aber immer mehr und mehr von allem Umgange mit seines gleichen zurück. Zwar ging er, und das unausgesetzt, in die Schule, auch war er im Singchore aufgenommen und sogar eine Zeit lang Diskantkonzertist bei den Kirchenmusiken. Bey alle dem blieb sein Benehmen so zurückhaltend und in sich gekehrt, dass man wohl sahe, dass ihm an der Liebe und Freundschaft seiner Mitschüler wenig gelegen sey, und dass er sie im Grunde verachte. Dieser sein Stolz trieb ihn rastlos zu den Büchern, um sich unter seinen Mitschülern auszuzeichnen, zugleich vermehrte das auf sein stilles Betragen und seinen eisernen Fleiss folgende vielfältige Lob aller seiner Lehrer diesen Stolz zusehens. In den beiden letzten Schuljahren besuchte er wöchentlich nur noch in einigen Lectionsstunden die Schule, ging aber täglich eine Stunde zu dem gelehrten damaligen Conrector Böttger, um sich in den Sprachen festzusetzen. Auch hatte er, noch ehe er die Schule verliess, bereits einen Theil vom Homer in Hexameter übersetzt.

Endlich ging er 1764, nebst dem kürzlich[2]) verstorbenen Pastor Streun auf die Akademie nach Leipzig, wo sie Beyde, zwar ohne die geringste freundschaftliche Zuneigung, indess doch äusserlich ruhig, bis zu des Letzteren Abreise von Leipzig beysammen gewohnt

---

1) Noch ausführlicher als in dem nachfolgenden Berichte schreibt E. L. Gerber über Wezels Leben in seinem bekannten „Neuen Lexikon der Tonkünstler" (Th. 4 1814 Sp. 561—565). Die hier abgedruckte bisher unveröffentlichte Aufzeichnung behält jedoch neben dem Artikel des Lexikons ihren Werth.

2) [Es war mir leider nicht möglich, zu ermitteln, wann Streun starb, um auf solche Weise die Zeit der Abfassung vorliegenden Schriftstückes genauer zu bestimmen.]

haben. Nach Verlauf eines Jahres erhielten sie, theils auf Empfehlung des
seligen Rector Böttgers[1]) und auch wohl nach mehreren Beweisen
von ihrem Fleisse, um ein billiges ein Dachstübchen in des Professor Gellert's Wohnung, dem sie auch ihre Ausarbeitungen von
Zeit zu Zeit vorzuzeigen die Erlaubniss erhielten.' Ausser Gellerten
war noch der alte D. Ernesti derjenige, bey dem er die meisten
Collegia hörete. Hatte er sich übrigens zu Hause schon eingezogen
gehalten, so lebte er in Leipzig womöglich noch mehr in sich gekehrt, so dass manche Tage hingingen, ohne dass er mit seinem
nicht minder fleissigen Stubenpurschen auch nur ein Wort gewechselt hätte. Dabei aber war seine Lebensart durchaus äusserst
mässig, reinlich und ordentlich.

Aber auch hier überliess er nach ein Paar Jahren sich ganz
seinem eigenen Fleisse, ohne weiter nach den Lehrstunden zu fragen,
bis er etwa 1769 als Hofmeister zum Grafen von Schönburg
kam, in welcher Kondition er seinen Tobias Knaut geschrieben hat.
Wenige Jahre darauf kam er wieder nach Sondershausen, lebte
einige Wochen für sich auf seiner Stube, machte dann täglich grosse
stundenlange Promenaden, und besuchte nun am öftersten seinen
ehemaligen Lehrer den Herrn Rektor Böttger, dann und wann auch
den Herrn Hofrath Mylius oder mich, war witzig, munter und
unterhaltend, ohne sich aber merken zu lassen, wo er herkäme, noch
wo er hingedenke. Nach einem Vierteljahre verschwand er eben so
unverhoft wieder, ohne dass man erfuhr wohin. Im Jahre 1773
fand ich ihn in Weimar, wo er sich mehrmals bey den kleinen
Musiken einfand, welche mein Wirth, der Konzertmeister Göpfert,
mir zu Gefallen, anstellte, und war auch damals bey seinem Witze
und seinen treffenden Urtheilen ein sehr unterhaltender Gesellschafter.
Im Jahr 1780 traf ich ihn wieder in Leipzig als privatisirenden Gelehrten, aber keines Menschen Freund, wohnhaft an. Man gab ihm
damals Schuld, er suche alle Montage den Mag. Dyk eine Stunde
lang zur Unterhaltung auf, um das Sprechen nicht zu vergessen und
ganz zu verlernen.

Vor und nach dieser Zeit hat er mehrere Jahre in Hamburg,
Berlin, Wien und Paris zugebracht, ohne dass jemand, selbst seine
Anverwandten nicht, seinen Aufenthalt bestimmt erfahren haben.
Mehrmals aber ist er in dieser Reihe von etwa 20 Jahren nach
Sondershausen gekommen, hat sich gemeiniglich anfangs inne gehalten und die mitgebrachte Medicin, auch mitunter das Bitterwasser
gebraucht und dann täglich seine meilenlangen einsamen Promenaden
fortgesetzt. Und schon damals wollte zu verschiedenen Malen nach
seiner Ankunft verlauten, er zöge sich wegen Verstandsverwirrung
aus der grossen Welt zurück. Besonders hiess es so, als er von

---

1) [Gottfr. Konr. Böttger, Conrector, seit 1784 Rector zu Sondershausen, starb am 27. Oct. 1794.]

Berlin kam. Zuletzt hat er mehrere Jahre in Leipzig zugebracht, wo er sein Werk über den Menschen schrieb, und den berühmten Strauss mit D. Plattnern[1]) hatte. Um diese Zeit, etwa 1793 war es, wo er mich in einem ziemlich verworrenen Briefe bath, ihm eine Stube in meinem Hause einzuräumen, oder wo dies nicht möglich wäre ein ander Logis auszumachen. Dies letztere geschahe, worauf er sich hier auch bald einfand. Er hatte gleich nach seiner Ankunft bey mir angefragt, aber sich durchaus nicht aufgehalten, nachdem er erfahren hatte, ich sey mit durchl. Herrschaft in Ebeleben. Als ich ein Paar Monate darauf wieder nach Sondershausen kam, fand ich ihn auf seiner Stube im Bette, wo er sich wegen seiner Unfähigkeit zum Meditiren sehr krank klagte: übrigens aber über äussere Gegenstände beym dritten Worte irre redete und seine Behauptung zu verfechten suchte. Ich habe ihn schon damals verlassen vollkommen überzeugt, dass er ein incurabler Kranker wäre, und habe ihn deswegen nie wieder gesprochen. Da ich aber erfuhr, dass er aus Mangel an baarem Gelde sich immer mehr und mehr einschränkte und ich überzeugt war, dass er eher den Hungertod sterben würde, ehe er gegen Jemanden klagte, so stellte ich unserer vortrefflichen Prinzessin Wilhelmine diesen unglücklichen Zustand vor, die dann bald eine Subscription eröffnete, vermittelst welcher er bis jetzt unterhalten worden ist, ohne dass er weiss, woher.

2.

Wieland an Wezel.

Weimar den 15[t] Februar 76.

P. P.

Hochgeehrtester Herr

Die Ursachen, welche Sie mir in Ihrer angenehmen Zuschrift vom 3[t] d. zu Rechtfertigung Ihres unvermutheten Verweilens in Leipzig mitzutheilen belieben, scheinen allzu erheblich, als dass der Hr. Graf v. Görtz solche nicht gültig finden sollte. Ich bin zwar mit diesem Herrn in keiner Connexion mehr; sollt' ich aber Gelegen-

---

1) [Die Streitigkeit wurde dadurch veranlasst, dass Wezel zu Ohren kam, Platner habe ihn wegen seiner abfälligen Beurtheilung Leibnizens in seinen Vorträgen angegriffen. Sie begann mit Veröffentlichung der „Papiere von Johann Karl Wezel wider D. Ernst Platnern", welche letzterer selbst mit einem vom 10. Nov. 1781 datierten Vorberichte herausgab. Mehr über sie beizubringen sind wir dadurch überhoben, dass an ihr schlechterdings nichts als nur etwa die Kleinlichkeit bemerkenswerth ist, welche die kriegführenden, Platner ausgenommen, bewiesen.]

heit finden, mit ihm über diese Sache zu sprechen, so solls an Mir
nicht liegen, wenn er sie nicht im rechten Lichte sieht. Alles was
der Mensch hat giebt er um sein Leben, sagte schon vor etlich
1000 Jahren einer von den subtilsten Philosophen und grössten
Kennern der menschlichen Natur; warum sollten Sie nicht eine Hofmeisterstelle um das Ihrige geben?

Das *Mscpt* folgt hiemit zurück. Wenn es Ihnen gefällig wäre,
die Einleitung so abzuändern, dass das Heterodoxe darinn frommen
Ohren weniger hart auffiele, so könnte ich dieses Stück, unter den
mit Hrn. Bertuch vorläuffig abgeredten Bedingungen, ganz wohl
für den Merkur gebrauchen.

Die Ehstandsgeschichte hat nicht anders, als in 3 Stücke[1])
zerschnitten, gebraucht werden können. Es ist unangenehm für Sie
und die Leser; aber die Unmöglichkeit es anders zu machen, liegt
am Tage.

Vom Merkur soll Ihnen ein Frey*Exemplar* nach Leipzig übermacht werden.

Von der Epistel an die Dichter möchte wohl das das Beste
seyn gar nichts zu sagen. Sie wissen doch, dass ich Armer auch
ein Dichter bin?

. Ich bin, was die vorhabende Umarbeitung Ihres Knauts betrift, gänzlich Ihrer Meynung. In einem Wercke, woran die Laune
soviel Antheil hat, kömmt wohl alles auf den ersten Wurf an.
Haben Sie einen lebendigen Begriff von einer vollkomnern Composition in Ihrer Seele, so thäten Sie wohl besser ihn in einem neuen
Wercke auszuführen.

Ich habe die Ehre mit aller möglichen Hochachtung zu seyn
Ihr
ergebenster Diener
Wieland.

3.

Wezel an Gottfried Konrad Böttger in Sondershausen.

Leipzig, den 8^t März 76.

Bester Herr Konrektor

Ich bin izt so sehr mit schwerwichtigen gravitätischen Gelehrten
umgeben, dass der grosse Ernst ihrer Gesichter oft auf mein Bischen
Laune die nämliche Wirkung thut, die nach Ihrer Aussage die Hy-
perboreische Luft auf die ihrige gethan hat: aber glücklicher Weise
ist die Wirkung nur vorübergehende — Langeweile. Wenn Sie
ohngefehr vergessen haben, wie ein leipziger Magister *legens* im

---

1) [Ehestandsgeschichte des Herrn Philipp Peter Marks: Deutscher
Merkur 1776 Jan., Febr. und März.]

Profil und *en face* aussieht, so will ich Ihnen den zeichnen, mit dem ich alle Tage an Einem Tische speise und aus Einer Schüssel esse: der Mann ist für mich ein tägliches Klistier, so herrlich befördert seine Gesellschaft die Verdauung. Sie wissen, dass ich kein Riese bin: aber hier hat die Natur zeigen wollen, dass sie ungleich kleinere Werke hervorbringen kann, als mich; denn der ganze Kerl, wenn er hübsch aufgerichtet und auf hohen Absätzen vor mir steht, stösst mit den obersten Härchen seiner *Vergette* an den fünften Knopf meiner Weste, von oben herunter gerechnet. In diesen Mikrokosmus hat der liebe Gott so viel Zorn, Aerger und Disputiersucht einquartiert, dass dies die einzigen Elemente seyn müssen, woraus er ihn zusammengeknetet hat: dabey ist dieser Feuermann von Hypochonder so angefressen und zernagt, dass ihm die ganze Welt so wurmstichig und verfault vorkömmt, wie seine arme Seele. Kopf hat er, das ist nicht zu läugnen, aber einen mit Vorurtheilen angefüllten Kopf, die er aber weislich Grundsätze nennt. Da ich diese auswendig weis, so lass ich, wenn die Suppe verzehrt ist, nur sechs Worte fallen, die einem von seinen sogenannten Grundsätzen widersprechen, diametralisch widersprechen, und sogleich steht der ganze Mann in Flammen, wie ein Hund, dem man ein Paar R vorgeschnarrt hat. Er ficht mit seiner ganzen gelehrten Artillerie sogleich, hat aber das Unglück, dass keine einzige von seinen Kanonen mit der andern auf Einen Fleck zielt, sondern der *Status quaestionis* verändert sich fast mit jedem Worte: in welchem Falle es mein einziges Vergnügen ist, ihn immer weiter von der Hauptsache abzuführen, so dass wir neulich in Einer Stunde bequem alle Wissenschaften durchwandert, alle Reichsgeschäfte revidirt und alle Leute dahin gebracht haben, dass sie mit dem Verstande allein denken und nach der Vernunft allein handeln: denn dahin muss es kommen, wenn nach seiner Meinung die Welt etwas gescheidtes werden soll. Neben diesem Manne figurirt ein Professor der Physik, Herr Funke[1]), ein Schafkopf, aber sonst ein ganz leidlich gutes Geschöpf, der aber nichts glauben will, was ihm nicht mathematisch bewiesen wird. Dieser will izt die schröpferischen Teufelskünste zernichten und zeigen, wie der Bösewicht bey seinen Betriegereyen zu Werke gegangen ist. Er hat mich neulich zu einer Vorstellung eingeladen, wo er Gellerten zeigen wollte. Eine blecherne Urne wurde geöffnet, aus welcher ein erstickender Pechrauch aufstieg, und in diesem erschien ein Kopf, den die Zuschauer einstimmig für Gellerts Bildniss erkannten, weil sie wussten, dass ers seyn sollte. Das ganze Kunststück wird mit der Zauberlaterne gemacht und that keinen sonderlichen Effekt, weil die äussere zur Illusion nöthige Veran-

---

1) [Christlieb Bened. Funk, geb. 1736, ordentl. Professor der Physik seit 1773, gest. am 10. April 1786.]

12*

staltung nichts taugte. Ich habe ein Epigramm darauf gemacht
also lautend:

Professor Funke liess vom Satan sich verführen,
Den armen Gellert zu citiren:
Man lachte, spottete nach altem Stadtgebrauch.
Die Spötter recht zu überführen,
Sprach er: Hier kommt und seht! — Man kam und sahe — Rauch.
　O, dacht' ich da und kehrte bey der Schwelle
Mich wieder um — das redt mir Niemand ein!
Hier ist man ja leibhaftig in der Hölle:
Das kann unmöglich Gellert seyn![1]

　　Der Mann hat die Ehre, sich besungen zu sehn, etwas übel
genommen, allein ich habe ein Wort der Versöhnung zu ihm gesprochen, und wir sind wieder gute Freunde.

　　Dass Göthe eine Stella, ein rührendes Schauspiel geschrieben
hat, das wissen Sie vermuthlich schon; dass aber H. Wezel, ihr
ehrlicher guter Freund, den Sie wohl kennen, schon im Januar drey
Gedichtchen hat drucken lassen, davon wissen Sie ohne Zweifel
noch nichts. Damit Sie aus dieser Unwissenheit gerissen werden,
schicke ich Ihnen ein Exemplar, das Ihnen gehört und gebührt, weil
Sie auch ein teutscher Dichter sind.[2] Ich bitte um eine geneigte
Aufnahme, lieber Leser!

　　Belphegor, von dem ich Ihnen in Sondershausen sagte, wird
izt gedruckt: schade dass ich die Aushängebogen nicht bey der Hand
habe, sonst hätte ich sie Ihnen beygelegt.

　　Endlich, lieber Mann! — theilen Sie meine Complimente und
Grüsse, Empfehlungen u. s. w. aus: ohne Umstände beschenken Sie
jedermann, dem Sie nur begegnen, mit einem höchstfreundschaftl.
Complimente von mir und freuen Sie sich in meinem Namen herzlich, dass er gesund und wohl auf ist: insbesondre aber suchen Sie
doch durch H. Gerbern eine grosse schwerwichtige Empfehlung
an das sämmtliche Hartmannische Haus bey der Hauptwache
anzubringen. Dem H. *Assessor judicii Ecclesiastici* und neuem Ehe-
manne — schreiben Sie mir doch etwas von seiner Frau, wenn sich
etwas von ihr sagen lässt — dem H. Kellerschreiber — aber wozu
eine so weitläuftige Nomenklatur? — dem H. v. Wider, Ihrer Fr.
Liebste &c. &c. etc. etc.

　　Wenn ich nun noch etwas wünschte, so wäre es, diesen Sommer
mit Ihnen zuzubringen: allein ich werde wohl in Leipzig bleiben
müssen, theils um noch verschiedenes für meine künftige Bestimmung
zu lernen, theils weil man von hier aus am leichtesten zu einem

---

　1) [Vgl. Zeitgenossen a. a. O. S. 144.]
　2) [Epistel an die deutschen Dichter. Leipzig 1776. Angehängt
sind Die unvermuthete Nachbarschaft und Die wahre Welt.]

Platze gesucht wird. In Leipzig selbst werde ich vermuthlich mich nicht auf immer niederlassen, sondern, wenn das Glücke gut ist, nach Dresden gehn, es müsste sich denn vor der Hand etwas vortheilhafteres finden.

Nunmehr leben Sie wohl! Ich bin mit aller Aufrichtigkeit

Ihr Freund
Wezel.

4.

Wieland an Wezel.

P. P.

Ich habe Ihren Brief von Berlin aus nicht nur empfangen, sondern Ihnen auch, nach Ihrem Begehren, die beyden Manuscripte, nehml. die Unglükliche Schwäche — und die ersten 3—4 Bogen von Johannes Dür dem lustigen, durch den vorgeschriebnen Buchhändler Weeg zurükgeschickt. Der hiesige Buchhändler Hofmann nahm das Paquet mit auf die Leipziger Messe, gab es dort an seine Addresse ab, und wenn Sie noch in Berlin wären, müsst' es schon lang in Ihren Händen seyn.

Ich gebe mich niemals, ohne dringendste Noth, mit Vermuthungen über die geheimen Triebfedern der Begebenheiten und Handlungen andrer Personen ab, am allerwenigsten mit solchen die ihrem Charakter und ihrer Ehre nicht sonderlich vortheilhaft wären. Sie können also was Ihre ganze mir völlig unbekannte Geheimgeschichte betrift, meinethalben vollkommen ruhig und versichert seyn, dass ich nicht mehr davon zu wissen verlange, als Sie Selbst etwan für gut finden mögen, mich wissen zu lassen.

Sollte die Nähe Ihres itzigen Auffenthalts oder sonst eine Ihnen angenehme Veranlassung Sie durch Weimar führen, so wird es mir eine Freude seyn, Sie wiederzusehen, und mündlich zu versichern, dass ich die Ehre habe mit aller Hochachtung zu seyn

Ihr ergebenster Diener
Wieland.

Weimar den 25^t May 1777.
an H. Wetzel in Sondershausen.

5.

Zwei Entwürfe Wezels zu Briefen an den Professor der Geschichte Johann Gottlob Böhme († 30. Juli 1780).[1]

P. P.

Mit vieler Befremdung erfahre ich eben izt von meinem Verleger [*ausgestrichen*], dass Sie von dem Verfasser des Robinsons die

---

1) Vgl. Zeitgenossen a. a. O. S. 148. Auf Böhme bezieht sich, was Wezel in den „Papieren wider Platnern" letzterem schreibt: „Ein

Änderung einer Stelle in der Vorrede zum zweiten Theile verlangen,
und dass Sie nur unter dieser Bedingung dem Verleger den Druck
bewilligen wollen. Mir ist diese strenge Ausübung der censoralischen
Autorität um so viel unbegreiflicher, da die unterstrichne Stelle
nicht das mindeste enthält, was auch in dem entferntesten Verstande
der Religion, dem Staat oder den guten Sitten nachtheilig
seyn könte; denn dass die Seelen der Verstorbnen auf den Fixsternen
wohnen, ist eine Hypothese, die so wohl wahr als falsch seyn kan;
die schon unzählichemal von den orthodoxesten Theologen und mit
dem *Impr* der orthodoxesten Censoren öffentlich gesagt worden ist;
die auch kein denkender Kopf geradezu verwerfen wird; die die
Menschen weder besser noch schlimmer macht, und die deswegen
nicht den geringsten Anstoss geben kan, weil sie Jedermann sogleich für eine blosse Vermuthung erkennt. Es ist möglich, dass
Sie für Ihre Person diese Hypothese nicht annehmen und die ab-
geschiedenen Seelen anderswohin quartieren: aber Sie werden doch
wohl nicht blos solchen Meinungen den Druck verstatten wollen, die
die Ihrigen sind? So hätten Sie ja mit der Censur eine Infallibi-
lität bekommen, die Sie auf dem Catheder nicht einmal dem Pabste
einräumen.

Da ich also mit allem meinen Nachsinnen keinen vernünftigen
Grund finden kan, warum es nicht erlaubt seyn soll, Rousseaus
Seele in meiner Vorrede auf einem Fixsterne wohnen zu lassen, so
habe ich aus guter Meinung für Sie vermuthet, dass auf irgend einer
Seite eine Irrung vorgegangen seyn mag: entweder hat Sie der
Bote, der Ihren censoralischen Befehl überbrachte, unrecht verstanden; oder Sie haben meine Vorrede nur flüchtig, vielleicht gar
in einer unglücklichen Laune angesehen und deswegen etwas anstössig gefunden, was selbst die grössten Männer sehr vernünftig
fanden. Um Ihnen eine solche Übereilung zu ersparen, die bey dem
Publikum eine nachtheilige Meinung von Ihnen veranlassen könte,
wenn Sie bekannt würde, sende ich Ihnen hier das Blatt zurück
und ersuche Sie, Ihre Röthelstriche zu kassiren.

Haben Sie aber etwa einen besonderen Groll auf den armen
Rousseau, dass er schlechterdings auf keinen Fixsterne wohnen soll,
und wären Ihre rothen Censor Striche nicht aus Versehen sondern
mit Überlegung gemacht worden — welches ich mir doch von einem
Manne durchaus nicht einbilden kan, der so viel Gelehrtengeschichte
weis wie Sie — so bin ich entschlossen, die Sache der Entscheidung Ihrer
Obrigkeit und des Publikums vorzulegen: Sie werden nach genauer
Überlegung selbst beurtheilen, ob Sie sich getrauen, bey dem einen

---

verstorbener Kollege von Ihnen war eine so feige Memme, dass er eine
Albernheit, die er gegen mich begieng, nicht mit den Waffen des Gelehrten ausfechten wollte, sondern den Kirchenrath um Hülfe rief."

unter diesen beiden Richterstühlen ohne Verweis und bey dem andern ohne Lächerlichkeit wegzukommen.

Ich erwarte hierüber Ihre Erklärung so bald als möglich, damit ich meine Maasregeln darnach nehmen kan.

Ich habe die Ehre mit vollkommner Ergebenheit zu seyn
Eu. Hochedelgeb.
gehorsamster Diener
J K Wezel.

Ich habe mich am Freitag durch ein Billet bey Ihnen erkundigt, ob Sie die unterstrichne Stelle in meiner Vorrede zum Robinson ungeändert drucken lassen wollen oder nicht: da Sie mit Ihrer Überlegung in drey Tagen wahrscheinlich bis zu einem Entschlusse gekommen sind und mir ihn vielleicht nicht zu wissen thun können, weil Ihnen meine Wohnung nicht bekannt ist, so bitte ich mir durch den Überbringer dieses Billets mein Mnskript und ein bestimmtes Ja oder Nein auf meine Anfrage aus. Haben Sie vielleicht meine Vorrede an den nämlichen gehörigen Ort geschickt, von welchem mein erstes Billet beantwortet werden soll, so haben Sie die Güte, mich davon zu benachrichtigen, damit ich im Falle wenn die Antwort zu lange aussenbleiben sollte, unterdessen eine andre Vorrede machen und sie anderswo drucken lassen kan, Ihrer und meiner Beschwerden unbeschadet.

Ich habe die Ehre etc.

6.

Zwei Entwürfe Wezels zu Briefen an den Landgrafen Friedrich II. von Hessen-Cassel und den Grafen M. E. von Schlieffen.[1]

le onze Janv. 1780.

La maniere gracieuse dont V. A. S. protege les sciences et ceux qui les cultivent, me fait esperer qu'Elle daignera recevoir avec bonté l'hommage que j'ose Lui faire en Lui adressant cette lettre.

Pendant deux jours que j'ai passés à Cassel, tout m'a fait souhaiter de vivre sous la protection d'un Prince qui a sù s'assurer l'affection publique par tant de bontés; et c'est uniquement ce desir qui m'a inspiré la hardiesse d'offrir très-humblement à V. A. S. mes services pour la place qui vient de vaquer par le depart du Professeur Dohm.

<hr>

An Graf Schliefen.

Eu. Excell. haben mich durch Ihre gnädige Antwort so dreist gemacht, dass ich es gewagt habe, an den Herrn Landgrafen zu

---

1) Vgl. Zeitgenossen a. a. O. S. 148.

schreiben, und Sie unterthänig bitte, den Brief Sr. Hochfürstl.
Durchl. zu überreichen, weil ich überzeugt bin, dass dies die grösste
Empfehlung für ihn seyn wird.

Da ich weder durch Amt, noch Titel, noch Pension an Sachsen
gebunden bin, sondern blos für mich hier privatisire, so habe ich
um so weniger Bedenken gefunden, einen Schritt zu thun, den Eu.
Excellenz selbst zu billigen scheinen.

Eu. Excell. werden die Gnade haben, die Dreistigkeit, womit
ich meine Bitte an Sie thue, mehr für eine Wirkung des Vertrauens
als für Zudringlichkeit anzunehmen.

Ich etc.

(Vorstehende beide Concepte nehmen die Rückseite eines Quart-
blattes ein, dessen Vorderseite mit einem umfänglicheren Concept eines
französischen Schreibens an den Landgrafen beschrieben ist.)

Ein apokryphes Gedicht Goethes.

Mitgetheilt von

RICHARD MARIA WERNER.

Im 44. Stück des in Altona veröffentlichten „Neuen gelehrten Mercurius" vom 3. November 1774 findet sich das
nachfolgende apokryphe Gedicht Goethes, welches bisher unbekannt blieb. Es ist interessant wegen der Form: die reimlosen fünffüssigen Iamben sind durchaus stumpf, was nach
Sauers Untersuchung der älteren Weise völlig entspricht.

Es bedarf wol keines Beweises, dass Goethe nichts mit
dem Gedichte zu schaffen hat; trotzdem bleibt die Thatsache,
dass man Goethe dieses Gedicht zuschrieb, wichtig. Jedesfalls glaubte die Altonaer Direction des „Neuen gelehrten
Mercurius" ihrer Zeitschrift grössere Bedeutung zu verleihen,
wenn sie unbekannte Verse Goethes publicierte; das beweist
Goethes Ruhm und die Bedeutung, welche man seiner Autorschaft beilegte. Dann aber sind solche Goethe fremde Gedichte jedesfalls in den Augen seiner Zeitgenossen als sein
Eigenthum erschienen und konnten Anlass zu falschen Urtheilen über ihn geben. Dass man ihm Heinrich Leopold
Wagners „Prometheus" zuschrieb, machte ihm viele Feinde;
man traute ihm auch die bittere Satire auf Wieland zu:
„Eloge de feu Monsieur **ND Ecrivain tres celebre en poesie
et en prose. Dedié au beau sexe de l'Allemagne" (Hanau
1775); Nicolai bemerkte in seinem Exemplare: „Platte und
niederträchtige Satyre von Göthe auf Wieland — Tantaene
animis coelestibus irae!" und schrieb zu dem zweimal unter-
strichenen Namen Göthe noch ein „rustico urbanus confusus"
hinzu. Die Erscheinung Goethes war eben eine so auffallende,
dass man immer Goethe dort suchte, wo es etwas boshaft

über andere Schriftsteller hergieng. Bei der Frage nach der
Aufnahme Goethes bei seinen Zeitgenossen sind solche Pseudo-
Goethische Schriften nicht unwichtig, sie verzerrten sein Bild
und veränderten darum das Urtheil über ihn.

Das Gedicht lautet nun:

Eine Elegie von Herrn Doct. Göthe.

O Leyer! die zu Todes-Thränen tief
Gestimmt, mein Leiden sang, ertöne nun
Der Menschheit schweres Loos zu klagen. — Sie
Verehrt ein Unding, nennt es Glück: Doch mich,
5 Mich täuscht ihr Unding, das dem Schatten gleich
Man stets verfolgt, und nicht erhascht, hinfort
Nicht mehr. — Hinweg von mir Tumult der Pracht,
Und Lauten-Freude, die dem Throne nah,
Den Thor berauscht; hinweg! Denn Sorge folgt
10 Der Pracht, und Neid im taumelnden Gefolg
Und Bosheit, die mit lockendem Gericht
Hier würget, dort mit Schmach belastet. — Auch
Du Stolz, der finstre Weisen schaft, und oft
In Wüsteneyen wohnt, betrügst mich nicht.
15 Gesteht es Schwärmer, euch verachtete
Die Welt! Noch liebt ihr sie. Was hilft es, sich
Im Hafen glauben, wenn noch Leidenschaft
Wie Meeres-Wogen auf uns stürzt, und uns
In Wolken hebt, und dann in Abgrund taucht?
20 Seht euren Zustand. — Hin zu Gräbern muss
Ich eilen. — Angebetete! Getäuscht
Dich Engel dünkend, was half da dein Stolz,
Als unerbittlich dich mit eh'rner Hand
Der Feind der Creatur ergrif, und dir
25 Sein grauses Bild einprägte! Half dir da
Des Jünglings Schmeicheley, der Göttlich dich
Verehrte, der von ew'gen Lenzen sang?
Vergessen hat er schon um Ehre dich,
Vergessen wird er auch den Ehrgeiz, wird
30 Sich Schätze samlen, aber nicht durch sie
Sich Jahre häufen: Glücklicher stirbt dann
Sein Sclave, der so manchen heissen Tag
Der Arbeit Last mit stillem Seufzer trug —
Und du, Monarch! Was nuzt dein goldner Sarg?
35 Nicht fern von dir ruht ungestört wie du
Dein Unterthan, und ungeschmäht: Er hat
Die Leiden, die du für ihn schufest, izt

Vergessen: Du der Pomp der Krone. Ganz
Seyd ihr einander gleich: Und lang war er
40 Dir gleich, du Stolzer! Denn du warst gleich ihm
Des Wurmes Wohnung: Seine Speise nun! —
Scheint dir das Bild der Gräber noch zu schwach,
Der Menschheit Stolz ganz zu zertrümmern; so
Geh' in das Schlachtfeld, Muse! da wirst du,
45 Wie theur den Ruhm der Krieger kaufet, sehn.
Auf seine Lorbeern tritt des Feigen Fuss;
Und der nie Waffen führte, raubt dem Held
Wild spottend über seine Schmerzen, nun
Aus niedrer Habsucht sein Gewand, und lässt
50 Im Staub' ihn sich verbluten. — Und vermag's
Dein Blick, so tritt heran, und schau, wie hier
Des Hasses Opfer fürchterlich erblass't
Besiegt von seinem Feind; fünf Tage schon
Den Hunger-Tod zu sterben eingesperrt:
55 Mit ihm drey Kinder, die nur Speise flehn.
Schau! Hölle fühlt er, fühlt, sie haben Fleisch
Und greift! — Zurück! Die Leyer sinkt. Zu viel
Des Jammers. Ich kan nur ihn weinen. Fliess
Dahin mit dieser Zähre, Leben. Dort
60 Ist Ruhe. Sey von mir begrüsst mein Grab.

In dem Gedichte finden sich, wie man sieht, eine ganze
Reihe von Motiven, welche in den Siebziger Jahren des vorigen
Jahrhunderts allgemein beliebt waren, so vor allem im Schlusse
die Anspielung auf Gerstenbergs Ugolino. Die sentimentale
Ausführung V. 34 ff. geht nicht etwa auf Schubarts Fürstengruft, welche bekanntlich zuerst 1781 erschien (Goedeke,
Schillers S. Schriften I, 379), sondern entstammt den Night
thoughts von Young, besonders der dritten und neunten
Klage; Young benutzt der unbekannte Dichter überhaupt stark:
V. 5 f. vgl. 1. Nacht: „Ich umarmte die Schattenbilder und
fand nichts als Luft"; zu V. 28 ff. vgl. man die Steigerung
in der 6. Nacht: „Ehrsucht! und Geldgier!"; zu V. 21 ff. die
dritte Nacht, die Klagen über Narcissas Tod und die Er-
mahnungen an Lorenzo. Zu den Stellen über die Hyaenen
des Schlachtfeldes findet sich keine Parallele bei Young, wol
aber besingt dieser wiederholt die Vergänglichkeit irdischen
Ruhmes, so dass auch diese Gedanken auf ihn zurückzugehen
scheinen.

Unser Gedicht ist darum nicht bloss interessant, weil es
Goethe zugeschrieben wurde, sondern weil es uns für Youngs
Einfluss, für den Eindruck, welchen Ugolino hervorrief, Be-
weis ablegt, und endlich, weil es ein von Schubart und
Schiller später behandeltes Motiv ziemlich ausführlich nutzt.
Vielleicht geben diese Zeilen den Anlass, den Verfasser aus-
zuforschen, was mir bisher nicht gelang.

Lemberg, am 14. November 1885.

Uhlands „Lied aus dem Spanischen" und sein Original.

Von

CAROLINA MICHAËLIS DE VASCONCELLOS.

In dem „Taschenbuch für Damen auf das Jahr 1820"
(S. 200—201) veröffentlichte Uhland ein anmuthiges „Lied
aus dem Spanischen". Vor langen Jahren fragte mich Reinhold Köhler nach dem Original, aber ich konnte es ihm nicht
nachweisen. Jetzt endlich bin ich so glücklich, es entdeckt
zu haben. Es ist von dem berühmten Zeitgenossen, Schüler,
Freunde und Landsmann des verliebten Macias, d. h. von dem
gallizischen Troubadour Juan Rodriguez de la Cámara,
oder del Padrón, der im 15. Jahrhundert (und später) stets,
nächst jenem, als Muster und Typus eines treu-verliebten
verherrlicht wird. Er blühte in der ersten Hälfte des 15. Jahrhunderts und gehört in die kleine Schar der Minnesänger,
welche der eigentlichen Hofpoesie, wie sie sich bald am Hofe
Johanns II. entwickeln sollte, vorausgiengen.

Ich vermuthe, ohne über Uhlands spanische Studien
näheres zu wissen, dass er das Liedchen zufällig in einem
handschriftlichen Liederbuche fand; und zwar vielleicht, als er
darin blätterte, nach Lebenszeichen und Werken des Macias
forschend, den er selber verherrlichen wollte. — Denn in
gedruckten Cancioneros konnte er dem Liede nicht begegnen!
1820 war es noch inedito und ist bis heute überhaupt nur
zweimal gedruckt worden, in nicht ganz leicht zugänglichen
Büchern, nämlich

1) im Cancionero de Stuñiga (Tomo IV. de la Coleccion
de Libros Españoles Raros ó Curiosos), Madrid 1872, S. 139;

2) in den eben erschienenen „Obras de Juan Rodríguez
de la Cámara (ó del Padrón), ed. por D. Antonio Paz y

Mélia", Madrid 1884 (nur in 300 Exemplaren für die Sociedad de Bibliofilos Españoles gedruckt), S. 28;

Handschriftlich findet es sich in drei Manuscripten der Pariser Nationalbibliothek: No. 586, Bl. 33ᵛ; No. 590 Bl. 16; No. 593 Bl. 5ᵛ, laut A. Morel-Fatio, Catalogue des Manuscrits Espagnols, S. 193ᵃ. Dass es einmal daselbst zu finden, hatte schon früher Ochoa in seinem Catálogo razonado de los manuscritos existentes en la Biblioteca Real de Paris (Paris 1844) mitgetheilt (unter No. 8168=593 nach der neuen Numeration). Da nun Uhland 1810 in Paris altfranzösische Handschriften benutzt hat, so müssen oder dürfen wir annehmen, dass eines der drei Liederbücher ihm vorgelegen und er das spanische Gedichtchen daraus copiert, weil er besonderen Gefallen daran fand.

Ich lasse nun das Original und Uhlands meisterhafte Uebersetzung neben einander folgen.

Bien amar, leal servir,	All mein Dienen, all mein Lieben,
cridar et decir mis penas	was ich laut und still gefleht,
es sembrar en las arenas	ist nur in den Sand gesäet,
o en las ondas escrevir.	ist nur in das Meer geschrieben.
Si tanto quanto servi	Hätt' ich all mein eifrig Lieben
sembrara en la ribera,	eingestreuet in den Sand,
tengo que reverdesciera	blühend stände längst der Strand,
et diera fructo de si.	Früchte hätt' er längst getrieben!
E aun, por verdat dezir,	Hätt' ich in das Meer geschrieben
sy yo tanto escreviera	meine Seufzer, meine Qual,
en la mar, yo bien podiera	von den Wellen ohne Zahl,
todas las ondas tennir!	wäre keine leer geblieben!

Porto, im August 1885.

Anzeigen aus der Goethe-Litteratur.

Von

WOLDEMAR FREIHERRN VON BIEDERMANN.

1. Goethe. Götz von Berlichingen mit der eisernen Hand.
Ein Schauspiel. Texte Allemand conforme à l'édition
de 1787, avec une introduction et des notes, par
Ernest Lichtenberger, Professeur suppléant de littérature étrangere à la Faculté des lettres de Paris.
Paris, librairie Hachette & Co. 1885. gr. 8⁰. CXXXVII
und 352 SS.

Das ist abermals eine treffliche Arbeit zur Goethe-Kunde, die
wir aus Frankreich erhalten. Der Text ist hier wie in Chuquets
Ausgaben mit deutschen Buchstaben fehlerlos gedruckt; die Anmerkungen stehen unterm Texte, und zwar, soweit sie Erklärungen
sind, französisch.

Die Einleitung des Werkes behandelt I. Les rédactions suc-
cessives du drame, gibt dann auszugsweise II. Biographie de Goetz
de Berlichingen, entwickelt III. L'action et les caractères des Schauspiels in Rückbeziehung auf Berlichingens eigene Lebensbeschreibung,
führt IV. L'esquisse de 1771, d. h. den bei Goethes Lebzeiten ungedruckt gebliebenen ersten Entwurf des Schauspiels in den wesent-
lichsten Abweichungen von der ersten gedruckten Gestalt vor, ingleichem V. L'adaption de 1804, d. h. die erste Bühnenbearbeitung
Goethes, schildert VI. Accueil et influence beim ersten erscheinen
des Dramas, namentlich hinsichtlich der durch Goethes Drama hervorgerufenen Ritterschauspiele, geht VII. Style et langue des ersteren
durch und schliesst mit VIII. Bibliographie.

Im III. dieser Abschnitte legt Lichtenberger in fesselnder Weise
dar, mit welchem Verständnisse Goethe die eigene Lebensbeschreibung
Berlichingens für die dramatische Darstellung benutzt hat, wie er
von den darin erzählten zahlreichen Episoden nur fünf herausgegriffen
und auch diese noch dadurch zusammengedrängt hat, dass er sie
z. Th. in eine Verbindung mit einander brachte, die sie in der Wirk-

lichkeit nicht hatten, und wie er ferner von den in der Lebensbeschreibung aufgeführten zahlreichen Personen nur wenige aufgenommen, wie er dagegen neue Episoden und neue Personen für
die Handlung erfunden, die Charaktere der aus der Lebensbeschreibung
ins Schauspiel herübergenommenen tiefer begründet hat. Lichtenberger verbreitet sich namentlich über Weisslingens Charakter, den
er nicht sowol als schlechten, vielmehr nur als völlig haltungslosen
Menschen, gewiss mit Recht, auffasst.

Dem Drucke des Schauspiels hat Lichtenberger, wie schon der
Titel besagt, die Ausgabe von 1787 zu Grunde gelegt, was bei dem
Zwecke seiner Arbeit nicht richtig sein möchte. Lichtenberger legt
besondres Gewicht auf Hervorhebung der Eigenthümlichkeiten der
Sprache des jungen Goethe, worüber er nicht nur im VIII. Abschnitte der Einleitung einen Ueberblick, sondern auch in den Anmerkungen unterm Texte fortwährend Aufklärungen gibt. Nun
haben aber, wie Lichtenberger selbst nicht unbemerkt lässt, Herder
und Wieland den Druck der Ausgabe von 1787 besorgt, und
ersterer erwähnt in einem Briefe an Goethe ausdrücklich von ihm
vorgenommene sprachliche Verbesserungen. Um Goethes Sprache
rein zu haben, hätte deshalb vielmehr die „Zwote Auflage“ des
Schauspiels von 1774 benutzt werden müssen, in deren Vorrede „die
Verleger“ versichern, dass diese Ausgabe „ganz correct“ sei.

Die Anmerkungen unterm Texte sind mit ausserordentlicher
Umsicht und Gründlichkeit bearbeitet und enthalten vorzüglich, wie
schon gedacht, sprachliche Belehrungen (wobei Lichtenbergern nicht
entgeht, dass in Grimms Wörterbuch Worte übersehen sind —
S. 9 und 92 —, die in „Götz von Berlichingen“ vorkommen), Erläuterungen aus der Zeit-, Sitten- und Rechtsgeschichte, sowie fortlaufende Vergleichungen sowol mit der Lebensbeschreibung, als
auch mit dem Entwurfe des Dramas von 1771 und der Bühnenbearbeitung von 1804. Gegen letztere ist Lichtenberger sehr eingenommen und hat allerdings das Urtheil ziemlich aller, die darüber
geschrieben haben, für sich; allein wenn Goethe deshalb beschuldigt
wird, dass er nach dreissig Jahren als Dichter nicht mehr habe
leisten, ja nicht einmal habe würdigen können, was er in der Jugend
hervorgebracht hat, so ist dieser Vorwurf nicht begründet. Als
Bühnenleiter hatte Goethe nicht nur auf berechtigte Forderungen
der Bühne, sondern auch auf den deutschen Geschmack der Zeit zu
achten. So ist u. a. für die Bühnendarstellung noch dringenderes
Erforderniss als sonst in der Dichtung, dass das spätere im vorhergehenden angedeutet sei, und deshalb erscheint es z. B. ungerechtfertigt, zu tadeln (S. 7), dass Metzler schon in der 1. Scene auf seine
nachmalige Rolle im Bauernkriege anspielt. Da nun aber „Götz von
Berlichingen“ unter andern Voraussetzungen und ohne Hinblick auf
die Aufführung gedichtet war, nahm sich Goethe bei den Versuchen,

das Schauspiel für die Gegenwart bühnengerecht zu machen und es doch in seinen Hauptzügen zu erhalten, eigentlich eine Unmöglichkeit vor. Die Sorge für diese Erhaltung einer- und für die Erfüllung der Bühnenansprüche anderseits beeinträchtigten sich gegenseitig allenthalben. Höchstens könnte Goethe den Vorwurf sich zugezogen haben, dass er die Aufführung des „Götz von Berlichingen" nicht abgewiesen hat — einen Vorwurf, den wir indessen nicht gegen ihn erheben wollen. Uebrigens ist es meines Wissens noch niemandem gelungen, eine bessere Bühnenbearbeitung des Schauspiels zu liefern, als die von Goethe selbst, und wie peinlich er dabei verfuhr, erkennen wir aus der Mehrheit seiner Bühnenbearbeitungen, wozu im Archiv für Litt.-Gesch. XII, 168 f. noch ein Beitrag geliefert worden ist.

Im Anhange des Buches hat Lichtenberger die am gründlichsten umgeänderten Scenen des Entwurfs von 1771 sowie der Bühnenbearbeitung von 1804, alsdann die auf „Götz von Berlichingen" bezüglichen Stellen aus Goethes Briefen von 1771 bis 1774 und aus „Dichtung und Wahrheit", ingleichem das Gedicht auf Berlichingen aus dem Maskenzuge von 1818 abdrucken lassen; hierauf sind Varianten der verschiedenen Ausgaben zusammengestellt, den Schluss aber bilden Stücke aus den Einleitungen und Anmerkungen der inmittelst erschienenen Ausgabe des „Götz von Berlichingen" von Chuquet. Da die erwähnten Briefstellen lediglich dem von Bernays herausgegebenen „Jungen Goethe" entnommen sind, so fehlen die aus Briefen an Johanna Fahlmer und Frau v. La Roche, ebenso das Briefgedicht, mittels dessen Goethe wol unzweifelhaft die erste Handschrift des „Götz von Berlichingen" an Merck sandte und das im „Goethe-Jahrbuch" II, 225 sich findet.

Lichtenbergers Ausgabe ist, wie man aus vorstehendem schon entnommen haben wird, nicht bloss für französische Studierende geschrieben.

2. Die Vögel von Goethe. In der ursprünglichen Gestalt herausgegeben von Wilhelm Arndt. Leipzig, Verlag von Veit & Comp. 1886.

Wie schon früher „Jeri und Bätely" (Arch. f. Litt.-Gesch. X, 563 f.), so hat Arndt jetzt aus den Handschriften der Gothaer Bibliothek die von Goethe an Prinz August übersandte der „Vögel" abdrucken lassen, wovon er bereits im II. Bande des „Goethe-Jahrbuchs" eine Scene veröffentlicht hat (Arch. f. Litt.-Gesch. XI, 152). Allerdings enthält jene Scene die einzige wesentliche Abweichung von dem bekannten Texte; die anderen sind nur redactionell.

Arndt schickt eine vollständige Geschichte der Entstehung des Bühnenstückes voraus, wie sie aus Briefen und Tagebuchnachrichten jener Zeit hat hergestellt werden können. Er hat nichts übersehen.

Aber aus seiner eigenen Darstellung ergibt sich, dass die Bezeichnung des jetzt von ihm herausgegebenen Textes als „ursprüngliche
Gestalt" denn doch nicht ganz richtig ist. Als solche wird vielmehr
eine z. Z. unbekannte, vielleicht auch gar nicht mehr vorhandene zu
gelten haben; denn wenn Goethe am 24. Juli 1780 an Knebel
schreibt, dass die vorliegende Bearbeitung des ersten Actes der
„Vögel" des Aristophanes „ganz neu" sei, und wenn überdies
Knebel berichtet, dass Goethe in diesem Stücke Karl Friedrich
Cramer als Ente eingeführt habe, welcher Vogel in der gegenwärtigen
Bearbeitung gar nicht vorkommt, nachher aber nach Crabb Robinsons Mittheilung in einem Bilde zu dem „Neuesten aus Plunders-
weilern" (Weihnachten 1780) angebracht wurde, so sprechen diese
Umstände wol unzweideutig dafür, dass Goethe schon vor der vor-
liegenden Fassung eine andere, wenn auch nur im Entwurf, bearbeitet
hatte — wie übrigens Arndt selbst nicht verkennt.

Ob das Goethe-Archiv im Stande sein wird, mit Arndts Ausgaben von „Jeri und Bätely" und „Den Vögeln" zu concurrieren,
werden wir wol bald erfahren.

3. Goethes Briefe an Frau von Stein. Herausgegeben
von Adolf Schöll. Zweite vervollständigte Auflage
bearbeitet von Wilhelm Fielitz. Zweiter Band. Frankfurt a. M. Litterarische Anstalt Rütten & Loening.
1885.

Der Zeitraum von drei Jahren, welcher seit erscheinen des ersten
Bandes der neuen, nach den Originalien geprüften und berichtigten
Ausgabe der Briefe an Frau v. Stein verflossen ist, erklärt sich —
zumal der Herausgeber durch Amtsgeschäfte gefesselt war — durch
die ungemeine Sorgfalt, mit welcher derselbe zu Werke gegangen
ist. Zunächst haben wieder wie bei der Neuherausgabe des ersten
Bandes (Arch. f. Litt.-Gesch. XII, 157 ff.) neue Zeitbestimmungen
undatierter oder offenbar falsch datierter Briefe mannigfache Erörterungen verursacht. Fielitz ist dabei von der richtigen Ansicht
ausgegangen und trotz den gelegentlich des I. Bandes darüber er-
fahrenen Angriffen dabei verblieben, dass auch die nicht mit Zuverlässigkeit zeitlich bestimmbaren Briefe in der Reihenfolge da Platz
zu finden haben, wo sie nach den Ermittelungen des Herausgebers
wahrscheinlich hingehören. Ein anderes Verfahren würde zu argen
Unzuträglichkeiten führen, da die Grenze zwischen undatierten, aber
mit Sicherheit zeitlich zu bestimmenden Briefen und ganz unsicheren,
sowie zwischen den unbestritten und den möglicher Weise falsch datierten nicht zu ziehen ist. Bei den einschlägigen Ermittelungen sowol, als auch bei den sonstigen zur Erklärung der Briefe dienenden
Anmerkungen — die übrigens Fielitz nicht, wie Schöll, unter den
Text jeder Seite, sondern schicklicher hinter die Briefe jedes Bandes

gesetzt hat — hat der neue Herausgeber nicht nur das seit der ersten
Veröffentlichung der Briefe an Frau v. Stein zugewachsene Schriftthum umsichtig benutzt, sondern auch handschriftliche Quellen,
namentlich Briefe der Mutter Goethes, das Tagebuch Knebels, die
Fourrierbücher des Weimarer Hofs sowie manche Familienarchive
sich zugängig gemacht, auch sich der Mühe unterzogen, durch persönliche Erkundigungen bestehende Unklarheiten aufzuhellen und Thatsachen festzustellen. Die Goethe-Kunde wird dadurch bereichert
durch Nachrichten über Berührungen Goethes mit verschiedenen
Personen, durch das Bruchstück eines schönen Briefes an Gräfin
Reden (S. 681), durch Mittheilungen über unbekannte Goethe-Bild-
nisse (S. 575, 606 und 614) u. s. w.

Wir enthalten uns an dieser Stelle in die Untersuchungen des
Herausgebers über zweifelhafte Zeitbestimmungen von Briefen einzutreten; wir könnten bestenfalls nur Zweifel vorbringen, wüssten
aber z. Z. keine entscheidenden Umstände zu diesem Zweck anzuführen. Einige andere unwesentliche Bemerkungen mögen noch hier
Platz finden.

Zu S. 167 (578). Was es mit dem König Opokku für eine
Bewandtniss hat, habe ich bereits 1860 in Nr. 95 der „Wissenschaftlichen Beilage der Leipziger Zeitung" bemerklich gemacht. Derselbe war König der Aschanti, und derjenige, mit welchem er ein
Gespräch hatte, hiess nicht „Herr Junge", sondern wurde nur von
Opokku so genannt: es war der dänische Abgesandte Noy. Das von
Goethe gemeinte Gespräch war dieses: O. Herr Junge, bist Du mit
meinen Kabusieren, welchen ich befahl, Dich und Deine Leute zu
beherbergen, gut aufgenommen? — N. Ja, Herr König, es hat mir
an nichts gefehlt. — O. Herr Junge, Du hast Dich nur sechs Wochen
hier aufgehalten; ich mag Dich wol leiden und wünschte, Du
bliebest länger, damit Du mehr von meiner Grösse kennen lerntest,
um Deinen Bekannten eine Beschreibung davon zu machen. Hast
Du meines Gleichen jemals gesehen? — N. Niemals, Herr König!
Deines Gleichen ist in der Welt nicht zu finden. — O. Du hast
Recht! Selbst Gott im Himmel ist nur etwas weniges grösser, als
ich. Herr Junge, ich will Dir einschenken; Du möchtest sonst denken,
ich wäre nicht ebenso gut mit Wein und Bier versehen, wie Deine
blanken Herren. Herr Junge, Du trankst nur wenig. — N. Herr
König, ich darf nicht viel trinken; denn ich merke, es steigt mir zu
Kopfe. — O. Herr Junge, Du bist nicht von dem Bier trunken
worden, sondern vom Anschauen meines Antlitzes; denn dies macht
alle Menschen trunken. — Man vergl. Merkur 1783 Nov. S. 187 ff.

Zu S. 259. Die Frau v. Werthern, geb. v. Münchhausen,
nachmalige Frau v. Einsiedel, wird zwar gewöhnlich Emilie genannt,
mir vorliegende Briefe derselben sind jedoch „Amalie" gezeichnet.

Zu S. 568. Der Zweifel an der Richtigkeit von Goethes Ausdruck (S. 120): „ähnlich, nur en beau" ist unverständlich, ebenso die Vermuthung: „au beau".

S. 606 Z. 16 v. u. ist zu lesen: „dendritisch" und „Piattoli".

Zu S. 614. Der S. 308 genannte Hofgärtner in Belvedere hiess nicht Reichardt, sondern Johann Reichert.

Zu S. 655. Wenn Fielitz von Goethe behauptet: „für die politische Selbständigkeit Deutschlands vermochte er sich nicht zu begeistern", so wird es ihm schwer fallen, dies so allgemein hin. zu beweisen.

Das unerquickliche Trauerspiel der Frau von Stein „Dido" hat Fielitz nach einer anderen Handschrift abdrucken lassen als der, welche dem Drucke von 1867 zu Grunde gelegen hat.

Zum Schluss des Bandes finden sich drei Register: I. Reihenfolge der Briefe im Manuscript. — II. Reihenfolge der Briefe in der ersten Ausgabe. — III. Personenverzeichniss.

Fielitz darf sich freuen, eine bedeutende Leistung für die Goethe-Kunde preiswürdig durchgeführt zu haben.

4. Goethe-Jahrbuch. Herausgegeben von Ludwig Geiger. Sechster Band. Frankfurt a. M. Litterarische Anstalt: Rütten & Loening. 1885. gr. 8°. 464 SS.

Das schöne Unternehmen des Goethe-Jahrbuchs nimmt seinen unverrückten Fortgang; man kann nervös werden, wenn man es nicht am 22. März jedes Jahres in die Hand bekommt. Durch die Verbindung mit der Goethe-Gesellschaft ist nun nicht nur das bestehen des Jahrbuchs gegen alle Wechselfälle, sondern ihm auch Reichhaltigkeit neuer Mittheilungen aus dem Goethe-Archiv auf Jahre hinaus gesichert.

Eröffnet wird der neuste, sechste Band durch das anmuthige Goethe-Bildniss des Dänen Darbes, das dieser 1787 in Karlsbad, wahrscheinlich nach einer 1785 gefertigten Zeichnung ausführte. Den reichen Inhalt des Werkes können wir weniger besprechen, als eben nur anzeigen.

An der Spitze der „Neuen Mittheilungen" steht ein scherzhafter Vierzeiler, den Goethe unter ein Rundschreiben setzte, das Kirms zu Weihnachten 1801 an Weimars alte Junggesellen erlassen hatte und in dem er mittheilte, dass eine Londoner Buchhandlung Caricaturen von Hagestolzen herstellen lasse, wobei diese in der Unterwelt von alten Jungfern als Pferde benutzt würden. — Hierauf folgen unter 2 siebzehn Briefe Goethes, von denen der letzte, dessen Adressat nicht angegeben ist, an den Kunsthändler C. G. Boerner in Leipzig gerichtet war. Ausserdem steht noch je ein Brief Goethes S. 33, 42, 83, 136 und 305; überdies ist S. 133 das Datum eines Briefes angeführt.

Eine Abweichung von der früheren Anordnung des Goethe-

Jahrbuchs ist, dass unter den „Neuen Mittheilungen" auch Aufsätze
Platz gefunden haben, welche nicht ausschliesslich neues von oder
über Goethe enthalten; so zuerst Nr. 3 „Goethe und Prinz August
von Gotha, mitgetheilt von B. Suphan". Diese Mittheilung ist
in hohem Grade willkommen zu heissen: sie führt der Goethe-Kunde
zuerst das Bild dieses geistreichen Prinzen vor, von dessen freundschaftlichem Verhältnisse zu dem Dichter wir durch diesen selbst
zwar im allgemeinen Kenntniss hatten, der aber bisher in Mangel
näherer Nachrichten über seine Person fast nur als Schatten vor
uns schwebte. Ein Brief Goethes an ihn wird uns in diesem Aufsatze jedoch nicht zutheil; die darin vorkommenden zwei Nachschriften
Goethes sind an Herder und dessen Gattin gerichtet. Aus dem
Aufsatze erfahren wir, dass das von Schöll Goethen zugeschriebene
Epigramm „Philipp II. an Posa" vom Prinzen August verfasst
ist. — Die 4. Mittheilung ist „Goethes Cour d'amour. Bericht
einer Theilnehmerin nebst einigen Briefen, mitgetheilt von Freiherrn
Carl von Beaulieu Marconnay". Dem Schreiber dieses war es
vergönnt, diesen Bericht bei seinem Aufsatze über „Goethes Cour
d'amour und Stiftungslied" dem Inhalte nach zu benutzen; solang
derselbe aber noch nicht seinem Wortlaute nach bekannt war, war
die Debatte über die darauf gegründeten Erzählungen und Schlüsse
eine gebundene. Die Verfasserin des Berichtes ist übrigens noch in
dem Vorurtheil befangen, Goethe sei Urheber des Fiascos, durch
welches die schöne Welt Weimars sich blossstellte, indem sie sich
von Kotzebue zu einer tendenziösen Demonstration ahnungslos
missbrauchen liess. Mit dem Aufsatze ist ein Brief Goethes an
Gräfin Egloffstein, geb. Freiin v. Egloffstein, vom 25. März 1802,
sowie Schillers bekannter Brief an ebendieselbe vom 5. März
abgedruckt.

Das 5. Stück der „Neuen Mittheilungen" ist: „Goethe im
Kreise Isaak Iselins. Mitgetheilt von J. Keller"; es besteht in
Auszügen aus dem Briefwechsel des Rathsschreibers Iselin zu Basel
mit einem französischen Offizier Frey, gleichfalls Baseler, Urtheile
über Goethe und seine ersten Schriften sowie Mittheilungen, welche
die Tage seiner Anwesenheit in Basel im J. 1775 feststellen, enthaltend. — Nr. 6 sind allerhand „Mittheilungen von Zeitgenossen über Goethe. Nebst einigen Briefen an Goethe 1776
bis 1834. [So!] Mitgetheilt von G. Finsberg, L. Geiger, H. A.
Lier, A. Stern". Ein besonderer Abschnitt ist Goethe und Hun-
deshagen gewidmet. In einem Briefe H. Meyers an Knebel vom
20. Juni 1827 kommt der Name „Durst" vor; da der Herausgeber
denselben mit einem Fragezeichen versehen hat, bemerke ich, dass
dieser Maler sich in Goethes Brief an Knebel vom 18. Juli 1827
erwähnt findet. — In Nr. 7 werden Auszüge geliefert „Aus den
Weimarer Fourrierbüchern 1775—1784. Mitgetheilt von

C. A. H. Burkhardt", werthvoll für das erste Jahrzehnt von
Goethes Leben in Weimar.

Die II. Abtheilung, die „Abhandlungen", eröffnen hübsche
„Erinnerungen an Alt-Weimar von Freiherrn Carl von Beaulieu Marconnay", worin auch ein Besuch des Verfassers bei Goethe
erzählt wird. Dieser Herr hat wenige lebende Genossen, die des
Glückes sich rühmen können, von Goethe empfangen worden zu
sein. — Unter 2 — S. 176—230 — wird „Einiges über Goethes
Vers von Victor Hehn" vorgeführt. Die Einleitung verbreitet
sich über den bekannten Unterschied zwischen dem Versbau des
classischen Alterthums und dem der neueren Sprachen, wobei Hehn
den ersteren als sinnlich, klar und gedankenmässig, den letzteren
dagegen als gemüthlich, gestaltlos und empfindungsvoll, beide aber
als in Wechselwirkung mit dem Inhalte stehend schildert. Im ersten
Abschnitte begründet der Verfasser die Ansicht, dass Goethes Hexameter, wenn auch nicht den classischen Mustern entsprechend —
was der Verschiedenheit des Sprachgeistes wegen überhaupt unmöglich —, doch dem Geiste des Versmasses gemäss meisterlich,
für deutsche Hexameter grundlegend behandelt sei und dass nur
Goethes Bescheidenheit und weil er sich dieses Vorzugs nicht bewusst gewesen sei, ihn bewogen habe, gegen die in sich unhaltbaren
Forderungen pedantischer Nachahmer der antiken Versgesetze sich
nachgibig zu zeigen. Die noch weniger den Vorbildern sich anschliessende, auch nur vorübergehend gepflegte Dichtung nach Art
der antiken Oden bespricht Hehn im 2. Abschnitte sowie im 3. die
auch nur vereinzelten Nachbildungen südeuropäischer Versarten:
Octaven, Sonette. Im letzten Abschnitte wird dann ein Ueberblick
über Goethes Gedichte des neunzehnten Jahrhunderts hinsichtlich
der Beziehungen zwischen Versbau einer- sowie Inhalt und poetischem
Gehalt anderseits gegeben, wobei Hehn hervorhebt, dass in dieser
späteren Zeit die Formen von Goethe nicht mehr zugleich mit dem
Inhalt gefunden, sondern künstlich gemacht werden. Der Aufsatz
ist feinfühlig geschrieben und das Material fast vollständig benutzt;
zu vermissen sind z. B. S. 187 unter den Dichtungen im elegischen
Versmass „Die Geburt des Apollo", S. 227 die Trimeter in „Pandora", sowie auch die künstlichen Reimstellungen nur gestreift werden.

Scharfsinnige philologische Erörterungen enthalten 3. Scherers
„Betrachtungen über Goethes Faust", indem die Selbstge-
spräche Gretchens — das beim auskleiden und das im Dome vor
der Mater dolorosa — sowie das erste Selbstgespräch Fausts nach
den darin zur Erscheinung kommenden Stilarten untersucht werden und
darauf hin versucht wird die relativen Entstehungszeiten zu ermitteln.
Ob nicht Scherer namentlich in Fausts Monolog, in welchem er vier
Partien unterscheiden will, zu weit geht und das fehlen von Mittel-
gliedern, welche der nüchterne Verstand in prosaischer Rede zu

unterschlagen nicht gestattet, nicht sowol durch nachlässiges zusammenschweissen verschiedenzeitiger Bruchstücke zu erklären ist,
als vielmehr durch das poetische heischen, aus dem Zusammenhange mittelbar sich ergebende Nebendinge zu Gunsten des rascheren,
lebendigeren Ganges der Dichtung als gesagt anzunehmen, lasse ich
umsomehr dahin gestellt sein, als Scherer in seinem Aufsatze wiederholt — S. 39, 44, 56, 60 — erklärt, dass er noch nicht alles zu
Rechtfertigung seiner Ansicht dienendes ausgesprochen, vielmehr
noch manches in petto behalte. Erwarten wir also weiteres!

In Nr. 4 „Ueber Goethes Elpenor" erklärt G. Ellinger
dieses Trauerspielbruchstück als Nachbildung von Shakespeares
„Hamlet", weil, wie er sagt, beide dieselben Motive hätten, und
zwar „I. die Ausführung eines Rachewerks wird einem Jüngling
übertragen, der augenscheinlich einer solchen Aufgabe nicht gewachsen ist; II. das Rachegelübde, welches er ablegt, erweckt in
seiner Seele einen furchtbaren Conflict zwischen Kindesliebe und
der Pflicht, sein Gelöbniss zu erfüllen." — Wenn Taschenspieler vor
den Augen der Zuschauer etwas verschwinden lassen wollen, z. B.
eine Kugel, die sie in die Höhe zu werfen vorgeben, in Wirklichkeit
aber fallen lassen, so werden die Zuschauer dadurch getäuscht, dass
sie sich durch die ablenkenden Worte und Gesten des Künstlers gefangen nehmen lassen. Aehnlich macht es Ellinger, indem er bei
Anführung des II. Motivs das „augenscheinlich" einschmuggelt,
während es vielmehr in Wahrheit augenscheinlich ist, dass Elpenor,
als ein dem Hamlet ganz entgegengesetzt angelegter Charakter,
sich der unheilvollen Lage, in welche ihn die Collision der Pflichten
gebracht hat, gewachsen zeigen und daraus mit Ehren hervor- oder
untergehen wird. Da der ganze Aufsatz wol nur als eine mit Eleganz
ausgeführte litterarische Turnübung anzusehen ist, so können wir
es dabei bewenden lassen.

Die Ansichten, welche D. Jacoby in der 5. Abhandlung „Zu
Goethes Gedicht: Deutscher Parnass" über dessen Deutung
entwickelt — wobei er es als.Satire gegen Gleim auffasst — dürften
unumstösslich sein. Demnach ist V. Hehn in Unrecht, indem er
unter den „Miscellen" S. 324 sich kurz über dasselbe Gedicht äussert
und es für einen Schmerzenserguss gegen die von Schiller und
Heinse eingeleitete Litteraturrichtung hält. — Ein sehr verdienstlicher Aufsatz ist Sigmund Levys „Goethe und Oliver Goldsmith", worin sorgfältig alles zusammengetragen ist, was als Einfluss des englischen Dichters auf Goethe zu erkennen ist. Einiges
davon, namentlich aus späteren Schriften Goethes, ist aber doch wol
nur zufällige Uebereinstimmung, dagegen kann unbedenklich als
Polemik gegen Goldsmith angesprochen werden, was Levy S. 295
als nur so klingend anführt. Ueber Entlehnungen aus The Traveller ist übrigens zu vergleichen Arch. f. Litt.-Gesch. XII, 615.

Nach· dieser letzten Abhandlung folgen wiederum Miscellen, Chronik und Bibliographie, woraus wir nur einzelnes heraus-greifen. — Der Aufsatz „Steindruck" in „Kunst und Alterthum" ist nicht von Goethe, worüber zu vergleichen „Sulpiz Boisserée" II, 426. 428. 433. — In dem Widerspruche, den H. Schreyer S. 305—308 einigen Bemerkungen zu „Faust" von Harczyk ent-gegensetzt, ist ersterem unbedingt beizupflichten. — B. Suphan weist S. 308—312 als werthvolles Ergebniss gründlicher Forschungen in Herders Schriften die Anlässe einiger Stellen in „Faust" nach. — L. Tobler behandelt S. 312—316 „Mephistopheles und den Erdgeist", wobei er letzteren in dem „erhabenen Geist" des Monologs in der Scene „Wald und Höhle" wiederfindet. Damit kann ich mich noch immer nicht einverstehen, wie ich schon im Arch. f. Litt.-Gesch. XI, 162 dargethan habe; in meinen „Goethe-Forschungen. Neue Folge" habe ich mich S. 93 ff. weiter darüber ausgesprochen. Schreyer stellt noch einige Parallelen zu „Faust" theils aus „Faust" selbst, theils aus anderen Gedichten Goethes S. 316—320 zusammen; dergleichen finden sich noch weiterhin S. 332 f. von S. Levy und E. Reichel. — E. Schmidt liefert S. 325 f. durch ein in einer Gedichtsammlung von 1752 befindliches Gedicht „Das Mordgeschrei" einen neuen Beitrag zu den bereits in grösserer Anzahl bekannten Nachbildungen eines muthmasslich italienischen Gedichts, das dem Goethischen „Das Schreien" („Verschiedene Drohung") zu Grunde liegt. Ebenderselbe hat nach v. Loepers Mittheilung S. 329 f. die unzweifelhafte Verstümmelung des Spruches „Mancherlei hast Du versäumet" durch sinnreiche Vermuthung behoben (vgl. Arch. f. Litt.-Gesch. XIII, 534). — Scherer theilt S. 345 ff. den bisher nur in ganz allgemeiner und unverständlicher Nachricht bekannt gewordenen Besuch der Frau Rehberg geb. Hüpfner bei Goethe mit; der Aufsatz gehört eigentlich in die I. Abtheilung. — Die Miscelle S. 358 druckt eine Stelle aus Kotzebues „Mein literärischer Lebenslauf" ab, die schon wiederholt aufgefrischt, so z. B. in „August v. Kotzebue .... von W. v. Kotzebue" (Dresden, 1881) S. 29.

Was etwa in der „Bibliographie" zu Goethes Schriften unter A., „Ungedrucktes", nachzutragen sein möchte, ist im vorigen Bande des Arch. f. Litt.-Gesch. S. 523 ff. zu entnehmen.

5. Goethes philosophische Entwickelung. Ein Beitrag zur Geschichte der Philosophie unserer Dichter-heroen von D. Ernst Melzer. Separatabdruck aus dem 22. Bericht der wissenschaftlichen Gesellschaft Philomathie in Neisse. Neisse. 1881. 8⁰. 72 SS.

Es ist das eine sorgsame, sachkundige Zusammenstellung von Aeusserungen Goethes, die seine philosophischen Ansichten zu bekunden geeignet sind. Das Ergebniss kann freilich in gewisser Hinsicht nur ein negatives sein. Goethe ist nie darauf ausgegangen, eine Philosophie im Sinne der Schule auszubilden, ein philosophisches System aufzubauen. Wenn es die Aufgabe der Systemgründer ist, aus einem Postulat, einem an die Spitze gestellten Satze alle Erscheinungen des Seins abzuleiten und auf das nichterscheinende zu schliessen, so wird dies freilich so lang missglücken, als der Urgrund alles Seins nicht entdeckt ist. In dieser Hinsicht hat die Weisheit der Menschen seit 6000 Jahren keinen Fortschritt gemacht. Die erzwungene Ableitung aus dem Einen, nicht ohne Willkür an die Spitze gestellten Satze muss demnach alle Augenblicke in Widerspruch mit unsern Wahrnehmungen gerathen und aus diesem Grunde sowie bei der sichern Ueberzeugung von der Unfruchtbarkeit des forschens nach dem letzten Seinsgrunde konnte Goethe bei seinem energischen Geiste weder selbst auf den Gedanken kommen, ein philosophisches System zu schaffen, noch sich einem bestehenden uneingeschränkt anzuschliessen. Er bedurfte dessen nicht: er sah die Dinge unbefangen nach ihrer Natur und hatte demnach aus erster Hand, was Philosophie erarbeitet. Man quäle sich daher nicht ab, Goethes Philosophie oder philosophische Entwickelung zu erforschen, sondern begnüge sich, wie Harpf mit Glück gethan (Arch. f. Litt.-Gesch. XII, 470 f.), die Beschaffenheit seines Geistes nachzuweisen, welche seine philosophischen Ansichten bedingte. Die Widersprüche, deren man Goethe in dieser Hinsicht zeiht, sind z. Th. nur Widersprüche insofern, als man sie aus dem Einen, von einem philosophischen System aufgestellten Satze aus betrachtet — womit jedoch nicht in Abrede gestellt werden soll, dass alle von Goethe kundgegebenen, ins Gebiet der Philosophie einschlagenden Ansichten schwerlich unter sich vereinbar sein werden: Goethe ist eben zu verschiedenen Zeiten naturgemäss ein verschiedener gewesen; er ist geworden und sieht die Dinge im fortschreiten verschieden an; er hat sich nicht durch Annahme eines philosophischen Systems zu Festhaltung eines und desselben Standpunctes verpflichtet.

Melzer lässt sich mehr als nöthig darauf ein, Baumgartner zu widerlegen: mit den Behauptungen eines Mannes, der seine sonst als gründlich anzuerkennenden Kenntnisse über Goethe nicht zu Erforschung der Wahrheit, sondern im Dienste und im vorweg feststehenden Sinne einer Sippschaft verwendet, welche alles, auch die Wahrheit ihren Zwecken opfert, sollte sich niemand ernstlich beschäftigen, dem seine Zeit etwas werth ist.

Der Widerspruch, den Melzer in der Note S. 55 zwischen der von Harpf vertheidigten Relativität als Goethes Erkenntnissprincip einerseits und der von Heinroth angenommenen Gegenständlichkeit in Goethes denken anderseits findet, dürfte sich so lösen, dass das, was Goethe selbst früher nur als eine Verschiedenheit zwischen seiner eigenen Denkweise und derjenigen anderer Personen ansah, sich später als Unterschied zwischen der Erkenntniss des unbefangenen beobachtens und der des subjectiv aufnehmenden erwies.

Uebrigens hätte Melzer wol aus „Faust" und aus der Reimspruchdichtung Goethes noch manches für seine Zwecke schöpfen können.

6. **Schopenhauer und Goethe. Ein Beitrag zur Entwickelungsgeschichte der Schopenhauerschen Philosophie von Dr. A. Harpf. Sonderabdruck aus den philosophischen Monatsheften, 1885, VIII, S. 449 ff. Bonn, 1885. 8⁰. 31 SS.**

Wie Goethes Grundanschauungen über die Welt und alles Dasein in ein System gebracht, philosophisch entwickelt und zu einem Abschluss geführt werden können, lernen wir aus Schopenhauers Arbeiten, wie Harpf in vorgenanntem kleinem, aber bedeutendem Heftchen nachgewiesen hat. Anknüpfend an seine schon oben erwähnte Schrift „Goethes Erkenntnissprincip" zeigt er jetzt, dass Schopenhauer die Anregung zu seinen, auf die anschauliche Welt der Erfahrung gegründeten Lehren von Goethe empfangen hat und nur, insoweit angeregt durch Kant, darin über Goethe hinausgegangen ist, dass er den Gründen des durch Anschauung erkannten nachforscht. Goethen kam es nur darauf an, Vorstellungen, die sich in allen Fächern festgesetzt hatten, die er aber in seiner unbestochenen Naturanschauung als falsch erkannte, als falsch zu enthüllen; er war mit diesem vorgehen vollauf beschäftigt und überliess es anderen, über den Zusammenhang des gefundenen mit unerforschbaren Verhältnissen zu grübeln.

Auszüge lassen sich aus Harpfs knapper gehaltvoller Schrift nicht geben. Obgleich ihrem Titel entsprechend hauptsächlich einem andern Zwecke bestimmt, ist es doch auch vom Standpuncte der Goethe-Kunde aus nothwendig, sie ganz zu lesen; denn sie ist in Verbindung mit der früheren Schrift Harpfs wol das gründlichste und beste, was über Goethes Verhältniss zur Philosophie geschrieben worden ist, und dürfte die einzige sein, die Goethes Einfluss auf die neuere Philosophie nachweist.

7. **Goethe als Jurist. Von D. jur. J. Meisner, Oberlandesgerichtsrath. Berlin 1885. Fr. Kortkampf. 8⁰. 54 SS.**

Das Schriftchen liest man mit Antheil, es lässt sich aber nicht sagen, dass es den Gegenstand erschöpft, obgleich es ungleich gründlicher ist als ein Aufsatz „Ueber Goethes juristische Gelehrsamkeit" von Belitz in den „Abhandlungen der Schlesischen Gesellschaft für

vaterländische Cultur. Philosophisch-historische Abtheilung 1864.
Heft II". Meisner hat zwar „Dichtung und Wahrheit", die Strassburger Disputationsthesen, „Faust", die „Sprüche in Prosa", die von
Kriegk herausgegebenen Processschriften Goethes, dessen Dankschreiben an die juristische Facultät der Universität Jena auf die
Beglückwünschung zum fünfzigjährigen Staatsdienerjubilaeum, sowie
die Gespräche mit Eckermann und v. Müller zu seiner Arbeit heran-
gezogen, allein unter dem übergangenen ist doch auch manches be-
achtenswerthe. Schon die Aeusserung im Briefe an Kestner vom
25. December 1773 hätte berührt werden sollen, wo Goethe schreibt:
„unter allen meinen Talenten ist meine Jurisprudenz der geringsten
eins", während er im Briefe an Voigt vom 26. September 1796 bemerkt: „im Grunde bin ich von Jugend her der Rechtsgelahrtheit
näher verwandt als der Farbenlehre". Aus der „Italienischen Reise"
wäre Goethes Bericht über die öffentlichen Gerichtsverhandlungen
zu Venedig und der häufige Verkehr mit dem bedeutenden Rechts-
gelehrten Filangieri in Neapel anzuführen gewesen, sowie aus
„Egmont" die Schilderung Vansens in der 1. Scene des IV. Aufzugs über die Kunst, unschuldige durch Verhöre sich in Schuld-
beweise hineinreden zu lassen. Bei Anführung einer Bemerkung im
Gespräche mit Kanzler v. Müller S. 44 lag nahe, der Verse aus der
Fortsetzung der „Natürlichen Tochter" zu gedenken:

> Nach seinem Sinne leben ist gemein;
> Der Edle strebt nach Ordnung und Gesetz.

Nicht zu billigen ist ferner, dass Meisner von Goethes Thätigkeit als rechtskundiger bei seinen Amtsgeschäften in Weimar nichts
sagt; denn wenn auch diese Thätigkeit keine juristische im engern
Sinne war, so schlug doch Goethes cameralistische Wirksamkeit
ebenfalls in dieses Fach, wie er auch im Briefe an Voigt vom
12. März 1796 „gründlichste Rechtskenntniss" dabei als nöthig
ausdrücklich anerkennt und in dem 1781 ausgearbeiteten Exposé
über die Lage der Ilmenauer Bergwerksangelegenheiten Zeugniss
von solcher Kenntniss ablegt.

8. Die Sprache des jungen Goethe. Vortrag des D. Burdach (Halle) in der 37. Philologenversammlung.

W. Scherer hatte in seiner Einleitung zu B. Seufferts Neuaus-
gabe der „Frankfurter gelehrten Anzeigen von 1772" (Arch. f.
Litt.-Gesch. XII, 622 ff.) bereits angekündigt, dass Burdach mit
Untersuchung der Sprache Goethes beschäftigt sei; er hoffte aus dem
Ergebnisse derselben zuverlässige Schlüsse auf die zweifelhafte Ver-
fasserschaft der in genannten „Anzeigen" befindlichen Recensionen
ziehen zu können. Burdach hat nun in obgedachtem Vortrage einen
Theil seiner Forschungen an die Oeffentlichkeit gebracht.

Bereits 1852 ist ein Buch über Goethes Sprache erschienen, und zwar von J. O. A. Lehmann, „Goethes Sprache und ihr Geist", worin auf 404 Seiten in Grossoctav der Sprachgebrauch Goethes vorzugsweise nach seinem eigenthümlichen Satz- und Periodenbau aufs gründlichste untersucht ist. Hiernächst hat im Programm auf das Schuljahr 1876/7 der Realschule zu Crimmitschau deren Director, E. Albrecht, unter dem Titel „Zum Sprachgebrauch Goethes" einen Beitrag geliefert, wobei hauptsächlich ein Verzeichniss von mehr als tausend Wörtern gegeben wird, die Goethe in seinen prosaischen Schriften angewandt und theils neu gebildet, theils in ungebräuchlichem Sinne benutzt, theils in ungewöhnlicher Weise flectiert hat.

Burdach gibt zuvörderst einen Ueberblick über die Geschichte der deutschen Schriftsprache seit dem 16. Jahrhundert, insbesondere über den Zwiespalt zwischen Gottsched mit seinen Correctheits-bestrebungen auf Grund des obersächsischen Schriftgebrauchs einer-seits, und Bodmer mit seiner Anlehnung an die Volkssprache ander-seits, sowie endlich über das Wesen von Klopstocks sprachlichen Neuschöpfungen. Diese Streitigkeiten schlossen ab: dort mit Adelung, hier mit Herder; jenem galt die Sprache nur als Verständigungs-mittel, diesem als Mittel sinnlicher und künstlerischer Aeusserung. Die Sprache Goethes betrachtet Burdach zuerst aus dem rein sprach-geschichtlichen, dann dem litterarhistorischen und endlich dem bio-graphischen Gesichtspuncte. Hinsichtlich des ersteren hebt Burdach diejenige Ausdrucksweise Goethes hervor, welche unabsichtlich in gewohntem Gebrauche der Frankfurter Mundart bestand, während er später in absichtlichem Widerspruch gegen die obersächsische Sprachherrschaft sowol Anlehnungen an die Volkssprache bevor-zugte, als auch dem Vorgange Klopstocks in Neubildung von Wörtern folgte. Später fand in Goethes Sprache eine Ausgleichung zwischen den verschiedenen, nach und nach zur Erscheinung gekom-menen Sprachgestaltungen statt.

Vom biographischen Standpuncte aus deutet Burdach die Um-stände an, welche die Wandlungen in Goethes Sprache veranlassten.

Ob aber diese Ergebnisse ausreichen werden, die von Goethe verfassten Recensionen in den „Frankfurter gelehrten Anzeigen" von 1772 zu ermitteln, ist denn doch sehr zweifelhaft, da die durch her-vorragende Schriftsteller eingeleiteten Wandlungen im deutschen Stil Goethes Mitarbeiter, mindestens grossentheils, ebenso beeinflussten, wie Goethe selbst. Eher noch wäre daher zu Ermittelung der Re-censionsverfasser auf dem von Lehmann eingeschlagenen Wege zu ge-langen; es müsste aber auch ausser der Sprache Goethes die der übrigen Recensionsverfasser von 1772 nicht allein vom litterarhistorischen Standpuncte aus, sondern auch in Betracht der besonderen Eigen-thümlichkeiten jedes einzelnen der bekannten Recensenten untersucht werden. Scherer hat schon Andeutungen in dieser Richtung ge-

geben und auch Burdach unterschätzt die Bedeutung einer derartigen Untersuchung nicht, indem er sie nur aus Mangel an Zeit
bei seinem mündlichen Vortrage ablehnt.

Zu einzelnen Stellen des letzteren, und zwar zunächst zu dem
darin erwähnten Gedichte „Auf dem See" (S. 176 der Verhandlungen der 37. Philologenversammlung), ist zu bemerken, dass der
junge Goethe wol nicht „wolkig himmelan" geschrieben hat, diese
Worte vielmehr vermuthlich erst beim Druck von 1789 in das Gedicht gekommen sind, und zwar an Stelle von „wolkenangethan". —
Wenn sodann Goethe bei Herausgabe seiner „Schriften" bei Göschen
die volle Beugungsform im Dativ setzte, anstatt die Schluss-e weg-
zulassen (a. a. O. S. 178), so warf wol Herder bei Durchsicht des
„Götz von Berlichingen" die letzteren wieder heraus, wie es wenigstens nach seinem, in „Goethes Briefen an Frau von Stein" III, 271
abgedruckten Briefe an Goethe scheint. — Der Umlaut endlich
wird bei Goethe oft darum nicht gefunden, weil Goethe im schreiben
gewöhnlich die über den reinen Vocal zu setzenden Striche —
häufig auch den Haken über u — aus Bequemlichkeit wegliess.

Möge es Burdach gefallen, seinen Vortrag bald zum erschöpfenden Buche zu erweitern.

Berichtigung.

Band XIII, S. 534, Z. 7 v. u. ist es mir unbegreiflicher Weise
widerfahren, „Friedrich Barbarossa" statt „Friedrich III." zu setzen;
der Missgriff ergibt sich übrigens aus der Zahmen Xenie 245 in
v. Loepers Ausgabe von Goethes Gedichten (III. Bd.) von selbst.

Miscellen.

1.

Volkslied von der leichtsinnigen Gattin.

Herr A. Jeitteles hat im neunten Bande des „Archivs" S. 393 ein Volkslied aus Deutsch-Feistritz in Steiermark veröffentlicht, dem er die Ueberschrift „Weibersinn" gegeben hat. Es lautet folgendermassen:

1. ‚Weib, du sollst ham gehn,
   dein Mann, der is krank.‘
   „Is er krank, Gott sei Dank.
   Lieber Franz, noch ein Tanz oder zween,
   nacher will ich ham gehn."

2. ‚Weib, du sollst ham gehn,
   dein Mann, der is schlecht.‘
   „Is er schlecht, gschicht ihm recht.
   Lieber Franz" u.s.w.

3. ‚Weib, du sollst ham gehn,
   dein Mann, der liegt in Zügen.‘
   „Liegt er in Zügen, lassts ihn liegen!
   Lieber Franz" u.s.w.

4. ‚Weib, du sollst ham gehn,
   dein Mann, der is todt.‘
   „Is er todt, tröst ihn Gott!
   Lieber Franz" u.s.w.

5. ‚Weib, du sollst ham gehn,
   ein neuer is im Haus.‘
   „Is er im Haus, lasstsn nit aus!
   Lieber Franz" u.s.w.

Herr Jeitteles hat in der Anmerkung dazu Parallelen aus andern deutschen Liedersammlungen angeführt. Diesen ist hinzu-

zuffügen das Volkslied aus Klagenfurt, das im zweiten Bändchen der
von Pogatschnigg und Herrmann gesammelten „Deutschen Volkslieder aus Kärnten" (Graz 1870) S. 48 steht:

1. ‚Weib, du sollst ham gean,
 dei Mann, der is krank.‘
 „Is er krank, Lob und Dank,
 Noch an Tanz,
 Nachher wer is ham gean."

2. ‚Weib, du sollst ham gean,
 dei Mann, der liegt in Zügen.‘
 „Liegt er in Zügen, lassts ihn liegn,
 Noch an Tanz,
 Nachher wer is ham gean."

3. ‚Weib, du sollst ham gean,
 dei Mann, der is todt.‘
 „Is er todt, tröst ihn Gott,
 Noch an Tanz,
 Nachher wer is ham gean."

4. ‚Weib, du sollst ham gean,
 dei Schöner, der is dort.‘
 „Is er dort, geh is fort,
 Nix mehr tanzen,
 Jetzt muesz i ham gean."

Ich kann dasselbe Volkslied ausserdem auch bei Ungarn und
Griechen nachweisen. In den „Ungarischen Volksdichtungen",
übersetzt und eingeleitet von Ludwig Aigner (Pest 1873) steht
S. 211:

Das treulose Weib.

1. ‚Komm nach Hause, liebe Mutter,
 Krank ja liegt daheim mein Vater!‘
 „Gleich, ja gleich, mein Töchterlein!
 Tanz’ ein einzig Tänzchen noch,
 Trinke noch ein Gläschen Wein,
 Sprech’ den schönen Burschen dort!"

2. ‚Komm nach Hause, liebe Mutter,
 Schon gestorben ist mein Vater!‘
 „Gleich, ja gleich, mein Töchterlein!
 Tanz’ ein einzig Tänzchen noch,
 Trinke noch ein Gläschen Wein, —
 Andern Vater du bekommst!"

3. ‚Komm nach Hause, liebe Mutter,
Schon begraben wird mein Vater!‘
„Gleich, ja gleich, mein Töchterlein!
Tanz' ein einzig Tänzchen noch,
Trinke noch ein Gläschen Wein, —
Andern Vater hast du schon!‘“

Das griechische Lied findet sich in Passows Carmina popularia Graeciae recentioris S. 435 als No. 629 a und lautet dort so:

'Α κυρὰ Μαριόρα.　　　　Frau Marióra.

1. ‚Α κυρὰ Μαριόρα,
ἄντρας σ' πείνασε.‘
„Ἀμ' σὰν πείνασε, καὶ τί;
κι ὁ χορὸς καλὰ κρατεῖ.
τὰ παπούτσια μου ξεσχῶ,
τὸν χορό μ' δὲν παραιτῶ.
τὸ ψωμί 'ναι στὸ ἀμπάρι,
καὶ ἄς πάγῃ νὰ τὸ πάρῃ.“

,O Frau Mariora,
deinen Mann hungert.‘
„Hungert ihn, was ists denn mehr?
es behagt der Tanz mir sehr!
Eh' die Schuhe nicht zerrissen,
will ich nicht das tanzen missen.
Brot ist in der Lad' in Hauf;
geh er hin und mach sie auf!‘“

2. ‚Α κυρὰ Μαριόρα,
ἄντρας σ' δίψασε.‘
„Ἀμ' σὰν δίψασε, καὶ τί;
κι ὁ χορὸς καλὰ κρατεῖ.
τὰ παπούτσια μου ξεσχῶ,
τὸν χορό μ' δὲν παραιτῶ.
τὸ νερὸ 'ναι στὸ κανκί,
καὶ ἄς πάγῃ νὰ τὸ πιῇ.“

,O Frau Mariora,
deinen Mann dürstet.‘
„Dürstet ihn, was ists denn mehr?
es behagt der Tanz mir sehr!
Eh' die Schuhe nicht zerrissen,
will ich nicht das tanzen missen.
Wasser muss im Kruge stehn,
Mag er hin zu trinken gehn.“

3. ‚Α κυρὰ Μαριόρα,
ἄντρας σ' ψυχμαχεῖ.‘
„Ἀμ' σὰν ψυχμαχεῖ, καὶ τί;
κι ὁ χορὸς καλὰ κρατεῖ.
τὰ παπούτσια μου ξεσχῶ,
τὸν χορό μ' δὲν παραιτῶ.
τὸ θυμίαμα στὸ χαρτὶ
καὶ λαμπάδα στὸ καρφί.“

,O Frau Mariora,
dein Mann liegt im sterben.‘
„Liegt im sterben er, was mehr?
es behagt der Tanz mir sehr.
Eh' die Schuhe nicht zerrissen,
will ich nicht das tanzen missen.
Räucherwerk liegt im Papier
und die Lamp' hängt bei der Thür.“

4. ‚Α κυρὰ Μαριόρα,
ἄντρας σ' πέθανε.‘
„Ἀμ' σὰν πέθανε, καὶ τί;
κι ὁ χορὸς καλὰ κρατεῖ.
τὰ παπούτσια μου ξεσχῶ,
τὸν χορό μ' δὲν παραιτῶ.
αἱ γυναῖκες ἄς τὸν κλάψουν,
κ' οἱ παπάδες ἄς τὸν θάψουν.“

,O Frau Mariora,
dein Mann ist todt.‘
„Ist er todt, was ists denn mehr?
es behagt der Tanz mir sehr.
Eh' die Schuhe nicht zerrissen,
will ich nicht das tanzen missen.
Mögen ihn die Frau'n beklagen,
Popen ihn zu Grabe tragen.“

Graz 5. Januar 1883.　　　　　　　　Gustav Meyer.

2.

Der Hannoveraner von Lindau.

Der „herrliche" Hannoveraner von Lindau, welchen Goethe in der Schweiz (wieder?) angetroffen (Werke, Hempelsche Ausgabe Bd. XXIII Seite 78 und 201) und der zuhanden seines Lebensretters Peters im Baumgarten eine Summe testamentarisch vermachte (Briefe von Goethe an Lavater S. 33) — als Vollstrecker seines diesfallsigen letzten Willens bezeichnete er neben Goethe und Lavater (bisher merkwürdig genug!) Ulysses von Salis, den Besitzer und „Fürsorger" des Philanthropinums zu Marschlins (Goethe-Jahrbuch II S. 239) — wird in neue Beleuchtung gesetzt durch folgende zwei Stellen aus Briefen, welche der Frankfurter Verlagsbuchhändler J. K. Deinet an seinen Geschäftsfreund, den vorhin genannten Salis, unter dem 7. Januar und dem 16. März 1776 adressierte.

1.

„v. Lindau, mein alter Schüler, ist hier [in Frankfurt], sein Mund fliesst von Lobeserhebungen von Marschlins [er betheiligte sich wol am Stiftungsfeste des Philanthropins, d. 18. October 1775] und dem Herren von Salis und Lavatern. Er hat mich und die Meinigen mit der Abbildung ihres philantropins in Kupfer erfreüt [ohne Zweifel dem Stich von Bernigeroth]. Schicken Sie mir doch etliche Hundert davon zum Verkauf à 4 kr. das stück. Es wird Liebhaber finden bey der nächsten Beschreibung [des Einweihungsfestes; sie ist 1776 bei Deinet erschienen] sowohl als der Nachricht [er meint den, ebenfalls 1776 bei Deinet gedruckten philanthropinischen Erziehungsplan]. Schade dass mein von Lindau noch so quecksilbericht ist. Sonst ein vortrefflicher republikanscher Kopf und ein edeldenkendes Herz."

2.

„Ihr Brief vom 2ten März ... hat mich beunruhiget. Also ist Ihnen mein sonst lieber von Lindau auch verschuldet [vgl. Goethe an Lavater a. a. O. unten]. Lieber Gott! musst ich ihn doch hier mit hundert und etlichen 30 fl. aus der Schlinge ziehen. Diess, Herzens Mann, bleibt unter uns. Nun hören Sie. Ich kriegte vor etlichen Tagen endlich ein Billet von ihm, worin er mir sagt, dass er mich bald hoffe zu contentiren, dass er als Lieutenant mit der 2ten Division der hessischen Truppen wegmarschire [nach Nordamerika?] und dass ich nicht ungerecht an ihm werden solle. Das mögt ich auch nicht. Aber so ehrlich der junge Herr Baron auch ist, so dürffte es Ihm itzt besonders, da er sich equippiren soll, an allem fehlen. Ich habe ihm also so eben nach Cassell geschrieben, dass Sie mich gefragt hätten, ob ich etwas von einem Briefe mit Gelde wüsste, den er Ihnen am 11. Febr. von Alsfeld (merken Sie sich den Namen, von wannen er geschrieben, de utlich, und melden mir ihn) angekündigt hätte? Die Antwort hierauf kann ich künftigen Donnerstag, wann Sie dieses hoffentlich lesen, schon haben. Ich fürchte, der junge Mann ist in Verlegenheit."

Die Originalbriefe Deinets befinden sich in der Graubünderischen Cantonsbibliothek; ich bin für Mittheilung derselben Hrn. Cantonsbibliothecar Professor J. Candreia zu Dank verpflichtet.

Jakob Keller.

3.

Marianne Jung (spätere von Willemer) vor der französischen Kaiserin Josephine in Mainz im November 1806.

Bei der grossen Lückenhaftigkeit unserer Nachrichten über das frühere Leben der berühmten Freundin Goethes erscheint auch jeder kleinere Beitrag erwünscht. So möge man denn den folgenden, der etwas ganz neues in Bezug auf ihre musicalische Ausbildung bringt, freundlich aufnehmen. Ohne Zweifel kann nur sie in dem Berichte gemeint sein, den das „Journal des Luxus und der Moden" im Februarheft 1807 unter der Ueberschrift: „Kaiserin Josephine in Mainz" vom Ende November 1806 bringt:

„Die Kaiserin liebt die Musik und ist Kennerin. Sie lud Demoiselle Schmalz (welche sich jetzt in Frankfurt aufhält und welche auch in Mailand am Hofe des Vicekönigs vielen Beifall gefunden hat) ein, in einem Concerte am Hofe zu singen; auch eine Liebhaberin aus Frankfurt, Demoiselle Jung, welche vorzüglich singt und in ihrem Spiele auf der Guitarre, dem Lieblingsinstrumente der Kaiserin, was Fertigkeit, Ausdruck und Geschmack betrifft, nicht leicht ihres Gleichen findet, wurde dazu eingeladen. Bruger, ein Spanier, spielte ein Violinconcert meisterhaft; Demoiselle Schmalz übertraf sich selbst in drei Arien von Zingarelli und Simon Meyer; Demoiselle Jung und ihr geschickter Lehrer Scheidler leisteten mehr, als man nur je von der Guitarre erwarten konnte. Kurz alles war entzückt über dieses Concert. Des andern Tages wurden Scheidler und die Demoisell. Jung und Schmalz der Kaiserin vorgestellt, die sich lange und sehr gütig mit ihnen unterhielt, und mit so viel Feinheit ihr Lob aussprach, dass sie dadurch noch mehr sich belohnt fühlten, als durch die wahrhaft kaiserlichen Geschenke, welche darauf den beiden Dämen überreicht wurden — Kamm, Collier, Brasselets und Ohrgehänge, von der geschmackvollsten Façon, von Gold, reich mit Perlen besetzt."

Am 18. December kam die Kaiserin nach Frankfurt, wo sie der Aufführung des „Titus" beiwohnte. Zwei Tage darauf war Ball im Theater, wozu die angesehensten Familien eingeladen waren und die Frauenzimmer ihr vorgestellt wurden. Den 22. war Concert bei Hofe. Ohne Zweifel wird auch Demoiselle Jung bei diesen Gelegenheiten nicht gefehlt haben.

Aus dem Berichte lernen wir auch den Musiklehrer der Jung kennen. Ein anderer Bericht daselbst im Aprilheft spricht von den in diesem Winter veranstalteten Privatconcerten, welche Demoiselle Schmalz und „einige vorzügliche Dilettantinnen" verherrlicht hätten. Auch gedenkt er dreier musicalischer Gesellschaften, die Liebhaberconcerte gegeben; die am meisten bildende von ihnen sei die musicalische Akademie, die schon im vorigen Jahre Haydns „Schöpfung" sehr gut gegeben habe. Creizenachs Angaben über Mariannens frühere musicalische Ausbildung sind äusserst dürftig.

H. Düntzer.

4.

Parallelstellen zu Schillerschen Worten.

1. Es ist bereits nachgewiesen[1]), dass Schillers lateinische Verse in dem Danksagungscarmen auf Zilling (Goedeke, Schillers Sämmtliche Schriften I S. 7) mehrfach anklingen an Stellen aus alten Schriftstellern, die er aus seiner gleichzeitigen Schullectüre kannte; aber gerade seine Hauptquelle, die Tristien des Ovid, ist bisher noch nicht hervorgehoben. Gleich V. 1:

O mihi post ullos nunquam venerande Decane

ist entlehnt aus Ovids Tristien I 5, 1:

O mihi post ullos numquam memorande sodales.

Desgleichen ist Schillers V. 29:

Detur inoffensae metam tibi tangere vitae

wörtlich übernommen aus Ovids Trist. I 9, 1. Als leisere Anklänge führe ich noch an zu Schiller V. 6:

Alternoque iuvat mista labore quies

Ovid Trist. IV 3, 12:

Cur labat ambiguo spes mihi mista metu.

Vergleiche ferner:

Schiller V. 18: Pressa diu incurvo subdere colla iugo
und Ovid Trist. IV 6, 2: Praebet et incurvo colla premenda iugo.
Schiller V. 20: Est, cum victor eques frena remittat equis
und Ovid Trist. I 4, 14: Cervicis rigidae frena remittit equo.
Schiller V. 20: Et rude donatur lassus gladiator in armis
und Ovid Trist. IV 6, 33: Integer est melior nitidis gladiator in armis
und Ovid Trist. IV 8, 24: Me quoque donari iam rude, tempus erat

---

1) Hempelsche Schiller-Ausgabe. Heft 2 S. 6.

14*

und Horaz Epist. I 1, 2: et donatum iam rude quaeris.
Schiller V. 25: Accipe nunc grates deductas pectore grato
und Ovid Trist. I 1, 39: Carmina proveniunt animo deducta sereno.
Schiller V. 28: Et liceat fato candidiore frui
und Ovid Trist. III 4, 34: Dignus es: et fato candidiore frui.

Der Ausdruck labor improbus (V. 15) ist wol aus Verg. Georg. I
145 entnommen; V. 7 Aequor inaequales cessant vexare procellae
erinnert an Horaz Od. II 9, 3 vexant inaequales procellae, V. 16[1])
Quem semper tensum rumpitur arcus habes an Phaedrus III 14, 10
Corrumpas arcum, semper si tensum habueris. Zu Schillers Schlussvers Me tibi commendo de meliore nota endlich vergleiche man
Cicero Epist. fam. VII 29.

2. Der Abend. (Goedeke I S. 27.)
a. V. 1. Die Sonne zeigt vollendend gleich dem Helden . . . .
>   Vergl. Gellert, Die Ehre Gottes aus der Natur, Strophe 2:
>   > Wer führt die Sonn' aus ihrem Zelt?
>   > Sie kömmt und leuchtet und lacht uns von ferne
>   > Und läuft den Weg gleich als ein Held.

>   Vergleiche ferner Schiller, Räuber III 2:
>   > Schwarz: Wie herrlich die Sonne dort untergeht!
>   > Moor: So stirbt ein Held!

b. V. 69 und 70:
>   > Hör' auf, du Wind, durchs Laub zu sausen,
>   > Hör' auf, du Strom, durchs Feld zu brausen.

>   Vergl. Ossian, Goethes Werther, Colma:
>   > Schweig eine Weile, o Wind!
>   > Still eine kleine Weile, o Strom!

3. Schiller, Räuber II 3:
>   > Geh' ich vorbei am Rabensteine,
>   > So blinz' ich nur das rechte Auge zu
>   > Und denk', du hängst mir wohl alleine!

>   Vergl. Lessing, Juden 1. Auftr.: Zu was sind sie (die Galgen)
auch nütze? Zu nichts, als aufs Höchste, dass Unsereiner, wenn er
vorbeigeht, die Augen zublinzt.

4. Schiller, Räuber V 6:
>   Franz Moor: Ha, Schandbube, dass ich nicht all mein Gift in
>   diesem Schaum auf Dein Angesicht geifern kann!
>   Vergl. Lessing, Emilia Galotti III 8:
>   Claudia: Denn warum soll ich Dir nicht alle meine Galle, allen
>   meinen Geifer mit einem einzigen Worte ins Gesicht speien?
>   (Vergl. Boxberger, Archiv f. Litteraturgesch. IV S. 255.)

---

1) Vergl. Schiller Tell III 3, V. 1996: Und allzustraff gespannt
zerspringt der Bogen.

5. Schiller, **Kabale und Liebe** II 2:

Lady: Was sag' ich ihm, wie empfang' ich ihn?

Vergl. **Lessing**, Sara Sampson II 2:

Marwood: Wie soll ich ihn empfangen? Was soll ich sagen?

6. Schiller, **Fiesko** III 10:

Fiesko: Das Frauenzimmer ist nie so schön als im Schlafgewand.

Vergl. **Lessing**, Minna v. Barnhelm II 7:

Franziska: Wenn wir schön sind, sind wir ungeputzt am schönsten.

7. Schiller, **Don Carlos** III 10:

Marquis: Ihn,

      Den Künstler, wird man nicht gewahr, bescheiden

      Verhüllt er sich in ewige Gesetze u. s. w.

Vergl. **Lessing**, Emilia Galotti I 4:

Der Prinz: O, Sie wissen es ja wohl, Conti, dass man den Künstler dann erst recht lobt, wenn man über sein Werk sein Lob vergisst.

Vergleiche ferner: Schiller, Geisterseher (Goedeke IV S. 318): Bei diesem vergass er den Künstler und seine Kunst, um ganz im Anschauen seines Werkes zu leben. (Vergl. auch Kabale und Liebe I 3. Boxberger im Archiv für Litteraturgesch. IV 253.)

8. Schiller, **Die Piccolomini** V 1, V. 2267:

Max: Weiss Gott,

    Ich bin nicht schuld.

Vergl. **Lessing**, Nathan II 9:

Al-Hafi: ich bin nicht schuld,

      Gott weiss, ich bin nicht schuld.

9. Schiller, **Wallensteins Tod** II 7, V. 1246:

Max: Verschwende deine Worte nicht vergebens.

Vergl. Schiller, Turandot IV 10, V. 3105:

Kalaf: Verschwendet eure Worte nicht vergebens.

10. Schiller, **Wallensteins Tod** III 18, V. 2067:

Dich sollten meine Augen nicht mehr schauen.

Vergl. Schiller, Braut von Messina IV 9, V. 2655:

Isabella: Dich sollten meine Augen nicht mehr schauen.

11. Schiller, **Maria Stuart** I 7, V. 974:

Maria: Und was sie ist, das wage sie zu scheinen.

Vergl. Schiller, Maria Stuart II, 5, V. 1601:

Elisabeth: Was man scheint,

      Hat jedermann zum Richter, was man ist, hat keinen.

Vergl. ferner **Lessing**, Nathan I 6:

Daja: Die Menschen sind nicht immer, was sie scheinen.

Ferner Lessing, Duplik III: Ich müsste nicht wissen, dass die Welt mehr darauf achtet, was man scheint, als was man ist.

12. Schiller, **Jungfrau von Orleans** V 11, V. 4769:

Isabeau (zieht den Dolch zurück):
  Das sprach dein Engel!

  Vergl. Lessing, Emilia Galotti V 5:
  Odoardo (indem er die Hand leer wieder herauszieht):
  Das sprach sein Engel!

13. Schiller, Braut von Messina I 4, V. 427:
  Der Siege göttlichster ist das Vergeben!
    Vergl. Lessing, Sara Sampson III 5:
  Denn was ist göttlicher als vergeben?
    Vergl. ferner Cicero pro Ligario § 38:
  Homines enim ad deos nulla re propius accedunt quam salutem
  hominibus dando.

14. Schiller, Falscher Studiertrieb:
  O wie viel neue Feinde der Wahrheit! mir blutet die Seele,
    Seh' ich das Eulengeschlecht, das zu dem Lichte sich drängt.
    Vergl. Lessing, Der junge Gelehrte II 4, wo der Ausdruck
  „das Eulengeschlecht" angewandt wird auf die, welche nichts wissen
  und auch nichts wissen wollen.

15. Schiller, Der beste Staat:
  Woran erkenn' ich den besten Staat? Woran du die beste
    Frau kennst; daran, mein Freund, dass man von beiden nicht
                    spricht.
    Vergl. Lettres de Ninon de L'Enclos au Marquis de Sévigné,
  à La Haye chez Benjamin Gibert 1750 S. 114 (lettre XXXI):
  La plus honnête femme est, selon eux, celle, dont on ne parle point.

16. Schiller, Weibliches Urtheil:
  Männer richten nach Gründen, des Weibes Urtheil ist seine
    Liebe; wo es nicht liebt, hat schon gerichtet das Weib.
    Vergl. Lettres de Ninon u. s. w. S. 57 (lettre XVII):
  Rarement les femmes examinent-elles les raisons, qui les dé-
  terminent à se rendre, ou à résister. Elles ne s'amusent point
  à connaître ni à définir; mais elles sentent, et le sentiment
  chez elles est juste.

17. Schiller, Die Bürgschaft:
          Ich sei, gewährt mir die Bitte,
          In eurem Bunde der dritte.

    Vergl. Lettres de Ninon u. s. w. S. 196 (lettre LV):
  Daignez m'admettre pour tiers dans votre amitié.

18. Schiller, Kampf mit dem Drachen V. 1:
          Was rennt das Volk?

    Vgl. Schiller, Demetrius (Goedeke XV 2 S. 506, V. 430):
  Was rennt das Volk?

19. Schiller, Siegesfest V. 134 und 135:

Denn auch Niobe, dem schweren
Zorn der Himmlischen ein Ziel.
Vergl. Schiller, Phädra V. 725:
Dem ganzen Zorn der Himmlischen ein Ziel.

20. Schiller, Siegesfest V. 156 und 157:
Morgen können wirs nicht mehr,
Darum lasst uns heute leben!
Vergl. Schiller, Malteser (Goedeke XV 1, S. 97):
„Wer weiss, ob wir morgen noch sind, so lasst uns heute noch
leben!"

21. Schiller, Worte des Wahns:
Dem Schlechten folgt es (das Glück) mit Liebesblick,
Nicht dem Guten gehöret die Erde.
Vergl. Schiller, Wallensteins Tod II 2, V. 799:
Dem bösen Geist gehört die Erde, nicht
Dem guten.

22. Schiller, Maria Stuart I 2, V. 232:
Schliesst eure Rechnung mit dem Himmel ab.
Vergl. Schiller, Tell IV 3, V. 2566:
Mach deine Rechnung mit dem Himmel, Vogt!

23. Schiller, Brief an den Hauptmann v. Hoven (Goedeke I
S. 103):
und wage es, mein gepresstes Herz durch Worte zu erleichtern.
Vergl. Don Carlos (Goedeke V 1, V. 610):
In Worten
Verblutet sich der stille Gram so gern.
Und an der entsprechenden Stelle der späteren Ausgaben (Goe-
deke V 2, S. 10 Theaterbearbeitung in Prosa): „In Worten erleichtert
sich das schwerbeladene Herz" und (Goedeke V 2, V. 321 in dem
dramatischen Gedicht):
In Worten
Erleichtert sich der schwer beladene Busen.
Vergl. ferner dazu Ovid Trist. V 1, 59:
Est aliquid, fatale malum per verba levare
und als Gegensentenz Schiller, Tell I 3, V. 418:
Das schwere Herz wird nicht durch Worte leicht.

24. Schiller, Braut von Messina V. 2837:
Der Uebel grösstes aber ist die Schuld.
Vergl. Cicero Epist. fam. VI 4: nec esse ullum magnum malum
praeter culpam.

25. Schiller, Das Unwandelbare (Goedeke XI S. 39):
„Unaufhaltsam enteilet die Zeit." — Sie sucht das Beständge.
Sei getreu, und du legst ewige Fesseln ihr an.
Vergl. Schiller, Ueber die ästhetische Erziehung 12. Brief
am Ende: Wir sind bei dieser Operation (wenn wir dem Formtrieb die

Herrschaft übergeben) nicht mehr in der Zeit, sondern die Zeit ist in uns mit ihrer ganzen nie endenden Reihe.

26. Schiller, Der Schlüssel (Goedeke XI S. 170):

Willst du dich selber erkennen, so sieh, wie die andern es treiben,
Willst du die andern verstehn, blick' in dein eigenes Herz.

Vergl. Brief von Klopstocks Vater an Gleim vom 27. Sept. 1754 (Klopstock und seine Freunde. Herausgeg. von Klamer Schmidt, Halberstadt 1810, Bd. 2 S. 81): Wer also in sich selbst hineinsieht, der findet den ächten Spiegel, andere untrüglich kennen zu lernen.

27. In Schillers Kabale und Liebe I 1 nennt Miller seine Tochter: Springinsfeld. Ebenso sagt im ersten Aufzug des Goethischen Egmont die Mutter zu Klärchen: Du warst immer so ein Springinsfeld.

28. Schiller, Kabale und Liebe I 3:

Louise: Dies Blümchen Jugend — wär' es ein Veilchen, und er träte drauf, und es dürfte bescheiden unter ihm sterben!

Vergl. Goethes: Ein Veilchen auf der Wiese stand.

29. Schiller, Tell I 1:

Und mit der Axt hab' ich ihm 's Bad gesegnet.

Vergl. Götz (Hempel VI S. 20):

wollt' er ihm das Bad gesegnet haben.

30. Schiller, Räuber V 1:

Schweizer: He, du, es giebt einen Vater zu ermorden.
Grimm: Gieb dir keine Mühe. Er ist maustodt.
Schweizer: Ja, er freut sich nicht. — Er ist maustodt.

Vergl. Klinger, Sturm und Drang IV 3:

Kapitän: Was will das Kind? He, Miss!
Berkley: Ich will sie aufwecken: He, Miss! Miss! Der Buschy, unser Feind, ist todt! Wachst du auf? Ich wachte von den Todten auf, riefst du mir das!

Zum Schluss bemerke ich, dass ich keineswegs glaube, dass die oben angeführten Parallelstellen zu Schillerschen Worten alle auf bewusste oder unbewusste Nachahmung Schillers schliessen lassen. Hie und da ist die Nachahmung wahrscheinlich, bei andern, z. B. No. 26, dagegen durchaus nicht anzunehmen. Nichtsdestoweniger scheinen mir auch solche Parallelen nicht uninteressant; sie können zeigen, wie einzelne Gedanken in damaliger Zeit sozusagen im Schwange waren. Gerade in dieser Hinsicht ist mir z. B. der reiche Commentar v. Loepers zu Goethes Sprüchen in Prosa immer von besonderem Interesse erschienen.

Berlin, Mai 1885. Fritz Jonas.

5.
Ein Brief Friedrich Rückerts an Albert Hoefer.
Mitgetheilt von Al. Reifferscheid.

Erlangen d. 2 Apr 38

Hochgeehrter Herr!

Ihre Urwasi[1]), für deren Zusendung ich freundlichst danke, habe ich mit der grösten Theilnahme gelesen, und in dieser schönen wohlgelungenen Arbeit weder die gründliche Sanskritkenntnis noch die deutsche Sprachgewandtheit verkennen können. Gerne würde ich mein Urtheil darüber, Ihrem Wunsche gemäss, öffentlich aussprechen, wenn ich nicht mit den Berliner Jahrbüchern, in welchen allein ich sonst wol dergleichen that, ganz ausser Verbindung gekommen wäre, durch Schuld meiner Fahrlässigkeit, indem ich dort manches früher übernommene, wie z. B. eine Anzeige des vortrefflichen Raghuwansa von Stenzler, schuldig geblieben bin. Doch ich wäre hier auch gar nicht zum Richter berufen, weil ich ja selbst Partei bin. Ein anderer möge zwischen Ihrer und meiner[2]) Leistung nach Befund richten; sie werden wol beide nebeneinander bestehen. Ich zweifele nicht, dass Sie bei den Kennern die verdiente Anerkennung finden werden; ob auch gewünschten Beifall bei der grösseren Lesewelt[3]), die jetzt mit Allerweltsliteratur so überhäuft ist? Auch scheint mir jetzt diese Urwasi doch weiter, als ich früher selbst glaubte, an Gehalt und Energie hinter Sakuntala zurückzu-

---

1) Urwasi, der Preis der Tapferkeit. Ein indisches Schauspiel von Kalidasa. Aus dem Sanskrit und Prakrit übersetzt von Dr. Karl Gustav Albert Hoefer. Berlin, 1837. — Diese Uebersetzung sollte dem Gebildeten, dem Freunde der Dichtung den Grundtext möglichst ersetzen und dadurch zu einer allgemeineren und richtigeren Würdigung des indischen Alterthums hinleiten.

2) Fr. Rückert hatte in einer Recension der Lenzischen Urwasi-Ausgabe (Berl. Jahrb. für w. Kritik 1834) eine grosse Menge von Stellen übertragen und den Zusammenhang des Stückes behandelt. Hoefer sagt darüber in der Vorrede zu seiner Uebersetzung: „War es nicht möglich in allen einzelnen Punkten mit Rückert einverstanden zu sein, so habe ich gleichwohl manche fein verstandene und scharf wiedergegebene Stelle nach seiner Auffassung gegeben, und wünsche sehnlichst, der Einfluss, den diese treffliche Arbeit auf mein Uebersetzungsverfahren geäussert, möge über Einzelnes hinaus aus dem Ganzen erkennbar sein."

3) Alexander von Humboldt sprach sich Hoefer gegenüber sehr rühmend über die Uebersetzung aus. Er fand sie so geschmackvoll, dass er dem guten Bopp davon nur einen leisen Anhauch wünschte. (Nach einem Briefe Hoefers an seinen Vater.)

stehen. Doch es freut mich, dass Sie diesem in seiner Art einzigen Gebilde so grosse unverkennbare und wirksame | Liebe zugewendet haben. Mögen Sie uns bald mit ähnlichen Gaben erfreuen![1])

Hochachtungsvoll

Ihr ergebenster

Rückert.

6.

Zu Archiv IX S. 240.

Sassa! geschmauset!

Der Vers:

Knaster und gelben (sic!) hat uns Apollo präparirt

steht bereits in einem sehr seltenen Buche, dessen Einsicht ich der Güte des Herrn Prof. Dr. G. Scherer in München verdanke: „Akademisches Lustwäldlein; das ist: Ausbund lieblicher Burschenlieder. Gesammelt durch Herkules Raufeisen und als Manuscript für seine Freunde abgedruckt. Altdorf bey Nürnberg 1794", S. 34. Hoffmann von Fallersleben hat dieses seltene Commersbuch — der Zeit nach das vierte — für seine „volksthümlichen Lieder" benutzt, s. Nr. 148 und 1043; es enthält 53 Lieder auf 51 Seiten.

Die Conjectur Apolda für Apollo ist wol ziemlich zweifelhaft; dass schon Ende vorigen Jahrhunderts in Apolda Tabak fabriciert wurde, ist aus Werken über die Geschichte des Tabaks nicht ersichtlich; warum sollte der den Musen und Musensöhnen so nahe stehende Apollo als Gott nicht Knaster für seine Freunde praeparieren können? Knaster ist übrigens feiner Tabak, besonders Varinas[2]); gelber ist vielleicht eine minder feine Sorte. In späteren Commersbüchern, so z. B. im Leipziger 1815 S. 64, im Hallischen 1816 S. 89, steht „Knaster, den gelben"; „und" ist vielleicht Druckfehler.

Berlin, Juli 1885. Robert Hein.

----

1) Am Ende des Vorwortes versprach Hoefer, wenn der erste Versuch auf einem ihm neuen und bisher nur in der Stille betretenen Gebiete nicht gänzlich misslungen, noch manche schöne Gedichte zu übersetzen, an denen die indische Litteratur reich genug sei. Er hielt Wort. 1841 gab er eine erste Lese „Indischer Gedichte in deutschen Nachbildungen", Friedr. Rückert gewidmet, heraus, der 1844 die zweite folgte. Er wollte mit der zweiten „die Eine", „das liebste Wesen erfreun mit holdem Frühlingsgrusse". Allein „das Sonnenlicht war bald verschwunden, Früchte hofft' er, wo ihn Dornen stachen". Vgl. meinen Nekrolog Hoefers im Jahrbuch des Vereins für niederd. Sprachforschung X, 148 ff.

2) Vgl. Grimms Wörterbuch.

7.

Zu Schubarts Gedicht „Der rechte Glaub".

Archiv XII, 641.

Die Quelle von Schubarts Gedicht „Der rechte Glaub, eine
Legende aus einem alten Buch" (Teutsche Chronik 1776, S. 327 f.)
ist schon vor beinahe sechzig Jahren im „Literarischen Almanach
für 1827. So nützlich und angenehm, als unterhaltend und lustig
zu lesen. Von Lic. Simon Ratzeberger, dem Jüngsten.[1]) 1. Jahrgang. Leipzig, Glück" S. 242—248 in einem Flugblatte aus der
Mitte des letzten Jahrhunderts: „Die Einigkeit der Religion ein
Traum" aufgezeigt worden. Der Herausgeber bemerkt dazu: „Dieser
Traum ist schon vor mehr als achtzig Jahren ohne Benennung des Druck-
orts und des Verfassers auf einem Viertelsbogen in Quart herausgekommen. Der verstorbene Schubart hat ihn zusammengezogen
und in einem Jahrgang seiner deutschen Chronik eingerückt, ohne
jedoch seine Quelle zu nennen. Endlich hat ihn auch Voss in der
»Luise« genützt, welcher in der Auflage Königsberg 1811 in der
Anmerkung zum 438. [428.] Verse des ersten Gesangs sagt: »Nach
einem wirklichen Volksmährchen, welches gutmüthige Einfalt erfand«.
Es schadet vielleicht nichts, wenn man dieses alte, wenig bekannte
Produkt in seiner treuherzigen Sprache hier wieder abdrucken lässt."

Da ich bis jetzt nicht im Stande bin, das Flugblatt selbst nachzuweisen, so lasse ich dessen Text hier nach dem Literarischen
Almanach folgen:

1. Korinth. I, 10—13.

Jüngst sass ich spät zu Nacht, und lase solche Schriften,
Darin man sich bestrebt, die Einigkeit zu stiften,
   Die Einigkeit der Kirch' in der Religion,
   Die Einigkeit der Kirch' von Christo Gottes Sohn.
5 Die Einigkeit des Geist's den Christen will gebühren,
Des Glaubens Einigkeit ohn' grobes Disputiren,
   Wodurch man öftermals des Himmels uns beraubt,
   Weil wir dem Scheingeschwätz der Priester nur geglaubt.
Ich lase noch darin, als Morpheus mich bedeckte,
10 Und nickend nach und nach in tiefsten Schlummer steckte.
   Die äussre Sinnlichkeit, die hörte völlig auf,
   Allein, dess ungeacht ward meine Seele drauf
Die ganze Nacht hindurch mit Deme nur beschäftigt,
Was mancher Theolog vom Himmel uns bekräftigt;

---

1) D. i. Chrn. Jak. Wagenseil, vgl. Gradmann, Das gelehrte
Schwaben. 1802. S. 718—722 und Goedeke, Grundriss II S. 632. Ein
Verzeichniss seiner sämmtlichen Schriften findet sich im Literarischen
Almanach für 1832. Sechster und letzter Jahrgang S. 269 ff.

15   Wie nämlich solcher nur dem seie zugedacht,
       Der hier nach seiner Lehr' sein Leben zugebracht.
   Allein indem ich noch diess bei mir überleget,
       Ward nachgesetzter Traum in meinem Geist erreget.
   Ein mehr als Götterbild, im reichsten Silberkleid,
20   Mit Blumen durchgewirkt und Sternen überstreut,
   Dass ihm die rechte Brust doch unbedeckt gelassen,
       Bekam mich, voller Reiz, an meiner Hand zu fassen.
   Anfänglich war ich ganz in Wolken, wie verhüllt,
       Doch zog mich bald daraus diess Engel gleiche Bild.
25   Und führte mich zwar schnell, doch sanft in jene Höhen,
       Von welchen ich die Welt konnt' völlig übersehen.
       Da sah ich, wie man Gott, hier so, dort anders ehrt,
       Wie hier der Priester Diess, dort Jenes von ihm lehrt:
   Wie nur der Katholik zum Himmel könnte kommen,
30   Und dem, der anders glaubt, derselbe sei benommen.
       Hier aber schrie man drauf: Nur der, so Reformirt,
       Der würde dermaleins zum Himmel eingeführt.
   Nein, hiess es anderswo: Wer nicht mit Luther glaubet,
       Der würde künftighin des Himmelreichs beraubet.
35   Dort rief darauf ein Griech': Für uns ist er bestimmt,
       Weil Gott die Griechen nur zu sich in Himmel nimmt.
   Nein! schrie ein Andrer drauf, von denen Abyssinern,
       Nur uns gebühret er als Gottes echten Dienern.
       Ein Zinzendorfer sprach, wie auch ein Pietist:
40   Still doch, ihr Thörichte! Wisst, dass er uns nur ist.
   O Gott! wer hat hier Recht? dacht' ich bei diesem Zanken;
   Allein mein Führer sprach: bezähme die Gedanken,
       Und warte, bis ich dich zur Himmelspfort' gebracht,
       Alsdann so gib nur dort auf alle Sachen Acht:
45   Und lehre dann die Welt, wen Gott für würdig schätze,
       Dass er in seinem Reich ohn' Ende sich ergötze.
       Kaum als er diess gesagt, sah ich die Himmelspfort',
       Es war ein herrlicher und angenehmer Ort,
   Nach welchem nur Ein Weg nach diesem Leben führte,
50   Und den ein' Ruhebank zu beiden Seiten zierte.
       Als ich dort angelangt, liess mich mein Führer stehn,
       Worauf ich Folgendes erstaunend hab' gesehn.
   Zum ersten kam ein Herr in einem Purpurkleide,
   Schön, gross und wohlgestalt, ich wich ihm auf die Seite,
55   Und bückte mich vor ihm, dieweil ich gleich erkannt,
       Es müsst' ein Priester seyn vom allerhöchsten Stand.
   Und kurz, er war es auch, wie ich sogleich vernommen,
       Als er nach wenigem zur Himmelsthür gekommen.
       Er räuspert sich zuerst, drauf klopft er sittlich an,

60 Und da ihm alsobald Sankt Petrus aufgethan,
Sprach dieser: Wer seid ihr? Ich bin, hochheil'ger Vater,
Hiess es: ein Katholik und deines Stuhls Berather.
Erkennst du mich denn nicht? Ich bin ein Cardinal,
Drum lasse doch dein Kind jetzt in den Himmelssaal!
65 Was Kind? Was Katholik? hat Petrus drauf gesprochen,
Was hast du hier so frech am Himmel anzupochen?
Fort! fort! ich kenn' dich nicht. Sankt Petrus schloss das Thor.
Da stand der Purpur-Herr beängstet nun davor.
Er bebt', er zitterte, und wusst' sich nicht zu fassen,
70 Und musst' sich auf die Bank zur Seiten niederlassen.
Kaum als er sich gesetzt, kam ein betagter Mann,
Mit einem spitzen Bart und kohlschwarz angethan,
Ein Krägel um den Hals, sammt einem hohen Hute,
Dem war bei seiner Sach' noch ziemlich wohl zu Muthe.
75 Drum sprach er ganz beherzt, wie stehts? Ihr' Eminenz!
Es scheint, Sankt Petrus gab demselben die Sentenz:
So ist's, ihr Herren meint, wenn man Katholisch seie,
Dass einem Gott sofort das Himmelreich verleihe;
Allein, gefehlt mit euch! wir kommen nur hinein,
80 Wie ihr sogleich an mir jetzt sollt ein Zeuge seyn.
Drauf ging er fort und klopft. Sankt Petrus liess sich hören,
Und sprach: wer neuerdings sucht meine Ruh' zu stören?
Der Spitzbart sagte drauf, er wär ein Prädikant,
Ein reiner Calvinist, wie aller Welt bekannt.
85 Was? hiess es, Calvinist? Was heissen diese Possen?
Ich glaub', du bist, mein Freund! mit Hasenschrot geschossen.
Dort, ich erkenn' dich nicht! Stör mir nicht meine Ruh'!
Und kaum war diess gesagt, schloss er den Himmel zu.
Da stand der Prädikant als vor den Kopf geschlagen,
90 Und fing zu zittern an, zu ächzen und zu klagen.
Lief auch zum Cardinal, und sagt', was ihm geschehn.
Drauf sah er neuerdings noch Einen herzu gehn,
Mit einem grossen Krös' und auch schwarz angezogen,
Dem war ich unvermerkt in meiner Brust gewogen.
95 Er grüsst' die Vorigen und ging ohn' einig Wort
Vor selbigen vorbei, g'rad' nach der Himmelspfort'.
Klopft' an, es hiess: Wer da? Er sprach: Ein Lutheraner,
Und der Confession von Augsburg Zugethaner;
Sankt Petrus sah ihn an und sprach: Was sagst du da?
100 Der luth'risch Pfarrer rief, sobald er Petrum sah:
Ich bin, hochheil'ger Mann, des Lutherthums Verfechter.
Still, sagte Petrus drauf, du bist mir wohl ein rechter.
Fort! Dickbauch! fort mit dir! der Himmel liebet nicht
So einen fetten Wanst und volles Angesicht.

105 Der Pfarrer war erstaunt bei diesen Donnerworten,
Die ihm in seiner Seel' das Innerste durchbohrten.
　　Er ging bestürzt zurück, nach denen Andern zu;
　　Allein er störte nur noch mehr der Andern Ruh'.
Sie sprachen: Wer wird denn noch in den Himmel kommen,
110 Uns dreien ist er nun ganz auf Einmal benommen.
　　Wer glaubet also recht? nicht er? nicht ihr? nicht ich?
　　Fürwahr, ihr Freunde, das ist mehr als jämmerlich!
Weil ihnen dieses nun so sehr zu Herz gedrungen:
So haben sie darauf diess fromme Lied gesungen:
115 　　　Wir glauben All' an Einen Gott!
　　Kaum als nun diess geschah,
　　War Petrus wieder da,
Und sprach: Wer glaubet hier an Gott? Wer pflegt ihn so zu
　　　　　ehren?
Wer dieses christlich thut, kann froh zum Himmel kehren.
120 　　Wir sind es, schrieen sie, wir sind es, heil'ger Mann!
　　Ei, sprach er, ihr habt mir ja diess nicht kund gethan.
Der Letzte sagte nur, er wär' ein Lutheraner,
Und zur Confession ein eifriger Ermahner.
　　Der Zweite nannte sich schlechtweg ein Calvinist.
125 Der Erste Cardinal, katholisch, ein Papist.
　　Und keiner sprach von Gott, noch dass er wär' ein Christ.
Pfui, schämt euch, euern Glaub' nicht besser zu bekennen,
Und euch das, was ihr seid, kurz, Christen zu benennen.
　　Des Glaubens Einigkeit und zwar in Jesu Christ,
130 　　Ist das, was Gott gefällt, ohn' Streitigkeit und Zwist.
Wer Gott in Christo liebt, kann nur zum Himmel kommen.
Hier fuhr ich plötzlich auf, der Traum war mir benommen.
　　Doch hat mir's nur geträumt; denn was im Traum geschehn,
　　Das pfleget in der That so schlecht nicht anzugehn.
135 Denn wer zu Christo will, der muss sich auch bestreben,
Genau nach seinem Wort in dieser Welt zu leben.

　　　　　　　　　　　———

In diesem „Traum" haben wir unzweifelhaft die Quelle sowol
von Schubarts Gedicht als von der Erzählung im „Vademecum für
lustige Leute". Schubarts Bemerkung „aus einem alten Buch"
will freilich zu dem Flugblatte auf einem „Viertelsbogen" nicht
recht passen. Vielleicht lässt sich der Traum auch in einem Buche
aus der Mitte des letzten Jahrhunderts auffinden. Der Märchenstoff
selber dürfte älter sein. Die Dichtung macht nicht den Eindruck, als
ob der anonyme Verfasser selbst solcher „Träume" fähig gewesen wäre.
Vergleichen wir aber mit dem „Traum" die drei späteren Fassungen,
so werden wir jedesfalls Schubart den Preis zuerkennen müssen.

　　Tübingen. 　　　　　　　　　　　Karl Geiger.

　　　　　　　　　　　———

8.

Zu den Briefen von Heinrich Voss an Solger.

Die im Archiv Band XI S. 94—141 mitgetheilten Briefe sind, wie die Herausgeber selbst bemerken, nicht sämmtliche von Voss geschriebene. Zwischen manchen Briefen sind grosse Lücken; nicht selten werden in den erhaltenen Schreiben solche angedeutet, die bisher nicht bekannt geworden sind. Die grösste Lücke ist vom 22. Mai 1805 bis zum 8. October 1806. In diese Zeit fällt ein grosser Brief von Voss an Solger vom 30. October 1805. Er liegt mir im Original vor (er befindet sich im Besitz des Herrn Banquier Alexander Meyer Cohn in Berlin). Da er im Archiv nicht abgedruckt, ja nicht einmal erwähnt wird, so schien er mir unbekannt und wegen seiner ausserordentlich reichhaltigen Mittheilungen über Goethe, seiner Erinnerungen an Schiller, seiner Erwähnung der eignen Uebersetzerthätigkeit und Beurtheilung der des Freundes im höchsten Grade der Veröffentlichung werth. Ich überzeugte mich aber noch zu rechter Zeit, dass der Brief, der aus der Holtei-schen Autographensammlung stammt, von dem ehemaligen Besitzer in der Sammlung: „Dreihundert Briefe aus zwei Jahrhunderten", Hannover 1872, IV, S. 112—118 abgedruckt worden ist. Der Abdruck ist im wesentlichen durchaus correct; nur ein paar Kleinig-keiten sind zu ändern oder einzufügen. S. 113 Z. 12 muss es heissen: „practisch zu recensiren bitte", S. 114 Z. 9: „Critiken" st. Critik, S. 115 Z. 7 v. u.: „Eugenie" st. Eugenia, S. 116 Z. 4: „Collectaneen zu Anmerkungen", das. Z. 8: „Vier Bemerkungen über ihn" st. darüber, das. Z. 10 v. u.: „herausgemeistert" st. her-ausgemustert, das. vorl. Z.: „eine ungewöhnlich eifrige Sensation" st. ungewöhnlich u. s. w., S. 117 Z. 5: „Meinen holsteinischen Fürsten und Landesvater und dessen Söhne" st. Schöne, das. Z. 8: „Der Weimarische Herzog ist nur mein Landesvater" st. nun, das. Z. 14 ist das Fragezeichen nach „Schule" überflüssig, S. 118 Z. 10. 11: „Wir sprechen täglich von Schillern" st. wir sprechen täglich viel von ihm. — Die am Schlusse des Briefes angeführten Namen von Freunden, denen Voss Grüsse schickt, hat Holtei nicht lesen können; er begnügt sich mit zwei Fragezeichen. Die Stelle heisst: „Grüsst Dethlevsen und Börm, denen ich bald schreibe. Auch Gotthold, Krause und Lindau von Eurem Heinrich." Vier der genannten werden in den Briefen, die im Archiv publiciert sind, erwähnt: Dethlevsen (so und nicht mit f ist er im Original geschrieben) Archiv S. 99. 121, Börm S. 97, Krause S. 121, Lindau S. 131. Heinr. Aug. G. Gotthold (1778—1858) ist ein bedeutender Schulmann, der damals, 1805, Lehrer am Berliner Seminar für ge-lehrte Schulen war.

1. 2. 84. L. G.

9.

Mich wundert, dass ich fröhlich bin.

Unter Hinweisung auf Reinhold Köhlers Mittheilung im 12. Bande dieses Archivs S. 640 führe ich als ein ferneres Beispiel für das vorkommen des schon mehrfach behandelten, durch die Worte der Ueberschrift bezeichneten merkwürdigen Spruches folgende Verse an:

> Dre dinge weit ick vorwar,
> De my myn herte maket swar.
> Dat erste, dat ick steruen modt,
> Tho dem, weit nicht wen kumpt de dot.
> Dat leste beswert my auer all,
> Ick weit nicht wor ick faren schal.

Diese Verse sind Georgius Barts, Predigers zu Lübeck, „Gespreke van der vnstarfflicheit der Seele" (Lübeck 1552. 12⁰) entnommen und hier der Königin Dorothea von Dänemark in den Mund gelegt, deren Gespräch mit ihrem Gemahle, dem Könige Christian III., den Inhalt der Schrift ausmacht. Das in der Berliner Bibliothek vorhandene Büchlein ist so selten, dass ich mich für gerechtfertigt halten darf, wenn ich — obschon vielleicht irrthümlicher Weise — annehme, dass es Reinhold Köhler noch nicht zu Gesicht gekommen sein und obige Anführung daher in den von ihm a. a. O. versprochenen Nachträgen noch nicht ihre Stelle gefunden haben werde.

Archivalische Nachrichten
über die Theaterzustände der schwäbischen Reichsstädte im 16. Jahrhundert. II. (Kaufbeuren.)

Von

KARL TRAUTMANN.

„Kaufbeuren in dem lieblichen Thale der Wertach, das niedere, gegen Süden von den nahen Alpen überragte Hügelwälle einengen, an der östlichen Grenze des Allgäu gelegen, gehörte, da keine bedeutende Land- oder Wasserstrasse es berührte, an Wolhabenheit und Wichtigkeit zu den letzten der zahlreichen Reichsstädte des schwäbischen Kreises. Die Zahl seiner Einwohner schwankte im sechzehnten Jahrhundert zwischen drei- und viertausend, deren Haupterwerbszweig neben dem Ackerbau Barchent- und Leinwandweberei bildete."[1]

Wir haben es also mit Verhältnissen bescheidenster Natur zu thun, mit einem selbständigen Gemeinwesen, dessen Gebiet kaum eine Quadratmeile betrug und wie solche im Deutschen Reiche damals nach hunderten zu finden waren. Trotzdem sehen wir auch hier die Bürgerschaft von regstem Eifer für

---

[1] Felix Stieve, Die Reichsstadt Kaufbeuren und die baierische Restaurationspolitik, München 1870. Diese Abhandlung gewährt einen für unsere Zwecke genügenden Ueberblick über die politischen und religiösen Zustände Kaufbeurens im 16. Jahrhundert. Eine gründlich gearbeitete Stadtgeschichte fehlt zur Zeit noch. Ueber die Theaterzustände vergleiche man C. J. Wagenseils Unterhaltungsbuch für Freunde der Geschichte und Literatur, Nürnberg 1888. Band II S. 185 u. ff. „Zur Geschichte der städtischen Theater". Feuilletonistisch ist dieser Stoff hübsch behandelt im Kaufbeurer Tagblatt (Jahrgang 1879, Nr. 23, 31, 36, 43) unter dem Titel: Die Pflege der Schauspielkunst zu Kaufbeuren in vergangenen Jahrhunderten.

das Schauspiel beseelt, es ersteht in der kleinen Reichsstadt
zur Pflege des dramatischen Lebens eine Innung, die zu Aufführungen gewaltigen Umfanges sich aufschwingt und welche,
den Stürmen der Gegenreformation und des Dreissigjährigen
Krieges trotzend, bis zu Anfang unseres Jahrhunderts sich zu
erhalten gewusst hat.

Das urkundliche Material, aus dem wir unsere Nachrichten
schöpfen, ist leider spärlich genug, da uns nicht, wie in Nördlingen, ein reichhaltiges und wolgeordnetes Archiv zur Verfügung
stand. Der Urkundenschatz der Stadt gieng durch Nachlässigkeit zu Grunde, einige Ueberreste hat des dermaligen Conservators,
Herrn W. Filser, eifrige Fürsorge in das im entstehen begriffene
städtische Museum hinübergerettet und so vor weiterer Ver-
schleuderung bewahrt, in erster Linie die Rathsprotokolle,
welche, geringe Lücken abgerechnet, vom Jahre 1543 an sich
vorfinden. Stadtrechnungen fehlen, ebenso, was in hohem
Grade bedauerlich, alle Acten über Theater und Schulwesen.
Die ältern Aufzeichnungen der Kaufbeurer Schauspielinnung
sind zu Verlust gegangen, nur ein einziges, wie es scheint, im
Jahre 1696 angelegtes „Gedenck-buch einer löblichen gesellschafft der comoedianten und agenten allhier zu Kauffbeyren"
hat sich erhalten.[1]) Dieses an sich hochinteressante Manuscript bringt allerdings eine „Bemerckenswehrte geschichte
der löbl(iche)n agenten gesellschafft", welche bis zum Jahre
1570 zurückgeht, für das 16. Jahrhundert aber nur einige
kurze Notizen enthält. Von den zahlreichen handschriftlichen
Annalen und Ortsgeschichten des Stadtmuseums bot allein
die von W. L. Hörmann von und zu Guttenberg 1766 u. ff.
verfasste Chronik[2]) der Reichsstadt nennenswerthe Ausbeute.
Die Durchforschung des Archives der evangelischen Kirche,
welche Herr Pfarrer Christa in liebenswürdigster Weise gestattete, war nur von geringem Erfolge begleitet.

Seit 1524 hatte die reformatorische Bewegung Kaufbeuren
ergriffen und während des ganzen Jahrhunderts zum Schau-
platze erbitterter religiöser Streitigkeiten gemacht. Für unsern

---

1) Gegenwärtig im Besitze des städtischen Museums.
2) Wir haben unsern Untersuchungen die von C. J. Wagenseil gefertigte Abschrift in drei Bänden zu Grunde gelegt.

Gegenstand ist dies deshalb von Interesse, weil durch die Annahme der neuen Lehre ein Mann in die Stadt geführt wurde, der in der Geschichte des deutschen Reformationsschauspieles einen hervorragenden Platz einnimmt. Wir meinen Thomas Naogeorgius[1]), von 1546—1548 Prediger der evangelischen Gemeinde in Kaufbeuren. Die mächtigsten unter seinen Kampfesdramen waren um diese Zeit bereits in lateinischer und deutscher Sprache erschienen, und bei der Heftigkeit, mit welcher gerade hier die religiösen Gegensätze aufeinander prallten, kann man wol annehmen, dass der Dichter die Neigung der Bürger zu scenischen Aufführungen als Agitationsmittel für die evangelische Sache benutzte, wenn uns auch kein urkundlicher Beleg dafür erhalten ist, dass er auf das dramatische Leben der Stadt in irgend welcher Weise eingewirkt.

Von Schulkomoedien und Wandertruppen[2]) in Kaufbeuren erfahren wir nichts, ebenso nichts von dem wirken der Meistersänger, welche jedesfalls in Kaufbeuren, wie damals in Schwaben überhaupt, ein die Pflege des Dramas förderndes Element bildeten. Wenn in der Reichsstadt von Aufführungen die Rede, so handelt es sich zumeist um Spiele, an denen die gesammte Bürgerschaft evangelischer Confession betheiligt ist.

Die älteste Nachricht[3]) von einer dramatischen Aufführung

---

1) Ueber Naogeorgius vergleiche man die bei Goedeke, Grundriss zur Geschichte der deutschen Dichtung, zweite Auflage, Band II S. 134 ff. und 333 u. ff. angeführten Schriften, besonders die „Nachricht von Thomä Naogeorgi Leben und Schriften" in G. Th. Strobels Miscellaneen litterarischen Inhalts. Dritte Sammlung, Nürnberg 1780, S. 107—154, dann Kobolts Baierisches Gelehrten-Lexikon, Landshut 1795, S. 473 u. ff. und desselben Autors Ergänzungen und Berichtigungen zum Baierischen Gelehrten-Lexikon, Landshut 1824, S. 212 u. ff., dazu R. Genée, Lehr- und Wanderjahre des deutschen Schauspiels, Berlin 1882, S. 167 u. ff.

2) Erwähnt möge werden, daß der Marionettenspieler Jerg Wetzel in einer beim Nördlinger Rathe am 22. Juli 1583 eingereichten Bittschrift auch Kaufbeuren unter den Städten anführt, welche er besucht hat (vgl. Archiv für Litteraturgeschichte Band XIII S. 68).

3) Ob Matthias Brotbeyels „künstliches kurtzweyligs spil, von abbildung der vnzüchtigen leichtsinnigen weibern", Augsburg 1541 (vgl. Goedeke, Grundriss, 2. Auflage, Band II S. 380, Nr. 264 und W. Scherer in der Allgemeinen Deutschen Biographie, Band III S. 365), in Kaufbeuren zur Aufführung kam, ist nicht festgestellt. Der Autor stammte aus

15*

in Kaufbeuren stammt aus dem Jahre 1557. Das Rathsprotokoll (Sitzung vom 19. März 1557, Bl. 77[b]) meldet hierüber:

„Comedi. Lateinischen schuelmaister vnnd Augustein Bran-
neysin dem alten jst von eine(m) E. Rath auff negst kunfftige
ostern die comediam vnd historj deß armen mans vnnd reychen
Latzari zuhaltten abgeschlagen vnnd jnen hind(er) sich zesehen gesagt vnd gebot(en)."

Aus dem Wortlaute des Eintrages ist nicht ersichtlich,
ob es sich hier um eine Schulkomoedie handelt oder um ein
Bürgerspiel; doch macht der Umstand, dass neben dem Schulmeister ein Bürger als Petent auftritt, letztere Annahme wahrscheinlicher. Die schroffe Abweisung erfolgte jedesfalls mit
Rücksicht auf die damals in der Stadt aufs neue entbren-
nenden Religionsstreitigkeiten[1]), welche bei einem solchen
Anlasse leicht einen Zusammenstoss[2]) der erregten Parteien
herbeiführen konnten.

Im Jahre 1570 wird zum ersten Male wieder von einer
dramatischen Aufführung der evangelischen Bürgerschaft berichtet.

„A°. 1570, — so heisst es im „Gedenck-buch einer löblichen
gesellschafft der comoedianten und agenten" (Blatt 128[a]) — wurde
von der evangelischen bürgerschafft die comödie von erschaffung

---

Kaufbeuren, war um 1527 Schulmeister dortselbst und zog dann nach
Freising, wo er Praeceptor der fürstbischöflichen Cantoreiknaben wurde.
Von October 1534 bis October 1536 ist er in München als Poet angestellt, d. h. als Rector der städtischen Lateinschule, mit einem Quatember-
gehalte von 8 Gulden. In München scheint er dann ständigen Aufenthalt
genommen zu haben, wenigstens finden wir ihn dortselbst noch in den
Jahren 1537 und 1541. Ausser seiner Komoedie hat er auch zahlreiche
Practiken, Berichte von Naturerscheinungen etc. verfasst. Den Nachweis
für die Richtigkeit dieser Daten werden meine demnächst erscheinenden
„Beiträge zur ältern Bühnengeschichte Münchens. Erster Theil (1500
bis 1651)" bringen.

1) Stieve a. a. O. S. 22.

2) So kam es z. B. 1533 in Augsburg zu Excessen zwischen Pro-
testanten und Katholiken, als erstere die dramatische Darstellung der
Himmelfahrt Christi in der Moritz-Kirche unterbrechen wollten. Vgl.
Kleinschmidt, Augsburg, Nürnberg und ihre Handelsfürsten im fünf-
zehnten und sechzehnten Jahrhunderte, Cassel, 1881 und Paul von
Stetten, Geschichte der Stadt Augsburg, Frankfurt und Leipzig 1743,
I. Theil S. 332.

der welt[1]) auf dem sogenanten tanzhauß[2]) auf obrigkeitlichen befehl
und verordnung aufgeführt und wurden zu obmänner und vorge-
sezten erwählt, 2 h(errn) geistliche, h(err) Thomas Dillman und
h(err) Michael Lucius[3]), 2 des raths, h(err) Simon Leüthner und
h(err) Daniel Schilling und 2 des gerichts, h(err) Lucas Kohler
und h(err) Jacob Vetterler und wurde [ist] zu bezeügung dero vergnügen eine ergözlichkeit bey wein, der gesellschafft in der agenten
stuben gegeben worden."

An dieses dramatische Ereigniss knüpft sich die Entstehung der Kaufbeurer Schauspielinnung. Die bisherigen Angaben über das Gründungsjahr derselben sind widersprechend.
Der Gothaer Theaterkalender auf das Jahr 1782[4]) spricht von
einer „Schauspieler-Innung unter der Bürgerschaft, deren Jahrbücher ununterbrochen bis 1540 zurücksteigen, und deren ganze
Einrichtung äusserst merkwürdig ist", eine Angabe, die sich
in den Werken von Witz[5]) und R. Prölss[6]) wiederfindet;
Ch. W. Wagenseil[7]) lässt die Gesellschaft im Jahre 1801 ihr
dreihundertjähriges bestehen feiern, ja, wenn wir den Blättern
für litterarische. Unterhaltung[8]) Glauben schenken wollten, so
hätte eine derartige Gesellschaft in Kaufbeuren schon „von

---

1) Vielleicht Hans Sachsens „Tragedia von schöpfung, fal und
außtreibung Adae auß dem paradeiß": Hans Sachs herausgegeben von
Adelbert von Keller (Bibl. d. litt. Vereins) Band I S. 19 u. ff.

2) Das Tanzhaus, am obern Marktplatz gelegen, enthielt zu ebener
Erde die Schrannenlocalitäten, im ersten Stocke einen grossen Sal für
Bürgerversammlungen, im zweiten Stocke das Theater. Das Gebäude
wurde 1804 abgebrochen. E. Christa, Topographische Geschichte Kaufbeurens (1855), Manuscript im Besitze des städtischen Museums.

3) Ein lateinisches Gedicht des Michael Lucius an Johannes
Brummer ist der 1593 erschienenen Tragicocomoedia Actapostolica vorgedruckt.

4) Theater-Kalender auf das Jahr 1782, Gotha, bey Carl Wilhelm
Ettinger. S. 124.

5) Versuch einer Geschichte der theatralischen Vorstellungen in
Augsburg, Augsburg 1876. S. 21.

6) Geschichte des neueren Dramas, Dritter Band, erste Hälfte,
Leipzig 1883. S. 178.

7) Erinnerungen aus einer schwäbischen Reichsstadt, im Sammler
(Belletristische Beilage zur Augsburger Abendzeitung) von 1875,
Nr. 110, S. 7.

8) Blätter für literarische Unterhaltung. Leipzig, F. A. Brockhaus.
Jahrgang 1837, Nr. 136 in dem Aufsatze: Altdeutsche Stadttheater.

uralten Zeiten an bestanden. Bei dem Mangel an zeitgenössischen Belegen müssen wir uns hier auf die Aussage des Gedenkbuches stützen, welches berichtet (Bl. 143^b u. ff.), dass im Jahre 1770 in den Tagen vom 30. April bis 8. Mai „das zweite seculum, nicht nur wegen errichtung ihrer societaet, sondern auch besizes ihren comoedienplazes" von den Agenten in glänzender Weise begangen wurde. Die dramatische Verherrlichung des Festes bestand in der Aufführung des Stückes „die Piemonteßische marggräfiu oder geweßtes baurenmägdlein griseldis". Zwischen den einzelnen Acten waren Auszüge „aus 6 alten und guten actionen" als Interludien[1]) eingeschaltet, und zwar folgte auf den Prolog „ein auftritt von der erschaffung der welt, aus der nemblichen action, womit unsere seelige grosväter a. 1570 den anfang gemacht haben". Die Gesellschaft selbst betrachtete demnach das Jahr 1570 als das Jahr ihrer Entstehung. Ein Grund, die Wahrheit dieser Annahme in Zweifel zu ziehen, liegt nicht vor[2]), umsoweniger, als ja alle von uns beigebrachten Thatsachen, besonders aber die grossartigen Aufführungen, welche hier gegen Ende des 16. Jahrhunderts veranstaltet wurden, auf eine damals schon festgefügte, weitverzweigte, vielleicht den Meistersängergesellschaften[3]) ähnliche, wenn nicht mit ihnen in Verbindung

---

1) Die andern Interludien waren: der „Traum Pharaonis, auch wie Joseph solchen auslegte und von Pharao zu hoher würde erhoben wird" und „die geschichte vom Hiob". Sie gehörten wahrscheinlich ebenfalls Dramen an, welche im 16. Jahrhundert aufgeführt wurden (vgl. H. Sachsens „Comedi mit 19 personen, der Hiob" Band 6 S. 29 u. ff.). Bei der zweiten Vorstellung des Festspieles kamen drei neue Interludien zur Darstellung, nämlich „von der geburt, leyden und aufferstehung Christi", jedesfalls dem von J. Brummer in seiner Vorrede. erwähnten Dramencyklus entnommen.

2) Die Einwände, welche C. J. Wagenseil in seinem schon erwähnten Unterhaltungsbuche gegen diese Annahme vorbringt, stehen mit den vorhandenen Actenstücken in Widerspruch. Die von ihm angeführten Thatsachen beziehen sich nicht auf die Gründung der Agentengesellschaft, sondern auf später erfolgte Umgestaltungen derselben.

3) In den meisten Reichsstädten Schwabens besassen die Meistersänger das Monopol dramatischer Aufführungen, so in Augsburg (D. E. Beyschlag, Beyträge zur Geschichte der Meistersänger, Augsburg 1807. S. 8) und Memmingen (J. F. Lentner, Die Meistersänger in Memmingen, im

stehende Innung der evangelischen Bürger schliessen lassen, die sich die Vorführung geistlicher Stücke zur Aufgabe gemacht hatte und von der Obrigkeit in diesem Vorhaben nach Kräften unterstützt wurde. Wie zahlreich diese Aufführungen waren, ist aus dem archivalischen Material freilich nicht zu ersehen. Nur ein Beispiel hiefür. In dem Zeitraume von 1572—1592 können wir nur zwei Komoedien urkundlich nachweisen und doch versichert uns der Schulmeister Johannes Brummer in der Vorrede zu seiner 1592 in Kaufbeuren aufgeführten und 1593 gedruckten Tragicocomoedia actapostolica, dass er gerade während dieser zwanzig Jahre veranlasst worden „etliche vil Comoedien selb zustellen, etliche auch von andern gestelt agieren, vnd ins werck bringen zuhelffen“. Immerhin aber genügen die nachfolgenden Notizen, um vom Jahre 1570 an die Stetigkeit dramatischer Bestrebungen in der Bürgerschaft der kleinen Reichsstadt zu erweisen.

Im Jahre 1581 wird abermals eine geistliche Komoedie von der Bürgerschaft zur Darstellung gebracht, worüber uns eine Bemerkung in der Hörmannschen Chronik (Band I S. 617) Nachricht gibt[1]):

„1581. Den 24. april 1581 ist von E. E. Burgerschaft die comoedie von den wunderwerken Christi, so er auf erden von der taufe Johannis an bis zu seinem leiden und sterben verrichtet und welche in an(n)o 1575 Daniel Holzmann[2]), ein poet in Augsburg verfaßt und E. E. Rath allhier dedicirt hat[3]), gehalten worden.

Morgenblatt für gebildete Leser. Stuttgart, Cotta. 46. Jahrgang, S. 139), in letzterer Stadt sogar bis zum Jahre 1835.

1) Das Gedenkbuch schweigt über die Aufführung dieses Stückes.

2) Ueber Daniel Holtzmann vergleiche man Goedeke, Grundriss, 2. Auflage, Band II S. 384 und die dort angeführten Quellen. Weitere archivalische Nachrichten über diesen in Augsburg und München vielbeschäftigten Dramatiker, der, wie die Vorrede zu seiner Komoedie „die Hochzeit von Cana“ (Cod. germ. 4061 der Münchener Hof- und Staatsbibliothek, vom Jahre 1576) meldet, von Jugend auf „ein zimliche anzahl der (comoedien) gedicht vnnd selbst agiert“, werden meine „Beiträge zur ältern Bühnengeschichte Münchens“ enthalten.

3) Der Dichter widmete sein Werk auch dem Rathe von Nördlingen. Nördlinger Stadtrechnung Jahrgang 1576 Bl.. 266b: „10. sept. Daniel Holtzman, deutschen poetn zu Augsburg, so aim Erbarn Rath ein comedi von dem leben christi auff erden etc. dediciert, verehrt 1 welsche cronen, thuet müntz . . . 1 fl. 4 ☉ 19 d.“

Sie wurde auch noch den andern tag darauf aufgeführt und ist alles glücklich abgegangen, wie dann E. E. Rath die agenten mit einem herrlichen trunk beehrt hat." ·

Anlässlich der Vorbereitungen zu diesem Stücke entspann sich, wie wir aus dem Rathsprotokolle (Sitzung vom 17. März 1581, Bl. 80ᵇ und 81ᵃ) erfahren, zwischen dem katholischen Pfarrer und dem Rathe wegen Verwendung der katholischen Kirchengewänder zur Komoedie ein Streit, der uns deutlich zeigt, wie von den religiösen Parteien in der Stadt jede sich darbietende Gelegenheit benützt wurde, um sich aufs heftigste zu befehden:

„Pfarrherr. Nachdem annheut der catholische pfarherr[1]) vor ainem Er. Rath erschinen vnd sich beclagt, vmb das S. Martins pfleger[2]) etlichen burgern zu jetziger vorhabennder comedia, so vita Christj ist, ettliche kirchenklaider zuleihenn bewilligt haben sollenn, mit vermelden, sie seyen deßen nit befuegt, greiffen jm in sein ampt vnd obs schon andere pfarhern vor jme sollichs gethon, haben sie vnrecht gethon, seyens nit befuegt gewesen, wie wol er sie nit getadelt haben welle; er kond es aber in seinem gewißen nit veranndtwurtten, dann er auch ain aid geschworen vnd mueße es an andern orth(en) clagen, dan es gebür sich nit, das vngeweichte, darzu sollliche leuth, so der catholischen lehr zuwider, dieselbig(en) anrueren sollen, mit vilen spitzigen worthen vnnd reden, damit er den euangelischen beschwerlichen, zugeredt vnd sich gegen etwelchen rathsh(err)n mit fräuenlichen worthen auffgelegt vnd hitzige reden getriben. Darauff ist jme zu andtwurt geben worden, die klaider seyen meiner herrenn vnnd nit sein, so gebrauche man sie auch anderst nit, dan zu ehrlichen, christlichen vnd gottsäligen sachen; derwegen so werde man es gemainer burgerschafft nit abschlagen, versehe sich auch, gemaine statt solle vo(n) jme deßhalb nit verklainert werdenn, da es aber beschehe, werd man sich wißen zuueranndtwurten."

„Anno 1586 — lesen wir im Gedenkbuche (Bl. 128ᵇ) .— wurde anwiderum mit bewilligung Hochlöbl. Obrigkeit, die passion Christi aufgeführt."

Eingehender äussert sich die Hörmannsche Chronik (Band 1 S. 641) über das Stück:

---

1) Es war dies Theodor Heinz, von 1577—1589 katholischer Pfarrer in Kaufbeuren, eine wegen ihrer Unverträglichkeit bei Katholiken und Protestanten gleich missliebige Persönlichkeit. Vgl. Stieve a. a. O. S. 28 u. ff.

2) Die Pfleger der, kurze Zeit abgerechnet, katholisch gebliebenen Hauptkirche von St. Martin.

„1586. Im jahr 1586, den 5ten april, am aftermontag in der osterfeyer, haben die hiesigen burger die passion Christi auf dem theatro aufgeführt, wozu der Lateinische schulmeister Johannes Brunmer den aufsaz gemacht. Den Salvator hat Jörg Hebenstreit und Adam Unsinn, den Chaiphas Simon Albrecht, den Hannas Johannes Kollmann, den Herodes Jonas Schilling, den Pilatus Abraham Neumayr und den Judas Lorenz Widemann vorgestellt."

Ein auf diese Vorstellung bezüglicher Eintrag im Rathsprotokolle von 1586 (Sitzung vom 18. Februar) beweist, dass die Vorbereitungen zu den Aufführungen unter Controle der Obrigkeit vor sich giengen, indem der Rath aus seiner Mitte einige Mitglieder dem leitenden Ausschusse der Bürgerschaft als Obleute zugesellte:

„Die verordnete außschußes von einer burgerschafft, als Daniel Walch, H(an)s Gerhard, Job Rader, alle 3 des gerichts, auch H(an)s Taglang, Georg Hebenstreit u(nd) Blasi Maisel, haben suplicando angehalten um erlaubnus, die comediam passionis auff ostern zu halten; das ihnen bewilliget und aus E. E. Raths mittel h(err) Dan. Schilling des raths u(nd) der statschreiber Jonas Maystettner als obleute zugeordnet worden, gebührende inspection zu halten und zu haben."

Der Verfasser des in frage kommenden Stückes war, wie wir durch Hörmann erfahren, der lateinische Schulmeister Johannes Brummer, der uns hier urkundlich zum ersten Male als Dramatiker entgegentritt und von dem auch das Schauspiel herrührt, welches den Höhepunct in der Entwicklung des Kaufbeurer Theaterlebens im 16. Jahrhundert bezeichnet, die im Jahre 1592 zur Darstellung gebrachte Apostelgeschichte. [1])

Hören wir zuerst die Berichte über die Aufführung.

„Anno 1592 — schreibt das Gedenkbuch (Blatt 128b) — wurde das schöne werck, die apostelgeschicht, durch h(errn) Johannes Bromer, rector der Lateinischen schul, mit großem ruhm und ehr dem magistrat zu ehren aufgeführt, wie solches schöne werck noch im druck vorhanden, und ist damahlen von Löbl(iche)r Obrigkeit denen agenten eine ergözlichkeit bey wein in der agenten-

---

1) Ueber dieses Stück vergleiche man: Deutsches Museum. Zweyter Band. Julius bis Dezember 1776. S. 752—758, Leonhard Meisters Beyträge zur Geschichte der teutschen Sprache und National-Litteratur. Erster Theil, Heydelberg 1780. S. 261 u. ff., C. F. Flögel, Geschichte des Grotoeskkomischen, Liegnitz u. Leipzig 1788. S. 113 u. 114.

stuben gegeben worden und von diser zeit an ist es [das spielen] immer nach und nach mit größtem nuzen und ruhm bis auf diße zeit geführet worden und durch ordentliche obrigkeitliche ratificirte ordnung und articel[1]) bestättiget worden."

Hörmann (Chronik, Band I S. 666) meldet:

„1592. Auf montag und dienstag[2]) in den heiligen pfingstfeyertagen, war der 15. und 16. may, hat die hiesige burgerschaft mit bewilligung E. E. Raths, eine aus 246 persönen bestandene komoedie, die historie der h(eiligen) apostelgeschichte vorstellend öffentlich[3]) gehalten, wornach man sie von raths wegen mit einem stattlichen trunck verehrt. Der hiesige rector an der Lateinischen schule, Johannes Brummer, genannt Hoy, hat den text dazu in reimen verfasst und hernach zu Lauingen 1593 unter dem titel: Tragicocomoedia apostolica etc. in druck gegeben."

Das Drama ist ein Jahr nach der Aufführung im Druck[4]) erschienen und trägt folgenden Titel: Tragicocomoedia | Actapostolica, | Das · ist: | Die Historiē der | heiligen Aposteln Geschicht, | in massen die von S. Luca dem heili- | gen Euangelisten beschriben, vnd dem Newen | Testament einuerleibt, in Form einer Comoedien ge- | bracht, Auch durch eine löbliche Burgerschafft des H. | Reichs Statt Kauffbeyren, auff Montag inn den | Pfingstfeyren, diß lauffenden 92. Jars, gantz zierlich | vnd nachrůmlich gehalten vnd volfůrt, so auch sonst | jedermenigklichen verståndtlich, lustig, tröstlich, | vnd nutzbarlich zulesen vnd anzuhören, | hieuor im Truck niemalen | gesehen. | Gestelt, vnd gemeiner Statt vnd Bur- | gerschafft

---

1) Diese „Articul und Ordnungen", in der am 9. April 1688 vom Rathe bestätigten Fassung, finden sich im Gothaer Theater-Kalender auf das Jahr 1782 S. 143—149 abgedruckt, jedoch ohne die später beigefügten Anhänge.

2) Die Aufführung des Stückes scheint demnach zwei Tage gedauert zu haben, was ja bei einem Umfange von 9192 Versen nicht Wunder nehmen kann. Auf dem Titel des gedruckten Dramas wird allerdings nur der Montag als Spieltag angegeben.

3) Die Bemerkung C. J. Wagenseils (Unterhaltungsbuch, S. 187), das Stück sei auf dem öffentlichen Markte zur Darstellung gekommen, entbehrt der Begründung und dürfte auf eine Bemerkung im Deutschen Museum (S. 753) zurückgehen, dass die Bühne in keinem kleinen Schulhaus gebaut gewesen sein könne. Das Spiellocal wird auch diesmal das Tanzhaus gewesen sein.

4) Vgl. Goedeke, Grundriss, 2. Auflage, Band II S. 385, Nr. 290.

zu Ehren in den Truck verfer- | tiget, Durch | Joannem Brummerum. Hoium | Gymnasiarcham Cauffpeirrensem. | 1592. | Am Schluss: Summa der Personen diser | Comoedi 246.[1]) | Gedruckt zů Laugingen, | durch Leonhart Reinmichel. | 1593. | 203 Bll. 8. München.[2])

Das Stück selbst ist nichts weiter als eine geistlose Dramatisierung der ganzen Apostelgeschichte[3]), „eine trockene Reimerei, Capitel für Capitel nach dem Text, ohne eigene Zuthat", dazu von ungeheurem Umfange: 9192 Verse in fünf Acten! „Die äusserste Grenze des Undramatischen ist damit erreicht", bemerkt Scherer[4]) mit Recht.

Brummer widmet das Werk seinen „gebietenden günstigen lieben Herren", den „Burgermeistern vnd Rahtgeben" der Stadt Kaufbeuren und zwar, wie er in der Vorrede andeutet, der nachhaltigen Unterstützung wegen, welche dieselben von jeher dramatischen Bestrebungen haben angedeihen lassen. Volles Lob wird auch der Bürgerschaft gespendet, die „sich inn ab vnd anrichtung derselbigen [der Komoedie], nicht allein gantz

---

1) Rollen enthielt das Stück allerdings 246, die Zahl der auftretenden Personen aber muss eine geringere gewesen sein, da mitunter mehrere Rollen in einer Hand lagen, wie uns der Dichter in der Vorrede mittheilt. Dort führt er aus, dass die Komoedien ein Bild des menschlichen Lebens seien, und fährt dann fort: „Dann gleich wie inn denselbigen allerley Personen, Geistlichs vnd Weltlichs, hohes vnd niders Stands zusehen, deren eine ein zeitlang jhrem vbergebnen Ampt vnd beuelch abwartet, bald abgehet, vnd eine andere an deren statt ein vnnd auffgeführet wirdt, ja bißweilen (als in diser vnserer Comoedia von etlichen vilen beschehen) einer mehr dann ein Person oder Ampt verwaltet, also, daß da er zuuor ein Diener war, bald hernach eines Herren Person anzeucht vnd vertritt . . ."

2) München, k. Hof- und Staatsbibliothek. Ein weiteres Exemplar befindet sich in Augsburg. Vgl. Wellers Annalen, Band II S. 365.

3) Genée (a. a. O. S. 219) muss das Stück nicht in Händen gehabt haben, denn er spricht von einer Tragico comoedia apostolica, „welche mit Christus und Johannes dem Täufer beginnt und dann in einer langen Reihe schnell wechselnder Scenen nicht nur das ganze Evangelium durchläuft, sondern wobei ausserdem noch Scenen aus dem alten Testament als Vorbilder dazwischen geschoben sind, wie es später bei den Passionsspielen im Gebirge durch lebende Bilder geschah" — lauter Dinge, von denen in Brummers Komoedie nichts zu lesen ist.

4) Allgemeine Deutsche Biographie, Band III (1876) S. 422.

frid vnnd schidlich vnder sich selbst, sondern auch gehorsam, willfährig, tractierlich vnnd vnuerdrossen, auch mit anwendung nicht geringes vnkostens also erzeigt, das demnach eine so weitleüffige grosse Action, mit deren als einem sunst kleinen Commun, löblich, vnd mit verwunderung der frembden vnnd außwenigen [außwendigen] inns werck gebracht vnnd vollendet werden mögen."

Ueber die litterarische Thätigkeit unseres Dichters und speciell über die Gründe, welche ihn veranlassten die Apostel-geschichte dramatisch zu behandeln, gibt eine andere Stelle der Vorrede Aufschluss. Nachdem er sich umständlich über die Berechtigung und den Werth der geistlichen Schauspiele geäussert, fährt er fort: „Bin ich derohalben, vnnd durch er-wegung solcher nutzbarkeiten verursacht worden, inn zeit meines zweintzigjärigen anwesens allhie, etliche vil Comoedien selb zustellen, etliche auch von andern gestelt agieren, vnd ins werck bringen zuhelffen, Vnd letstlich, nach dem inner etlichen Jaren, die gantze Euangelische Historia, von der ge-burt, gantzem leben vnd Wunderwercken, Auch volgendts dem leiden, sterben vnnd Aufferstehung vnsers Heilands vnd Selig-machers Jesu Christi, in massen vnd so ferren solches alles von den heiligen vier Euangelisten beschriben, allhie löblich in Form dreyer Comoedien repraesentiert vnd fürgetragen worden, also das allein die Geschicht der Aposteln auß den Historischen Büchern vnd Schrifften deß Newen Testaments beuor gestanden, hab ich mirs belieben lassen, solch Büch für die hand zunemmen, vnnd horis succisiuis, inn jüngst ab-geloffner Winterszeit in dise vor augen stehende Formam, vermittelst Göttlicher gnaden beystand zubringen. Vnd weil aber auch dise Materia oder Büch, hieuor meines wissens niemalen der gestalt von jemandt fürgenommen, das ist, in Comoediae formam gebracht, oder doch ja durch den Truck nicht publiciert worden, vnn aber bey vns solche Actio (ausser rüms) löblich vnd mit nachrhümlichen ehren (die doch allein deß Herren ist vnd sein solle) abgangen, hab ich auch auff etlicher fürnemmer vnd güthertziger begeren vnd gütachten, die inn den Truck zuuerfertigen mich bewegen lassen."

Dass der Dichter das Leben, Leiden und Sterben Christi in drei Komoedien gebracht, wie das Deutsche Museum[1]) und nach ihm Scherer[2]) annehmen, geht aus dem Wortlaute dieser Stelle nicht hervor; Brummer ist zwar, wie wir gesehen haben, der Verfasser der Passion Christi, nicht aber der Wunderwerke, welche aus Daniel Holtzmanns Feder stammen.

Biographisches über Brummer war wenig zu erforschen. Aus der Grafschaft Hoya in Hannover gebürtig (daher sein Zuname Hoy oder Hoius), muss er um das Jahr 1571 oder 1572 nach Kaufbeuren gekommen sein, da die Vorrede der Apostelgeschichte, welche vom 25. Juli 1592. datiert ist, von der Zeit seines „zweintzigjärigen anwesens allhie" spricht. Im Januar 1593 erfolgte seine Entlassung aus städtischen Diensten. Das Rathsprotokoll (Sitzung vom 30. Januar 1593, Bl. 13) schreibt hierüber: „Schuel, cantor; Johannes Brummer genant Hoy, Lateinischer schuelmaist(er) vnd Georg Habermüller, cantor, seind jrer fängkhnus, darein sy komen seind des ärgerlich(en) scheltens, schmehens vnd furgangner ärgernus wegen, so sy geg(en) ainand(er) getriben, heut dato erlassen, darneben jrer dienst(en) beede geurlaubt vnd des cantoris weib vmb 2 thlr (?) gestrafft word(en)."

Die Acten über diese Angelegenheit haben sich im Archive der evangelischen Kirche vorgefunden, aus ihnen ergibt sich der Sachverhalt, wie folgt. Die beiden Gegner lebten in fortwährendem Streite, was bei den verwickelten Verhältnissen der lateinischen Schule kaum anders möglich sein konnte. Um das Jahr 1562 nämlich hatte man besagte Anstalt in eine evangelische und katholische getheilt, 1571 die Theile abermals vereinigt und zwar unter einem protestantischen Rector (Brummer), dem man aber, „damit die alt catholische religion irs theils auch nit mangel habe", einen katholischen Cantor beigesellte.[3]) So war der religiöse Gegensatz auch in die Schule hineingetragen und noch dadurch verschärft, dass der

---

1) A. a. O. S. 758.
2) A. a. O. S. 422.
3) Stieve a. a. O. S. 28.

Pfarrer Heinz den Cantor und die katholischen Schulkinder zu allerhand Ungehorsam gegen den Rector antrieb.[1]) Die Feindschaft zwischen den beiden Männern gieng natürlich auf ihre Familien über, sonderlich auf die Frauen. So kam es, wie Brummer an den Rath berichtet, zu „schwehren wörttlichen vnnd thättlichen jniurien˙ vnnd ehrenuerletzung“ und schliesslich zu Gefängniss und Entlassung.[2]) Die Charakteristik, welche Habermüller bei diesem Anlasse von unserm Dichter entwirft, dürfte, wenn auch von gegnerischer Seite stammend, nicht ohne Interesse sein. Brummer wird als ein Mann geschildert, der keinen Beruf zur Schulmeisterei in sich fühle; oftmals habe er sich vernehmen lassen: „er frag nit nach d(er) schuel, er hab kein lust darzu“; stets mit anderen Dingen beschäftigt, ertheile er seinen Unterricht in der nachlässigsten Weise: „Jst er dan schon in der schuel, so sitzt er in sein stüble, seine rechtssachen vnd supplicationes vnd anderes zu schreib(en) vnd last die pueb(en) recitieren, welches sie dan alls aus den büech(er)n lesen, d(as) ich offt selbs kaum schweigen könd(en).“

Wohin Brummer von Kaufbeuren gezogen, ist unbekannt.

Die Entlassung Brummers scheint keine Rückwirkung auf das dramatische Leben der Stadt ausgeübt zu haben, die Bürgerspiele nehmen ungestört ihren Fortgang. Wir geben die allerdings nicht zahlreichen Einträge in chronologischer Reihenfolge:

1594: (Hörmann, Chronik Band I S. 674) „1594. Am pfingstmontag hat der 'Lateinische schulmeister Lucas Kohler[3]) mit den burgern und burgerssöhnen, in die 60 personen starck, eine Komoedie vom alten und jungen Tobias[4]) gehalten, denen von E. E. Rath fl. 16 verehrt worden sind.“[5])

---

1) Schreiben des Rathes von Kaufbeuren an den Bischof von Augsburg (d. d. October 1588), bei Stieve a. a. O. S. 29.

2) Vgl. auch Stieve a. a. O. S. 66.

3) Eine lateinische Elegie „scripta à Luca Kolero Kauffbürensi S. Theologiae Studioso“, der wol mit unserm Schulmeister identisch, ist Brummers Tragicocomoedia vorgedruckt.

4) Vielleicht Hans Sachsens Komoedie „Die gantz histori Tobie mit seinem suu“: Band I S. 134 u. ff.

5) Diese Aufführung ist im Gedenkbuche nicht verzeichnet. Nach

1611 (?): Schauspiel vom jüngsten Gericht.[1]) Im Verzeichnisse der Komoedienbücher, welche der Agentengesellschaft gehören (Gedenkbuch Bl. 62 u. ff.) wird unter den Werken in Quart angeführt: „Vom jüngsten gericht, so schon. vor mehr alß 100 jahren agirt word(en), ietzo aber gantz ney, vnd agirt a(nn)o 1711."

1619: (Rathsprotokoll, Sitzung vom 18. Januar, Bl. 76[b]) „Daniel Maisell mit sampt seinen mitconsorten halten [an] vmb comedi der statt Samaria belagerung oder theirung[2]); bedaht biß negsten rathstag."

(Sitzung vom 22. Januar, Bl. 77[b]) „Den supplicanten vmb haltung der vffgelegten commedj jr begeren bewilligt vff die tag, als sonntag faßnacht, aschermitwuch vnd weissensontag."

1630: (Rathsprotokoll, Sitzung vom 29. Juni, Bl. 16[a]) „Johann Schraudolff, Teütscher schuelmaister, bittet jhme ein comedi halten zuelaßen vnnd die klaid(er), welche vor disem darzue geb(en) wordenn, auß gnaden folg(en) zuelaßen. Beschaidt: Dem schuelmaister bewilligt."

(Sitzung vom 3. September, Bl. 310[a]) „Jeronymus Schilling bittet jhme auf khommenden St. Michaelstag ein commedi alß von König Salomonis vnnd vom verlornen sohn[3]), mit den burgern halten zuelaßen."[4])

1631: (Hörmann, Chronik Band II S. 118) „1631, den 11. februarii wurde dem Deutschen schulmeister bey rath bewilligt, ein comödie zu halten."

Mit dem Jahre 1631 nehmen unsere Nachrichten über dramatische Aufführungen in Kaufbeuren ein Ende, jedoch nur, um alsbald nach Schluss des Dreissigjährigen Krieges wieder zu beginnen und dann vom Jahre 1685 an in ununterbrochener Reihe bis 1802 fortzulaufen. Wir gedenken das Verzeichniss der in den Jahren 1685—1802 von der Agenten-

---

Erwähnung von Brummers Apostelgeschichte findet sich dort auf Blatt 129[a] die Bemerkung: „Von dieser zeit ann find man ein ganzes seculum hindurch nichts aufgezeichnet, oder es muß vermuthlich ein buch abhanden gekommen sein."

1) Vielleicht H. Sachsens „Tragedia mit 34 personen, des jüngsten gerichtes": Band 11 S. 400 u. ff.

2) Vgl. H. Sachs, Band 10 S. 468 u. ff. „Tragedia. Die belegerung Samarie".

3) Vgl. H. Sachsens Komoedien „Juditium Salomonis", Band 6 S. 112 u. ff., und „der verlorn sohn", Band 11 S. 213 u. ff.

4) Die beiden Stücke werden 1654 abermals zur Aufführung vorgeschlagen. Wagenseil a. a. O. S. 187.

gesellschaft[1]) alljährlich zur Darstellung gebrachten Stücke, welches durch Beifügung der jedesmal erzielten Einnahmen noch grösseres Interesse bietet, in dieser Zeitschrift zur Veröffentlichung zu bringen.

---

1) Merkwürdige Analogien mit der Kaufbeurer Agentengesellschaft und deren Repertoire bieten die dankenswerthen Mittheilungen, welche Ofterdinger über die bürgerliche Komoediantengesellschaft in Biberach zu Tage gefördert hat (Geschichte des Theaters in Biberach von 1686 an bis auf die Gegenwart, in den Württembergischen Vierteljahresheften für Landesgeschichte, Jahrgang VI, 1883, S. 36—45, 113—126, 229—242).

Martin Opitz und Ernst Schwabe von der Heyde.

Von

Paul Schultze.

Unter den Quellen, aus denen Opitz seine metrischen und prosodischen Regeln geschöpft hat, ist die Schrift des Ernst Schwabe von der Heyde für uns verloren, und unsere Kenntniss derselben beruht auf den wenigen Bemerkungen, welche Opitz selbst darüber gemacht hat. Mit Hilfe derselben können wir eine ungefähre Anschauung von Schwabes Buch und von dem Grade seines Einflusses auf Opitz gewinnen.

Die früheste Erwähnung Schwabes findet sich im Aristarch, und zwar in dem zweiten Theile desselben, wo Opitz von seinen eigenen Bemühungen um Hebung der deutschen Sprache redet. Das Deutsche, so ist sein Gedankengang, sei allen poetischen Anforderungen ebenso gewachsen, wie die übrigen Sprachen, in denen die Dichter jetzt so grosses leisteten. ·Zum Erweis seiner Behauptung führt er einige seiner Versuche in Alexandrinern an und fährt dann fort: „Aliter rursum ista Ernesti Schwaben von der Heyde, politissimi hominis et mira suavitate morum commendatissimi: cuius tamen Germanica quaedam carmina longe post vidi quam de hoc scribendi modo [gemeint sind die Alexandriner] cogitaveram." Es folgt ein Sonett von Schwabe in Alexandrinern. Darauf gibt Opitz das Silbenschema des Alexandriners und des vers commun an und von sich und Schwabe je ein Beispiel dazu. Es folgt die Regel über die Elision des *e* vor folgendem Vocal, und am Schlusse dieses Abschnittes heisst es: „quod [jene Regel] et Schwabius docet ac observat", woran sich ein Beispiel aus Schwabes Gedichten anschliesst. Dann wird fortgefahren:

„Anagrammatismos etiam . . . non infeliciter˙ sane conquirere
nuper didicimus", worauf einige Anagramme von Opitz folgen.
Alsdann heisst es: „effinxit etiam Schwabius Anagrammata
non pauca: et quidem haud ita infelici genio." Drei Anagramme desselben bilden den Schluss dieses Theils.

Es ist zunächst ersichtlich, dass Schwabes Büchlein Gedichte enthalten habe, und zwar Alexandriner und Anagramme
in reichlicher Anzahl, so dass man an eine Gedichtsammlung
denken könnte. Aber wenn schon die Anführung der Regel
über die Elision des *e*, die aus Schwabes Buch stammt, schwerlich nur eine Abstraction aus der Gepflogenheit Schwabes ist,
so nöthigen doch die Schlussworte dieses Abschnittes: „quod
et Schwabius docet ac observat" energisch zu einer anderen
Auffassung. Dieselben können unmöglich nur andeuten, dass
Schwabe jene Regel in seinen Gedichten immer beobachtet
habe, sondern sie beweisen klärlich, dass er die Regel auch
als solche fixiert und vorgetragen habe. Mit dieser Erklärung
der Stelle stehen in vollster Uebereinstimmung die Worte
in der deutschen Poeterei (Ausgabe 1658, S. 60): „Hiervon
werden ausgeschlossen, wie auch Ernst Schwabe in seinem
Büchlein erinnert, die eigenen Namen; danach alle einsilbige
Wörter."[1] Es ist nun wenig glaublich, dass Schwabe nur
diese eine Bemerkung gemacht haben sollte; es wird vielmehr
im Verlauf dieser Abhandlung mit einiger Wahrscheinlichkeit
nachgewiesen werden, dass er auch über den Bau der Alexandriner und über die Anagramme gesprochen hat.

Das Schwabische Buch bestand also aus Gedichten, gewiss zum weitaus grösseren Theile, und einer Reihe von Bemerkungen, welche Prosodie und Metrik angiengen. Es entsteht
nun die Frage, in welchem Verhältniss standen beide Theile
des Buches zu einander. Waren die Gedichte nur eine praktische Erläuterung zu den Bemerkungen, oder sollte der
poetische Theil der Arbeit als für sich bestehend und um
seiner selbst willen gedichtet angesehen werden und die Bemerkungen nur über die dichterische Gepflogenheit des Ver-

---

1) Somit irrt Hoffmann von Fallersleben, wenn er Spenden II, 67
behauptet: „Opitz hat späterhin, auch in seinem Buche von der deutschen
Poeterei, niemals wieder von Ernst Schwabe gesprochen."

fassers und über das neue, was er etwa in metrischer und
prosodischer Hinsicht brachte, den Leser unterrichten? Denn
zwei verschiedene Bücher von Schwabe anzunehmen, auf welche
sich Gedichte und theoretische Bemerkungen vertheilen, ist
durch nichts angezeigt. Ich glaube die erste der angedeuteten
Möglichkeiten erweisen zu können.

In dem zweiten Theile des Aristarch, dessen Inhalt bereits
oben angegeben worden ist, tritt zunächst die auffällige Thatsache hervor, dass zum Beweis für die Fähigkeit des Deutschen
zu jeglicher dichterischer Leistung ausser Opitz nur der einzige Schwabe angeführt wird. Da man nun durchaus nicht
annehmen kann, Opitz habe keine anderen deutschen Dichter
von einiger Bedeutung gekannt, so wird man nach anderen
Gründen suchen müssen, die für Opitz massgebend gewesen
sind, eben nur Schwabe zu erwähnen. Halten wir damit die
andere Thatsache zusammen, dass von allen Versarten nur
Alexandriner, beziehentlich vers communs und Anagramme,
die sich sämmtlich auch bei Schwabe finden, angeführt werden,
so werden wir uns der Ueberzeugung von einem inneren Zusammenhange zwischen beiden Thatsachen nicht entziehen können.
Dieser Zusammenhang kann aber nur der folgende sein.
Schwabe war der erste, bei dem Opitz die ausländische Form
der Alexandriner in deutschen Versen und die, wenngleich
noch so geschmacklosen, doch immerhin eine gewisse Bieg-
samkeit der deutschen Sprache verrathenden Anagramme vorfand. Denn es handelte sich ja für Opitz eben um den Beweis,
dass auch im Deutschen fremde, besonders französische Metra
angewandt werden könnten und dass die deutsche Sprache
an Gewandtheit keiner anderen nachstehe. Wir werden aber
diese Art des Zusammenhangs um so eher für die richtige
halten, als sich wenigstens hinsichtlich der Anagramme die
völlige Abhängigkeit Opitz' von Schwabe darthun lässt. Opitz
erklärt nämlich, dass Schwabe „non pauca anagrammata et
quidem haud ita infelici genio" gemacht habe. Offenbar haben
diese Spielereien dem jungen Opitz gewaltig imponiert, und
wenn er schliesslich sagt, er habe es erst neuerdings gelernt,
in diesem Genre zu dichten, so werden wir nicht fehl gehen,
wenn wir eben Schwabe als seinen Lehrmeister bezeichnen,

zumal dessen Buch nur ein Jahr vor dem Aristarch herausgegeben worden ist. Dann aber wird es kaum einem Zweifel
unterliegen, dass Schwabe sich auch darüber erklärt hat, wie
Anagramme anzufertigen seien, und Opitz hat sich nun beeilt,
nach dessen Vorgange zu Ehren ihm bekannter Persönlichkeiten sich in Anagrammen zu versuchen, zu deren Veröffentlichung sich dann im Aristarch der willkommene Ort bot.
Schliesslich spricht Opitz' ganze ihm selbst so natürlich erscheinende Art des citierens, wie immer sofort nach· seinen
eigenen Producten Bemerkungen oder Gedichte von Schwabe
angeführt werden, dafür, dass der gesammte zweite Theil
des Aristarch unter dem directen Einfluss Schwabes steht.
Da nun in diesem Zusammenhange auch die Alexandriner
erscheinen, so ist es überaus wahrscheinlich, dass auch für
die Veröffentlichung von Alexandrinern Schwabe für Opitz
massgebend gewesen ist. Gewiss hat Opitz diese Versgattung
schon bei Ronsard kennen gelernt, ja sich auch schon selbst
darin versucht, aber für die Veröffentlichung dieser Versuche
und für seine Bemühung, den Alexandriner zum deutschen
Modevers zu machen, ist es sicherlich von entscheidender Bedeutung gewesen, dass er bei Schwabe Alexandriner bereits
gedruckt sah. Hat aber Schwabe diese bis dahin in Deutschland ungebräuchliche Versgattung praktisch angewandt, so
liegt die Annahme nahe, dass er seinen also abgefassten Gedichten mindestens eine kurze Erklärung des Silbenschemas
beigefügt hat. Somit ist für den ganzen zweiten Theil des
Aristarch Schwabe Quelle und Vorbild gewesen, und es wird
alsdann von diesem Gesichtspuncte aus völlig begreiflich,
warum nur Schwabe und nur die sich auch bei jenem findenden Versgattungen angeführt werden. Aber nicht nur der
Inhalt des Schwabischen Buches findet sich bei Opitz wieder,
auch die äussere Einrichtung und Form desselben scheint von
dem Verfasser des Aristarch nicht unberücksichtigt gelassen
zu sein. Hierfür spricht schon, worauf ich bereits hinwies,
die Art, wie Opitz seinen Gewährsmann citiert, so dass man
mindestens an eine gleiche Folge der einzelnen Materien bei
Schwabe wie bei Opitz denken möchte. Aber hierzu tritt
noch ein anderer Umstand.

Opitz verband mit der Abfassung des Aristarch den Zweck, die gebildeten Deutschen auf die herrschende Verwälschung und Verstümmelung ihrer Muttersprache aufmerksam zu machen und durch den Hinweis auf die dichterischen Leistungen anderer moderner Völker zu einer erneuten, sorgfältigeren Pflege deutscher Poesie aufzufordern, da ja auch die deutsche Sprache allen dichterischen Anforderungen genügen könne. Dieser letztere Punct bildet den zweiten Theil der Arbeit. Bei dieser Tendenz derselben und in diesem Zusammenhange der Gedanken ist das hereinziehen des Alexandriners und auch die Angabe seines Silbenschemas verständlich. Aber völlig abgerissen und an den Haaren herbeigezogen nimmt sich die Regel über die Elision des e aus. Denn diese war ja nicht bloss im Alexandriner, sondern in jedem Verse zu beobachten. Warum ward sie also überhaupt gegeben und warum gerade an dieser Stelle, wo die bisherige Gedankenentwickelung absolut keine Nöthigung dazu gab? Sie stand eben bei Schwabe, und als Opitz in genauem Anschluss an dessen Buch diesen Theil des Aristarch abfasste, nahm er sie ohne weiteres von dort mit herüber, freilich ohne sie im Aristarch vollständig wiederzugeben, da hier die Ausnahmen fehlen, wie die oben angeführte Stelle aus der deutschen Poeterei beweist. Diese sklavische und doch dabei flüchtige Benutzung des Schwabischen Buches durch Opitz gestattet daher, sich die Einrichtung jenes Buches im wesentlichen so zu denken, wie die Anordnung des zweiten Theiles des Aristarch. Danach war Schwabes Werk eine Poetik, wenn auch noch so unvollkommener Art, mit eingestreuten Gedichten zur Erläuterung der gegebenen Regeln über den Bau gewisser Verse, womit auch der von Scherffer in der Zuschrift zum 6. Buche seiner deutschen Gedichte (Brieg 1652, S. 279) von Schwabes Buch gebrauchte Ausdruck „poetisches Büchlein" stimmt. Dieses Büchlein also lag Opitz bei der Abfassung des Aristarch vor, und er hat es mit dem Autoritätsglauben eines zwanzigjährigen Jünglings benutzt. Das einzig originelle bei ihm ist nur dies, dass er es verstand, seine entlehnten dürftigen Bemerkungen unter eine berechtigte Tendenz zu stellen und in klug gewählter Form ein weiteres Publicum anzuregen.

Sehen wir nun Opitz in so bedeutender Abhängigkeit von
Schwabe, so werden wir uns auch mit der anderen Frage auseinanderzusetzen haben, ob etwa in der Schwabischen Poetik
schon das Betonungsgesetz des deutschen Verses gestanden
habe, durch dessen Auffindung und glückliche Fixierung Opitz
der Erneuerer der deutschen Poesie geworden ist.

Zunächst ist darauf aufmerksam zu machen, dass die
Verstösse gegen jenes metrische Gesetz, die sich in den von
Opitz angeführten Schwabischen Gedichten finden, keine Instanz
bilden können gegen die Behauptung, Schwabe habe jenes Gesetz
bereits gekannt. Denn einmal verbindet sich mit der Kenntniss einer Regel nicht immer die durchaus sichere Handhabung
derselben, und dann hat ja auch Opitz selbst noch nach 1624 einzelne Verstösse gegen sein Gesetz begangen. Es ist nun nach
dem Vorgange Kobersteins von J. B. Muth (Ueber das Verhältniss von Martin Opitz zu Dan. Heinsius, Leipzig 1872,
S. 14) die Ansicht ausgesprochen worden, Schwabe habe jenes
Gesetz nicht gekannt und Opitz mithin es von ihm nicht entlehnen können. Aber der Schluss, mit dem Muth seine Ansicht zu beweisen sucht, dass nämlich, im Falle Opitz jenes
Gesetz aus Schwabes Buch hätte, nicht ersichtlich wäre, warum
er dieser wichtigen Regel nicht schon im Aristarch Erwähnung gethan habe, dieser Schluss ist nicht beweiskräftig.
Denn abgesehen davon, dass der Aristarch anderen Bestim-
mungen diente, als dass Opitz nothwendig hätte jenes Gesetz
anführen müssen, können wir von einer Bemerkung wenigstens, den Ausnahmen von der Regel über die Elision des e,
nachweisen, dass Opitz diese Ausnahmen, obschon sie ihm zur
Zeit der Abfassung des Aristarch bereits aus Schwabe bekannt
sein mussten, dennoch nicht dort, sondern erst im Buche von
der deutschen Poeterei vorgetragen hat. Warum sollte er
also nicht auch das Betonungsgesetz des deutschen Verses,
auch wenn er es bei Schwabe lesen konnte, im Aristarch
dennoch übergangen haben? Der Schluss ex silentio scheint
mir demnach für den vorliegenden Fall nicht stichhaltig zu
sein. Wir gelangen aber auf anderem Wege zu dem Resultate
Muths. Opitz führt jenes Gesetz mit dem Bemerken an, dass
seines Wissens noch niemand dies genau in Acht genommen.

Hätte er es schon bei Schwabe lesen können, so würde er diesen, wie er es auch sonst thut, als Gewährsmann zu nennen nicht unterlassen haben. Denn eine absichtliche Unterdrückung der Quellenangabe kann ihm, zumal bei der ausdrücklichen Versicherung seiner Unwissenheit hinsichtlich eines Vorgängers in dieser Neuerung, nicht wol untergeschoben werden.

Das Schwabische Buch wird ausser bei Opitz und Scherffer a. a. O. noch bei Zincgref (Ausgabe der Opitzischen Gedichte, Strassburg 1624, S. 161) und bei Löwenhalt (im ersten Gebüsch seiner Reimgedichte, 1647) erwähnt. Alle hängen mehr oder minder von Opitz ab. Nach diesen Zeugnissen war das Buch im Jahre 1624 schon sehr selten, so dass Zincgref es überhaupt nicht zu Gesicht bekommen hat. Gewiss war es nur in wenigen Exemplaren gedruckt worden, und Opitz mag es wol von dem Verfasser selbst erhalten haben, den er, nach seinem Urtheile über denselben im Aristarch zu schliessen, persönlich gekannt zu haben scheint. Im Jahre 1647 spricht Löwenhalt schon die Vermuthung aus, dass Schwabes Buch überhaupt niemals im Druck erschienen sei. Vielleicht hat diese auffällig geringe Verbreitung des Buches darin ihren Grund gehabt, dass es in deutscher Sprache abgefasst war, während damals Latein als die zunftmässige Gelehrtensprache galt, wie denn auch Opitz dem eminent vaterländischen Zwecken dienenden Aristarch fremdländisches Gewand gab in der richtigen Voraussetzung, dass sein Buch alsdann in weiteren Kreisen werde gelesen werden.

Berlin, im September 1885.

Ein ungedruckter Brief Ewald von Kleists.

Mitgetheilt von

RICHARD MARIA WERNER.

Sauer druckt in seiner Ausgabe der Briefe Kleists (II, 543 ff.) ein Schreiben an Gleim vom 21. Januar 1759 ab, in welchem sich die Stelle findet: „Ich habe nicht Zeit gehabt, in meinem vorigen Schreiben meine ganze Entzückung über Ihr fürtreffliches Gedicht auf den Sieg bei Zorndorf auszuschütten." Sauer hielt dies Schreiben für verloren, was nicht der Fall ist. Es wurde aus dem Halberstädtischen Archiv von Körte verschenkt und wird jetzt in der Autographensammlung des Herrn k. k. Kämmerers Grafen Moriz O'Donell in Lehen bei Salzburg aufbewahrt. Derselbe gestattete mir freundlichst die Benutzung, wofür ich ihm hier öffentlich danke.

Auf dem Blatte findet sich die Notiz: „Eigenhändiger Brief von E. Chr. v. Kleist an Gleim, aus Gleims litterarischem Nachlass zu Halberstadt. Dr. Wilh. Körte." Diese Beglaubigung des Autographs enthält zugleich den Nachweis, dass der Brief von Körte verschenkt und nicht etwa auf unredliche Weise entnommen wurde. Ausserdem zeigen die von verschiedenen Händen notierten Zahlen Nr. 17 und 254, dass der Brief wol durch mehrere Autographensammlungen gewandert sei, ehe er in den Besitz des Grafen O'Donell gelangte.

Kleist schreibt:

Zwickau d. 13ten Jan: 1759.

Allerliebster Gleim

Ihr fürtrefliches Gedicht an die Muse nach der Niederlage der Russen, habe ich äusserst bewundert, und wolte es um alles in der Welt gemacht haben, dass man es aber nicht drucken will, wie mir Herr Lessing schreibt, weil der Censor es nicht zugeben will, das wundert mich auch nicht. Sie haben also diesesmahl in ihrem *Disput* mit Lessing Unrecht, er kan vor nichts. Haben Sie nur Geduld, es soll schon gedruckt werden, ich will es nach der Schweitz schicken.[1])

Ein andermahl ein mehreres, ich habe keinen Augenblick Zeit. Leben Sie wohl mein liebster englischer Gleim. Ich bin

Ihr

Kleist.

Erwähnt sei noch, dass sich in derselben Sammlung der Brief Lessings an Gleim vom 7ten May 79 erhalten hat, welchen Redlich (XX 1 S. 789) nicht nach dem Originale geben konnte. Daher finden sich im Drucke auch einige Abweichungen, die wenigstens kurz angegeben seien. Ich zähle die Zeilen des Briefes vom Datum angefangen.

3 hier — 5 Spiegels — 6 sonst wo . . nachzusuchen — 7 Domdechant — 8 allen Falls — 10 einen grossen — 11 muss es — 14 Namens; . . Meissnische . . . Westphälische — 15 haben, — 16 nehmlichen — 17 Mehrers — 21 f. Ulrike und die Meinigen Empfehl an Sie und die Ihrigen!

Auch bei diesem Briefe findet sich die Bemerkung: „Aus Gleims litterarischem Nachlasse zu Halberstadt Dr. Wilh. Körte" und die Angabe Nr. 4.

Lemberg, 24. Januar 1884.

1) Vgl. a. a. O. S. 544, den Brief Kleists an Hirzel ebenda S. 547 f. und S. 550; ferner Deutsche Litteraturdenkmale des 18. Jahrhunderts 4 S. XXV ff.

Briefe Johann Joachim Ewalds.

Mitgetheilt von

H. A. LIER und R. M. WERNER.

I.

Briefe an den Stallmeister Christian Ludwig von Brandt.

Mitgetheilt von H. A. Lier.

13.*)

Mein göttlicher Brand,

Gestern Abend berichtete ich Ihnen meine Rückkunft von Darmstadt[85]), und wie ich dort der Frau ErbPrinzessin vorgestellt worden bin. Ich schrieb's mit halb schläfrigen Augen, weil ich die meisten Nächte mit dem Herrn ErbPrinzen wachen muss, und mir auch noch die Darmstädtische Reise in den Gliedern war; aber ich kann niemals anders als Briefe kritzeln, ihr Dämon wird Ihnen schon Alles dechiffriren. Sie · machen mir in Ihrem lieben Briefe vom 27sten November, den ich in diesem Augenblick erhalten habe, zu viel Lobsprüche. Sie werden mich stolz machen, theurer Freund, und Stolz raubt Gefühl und verschafft Dummheit; ich will aber gern Ihr Lob hören, und wie einer von den ungläubigen Jüngern Christi sein, der, glaube ich, Thomas hiess. Ich bedaure, Mein innigst geliebter, dass Ihnen Berlin so wenig Unterhaltung und Vergnügen macht, Kann nicht Ramler und Sulzer etwas für Sie erfinden? Aber Sie erfinden noch aus Ihnen selber besser als diese, wenn Sie wollen. Freylich Italien würde unser Beyder Land seyn; dahin stehen meine Wünsche. Glücklich, wer dort mit einem Freunde und Kenner der Künste, wie Sie, reisen könnte, und glücklich, wenn ich Ihnen treu die angenehmen Empfindungen nachwiese, die Sie auf mich in Deutschland, Holland und England haben könnten. Warum haben die Reichen nicht Geschmack, oder warum haben die Schooss-kinder der Musen nicht Reichthum und Freyheit? Wie beklage ich

---

*) Die Briefe Nr. 1—12 sind im Archiv für Litteraturgeschichte Bd. 13 S. 454 ff. abgedruckt.

Gottscheds Schicksal! Dieser Mann errichtet sich Monumente, wie sie die Bürger von London den Catholicken errichtet haben, Sie wissen, wegen der Feuersbrunst. Die Säule ist 103 Fuss hoch, und übersieht die ganze Stadt. — Von Büchern habe ich jetzt nichts als einige Sachen von Shebbeare, die ich Ihnen nach und nach schicken werde, und den göttlichen Plato, so aber den Socrates manches hat sagen lassen, der, wie man aus dessen Denkwürdigkeiten im Xenophon sieht, nichts weniger als zu weitschweifig in seinen Fragen war. Hierin steckt die Kunst nicht, sondern durch ergotische [mäeutische?] Fragen auf königlichem Weg bald zur Sache zu kommen. Plato macht den Socrates zu captieux, und mithin weniger liebenswürdig. Plato hat noch etwas aus der Schule, wie alle die, so sich zu viel im Cabinet aufhalten. Ihre Einbildung wird allein voll von langen geraden Linien, nicht von vielen reizenden Krümmungen, die alles Verschiedene der Natur enge zusammen bringen. Sie errathen wohl meinen Galimathias. Ich bin grausam für das Sinnliche, und zwar für das schöne Sinnliche: ein schöner Engelskopf und Nacken vom Raphael gilt mir offen mehr als Schlachten vom Rugendas [86]) oder andern. Sobald ich den Rousseau zu Buchsweiler finden werde, will ich sehen, ob ich die Ode an die Witwe [87]) angreifen darf. Das natürlich Fliessende des Rousseau ist schwer zu übertragen. Ramler hat aber Feuer und Rousseau auch. Kleist ist wirklich sehr fleissig, wie er mir geschrieben hat. [88]) Ich habe jezt, wie Sie wissen, seine Ode. Seine Unruhen sind ihm Arznei. Es ist ein Kopf, der mehr, als man glaubt, gesamlet hat, der aber seine Gedanken zu viel bebrötet. Nehmen Sie dieses aber nicht für Tadel, ich rühme Kleisten gern. Lesen Sie doch ja den Theocrit des Lieberkühn, Sie werden eine Erndte von Schönheit drin finden. [89]) Lieberkühn ist ein echtes Genie, das die wahren Griechischen Eindrücke annehmen kann; er ist aber noch nicht ausgebildet. Gewisse sanfte Schattirungen entweichen ihm, und sein Wort ist nicht immer das sittlichste und gewählteste; hierin kann sich aber ein Jeder zuweilen versehen. Es ist Schade, dass Theocrit, Moschus und Bion, die feinsten griechischen Genies, bey uns auf Löschpapier gedruckt werden. Von solchem Papier liest auch der Pöbel in England nicht. O mein Vaterland, wie wenig wärmst Du uns, als bey Krieges Feuer! Lebt wohl, lebt wohl, ihr Helden, mein Lied klingt nur von Liebe, ruft der aller Küsse werth gewesene Greis Anakreon. Doch schöne Ausrufung bey Gelegenheit von Lösch-Papier! — Es thut mir Leid, dass Sie nicht nach Leipzig gekommen sind; aber Sie gewinnen, es als Leipzig im Sommer zu sehen. — Alles, was mir die ErbPrinzessin gesagt hat, will ich Ihnen einmal in's Ohr raunen, und Sie dabey küssen. Qualia et quanta nobis Galathea locuta est! Die Love Epistle dürfen Sie mir nicht wiederschicken, ich weiss sie fast auswendig. Ich schicke Ihnen hierbey alle meine Kleinigkeiten, die ich

bisher geboren habe. Sehen Sie zu, was zu behalten ist, und ver-
bessern Sie auch! Wenn ich einmal genug gemacht habe, so bitte
ich Sie, eine neue Auflage meiner Lieder etc. bey Walthern anzuordnen. Seyen Sie mein Aristarch, und dass ich von Ihnen, wie von
meinem Vater sagen darf: du lobst mich ohne List, und schiltst
mich ohne Galle. Ich mache mich lächerlich, da ich mich selber
citire, ich citire aber, was ich verworfen habe. Ich küsse Sie.

Ems, den 8ten December   Ihr treu ergebenster
       1757.   Ewald.

NS. Diese Nachschrift, Mein Geliebtester, ist einige Tage
später; ich habe meinen Brief zurück gehalten, weil ich Ihnen den
Tag unserer Abreise von hier melden wollte. Ich kann ihn aber
noch nicht melden, es gefällt hier dem Herrn ErbPrinzen unendlich
wohl; mithin — da ich Ihr Schreiben vom 27sten Novbr. oft über-
lese, so bin ich um desto gerührter, dass Sie in Berlin kein Vergnügen haben. Wie? Kann Sie keine Schönheit rühren, sie, die in
alle Herzen zu schleichen weiss? Ich rathe zwar, wozu ich mir
selber nicht rathe; aber wider Melancholie muss man gewaltsame
Mittel gebrauchen, und die Liebe ist eines. Mein Fürst feyert an-
jetzt den neuen grossen Sieg des Königs bey Breslau [90]), den wir
gestern erfuhren. Glück dem Könige und dem Lande! Das Glück
ist so gross und meine Freude ebenmässig, dass ich nicht davon
dichten kann. Es geht mir wie denen, die aus allzu grosser Zärtlichkeit die umarmte Schöne nicht geniessen können. Wie gern
höre ich in dem ruhigen Ems vom Kriege und von Siegen!

> Suave, mari magno turbantibus aequora ventis,
> E terra magnum alterius spectare laborem;
> Non quia vexari quemquam est jucunda voluptas,
> Sed, quibus ipse malis careas, quia etc. [91])

Lieben Sie mich ewig, Mein liebster Brand! Keine Seele sucht
mehr mit der Ihrigen zu harmoniren, als die meinige. Wie glücklich, wenn Sie mir in Ihrem Herzen den Vorrang vor allen Ihren
übrigen Freunden liessen! Ich will ihn nicht mit Fleiss verdienen,
sondern ich möchte dazu geboren seyn. Wir können nichts anders
seyn, als das, wozu uns die Natur gestempelt hat. Ich küsse Sie
mit Zärtlichkeit, und gebe Ihnen den Kuss und die Umarmung
wieder, die mir gestern der Prinz wegen des Sieges gab. Die Prinzessin schreibt heute von Bergzabern [92]) vom 5ten d. M. Werfen
Sie's doch dem Achard vor, dass er mir nicht schreibt.

Ems, den 10ten December   Ihr
       1757.   Ewald.

An
den Stallmeister v. Brandt,
    Hochwohlgeborn.

14.

Mein Liebster,

Dieses ist das letzte Mal, dass ich Ihnen von Embs schreibe.
Künftigen Montag geht der Prinz von hier ab, und langt den Freytag
darauf zu Pirmasens an, wo den Winter über Sein Aufenthalt seyn,
und wohin sich die Prinzessin von Bergzabern begeben wird, den
Prinzen zu erwarten, und Sich dort bey Ihm einige Zeit aufzuhalten.
Gestern haben wir den Tag über das Geburtsfest des Prinzen begangen, und die Nacht kam ein Expresser von der Prinzessin mit
der positiven Nachricht von der Schlacht bey Lissa, vom 5ten, an.
18 Kanonen hatten den ganzen Tag über am Ufer der Lahne ge-
donnert, und diese Canonade fing bey erhaltner guter Nachricht
von Neuem an. Ich war schon zu Bette, der Prinz hatte aber die
Gnade, mir Selber auf's Neue solche mitzutheilen, und mich auf-
zuwecken. — Vor einigen Tagen erhielt ich das gnädigste Schreiben
von der Welt von der Prinzessin, welche mir dabey einen Brief von
Mr. Achard schickten. Ich beantwortete sogleich den Brief an die
Prinzessin und an Mr. Achard, dem ich eine Abschrift von der Prinzessin Brief mit überschickt habe, die er Ihnen zeigen kann. Sie
brauchen also Mr. Achard keine Vorwürfe über sein Stillschweigen
zu machen, wie ich in meinem vorigen gebeten hatte. Sein Brief,
den ich der Prinzessin wegen seines Inhalts wieder entsiegelt zurückgeschickt habe, war von altem dato. Ich hätte gern diesen neuen
Sieg besungen, ich bin aber zu zerstreut; wir haben hier sogar
Dames, nämlich Weiber von verschiednen Räthen, die mit unterhalten seyn wollen. Sie sehen, dass mich Ems nicht hätte hypo-
chondrischer machen können, als ich es schon bin: wir haben Feste,
Bälle, Concerte, warme Bäder, Spatziergänge, Gesellschaft genug.
Wie hätte ich ewig geglaubt, mit den Hof machen zu können! Aber
wie verschieden sind auch die Höfe! In Pirmasens werde ich wohl
nur einige Tage verbleiben, und alsdann nach Buchsweiler gehen.
Ich werde Ihnen alsdann von meiner dortigen Lebensart, wie bisher,
treue Nachricht geben. Schreiben Sie mir nur auch oft! — Wie
gefällt Ihnen meine geistliche Cantate?

Cantate.

Darf deines Mündels Zunge taugen,
Dein Lob, Jehova, zu erhöh'n?
Orion glänzt mir itzt vor Augen,
Dein Tag und deine Nacht ist schön.
Wenn deines Tempels Lampen brennen,
Sollt' ich dabey nur schlummern können?

Mein Herr und Gott allein,
Auch in der Mitternacht sollst du mein Loblied seyn,
An dir ist ewiglich zu preisen!
Wollt' ich nach Afriken nach fremden Wundern reisen,
Von neuen Himmeln dort am Meer umleuchtet steh'n,
Würd' ich in seinem Werk' auch da denselben seh'n.
Wer fasst, dass wenn ein Laut von deinen Lippen gleitet,
Er Erd' und Himmel zubereitet?
Doch was unfasslich gross ist meines Gottes Werth!
Wie aber hast du doch den Menschen so geehrt,
Und seiner nur gedacht?
Er wäre gnug geacht't,
Dürft er hier kurze Zeit nur deine Sonne sehen;
Du aber willst ihm zugestehen,
Ihm, deinen Umgang selbst, o Gnad', o Seligkeit,
Durch eine lange Ewigkeit!

Arie.
Hätt' ich mich schon zu Dir gefunden,
Mit meinem Ursprung mich verbunden,
    So würd' ich gleich. den Engeln seyn!
So lang' ich auch auf Erden walle,
Den Sinnen und der Welt gefalle,
    Reift doch jede Lust (oder: jedes Glück) zur Pein.

Ich weiss nicht, ich habe oft einen Trieb dergleichen zu machen: ich thue alsdann nichts anders als die Bibel bestehlen. Pia fraus. — Wenn ich einmal wieder ein Siegeslied machen sollte, so soll es ad imitationem des Lobgesanges der Israelitinnen seyn, den Moses machte. Es wäre vielleicht wieder neu, wenn man die Frauen und Brandenburgerinnen etwas zum Lobe des Königs und unserer Helden singen liesse. — Es hat mir ungemein gefallen, dass die Engländer dem Friederich eine Statue aufrichten wollen, da sie es noch nicht den Helden von Dettingen[93]) gethan haben. Dieser Zug characterisirt dieses Volk. — Ich habe einen Einfall gehabt. Sollten Sie nicht unser Thucydides oder Sallust werden wollen? Ihr Styl in der That, Mein Liebster, ist zur Geschichte gemacht: ich würde hierin mehr von Ihnen als von Gleim[94]) erwarten. Gleims Styl ist zu leicht für die Geschichte. Er muss nothwendig lyrisch [Livisch?] oder Sallustisch seyn. Gleim's seiner ist Herodotisch; aber der gefällt mir eben nicht am meisten. Der gegenwärtige Krieg bietet mehr Stoff dazu, als keiner vor uns. Unser Cäsar wird zwar selber schreiben, aber ein Krieg kann mehr als einen Geschichtsschreiber haben. Sie müssen schlechterdings Schriftsteller werden, und zwar des gemeinen Vortheils und meinet wegen. Wenn Sie wollten, könnten Sie uns auch noch die Denkwürdigkeiten Socrates' übersetzen. Lassen

Sie sich meine Vorschläge oder Erinnerungen zu Herzen gehen,
Ihres Ewalds seine. Ich küsse und umarme Sie zärtlichst.

Ihr

Ems, den 16 Dcbr. 1757. Ewald.

NS. La Princesse m'a dit entre autre, je suis prevenue pour
Vous; je sais bien par qui le plus! Saluez Achard, je vous prie!

An den Stallmeister v. Brandt,
Hochwohlgeborn.

15.

Chérissime Brand,

Je Vous demande pardon, que je ne Vous écris que deux pa-
roles. Je viens d'arriver sain et sauf à Pirmasens, après avoir eu
permission du Prince de séjourner quelques jours en chemin à Francfort. Madame la Princesse m'a fait ici l'accueil, qui repond positivement à ce que Vous m'en avez prédit; Elle ira peut-être dans
huit jours à Bouxviler, où j'aurai l'honneur de La suivre. Madame
la Princesse désire d'avoir des Cartes géographiques specielles de la
Silésie, dont j'ai vu à Berlin une suite au nombre de 17, je crois,
trés bien gravées. Comme il n'y a personne à Berlin, à qui je
m'adresse plus volontiers qu'à Vous, Voudriez Vous bien me faire
la grace ainsi qu'à La Princesse, de déterrer ces Cartes, et de les
faire envoyer pour Bouxviler, je Vous suis garant, que le prix en
sera immédiatement remis après la reçue. Vous avez montré à
Madame la Princesse mes anecdotes sur l'Angletere: indiscret que
Vous étes, les avois-je faits pour autre que pour Vous? je n'en ai pas
seulement gardé de Copie, de façon que je ne sais plus, si je n'y ai
pas écrit peut-être quelque sottise. Aimez moi toujours, mon aimable
Brand, à qui je souhaite pour le nouvel an tout le bien, qu'un bon
et grand coeur mérite, et soyez plus que persuadé, que je serai
toute ma vie

Pirmasens ce 30. Decbr. Votre dévoué et fidèle
1757. Ewald.

NS. Je Vous écrirai avec épanchement de coeur de Bouxviler. Si un de mes autres amis de Berlin m'écrit, renfermez la
lettre dans la Votre.

'A Monsieur
Monsieur de Brand
Ecuyer de Son Altesse Royale
Msgr. le Prince de Prusse
à Berlin.

Mein liebenswürdigster von Brand,

Wie böse werden Sie auf mich seyn, dass ich Ihnen nur von
Pirmasens zwey Zeilen geschrieben habe! Ich bin aber müde von
meiner Emser Reise gewesen, welche über Frankfurt gegangen ist,
und krank überdem; ich bin auch noch nicht genesen, ob ich gleich
zu meiner mehreren Gemächlichkeit endlich gegenwärtig in Buchsweiler bin. Es soll sich mein junger Prinz nach und nach an mich
gewöhnen, und also bin ich noch nicht mit ihm logirt, dürfte es
aber wohl bald seyn. Es ist das liebenswürdigste Kind, was Sie
sich nur gedenken können. Es ist sowohl der Seele, als dem Leibe
nach schön geschaffen, mithin fähig der bessten Eindrücke. Er hat
Feuer, desto besser; ist jachzornig; ein desto reineres Herz; er fürchtet
sich vor nichts; er kann aber auch weinen. Ich will alles dieses, so
Gott will, glücklich vermischen, und eine gesunde Mässigung heraus-
bringen: er soll in sechs, acht Jahren alles kennen, was wir von
guten und grossen Leuten in der Welt gehabt haben. Vor allen
Dingen aber, wenn er kein gross Genie werden sollte, soll er doch
ein Menschenfreund seyn. Ich habe eine besondere Meinung, ich
glaube, dass alle Menschen, die nicht ganz von blöden Sinnen sind,
Genie haben. Man müsste sie nur zu entwickeln und ihren Trieben
Nahrung zu geben suchen; dieses kann man nun besonders bey einem
Prinzen, wo man die Wahl der Mittel hat. Woher kommt es, dass
Deutschland itzt so viele Genies zeugt? Weil ein Genie mit dem
andern umgeht, es ansteckt und entwickelt. Der Feige wird endlich
brav, wenn er mit lauter Braven zu thun hat. Woher sonst unser
Heer von Helden? Wir leben itzt in einer Zeit, die nur alle fünf
hundert oder Tausend Jahre einmal kommt. Gleim hat ein Siegeslied auf die Schlacht von Rossbach gemacht[95]), welches ganz was
anderes ist wie meines. Ich bin gegen ihn noch nicht reif, und habe
auch nicht Athem genug, so sehr Sie mich auch, mein innig geliebter Freund, zuweilen gelobt haben. Hier ist mein Lied der
Berlinerinnen nach der Sache bey Lissa. — Der Frau ErbPrinzessin
Bücher sind noch nicht ausgepackt, ich habe also noch nicht Rousseau's Ode an eine Witwe gelesen.

Lobsingt, Freundinnen, überlaut
Sophiens grossen Sohn!
Er ist wie Gott, ihr Schwestern schaut,
Wie glänzt des Königs Thron!

Auch wir sind von der Ehre voll,
Die Friedrich uns erhält,
Mann, Sohn, der uns bey Lissa fällt,
Fällt, wo er fallen soll.

Bey Lissa ward der Feind geschwächt,
Der unversöhnlich blieb.
Da hat der König uns gerächt,
Da war die Ruh' ihm lieb.

Als Haddik[96]) uns mit Schrecken schlug,
Wie waren wir gebeugt!
Doch es verherrlicht Muth, nicht Trug,
Ein Volk von uns gesäugt.

Ein Volk voll Zucht, wie Spartens kühn,
Schuf sich des Königs Herz;
Es blutet oft und gern für ihn,
Nur Schande zeugt ihm Schmerz.

Es kommt uns Breslau schön zurück,
So wahr der König lebt!
Fiel Schweidnitz[97]) durch ein Bubenstück,
So bebt, Verräther, bebt!

Dem Feind hilft keine Gegenwehr,
In Friedrich kämpft ein Gott;
Der stärkt, der mehrt der Brennen Heer,
Krieg, Winter ist ihr Spott.

Wie gross ist, Friedrich, dein Gewinn!
Wer hat mehr Lob verdient?
Wir singen dich der Nachwelt hin,
Bey der dein Name grünt.

Lobsingt, Freundinnen, überlaut
Sophiens grossen Sohn!
Er ist wie Gott, ihr Schwestern, schaut,
Wie glänzt des Königs Thron!

Ein ander Mal schreibe ich Ihnen mehr, mein edelster Freund.
Die Zeile in dem Liede von Ems her, vom 13. Novbr. 1757, wo es
heisst: „Ihr Dünkel ist gestört", oder: „Sie sind von uns belehrt",
muss heissen: „Ihr Luft-Schloss ist zerstört."[98])

Ich bin ewig der Ihrige

J. J. Ewald.

Buchsweiler, den 29. Januar
1758.

An den Stallmeister v. Brand,
Hochwohlgeborn,
zu Berlin.

17.

Mein herzlich geliebtester,

Nun der Himmel selbst hat Ihnen Ihre Reise eingegeben. Sie erfreuen mich herzlich dadurch. Ich wünsche, dass Sie glücklich angekommen seyn mögen. Ihr[99]) Kuxhaven hat mich recht erschrocken. Sie werden nun sehen, ob ich alles mit den rechten Augen angesehen habe. Wer ist denn die gute Gesellschaft, in der Sie reisen? ich rathe sie fast. Etwa Herr Bur— mit den ersten Buchstaben? Grüssen Sie mir ja meine hinterlassenen Freunde, wovon Sie gewiss werden welche kennen lernen. Sehen Sie Herrn Symmers, so grüssen Sie ihn. Sehen Sie Herrn Shebbeare, so grüssen Sie ihn herzlich, und seine ganze Familie; verlieben Sie sich aber ja nicht in die Tochter, sonst müssen wir uns herausfordern. Sehen Sie den Herrn Guise, meinen grossen respect und Danksagung; den sehen Sie ja! auf mein Wort und von meinetwegen, er wohnt bey [der] St. Georgen Kirche. Sehen Sie Herrn Mitchel und den Herrn Obristen, seinen guten Freund, meinen unterthänigen Gruss. Sagen Sie ersterem meine situation, die ihm aber schon durch den Herrn von Egerland bekannt seyn wird. Sehen Sie ja nur alles, was ich gesehen, und was ich nicht gesehen habe. Besehen Sie ja recht die Cartons des Raphael[100]), die Apotheose von Rubens in Whitehall[101]) des Sonntags, das göttliche Windsor im Frühjahr, Greenwich: alles, alles was Sie ohnedem wissen. Ich habe schon diesen Winter Paris sehen wollen; aber es hat nicht angehen können: ich werde also wohl meine Reisesucht für eine Weile müssen eingestellt seyn lassen. In meinem letzten Briefe hatte ich Ihnen meine Ankunft in Buchsweiler berichtet, und Ihnen mein Lied der Berlinerinnen geschrieben. Wenn Sie wiederkommen, soll es gedruckt seyn, und dann mögen Sie es lesen. Warum soll ich denn etwas für den Prinzen Heinrich an den Grafen Lamberg schicken? Was bedeutet dieses eigentlich? Sie müssen nicht tripodisch mit mir sprechen. Ich habe indess blindlings gehorsamt, gestern Abend, gleich nach Empfang Ihres lieben Briefs, ecce, ecce, und das will ich auch an den Grafen schicken; ich zittre aber, ob es gefallen wird. Für den Feldmarschall kommt mir vielleicht noch was ein. Heute habe ich nach Dresden und an den[102]), und an die Sie wissen, geschrieben. Ich habe von nichts als Malerei geschrieben, was sonst? Viel z. E. von der Schule Atheus in Mylord Northumberlands[103]) Hause. Sehen Sie ja des Herzogs von Devonshire's Collection.[104]) Grüssen Sie Hogarth, grüssen Sie Roubillak![105]) Sehen Sie aber erst seine Werke in Westminster. Ich belade Sie mit Grüssen, wie ein Apostel. Mein Trinklied hat heissen sollen: „Für Plutum rühm' ich" etc.[106]) Wie verworren schreibe ich Ihnen, aber so redet man auch zuweilen. Darf ich Ihr Geheimniss der Frau ErbPrinzessin verrathen? Es ist

mir lieb, wenn mein Lied: „Der Römer, der die Welt bezwang", etc.
gefallen hat: Kleist ist auch sehr[107]) damit zufrieden gewesen. Er
will es schlechterdings gedruckt[108]) wissen; ich habe ihm dazu die
Freyheit gelassen, aber Gleimen seines lässt mich weit hinter sich.
Ein Jeder thut aber, was er kann. Auf meines Vaters Tod, den ich
leider noch zu frühzeitig verloren, habe ich eine, wie ich glaube,
rührende Ode oder Elegie gemacht.[109]) An den Herrn Stallmeister
v. B., den Sie kennen, habe ich eine Art von Epistel aufgesetzt, die
ich gleich hier abschreiben will:

Kein Edelmann, mein theuerster von B . . . . . ,
Ist mehr, als Du, mit dem, was edel ist, bekannt,
Und zeigt es mehr.
Nur eines muss ich tadeln,
Die Krieger lässest Du nur unsre Zeiten adeln,
Und dies verweis' ich sehr.
Verleihst Du mir Gehör,
So will ich Dir, wohin mein Räthsel zielt, erklären.
Die Deutschen können nicht entbehren
Den, der von Ihnen denkt.
Was einst Dein kühner Geist uns schenkt,
Das würde, glaube mir, gewiss den Enkeln bleiben.
Du könntest uns, wie Thucydid und Xenophon, den Krieg beschreiben,
Den Du zum grössten Theil und zwar recht wohl gesehn.
Du musst mir eingesteh'n:
Den Deutschen fehlt, ohn' dass ich peinlich richte,
Der Bühne Glanz und die Geschichte.
Zu letztrer bist Du ganz gemacht;
Zum Drama willst Du mich,
Wär' es hierzu, auch ich.
Doch Du, nimm Deinen Werth in Acht!
Der Britten Bühne zuzusehn, verschufst Du die Gelegenheit
Mir, der ich drauf begierig war.
Jedoch noch manches Jahr
Hält meine Nerven steif,
Und fühlet mich nicht reif.
In England sah' ich nicht, was regelmässig reizt,
Wonach auch kein Bataver geizt.
Ich möcht' einst, wie Terenz, voll Ordnung richtig schildern,
Jedoch ich wähne noch, dem Auge fehlt's an Bildern,
Die Frankreich einmal zeugt.
Dafern mein ernstes Amt mir meinen Muth nicht beugt,
Und mich Paris belehrt,
So sey des Freundes Rath geehrt.
Ich zeige Dir einmal, vielleicht in einem Heere,
Viel lächerliche Charactere,

17*

In Deutschlands Kreisen aufgerafft,
Mit komischer, nicht Heeres-Kraft.
Nur Du, lass Dich durch nichts an der Geschichte hindern!
Auf! Füll' die Welt, sie darf's, mit Deines Geistes Kindern.

Ob dem Herrn v. B. dieser Ton öffentlich gefallen sollte?
Sagen Sie mir Ihre Meinung. Dergleichen [Verse?] hab ich auch
stans pede in uno an Kleisten, Gleimen und Ramlern[110]) aufgesetzt, die Sie auch sehen können, wenn Sie wollen.

Auf des Prinzen Heinrich Königl. Hoheit.

Bewundrer in der Näh' von Deiner Menschlichkeit,
War ich's, entfernt, von Deinen Heldenthaten.
O Prinz, werth alles Ruhms, werth der Unsterblichkeit,
Von Dir soll mir mein liebstes Lied gerathen.
Ich künstle nicht, Natur giebt den Gesang,
Der sonst nur blöd' und kurz für Busenfreunde klang.
Doch itzt will ich mich höher schwingen,
Ich will von Heinrich singen.
Vergebens drückt die niedre Leidenschaft
Den Leib herab. Die Helden-Seelen steigen
Weit über Millionen hin. Mit mehr als Menschen Kraft
Sind sie gewohnt der Welt in Wundern sich zu zeigen.
Sie würd'gen nicht, was sterblich ist.
Wer unsre Helden nicht nach Alexandern misst,
Der kann, ihr Völker, sie nicht kennen.
Ich will euch in der Brennen Heer den zweyten Friedrich nennen.
Doch warum nennen? Prinz, die grossen, seltnen Thaten,
Von Dir gescheh'n, die machen Dich errathen.
Gebt ihm ein Heer, gebt ihm ein Reich,
So ist er seinem Bruder gleich.
Mit welcher Löwenstirn' seh'n Dich die Batterien
Der Hölle grad' entgegen geh'n.
Du kommst. Das Feuer weicht, sie bleiben unbedienet steh'n,
Und Bergen an vor Dir sieht man die Schaaren fliehen.
Dies rühmt von Dir fast jede Schlacht.
So ziehen Adler kühn der heissen Sonn' entgegen,
Sie leben in der Gluth, sind Adler, nicht verwegen.
Doch Du verbietest Lob,
Zufrieden, dass Dein Herz Dich hob!
So höre nur, was Dich des Tempel werth gemacht
Nicht, dass bey Rossbach Du die Feigen mit umschlossen,
Nicht, dass dort um die Brust Dein Königs-Blut[111]) geflossen;
Nein, dass Du nach dem Sieg Gefangnen als ein Gott geschienen,
Dem nunmehr ihre Herzen dienen.

Besonders will der Frantz' in Dir
Den Vierten Heinrich wieder finden;
Du liessest ihn dann Dir verbinden,
Er selbst singt meinen Held dafür.

Buchsweiler, den 7ten Februar　　　　　Ihr
　　　　1758.　　　　　　　　　　　　　　　Ewald.
An den Stallmeister v. Brandt,
　　Hochwohlgeb.

18.

Liebster von Brandt,

Da ich in Erfahrung gebracht, dass Sie wieder aus England
zurückgekommen sind, so freue ich mich herzlich darüber, und
wünschte nunmehr mich mit Ihnen recht ausplaudern zu können.
Meine Antwort auf Ihren Brief von Cuxhaven muss Ihnen nicht
überkommen seyn, sonst hätten Sie mir gewiss geantwortet. Was
werden Sie sagen, Mein Geliebtester, wenn ich Ihnen gegenwärtig
und zwar aus Holland berichte, dass ich nicht mein Glück in den
Diensten des Herrn ErbPrinzen von Hessen finden können Es hat
meine Brustkrankheit dort so überhand genommen, dass ich den
halben letzten Winter das Bette hüten müssen, und endlich, in
Meynung hectisch zu seyn, und voll Hypochondrie um Entlassung gebeten, welche ich auch auf ganz gnädige Art erhalten[112]), und darauf
den Brunnen in Pyrmont vier Wochen getrunken, wovon ich mich
aber nur in Absicht meiner gehabten Schwermuth besser befinde.
Ich bin sehr unglücklich, mein theuerster von Brandt; alles war
mir günstig, nur meine Gesundheit nicht. Meine Absicht bey der
Abreise vom Elsass war nach Berlin zu gehen. In Pyrmont aber
fand ich einen Professor aus Harderwyck[113]), der mich beredete,
mich nach Holland und zwar nach Leyden zu verfügen, wo ich gewiss
einen jungen Edelmann finden würde, mit dem ich noch Frankreich
und Italien sehen könnte. Ich will sehen, ob es glücken wird. Ich
bin seit acht Tagen zu Harderwyk, und gehe diesen Abend über die
Südersee nach Amsterdam, und von da über Harlem nach Leyden.
Wenn Sie an mich schreiben, so schreiben Sie nur für's erste per
Couvert à Mr. Struchtemeyer[114]), Professeur en Eloquence et Histoire
à Harderwyk, so überkommt mir der Brief gewiss. Ich bin recht
begierig zu erfahren, wie es Ihnen in England gegangen. Je länger
Ihr Brief seyn wird, je lieber lese ich ihn. Wenn Sie mit mir nach
Italien gehen könnten, welche erwünschte Gesellschaft! ich habe
wohl so viel, um mit einem mässigen Freunde solche Reise anzustellen, nicht aber genug, mit einem unmässigen Weltmanne zu
reisen, der mehr nach Lustbarkeiten, als nach Kenntnissen geizen
würde. Ich habe ein Anliegen, Mein Werthester, wovon mich in
meiner Abwesenheit Ihre Gefälligkeit abhelfen könnte. Lassen Sie

sich doch von meinem ehemaligen Vormunde in Spandow, dem Bürger
Lange, schriftliche Rechnung ablegen. In Hoffnung, dass Sie mir
meine Bitte leicht gewähren, lege ich hier einen offenen Brief an
den Bürger Lange bey, den ich gefälligst zu besiegeln und nach
Spandow zu senden bitte. Ich hoffe baldmöglichst ein Schreiben von
Ihnen und schmeichle mir, dass Sie für mich noch immer die alte
Liebe werden aufgehoben haben. Meine Muse hat mir lange nichts
vorgesagt: in Italien dachte ich dichten zu können. Warum habe
ich denn auf den Prinzen Heinrich etwas machen sollen? Was ich
Ihnen geschickt, war nichts werth. Was ich nicht thun können,
hat unser Gleim [115]) weit besser gethan, der Meistersänger. Ich
umarme Sie zärtlichst und bin ewig

Harderwyk, den 16ten Septbr.   Ihr
        1758.   treuster Ewald.
    NS. Ich condolire Ihnen aufrichtigst wegen des Verlusts des
Prinzen von Preussen Königl. Hoheit. [116])
    Sagen Sie doch Herrn Ramler meine Stellung und küssen Sie
ihn von mir. Wenn ich meine Neugierde befriedigt habe, komme
ich wieder zu Ihnen. Erhalten Sie mir indessen die Zuneigung meiner
Gönner und Freunde.
    Noch ein Compliment an Herrn Achard, an den ich von Leyden
schreiben werde.
    An Herrn Stallmeister v. Brandt,
        Hochwohlgeboren.

19.

Mein allerliebster von Brandt,

Ich habe Ihren zärtlichen Brief vom 17. Febr. tausendmal ge-
küsset; er ist mir von Harderwyk gestern hier überkommen. Ich
habe Gelegenheit gehabt hierher über Paris zu gehen, und befinde
mich weit besser seit dieser Reise. Ich hätte in dem theuern Holland
noch zu warten gehabt, ehe ich eine annehmenswerthe Stelle erhalten
hätte, und so habe ich lieber den Aufenthalt von Genf erwählt, den
ich sogleich an Herrn Achard berichtet. Er wird Sie auch von mir
gegrüsst und gebeten haben, ihm mein Geld zuzustellen, welches er
mir wird füglich durch jemanden hier können wieder zahlen lassen.
Die Vorsorge, die Sie hierbey für mich tragen, kann ich in der That
nicht genugsam erkennen. Wenn Sie an Herrn Bertrand [117]) schreiben,
erwähnen Sie doch meiner; ich habe ihn noch nicht, wegen eines gehabten heftigen Schnupfens, besuchen können. Ein gewisser Herr
Desgloire zu Lausanne, der ehemals Hofmeister von Milord Pem-
broke gewesen ist, hofft mich hier mit einem Engländer zu ver-
gesellschaften. Der Himmel gebe Glück dazu! Sollten Sie durch
sich oder Herrn Sulzern, oder Herrn Beguelin, denen mich zu
empfehlen bitte, mir in diesem Lande Adressen zuwege bringen
können, so würde es nichts Ueberflüssiges seyn. Herrn Achards

Empfehlungen aber sind wohl die aller zuträglichsten. Ich werde
also noch Italien sehen, und dort meine, wo möglich, völlige Gesundheit holen können. Ach wäre es mit Ihnen, ich wäre alsdann
zu froh und allzu glücklich! Da ich wegen Herrn Gleimens Befriedigung schon anderweitig Ordnung gestellt, so lassen Sie mir
doch Alles gefällig zukommen: mein Beutel befindet sich in agone,
besser kann ich mich nicht ausdrücken. Ich betrübe mich sehr, dass
Sie auch in Ihren väterlichen Gütern die traurigen Folgen des
Krieges empfunden; es freut mich aber auf der andern Seite, dass
Sie noch in 'einer sanften Unabhängigkeit leben. Leben Sie
doch in solcher Lebenslang wo möglich, und sehen Sie auch mit mir
das Land der Künste, wo es irgend möglich. Sie würden mir alsdann von England, und ich Ihnen meine letzten Eindrücke von
Frankreich auf dem Wege erzählen, welches ich zwar nur überhaupt
in einer Zeit von drey Wochen durchflogen bin. Ich habe indessen
doch viel und besonders die Schauspiele gesehen. Ich esse hier zuweilen bey dem Herrn von Voltaire und spaziere aux délices: die
Gegend ist hier und in Lausanne bezaubernd. Auch Lyon hat mich
entzückt. Man sagt, dass daselbst in Kurzem der König von Frankreich mit Don Philippo sich besprechen würde. Kommen Sie doch
hierher, Mein Liebster, um der Schweiz, um des Genfer See's, um
des Herrn v. Voltaire, Herrn Bertrands, meinetwillen, um des nahen
anlockenden Italiens willen. Mein Zimmer steht hier zu Ihrem
Befehl, wenn ich es anbieten darf. Ich bin in Absicht der Pflege
hier wie zu Hause. Meine Tage vergehen hier wie Stunden; man
giebt mir Alles zu lesen, was in Frankreich herauskommt, l'esprit [118]),
l'optimisme [119]) etc. Herr Helvetius wird hier auch seine retraite
nehmen. Was macht die deutsche Literatur? Was machen die
Herren Ramler und Lessing, die ich zu umarmen bitte? Falls eine
Ausgabe von meinen kleinen Gedichtgen gemacht würde, so wünschte
ich wohl, dass einer von Ihnen, Meine gestrengen Herren Kunstrichter, ein paar Seiten Vorrede zu machen würdigte. Herr Ramler [120])
würde dabey excellent dissertiren, und sich aus dem Batteux nach-
holen können. Ich empfehle mich Ihrer lieben Freundschaft, und
bin auch jenseit des Grabes

Genf, den 25. März 1759.   Ihr getreuster verbundenster
                                                    Ewald.

NS. Setzen Sie doch auf des H. v. Kleist's Brief, wohin er
gehen muss, und entschuldigen Sie die Einlage davon.

Mon Adresse: chez Mr. Delliker Pasteur de l'église suisse allemande.

    a Monsieur
Monsieur de Brandt,
Ecuyer de Son Altesse Royale
Madame La Princesse de Prusse
    à Berlin.

20.

Liebster von Brandt,

Ich habe vor drey Wochen, glaube ich, an Sie geschrieben, und hoffe ich, dass Ihnen mein Brief wird überkommen seyn. Gegenwärtiges schreibe ich mit Gelegenheit und in Eil. Ich verlasse mich darauf, Mein innigstgeliebter, dass Sie mir die 80 ℔ von Spandow und den Rest von meiner Equipage per Wechsel oder baar hierher schicken werden, und will weiter nichts davon erwähnen; vielleicht ist es schon unterwegens. Da mein gänzlicher Wille ist, Italien zu besehen, sollte ich mich auch nur zwey oder drey Monate drin aufhalten können, so würde mir, wie ich geschrieben, nichts liebers in der Welt gewesen seyn, als wenn Sie diese Reise hätten mit mir verrichten können. Könnten Sie mir nicht eine Adresse an den Herrn Marschall von des Prinzen Ferdinands Hofe geben? ich wollte ihn in Italien aufsuchen. Vielleicht könnte mir dieses zur Heimreise dienen! Haben Sie auch sonst Bekannte in Italien, so adressiren Sie mich durch ein paar Briefchen. Da sie eine neue Auflage meiner Sinngedichte besorgen wollen, so belieben Sie zu sehen, ob etwas von Folgendem darin zu stehen verdient.[131])

Adams Unschuld an der Schöpfung des Weibes.

Die Schuld war wohl nicht Adams seine,
Als Gott die Frau zum Daseyn (Leben) rief;
Ihm galt es seiner Rippen eine,
Und der Armsel'ge schlief.

An Tullien.

Mit Cirkel, Buch und dunkler Stirn' und Wangen,
Und weisem Spruch zielt hin nach unserm Herz
Die junge Tullia. Mein schönes Kind, im Scherz,
Nein, mehr im Ernst; nur Thorheit kann uns fangen.

Lied.

Viel unbeständ'ger noch als Wolk' und Welle
Entflieht die Zeit, und was bedauert ihr?
Es nahm' ein Tag, ein Jahr im Nu des andern Stelle,
Wir halten sie, geniessen wir.
Des Lebens wollen wir uns tausendfach erfreuen,
Und da man's stets zu bald vermisst,
Und es ein blosser Durchgang ist,
Auf diesen Durchgang Blumen streuen.

Herminia.

Herminia lebt nicht der Liebe feind;
Sie ringt die Hand, sie seufzt und scheint zu Gott zu flehen.

Ich aber darf ihr Herze sehen,
Sie sehnt sich, seufzt und ringt nach einem treuen Freund.

Lied.

Was prahlt ihr mit Verstand, Vernunft,
O Thoren aus der Weisen Zunft?
Man gähnt euch Schwärmer anzuhören.
Zum Unsinn was kann euch empören?
Oft schliesst ein Kind, ein wenig Wein,
In Beilam [?] auch Platonen ein.

Einladung.

Mich laden Oper, Cirkel, Bälle,
Thal, Hügel, Grotten, Wasserfälle,
Meer, Felsen, Wiesen, welche blühen,
Wald, Gärten voll Orangerien,
An Bächen Trinker unter Rosen:
Ich schleich' Amanden liebzukosen.

Der Frühling.

Es kehrt der Frühling wieder,
Und mit ihm viele Lieder,
Und Florens schöne Kinder;
Der Luftkreis duft't gesünder,
Der Buchen stumme Schatten
Verhehlen laute Gatten;
In aller Herz erwachen
Scherz, Liebe, Spiel und Lachen:
Was ich nur sitz' und gräme?
Ach wenn auch Iris käme!

Beau.

Beau, der nie Frauen Gunst gewann,
Wirft sich in Damen Schmuck in einen güldnen Wagen,
Und führt bey seinen Freunden an,
Und lässet nach sich fragen.

Maximian.

Maximian, ein Flügelgrenadier,
Voll Muth und Bart, nahm sich bey Mahon für,
In der Belagerung noch Obrister zu werden.
Er sagt's dem Nebenmann, indem fällt er gestreckt,
Den Kopf durchbohrt, beym Nebenmann zur Erden.
Dem neuen Flügelmann, dem in die Hand etwas Gehirne flog,
Der ohn' Verwunderung des Cameraden Fall erwog,
Wiess auf der Hand Maximians Project.

An — —.

Für Freyheit wechselst du dir Gold!
Du handelst als ein Trunkenbold,
Du hast mit Freyheit Ehr' und Leben
Für Koth, o Schnöder, hingegeben.

Sollten in der ersten Ausgabe einige anakreontische stehen, die aufbehalten zu werden verdienen, so adoptiren Sie solche. Ist diese Fabel gut?

Der Löwe und der Fuchs.

Der Löwe. Ein Schurk' ist der, der nicht regiert,
Und den man bey der Nase führt;
Der, was er schafft, nicht sich erwirbet,
Der Sclav geboren wird und stirbet.
Rath Fuchs, dem Kraft, nicht Geist gebricht,
Wär' ich der Thiere König nicht,
So wär' ich lieber gar kein Thier.
Der Fuchs. Dir Herr gehört das Reich und mir. (bey Seite.)

Ich küsse Sie herzlich und bin Ihr ewig treuer

Genf, den 12ten April   Ewald.
    1759.

NS. Küssen Sie doch Herrn Ramlern von mir wegen seiner vortrefflichen Ode an Berlin[122]), die mir eben der Herr von Kleist geschickt. An den Herrn Achard bitte mich zu empfehlen.

à Monsieur
Monsieur de Brandt,
Ecuyer de Son Altesse Royale
Madame La Princesse de Prusse
    à Berlin.

21.

Liebenswürdigster von Brandt,

Ihr Schreiben vom 27ten März hat mich um desto mehr erfreut, da Sie meine Wanderungen nicht allein nicht missbilligen, sondern mir vielmehr ein Verdienst daraus machen. Ich wollte nicht auf der Erde gelebt haben, ohne wie Sie einige Theile und zwar die schönsten Theile davon zu kennen. Ich bin bisher noch nicht so glücklich gewesen, einen grossmüthigen Engländer zu finden. Der Herr v. Voltaire hätte dazu etwas beytragen können. Gefälligkeiten aber von der Art liegen nicht in seinem Character. Da er seit einiger Zeit mehr zu Tournay in der Landschaft Gey sich aufhält, als hier, so habe ich Ihr Compliment noch nicht ablegen können. Bey dem Herrn Bertrand aber habe ich es ausgerichtet, der mich gleich den andern Tag in das Concert des grossen Violinisten Pugnani[123]) geführt hat, den man hier eben so bewundert als zu Turin, wo er in Sardinischen Diensten ist. Er ist ein wahres Genie in seiner Art, und dabey ein liebenswürdiger Virtuose. Ich denke Morgen bey dem Herrn Bertrand zu Schaceheron, einem Landgute am See, zu Mittag zu essen, wo mir nicht etwas in den Weg kommt. — Für die Uebersendung des kleinen Wechsels danke ich Ihnen herzlich. Gestern habe ich ihn mir in italienischen Zequinen auszalen lassen: Sie sehen wohl warum. Da mir das dumme Glück zu meinen Reisen nicht günstig ist, so will ich mich mit der bekannten kleinen Summe nach Italien wagen, und noch etwas von dem Herrn v. Kleist erwarten, den ich auf mein Väterliches assigniren will. Er wird es Ihnen hoffentlich zuschicken, und alsdann lassen Sie es durch den Herrn Achard per Wechsel an eben den Kaufmann, wie vor, senden, der hier meinen Aufenthalt in Italien wissen soll. Sie darf ich wohl wahrscheinlich nicht erwarten. Ich wäre mit Ihnen allzu glücklich gewesen. — Da mir jezt meine italienische Reise zu sehr im Gemüth liegt, so bin ich eben nicht fähig, Ihnen meine ausführliche Meynung von Frankreich zu sagen, das Sie überdem am Bessten kennen. Die Schweiz habe ich nur von hier bis Lausanne gesehen, denn ich bin von Holland hierher über Paris und Lyon gegangen. Hätte ich in Lyon nicht den Boden meines Beutels gesehen, so wäre ich der schnellen Rhone bis Avignon gefolgt, und wäre zu Marseille in ein Neapolitanisches Schiff gestiegen, um durch Italien zurück nach Genf zu kehren. Sie sehen, man kann in Gedanken geschwinder und leichter wandern, als in der That. Ich kann nicht über das Mögliche. Die Genfer Gegend ist wirklich paradiesisch. Die Anmuth lächelt Ihnen sogar aus den Alpen entgegen. Ich vergesse alle Bilder Gallerien gegen die Küsten des kleinen Genfer Meers. Die Gebirge stellen sich hier unter allen Gestalten, allen Schattirungen vor's Auge. Auf der Stirn tragen sie den Winter. Zu den Füssen blüht der Lenz. Oben klettern Heerden, unten irrt ein in sich gekehrter Dichter, oder ein Mädchen, schön wie der Morgen, die aus dem Thale Körbe voll Blumen nach Hause trägt, und dessen Mundart ich mit grosser Mühe verstehe. Ich habe hier die Bilder Sammlung des Herrn Raths Tronchin[124]) bewundert, der einer der grössten Kenner, und mein gefälliger Nachbar ist. Er hat das prächtige Fronton von Marmor an der hiesigen Peterskirche veranlasst, welches die Façade des Pantheons darstellt. Ich habe den grossen Pastellmacher Liotard[125]) und den eben so bewundernswürdigen Dacier[126]) besucht, dessen Medaillen Sie beym Lippert in Dresden gefunden. Der Maler Liotard trägt hier eben den türkischen Habit, mit dem Sie ihn in Dresden in dem Cabinet des Rosalba[127]) gesehen haben. Sie wollen mein Ehrenwort, Mein Liebster, einmal wieder Freunde und Vaterland aufzusuchen. Ich gebe es Ihnen mit Herz und Mund, wofern ich nicht auswärtig ein Glück finde, welches Sie selber billigen würden. Von La Beaumelle[128]) habe ich hier nichts erfahren. Der sonderliche Rousseau lebt zu Paris, und Diderots Freund, Herr Grimm, bringt hier den Sommer zu, man sagt in Gesellschaft einer Dame. Noch habe ich ihn nicht angetroffen. Um nicht nach dem Mr. d'Alembert[129]) von der hiesigen Theologie zu urtheilen, habe ich nicht allein hier die besten geistlichen Redner gehört, sondern auch die Collegia der Herren Professoren Vernet und Tremble besucht. Nirgend brennt wohl das Licht des Evangelii heller als hier, so gern ich auch, mit meinem seligen Vater, wie Doctor Luther die Bibel verstehe. Ich umarme Sie, Mein ewig geliebter, und bin mit der vollkommensten Zärtlichkeit

Genf, den 23ten April   Ihr treuster
        1759.   Ewald.

NS. Nach meiner Reise will ich Ihnen gern aus meinem Journal Excerpta schicken.

An den Stallmeister v. Brandt,
        Hochwohlgeboren
            zu Berlin.

22.

Monsieur, mon très cher Ami,

Je me trouve à présent à Naples et cela par le moyen de Mr. Blume, beau-frère de Gotskofsky, qui m'y a conduit. J'ai vu ici et vois souvent Mr. le Baron de Schellendorf, et n'étoit ce qu'il eut pris un certain Silésien pour sa compagnie, Votre derniére lettre, que je lui ai montré, auroit son effet, il m'auroit ramené avec lui, et j'aurois été son compagnon de voyage, ainsi que Vous l'avez souhaité! Il m'a fait le plaisir de m'avancer, il y a quelques jours, trente écus. — Les incluses sont à Mr. Cothenius et à Mr. de Kleist. — De combien de belles choses ne Vous entretiendrai-je pas alors; je Vous parlerai incessamment du beau climat de Naples, de son Golfe, de ses isles, des champs Elisées, du lac d'Averno, de Portici, de ·Bayae, de Puzzolo, de la Grotte de la Sibylle, de Capoue, de Gaëta, de Terracina, l'ancien Anxur; objets nouveaux, qui viennent d'enrichir mon imagination depuis quinze jours, et qui me font oublier presque la superbe Rome avec tous ses temples et palais. C'est ici, où l'on lit avec plaisir le sixième livre de Virgile, en jettant quelques fleurs sur le tombeau de cet aimable Poète, ou que Vous répétez Votre Horace en buvant son Falerne, dont il me prit l'autre jour envie après avoir consideré le mont Gaurus, où Horace, dit-on, se divertissoit souvent avec ses amis, et d'où il avoit la premiére vue du monde, si l'on n'en excepte celle de Constantinople. S'il est possible, je verrai encore avant mon retour la Sicile; Virgile et Homére m'en donnent grande envie, et je suis trop curieux de la demeure des Cyclopes et des paysages, qu'ont celebrés les Muses

Siciliennes, théâtre de leur Poésie pastorale, qui Vous aura fait le même plaisir qu'à moi, j'espère. Je finis ici mon Pot-pourri, et Vous embrassant tendrement, je suis au delà du tombeau

Monsieur mon très cher Ami

Naples, le 8. Janvier   Votre très humble et très obéis-
1760.   sant serviteur

J. J. Ewald.

Bien des Compliments à Mss. Sulzer, Ramler, Lessing etc.
   à Monsieur
Monsieur de Brandt
Ecuyer etc.

23.

Monsieur et très aimable Ami,

Il n'y a que trois jours qu'il est parti pour Vous ma dernière lettre, où j'avois mis des Incluses pour Mss. de Kleist et Cothenius. Ma santé s'accommode très bien du Climat de Naples, et c'est peut-être la ville, qui distrait le plus un hypochondre ainsi qu'un amateur de la nature, et de la littérature. Puissiez Vous voir avec moi les découvertes d'Herculanum, ainsi que les Cascades de feu du Vésuve. A la hâte.

Naples le 10. Janvier 1760.   Votre Ewald.
   A Monsieur
Monsieur de Brandt,
Ecuyer de Son Altesse Royale
Madame la Princesse de Prusse
   à Berlin.

Anhang I.

Ein Brief Ewalds an Kleist.

Liebster Freund[130]),

Ich kann es mir nicht vergeben, dass ich, so lange ich in Italien bin, mich nicht nach Ihrem Wohlsein erkundigt. Meine einige Entschuldigung ist, dass ich meistens auf Reisen gewesen, wodurch ich es von einer Zeit zur andern aufgeschoben. Es ist mir bisher sonst ziemlich wohl gegangen, und haben sich auch meine Gesundheits-, nicht aber meine Glücks-Umstände gebessert. Ich habe in dem schönen Italien Turin, Genua, Livorno, Pisa, Lucca, Bologna, Loretto, Florenz, Milan und Venedig auf die Rückreise gespart; ich denke von allem diesem Ihnen mündliche Rechenschaft abzulegen. Denn jetzt, Mein Liebster, denke ich an nichts sehnlicher, als an meine Rückreise. Da mir aber die Mittel hierzu abgegangen, und ich noch nichts von meinem Väterlichen hierher erhalten können, so wäre es mir lieb, wenn Sie mir hiezu etwa 20 Friedrichsd'or hergeben könnten.

Ich weiss, mein bester Freund schlägt mir dieses nicht ab, wofern es irgend in seinem Vermögen ist; ich brauchte es aber je eher, je lieber. Wie geht es itzt mit Ihrem Glück, mit Ihrer Gesundheit, und mit der Literatur? Schreiben Sie mir doch hierüber einen langen Brief; es interessirt mich Alles, was Sie betroffen hat, und ob ich zwar an den Geh. Rath Cothenius wegen meiner künftigen Versorgung im Lande geschrieben, so wünschte ich doch nichts mehr, als mit Ihnen künftighin, der Welt unbekannt, leben zu können. Meine Neugierde ist itzt gestillt, mein Herz wäre aber noch zu stillen. Grüssen Sie Ramler und Gleimen von mir, und schicken Sie nur Ihre Antwort an Herrn v. Brandt, oder hierher unter Adresse des Preussischen Consuls. Ich bin hier oft mit dem Herrn v. Schellendorf zusammen, wohne aber nicht mit ihm. Ich bin mit ewiger Ergebenheit

Mein Liebster

Neapel, den 8ten Januar
1760.
à Monsieur
Monsieur de Kleist,
Major au Regiment de Hausen
au service de Sa Majesté Le Roi
de Prusse
à l'Armée.

Ihr treuer
Ewald.

Erläuterungen.

85) Dieser Brief fehlt.

86) Georg Philipp Rugendas(1666 — 1742), berühmter Schlachtenmaler und Radierer.

87) Jean Baptiste Rousseau, Oeuvres diverses. Amsterdam 1729. Tome 1 S. 91—95: Ode à une veuve: „Quel respect imaginaire Pour les cendres d'un Epoux" etc.

88) Wol in dem verlorenen Brief vom 5. Nov. 1757: s. Kleists Werke III S. 256.

89) „Die Idyllen Theokrits, Moschus und Bions, aus dem Griechischen übersetzt" [von Christian Gottlieb Lieberkühn]. Berlin 1757. 8°. Wie sich aus einem Briefe Ewalds an Fr. Nicolai vom 22. April 1758 (Nr. 30) ergibt (vgl. auch Ewald an Nicolai den 10. Xbr. 1757. Brief Nr. 29), hatte Ewald Lieberkühn, welcher damals Feldprediger in dem Prinz Heinrichschen Regiment war, zu dieser Arbeit aufgefordert: s. Danzel-Guhrauer, Lessing, 2. Aufl. Berlin 1880. 8°. S. 335. Ewald hatte eine besondere Vorliebe für Theokrit, den er nach Nicolais Zeugniss fast auswendig wusste. Vgl. L. F. G. v. Göckingk, Fr. Nicolais Leben und liter. Nachlass. Berlin 1820. 8°. S. 12. Wie ganz anders übrigens Lessing über Lieberkühns Arbeit dachte, beweist seine abfertigende Kritik derselben (Werke, Hempel Bd. XIII 1, S. 171 f.).

90) Gemeint ist Friedrichs Sieg in der Schlacht bei Leuthen am 5. Dec. 1757, welche sich bis Lissa hinzog, woher der Kampf auch Schlacht bei Lissa genannt wird.

91) Aus Lucretius, de rerum natura II 1—8.

92) Dieser Brief fehlt ebenfalls bei Walther.

98) Der Held von Dettingen ist Georg II., unter dessen Führung die Engländer am 27. Juni 1743 die Franzosen unter dem Marschall Noailles bei Dettingen besiegten. Bekannt ist Friedrichs des Grossen Spott über Georgs Haltung in dieser Schlacht.

94) Gleim hatte allerdings den Vorsatz, die Geschichte des Siebenjährigen Kriegs zu schreiben oder, wie er selbst sagt, „der Livius unsers Volks zu sein". Vgl. Kleist an Gleim d. 23. August 1757 und Gleim an Kleist den 28. Juli 1757 (Kleists Werke II S. 429. III S. 228).

95) Siegeslied nach der Schlacht bey Rossbach am 5. November 1757: „Erschalle, hohes Siegeslied, | Erschalle weit umher!"

96) Am 16. October 1757 war der österreichische Feldmarschall-lieutenant Andreas Haddik in Berlin eingefallen: s. Schäfer a. a. O. I, 442 fg.

97) Am 12. November desselben Jahres hatte Schweidnitz nach siebzehntägiger Belagerung durch die Oesterreicher capituliert: ebd. S. 502 fg.

98) Woher hat Ewald diese Verbesserung, welche schon in Kleists Brief vom 19. December 1757 vorkommt (s. Archiv XIII S. 474)? Ist sie sein Eigenthum oder der gute Rath eines Freundes?

99) Es fehlt: „Brief von".

100) Damals noch im Schloss von Hamptoncourt, jetzt im Kensington-Museum zu London.

101) Im Jahre 1635 malte Rubens im sog. Banquettinghouse des Schlosses zu Whitehall die Apotheose Jacobs I.

102) Vielleicht an Christian Ludwig von Hagedorn, den späteren Director der Dresdner Kunstakademie, und an Gian Lodovico Bianconi, den Leibarzt des Kurfürsten, der wie Hagedorn höchst kunstsinnig und von grossem Einflusse bei Hofe war. Mit beiden Männern hatte Ewald während seines Dresdner Aufenthaltes Bekanntschaft angeknüpft: s. Kleists Werke III S. 891.

103) In der Gallerie in Mylord Northumberlands Hause befindet sich eine Copie von Raphaels Schule von Athen, welche Raphael Mengs 1755 fertigte: s. G. F. Waagen, Kunstwerke und Künstler in England. Berlin 1837. 8°. Theil I S. 453. 456. Vgl. Ewald an Nicolai 26. April 1758. Brief Nr. 32.

104) Waagen a. a. O. S. 244—257.

105) Louis François Roubillac († 1762),. Bildhauer aus Lyon, namentlich in England thätig, bekannt durch seine Statue Newtons, schuf viele Monumente in der Westminsterabtei.

106) Dieses Trinklied findet sich nirgends in den gedruckten Aus-

gaben Ewalds, welcher es wol in einem verlorenen Briefe an Brandt mittheilte.

107) Dies ist zu viel gesagt. Kleist an Gleim (Werke II S. 465): „Hier haben Sie Ewald's Lied, welches Ihnen nicht missfallen wird. Es gefiel mir sehr, bis ich Ihres gelesen hatte; nun verschwindet es."

108) Ein gleichzeitiger Druck ist auch mir nicht bekannt geworden.

109) Diese Ode ist, wie es scheint, nicht erhalten.

110) Wol gleichfalls verlorene gegangene Gedichte.

111) Prinz Heinrich war in der That in der Schlacht bei Rossbach verwundet worden: s. Schäfer a. a. O. I S. 462.

112) Also nicht erst „im ersten Viertheil des J. 1759", wie Nicolai angibt, schied Ewald aus dem Dienste des Erbprinzen, sondern ein Jahr früher. Der wahre Grund seiner plötzlichen Entlassung scheinen Zerwürfnisse mit dem Erbprinzen gewesen zu sein, dessen eigenthümliches, allem schöngeistigen abgeneigtes Wesen am wenigsten zu Ewalds Charakter passte. Darauf lässt schliessen ein Brief der Landgräfin Caroline an die Prinzess Amalie von Preussen vom 1. Febr. 1758, in dem es heisst: „Je vous ai dit qu'il a pris [d. h. der Erbprinz, ihr Gemahl] un nommé Ewald pour sougouverneur de mon fils; cet homme ne connoissant pas les usages de ce pays-ci, et péchant par quelque vivacité, déplut à Son Altesse, qui lui parla assez fortement à Pirmesens et depuis qu'il est ici, lui a écrit et fait écrire des lettres affreuses, dont S. A. m'envoya copie; j'ignore comment cela finira et si cet homme pourra honorablement rester, à moins que ses façons changent" (Briefwechsel der „Grossen Landgräfin" Bd. I S. 240).

113) Harderwijk, Stadt an der Zuydersee, östlich von Amsterdam.

114) Es ist Johann Christoph Struchtmeyer gemeint. Vgl. über ihn F. A. Eckstein, nomenclator philologorum. Leipzig 1871. 8°. S. 552.

115) Ein eigens dem Lobe des Prinzen Heinrich gewidmetes Lied Gleims ist mir nicht bekannt geworden. Ewald wird folgende beide Stellen in Gleims „Preussischen Kriegsliedern eines Grenadiers" im Auge haben:

> „Du, Heinrich, warest ein Soldat,
>   Du fochtest königlich,
> Wir sahen alle, That vor That,
>   Du junger Löw', auf Dich."

(Siegeslied nach der Schlacht bei Prag.) Und ferner:

> — „Und Heinrichs Heldenmuth.
>   Er blutete, wir sahn es, wir,
> Und rächeten sein Blut."

(Siegeslied nach der Schlacht bei Rossbach.)

116) Gemeint ist August Wilhelm, der Bruder des Königs, welcher am 12. Juni 1758 zu Oranienburg starb. Auch auf ihn scheint Ewald einst Hoffnungen betreffs einer Anstellung gesetzt zu haben. Ich schliesse

dies aus einem Briefe des Prinzen an den Grafen Victor Amadeus Henckel von Donnersmarck, datiert Kyritz April 1756, worin es heisst: „Repondez sil vous plait a Brandt que .... le Poète de Brandt cera pour Spando a condition qu'il m'adresse j'amais d'ode ni qu'il fasse des disciples Poète dans le regiment ....." Der „Poète de Brandt" ist wol kein anderer als Ewald. Vgl. L. A. Graf Henckel v. Donnersmarck, Briefe der Brüder Friedrichs des Grossen an meine Grosseltern. Berlin 1877. 8°. S. 39.

117) An welchen Bertrand hier zu denken ist, wage ich nicht zu entscheiden. Sollte nicht Louis Bertrand, geb. zu Genf 1731, Professor der Mathematik und seit 1754 Mitglied der Akademie zu Berlin, gemeint sein?

· 118) Helvetius' bekanntes Werk „de l'esprit" erschien 1758.

119) Mitte Februar 1759 kam die erste Ausgabe von Voltaires Roman: „Candide ou l'optimisme. Traduit de l'allemand de M. le docteur Ralph" bei Cramer in Genf heraus, und noch in demselben Jahre folgten acht weitere Ausgaben, alle ohne Angabe des Ortes und Druckers. Die Beweise s. in Georges Bengescos „Voltaire. Bibliographie de ses oeuvres. Paris 1882". 8°. Tom. I S. 144, einem nach Anlage und kritischer Sorgfalt gleich vorzüglichen Werke.

120) Eine solche Ausgabe ist damals nicht zu Stande gekommen. Doch lässt sich beweisen, dass Ramler seine kritische Feile auch bei Ewalds Poesien angewandt hat, in diesem Falle wenigstens theilweise mit entschiedenem Glück. In der von ihm herausgegebenen „Lyrischen Blumenlese" (Leipzig 1774. 8°) finden sich zwei Lieder Ewalds abgedruckt: An den May. „O Florens Liebling, Freund der Weste" (S. 79) und: Der Schäfer zu dem Bürger. „Du schläfst auf weichen Betten" (S. 391), von denen das erste durch die Ramlersche Ueberarbeitung wesentlich gewonnen hat, während in dem zweiten einige originale Wendungen durch Allgemeinheiten ersetzt worden sind. So hiess es in der Ausgabe von 1757: „Für dich mahlt Mengs und Oeser, für mich mahlt die Natur"; Ramler änderte: „Dir malt die Kunst den Frühling, mir malt ihn die Natur". Vgl. Ewald an Nicolai in dem Briefe Nr. 11, wo für Mengs und Oeser: Pesne und Hempel steht. Beide Lieder sind in Ramlers Fassung in die Ausgabe von Jördens übergegangen, welche reich an solchen Abweichungen ist. Es liegt nahe für die meisten derselben Ramler verantwortlich zu machen, da Jördens zu einer solchen Arbeit kaum befähigt war. In dieser Vermuthung bestärkt mich eine Auslassung des Recensenten der Jördensschen Ausgabe in der Allgemeinen deutschen Bibliothek Bd. 113, Stück II S. 401 fg. (Kiel 1793. 8°). Dort werden die willkürlichen Veränderungen an den Arbeiten eines Verfassers getadelt, „der seit langer Zeit aus seinem Vaterlande verschwunden und alle Verbindungen mit demselben so gänzlich abgebrochen hat, dass man nicht einmal weiss, ob er noch und wo er lebt". Der gleiche Tadel nun wird von demselben Recensenten gleich darauf auch gegen die in

dem gleichen Verlag erschienene neue Ausgabe von Joh. Gttlb. Willamovs Fabeln geltend gemacht, von denen Ramler ebenfalls eine Auswahl in seiner Fabellese gegeben hatte. Vgl. vor allem auch Nr. 18 von Ewalds Briefen an Nicolai.

121) Keines der hier folgenden Sinngedichte ist in die späteren Ausgaben aufgenommen worden.

122) Vgl. Karl Wilhelm Ramlers Oden. Berlin 1767. 8°. „An die Stadt Berlin" (1759 gedichtet). „Ich sahe sie! (mir zittern die Gebeine!)."

123) Ueber Gaetan Pugnani, berühmt als Violinist und Componist, s. Hermann Mendel, Musikalisches Conversationslexikon Bd. 8. Berlin 1877. 8°. S. 185.

124) François Tronchin, geb. zu Genf 1704, Advocat und Mitglied des Rathes der Zweihundert, bildete zwei kostbare Gemäldesammlungen, von denen die eine in den Besitz der Kaiserin Katharina von Russland übergieng. Vgl. Jean Senebier, histoire littéraire de Genève. A Genève 1786. 8°. Tome III S. 291—292.

125) Jean Etienne Liotard, Maler und Kupferstecher, geb. 1702 zu Genf. Im Jahre 1738 weilte er in Konstantinopel, um die dortigen fremden Minister zu malen. Dort nahm er türkische Kleidung an, liess den Bart wachsen und, da er diese Tracht fortan beibehielt, hiess er bald allgemein der türkische Maler.

126) Jean Dassier, geb. zu Genf 1676, berühmter Graveur, welcher Medaillen fast aller hervorragender Männer seiner Zeit schuf. Vgl. über ihn Senebier a. a. O. III S. 304—312: Dort auch ein Verzeichniss der Medaillen.

127) Soll heissen: der Rosalba, nämlich Carriera. Rosalba Carriera, geb. zu Venedig 1675, † daselbst 1757, hat sich als Miniatur- und Pastellmalerin einen grossen Ruf erworben. Besonders reich an Werken ihrer Hand ist die Dresdner Galerie. „La Galerie de Dresde possède de cette grande artiste une collection de 175 morceaux, tant portraits que d'autres sujets de piété et profanes qui, avec quelques autres tableaux de pastel, ornent un Cabinet séparé à côté de la Galerie extérieure." So im „Abrégé de la vie des peintres dont les tableaux composent la galerie électorale de Dresde. A Dresde 1782". 8°. S. 105. Das erwähnte Bild Liotards ist in Julius Hübners Verzeichniss der kgl. Gemälde-Galerie zu Dresden (5. Aufl. Dresden 1880. 8°. S. 484) als Nr. 17 der Pastellbilder mit der Bezeichnung: „Bildniss des Malers, im Costume seines Aufenthaltes in Constantinopel" aufgeführt.

128) Laurent Angliviel de la Beaumelle, der Gegner Voltaires, welcher ihn in die Bastille zu bringen wusste, dem Historiker bekannt durch seine „Mémoires pour servir à l'histoire de madame de Maintenon". Amsterdam 1755—1756. 6 vols. in 12°.

129) Ewald hat hier d'Alemberts bekannten Artikel in der „Encyclopédie" im Auge, der im August 1756 erschienen war und der Genfer Geistlichkeit einen „socianisme parfait" zuschrieb. Gegen diesen

Vorwurf, der aber im Munde eines d'Alembert ein Lob sein sollte, legte
die Geistlichkeit Genfs Protest ein mit dem „Extrait des Registres de
la vénérable Compagnie des pasteurs et professeurs de l'Eglise et de
l'Académie de Genève, le 10. Fevr. 1758". Die Professoren Vernet
und Trembley, wie zu lesen ist, waren bei der Angelegenheit in hervorragender Weise betheiligt. Jacob Vernet, geb. zu Genf 1698, war
seit 1756 daselbst als Professor der Theologie angestellt. Von ihm
rühren her die „Lettres critiques d'un voyageur anglais sur l'art. Genève
du Diction. encyclopédique". Utrecht 1766. 2 vols. in 8°. Jacques-
André Trembley, geb. 1714, war früher, ehe er in die „Compagnie des
Pasteurs" aufgenommen wurde, Professor der Mathematik und Philosophie
in Genf gewesen. Ueber beide Männer s. Eug. et Em. Haag, La France
protestante. Tome 9. Paris 1859. 8°. S. 466—470 und S. 416.

130) „Da Kleist bereits den 24. Aug. 1759 in Folge der in der Schlacht
bey Kunersdorf erhaltenen Wunden gestorben war, so blieb dieser Brief
in des Herrn v. Brands Händen." [Anmerkung des Abschreibers.]

Anhang II.

Drei Briefe Ewalds an Gleim.

Die hier folgenden drei Briefe Ewalds an Gleim sind
wol die einzigen, welche Ewald an Gleim geschrieben hat.
Die Originale derselben sind im Besitz der Gleim-Stiftung zu
Halberstadt. Hier gelangen sie nach einer Abschrift zum
Drucke, welche Herr Oberlehrer Jänicke für mich zu fertigen
die Güte hatte.

Auch die Bekanntschaft Ewalds mit Gleim ist auf die
Vermittelung Kleists zurückzuführen. In einem Brief vom
20. Juni 1750 erstattet Kleist[1]) zuerst Gleim genaueren Bericht
über seinen neuen Freund Ewald, von dessen „Witze" er sogleich eine Probe gibt, indem er Ewalds Epigramm „Ueber
die Statue der Venus in Sans-Souci" mittheilt.

Seitdem begegnen wir in Kleists Briefen an Gleim Ewalds
Namen vielfach, dessen poetische Versuche und Schicksale
Kleist nicht wenig am Herzen lagen. Gleim, der auf diese
Weise eine ganze Reihe von Proben Ewaldscher Sinngedichte
und Lieder erhielt, wurde dann auch gebeten, Kritik an denselben zu üben. Sein Urtheil sollte entscheiden, was von denselben in einer neuen Ausgabe stehen bleiben könne und was

---

1) Werke II S. 172.

nicht. Trotz einer dreimaligen Aufforderung[1]) von Seiten
Kleists scheint Gleim diesem Wunsche nicht nachgekommen
zu sein. Er war wol ein wenig eifersüchtig auf Ewald, der
im Gegensatz zu ihm lange Zeit hindurch sich des persönlichen Umgangs mit dem Dichter des „Frühlings" erfreute.[2])
Materielle Unterstützung hat dagegen der gutmüthige Mann
auch dem fortwährend in Geldnoth sich befindenden Ewald
nicht versagt. Recht warm und herzlich ist aber das Verhältniss dieser beiden Dichter nie geworden: ihre Naturen
waren zu verschieden. Namentlich musste ein so unruhiges
und zerfahrenes Wesen, wie dasjenige.Ewalds war, dem so
überaus ruhigen und ängstlichen Charakter Gleims auf die
Dauer immer unsympathischer werden. Nur die Freundschaft
zu Kleist verband sie und gab ihnen die in ihren Briefen zu
Tage tretenden, damals überhaupt so gewöhnlichen, Hoch-
achtungsversicherungen und Liebesbetheuerungen ein.   .

I.

Vielgeliebtester Freund!

Meine fortdauernde Unpässlichkeit hat mich gehindert, eher
auf Ihr angenehmes Schreiben zu antworten. Sie machet, dass ich
wenig das schöne Dresden und den Umgang meiner Freunde geniessen kann. Da mich Hr. Rost und Hr. Plesmann[1]), ingleichen
Hr. Hagedorn kürzlich besucht haben, so habe ich nicht ermangelt,
an diese Ihre Grüsse zu bestellen, es empfehlen sich selbige Ihnen
hinwiederum. Hr. Plesmann meint, es würde wohl das Beste sein,
wenn Sie wegen der Angelegenheit Ihres Stifftes an des Hrn. Ministers von Borck[2]) Exc. schreiben und ihm davon umständlichen
Vortrag machten, selbiger hätte gegenwärtig alle Mittel in Händen,
die Forderung des Stifftes geltend zu machen. Auf Neuigkeiten
habe ich wegen meiner schlechten Gesundheits Umstände wenig
acht gegeben, es hat mich nur das Treffen bei Lovositz, die Ueber-
gabe der Sachsen und das letztere Scharmützel bei Ostritz[3]) gerührt,
wobei wir unsern Maj. v. Blumenthal verlohren haben, alles übrige
kann mich nicht einen Augenblick von dem Andenken meiner Freunde
abziehen. Wenn Sie den Feldzug des Königs vom vorigen Jahre
beschreiben wollen, so haben Sie den glorreichsten vor sich, der
jemahls in der Welt gemacht worden. Der König hat über alle
Natur und Kunst gesiegt.

---

1) A. a. O. ll S. 300. 313. 315.

2) A. a. O. III S. 137. Vgl. auch II S. 178.

Meine Wohnung in Dresden ist in dem Hause des geheimen Cämeriers **Dinglinger**[4]), wo ich wie zu Hause bin. Bei einer müssigen Stunde sehe ich die hiesigen Gallerien und Brühls Bibliothek. Der Quwetz*), den Sie sich wünschen, ist nicht mehr in Dresden zu haben, er ist hier nicht unter 15 Gr. verkauft worden, ich habe mich schon auf unseres **Kleist** Verlangen darnach erkundigt. Unser **Kleist** muss itzt Major sein, ich erwarte die Bestätigung täglich von ihm selber[5]), er fängt an sich in Zittau zu gefallen, ich aber dürfte wohl so leicht**) nicht dahin gehen, indem ich stark willens bin, vor dem Anfange der neuen Campagne um meine Entlassung anzuhalten. In Dresden habe ich auf Befehl meines Printzen mit in der Gouvernements Sache arbeiten müssen, meine Brustkrankheit hat mich aber nicht lange fortfahren lassen. Es würde mich herzlich freuen, Sie vor meiner Abreise von hier umarmen zu können, ein hiesiger Aufenthalt von 8 Tagen würde Ihnen, zumahl in Absicht Ihres Vorhabens nicht gereuen, vermitteln Sie ihn doch! Ihren **Rabener** habe ich nur zwei mahl seit meinem Aufenthalte in Dresden gesehen. Hr. Hofprediger **Cramer** in Kopenhagen sucht ihn dorthin zu locken und ihn dort zu fesseln. Hr. **Rabener** will aber sein liebes Dresden nicht verlassen, aber doch eine freundschaftliche Wallfarth künftiges Jahr zu allen seinen Freunden anstellen, zu Ihnen vornehmlich; ich verharre mit der aufrichtigsten Liebe und Hochschätzung ewig

Geliebtester Freund
Ihr gehorsamster treuer
Diener JJ Ewald.

Verzeihen Sie mein Geschmiere und empfehlen Sie mich Hrn. **Beyer.**[6])

Dresden
den 7ten Jan. 1757.

II.

Beantw. d. 6ten August
1758.
[Bemerkung von Gleims Hand.]

Werthester Freund,

Sie haben mir nicht vor einem Jahre mein Schreiben an Sie beantwortet, ich bin gegenwärtig im Begrif und zwar morgen von hier nach Pyrmont zu reisen, wo ich einige Wochen den dortigen Brunnen trinken werde, könte es doch in Ihrer Gesellschaft sein!

Lassen Sie mich doch wissen, mein Geliebtester, ob der Hr. v. **Brand** Ihnen meine gantze Schuld bezahlt hat, ich will sonst das

---

*) Für mich unleserlich, ists ein Autorname? ein Buch? [Jänicke.]

) Kann eben so gut „bald**" heissen, der Schreiber des Briefes hat in das Wort hinein corrigiert." [Jänicke.]

rückständige gern entrichten. ich denke nicht, dass Sie unzufrieden
sind, dass ich Ihnen keine Bücher aus England geschickt, das Geld
ist mir zu bald in England ausgegangen, sonsten es gewiss geschehen wäre. Ich wünschte, dass ich das Vergnügen haben könnte,
Sie an einem Mittelort zwischen Halberstadt und Pyrmont zu
sehen und zu umarmen, obgleich nur halbgesund wollte ich mit
Freuden dahinfliegen. Ihr Siegeslied[7]), das mir Hr. v. Kleist geschickt hat, macht Ihnen viel viel Ehre, selbst im gantzen Elsass,
sowie auch Ihre neuen Fabeln[8]), die ich auf dem Wege vom Elsas
hierher mit Entzückung gelesen habe. Sie machen sich aber wohl
nicht viel daraus, dass ich Sie liebe und bewundere, mein liebster
Gleim. Sie haben bessere Bewunderer, indessen trage ich doch auch
zu Ihrem Ruhme das meinige bey.' Wo ist jetzt unser Kleist? ich
habe lange keine Nachrichten von Ihm. Sie werden mich verbinden,
wenn Sie mich wissen lassen, wo er sich aufhält. ich schreibe dieses
auf der Post und bin ewig

Ihr treuester

JJ Ewald.

Cassel den 1ten August 1758.

III.

Beantw. den 22ten August
1758.
[Bem. von Gleim.]

Liebster Freund!

Ich habe Ihr Schreiben mit grösster Freude erhalten, zu
gleicher Zeit eins von unserm Kleist aus den Cantonnirungs Quartieren von Zwickau.[9]) Meine Cur greift mich hier sehr an, desshalb
ich sie ein paar Tage unterbrechen und überhaupt verlängern muss.
Ist es Ihnen nicht möglich, mein Liebster, mir entgegen zu kommen
oder besser hierher. Ob Sie sich gleich wohl befinden, so könnten
Sie, wie viele, noch zum Vergnügen eine Nachkur gebrauchen, mein
Quartier stände Ihnen alsdann zu Diensten. Da Hr. von Brandt
Ihnen nicht meine Schuld entrichtet hat, wie ich geglaubt, so will
ich baldmöglichst dafür sorgen und sehen, was mir nach der Cur
übrig bleiben wird. Ich käme gern nach der Cur zu Ihnen, ich bin
aber des Reisens etwas müde, nicht aber des Erzehlens. Der Hr.
von Kleist hat mir seine Chloris nach dem Zappi[10]) geschickt, er
macht, was er will und so viel er will. Ich liebe ihn so sehr als
Sie. Sein Charakter ist so schön als seine Gedichte. Was in der
Berlinischen Bibliothek steht, habe ich von dem preussischen Gre-
nadier gelesen, mehr nicht.[11]) Wollten Sie wohl einliegendes an
Hr. Nicolai nach Berlin abgehen lassen? Er hat für mich etwas

Geld gehoben, so er Ihnen übermachen soll. Es ist mir lieb, dass Sie Hr. und Frau Tagliazuchi[12]) kennen lernen, ich will ehestens an Sie schreiben, sie sind, ich versichere Sie, beyde von dem angenehmsten Umgange. Sie haben sich einmahl Hr. Kleist und mir zu gefallen, einige Monathe in Potsdam aufgehalten und damals ward die Übersetzung des Frühlings gebohren. Ich möchte wissen, ob Frau Tagliazuchi ihre in Potsdam angefangene Tragödie zu Ende gebracht hat. Ich muss sagen, dass ihr die ersten drey Handlungen, die ich gesehen, Ehre machten. Sie ist ein noch grösseres Genie als ihr Gemahl. Ich bin ewig

Mein liebenswürdigster Freund

Ihr treuester
Ewald.

Pyrmont, den 15ten August. 1758.

Erläuterungen.

1) Von diesem Plessmann, welchen Gleim bei Gelegenheit seines Besuches in Leipzig (Frühjahr 1750) im Kreise der Gellert, Rabener, Cramer, Schlegel, Schmidt kennen gelernt hatte, weiss ich eben so wenig etwas beizubringen, wie Pröhle und Sauer. Ich kann nur auf Gleims Brief an Kleist vom 8. Mai 1750 (Werke III S. 112) verweisen.

2) Gemeint ist Friedrich Wilhelm von Borcke, wirkl. Geheimer Etats- und Kriegs-Rath, Vice-Praesident und dirigierender Minister bei dem General-Ober-Finanz-, Kriegs- und Domainen-Directorium, dem auch die Leitung der Geschäfte im Halberstädtischen übertragen war. Gleim war damals Secretär des Domstifts zu Halberstadt. Vgl. W. Körte, Gleims Leben. Halberstadt 1811. 8°. S. 85.

3) Ueber Heinrich Georg von Blumenthal und sein Ende s. Sauers Anmerkung in seiner Kleist-Ausgabe II S. 40.

4) Der volle Name ist Johann Heinrich Dinglinger.

5) Die Ernennung erfolgte erst am 20. Febr. 1758.

6) Joh. Aug. von Beyer. Vgl. Karl Goedeke, Grundriss zur Gesch. der deutschen Dichtung. Bd. II. Dresden 1862. 8°. S. 587. Nr. 161.

7) Gemeint muss das Siegeslied nach der Schlacht bei Prag sein, das in zwei Einzeldrucken verbreitet war.

8) Das 2. Buch von Gleims Fabeln erschien zu Berlin 1757.

9) Dieser Brief fehlt uns bis jetzt noch.

10) „Chloris. Nach dem Italienischen des Zappi." Kleists Werke I S. 123.

11) Ewald kann hier nur die „Bibliothek der schönen Wissenschaften und der freien Künste" im Sinne haben, in deren erstem Bande

St. 2 S. 426—429 (1757) Lessing den Schlachtgesang: „Auf, Brüder, Friedrich unser Held" und das Siegeslied auf die Schlacht bei Prag mittheilte.

12) Ueber Giampetro Tagliazucchi, Intermezzodichter am preussischen Hofe, und seine Frau Oriana Ecalidea findet man alles nöthige in Sauers Kleist-Ausgabe. Auch lassen verschiedene Andeutungen Kleists in seinen Briefen auf ein ziemlich nahes Verhältniss Ewalds zu Oriana schliessen. Vgl. II S. 283. 287. Ein Epigramm Ewalds an Orianen I S. 84. Anmerkung 40.

Nachtrag.

Die von uns benutzten alten Abschriften der oben abgedruckten Briefe Ewalds an v. Brandt sind mit Rücksicht darauf, dass ihre Originale verloren zu sein scheinen, der Königlichen öffentlichen Bibliothek in Dresden zur Aufbewahrung übergeben worden.

J. J. Ewald und Ramler.

Die hier folgenden drei Briefe Ewalds, in Ramlers bisher unbenutztem Nachlasse befindlich, sind die alleinigen Spuren seiner mehrjährigen Verbindung mit Ramler, welche bereits 1750 durch Ew. v. Kleist angebahnt wurde. Sein Versprechen, die „Critischen Nachrichten", das Organ der Berliner Freunde, zu unterstützen, suchte der letztere durch Uebersendung zweier Lieder seines neugewonnenen Freundes Ewald zu lösen. Ramler berichtet darüber an Gleim[1]) (undat. Ende Juni 1750): „Kleist hat mir geschrieben, dass er in Potsdam einen Freund gefunden habe, Ewald heisst er, und soll mir, ich weiss nicht worinn, sehr gleichen. Er übersendet mir zugleich einen Brief von diesem Freunde, worinn ein Paar Anakreontische Oden stehn, worüber er sich ein Urtheil ausbittet. Dieses liefert mir Kleist als einen Beytrag zu den crit. Nachrichten. Ich habe aber viel Mühe mit meiner Antwort gehabt, worinn ich vom Anakreon discuriren muss und zugleich eine Tour finde, Ewalds Oden in Prosa umzusetzen." Nr. 29 der Crit. Nachr. von Freitag dem 17. Juli 1750 (S. 275 ff.) brachte dann den kurzen Brief und die beiden Proben „Ueber die Statüe der Venus des Alexander von Papenhoven in Sans-Souci" und „Die Rose", nebst einer Antwort Ramlers, worin dieser nach einigen aphoristischen Gedanken über die poetische Natur Anakreons die Forderung stellt, Nachahmungen „allemahl erst in Prosa aufzusetzen", dem Verfasser den Rath gibt: „Befestigen Sie Ihren guten Geschmack durch eine genaue Untersuchung und Ueber-

---

[1]) Aus Ramlers Briefen an Gleim, im Besitz der Gleimschen Familienstiftung zu Halberstadt, deren Benutzung mir bereitwilligst gewährt wurde.

setzung der Alten", und lobend schliesst: „Ich muss Ihnen
noch sagen, dass Ihr erster Versuch besser gerathen ist als
mein erster." Aber der Druck des ersten Liedes weicht an
zwei Stellen von der an Gleim überschickten handschriftlichen
Fassung ab; Vers 5 f. ist für: „Der deine weissen Hüften
blösset | Die ein getreu Gewand bedeckte!" gedruckt: „Der
das Gewand dir untreu machet, | Das deine weissen Hüften
decket!" und Vers 12 für: „Und dann will ich dem Amor
gleichen" = „Und mich dem Amor gleichen lasse". Diese
Veränderungen, glücklich in Umgehung eines Hiatus, Vermeidung des gleichen Eingangs „getreu Gewand" und leich-
terem Fluss, rühren gewiss von Ramler her[1]), und Ewald ist
demnach unter die ersten zu setzen, deren Erzeugnisse der
anfangs schüchtern gehandhabten Ramlerschen Feile anheim-
fielen. Dass dieses Interesse auch während des zweiten Pots-
damer Aufenthaltes Ewalds wach blieb, zeigen die Briefe an
Ramler. Durch Kleist ward das Verhältniss ein vertrauteres;
Besuche werden gewechselt oder im Jagdschloss Grunewald
eine Zusammenkunft gehalten. Ewald schickt Epigramme
und sein „Lob der Unwissenheit" an Ramler zur Begutachtung;
doch scheint der letztere an der ersten Sammlung der „Sinngedichte" von 1755 nicht betheiligt gewesen zu sein. „Er ist
so ehrgeitzig gewesen und hat hundert Epigrammen gemacht
und drucken lassen", schreibt er an Gleim (25. Juli 1755).
Für ihn, der den Dichtern immer und immer wieder des Horaz
Wort „Nonum prematur in annum" vorhält und selbst pe-
dantisch feilt, war Ewalds Production zu eilfertig. Das wird der
Grund gewesen sein, der ihn Ewalds Bitte, „die letzte Hand an
Alles zu legen" und eine Vorrede zu der Ausgabe von 1757 zu
schreiben, nicht ganz erfüllen liess. Er spricht sich deutlich
hierüber in einem Briefe an Gleim aus (21. Februar 1756):
„Herr Ewald ist so fleissig in Epigrammen, dass er noch wol
zuletzt ein hundert gute zusammen bringen wird; wenn er
sich allemal nach seinen Freunden richten, und von hunderten,

---

1) Nicht von Kleist; vielleicht aber die übrigen vier Aenderungen
der ersten, am 20. Juni 1750 von Kleist an Gleim geschickten Gestalt
des Gedichtes (vgl. Sauer, Kleist II, 172).

neunzig wegwerfen will, so wird er ein sehr guter Martial
werden. Mir ist aber bange, er wird dem Herrn v. Kleist
nicht immer folgen, sondern demjenigen Freunde, der am ge-
lindesten ist. Er eilt mir fast zu sehr mit dem Drucke, und
verachtet mir schon zu sehr den Wernicke, von dem der
Epigrammatist Hagedorn doch sagt[1]): An Sprach und Wohl-
laut ist er leicht, An Geist sehr schwer zu übertreffen! Ich
liebe Herr Ewalden mehr als Menschen, denn als Poeten.
Aber er will mit Macht und in kurtzer Zeit Poet seyn."

So blieb die Vorrede ungeschrieben. Doch wird manches
Epigramm mit Noten Ramlers zurückgewandert sein; und wenn,
wie bei den drei am 10. Februar 1756 übersandten Gedichten,
welche in die „Lieder und Sinngedichte" 1757 S. 60, bezw. 37
und 88 aufgenommen wurden, eine Vergleichung möglich ist,
so dürfen wir die gemachten Veränderungen unbedenklich auf
Ramlers Rechnung setzen. Sie bestätigen die Wahrnehmung,
dass Ramler einem glatten Verse und einem zahmen, correcten
Ausdrucke zu Liebe originelle Tropen und Bilder, wie sich
bleich seufzen, Ducaten wiegen, seine Ohren weisen, entfernt.

Die Reise nach England löste Ewald aus den alten Verbindungen. Noch vorher schreibt Ramler an Gleim (Anfang
Jan. 1757): „Herr Ewald möchte wol Hofmeister bey dem
jungen Printzen von Darmstadt werden. H. v. Brand hat
ihn sehr empfohlen und H. v. Brösike droht mit einer gleichen
Empfehlung bey einer Dame, die dort viel vermag." Als dann
Ewald durch Halberstadt reiste und von dem allzeit hilfs-
bereiten Gleim mit 60 Thalern unterstützt wurde, schreibt
der letztere an Ramler (28. März 1757): „H. Ewald ist eine
Vierthel Stunde bey mir gewesen, länger nicht, als nur eine
Vierthel Stunde; er reiste in Gesellschaft eines so genanten
Herrn von Egerlands nach Engelland, und will da sein Glück
machen, wenn es möglich ist. .Ich habe ihm meine Bedenken
dabei gesagt. Ein Königl. Preuss. Auditeur in London kan
schon einiges Aufsehen machen." — Der dritte Brief Ewalds
aus Ems (ein Reisebericht aus Leipzig ist, wie viele andere
Briefe, von Ramler vernichtet) ist die letzte Spur seines Verkehrs mit Ramler.

---

1) Poet. Werke hggb. von Eschenburg (1800) I, 124.

In die „Lieder der Deutschen" nahm Ramler aus Ewalds
Gedichten als Nr. 8 des III. Buches „Cephisens Selbstgespräch" mit
einer unnöthigen Aenderung auf, zu der die „Lyrische Bluhmenlese" (VIII, 8) noch zwei hinzufügt. I, 12 „Philinde vor dem
Nachttische", ebenfalls aus den „Liedern und Sinngedichten"
1757 S. 105 entnommen, ist von Ew. v. Kleist (vgl. Sauer,
Kleist I, 14. 87). IV, 14 „Gebet an die Venus. Nach dem
Griechischen des Moschus" ist von Ewald verfasst und aus
dessen „Sinngedichten in zwey Büchern", Berlin 1755 S. 35
. mit mehreren Aenderungen herübergenommen, welche sich in
der neuen verbesserten Auflage ·der Sinngedichte von 1791
S. 22 nicht vorfinden.

Im ersten Theile von Ramlers „Lyrischer Bluhmenlese"
stehen von Ewald: I, 43 „An den May" (Lieder und Sinngedichte S. 23) und V, 17 „Der Schäfer zu dem Bürger" (L.
u. S. S. 100), beide verändert.

Karl Schüddekopf.

1.

Liebster Herr Ramler,

Ich habe von H. Nicolai meine Epigramms wieder zurück
gefodert, er schreibt mir aber, dass Sie sie noch bey sich hätten.
Haben Sie doch die Güte und schicken Sie sie ihm, damit er sie
lesen kann, und mir hernach wieder einhändigen, ich habe sonst
keine Abschrift davon. Wie haben sie Ihnen gefallen, diejenige so
ich seit meinem Hierseyn gemacht habe, sind besser als die Sie gesehen haben. Die anacreontischen Lieder taugen alle nichts und
werde ich, wenn ich die Epigramms einmahl drucken lasse, erst suchen
eine gute Sammlung davon zu machen. H. Patzke hat meine Uebersetzung vom Thomson nebst einigen Gedanken von mir drucken
lassen[1]), die ich aber nur in einem Nachmittag möchte ich sagen,
aufgesetzet, sehen Sie doch wie wenig dran ist, lesen Sie nicht einmahl die Gedanken, sondern nur meine Übersetzung, sonst dürfte
ich weniger bey Ihnen gelten, als wenn ich niehmahls welche geschrieben hätte. H. Nicolai kan Ihnen und H. Langemack mein
kleines Buch zu lesen geben. Es thut mir leyd, dass ich neulich

---

1) „Gedanken mit einer Uebersetzung der Hymne über die vier Jahr-
zeiten; aus dem Englischen des Thomsons." Frankfurt a. d. Oder, Kleyb.
1754. 12° (angezeigt im Hamburg. Correspondenten 1754 Nr. 163 unter
Ewalds Namen). — Die „Hymne" ist wiederholt im Anhang zu Ewalds
„Liedern und Sinngedichten" 1757 S. 123—128.

nicht länger habe von Ihrem Gespräch profitiren können. Wissen Sie, dass H. Gleim auch von der Prinzessin Amalia Befehl hat eine Passion zu verfertigen. Wird seine oder die Ihrige wunderbahrer, rührender und ernsthafter seyn? [1])

Der Candidat, wovon Ihnen d H v Kleist geschrieben, hat hier schon eine Condition. Ich umarme Sie d H. Langemack und bin ewig

Ihr treuster Freund

Ewald.

[Potsdam] Den 1ten July.
1754.

A Monsieur
Monsieur Rammler,
Professeur en Philosophie
à Berlin.
Mr. Nicolai aura soin de faire
remettre ceci à son adresse pour avoir ce qu'il sait bien.

2.

Liebster Freund,

Ich bedaure, dass ich vor meiner letzten Abreise von Berlin nicht noch das Vergnügen habe haben können, Sie zu umarmen. Ich bin früher abgereiset, als ich vermuthete. Wie befinden Sie sich jetzt Mein Werthester? Wie sehr wünschte ich meine ganze Lebens Zeit zwischen Ihnen und d H v Kleist theilen zu können, aber wir Sterblichen sollen nicht alle Glückseeligkeiten zusammen geniessen. Kommen Sie doch nun auch einmahl zu uns und ziehen Sie mich alsdenn dem H v Kleist vor und logiren Sie bey mir. Was für Sorge will ich für Ihre Gesundheit und für Ihr Vergnügen tragen! Sie sollen, wie ich hoffe, Berlin auf ein paar Tage recht gut entbehren

---

1) Nach einem Entwurfe der Prinzess Amalia lieferte Ramler den Text zu dem Passionsoratorium „Der Tod Jesu", welches zum Theil von der Prinzess selbst componiert (in Kirnbergers „Kunst des reinen Satzes in der Musik" finden sich der erste Choral und der erste Chor), dann an den Capellmeister Graun übergeben und zuerst am Mittwoch dem 26. März 1755 im Dome aufgeführt wurde. Gleim wurde ebenfalls als Dichter gewünscht; aber er schreibt an Ramler (18. Juni 1754): „Haben Sie den Plan zu einer geistlichen Cantate bekommen, den die Prinzessin Amalia gern bearbeitet haben will? Die Frau von Kannenb[erg] hat mir gesagt, Sie würden mit mir um die Wette arbeiten. Aber da wäre ich ein Narr, wenn ich mich mit Ihnen einliesse."

können. Unser Kleist befindet sich jezt ziemlich, er hat nur kleine Anfälle von Fieber und seine Hypochondrie wird sich wahrscheinlicher Weise gänzlich im Frühling·verlieren. G l e i m hat ihm gestern geschrieben[1]) und schlägt ihm vor mit ihm ins Bad zu gehen. Gleim umarmt Sie herzlich in seinem Briefe und schreibt, dass H. Z a c h a r i a e einige Zeit bey ihm gewesen, mit dessen Tempelbau[2]) er nicht zufrieden sey. Schade, dass Zachariae nicht seine Kräfte kennt.

Ich überschicke Ihnen, Mein liebster Freund, weil Sie meine übrigen Geburten haben, ein Exemplar von meinen gedruckten Epigrammen, worinn ich durchstrichen und geändert habe. Erzeigen Sie mir die Freundschaft und legen Sie doch die letzte Hand an allem, damit ich zwey gute Bücher zu stande bringe und seyen Sie alsdenn der Herausgeber und Beförderer meiner kleinen Versuche. Ich will, was ich noch zwischen hier und dem May monath mache, Ihnen nach und nach zuschicken, worüber ich mir alsdenn Ihre ungeheuchelte Critik erbitte, um nicht einmahl den Vernünftigen mit Grunde misfallen zu dürfen.

In der Vorrede, die ich mir von Ihnen erbitte, geben Sie doch den Unerfahrnen einen Begriff vom Epigramm, sagen Sie, wenn es Ihnen so gefällig, ein Wort von dem, was wir haben, und von meinem Versuch, aber lassen Sie die Welt wissen, dass ich das Glück habe Ihr Freund zu seyn. Meinen Nahmen darf man nicht wissen, aber den Ihrigen wohl. Verzeihen Sie, wenn ich Ihnen eine unangenehme Mühe mache. Statt Ihrer verdriesslichen Uebersetzung[3]), bin ich mit acten umringet oder besser mit Zank und Zwietracht. Ich küsse Sie und meinen lieben Herrn L ä n g e m a c k, ich mache auch meine grosse Empfehlung an Madame D e h n s t e d t[4]) und an den Herrn Controleur und verbleibe mit der zärtlichsten Ergebenheit,

Liebster Freund,

Ihr treuster Diener und Freund
JJ E w a l d.

Potsdam den 10ten Febr. 1756.

---

1) Der Brief ist verloren.

2) Der Tempel des Friédens. Braunschweig 1766.

8) Des Cours des belles lettres von B a t t e u x, welche 1766 bis 1768 in vier Bänden erschien.

4) Ramlers Wirthin, bei der er mit Langemack von 1751—59 wohnte (in der Heiligengeiststrasse), als „Naide" von ihm gepriesen. Sie war in Ermsleben bei Halberstadt geboren und starb 1758 (vgl. Morgenblatt 1807 S. 646 ff.). Ihr Mann, ein roher Gesell, endete ein Jahr darauf durch Selbstmord.

Taugt dieses!

An Timon.[1])

Du sagst, es sey der Mensch nicht zur Gesellschaft da;
Er sey sich selbst genug und glücklicher allein;
Du lebtest ruhiger in einem dunklen Hain,
Und fern von Städten sey man nicht der Hölle nah.
An allem was du sagst, ist, Timon, etwas wahr,
Doch denk, o wilder, dass Gesellschaft dich gebahr.

Till.[2])

Till seufzt sich bleich, wiegt nur Ducaten;
Geiz, Harm und Kummer sind für ihn.
Wir lassen uns vom Comus rathen
Und Sorgen mit dem Wind' entfliehn.
    Sein Herz der Freude zu verschliessen,
Ist schwacher Geister Eigenthum;
Wir wollen leben und geniessen,
Statt Geld reizt uns der Klugen Ruhm.

Franz.[3])

Franz der im witzigen Paris
Drey Jahr lang seine Ohren wies,
Und dort galant und artig hies,
Kehrt wieder über unsre Gränze.
Man glaubt, er bringt Verstand zurück,
Zu vielen Aemtern mehr Geschick:
Er macht die schönsten Reverenze.

3.

Liebster Ramler,

Ich melde Ihnen, dass ich von meiner englischen Reise zurück
und gegenwärtig in Diensten Sr. Hochfürstl. Durchl. des Erbprinzen

---

1) „Lieder und Sinngedichte" 1757 S. 60; abweichend nur in
Orthographie und Interpunction.

2) „Lieder und Sinngedichte" 1757 S. 37: Stax.
    Vers 1—3: Stax häufet Sorgen und Ducaten,
                    Geitz, Harm und Unruh reitzen ihn:
                    Wir lassen uns den Comus rahten —
    V. 8: Uns reizt statt Gold der Klugen Ruhm.

3) „Lieder und Sinngedichte" 1757 S. 88: Amintas.
    Vers 1 f.: Amintas, den man in Paris
                    Galant und fein und artig hiess,
    V. 4: bring
    V. 6: besten

von Hessen Darmstadt bin, welche mich zu Dero Hofrath ernannt
und mir die Erziehung Dero jungen Printzen aufgetragen haben.
Da dieser Fürst wieder in unser Land zurück kehren wird, so hoffe
ich, dass ich eben nicht zu lange von meinen lieben Freunden abgesondert bleiben werde, ihr Umgang ist mir noch durch keinen
andern ersezt worden, so viel angenehme Bekanntschaften ich auch
in England gemacht habe, wo ich fast alle hinterbliebenen Freunde
des Thomsons kennen gelernet. Ich halte mich gegenwärtig mit
meinem neuen Herrn im Embser Baade auf, von wo wir aber nächstens
nach Buchsweiler bey Strasburg abgehen werden, wohin ich bereits
einmahl geschickt worden, um unter andern meinen künftigen Eleve
kennen zu lernen, welches ein hofnungsvoller Prinz ist. Ich habe nun,
seitdem ich Sie verlassen, Mein liebster, ziemlich Land gesehen. Ich
bin, wie ich Ihnen aus Leipzig geschrieben, von Dresden aus über
Hannover und Holland, nach London gereist; von da bin ich, vor etwa
8 Wochen, wieder über Holland, Cleve, Cölln und Bonn nach dem
Embser Baad gegangen und von hier habe ich bereits über Worms,
Maynz, Manheim etc. eine Reise nach Strasburg vornehmen müssen.
Als ich nach England gieng, war mein Vorsaz mit einem Engländer
zu reisen; ich hatte dazu bereits alle Hofnung, weil ich mit den
besten Empfehlungen begleitet war, ich konte aber nicht die Herbst
Luft in England vertragen und habe Ursach mit meiner gegenwärtigen
Stellung ebenso zufrieden zu seyn, als wenn ich schon diesen Winter
hätte in Italien zubringen können. Nach diesem Lande habe ich
eben so sehr verlangt, als ehedem Aeneas, ohne jedoch daselbst
meine Hausgötter übertragen zu wollen; ich komme nun zwar später
dahin, aber ich werde doch einmahl dahin kommen, und den classischen Grund betreten können, wie ihn Addison nennet. England
hat mir sehr gefallen. Im Sommer ist es ein würklich Paradies.
Die meisten Menschen sind darin ganz guthmüthig, nur der Pöbel
ist daselbst vieleicht schlimmer als sonst nirgendwo. Es ist eine
Wollust in England zu spazieren und der dasigen Aussichten zu
geniessen. Sie können nirgend reicher seyn. London ist eine Welt,
wo man alles Schöne antrift, was sich nur gedenken lässt. Es ist
der Sammelplaz von allen Schönheiten Englands: Sie treffen da die
schönsten Männer, die schönsten Frauen, die schönsten Pferde, die
schönsten Gebäude, kurz alle Werke der Kunst, schön im höchsten
Grade. Man findet in England alle Gesinnungen der ehemaligen
Römer, ihren Reichthum, ihren Muth, ihren Stolz, doch kan ich
sagen, dass ich noch länger mit den Holländern hätte leben wollen,
als mit den Engländern, leztere [!] haben mehr Menschenliebe und
bessere Sitten. Ich habe in England alles gesehen, die Versammlungen der Akademie, des Parlaments, die Schaubühnen, die königl.
Schlösser, die besten Gallerien und Gärten; den Hof zu Kensington
und der Prinzessin von Wallis ihren in London. Die Abtey zu

Westminster aber, war das erste, was ich zu sehen eilte, und nächst
dieser das berühmte Gemählde des Rubens zu Whitehall, die Ver-
götterung Carls des Ersten. Man schäzt es hundert tausend ₰ werth
und beynahe eben so hoch als die Cartons des Raphaels zu Hamptoncourt. Von Gegenden kan man keine wollüstigere sehen, als die
zu Windsor. Sie geht über alle Einbildung. Ich behalte mir vor
Ihnen davon zu erzehlen, wenn ich Sie werde umarmen können,
Mein liebster Ramler, Bis dahin ich mich Ihnen angelegentlichst
empfehle und mit alter Treue und Zärtlichkeit bin,

Ihr gantz ergebenster Freund und

Diener JJEwald.

N. S. Ich mache meine grosse Empfehlung an Ihren H. Wirth
und Frau Wirthin, und übrige Freunde. Was macht die Litteratur
in Deutschland und hauptsächlich Sie? H. v. Kleist hat mir seine
Ode an die Preussische Armee[1]) zugeschickt. Sie ist schön, wie
alles was von ihm herrührt. In England habe ich nichts gethan,
als spaziren. Sollten Sie wohl glauben, dass auch in England unser
Kleist und Gleim gelesen wird? Die deutsche Sprache ist dort
mehr bekannt, als man glaubt. Wenn Sie für mich die Freundschaft haben, ein mahl an mich zu schreiben, so muss es nach
Buchsweiler per Strasburg geschehen. Ich küsse Sie tausend mahl.

Da ich als ich mit diesem Briefe fertig war, habe nach Darmstadt reisen müssen um der Frau Erb Prinzessin und dem dortigen
Hofe vorgestellt zu werden, so komt er Ihnen erst nach dieser Reise
zu; ich habe ihn so lange in der Tasche und wieder hieher zurück
getragen. Lieben Sie mich ja beständig, mich Ihren treuen alten
kleinen epigrammatischen Ewald. Den 9ten Xbre 57.

---

1) Vgl. Sauer, Kleist I, 100. III, 255.

Noch ein Brief Bürgers.

Mitgetheilt von

KARL REDLICH.

Die im ersten Hefte mitgetheilten Briefe Bürgers haben
mich an einen andern Brief desselben erinnert, der zwar nur
in zwei Brouillons erhalten ist, aber um des Adressaten willen
auch in dieser Form der Veröffentlichung nicht unwerth scheint.
Ich habe denselben bereits vor mehr als zehn Jahren in einem
Kladdeheft aus dem Bürgerschen Nachlass entdeckt, das mir
der verstorbene Strodtmann nach der Herausgabe des Bürgerschen Briefwechsels zur Durchsicht geliehen hatte. Weil Strodtmann das kleine von ihm übersehene Schriftstück gern in der
von ihm geplanten Biographie Bürgers an die Oeffentlichkeit
bringen wollte, verzichtete ich darauf, es meiner Anzeige der
Briefsammlung im 6. Bande von Zachers Zeitschrift einzuver-
leiben, wo unter den Nachträgen zum dritten Bande der
passendste Platz für dasselbe gewesen sein würde. Während
der Arbeit an der Biographie ist Strodtmann gestorben; wo
jenes Bürgersche Kladdeheft geblieben, dessen sonstiger Inhalt
übrigens auch seinen Untergang nicht bedauernswerth erscheinen lassen dürfte, ist unbekannt. So gebe ich denn, einen
Wunsch des neusten Herausgebers der Bürgerschen Gedichte
erfüllend, die beiden Concepte den Lesern des Archivs, die
nicht ohne Mitleid von dem unharmonischen Gegensatz zwischen
diesem Ausdruck höchster Verehrung kurz vor dem persönlichen zusammentreffen mit Schiller und der grausamen, wenn
auch nicht unverdienten Geringschätzung in Schillers Kritik
der Bürgerschen Gedichte Kenntniss nehmen werden.

Das Briefchen ist als Begleitschreiben zu der zweibändigen
Gedichtausgabe Ende April 1789 geschrieben, wie aus Nr. 743 fgg.

der Strodtmannschen Sammlung mit Sicherheit zu schliessen ist, und steht von Bürgers Hand geschrieben auf S. 57 des erwähnten mit 9ᵃ bezeichneten Kladdehefts.

(a.)

So klein die Gabe ist, die ich Ihnen bringe, so ist sie doch Symbol einer Verehrung Ihres Geistes, welche keinen Zusatz leidet. Die Götter sehen auf die Andacht des Gebers, nicht auf die Grösse seiner Gabe. Warum sollten Sie nicht gern den Unsterblichen nachahmen?

(b.)

Die Beylage biete ich Schillern dem Manne, der meiner Seele neue Flügel und einen kühnern Taumel schafft, zum Zeichen meines Dankes und meiner unbegränzten Hoffnungen von Ihm, mit der wärmsten Hochachtung an.

Bürger.

Schillers Wittwe und der Buchhändler S. L. Crusius in Leipzig.

Mitgetheilt von

THEODOR DISTEL.

Im K. S. Hauptstaatsarchive (Loc. 10747) und im Leipziger Rathsarchive (S. 2301) befinden sich Acten, welche die Differenz zwischen Schillers Wittwe und dem Verleger S. L. Crusius in Leipzig über die dritte Auflage der Schillerschen Gedichte betreffen. Denselben entnehme ich folgende Schreiben, bemerke jedoch im voraus, dass (nach den Acten S. 2301 Bl. 18 des Leipziger Rathsarchivs) unter einem Briefe Schillers an den genannten Verleger vom 10. März 1803 (Goedeke, Geschäftsbriefe Schillers S. 306) die Worte des letzteren stehen:

> „Habe seinen Vorschlag angenommen und mich unter dem 15. März 1803 gegen ihn verpflichtet, ihm vor die erste Auflage seiner Gedichte Thaler 20 und vor die zweyte und folgende jedesmal Thaler 10 Cour. Spec. zu zahlen."

I.

(S. 2301 Bl. 31ᵇ Abschrift.)

Weimar den 3ᵗᵉⁿ Juny 1805.

Ew. etc.

zeige ich nur mit diesen Zeilen den Empfang Ihres gütigen Schreibens an und der beygefügten 50 Louisd'ors. Zu allen andern ausführlichen Nachrichten, hat mein Gemüth noch keine Fassung. So viel seine Freunde an Ihm verlohren, so verlohr ich doch am meisten; die Zeit allein wird mir Fassung lehren, diesen Verlust zu ertragen. Die Papiere meines Gatten, hatte ich noch nicht den Muth und die Fassung zu durchlaufen. Erhalten Ew. etc. auch meinen Danck für alle Güte die Sie dem verewigten erzeigten, und empfangen die Versicherung meiner Achtung und Ergebenheit.

Charlotte von Schiller gebohrne von Lengefeld.

An
Herrn Crusius
in
Leipzig.

II.

(S. 2301 Bl. 32 Abschrift.)

Weimar den 18ten Jänner 1806.

Da Ew. etc. seit langer Zeit keine Anfrage an mich haben ergehen lassen, die Ausgabe der Gedichte meines verstorbnen Mannes betreffend, so habe ich geglaubt, dass sie vielleicht den iezigen Zeitpunckt nicht günstig finden möchten, wie es wohl auch der Aeussren Umstände wegen zu glauben seyn möchte. Erlauben mir also Ew. etc. einen Vorschlag zu thun, da der Zufall oder Ihre Gründe die Pracht-Ausgabe der Gedichte verspätete, so wäre es vielleicht. besser sie für diesen Moment ganz aufzugeben, da ohne hin die Herausgabe der sämmtlichen Werke rasch nach einander folgen soll.

Herr Cotta wird sich bereitwillig finden, da er auch der Meynung ist, eine Pracht-Ausgabe zu veranstalten,

Alles was Ew. etc. daran verwendet haben zu erstatten, und es zu übernehmen. Da die Oster-Messe doch der nächste Termin ist der Sie beyde zusammen bringt, so wird sich Hr. Cotta sehr gern dazu verstehen, die Unterhandlungen abzuschliessen, und bayde Theile werden sich hoffentlich zu ihrer Zufriedenheit vergleichen können.

Erlauben Sie mir, dass ich hinzufüge, dass ich stets mit Achtung und Danckbarkeit die Freundschaft und Gefälligkeit erkenne, die Sie meinen verewigten Freund erzeigten, und dass ich mit Achtung und Verehrung mich nenne

Ew. etc.
gehorsame Dienerin Charlotte
von Schiller.

An
Herrn Crusius
in
Leipzig.

III.

(S. 2301 Bl. 33 Abschrift.)

An die Frau Hofräthin von Schiller in Weimar.

Leipzig d. 25 Januar 1806.

Ew. etc.

hielte ich wider die Bescheidenheit durch wiederhohlte Anfrage wegen der mit Dero verewigten Herrn Gemahl verabredeten Pracht-

ausgabe dessen classischer Gedichte sogleich wieder zu belästigen,
da mir Dieselben in Dero Geehrten vom 3ten Jun: a. p. zu erkennen
zu geben geruheten, Sie würden mir die erbetenen Nachrichten so
bald darüber ertheilen als Dieselben Dero gebeugtes Gemüth bis
dahin beruhigt haben würden um den Muth fassen zu können die
von demselben hinterlassenen Papiere nachzusehen und zu untersuchen. Sehnsuchtsvoll sahe ich nach der Zeit der Erfüllung dieser
sehr gütigen Zusicherung, von Woche zu Woche entgegen und da
ich derselben auch vorige Michaelis noch entbehren musste, so hatte
ich mir vorgenommen nach Ablauf damaliger Messe, Ew. etc. meine
persönliche Aufwartung zu machen um mündlich das Nähere über
diese Angelegenheiten mit Denenselben zu besprechen. Leider ward
mir aber die Ausführung dieses Vorhabens auf einmal durch ein-
tretende, für mich höchst traurige Vorfälle in meiner Familie vereitelt,
da ich eben so unerwartet als schnell in den lezten Monathen des
verflossenen Jahres einen innigst von mir verehrten Onckel und
einen eben so geliebten ältesten Sohn, einen Hoffnungsvollsten Jüngling von 19. Jahren, verlohr; erstern durch einen Nervenschlag,
und leztern durch das grausame Scharlachfieber, dass jezt so viele
Eltern betrübt; Wie sehr mich der Verlust so geliebter Verwandten
als mir diese waren, niederbeugen musste, diess empfinden Ew. etc.
gewis lebhaft, und verzeihen mir daher um desto geneigter mein
zeitheriges Schweigen das weder Nachlässigkeit noch Muthlosigkeit
zum Grunde hat, das Denckmahl auszuführen, das ich aus wahrer
Verehrung und nicht aus kaufmännischer Speculation und Gewinnsucht diesem meinen nun verherrlichten Gönner und Freunde, Dero
Herrn Gemahl, zu setzen mir vorgenommen habe. Wollte mir Herr
Cotta, bey Errichtung desselben Hindernisse in den Weg legen und
überhaupt unter der Rubrik sämmtlicher Werke, meine Rechte auf
irgend eine Weise kräncken, die ich auf die rechtmässigste Art, an
denen Schriften acquirirt habe die mir die Güte Dero wohlseeligen
Herrn Gemahls in meinen Verlag überlassen hat, so würde ich ihn
vor einen ungerechten Mann und meinen Feind halten müssen. Ich
versichere mich auch Ew. etc. Beystand mit Zuversicht, durch den
Dieselben auch nicht gestatten werden dass mir eine solche Kränckung
und Ungerechtigkeit zugefügt werde, So wenig Herr Cotta es ge-
nehmigen würde wenn ich mir hätte wollen einfallen lassen Dero
Herrn Gemahls sämmtliche Werke zu liefern, dass ich, ohne vorher
eine Uebereinkunft darinnen mit ihm zu treffen, auch seine, von ihm
in Verlag habende Werke deshalb mir zueignete und diese meiner
Ausgabe einverleibte, eben so wenig hat er ein Recht sich dieses
gegen mich anzumaassen, und ich würde wenn ihm dieser gewaltsame Eingriff in meine wohlerworbenen Rechte erlaubt würde, kein
Bedenken tragen mir ein gleiches Recht gegen ihn anzumassen und
ein Gleiches zu unternehmen. Wir wollen dann wetteifern wer die

Ehre verdient, der Verleger dieser classischen Wercke zu seyn. Blos über die theatralischen Werke dieses verewigten Classikers kann er ein Recht haben, nicht aber über dessen poetische und prosaische, über die ich mir mein erlangtes Recht, ausser durch einen Machtspruch eines Höhern dem ich nicht zu widerstreben vermag, nicht werde streitig machen lassen. Ich vertraue daher Ew. etc. Güte und Gerechtigkeitsliebe: Dieselben werden mich bey diesen meinen Rechten schützen zu helfen geruhen und sich dadurch zu unbegrenzter Danckbarkeit verbinden

Ew. etc.

mit der stärksten Hochachtung

verehrender

Siegfried Lebrecht Crusius.

(A.) (Copie: H. St. A. a. a. O. Bl. 5.)

IV.

Ew. Hochwohlgeb.

werden Sich gewiss mit mir über die algemeine Verehrung Dero verewigten Gemahls freuen, die es mir zur Nothwendigkeit macht, auch nun vom ersten Theile dessen classischer Gedichte eine neue Auflage zu veranstalten. Ich wiederhole dahero meine ergebenste Bitte, Dieselben wollen die Gewogenheit haben, daferne Dieselben eine Revision dieser Gedichte unter den hinterlassenen Papieren Dero Wohlseel. Hn. Gemahls vorgefunden haben sollten, absonderl. wie er sie mir für die mit mir verabredete Prachtausgabe derselben bestimmt, mir diess Mst. baldmöglichst zu übersenden. Meiner Verpflichtung gegen den Wohlseel. gemäs, nehme ich mir die Ehre, Denenselben hier anliegend in 43 Stck. Louisd'or für die zu veranstaltende neue Ausgabe dessen Gedichte ersten Theils kleiner Ausgabe, das Honorar gleich im voraus schuldigst zu übersenden, von dessen richtigen Empfang Dieselben gütigst mich zu benachrichtigen geruhen wollen. Mein, auf die rechtmässigste Weise erlangtes Verlagsrecht der Schriften, die mir das Wohlwollen Dero Herrn Gemahls hat zu Theil werden lassen, werde ich ohne Zwang weder an Hn. Cotta, noch einen andern abtreten, und ich bin gewiss, dass Ew. Hochwohlgeb. auch selbst bei sich überzeugt sind, dass das Recht auf meiner Seite ist. Mit der stärksten Hochachtung gegen Dieselben belebt

Ew. Hochwohlgeb.

gehorsamster Diener

Siegfried Lebr. Crusius.

Leipzig,
den 17. Mai
1806.

(B.) (Copie: ebenda Bl. 6.)   **V.**

Weimar, den 22. Mai 1806.

Da der traurige Hintritt meines Mannes die Verhältnisse seiner
Schriften gegen die Herrn Verleger anders stellt, und wir zutrauungsvoll in die Freundschaft des Herrn Cotta in Tübingen diesem
die Herausgabe sämmtl. Schriften übertragen haben, ihm auch zu
dem Ende das abliefern werden, was sich von Manuscripten vorfindet, so kann ich das nicht annehmen, was sich auf eine neue
Auflage bezieht, und sende daher die 43 Stck. Ld'or wieder zurück.
Sollten sich indessen Engagemens von meinem seel. Manne vorfinden, wo das Recht, die Schriften zu drucken, auch nach seinem
Tode ausdrücklich dem Verleger überlassen bleibt, so bitte ich,
mich davon zu benachrichtigen, weil man keinen Anstand nehmen
wird, sein Andenken in jeder Verbindlichkeit zu ehren. Uebrigens
bin ich von Ihrer billigen Denkungsart überzeugt, dass Sie nichts
unternehmen werden, was Schillers Kindern und Hinterlassenen nachtheilig werden kann.

von Schiller, gebohrne
von Lengefeld, Wittwe.

VI.

Allerdurchlauchtigster, Grossmächtigster König,
Allergnädigster Herr,

Dem Throne Ew. Königl. Majt. nahet sich die Wittwe des
Dichters, Schiller, nebst seinen Kindern vertrauensvoll, um Schutz
gegen ein Unternehmen eines Buchhändlers zu finden, das ihnen zu
grossem Nachtheil gereicht.

Es hat der verstorbene Hofrath, Friedrich von Schiller, seine
Gedichte dem Buchhändler, Siegfried Lebrecht Crusius, in Leipzig,
in Verlag gegeben.

Die erste und zweyte Ausgabe war, nach Schillers, im Jahre
1805 erfolgtem Tode vergriffen, und Crusius schrieb an dessen
Wittwe den sub A.) abschriftlich beiliegenden Brief, um, zum Behuf
einer dritten Auflage, die etwa in dem Nachlasse des Verstorbenen
vorhandenen Verbesserungen seiner Gedichte mitgetheilt zu erhalten.
Diesem Briefe war eine Summe von 43 Stück Louisd'or beigelegt.
Von mir, der Wittwe Schillers, wurde ihm in der sub B.) angefügten
Antwort, mit Zurückschickung dieser Summe, eröfnet, dass ich,
nebst den Schillerschen Kindern, wegen einer Herausgabe seiner
sämmtlichen Werke, mit dem Buchhändler, Cotta in Tübingen, ein
Abkommen getroffen hätte, und daher, wegen einzelner Schriften,
mich mit keinem andern Verleger in ein Geschäft einlassen könnte.

Diese Erklärung hat nun den Buchhändler, Crusius, veranlasst, [bei] Aller-Höchstdero Kirchenrathe und Ober-Consistorio ein Privilegium auf die dritte Auflage der Schillerschen Gedichte auszuwürken, um mich und meine Kinder dadurch in der freyen Disposition über diesen Theil der Schillerschen Werke zu beschränken.

Bei Ertheilung eines solchen Privilegii ist aber ohne Zweifel vorausgesetzt worden, dass der darum ansuchende Buchhändler ein rechtmässiges Verlagsrecht erlangt habe. Auch hatte Crusius, um diese Präsumtion zu unterstützen, auf den Titel die Worte setzen lassen:

Dritte, von neuem durchgesehene Auflage.

Gleichwohl ergiebt sich aus dessen oberwähntem Briefe sub A.), dass Schiller selbst sich einer solchen nochmaligen Durchsicht seiner Gedichte nicht unterzogen hatte, weil sonst dessen Erben nicht um die Mittheilung der vorhandenen Verbesserungen ersucht worden wären.

Das Crusiussische Privilegium würde daher für erschlichen anzusehen seyn, wenn Crusiussens Verlagsrecht sich nicht auf die dritte Auflage der Schillerschen Gedichte erstreckte, für welche er dieses Privilegium gesucht hat. Nun giebt die Ueberlassung des Manuscripts, wenn hierbei nicht eine besondere Uebereinkunft getroffen wird, in der Regel nur das Verlagsrecht zur ersten Auflage, und bei jeder neuen Auflage muss zwischen dem Verfasser und Verleger ein neues Abkommen getroffen werden. Nach Absterben des Verfassers hatte der Verleger sich mit dessen Erben, wegen der dritten Auflage, zu vereinigen, allein ein solche Vereinigung ist aus der oben erwähnten Ursache nicht getroffen worden. Eine ausdrückliche Zusage Schillers, wodurch er Crusiussen das Verlagsrecht seiner Gedichte für alle künftige Auflagen übertragen hätte, hat Crusius zur Zeit noch nicht einmal für sich angeführt. Durch den Absatz zweyer Auflagen von einer, wahrscheinlicher Weise, sehr beträchtlichen Anzahl von Exemplarien ist Crusius für die Kosten des Verlags reichlich entschädigt, und es kommt blos darauf an, ob sein zeitheriger Gewinn durch ein ausschliessendes Verlagsrecht, auch in Ansehung der dritten Auflage, zum Nachtheil der Wittwe und Kinder des Verfassers, noch vergrössert werden soll. Bey einer solchen Bewandnis der Sache dürfen wir von den allgemein verehrten Gesinnungen Ew. Königl. Majt. mit Zuversicht erwarten, dass Allerhöchstdieselben nicht gemeint seyn werden, einem, hinter unserm Rücken erschlichenen Privilegio eine rechtliche Würkung zu unserm Nachtheile zu gestatten.

In dieser beruhigenden Hoffnung wagen wir die allerdemüthigste Bitte:

Dass Ew. Königl. Majt. von dem, an den Buchhändler, Crusius, über die dritte Auflage der Schillerschen Gedichte ertheilten Privi-

legio, uns, und denjenigen Buchhändler, mit dem wir dieserhalb
contrahiren werden, ausdrücklich auszunehmen, und dieserhalb das
Nöthige durch die Bücher-Commission bekannt machen zu lassen,
allergnädigst geruhen möchten.

Wir verharren in tiefster Ehrfurcht
Ew. Königl. Majt.

[eigenhändig:]   allerdemüthigst gehorsamste
                              Luise Charlotte Antoinette von Schiller
Weimar,   gebohrne von Lengefeld. Wittwe.
den 2. Novbr.
1807.

Bekanntlich erschien bei S. L. Crusius sogar nach der
dritten Auflage der Schillerschen Gedichte (1807 u. 8), welche
in zwei verschiedenen Abdrücken existiert, eine vierte (die
jedoch nicht als solche bezeichnet ist) Ausgabe 1816 (s. Goedeke, Grundriss II, 1033) und eine Stereotypausgabe 1818.
Frau von Schiller hatte nämlich von der (vor I) erwähnten
Abmachung zwischen Autor und Verleger Kenntniss erhalten
und daraufhin den Streit aufgegeben.

Beiträge zur Kritik und Erklärung Hölderlins.

Von

ROBERT WIRTH.

I.

Die Gedichte des brittischen Damenkalenders für 1800.

In dem brittischen Damenkalender und Taschenbuch für das Jahr 1800 (Frankfurt a. M., Jägersche Buchhandlung 1800) finden sich auf S. 93—96 nach einander
folgende Oden Hölderlins: Des Morgens, Abendphantasie, Der Mayn. Die Oden wurden an dieser Stelle zum
ersten Male gedruckt. Von der ersten haben wir in dem
handschriftlichen Nachlasse des Dichters, der in der königl.
öffentl. Bibliothek zu Stuttgart aufbewahrt wird, eine Reinschrift; von den beiden anderen habe ich keine Spur irgend-
welcher handschriftlicher Aufzeichnungen entdeckt. Unser heu-
tiger Text nun von „Des Morgens" stimmt in allen Stücken
mit der genannten Reinschrift überein, nicht vollständig jedoch
ist die Uebereinstimmung zwischen letzterer und dem ersten
Drucke im Taschenbuche. In letzterem nämlich steht (2. Vers
der 1. Strophe) Buche für das handschriftliche Birke und
dann für denn (2. Vers der letzten Strophe). Birke ist
offenbar eine Verbesserung für Buche; denn jedermann hält:
„Die Buche neigt ihr schwankes Haupt" für weniger dem
Charakter des Baumes entsprechend als: „Die Birke neigt
ihr schwankes Haupt". Hieraus ist zu schliessen, dass die
vorhandene Reinschrift nach dem Drucke des Taschenbuchs
geschrieben wurde. Was die zweite Abweichung betrifft, so
ist dann offenbar Druckfehler für denn, denn auch im

Druckmanuscripte für das Taschenbuch muss der Dichter, wie
der Sinn ergibt, denn geschrieben haben. Das Taschenbuch
hat freilich kein Druckfehlerverzeichniss.

Was das zweite Gedicht „Abendphantasie" betrifft, so
ist seit der ersten Ausgabe der Gedichte, welche Uhland und
G. Schwab besorgten (Stuttgart 1826), bis zur letzten von
K. Köstlin (Dichtungen von Fr. Hölderlin, Tübingen 1884)
ein Fehler fortgeführt worden, der endlich nach dem ersten
Drucke im Taschenbuche verbessert werden muss. Das Gedicht beginnt nämlich im Taschenbuche:

> Vor seiner Hütte ruhig im Schatten sizt
> Der Pflüger . . .

In sämmtlichen Ausgaben steht bis heute:

> Vor seiner Hütte ruhigem Schatten sitzt
> Der Pflüger . . .

Der erste Druck ist im Rechte, denn der Pflüger sitzt im
Schatten, nicht vor dem Schatten der Hütte. Was sollte
zudem das Attribut der ruhige Schatten? Kann eine Hütte
einen bewegten, unruhigen Schatten werfen? Der Fehler
muss um so mehr auffallen, als die genannten ersten Herausgeber der Gedichte wol nach dem Taschenbuche drucken
liessen; denn hätten sie daneben ein Manuscript gehabt, wo
wäre dasselbe geblieben? Noch auffallender aber wird die
Sache durch den Umstand, dass ein metrischer Anstoss, der
sich im Texte des Taschenbuchs findet, wo der 2. Vers der
4. (Alcaeischen) Strophe mit den Worten: Unzählig blühen
die Rosen — beginnt, in der ersten Ausgabe der Gedichte
beseitigt wurde dadurch, dass man, wie ohne Zweifel Hölderlin
selbst, für blühen schrieb blühn. (Metrische Freiheiten Hölderlins, wie die in meinem Programme: Vorarbeiten und Beiträge zu einer kritischen Ausgabe Hölderlins, Plauen 1885,
S. 25 berührten, gehören nicht hieher.) Warum also hier
eine Verbesserung des Taschenbuchs, in der ersten Strophe
aber eine Verschlechterung?

Zu den beiden bisher behandelten Gedichten finden sich
übrigens im Taschenbuche folgende Bemerkungen. Im „Vor-
bericht" heisst es, man habe für diesen Jahrgang zwei schöne

englische Landschaften, welche das schönste Schauspiel der
Natur: die Morgen- und Abenddämmerung darstellten und die
in zwei eigenen Gedichten besungen würden, hinzugefügt, am
Schlusse aber des Taschenbuchs wird unter „Inhalt" angeführt:
„Poetisches Gemälde eines schönen Morgen und Abend (so),
hiezu gehören die beiden nach engl. Original gestochenen Vorstellungen." Nach diesen Bemerkungen scheint es, als habe
Hölderlin nach ihm vom Verleger des Taschenbuchs gegebenen
Themen gearbeitet, ob er aber vor der Verfertigung seiner
Oden die Landschaften (dieselben rühren von J. Taylor her)
eingesehen habe, ist zweifelhaft, wenigstens hat er sich nicht
nach ihnen gerichtet; kein Pflüger ist z. B. auf der einen,
die den Abend darstellen soll, zu finden, auf der anderen, dem
Morgen, werden Pferde zur Tränke geführt, wovon sich ebenfalls bei dem Dichter keine Andeutung findet. Die Gedichte
sind vielmehr von einer Schönheit und wahren unmittelbaren Empfindung, dass an eine so äusserliche Beeinflussung
durch zwei wenig erwärmende Kupferstiche kaum gedacht
werden kann.

In der dritten Ode des Taschenbuchs, Der Mayn (so), hat
sich keine Variante bis heute eingeschlichen, aber eine stö-
rende Interpunction ist seit der ersten Ausgabe der Gedichte
beibehalten worden, nämlich das Punctum in Gemeinschaft
mit einem Gedankenstriche am Ende der sechsten Strophe.
Das Taschenbuch dagegen hat hier den allein richtigen Gedankenstrich ohne das Punctum. Die Periode nämlich, die
der Dichter in der vierten Strophe mit der Anrede beginnt:
und o ihr Inseln — wird nach mehreren adverbialen Neben-
sätzen mit dem Anfange der siebenten Strophe durch die
Worte: Zu euch vielleicht ihr Inseln — wieder aufgenommen,
dieselbe darf also nicht durch das besagte Punctum unterbrochen werden. Dass diese Periode aber mit den angeführten
Worten der vierten Strophe (und o ihr Inseln) den Anfang
nimmt, dass also diese Worte nicht mit dem vorhergehenden
Satze: denn lang schon einsam stehst du, o Stolz der Welt
— einheitlich zu verbinden sind, was nur sehr gezwungen
geschehen könnte, geht auch aus der Ode: Der Neckar hervor, wo in der sechsten Strophe vor denselben Worten (beide

Oden haben als Variationen desselben Vorwurfs mehrere
Strophen gemeinsam) ein Punctum steht und sonach die Worte
durch Und (grosser Anfangscharakter) angereiht werden. Leider
ist auch in dieser Ode am Ende der siebenten Strophe das
falsche Punctum bis heute stehen geblieben. Es wäre hier,
beiläufig bemerkt, Gelegenheit gegeben, die Frage aufzuwerfen,
in welchem zeitlichen Verhältnisse denn die beiden zuletzt
genannten Gedichte, der Main und der Neckar, bezüglich
ihrer Abfassung zu einander stehen. Alle Ausgaben der Gedichte mit Ausnahme der letzten von Köstlin stellen den Main
hinter den Neckar und betrachten somit ersteren als Variation
zu letzterem. Was die ersten Drucke betrifft, so wurde, wie
erwähnt, der Main 1800 im genannten Damenkalender und
Taschenbuche, der Neckar aber im Jahre darauf, nämlich in
der 1801 erschienenen sogenannten Frankfurter Aglaja auf
S. 331, zuerst gedruckt. Hat man nun keine anderen Gründe
für die zeitliche Stellung der beiden Gedichte, so muss man
sich nach diesen sicheren Thatsachen richten und schon deswegen Köstlin folgen. Dass der Main während des Aufenthaltes des Dichters in Frankfurt (Jan. 1796 bis in den Septbr.
1798) geschrieben worden ist, besagt das Thema selbst; der
Neckar nun ist nach Köstlin (man sehe das Inhaltsverzeichniss seiner Ausgabe) wol erst im Jahre 1800 verfasst, d. h.
also, wol während des Aufenthaltes des Dichters in seiner
zweiten Heimat Nürtingen, wo der Dichter die zweite Hälfte
des genannten Jahres, Sommer bis December, verbrachte. Es
wäre dies freilich in Anbetracht der benöthigten Fertigstellung
der Aglaja für das folgende Jahr etwas spät. Ich glaube
jedoch auch, dass der Neckar nach dem Main geschrieben
wurde. Vor jeder anderen Erwägung ist es zunächst psy-
chologisch undenkbar, dass jemand zwei solche Gedichte von
zum guten Theile gleichem Inhalte zu einer Zeit nebeneinander oder auch nur in kurzem Zwischenraume nacheinander
verfasst. Wäre sodann der Neckar, der, wie gesagt, bis auf
Köstlin zuerst gestellt wurde, im Jahre 1799 bereits fertig gewesen, so dass er also im Kalender für das folgende Jahr hätte
erscheinen können, so wäre doch wol er und nicht der Main
dem Verleger des Kalenders zur Aufnahme gegeben worden.

Innere Gründe aber für die Priorität des Main sind folgende:
die Erwähnung der „Knechtschaft" in der zweiten Strophe
des Neckar entspricht häufigen hier einschlägigen Aeusserungen
des Dichters in den Producten nach der Frankfurter Zeit,
was durch eine grosse Anzahl von Beispielen namentlich aus
dem Empedokles bewiesen wird; sodann hätte der Dichter
den Ausdruck „grüne Nacht" in der vorletzten Strophe derselben Ode zur Bezeichnung des Pomeranzengrüns schwerlich
in einer späteren Variation aufgegeben, der Ausdruck wäre
also wol im Main wiedergekehrt, falls dieser nach dem Neckar
verfasst worden wäre.   Es sei hier noch darauf hingewiesen,
dass die beiden Gedichte mit ihrem fast gleichen Inhalte der
Gewohnheit des Dichters entsprungen sind, ein Thema mehrfach zu bearbeiten (Schwab, Hölderlins Werke II S. 322).

II.
An die Hoffnung.

(Werke I S. 37; Gedichte, 4. Aufl., Stuttgart 1878, S. 46; Köstlin, Dichtungen von Hölderlin, Tübingen 1884, S. 136.)

Ich beginne mit der Hauptsache, der Erklärung der
letzten Strophe.   Diese Strophe lautet in der ersten und in
allen folgenden Ausgaben der Gedichte folgendermassen:

O du, des Aethers Tochter! erscheine dann
Aus deines Vaters Gärten, und darfst du nicht (die 1. Ausgabe setzt
          hier fälschlich Komma)
Mir sterblich Glück verheissen, schreck', o
Schrecke mit anderem nur das Herz mir.

Der Sinn des Schlussverses der Strophe ist nicht klar.
Köstlin will für nur lesen nicht (letzte Seite seiner Ausgabe
unter: Varianten, Conjecturen und Verbesserungen) — vollständig gegen den sich sogleich ergebenden Sinn des Gedichts,
gegen den ersten Druck in dem der Liebe und Freundschaft
gewidmeten Taschenbuche für das Jahr 1805 (S. 80) und —
was das bedenklichste ist für die Conjectur — auch gegen die
noch vorhandene Reinschrift des Gedichts, in welcher ebenfalls nur deutlich zu lesen ist für durchstrichenes dann. Ich
selbst habe in dem erwähnten Programme auf S. 28 die

Strophe falsch gedeutet, indem ich anderem als substanti-
visch gebraucht fasste und Unglück darunter verstand, nur
aber so erklärte, als habe der Dichter sagen wollen: Lass
mein Herz nur mit dem blossen Schrecken davon kommen.
Die Strophe ist vielmehr so zu deuten, dass unter anderem
anderes Glück und zwar im Gegensatze zu sterblichem
Glücke unsterbliches Glück zu verstehen ist. Dass diese
Erklärung die allein richtige ist, geht aus dem Concepte des
Gedichts hervor, welches ich nachträglich neben der Reinschrift in den Manuscripten des Dichters entdeckt habe.
Dort lautet nämlich die Strophe:

O du (einzusetzen: des) Aethers Tochter! erscheine dann
Aus deines Vaters Gärten und kannst (überschrieben: darfst) du nicht
   Mir sterblich Glük (so) verkünden, schreke (so)
      Nur mit Unsterblichem dann das Herz mir.

Meiner Ansicht nach ist in Zukunft die Strophe von schrecke
ab nur in dieser Fassung zu drucken, damit der Sinn klar
werde und diese Perle der Hölderlinischen Lyrik makellos
erhalten bleibe; man kann für das Neutrum Unsterblichem
schreiben unsterblichem, denn der Dichter versteht ja doch,
wie aus dem späteren Beiwort der Reinschrift anderem hervorgeht, unsterbliches Glück darunter.

Zu erwähnen sind sodann die Abweichungen der Reinschrift und des Taschenbuchs von unserem heutigen Texte.
Erstere bietet nur in der vierten Strophe die blühenden
Sterne für die sicheren Sterne, im übrigen stimmt sie mit
dem heutigen Texte überein. Das Taschenbuch hat als bedeutendste Abweichung in der letzten Strophe: Ein Geist
der Erde, kommen — für die Worte: Mir sterblich Glück
verheissen; ausserdem für das schaurnde Herz der zweiten
Strophe das schaudernde Herz, in der dritten Strophe für
am Herbstlicht am Herbsttag, in der folgenden wie auch die
Reinschrift die blühenden Sterne und endlich in der letzten
für anderem anderen, letzteres offenbar nur als Druckfehler.
Abweichungen in der Reinschrift und dem Taschenbuche,
welche die Orthographie und Interpunction betreffen, erwähne
ich nicht; die Interpunction ist in keinem Texte sinnstörend.
Besonders zu beachten ist die Abweichung die blühenden

Sterne, da hierin Reinschrift und Taschenbuch übereinstimmen
und man sich demnach zu fragen hat, woher denn die sicheren
Sterne gekommen seien. Das Concept hat diese Worte, beiläufig bemerkt, gar nicht, die Strophe bricht hier im dritten
Verse mit den Worten ab: Und droben ... Sollten die
ersten Herausgeber der Gedichte, Uhland und G. Schwab, die
sich übrigens nach der Reinschrift, nicht nach dem Taschenbuche gerichtet haben, an der Wendung:

> Und über mir die immer frohen
> Blumen, die blühenden Sterne glänzen —

Anstoss genommen und nach eigenem Bedünken sicheren eingesetzt haben? An sich sind die blühenden Sterne echt
Hölderlinisch, im Empedokles werden an mehreren Stellen die
Sterne als die Blumen des Himmels betrachtet; desgleichen
die frohen Blumen, man vergleiche Wendungen des Dichters
wie: der frohe Opferwein, die fröhlichen Früchte, die freudige
Rebe u. a. So lang die sicheren Sterne nicht urkundlich
nachgewiesen sind, sind die blühenden Sterne der Reinschrift und des Taschenbuchs beizubehalten.

Was endlich die Entstehungszeit des Gedichtes betrifft,
so kann dieselbe nicht genau bestimmt werden. Gedruckt
wurde das Gedicht zu einer Zeit, da der Dichter bereits
Spuren geistiger Gestörtheit zeigte und zwar als geistig klares
schönes Gedicht mit anderen krankhaften Umarbeitungen
früherer gesunder Gedichte. Chr. Schwab (Werke Hölderlins
II S. 313) behauptet, unser Gedicht sei im Sommer 1804,
einer leidlichen Zeit des Dichters in der getrübten Periode,
mit fast gar keiner Veränderung aus der früheren Zeit wieder
vorgenommen worden. Da aber das Taschenbuch von der
(nach Schwab also früheren) Reinschrift nur im Titel, der in
letzterer Bitte heisst, und sonst wesentlich nur in den oben
erwähnten Worten der letzten Strophe: Ein Geist der Erde
kommen — abweicht und diese Worte dem Zusammenhange
des Gedichts nicht widersprechen, so kann man gegenüber
den die Spuren des Irrsinns zeigenden Umarbeitungen in
derselben Zeit kaum von einer neuen Vornahme des Ge-
"htes sprechen. Merkwürdig ist, wie die zweite Strophe
, Ausdruck erscheint des späteren geistigen Zustandes des

Dichters. Aus dieser Strophe aber zu schliessen, das Gedicht könne in dieser Periode überhaupt erst geschrieben sein,
wäre sicher ein Irrthum. Meiner Vermuthung nach fällt dasselbe in die Zeit, da der Empedokles, soweit er überhaupt
fertig gestellt wurde, vom Dichter geschrieben war, d. h. in
den Herbst (vgl. Strophe 3) des Jahres 1800 oder 1801, da
der Dichter, und zwar in jedem der beiden Jahre, bei seiner
Mutter in Nürtingen lebte.

Goedeke, Karl, Grundriss zur Geschichte der deutschen Dichtung. 2. ganz neu bearbeitete Auflage. Bd. 1. Das Mittelalter. Bd. 2. Das Reformationszeitalter. Dresden 1884—1886. gr. 8⁰.

Als Goedeke im October 1881 die Vorrede zu dem letzten Bande seines Grundrisses niederschrieb, musste er im Hinblick darauf, dass nach Ablauf von fünfundzwanzig Jahren die erste, nicht grosse Auflage seines Werkes noch nicht vollständig verkauft war, leider über einen Mangel an Theilnahme Klage führen. Er that dies mit um so grösserem Rechte, als er gerade, was noch zu wenig anerkannt worden ist, in den letzten, der neueren deutschen Litteratur gewidmeten Theilen seines Buches einen besonders glänzenden Beweis nicht nur eines erstaunlichen Fleisses und der ausgebreitetsten Kenntnisse, sondern auch einer seltenen Klarheit und Sicherheit des aesthetischen Urtheils abgelegt hatte. Goedeke hatte für die letzten Abschnitte seines Grundrisses die Art der Behandlung mit gutem Grunde geändert, indem er die Haupterscheinungen eingehender vorführte und, geleitet von dem Wunsche, in die noch nicht feststehenden Ansichten über diesen oder jenen Dichter einige Klärung zu bringen, mit seiner eigenen Meinung mehr als sonst hervortrat. Was er bei dieser Gelegenheit z. B. über Heines verderblichen Einfluss auf die deutsche Litteratur, über Grillparzers Leistungen auf dem Gebiete des Dramas, über die culturhistorische Bedeutung der Hohenstaufen-Dramen Raupachs äusserte, verdient unseres Erachtens die allgemeinste Beherzigung in vollem Masse. Wie wenig ihn gelehrte Vorurtheile in der Beurtheilung litterarischer Erscheinungen beirrten, liess sich am besten aus der Schilderung der Wiener Volksbühne ersehen, für welche es an brauchbaren Vorarbeiten durchaus noch fehlte. Goedeke ist der erste, welcher das gesunde und in seiner Eigenartigkeit grossartige des Wiener Volksstücks zur Zeit seiner Blüthe voll und ganz anerkannt und einem Dichter wie Raimund die ihm gebührende Stellung in der Litteraturgeschichte zugewiesen hat. Derartige einen weiten Ausblick eröffnende Gesichtspuncte aufgefunden zu haben ist gewiss kein kleineres Verdienst als die umfassende Gelehrsamkeit, von der jede Seite von Goedekes Werk das beredteste Zeugniss ablegt. Goedeke ist in der That mehr als ein fleissiger Sammler und gewissenhafter Philolog; es verdient einmal offen ausgesprochen zu werden, dass er auch zu den einsichtigsten Beurtheilern poetischer Hervorbringungen zu zählen ist.

Diese Behauptung findet ihre volle Bestätigung bei einer Prüfung der zweiten Auflage des Grundrisses, von welcher uns nun bereits zwei stattliche Bände vorliegen. Dass Goedeke in einem Alter, in dem sonst auch die rüstigsten Männer in der Regel einer beschaulichen Ruhe sich überlassen, dieser Riesenaufgabe sich unterzogen hat, verdient den wärmsten Dank aller, welche auf dem gleichen Gebiete der Forschung thätig sind. Bewunderung aber erweckt die Art und Weise, mit welcher der Altmeister der Litteraturgeschichte seine Arbeit ausgeführt. Die zweite Auflage ist, wie der Zusatz auf dem Titelblatte richtig besagt, eine ganz neu bearbeitete. Das zeigt schon ein Blick auf den äusseren Umfang des Werkes in seiner neuen Gestalt. Während früher das Mittelalter und die Reformationszeit in einem einzigen Bande von 432 Seiten behandelt wurde, umfassen jetzt dieselben Abschnitte zwei Bände von zusammen 1100 Seiten.

Diese Erweiterung der ursprünglichen Anlage bedeutet aber nicht bloss eine Ausdehnung und Häufung des bibliographischen Apparates, sondern erklärt sich vor allem auch durch die Aufnahme ganz neuer Capitel und durch die Vertiefung und eingehendere Begründung vieler in der ersten Bearbeitung nur angedeuteter Partien. Liess die erste Auflage des Grundrisses Goedeke als den grössten Kenner des 16. Jahrhunderts, dessen Litteratur er recht eigentlich erst durch seine Forschungen erschlossen hat, erscheinen, und bewies sie seine seltene Vertrautheit mit dem Leben und Wirken Goethes und Schillers, so widerlegt die neue Bearbeitung desselben die Meinung derer gründlich, welche Goedekes litterarisches Wissen auf diese beiden Perioden beschränken wollten. Selbstverständlich ist dasselbe nicht für alle Zeiten gleich ausgedehnt und gründlich, wie auch nicht alle Abschnitte der zweiten Auflage gleichwerthig erscheinen. Trotzdem aber darf man ohne alle Bedenken sagen, dass im Hinblick auf das grosse und ganze keiner der jetzt lebenden Litterarhistoriker sich in Hinsicht auf den Umfang seiner Kenntnisse mit Goedeke messen kann.

Dürfen wir daher unsere Ansicht über die beiden vorliegenden Bände aussprechen, so möchten wir kurz zusammenfassend sagen: der dem Mittelalter gewidmete Band entspricht allen billigen Anforderungen; die Zeit der Reformation aber ist in einer Weise durchgearbeitet, welche jede, auch die höchstgespannteste, Erwartung übertrifft.

Es entgeht uns so wenig, wie anderen Beurtheilern des Grundrisses, dass im einzelnen mancherlei Irrthümer und Ungenauigkeiten mit untergelaufen sind; auch wir vermissen hie und da den Hinweis auf ein neueres die betreffende Frage entscheidendes Werk; auch

wir würden die Anordnung gewisser Perioden anders als der Verfasser getroffen haben; aber was wollen alle die kleinen Ausstellungen
und Ergänzungen, welche wir etwa beibringen könnten und andere
versucht haben, gegenüber der vorliegenden Leistung? Hier gilt es
einmal einfach anzuerkennen und in Erwägung der Schwierigkeit der
Aufgabe die Ueberlegenheit des Meisters gelten zu lassen. Man ist
heute schnell bereit, ein Werk ein Nationalwerk zu nennen; wenn
aber irgend einer unter den neueren Erscheinungen unserer Litteratur dieser Ehrentitel gebührt, so ist es Goedekes Grundriss, weil
er alle tüchtigen Eigenschaften des deutschen Geistes vereinigt,
deutschen Fleiss und deutsche Arbeitstreue, Ehrlichkeit des Urtheils, gerade, offene Gesinnung, freudige Anerkennung fremden
Verdienstes und bei allem berechtigten Selbstbewusstsein die grösste
Bescheidenheit und Selbstlosigkeit; weil er sich aber auch freihält
von allem undeutschen Wesen, von jeder Phrasenmacherei, Partei-
lichkeit und Winkelzügen; weil er endlich alle Freude an dem niedrigen und gemeinen ausschliesst und doch einen innerlich wahrhaft
freien Geist verräth, der sich in die Anschauungen und Sitten vergangener Zeiten zu finden und dieselben in ihrer Eigenartigkeit zu
begreifen weiss.

Indem wir daher unserseits ganz darauf verzichten, mit Ausstellungen und Berichtigungen hervorzutreten, begnügen wir uns
damit, kurz auf diejenigen Theile der neuen Auflage hinzuweisen,
welche wir für besonders gelungen erachten. Zu diesen rechnen
wir in dem ersten, die mittelalterliche Litteratur umfassenden Bande
den das Nibelungenlied behandelnden § 63, dessen Ausführung
nach Form und Inhalt als mustergiltig erscheint. Goedeke hat den
mächtigen Stoff überaus klar anzuordnen verstanden und bei aller
Kürze — der betreffende § umfasst nur 14 Seiten — alles bei-
gebracht, was für das Verständniss und die Kritik dieses unseres
nationalen Epos irgend von Bedeutung ist. In Bezug auf die wichtigste gelehrte Streitfrage, welche sich an das Nibelungenlied knüpft,
lässt er den Leser nicht im Zweifel, für welche Ansicht er sich
selbst entschieden hat. Er bekennt sich als Anhänger derjenigen
Theorie, welche die Einheit des Liedes annimmt, ist aber unbefangen
genug, trotzdem Lachmanns kritische Begabung und seine streng
philologische Methode anzuerkennen, deren Resultatlosigkeit in
diesem Falle allerdings nicht verschwiegen wird.

Wie sehr Goedeke die Gabe eigen ist, mit wenigen, aber
sicheren Zügen das Bild eines Dichters zu zeichnen, lehrt uns der
Abschnitt über Walther von der Vogelweide. Es dürfte in der
That schwer sein, die Bedeutung dieses „vielseitigsten, tiefsten,
männlichsten und anmuthigsten lyrischen Dichters Deutschlands" in
gleicher Kürze treffender zu würdigen. Aehnliches lässt sich von
den Charakteristiken der drei grössten Meister des höfischen Epos,

Hartmanns von Aue, Wolframs von Eschenbach und Got-
frieds von Strassburg, sagen: überraschend ist die Feinfühligkeit,
mit der gerade das eigenthümliche jener Dichter hervorgehoben und
auf das wesentliche ihrer Leistung hingewiesen wird, während wir
die bei der gebotenen Knappheit besonders nahe liegende Gefahr,
den Leser mit nichtssagenden allgemeinen Redensarten abzufinden,
glücklich vermieden sehen.

Dass ein so klarer, stets auf die Hauptsache gerichteter Geist,
wie der Goedekes, sich von gewissen immer häufiger zu Tage tretenden Ausschreitungen der Kritik frei zu halten weiss, wird niemand
Wunder nehmen. Eine wahre Kritik poetischer Werke ist eben
ohne Besonnenheit und Mass undenkbar, und einige Einsicht in das
walten der schöpferischen Phantasie eines Dichters sollte man doch
auch bei einem Litterarhistoriker voraussetzen dürfen. Leider ist
bei vielen neueren Untersuchungen, die methodisch vorzüglich sein
mögen, wenig von diesen Dingen zu spüren; vielmehr meint man
vielfach, möglichst viel Geist darauf verwenden zu müssen, um dem
Dichter allen Geist abzusprechen und seine Schöpfung als ein blosses
Conglomerat von Reminiscenzen und directen Entlehnungen hinzustellen. Von einem solchen Verfahren will Goedeke nichts wissen.

Wiederholt und besonders nachdrücklich in der Vorrede zum
3. Bande des Grundrisses (S. IX) hat er sich gegen die Unsitte
erklärt, überall Parallelen ausfindig zu machen, um dann aus jeder
Aehnlichkeit zweier Dichter und aus gleichen Beiwörtern und Rede-
wendungen ein Abhängigkeitsverhältniss des einen von dem anderen
zu construieren. Diese Anschauung vertritt er auch in der neuen
Auflage wieder und wendet sich deshalb gelegentlich gegen Be-
haghel, den Herausgeber von Heinrichs von Veldeke Eneide,
welcher aus sachlichen Anklängen schliessen will, dass Eilhart von
Oberge die Eneide geplündert habe.

„Aber nur ein Vers des überarbeiteten Tristran 2466 (daz
ich dich loben müze) stimmt genau mit Eneide 10250 (dat ich
dich loven moete); beide sind durch den Reim (süze, soete) veranlasst und diese Süsse durch die vorher genannte Essigsäure oder
Bitterkeit der Minne und diese durch die Situation. Wer den Gedanken, dass die Minne bald heiss, bald kalt mache, einem andern
Dichter entlehnen müsste, würde schwerlich Gedichte wie den Tristran oder die Eneide unternehmen, und wer in den Versen: »daz
sie tête alsô rechte wê« und »dat mir alsô wê doet« u. dgl. Entlehnungen
sucht, sucht zuviel." (I S. 80.)

Es thut Noth, dass derartige Warnungen vor einer Hyperkritik,
welche den Dichter auf eine Stufe stellt mit dem Compilator historischer Werke, beherzigt werden, und sicher ist kein Mann berech-
tigter als Goedeke dieselben auszusprechen, da er, ohne je in solche
Spitzfindigkeiten zu verfallen, in seinen eigenen Untersuchungen

den Weg gezeigt hat, wie poetische Stoffe von der Hand des einen
Dichters in die des andern übergehen und im Laufe der Zeiten die
mannigfaltigsten Wandlungen erfahren.

Am meisten ist für diese interessanten Beobachtungen aus den
Beispielsammlungen, Schwänken und Facetien des 15. und 16. Jahrhunderts zu lernen. Die dieser Litteraturgattung gewidmeten Abschnitte des Werkes gehören zu den besten desselben. Auf diesem
Gebiete ist, wie jedermann weiss, Goedeke der eigentliche Pfadfinder
geworden, in dessen Spuren bisher alle Nachfolger gewandelt sind.
Vergleicht man aber die betreffenden Theile der neuen Auflage mit
denen der ersten, so wird man staunen, mit welchem Eifer gerade
hier von dem Verfasser weiter gearbeitet worden ist. Gleiches gilt
von den §§ über den Meistergesang, das Fastnachtspiel, das Schauspiel,
über Hans Sachs, Erasmus Alberus u. a. m. Wesentlich neues
bietet die Darstellung der humanistischen Bewegung in Deutschland.
Dieselbe konnte vielleicht noch weiter ausgeführt werden, aber auch
in ihrer gegenwärtigen Gestalt wird sie die erste brauchbare Grundlage für eine künftige eingehendere Schilderung dieser Epoche abgeben. Noch mehr ist dies der Fall bei der Aufzählung der Liederbücher von Tonsetzern des 16. Jahrhunderts. Jetzt erst können wir
die Fülle derselben übersehen und erkennen, dass in der That von
der angeblichen Leere in der lyrischen Production bis zum auftreten von Opitz nicht die Rede sein kann. Wie hier Goedeke
wiederum zuerst ein ganzes grosses von den Litterarhistorikern bisher
unbeachtetes Gebiet der Forschung erschlossen hat, so hat er durch
die annalistische Zusammenstellung von dramatischen Aufführungen
durch Berufsschauspieler einen werthvollen Beitrag zur Geschichte des
Theaters in Deutschland geliefert. Je mühsamer und schwieriger
diese Arbeit erscheint, um so dankbarer wird der ernsthafte Forscher
Goedeke für dieselbe sein, weil er weiss, welche Entsagung und
Selbstvergessenheit dazu gehört, um etwas derartiges zu Stande
zu bringen.

Dass Goedeke sein langes Arbeitsleben hindurch solche Entsagung geübt hat, das ist schliesslich das grösste an seinem Werke.
Durch sie vor allem ist es zu dem geworden, was es ist — zu einem
unentbehrlichen Hilfsmittel für jeden wissenschaftlich arbeitenden
Litterarhistoriker.

H. A. Lier.

Die galante Lyrik. Beiträge zu ihrer Geschichte und Charakteristik von Max Freiherrn von Waldberg. Strassburg. Verlag von Karl J. Trübner. London. Trübner & Comp. 1885. XII u. 152 SS. Lex. 8°.
A. u. d. T. Quellen und Forschungen zur Sprach- und Culturgeschichte der germ. Völker hg. von B. Ten Brink, E. Martin, W. Scherer. Heft LVI.

Für keine Periode der deutschen Litteratur ist in letzter Zeit verhältnissmässig so wenig geschehen als für das 17. Jahrhundert. Dies hat wol einen doppelten Grund, einmal die nicht unbegreifliche Scheu, alle den Wust durchzuarbeiten, welcher hier den Namen Litteratur trägt, und zweitens in noch viel höherem Masse die nicht geringe Schwierigkeit, sich eine irgendwie ausgedehntere Kenntniss des schwer zugänglichen Materiales zu verschaffen. Ausserhalb Berlins sind eingehendere Forschungen über die genannte Zeit so gut wie unmöglich; nur die dortige königliche Bibliothek erleichtert dem Forscher sein ohnehin mühseliges Geschäft durch ihre so überaus reichen Schätze.

So sehen wir denn, dass die neueren Forscher sich mit kleinen Untersuchungen begnügen — auch der nun verstorbene hochverdiente Palm machte keine Ausnahme — und zusammenfassende Arbeiten so gut wie gar nicht zu verzeichnen sind. In dieser Beziehung bildet das vorliegende Heft des Czernowitzer Privatdocenten Dr. Max Freiherrn von Waldberg eine rühmenswerthe Neuerung; ihm kommt es nicht auf die Schilderung Eines Dichters an, wie etwa Konrad Müller mit seinem Lohenstein, sondern auf die Erfassung eines ganzen, noch dazu überaus wichtigen Dichtungszweiges, der „galanten Poesie“. Mit erstaunlicher Kenntniss der einschlägigen deutschen und ausreichender der fremden Litteratur verbindet er eine ruhige gelehrte Darstellung, welche nur freilich, wie das nun einmal nicht anders zu gehen scheint, allzu viel Vorliebe für Anmerkungen hegt. Aber die vergleichende Methode, die strenge, jedes abschweifen vermeidende Forschung weisen der Arbeit ihren Platz unter den wichtigsten Arbeiten über das 17. Jahrhundert an, um so mehr, als Waldberg die Lyrik betrachtet, was bis jetzt noch nicht in wissenschaftlicher Weise geschehen ist; er füllt also wirklich eine Lücke aus.

Das erste Capitel handelt über das Alter und die Bedeutung des Wortes „galant", unterscheidet davon treffend das, was man politisch (polit) nannte, und erweist, dass politisch mehr auf das öffentliche, galant auf das gesellschaftliche Leben gehe und ausdrücken sollte, was einem Mustermenschen in dieser wie in jener Beziehung nothwendig war. „Galant" ist ein Modeausdruck, welchen die Deutschen aus Frankreich holten, wo sich ja jede Zeit ihr Lieblingswort prägt, chic pchut sind solche Schlagwörter späterer Zeitläufte. Mit vollem Rechte datiert Freiherr von Waldberg die eigentliche Wichtigkeit des Wortes galant für die deutsche Litteratur von 1695, d. h. von dem erscheinen der bekannten Neukirchschen Sammlung. Die galante Poesie oder besser gesagt „die galante Wissenschaft politer Welt" (S. 16 f.) lässt sich formell und inhaltlich streng abgrenzen, und das versucht Freiherr von Waldberg in den weiteren Capiteln seiner aufschlussreichen Schrift. Dabei macht er aufmerksam, dass die Anfänge der galanten Poesie zwar mit dem Beginne der zweiten schlesischen Schule zusammenfallen, jedoch der Schluss dieser Dichtung bis in das vierte Jahrzehnt des 18. Jahrhunderts, also weiter reicht; als Anfang des Verfalles bezeichnet er die dreibändige Sammlung von Menantes 1718—20, als Schluss die Bernarderische „Sammlung Verirrter Musen" (1735?). Man sieht, wie sicher der Verfasser sein Material beherrscht und wie glücklich er sich über dasselbe zu erheben versteht.

Das zweite Capitel (S. 27—108) beansprucht das grösste Interesse, denn es betrifft die „innere Form" dieser Dichtungen; wir haben es daher mit einem Versuche einer Vorarbeit zu einer Neugestaltung unserer Poetik auf historischer Grundlage zu thun. Die Arbeit gehört in eine Reihe mit Erich Schmidts „Reinmar" (QF. IV), Michels „Heinrich von Morungen" (QF. XXXVIII, vgl. Anz. VII, 121—151) und Minors Untersuchung über „Goethes älteste Lyrik" (Minor-Sauer, Studien zur Goethe-Philologie, vgl. Anz. VIII, 238—271), das heisst mit Arbeiten, welche von Scherer angeregt und wesentlich Vorstudien zu der von Scherer vorbereiteten Poetik sind. Dass auch unser Verfasser dabei wesentlich von Scherers noch ungedruckten Untersuchungen beeinflusst ist, kann nach der Unterscheidung in „Rollen- und Maskenlied" (S. 30 Anm. 2, S. 132) nicht zweifelhaft sein.

Mit glücklicher Parallelisierung vergleicht Herr von Waldberg die „galante Poesie" mit der höfischen Lyrik des Mittelalters und deutet in der Vorrede (S. VIII) Anregungen Scherers folgend an, dass sich ihm während des Druckes noch die Ansicht ausgebildet habe, die Kenntniss der mhd. Litteratur im 17. Jahrhundert sei viel grösser gewesen, als man anzunehmen sich gewöhnt hat, was übrigens

jeder aufmerksame Leser nur etwa der Einleitung zu Hoffmanns-
waldaus Gedichten gewiss schon gefühlt hat. S. 27 und 54 hatte
Waldberg noch behauptet, dass die galante Poesie vom Minnesange
unabhängig sei. In beiden Fällen finden wir „Conversationspoesie,
wie ich mir erlaubte, diese Weise gelegentlich zu nennen und zu
charakterisieren" (vgl. S. 29). Herr von Waldberg sucht die Eigenart der galanten Poesie durch Vergleichung mit der vorangegangenen
Volkslyrik und mit der nachfolgenden Kunstpoesie festzustellen, wobei er auf sein hoffentlich bald erscheinendes Buch über das fort-
leben des Volksliedes im 17. Jahrhundert verweist — Weddigens
Buch ist eine elende Pfuscherarbeit. Das neue in der „galanten
Poesie" ist das weibliche Element, das bloss in der Schäferpoesie
einigermassen vorgebildet erscheint, das was man im Mittelalter
„Frauendienst" nannte; der grosse Unterschied zwischen „galanter
Poesie" und dem Minnesang besteht aber darin, dass jene durchaus
ein Spiel des Witzes und Verstandes ist, dass — und dies hat Herr
von Waldberg S. 142 ff. dargelegt — die ehrenwerthen Herren des
17. Jahrhunderts in ihren Vorreden gewöhnlich mit Händen und
Füssen dagegen protestieren, um ihrer verliebten Gedichte willen
etwa gar für unsittlich gehalten zu werden. Hoffmann von Hoff-
mannswaldau, das hochberühmte, vielbewunderte Haupt der galanten
Poesie hofft, man werde aus seinen Gedichten „nichts ungleiches"
schliessen, und mit einem an Heines Spott erinnernden Witze bezeichnet er das verliebtsein als eine Krankheit gleich den — Blattern,
„denen wenig entgehen können", er wünscht daher seine Gedichte
nicht ernst genommen zu sehen. Damit stimmt dann die Bezeichnung der Poesie als eine Beschäftigung in Nebenstunden, worüber
Herr von Waldberg gehandelt hat (vgl. Sauer DLD 10, IV).

Die „galante Poesie" baut sich also auf erfundener Grundlage
auf, ohne dass wirkliches Erlebniss anregte; darin ist die Anakreontik
des achtzehnten Jahrhunderts wesentlich identisch, und ich wundere
mich daher, dass unser Verfasser nicht auch diese Dichtungen häufiger zum Vergleiche herbeigezogen hat, um uns so einen Gesammt-
überblick über die Entwickelung dieses besonderen Theiles der
deutschen Lyrik zu geben. Das soll jedoch kein Tadel sein, nur ein
bedauernder Wunsch nach „mehr"; wir können zufrieden sein mit
dem, was der Herr Verfasser leistete.

Die Vergleiche aus dem Minnesange können leicht vermehrt
werden, so ist zu den Versen S. 40 f. auf das Gegenstück MSF. 8,
33 ff. und auf Goethes Verse an Lili „An ein goldenes Herz" zu verweisen (vgl. QF. 4, 88), so wäre S. 48 bei den Beschimpfungen der
Geliebten in ironischem Sinne Heinrich von Morungen heranzuziehen;
MSF. 130, 14 wan si wil ie noch elliu lant beheren als ein roubaerin;
147, 4 Vil süeziu senftiu toetaerinne, war umbe welt ir toeten mir
den lip? vgl. meine Zusammenstellungen Anz. VII 140; zu S. 58

erwähne ich die Ausführungen Anz. VII, 134 ff., welche Herrn von
Waldberg entgangen zu sein scheinen, obwol sie vielfach auch das
17. Jahrhundert berücksichtigen. Für die Schilderung der äusseren
leiblichen Schönheit habe ich gleichfalls a. a. O. schon manches erwähnt, hätte nur auf Heinzel, Oesterr. Wochenschrift 1872 S. 465
hinweisen sollen. Eine Aehnlichkeit der „galanten Lyrik", wie der
Anakreontik mit der romanischen Poesie des Mittelalters, welche
der Minnesang nicht theilt, besteht in der Wahl sogenannter Verstecknamen; der Minnesang nennt die Geliebte gar nicht, die anderen
Vertreter der Conversationspoesie brauchen verschiedene Mittel, was
Herr von Waldberg ausser Acht liess, vgl. Michel a. a. O. 141 Anz.
VII, 141 ff. S. 87 musste das bekannte Programm Walters (Prag,
Kleinseite 1871, vgl. Zs. f. d. österr. Gymn. 1878 S. 300 f.) erwähnt
werden. S 94 (bes. Anm.) durften meine wolgeordneten Auszüge
(Zs. f. d. österr. Gymn. 1878 S. 303—308) nicht übersehen werden,
was freilich auch von Konrad Müller (a. a. O.) geschah, vgl. dagegen
Erich Schmidt, Allg. d. Biogr. s. v. Lohenstein. S. 102 wurde wol
mit Unrecht das pikante bei Seite gelassen, welches der galanten
Poesie in hohem Masse eigen ist. Noch trage ich zu S. 44 Anm. 1
nach die Aehnlichkeit mit Goethes Faust I 475 ff.; über Goethes
Kenntniss der älteren deutschen Litteratur ist leider noch nichts
ausreichendes bekannt. S. 54 das fehlen des epischen Eingangs beweist das Streben unserer Dichter, rein lyrisch zu sein und die Arten
nicht zu mischen. S. 56 vermisse ich die Verweisung auf Catull
c. V. Vivamus, mea Lesbia, atque amemus, von dem besonders die
Stelle in Betracht kommt:

> Da mi basia mille, deinde centum,
> Dein mille altera, dein secunda centum,
> Deinde usque altera mille, deinde centum.
> Dein, cum milia multa fecerimus,
> Conturbabimus illa, ne sciamus,
> Aut ne quis malus invidere possit,
> Cum tantum sciet esse basiorum.

Dieses Gedichtchen hat bekanntlich Lessing bearbeitet (Hempel
1, 67) vgl. Gleim „Arbeit für Doris" (Karlsruhe 1820 II, 78 f.). Zu
S. 57 Anm. 1 sind die reichen Vergleiche von Schnaderhüpfeln zu
erwähnen, welche „Herr" Gustav Meyer in seinem wichtigen und
amüsanten Buche „Essays und Studien" (Berlin 1885 S. 343 ff.) zusammengebracht hat.

    Das dritte Capitel ist der „äusseren Form" gewidmet, weil sich
die galante Dichtung auch durch die Lied-, Vers- und Strophenarten
charakterisiert. Herr von Waldberg modificiert hiebei die Grenzen,
welche schon J. G. Neukirch in seiner Poetik der galanten Poesie
gezogen hatte, z. B. durch Abtrennung der Anagramme, der speciell
kirchlichen Oratorien und durch Einreihung der Heldenbriefe wie

Tenzonen. Auch hiebei ansprechende Bemerkungen mit steter Bezug-
nahme auf die Theorie des 17. Jahrhunderts. Sonett, Madrigal, Epigramm, Ode, Cantate (dabei Serenade und Pastorelle), poetischer
Brief und Tenzone werden als die Lieblingsformen der galanten
Poesie behandelt. Interessant ist die Thatsache, dass es Herrn von
Waldberg „trotz den angestrengtesten Nachforschungen" nicht gelungen ist, eine musicalische Composition einer Hoffmannswaldau-
schen oder Neukirchischen Ode aufzufinden; und doch bestreben sich
die Dichter, die Ode zum sangbaren Liede zu machen; hier zeigen
sie noch am meisten Volksthümlichkeit und bedienen sich des Re-
frains etc. Auch der Anakreontik ist das eigen und speciell die
sogenannten Couplets wären zum Vergleiche herbeizuziehen. Besonders in formeller Hinsicht zeigt die Anakreontik die weiterlebende
Galanterie, wenn auch hier vereinfacht wird. Während die galante
Poesie den Mund immer entsetzlich voll nimmt und in der Staats-
perücke einherstolziert, ist die Anakreontik natürlicher, schlichter,
graziöser; jene erdrückt die Stoffe, diese verflüchtigt sie, jene prunkt,
diese tändelt, jene ist überladen, diese sucht ungezwungen zu sein,
jene schreitet und stampft einher, auch in der Galanterie derb und
wuchtig, diese tänzelt und flattert, auch im Ernst den Papillons gleich.

Herr von Waldberg skizziert im Schlusscapitel den „Niedergang
der galanten Lyrik" und erwähnt noch Hagedorn, welcher zwischen
alter und neuer Mode den Uebergang bildet. Die Gründe des Nieder-
gangs hat der Verfasser gewiss richtig hervorgehoben, er hätte nur
noch die Erschöpfung der Stoffe und Formen erwähnen können, die
Mode läuft eben so lang, bis sie nicht mehr weiter kann und um-
kehren muss, wie Hebbel einmal sagt. Trefflich verspottet wird die
Galanterie von Christian Weise in seinem Romane „Die drei ärgsten
Erznarren" (Neudrucke 12—14 S. 54 ff. S. 58), eine ganze Liebeserklärung allerliebst ausgeführt ebenda S. 69 ff., bes. S. 73 ff.

Lemberg 19. December 1885.   R. M. Werner.

Miscellen.

1.

Zu Zincgrefs Briefen an Gruter.

Während meines Aufenthaltes zu Rom (1884—85) excerpierte ich in der Vaticanischen Bibliothek unter den Codices Palatini 1906 und 1907, welche einen Theil der Correspondenz von Janus Gruter aus den letzten Jahren vor der Einnahme Heidelbergs durch die Baiern enthalten. In Pal. 1907 schrieb ich die Briefe Zincgrefs an Gruter ab, da mir entfallen war, dass dieselben der Herausgeber des „Archivs" bereits im VIII. Bande S. 30 ff. veröffentlicht hatte. Ich habe meine Abschriften, da ich mich später daran erinnerte, dass die Briefe nicht mehr unbekannt waren, nicht wieder collationiert, darf also keineswegs für alle Einzelheiten einstehen; trotzdem möchte ich hie und da richtiger gesehen haben als die Urheber der beiden, dem Abdruck im „Archiv" zu Grunde liegenden Abschriften. Deshalb stelle ich die Abweichungen meiner Copie vom Drucke hier zusammen, doch ohne Rücksicht auf orthographische Verschiedenheiten.

Brief 8 (Archiv VIII) S. 33 Z. 9 v. o. las ich inveham st. invehat.
„ „ — „ „ „ 15 „ „ „ „ profiteri enim ingenuum [sc. est] p. qu. p.
„ „ — „ „ „ 16 v. o. las ich debeo für debebo.
„ 10 — „ 34 „ 5 „ „ „ „ Ego omnino p. für Ego vero p.
„ 13 — „ 35 „ 11 v. u. las ich heic für hic.
„ „ — „ „ „ 10 „ „ „ „ des Cleues[1]), nicht des Aenes.
„ 16 — „ 37 „ 6 v. o. las ich Neostadio.
„ „ — „ „ „ 10 „ „ „ „ die plaut, nicht der plaut (das Wort ist auch fem.).

---

1) Allerdings habe ich die Buchstaben Cl als nicht ganz sicher bezeichnet. Vielleicht ist Janus à Clivia Parisinus gemeint, der empfehlende Verse zu den Emblemata geliefert hat: s. Archiv S. 41.

Brief.17 (Archiv VIII) S. 37 Z.   2 v. u. las ich ut, nicht ne.
  „ 20   —   „ 39 „ 11 v. o. „ „ remercimens.
  „ 21   —   „ „ „   3 v. u. „ „ Episcopi, nicht
                          Aepiscopi.

Wilhelm Crecelius.

2.

Ein englischer Springer am Hofe zu Turin (1665).

Dass die englischen Komoedianten Wanderzüge nach romanischen Landen unternommen[1]), ist bekannt, wenn uns auch über die Ausdehnung dieser Fahrten genaue Nachrichten fehlen. Bereits im Jahre 1598 (25. Mai) treffen wir englische Schauspieler unter Leitung eines gewissen Jehan Sehais in Paris[2]), einige Zeit später, den 18. September 1604, treten solche vor König Heinrich IV. am Hofe zu Fontainebleau auf, wobei ihr Spiel auf den jungen Dauphin (Ludwig XIII.) besonderen Eindruck macht.[3])

---

1) In dem Tagebuche des Engländers John Saris, der im Jahre 1613 Japan bereiste, wird erzählt, dass dort Schauspielerinnen von Insel zu Insel ziehen: „These women were actors of comedies, which passe there from iland to iland to play, as our Players doe here from towne to towne . . .“ Diese Stelle erfährt in der 1628 zu Frankfurt erschienenen lateinischen Uebersetzung des Werkes nachfolgende Aenderung: „ut Angli ludiones per Germaniam et Galliam vagantur“; Gallien ist hier jedesfalls im weitesten Sinne zu fassen und bedeutet Frankreich und die Niederlande. W. B. Rye, England as seen by foreigners, London 1865. 8. CX ff.

2) Eud. Soulié, Recherches sur Molière et sur sa famille, Paris 1863. S. 153.   Unter den im „Inventaire des titres et papiers de l'hôtel de Bourgogne“ angeführten Schriftstücken wird folgender Miethvertrag erwähnt: 1598. 25 mai. — Bail fait par les maîtres de ladite confrérerie (die Confrérerie de la Passion, Besitzerin des Hôtel de Bourgogne) à „Jehan Sehais, comédien anglois, de la grande salle et théâtre dudit hôtel de Bourgogne, pour le temps, aux réservations, et moyennant les prix, charges, clauses, et conditions portées par icelui“ passé par devant Huart et Claude Nourel, notaires.

Ferner eine Gerichtsentscheidung gegen Jehan Sehais: 1598. 4 juin. — Sentence du Châtelet donnée au profit de ladite confrérerie à l'encontre desdits comédiens anglois, tant pour raison du susdit bail que pour le droit d'un écu par jour, jouant par lesdits Anglois ailleurs qu'audit hôtel.

3) Diese Mittheilungen sind dem handschriftlichen Tagebuche eines Zeitgenossen, des Arztes Héroard entnommen. Im Intermédiaire des Chercheurs et des Curieux (Tome premier, Année 1864, S. 85) heisst es

Das ist alles, was über die englischen Komoedianten in Frankreich[1]) aufgefunden worden, hauptsächlich wol aus dem Grunde, weil niemand nach neuem Material gesucht. Paris und die leicht erreichbaren Städte der Normandie, der Picardie, welche so lang in Englands Besitz gewesen, in regem Handelsverkehr mit dem Insellande stehend, boten der Thätigkeit dieser Wandertruppen gewiss ein ergibiges Feld dar; eine Durchforschung der städtischen Archive Nordfrankreichs dürfte daher kaum erfolglos bleiben. Schade nur, dass Armand Baschets[2]) Anregung, der Frage wissenschaftlich näher zu treten, bisher keinen Anklang gefunden.[3]) In Spanien zeigen sich englische Springer zu Madrid[4]) am 11. Januar 1583.

---

darüber: „Dans le journal manuscrit du Médecin Héroard qui se trouvait autrefois dans le cabinet de M. de Genas (No. 21448 de la Bibl. Hist. du P. Lelong) il est dit que le samedi 18 Septembre 1604, le roi et la cour étant à Fontainebleau, le Dauphin (Louis XIII., qui entrait alors dans sa quatrième année) est mené en la grande salle neuve, ouïr une tragédie représentée par des Anglais. Il les écoute avec froideur, gravité et patience, »jusques à ce qu'il fallut couper la tête à un des personnages«. Le mardi, 28, le Dauphin se fait habiller en masque, et imite les comédiens Anglais qui étaient à la cour, et qu'il avait vus jouer. Enfin, le dimanche 3 Octobre de la même année, l'enfant se fait encore habiller en comédien et, marchant à grands pas, imite les comédiens Anglais, en disant: Tiph! toph, milord!"

H. C. Coote im Athenaeum No. 1943 (21. Januar 1865) S. 96 nimmt an, dass das Stück, dem der Dauphin sein Tiph! toph, milord! abgelauscht, Shakespeares Heinrich IV. (I. Theil) gewesen sei.

1) Vgl. hierüber auch Karl Elze, Abhandlungen zu Shakespeare, Halle 1877. S. 1 und die dort angeführten Quellen. Die socialen und litterarischen Beziehungen zwischen Frankreich und England behandelt E. J. B. Rathery, Des relations sociales et intellectuelles entre la France avec l'Angleterre (Revue contemporaine), 1855, Band 20 S. 397 ff.; Band 21, S. 40 ff.; Band 22, S. 159 ff. S. 304 ff.; Band 23, S. 285 ff.

2) Les Comédiens italiens à la cour de France etc., Paris 1882. S. 100 ff.

3) Das Capitel „Shakespeare en France" in James Darmesteters Abhandlung über Shakespeare (Essais de littérature anglaise, Paris 1883. S. 46 ff., angeführt im Jahrbuch der deutschen Shakespeare-Gesellschaft 20. Jahrgang 1885 S. 394) lässt das auftreten englischer Komoedianten in Frankreich unerwähnt.

4) Chansons de Gaultier Garguille. Nouvelle édition etc. Avec introduction et notes par Edouard Fournier. Paris P. Jannet 1858 (Bibliothèque elzevirienne). S. LIX und Tratado historico sobre el origen y progresos de la comedia y del histrionismo en España por K. Casiano Pellicer, Madrid 1804. I, S. 80.

Ueber das auftreten englischer Komoedianten in Italien [1]) fehlen uns Nachrichten gänzlich. Und doch ist ein solches vielleicht nicht so undenkbar, als man anzunehmen geneigt ist. Weite Wanderzüge haben diese Schauspieler niemals gescheut, selbst Polen [2]) lag ihnen nicht zu fern, zudem waren sie gern gesehene Gäste an den Höfen von Graz [3]) und München [4]), welche gerade damals in nahen persönlichen Beziehungen zu italienischen Fürstenhäusern standen. Manch welscher „Buffone", manch italienischer Musicus oder Komoediant ist mit Empfehlungsschreiben des Herzogs von Mantua nach München gekommen [5]) und hat freundliche Aufnahme gefunden, Komoedianten aus Venedig werden im Jahre 1601 von Robert Browne angeworben zur Vervollständigung seiner englischen Schauspielergesellschaft [6]); warum sollte denn nicht auch eine von Graz oder München aus empfohlene Truppe von „Engellendern" ihr Glück jenseits der Alpen [7]) gesucht haben? Dass englische Springer bis nach Italien gedrungen, erhellt aus der nachfolgenden Mittheilung, die als bescheidener Beitrag zur Lösung dieser Frage hier eine Stelle finden möge.

Im Jahre 1665 unternahm Herzog Maximilian Philipp von Bayern, der Bruder des Kurfürsten Ferdinand Maria, eine Reise nach Italien, wobei er alle grösseren Städte der Halbinsel, zuvörderst Rom und Venedig [8]) aufsuchte. Die ausführliche Beschreibung dieser Fahrt hat sich in einer Handschrift (Cod. Bav. 1977) der k. Hof- und Staatsbibliothek in München erhalten, betitelt: „Relation Der

---

1) Herr Stefano Davari, der langjährige Vorstand des „Archivio storico dei Gonzaga" in Mantua, hatte die Güte, in dem unter seiner Leitung stehenden Archive (vgl. Archiv für Litteraturgeschichte Bd. 13 S. 419) Umschau zu halten nach Urkunden, welche über englische Schauspieler, Springer oder Musiker Aufschluss geben könnten. Leider sind seine Nachforschungen ohne Erfolg geblieben.

2) Cohn, Shakespeare in Germany S. XCIII.

3) Joh. Meissner, Die englischen Comoedianten zur Zeit Shakespeares in Oesterreich, Wien 1884. S. 67 ff.

4) Archiv für Litteraturgeschichte XII S. 319 und XIII S. 320 und 321.

5) Urkundliches Material hierüber, zum Theil aus dem „Archivio storico dei Gonzaga" in Mantua, werden meine Beiträge zur ältern Bühnengeschichte Münchens, Erster Theil (1500—1651) bringen.

6) E. Mentzel, Geschichte der Schauspielkunst in Frankfurt a. M. Fkf. 1882. S. 47.

7) Der Herzog von Mantua hatte z. B. im Jahre 1609 die Absicht, spanische Schauspieler an seinen Hof zu berufen. Baschet a. a. O. S. 241.

8) Auf Bl. 134 ff. des Tagebuches findet sich ein interessanter Bericht über die „durch die ganze welt berümbte opera" in Venedig.

von dem Durchleuchtigsten Fürsten, vnnd Herrn Herrn Maximilian Philippens in obern: vnnd Nidern Bayrn auch der obern Pfaltz Hertzogens, Pfaltzgrauens bei Rhein, Landtgrauen zu Leuchtenberg. etc. genedigister angestelter, vnnd wol verrichter Italienischer, vnnd Piemontesischer Raiss. 1. 6. 6. 5."

Dort wird auf Blatt 185[b], bei Gelegenheit des Aufenthaltes Max Philipps am Hofe zu Turin, unterm 28. März eines englischen Springers Erwähnung gethan, der in Diensten des Herzogs von Savoyen steht:

„Nachdem Sie [die fürstlichen Herrschaften] wider kommen, haben sie im grossen Saal [des Schlosses] A L'Assemblea ein Zeitlang conuersirt, hernach den Engelländer, so eigens vom herzog vnd(er)halten würdt, vf dem sail danzen vnd vil Künstlicher Spring thun sechen."

Solche Reisediarien wie das eben angezogene sind handschriftlich auf Bibliotheken und Archiven zahlreich vorhanden; dieselben mehr in den Kreis der Forschung zu ziehen wäre gewiss angezeigt, denn sie bergen mitunter Notizen, aus welchen sich werthvolles Material für die Bühnengeschichte gewinnen lässt.

München.   ————   Karl Trautmann.

3.

Eine Augsburger Lear-Aufführung (1665).

Die Nachrichten über Aufführungen des Dramas von König Lear in Deutschland während des 17. Jahrhunderts sind nicht eben zahlreich. Wir treffen das Stück auf dem bekannten Dresdener Repertoire der englischen Komoedianten von 1626[1]), weitere Aufführungen in Dresden finden in den Jahren 1660[2]) und 1676[3])

Weitere Nachrichten über den Aufenthalt dieses Fürsten in Venedig enthält die auf venetianische Archivalien sich stützende Schrift von Toderini, Cerimoniali e feste in occasione di venute negli Stati della Republica Veneta di Duchi e Principi della casa di Baviera. 1390—1783. (Cod. ital. 510 der k. Hof- und Staatsbibliothek in München.)

1) Cohn, Shakespeare in Germany S. CXVI: „Sept. 26. Dresten. Ist eine Tragoedia von Lear, König in Engelandt gespielt worden."

2) M. Fürstenau, Zur Geschichte der Musik und des Theaters am Hofe zu Dresden. Erster Theil. Dresden 1861. S. 205. Im Juni 1660 werden die Tragikomoedien „vom wilden Mann in Creta und vom König Lear und seinen 2 Töchtern" gespielt.

3) Fürstenau a. a. O. S. 249: „Am 22. Juli, dem Namenstage der Kurfürstin, ward in deren »Forwergs-Gartten zu Fischersdorff« während der Tafel die schon früher gegebene Komoedie »von König Lear aus Engellandt« gespielt."

statt. In dem unlängst von Johannes Meissner[1]) herausgegebenen
und der Zeit um 1710 angehörenden Verzeichnisse von Komoedien,
welche möglicher Weise in Nürnberg zur Darstellung kamen, wird
das Drama unter No. 14 erwähnt: „Der von seinen ungeratenen
2 töchtern bedrübte könig liart von Engelant".

Das hier folgende Schriftstück — es ist mir bei Durchforschung
der Meistersängeracten[2]) des Augsburger Stadtarchives in die Hände
gefallen — berichtet uns von einer im Jahre 1665 zu Augsburg
projectierten Lear-Aufführung.

Wohledel Gestrenge, Edelvöst, Ernuöst, Fürsichtig, Ersamb
vnnd Hochweyße Herren, Stattpflegere, Burgermeistere vnnd ein Er-
samer Rathe, Gebiet(ende) vnnd Großgünstige Herren.

Demnach ich mit allerhandt schönen vnnd vorthrefflich(en)
tragedien vnnd comedien, auch mit ansehlicher burscht. [burschen-
schaft], mehrer theilß alhiesiger burgerssöhn verfasst vnnd mit denselben der prob halber schon etlichmahl, ohn ruehm zuemelden, gar
wohl bestanden, desswegen dann ich neben meinen agenten vff disß-
mahl bey einem hochweysen magistrat ehr auffzuehöben verhoffe vnnd
bey löbl. burgerschafft ein ruehm daruon zu thragen, dißes aber
ohne obrigkheitliche zuelässsigkheit nit sein khann noch solle.

Wann nun aber, Gnädig vnnd Hochgebiet(ende) Herren, ich
ohne daß die comediantenklaider schon selbsten bey handen vnnd
ob zwahr ich vmb selbige einen khauffmann zuebekhommen vnnd
alßdann mich diser comedien halben gantz zueentschlagen vermeint,
so hab ich doch wider meinen willen hierzue kheinen kauffmann
bekhommen khünden, thun also dise comediantenklaider gannz fey-
rendt bey mir daligen vnnd mich nicht vmb ein laiblen brodt nuzen.
Sonnsten sollen vff dissmahl vonn mir vnnd meinen agenten nit nur
schlechte, sonnderen vorthreffliche, nemblichen vom König Lier
auß Engellandt eine, vom iezigen regierendten Thürckischen vnnd
Röm(ischen) Kayßer, wie mann vmb daß Königreich Ungaren kriegt[3]),
auch eine vom Holouerno vnnd Judith[4]), vnnd andere vorthreffliche
comedien mehr, gehallten vnnd agiert werden, so begehr ich auch
einer löbl. gesöllschafft vonn den maistersingeren gannz khein ein-
thrag zu thon, sonnderen ihren ordinari monthag[5]) ihnen gannz frey

---

1) Jahrbuch der deutschen Shakespeare-Gesellschaft. Neunzehnter
Jahrgang. Weimar 1884. S. 145 ff.

2) „Acta. Die Meister-Singer betr. vom Jahre 1552—1699."

3) Dieses Stück behandelte jedesfalls Montecuculis grossen Sieg
bei St. Gotthard im August 1664, in der Weise der später durch Wiens
Entsatz veranlassten Türkenkomoedien. (Vgl. Wiener Neudrucke, Heft 8.)

4) Vgl. über dieses Stück, welches sich ebenfalls auf dem Nürnberger Komoedienverzeichnisse befindet (No. 40), Meissner a. a. O. S. 148.

5) Der Montag war in Augsburg der gewöhnliche Spieltag der
Meistersänger. Glänzend besucht scheinen ihre Vorstellungen gerade

zue lassen, ich neben meiner gesöllschafft aber allein vmb den nach-
follgendten afftermonthag mir gnädig zueuergonnen hochfleissig an-
rueffe vnnd bitte.

Ist derowegen an E: S: H: V: W: vnnd G:, mein vnnd meiner
agenten höchstes flehen, anrueffen vnnd bitten, die geruehen mir vnnd
meinen agenten solche comedien vff ein zeitlang, in der wochen am
afftermontag, grossg(ünstig) agieren zue lassen vnnd den come-
diantenstadel[1]) mir vmb die gebühr gnädig darzue verleihen. Anbey mich neben meiner gesöllschafft zue genädiger erhör: unnd
gewöhrung gannz vnderthenig empfelchendt

E: S: H: V: W: vnnd Grossg: vnderthenig vnnd gehorsamer
Salomon Ydler[2]), burger vnndt schuemacher alhier et cons:

Des Schuhmachers Gesuch wurde unterm 11. April 1665 vom
Rathe den Vorstehern der Meistersänger zur Begutachtung übermittelt. Die Meistersänger berufen sich auf den alten Brauch, dem
zufolge neben den deutschen Schulhaltern mit ihren Knaben und
den „frembden Englischen comoedianten"[3]) nur sie allein das Recht
haben, Schauspiele in der Stadt aufzuführen, und so wird denn nach
langen höchst ergötzlichen Streitigkeiten zwischen Idler und der

---

nicht gewesen zu sein, wenigstens lesen wir in einem Schreiben, welches
die Gesellschaft am 23. April 1665 an den Rath richtet, „daß es dise
Zeit hero schon öffters geschehen, das an den montägen mit dem agieren
wir [die Meistersänger] nit souil erhebt, allß die vnkosten erfordert haben,
ja gar offt die actionen einstellen und den wenigen leüthen daß gelt
wider hinaußgeben müessen".

1) Das um 1665 vom Almosenamte erbaute Komoedienhaus in der
Jakobs-Vorstadt. Vgl. F. A. Witz, Versuch einer Geschichte der theatralischen Vorstellungen in Augsburg, Augsburg 1876. S. 18.

2) Dieser Idler, seines Zeichens ein Schuhmacher, der, wie ihm
seine grimmen Gegner, die Meistersänger, zugestehen, sein Handwerk
„rühmlich, ja wohl besser alß mancher schuhmacher erlernet", war eine
ungemein drollige Stadtfigur, welche durch ihre „Eylenspiegels-possen"
den Augsburgern damals gar viel Stoff zum lachen gab. Hatte er ja
doch selbst das fliegen probiert. „Ja diser hirnlose vnnd lufftsinnige
Salomon — heisst es in dem oben erwähnten Schreiben an den Rath
vom 23. April 1665 — hat seinem närrischen einbilden nach, sich gar
vnderstehen wollen von dem Berlenthurm [Perlachthurm] herab zufliegen,
hat es auch werckhstellig machen wollen, wann nicht vornemme geistliche herrn jhme solches inhibiert vnd gerathen hetten, daß er zuvor
auf den thurm fliegen vnd sich alßdann mit seinen windsichtigen
fügeln wider herabwagen möge, welches aber dem einfältigen mann
gefehlt, deme seine flügel zu schwer worden, ja wie dem Icaro gar
zerschmolzen."

3) Ueber das auftreten englischer Komoedianten in Augsburg vergleiche man Archiv für Litteraturgeschichte XII, 320.

21*

Gesellschaft der Augsburger Shakespeare-Freund am 13. Juni 1665
mit dem Hinweis auf das Sprichwort „nec sutor ultra crepitam" in
Güte abgewiesen. Eine am 12. December 1665 eingereichte Bittschrift Idlers, „allerhandt wunderschöne tragoedien vnd comoedien"
der Bürgerschaft vorführen zu dürfen, hat das gleiche Schicksal.

Jedesfalls aber beweist dieses Actenstück, dass die Kenntniss
Shakespearischer Stücke in Deutschland damals bis in die untersten
Volksschichten gedrungen war.

München.   Karl Trautmann.

_____

4.

Zu Lessings Emilia Galotti.

Die bisherigen Untersuchungen über die Quelle von Lessings
„Emilia Galotti" wiesen durchgängig auf eine mehr oder minder
grosse Benutzung des Virginia-Stoffes hin. Dem gegenüber mag einmal auf eine Vorlage für den ersten Act des genannten Trauerspiels
aufmerksam gemacht werden, die sich an einer Stelle findet, wo
man sie gewiss nicht sucht: im „théâtre italien" des Gherardi (im
fünften Bande des 1701 in Amsterdam erschienenen Nachdrucks).
In der zehnten Scene des ersten Actes eines Lustspiels „la fausse
coquette" sehen wir eine Person, die als „le prince" bezeichnet ist,
und erfahren seine heftige Liebe zu Colombine. In der elften Scene
tritt dann ein Maler auf, um dem Prinzen zwei Gemälde zu zeigen;
für das erste von beiden zeigt der letztere kein Interesse, geräth
aber in die heftigste Aufregung, als er des zweiten ansichtig wird,
das — die heimlich geliebte Colombine darstellt. Er muss dies
Bild besitzen, kauft es dem Maler ab und befiehlt: „Qu'on lui donne
tout ce qu'il demande, il n'est point d'argent qui puisse payer ce
que je viens de voir." Es braucht nicht erst darauf aufmerksam
gemacht zu werden, dass die Handlung in den ersten fünf Scenen
der „Emilia" genau dieselbe ist; nur die den angeführten Worten
entsprechenden Ausdrücke des Prinzen mögen angeführt werden, weil
sie fast wie eine freie Uebersetzung klingen: „Schicken Sie, Conti,
zu meinem Schatzmeister und lassen Sie auf Ihre Quittung für beide
Portraite sich bezahlen, was Sie wollen. So viel Sie wollen, Conti. —
— So viel er will. (Gegen das Bild) Dich hab' ich um jeden Preis
noch zu wohlfeil."

Max Herrmann.

_____

5.

Zu Goethes Fragment „Die Natur".

So viel ich sehe, ist es bis jetzt nicht bekannt, dass Goethes
Fragment „Die Natur" (1782 im 32. Stück des Journals von Tie-

furt erschienen. Hirzels Verzeichniss einer Goethe-Bibliothek hg. von Ldw. Hirzel. 1884. S. 25) 1784 im 4. Heft des „Pfälzischen Museums" (Bd. I, S. 446—451) zum ersten Mal gedruckt ist. Wie der Herausgeber des Pfälzischen Museums, der Professor der Dichtkunst und Philosophie in Mannheim Anton Klein (Goedeke, GR. II, S. 644. 1114. Allg. D. Biographie XVI, S. 78), zu dem Manuscripte kam, lässt sich nicht sagen. Der Annahme einer Entlehnung aus dem Tiefurter Journal steht der Text, den das Pfälzische Museum bietet, entgegen. Wir geben eine Vergleichung der Texte und legen dabei die Hempelsche Ausgabe (Bd. XXXIV, S. 71—74) zu Grunde.

Tf. = Journal von Tiefurt nach Hempel, XXXIV, 285 f. Pf. = Pfälzisches Museum. H. = Hempels Ausgabe.

Der Titel: Tf. Fragment. Pf. Fragment. H. Die Natur. Aphoristisch.

(Ein Verfasser ist in Pf., wie in Tf. nicht genannt.) Hempel S. 71 Z. 22.

Tf. zur genauesten Bestimmung und Bestimmtheit. Pf., H. zur genauesten Bestimmtheit.

S. 72. 1. Tf. sie es Pf. H. sie's
6/7. Tf. an den Stillstand geheftet
Pf. an's Stillstehn gehängt
H. ans Stillestehn gehängt
8. Pf. unwandelbar H. unwandebar
10. Tf. einen Pf. H. einen eigenen
12. Pf. all H. alle
13. Tf. Allem Pf. allen H. Allen
14. Tf. treibt es Pf. H. treibt's
16/17. auch die plumpste Philisterei hat etwas von ihrem Genie
fehlt in Tf. und Pf.
18. Tf. Pf. niergends wo
H. niergendwo
19. Tf. liebet sich selbst Pf. liebet sich selber
H. liebt sich selber
20. Tf. Pf. auseinandergesetzet
H. auseinandergesetzt
21. Tf. Geniessende Pf. H. Geniesser
24. Tf. Pf. zerstöret H. zerstört
28. Pf. Aus Grösse [!] H. Ans Grosse
31. wohin fehlt in Pf.
32. sei in Tf. und Pf. nicht gesperrt
41. Tf. Ein Wunder Pf. H. Wunder
S. 73. Z. 1. Pf. erreichte H. erreicht
5. Tf. Laufe Pf. H. Lauf
6. Tf. Ziel Pf. H. Ziele

S. 73. Z. 10. Tf. Pf. sie H. sich [wie G. s. Hempel S. 286].
— Tf. an Pf. H. über
14. mit und gegen in Tf. und Pf. nicht gesperrt
23. Tf. Pf. sie H. sich [wie G.]
— Pf. isoliret H. isolirt
30. Tf. ihre Pf. H. ihr
32. Pf. trutzt H. trotzt
34. Pf. am besten ist. H. am Besten ists
36. Tf. treibet Pf. H. treibt
38. Tf. hinter Pf. H. in
41. Tf. vertraue mich ihr an
        Pf. H. vertraue mir ihr

Das Pfälzische Museum bietet, wie wir sehen, bei Abweichungen
des Tiefurter Journals durchgängig die Lesarten des Textus receptus.
Wo es mit dem Tiefurter Journal vom gewöhnlichen Texte abweicht,
da haben wir wol die ursprüngliche Schreibart, die Goethe für die
Ausgabe letzter Hand verbesserte. Das im Pfälzischen Museum, wie
im Tiefurter Journal fehlende Sätzchen (S. 73 Z. 16/17) erweist
sich so als späterer Zusatz. Die dem Pfälzischen Museum eigenen
Lesarten (S. 72 Z. 28. S. 73 Z. 1. 34) sind Druckfehler oder
Missverständnisse. Das Manuscript, das Klein für seine Zeitschrift
benutzte, dürfte somit wörtlich mit dem übereinstimmen, das Goethe
1828 aus dem Nachlasse der Herzogin Anna Amalie erhielt und
das er bei der Herausgabe zu Grunde legte. Auf das „Fragment“
folgt im Pfälzischen Museum (S. 452 f.) „Der Hagestolz, Ein Esthe-
isches [so!] Lied“. Dieses Lied, das Johannes von Müller aus Herders
Nachlass in seine Ausgabe der „Stimmen der Völker“ aufnahm, hat
wol Klein gleichzeitig aus Weimar erhalten. Weitere Beiträge aus
den Weimarer Kreisen sind, wie ich glaube, in Kleins Zeitschrift
nicht zu finden.

                                    Karl Geiger.

————

6.

Zu S. 139.

Reinhold Köhler hat die Freundlichkeit gehabt, mir mitzutheilen, dass ich Varnhagens Angaben über die Knebelschen
Lebensblüthen mit Unrecht angezweifelt habe, und mich meines
Irrthums durch Zusendung eines Exemplars dieses seltenen Heftchens
überführt, welches die Grossherzogl. Bibliothek zu Weimar als Geschenk des Geh. Finanzraths Dr. jur. Bernhard Emminghaus
besitzt. Ich beeile mich, mein Versehen zu berichtigen, und gebe
zur Sühne die Beschreibung des Büchleins. Es enthält 36 Seiten
in Duodez. Sein Titel lautet: „Lebensblüthen. Erstes Heft.

Jena, August Schmid. 1826." Darauf folgt als zweiter Titel:
„Distichen". S. 5—34 bringen dann 101 Epigramme, unterzeichnet
v. K., und zwar Nr. 1—12 = Knebels Nachlass I S. 91 f. Nr. 1—12,
Nr. 13 Die Biene = Sammlung kleiner Gedichte, Leipz. 1815, S. 81
und Nachlass I S. 81, Nr. 14—101 = Nachlass I S. 92 ff. Nr. 13—100.
Angehängt ist folgendes Nachwort des Verlegers: „Diese Goldkörner
eines alten ehrwürdigen Dichterhauptes sind ursprünglich für den
Genuss einiger Freunde aus dem reichen Schatz desselben ausgelesen
worden. Der anerkannte aber anspruchslose und fast zu bescheidene
Herr Verfasser will durch den Beifall des grössern Publikums sich
erst bestimmen lassen, ob diesem Heftchen mehrere folgen können
und ob er für die Benutzung seiner letzten Musestunden sich so
selbst ein Genüge gethan haben dürfte."

Da der ganze Inhalt des Heftes wörtlich in die Ausgabe des
Nachlasses von 1835 übergegangen ist, bedarf es zur Ergänzung
meiner Tabelle nur der Bemerkung, dass von den „54 unbekannten"
Düntzers sich 44 darin befinden, dass ein Theil derselben also schon
viermal vor 1874 gedruckt war. Die Numern in den Lebensblüthen sind aus der oben mitgetheilten Inhaltsangabe leicht zu
entnehmen.

Zur Bibliographie der Knebelschen Gedichte kann ich bei dieser
Gelegenheit hinzufügen, dass der im Nachlass I S. 12—16 enthaltene „Hymnus, zum Schlusse der Jahres-Zeiten, von Thomson"
mit der Unterschrift v. K. auf acht Quartseiten ohne besonderes
Titelblatt einzeln gedruckt ist. Ein Exemplar dieses Einzeldrucks
aus dem Besitz Heinrich Meyers ist mir in demselben Bande zu
Gesicht gekommen, der die Lebensblüthen enthält.

Hamburg, 20. März 1886.   Redlich.

7.

Aus dem Originalmanuscripte des Wilhelm Tell.

Im Besitze des Herrn k. k. Kämmerers Moriz Grafen O'Donell
von Tyrconnell zu Lehen nächst Salzburg hat sich ein Blatt aus dem
Originalmanuscripte des Schillerschen Wilhelm Tell erhalten. Von
einem blaugrauen Foliobogen ist die eine Hälfte auf uns gelangt,
während die übrige Handschrift wol in alle Winde verstreut ist.
Die kühnen Schriftzüge Schillers sind unverkennbar und die freilich
geringen Aenderungen geben uns Gelegenheit, tiefer in die Werkstatt
des Dichters Einblick zu thun, als dies bisher möglich war.

Die erhaltene Stelle ist der 4. Scene des 1. Aufzugs V. 560
bis 592 entnommen (hist.-krit. Ausgabe 14, 298 ff.) und sei hier
mit Angabe der gestrichenen Ausdrücke abgedruckt.

Walther Fürst (aufmerksam).

560 Sagt an was ists?

Stauffacher.

Im Melchthal, da wo man
Eintritt bei Kerns, wohnt ein gerechter Mann,
Sie nennen ihn den Heinrich von der Halden,
Und seine Stimme gilt was in der Gemeinde.

Walther Fürst.

Wer kennt ihn nicht! Was ists mit ihm? Vollendet

Stauffacher.

565 Der Landenberger büsste seinen Sohn
Um kleinen Fehlers willen, liess die Ochsen,
Das beste Paar, ihm aus dem Pfluge spannen,
Da schlug der Knab den Knecht und wurde flüchtig.

Walther Fürst (in höchster Spannung).

Der Vater aber — Sagt, wie stehts um den?

Stauffacher.

570 Den Vater lässt der Landenberger fodern,
Zur Stelle schaffen soll er ihm den Sohn,
Und da der alte Mann mit Wahrheit schwört,
Er habe von dem Flüchtling keine Kunde,
Da lässt der Vogt die Folterknechte kommen.

Walther Fürst
(springt auf und will ihn auf die andre Seite führen).

575 O still, nichts mehr!

Stauffacher (mit steigendem Ton).

Ist mir der Sohn entgangen
So hab ich dich — lässt ihn zu Boden werfen,
Den spitzgen Stahl ihm in die Augen bohren —

Walther Fürst.

Barmherzger Himmel!

---

560 Komma fehlt.

569 *wie stehts um ihn?* *ihn* gestrichen und *den* übergeschrieben.

570 Ursprünglich schrieb Schiller *Den lässt der Landvogt zu sich
fodern. Vater* und *-enberger* sind übergeschrieben, das abweichende ist
gestrichen.

575 *nichts weiter, mehr* über das gestrichene geschrieben.

577 Dieser Vers lautete früher *Lässt ihn zu Boden werfen von den
Knechten,* was gestrichen und überschrieben ist.

Melchthal (stürzt heraus).

In die Augen sagt ihr? [2]

Stauffacher

(erstaunt zum Walther Fürst).

Wer ist der Jüngling?

Melchthal

(fasst ihn mit krampfhafter Heftigkeit).

In die Augen? Redet.

Walther Fürst.

580 O der bejammernswürdige!

Stauffacher.

Wer ists?

(Da Walther Fürst ihm ein Zeichen giebt)

Der Sohn ists? Allgerechter Gott!

Melchthal.

Und ich

Muss ferne seyn! — In seine beiden Augen?

Walther Fürst.

Bezwinget euch, ertragt es wie ein Mann!

Melchthal.

Um meiner Schuld, um meines Frevels willen!

585 — Blind also? Wirklich blind und ganz geblendet? •

Stauffacher.

Ich sagts. Der Quell des Sehns ist ausgeflossen,
Das Licht der Sonne schaut er niemals wieder.

Walther Fürst.

Schont seines Schmerzens!

Melchthal.

Niemals! Niemals wieder!

(er drückt die Hand vor die Augen und schweigt einige Momente, dann wendet er sich
von dem einen zu dem andern und spricht mit sanfter von Thränen erstickter Stimme)

O eine edle Himmelsgabe ist
590 Das Licht des Auges — Alle Wesen leben
Vom Lichte, jedes glückliche Geschöpf,
Die Pflanze selbst kehrt freudig sich zum Lichte.

578ᵃ *Melchthal* zweimal unterstrichen.
580 *bejamernswürdige!*

Damit endet die zweite Seite. — Das durchschossen gedruckte
ist in der Handschrift unterstrichen. — Für die freundliche Erlaubniss, das Blatt zu benutzen, sage ich dem liebenswürdigen Besitzer
besten Dank.

Lemberg, Januar 1884.   R. M. Werner.

8.

Grillparzers Traum ein Leben.

Minor hat in seiner Recension von Weilens ansprechender Arbeit
„Shakespeares Vorspiel zu der Widerspänstigen Zähmung" (Archiv
XIII, 389) Rücksicht auf meinen Nachweis genommen, dass Grill-
parzer in seiner Selbstbiographie das aufgeben des ursprünglichen
Planes zu „Traum ein Leben" durch das erscheinen eines van der
Veldeschen Stückes ganz unrichtig motiviert. Ich konnte mich dabei
freilich nur auf ein Referat der Theaterzeitung berufen, da mir das
Werk selbst nicht zugänglich war. Das Stück von C. F. van der
Velde „Die Heilung der Eroberungssucht. Ein Mährchen in fünf
Acten" habe ich jetzt in den „Dramatischen Schriften und kleinen
Erzählungen von C. F. van der Velde. Stuttgart bei A. F. Macklot.
1829" (S. 1—118) erworben. Die Inhaltsangabe der Theaterzeitung
ist völlig genügend, nur macht man sich ein schlechtes Bild vom
Zusammenhange der einzelnen Bilder. Ich möchte das Stück den
sogenannten Rahmenerzählungen vergleichen; der erste Act bringt die
Exposition, Aldebaran der Zauberer versetzt den Prinzen Almansor
kurz vor dessen Krönung in einen todtenähnlichen Schlaf, in welchem
er aber nicht bloss träumt, „er fühlet alles wirklich. Er leidet viel,
dass einst sein Volk nicht leide" (S. 61). Der zweite Act beginnt
und zeigt uns den glücklichen Landmann Fedor mit seiner Familie,
welcher binnen kurzer Zeit alle Schrecken des Krieges bis zum Tode
durch die Hand der Wallachen erfährt. Erst der Anfang des dritten
Acts berichtet, dass Fedor und Almansor ein- und dieselbe Person
gewesen seien. Da sich der Prinz aber in einem Gespräche mit
seiner Mutter Almansaris — er wiederholt darin den ganzen Inhalt
des zweiten Actes! — noch nicht von seiner Eroberungssucht geheilt zeigt, wird er noch einmal betäubt, macht als Constans Eisen-
mann die Laufbahn vom Rekruten bis zum Hauptmann durch und
fällt einer „Schlachtfeldhyäne", dem „Spion" zum Opfer.

„Gerechter Himmel, muss ich also enden?!
Herb' ist der Tod aus feiger Buben Händen!" (S. 82.)

Der erwachende bleibt aber bei seiner früheren Ansicht und da er
(S. 84) ausruft:

„O, Ruhm und Nachwelt! O, verhasster Traumgott!
Warum zeigst du der Seele immer nur
Des Krieges Schatten-Seite, Schmerz und Schmach?!"

muss er noch einmal „Sieg träumen". Er wird zum Tartar-Chan, welcher Peking erobert, aber keine ruhige Stunde mehr geniesst, da er sich von Verräthern und Meuchelmördern umgeben sieht, selbst seinen nächsten Freunden nicht mehr trauen kann und „mit der ganzen Menschheit geheim und offen den Vertilgungskrieg" führen muss (S. 101). Diesmal dauert der Traum, den wir nur zum kleinsten . Theil miterleben (das Ende wird dann im fünften Act erzählt), viel zu lang, der Krönungstag ist erschienen und die Regentin Almansaris kann nicht sagen, wo ihr Sohn weilt. Seine Erzieher, der Feldherr Amru und Sadi der Staatsmann, erregen einen Aufruhr, mehr im eigenen als im Interesse des Prinzen, wollen die Königin gefangen nehmen und alle Gewalt an sich reissen; da verzaubert sie Aldebaran zu Marmordenkmalen (!), Almansor erscheint geheilt, bittet seine Mutter, die Krone noch zu behalten, er sei noch nicht reif genug für die Regierung, dadurch aber („Wer einer Krone frei entsagen kann, ist ihrer werth", sagt der Schutzgeist Georgiens Aldebaran S. 117) erlangt er ein Recht auf den Thron, wird König und heiratet seine geliebte Prinzess Helione.

Mit dem zweiten Act ist eigentlich der Reiz des Stückes zu Ende, wenn überhaupt eine Täuschung möglich ist; von Anfang an weiss ja der Zuschauer und Leser, dass alles nur ein Traum ist, während bei Grillparzer bis zur Scene „Kurzes ländliches Zimmer" im letzten Aufzuge (Sämmtliche Werke 5, 252) auch der Zuschauer mit Rustan glauben muss, die wirkliche Verwickelung mitzuerleben. Van der Veldes „Mährchen" ist ein ganz banales Machwerk ohne Geschick, ohne poetischen oder auch nur theatralischen Werth; einzig der zweite Act hat packende Motive. Man begreift nach Einsicht in dieses Stück noch weniger als früher, wie sich Grillparzer durch diese Zauberkomoedie hätte abhalten lassen können, seinen Plan auszuführen, denn seine Behauptung (Sämmtliche Werke 10, 92), „die Neuheit der Sache" sei einmal verloren gewesen, kann man unmöglich zugeben. Van der Veldes französisches Original „Le conquérant" ist mir noch nicht zugänglich geworden. Jedesfalls hat Minor Recht mit seiner Ansicht, dass dieses Stück in den Zusammenhang von Weilens Untersuchung gepasst hätte.

Bei dieser Gelegenheit möchte ich noch darauf hinweisen, dass in der genannten Sammlung von C. F. van der Veldes Schriften S. 119—191 die dreiactige Oper „Der Zaubermantel" (sie führte früher den Titel „Gennlas") abgedruckt ist. Der Dichter hat sie nach den Volksmärchen von Milbiller bearbeitet und hoffte, wie er am 29. April 1823 an Th. Hell schrieb (S. 415), dass Weber sie bearbeiten würde. Diese Oper behandelt den bekannten Stoff vom

Mantel, eine der verschiedenen Tugendproben, über welche jetzt
Otto Warnatsch (Germanistische Abhandlungen herausgegeben von
Karl Weinhold II 1883 S. 55 ff.) zu vergleichen ist. Auch in
Stranitzkys Ollapotrida (Wiener Neudrucke 10, 353 f.) findet sich
das Motiv in einer etwas abweichenden Form, deren Quelle mir
aufzufinden bisher nicht gelingen wollte.

Lemberg am 12. November 1885.   R. M. Werner.

9.

Eine Reliquie von Theodor Körner.

Das Körner-Museum in Dresden, diese werthvolle und in ihrer
Art einzige Schöpfung des Dr. Emil Peschel, enthält in seiner Handschriftensammlung auch ein kleines Octavbändchen von einigen
80 Blättern in einfachem Pappband mit Lederrücken, auf dessen
Titelblatt von Körners eigener Hand geschrieben steht:

Collectaneen

zu

einer Reise

auf

den Harz·   [ausgestrichen]

das Riesengebirge.

Theodor Körner.

Diese „Reise auf das Riesengebirge" hat der Dichter im Sommer
1809 in Begleitung seines Schulfreundes Henoch ausgeführt, und
über den Verlauf und die Ergebnisse derselben erhalten wir mehr
noch als aus dem mit genialer Regellosigkeit geführten Collectaneen-
buche aus sieben Briefen Auskunft, welche der liebevolle Sohn und
Bruder während der Reise an seine Lieben nach Dresden geschrieben,
und deren hauptsächlichen Inhalt sein einstiger Kampfgenosse Friedrich Förster veröffentlicht hat.

Das oben beschriebene Collectaneenbüchlein, welches ursprünglich für eine beabsichtigte, aber dann aufgegebene Harzreise angelegt
war, enthält zwar kein Reisetagebuch, aber doch sehr viel inter-
essantes an flüchtigen Aufzeichnungen, geologischen Notizen und
Skizzen, Bleistiftzeichnungen vom Kynast und vom Zackenfall, sowie
von Typen und Trachten der Gebirgsbevölkerung, besonders aber
viele der auf der Reise entstandenen Dichtungen in ihrem ersten,
später vielfach geänderten Entwurfe, von denen einige überhaupt
noch nicht veröffentlicht worden sind.

Zu den letzteren gehört eine Charade in Sonettform auf „Buchwald", den Namen jenes entzückenden, vom Minister Grafen Reden

angelegten Edelsitzes in der Nähe von Schmiedeberg, wo Körner
auf seiner Reise mit Empfehlungen von Dresdener Gönnern einkehrte
und sehr liebenswürdige Aufnahme fand. Das Sonett lautet:

> Manch hohes Wort, aus tiefer Brust ergossen,
> Hält meine Erste treu und ernst umfangen,
> Dem klaren Sinn nur ist der Ruf ergangen,
> Dem Laien bleibt's in ew'ger Nacht verschlossen.
>
> Die Zweite steht, der Erde still entsprossen,
> Auf festem Grund mit frischem Jugendprangen,
> Zum goldnen Licht empor geht sein Verlangen,
> Sanft von des Tages heitrem Strahl umflossen.
>
> Das Ganze glänzt mit regem Frühlingsleben,
> Der Hauch der Kunst durchweht die stillen Fluren,
> Hat die Natur zum Tempel umgeschafft,
>
> Und Alles kennt und fühlt das heil'ge Streben
> Und zeigt der Anmuth zart gewebte Spuren
> Und zeigt des Geistes seelenvolle Kraft.

Auf der Schneekoppe, deren Gipfel Körner im Laufe des 21.
und 22. August dreimal erklomm, hat er, wie er an seine Eltern
berichtet, „da es gerade Prinzess Dorotheas (von Kurland)[1])
Geburtstag war, verschiedene Sonette gemacht". Von diesen „verschiedenen Sonetten" enthält das Collectaneenbuch nur eins, und
auch von diesem nur die beiden Quaternarien, welche lauten:

> Hier, wo des Himmels ew'ge Pfeiler stehen,
> Mit stolzer Kraft auf ehrnem Felsengrunde,
> Hier feiert Deines Werdens heil'ge Stunde
> Ein deutsches Herz auf deutschen Berges Höhen,
>
> Und tausend Bilder stehen auf und drehen
> Sich kreisend um mich her in mag'scher Runde,
> Und Worte, wie der Zukunft stille Kunde,
> Umfliessen mich mit leisem Geisteswehen.

Ein anderes, ebenfalls noch nicht gedrucktes Sonett, welches
in dem Büchlein flüchtig hingeschrieben ist, kann wol nicht auf die
Prinzess von Kurland bezogen werden, sondern hat wahrscheinlich
einem Fräulein Adelaide von Warnsdorf gegolten. Theodor
schreibt am 12. August von Görlitz aus an seine Eltern: „Auf dem
Wege (von Bautzen) hierher wechselte ich mit dem vorüberfahren-

---

[1]) Jüngste Tochter der Frau Herzogin von Kurland, geboren am
22. August 1793, spätere Herzogin von Talleyrand-Périgord und von
Sagan.

den Isidorus Orientalis (Graf Löben) einige gewiegte Worte und ging mit schwerem Herzen an Schloss Drehse vorüber, wo die schönen Warnsdorfs weilen." In einem anderen seiner Reisebriefe lesen wir: „Sonntag Mittag ass ich an der table d'hôte in Altwasser, und hier machte ich Bekanntschaft mit mehreren Badegästen, meistentheils, weil die Leute nicht wussten, was sie aus dem eleganten Bergmann machen sollten. Abends war Ball, wo ich recht auf dem Zeuge war, und obgleich es sehr leer war, so war es doch sehr animirt. Ich tanzte sehr viel mit einem Fräulein Salawa, die der Adelaide Warnsdorf wie aus den Augen geschnitten war, und man gab mir Schuld, ich hätte ihr die Cour gemacht; — aber Ihr kennt mich ja! — Gut, dass sie heut früh abgereist ist; ich wäre sonst in Altwasser kleben geblieben."

Hält man diese beiden Notizen mit dem folgenden Sonett zusammen, so kann kaum ein Zweifel darüber bleiben, an wen dasselbe gerichtet ist.

Rastlos treibt es mich durch Wald und Fluren,
Rastlos jagt mich meiner Seele Streben;
Plötzlich fühlt das Herz mit leisem Beben
Seiner Liebe zart gewebte Spuren,

Und Begeistrung höherer Naturen
Füllt die Brust mit neuem Jugendleben,
Und die kühn entflammten Blicke schweben
Durch den Nebel irdscher Creaturen.

Hier, in Deiner süssen, heil'gen Nähe
Fühl' ich erst die Wonne meines Lebens,
Fühl' ich erst der Liebe heisses Wehn;

Aber unerstiegen ist die Höhe,
Ach, und all mein Sehnen ist vergebens:
Still und kalt muss ich vorübergehn!

Das originellste von dem Inhalt des Collectaneenbüchleins ist der „Plan zu Eduard und Veronika, oder die Reise ins Riesengebirge", der wahrscheinlich auf der Rückreise von Reichenbach i. Schl. über das Riesengebirge nach Sachsen entstanden ist; derselbe ist von Friedrich Förster in dessen Ausgabe von Körners Werken abgedruckt, aber mit so vielen Entstellungen, dass es sich lohnt, ihn noch einmal in seiner richtigen Gestalt zu veröffentlichen. Es sollte ein Gedicht in zwölf Gesängen werden, als dessen Heldin das liebliche Wirthstöchterlein aus der „Neuen Schlesischen Baude" verherrlicht werden sollte. Von den zwölf Gesängen ist später nur einer mit 190 Hexametern fertig geworden und bei dem siebzigsten Verse des zweiten Gesanges bricht das ganze Fragment ab, von welchem in dem Dresdener Körner-Museum sowol das Concept als auch eine Reinschrift von des Dichters eigener Hand aufbewahrt werden. Das Gedicht sollte mit Kupfern versehen erscheinen, und in dem Plane wird daher auch für jeden Gesang die Ansicht angegeben, welche sein Titelkupfer zeigen sollte.

Eduard und Veronika,
oder:
Die Reise ins Riesengebirge.

Erster Gesang.
Das Kupfer: Schmiedeberg.
Eduard, seine Verhältnisse, Entschluss zur Reise, Ankunft in Schmiedeberg.

Zweiter Gesang.
Das Kupfer: Ansicht der Riesenkoppe.
Eduard besteigt die Koppe. Sonnenaufgang. Koppenfest. Er sieht Veronika betend.

Dritter Gesang.
Das Kupfer: Die Wiesenbaude.
Ankunft. Die Wiesenbaude; Veronika geht in Rübezahls Garten, er begleitet sie. Rückkehr. Nacht auf dem Heuboden.

Vierter Gesang.
Das Kupfer: Die Dreisteine.
Eduard findet beim Aufstehen Veronika nicht mehr, die mit ihren Eltern schon fort war. Wanderung nach den Teichen, Dreisteine, Sturmhaube, Grosses Rad, Schneegruben.

Fünfter Gesang.
Das Kupfer: Elbfall.
Elbfall. Elbbronnen. Veilchenstein. Sonnenuntergang. Ankunft in der neuen schlesischen Baude.

Sechster Gesang.
Das Kupfer: Die neue schlesische Baude.
Veronika in ihrer Häuslichkeit. Abendmahl.

Siebenter Gesang.
Das Kupfer: Zackenfall.
Veronika mit der Heerde. Ihr Gesang. Zackenfall. Goldkammer. Der erste Kuss.

Achter Gesang.
Das Kupfer: Der Kochelfall.

Wanderung zum Kochelfall. Erklärung. Rückkehr. Die Eltern. Verlobung.

Neunter Gesang.
Kynast.

Veronika begleitet ihn bis zum Kynast. Warmbrunn. Table d'hôte. Prior. Rückkehr nach Hause.

Zehnter Gesang.
Hampelbaude.

Wiedersehen. Anstalt. Wanderung zur Baude. Abend.

Elfter Gesang.
Koppenkapelle.

Sonnenaufgang. Koppenfest. Trauung. Abschied von den Eltern.

Zwölfter Gesang.
Buchwalder Pavillon.

Ankunft in Schmiedeberg. Brautnacht. Morgen. Buchwald. Abreise.

Görlitz.   A. v. d. Velde.

Lucian in der Renaissance.

(Aus einer Rede gehalten zu Kaisers Geburtstag am 22. März 1886,
durch Zusätze und Anmerkungen vermehrt.)

Von

RICHARD FÖRSTER.

Zwar waren auch im Mittelalter in einem nach Zeit und
Ort verschiedenen Masse lateinische Schriftsteller, wie Virgil,
Lucan, Cicero, gelesen worden, jedoch nur zur Belehrung und
Nachahmung, und immer hatte auf diesen Studien ein gewisser Druck gelastet, weil sie der Seelen Seligkeit Gefahr
brächten. Dagegen wandte sich die neue Zeit gleichsam mit
lechzender Seele zuerst den lateinischen, mit Beginn des fünf-
zehnten Jahrhunderts auch den griechischen Schriftstellern zu
und fand in ihnen wirkliche Befriedigung des Gemüths und
Antrieb zu selbständigem schaffen. Dabei ist es von Interesse,
zu sehen, wie die grösste Anziehungskraft nicht von den
Schriftstellern ausgegangen ist, welchen unser Jahrhundert
wegen ihrer Erhabenheit und Grossartigkeit die Palme zuerkannt hat, sondern, wie überhaupt weniger von Dichtern, so
vorzugsweise von solchen Prosaikern, welche mehr anmuthen
als erheben, dafür aber um so leichter in Sinn und Gemüth
eingehen, d. i. von den späteren griechischen Historikern und
Philosophen, wie Arrian, Epiktet, Kebes, Plutarch, vor allen
aber von Lucian.

Was Lucian der Renaissance gewesen ist, so darzustellen, dass sich zugleich ergibt, was selbst ein Schriftsteller, wie er, einer Zeit, welche sich zu ihm hingezogen
fühlt und sich ihm mit offenem Sinn ergibt, werden und sein

kann, das sei die Aufgabe, für welche ich Ihre Aufmerksamkeit auf einige Augenblicke erbitten möchte.

Untergehend sogar ists immer dieselbige Sonne.

Selbst ein Schriftsteller, wie Lucian! Lucian von Samosata
gehört dem zweiten Jahrhundert nach Chr. Geb., also einer Zeit
an, welche nicht mehr fähig war Ideale aus sich hervorzu-
bringen, welche in ihren hervorragendsten Geistern sich an
die Vorzeit anklammerte, immer mehr einerseits in Aberglauben, anderseits in Unglauben und Religionslosigkeit ver-
sunken war und auch in der Philosophie nur eine morsche
Stütze fand. Weder in der Kunst der Beredsamkeit noch im
Glauben noch in der Philosophie hatte Lucian Befriedigung
gefunden. Von einem System zum andern verschlagen endete
er damit, alles für nichtig zu erklären und einem Skepticismus
zu verfallen, welcher über alles, was den Schein des festen
hat, lacht und spottet. Ein solcher Skepticismus birgt unter
andern die grosse Gefahr in sich, dass er unbillig und vor-
urtheilsvoll macht. Ihr ist auch Lucian nicht entgangen. Wenn
er schon die Philosophen, besonders die Cyniker, welche an einer
philosophischen Weltanschauung festhielten, in zu schlechtem
Lichte erscheinen lässt, so ist er dem Christenthum erst gar
nicht gerecht geworden. Nicht dass er, wie manche seiner
Zeitgenossen, dasselbe als staats- oder sittengefährlich, seine
Anhänger als Verbrecher angeklagt hätte, vielmehr ist es
ihm, weil er sich nicht die Mühe genommen hat, dasselbe
gründlich kennen zu lernen, begegnet, dass er es nur für eine
philosophische Secte, seine Anhänger für unpraktische Schwärmer, seine Liebeswerke für Ungereimtheiten erklärte. Seine
Angriffe gegen den Anthropomorphismus der alten Götter,
gegen die Opfer, Weissagungen und Orakel haben gewiss mindestens ebensoviel als die Tractate der christlichen Apologeten
dazu beigetragen, die Unzulänglichkeit der alten Religion dar-
zuthun, aber zur Würdigung des Evangeliums der Liebe und
der Brüderlichkeit hat er sich nicht erhoben. — Trotz alledem
wird ein gerechter Beurtheiler nicht umhin können in Lucian
eine edel angelegte Natur anzuerkennen, den Freund der Wahrheit und des Freimuths, der Einfachheit und der Mässigkeit,

den Feind aller Scheinheiligkeit und Heuchelei, aller Hoffart
und Eitelkeit, des Aberglaubens und der Leichtgläubigkeit,
hohler Rhetorik, eingebildeter Schulweisheit, panegyrischer
oder dichtender Geschichtschreibung.

Machten ihn schon diese Eigenschaften zu einem erlesenen
Mitstreiter in dem grossen Geisteskampfe, welchen die neue
Zeit zu führen hatte, so fühlte sich diese, da sie auch mehr
als irgend eine andere dem Cultus der schönen Form huldigte,
erst recht wegen der Form und des Tones seiner Schriften
zu ihm hingezogen. Zu der steten Heiterkeit des Geistes ge-
sellt sich bei Lucian, welcher, obwol ein Syrer von Geburt,
sich an den besten Mustern der classischen Zeit gebildet hat,
eine wahrhaft plastische Klarheit der Rede, eine vollendete
Grazie der Darstellung, die unnachahmliche Kunst aus Aristo-
phanischer Schalkhaftigkeit und Sokratischer Ironie etwas neues,
den satirischen Dialog, zu bilden und musterhaft zu hand-
haben: Eigenschaften, welche ihn im Morgenlande selbst für
Kirchenväter, wie Gregor von Nazianz und Ioannes Chryso-
stomos, zu einer anziehenden Lectüre und später trotz allen
Protesten gegen seine Stellung zum Christenthum zum Gegenstand eifriger Nachbildung machten.

Kaum waren daher seine Schriften, von welchen das
Abendland bisher wol nur durch eine tadelnde Bemerkung
des Lactanz überhaupt Kunde erhalten hatte, durch die ersten
von Findersehnsucht nach Konstantinopel getriebenen Ent-
deckungsreisenden, wie Aurispa[1]) und Filelfo[2]), nach Italien gebracht worden, als auch diese selbst und ihre Genossen,
ein Guarino, Rinucci, Poggio, Lapo, sich beeilten dieselben in der Weise der damaligen Zeit durch lateinische
Uebersetzungen zur Kenntniss ihrer Landsleute und der nach
Florenz an die Wiege des Humanismus geeilten Ausländer
zu bringen[3]). Sehr bald versuchten sich auch die letzteren,
besonders die Deutschen, in solchen Uebersetzungen: ein Rudolf Agricola[4]), ein Erasmus[5]), ein Thomas Morus[6]), ein
Pirckheimer[7]), ein Petrus Mosellanus[8]), Ottomar Luscinius[9]), Philipp Melanchthon[10]); und als die deutsche
Sprache zur Wiedergabe solcher Gespräche einigermassen
herangereift war, wurden jene lateinischen Uebersetzungen,

22*

wie bereits ins Italienische, so ins Deutsche übertragen und
dadurch noch weiteren Kreisen zugänglich gemacht. So die
des „Esels" von Poggio schon vor 1478 zu „vertrybung schwerer
gedencken und fantasyen" durch den Stadtschreiber von Esslingen und Kanzler des Grafen Eberhart zu Wirtemberg, Niclas
von Wyle[11]); die der „Verläumdung" von Rudolf Agricola 1515
durch seinen Schüler und Freund, den Ritter und Doctor
Dietrich von Pleningen[12]). Die erste Schrift, welche Melanchthon, nach Wittenberg, der ersten Pflanzschule des Humanismus, berufen, herausgab, war die lateinische Uebersetzung von
Lucians Dialog gegen die Verläumdung, gewidmet Friedrich dem
Weisen als dem Fürsten, welcher die Verläumdung wie die Pesti-
lenz hasse, und bestimmt den Hörern in die Hände gegeben zu
werden, um sie in dem guten Geiste zu erziehen, Verläumdungen
abzuweisen[13]). Auch auf andern deutschen Hochschulen, selbst
auf solchen, welche sich gegen den neuen Humanismus mehr
ablehnend verhielten, wie Köln, desgleichen auf gelehrten Schulen, wie Eisleben und Basel, wurden Dialoge des Lucian gelesen. Mit einem Worte: Lucian wurde Lieblingsschriftsteller.

Wie sehr aber die Männer jener Zeit einestheils die alten
Schriftsteller zu geistigem Eigenthum in sich aufnahmen, anderseits sich als die geborenen Fortsetzer derselben fühlten, welche
es jenen nicht nur gleichthun könnten, sondern auch müssten,
zeigte sich alsbald in der freien Stellung, welche sie zu dem
Inhalt der Dialoge einnahmen: wo ihnen ein Gedanke, eine
Wendung nicht gefällt, nehmen sie leichten Herzens Aenderungen, wie sie sagen, Verbesserungen vor. So gieng es demselben Ioannes Aurispa, welcher den Lucian nach Italien
gebracht hatte, bei aller Liebe für die Griechen doch gegen das
patriotische Herz, dass der Unterweltsrichter Minos bei Lucian
in dem Streite zwischen Alexander, Scipio und Hannibal, wer
der grösste Feldherr sei, nicht dem Römer Scipio, sondern
dem Griechen Alexander den ersten Preis zuerkannt hat; er
ändert dementsprechend den Schluss des Dialoges um, indem
er sich dabei hinter die Person des Rhetors Libanios zurück-
zieht[14]); und der Elsässer Ringmann Philesius[15]) behält
in seiner deutschen Uebersetzung des Gespräches nicht nur
diese Wendung bei, sondern lässt wieder seiner Begeisterung

für die Thaten Caesars, in welchem er zugleich den ersten Kaiser verehrt, die Zügel schiessen, indem er einen neuen Schluss hinzufügt: wie würde Minos gerichtet haben, wenn Caesar seine Ansprüche geltend gemacht hätte! Der junge Thomas Morus, welcher sich, gleich Lucian, Zeit seines Lebens, ja bis zum Tode auf dem Schaffot die Heiterkeit des Geistes bewahrt hat und, wie er selbst bemerkt, sich in der Auswahl der Lucianeischen Dialoge lediglich von gemüthlichen Rücksichten bestimmen liess, fühlte sich zwar von dem psychologischen Problem, welches eine der unter Lucians Namen gehenden Reden, „der Tyrannenmörder", entwickelt, lebhaft angezogen, über die Lösung desselben aber kam er zu entgegengesetzter Ansicht und schrieb daher im Einvernehmen und im Wettstreit mit seinem Freunde Erasmus eine Gegenrede gegen dieselbe. Beide sind vortrefflich in ihrer Art[16]).

In ähnlicher Weise liess der Ferrarese Celio Calcagnini auf seine Uebersetzung des „Gerichts der Vocale" eine launige Widerlegung der in dieser Schrift vom Buchstaben Sigma gegen Tau erhobenen Anklagen folgen[17]).

Je luftigere Vorstellungen vom litterarischen Eigenthum jene Zeit hatte und je weniger kritisch gestimmt dieselbe war, um so leichter konnte es mit und ohne Schuld der Urheber geschehen, dass derartige Nachahmungen unter die echten Erzeugnisse eines Schriftstellers geriethen. So findet sich der Palinurus, ein Gespräch zwischen dem gleichnamigen Steuermanne des Aeneas und dem Charon, welches sich in breiten und witzlosen Betrachtungen über den Wechsel menschlichen Glückes und im Preise der Tugend ergeht, bereits in der ersten Sammlung lateinischer Uebersetzungen von Lucianeischen Gesprächen[18]). In der zweiten Sammlung[19]) ist zu diesem ein ähnliches, nur bedeutend kürzeres, aber auch lebendigeres Gespräch hinzugekommen: Virtus Dea, welches zwischen der Tugend und Mercur geführt die Allmacht des Glückes und die Ohnmacht der Tugend beklagt.

Bald wurde die Stellung aber noch freier, indem zunächst Lucianeischer Inhalt in andere Form gegossen wurde.

Das Problem des Menschenfeindes, welches von der attischen Komoedie in Timon von Athen geschaffen und auf die

Bühne gebracht worden war, hatte nicht verfehlen können
seine Anziehung auf Lucian zu üben. Er hat dasselbe in
seinem gleichnamigen Dialog behandelt, wenn auch vorzugsweise in der Absicht, das Gegenbild des Menschenfeindes, die
undankbaren Schmarotzer, zu geisseln. Und sein Dialog hat
den Ausgangspunct für die gesammte geistige Beschäftigung
der Neuzeit mit dem Problem gebildet. Der erste, welcher
dasselbe aufgriff, war der Dichter am Hofe der Este Bojardo[20]).
Bietet Lucian gleichsam nur wirksame Scenen, so hat Bojardo
diese zu einem vollständigen Drama und zwar zu einem Lustspiel in Terzinen ergänzt. Der Satiriker Lucian konnte keinen
effectvolleren Schluss finden, als dass Timon die Schmarotzer,
welche auf die Nachricht, dass er wieder in Besitz eines
Schatzes gelangt sei, sofort von neuem sich an ihn heran-
drängen, mit heftigen Worten, ja mit blutigen Köpfen heim-
schickt. Das Lustspiel verlangte die Hinzufügung eines letzten
Actes: Timon lässt all das Geld, welches ihm bereits wieder
die Ruhe des Geistes genommen hat, im Stich, so dass es zum
Theil in die Hände des rechtmässigen Besitzers, eines Jünglings, welcher gleich ihm durch Freigebigkeit und Verschwen-
dung alles verloren hatte, zum Theil in die der beiden Diener
desselben kommt. Es ist dies freilich keine Lösung des Pro-
blems des Menschenhasses. Eine solche ist aber überhaupt
noch nicht, auch dem grossen Britten nicht gelungen, welcher
zuerst das tragische in Timons Charakter erkannt und aus
Lucian und Plutarch ein Trauerspiel geschaffen hat, wenn
anders „Timon von Athen" eine echte Frucht des Shakespeareschen Geistes und nicht vielmehr nur die Ueberarbeitung eines
älteren Stückes oder ein durch fremdartige Zusätze entstelltes
Stück ist[21]).

Wenn ferner Wilibald Pirckheimer, der ebenso fein-
sinnige wie würdevolle Rathsherr von Nürnberg, der Typus
des Humanisten unter den deutschen Patriciern, durch Podagra
ans Zimmer gefesselt war und nun eine Lob- oder Verthei-
digungsrede auf das Podagra schrieb[22]), in welcher dasselbe alles gute, was es wirkt, auseinandersetzt, so that er
das nach dem Vorbilde und stellenweise in Anlehnung an die
„Podagratragoedie" des Lucian.

Und als der treffliche Rector der Schule in Frankfurt am Main Jacob Moltzer sich Verläumdungen ausgesetzt zu sehen glaubte, befreite er seine Seele von dem dadurch auf sie gewälzten Drucke, indem er die von Lucian erzählte Geschichte von der Verläumdung des Malers Apelles zu einem lateinischen Lustspiele: „Apelles in Aegypten oder die Calumnia" umgestaltete[23]).

Calumnia, Neidharts schöne und kluge Tochter, wird auf Betrieb des mittelmässigen, aber hämischen Malers Antiphilus von ihrem Vater angestiftet den trefflichen Maler Apelles beim Könige als Verräther zu verläumden. Apelles wird sofort ins Gefängniss geworfen. Auf sein flehen sendet Juppiter die Göttin Wahrheit zu seiner Befreiung herab. Sie überzeugt den König von der Unschuld des Apelles, welcher aufs reichste beschenkt freigelassen wird und den Antiphilus zum Sklaven erhält.

Und damit diese Komoedie recht vielen zum Nutzen werde und namentlich damit die Verläumder der evangelischen Lehre widerlegt werden, hat der Pfarrer zu Güsten Jacob Corner dieselbe in deutsche Reime gebracht und dem Bürgermeister und Rath von Aschersleben gewidmet[24]).

In ähnlicher Weise haben Lucianeische Gespräche Hans Sachs den Stoff zu Gesprächen, Tragoedien und Komoedien gegeben[25]).

Aber auch die Lucianeische Form wurde nachgeahmt. War der lehrhafte Dialog nach Ciceros Muster bereits lange Zeit beliebt, so versuchte man sich nun auch im satirischen Dialog.

So verwandte schon Pontano, der Humanist am Hofe des Königs von Neapel, denselben mit Meisterschaft zur Erörterung nicht bloss philologischer und aesthetischer Themata, sondern auch, z. B. im Charon, zur Verspottung der Sittenlosigkeit, Unwissenheit und Streitsucht der Kleriker. Aehnlich Pandolfo Collenuccio in Ferrara[26]).

Unter den Deutschen aber hat es in dieser Beziehung der Geist des Lucian keinem mehr angethan als Ulrich von Hutten, der an ihm und Aristophanes in Bologna Griechisch gelernt hatte. Der satirische Dialog ist seine wirk-

samste Waffe geworden. So gab er sofort dem schon vor
seiner italienischen Reise tief empfundenen Grolle über eine
seiner Familie seiten eines fürstlichen Gegners zugefügte Be-
leidigung in Lucianeischer Weise (mit besonderer Anlehnung
an den „Kataplus") Ausdruck. Herzog Ulrich von Wirtemberg hatte seinen Vetter Hans von Hutten meuchlings und
schimpflich erschlagen, ihm ein ehrliches Begräbniss verweigert, überdies seine Unterthanen grausam behandelt. Hutten
lässt in seinem „Phalarismus"[27]) den Herzog in die Unterwelt zum Tyrannen Phalaris herabsteigen, da ihm dieser bereits
im Traume erschienen war und einige Anweisungen zu tyran-
nischer Regierung gegeben hatte. Auf den Bericht seiner
Thaten erklärt Phalaris sich von ihm übertroffen, da er nur
wirkliche oder vermeintliche Feinde, nicht Freunde und Wolthäter umgebracht habe. Mit Grüssen an alle Tyrannen und
mit guten Rathschlägen für die Zukunft entlässt er ihn.

Und wenn Hutten sich in seinem Dienste beim Kurfürsten
und Erzbischof Albrecht von Mainz über Dünkel, Verstellung
und Hohlheit der Hofleute zu beklagen hatte und ihn namentlich in der Schwüle des Reichstages zu Augsburg das Gefühl
des Unbehagens über seine Stellung überkam, so gedachte
er auch hier seines Lucian und schrieb sich mit dem Dialog
Aula[28]), „der Hof", nach dem Muster von Lucians Schrift „über
das traurige Los der Gelehrten, welche in vornehmen Häusern
dienen", den Unmuth von der Seele.

Und als der gewaltige Kampf gegen Rom begann, da
wurde nach den von Italienern, wie Pontano und Fausto
Andrelini von Forli[29]), geführten Vorpostengefechten der
eigentliche Angriff zuerst unter den Deutschen von Hutten
mit Lucianeischen Todtengesprächen eröffnet. Da er dieselben
bald ins Deutsche übertrug, war ihre Wirkung um so mäch-
tiger. Hier brachte die antike Saat echte Frucht aus deutschem
Geiste. Das eine dieser Gespräche, „die Anschauenden"[30]),
hat die Einkleidung des Lucianeischen, „die Beschauer oder
Charon". Bei Lucian nimmt Charon einmal beim Unter-
weltsgotte Urlaub, um auf die Oberwelt zu gehen, um zu erfahren, wie es komme, dass alle Menschen weinend in der
Unterwelt anlangen. Mercur zeigt ihm von den Spitzen der

höchsten Berge die Erde und ihre Bewohner; er sieht ihr
Treiben, hört ihre Unterhaltungen und enttäuscht kehrt er in
sein Reich zurück. Bei Hutten hat der Sonnengott die Rolle
des Mercur und sein Sohn Phaethon die des Charon. Als sie
mit ihrem Wagen die Höhe des Himmels überschritten haben,
lassen sie die Pferde eine Weile Schritt gehen und werfen einen
Blick auf die Erde. Ein grosses Getümmel erhebt sich über
Augsburg, wo eben der päpstliche Legat Cajetanus, mit Säcken
voll Ablass, einzieht, angeblich um Deutschland zum Kriege
gegen den Türken zu bewegen, in Wahrheit aber um das
deutsche Schäfchen zu scheren. „Wie lang wird er dieses
Spiel treiben?", fragt Phaethon. „Bis die Deutschen weise
werden." „Und ist es nahe daran, dass sie weise werden?"
„Nahe. Dieser wird zuerst mit leeren Händen zum Schrecken
der heiligen Stadt zurückkehren; denn sie hat nicht geglaubt,
dass die Barbaren dies wagen würden." „Sind die Deutschen
noch Barbaren?" „Nach der Meinung Roms. Aber in Wahrheit sind sie die gesittetsten — nur vorm trinken, Zwietracht
und langen Berathungen müssen sie sich in Acht nehmen."
Da bemerkt Phaethon, dass ihnen von unten drohende Blicke
und zornige Worte zugeworfen werden — vom Cardinal. Der
Sonnengott müsse glänzender und wärmer auf ihn in Deutschland herabscheinen. Sol entschuldigt sein schwaches Licht
als eine Gefälligkeit gegen den Cardinal, welcher vieles, z. B.
die Agitationen gegen die Wahl Karls V., im dunkeln zu
treiben habe. Als aber Cajetanus glühendheisse Strahlen verlangt, damit recht viele reiche sterben, bricht Phaethon in
heiligem Zorne in Verwünschungen gegen ihn aus.

Auch der Dialog Arminius[31]), welcher in den letzten
Jahren seines kurzen Lebens vermuthlich auf der Ebernburg,
wo wir ihm nun endlich ein Denkmal errichten werden, ent-
standen und sozusagen sein Schwanengesang an die deutsche
Nation geworden ist, knüpft an Lucian an. Hatte Aurispa
den Lucianeischen Wettstreit zwischen Alexander, Scipio und
Hannibal dahin abgeändert, dass Scipio den ersten Preis von
Minos erhielt, so erscheint bei Hutten Arminius vor Minos,
sich beklagend, dass er ganz übergangen worden sei. Der
Römer Tacitus stellt ihm das glänzendste Zeugniss aus, und

Arminius zeigt, dass er jene drei sämmtlich übertreffe. „Ich
ertrug es nicht, dass Varus die Deutschen für dumme Bestien
erklärte und harten Tribut von ihnen forderte. Nicht um
Ruhm, Reichthum oder Herrschaft habe ich gekämpft, sondern
das Ziel meines ganzen Strebens war dem Vaterlande die ihm
gewaltsam entrissene Freiheit zurückzugeben." Darauf erklärt
Minos, dass er dem Arminius, wenn er mit jenen drei in
Wettstreit getreten wäre, die Palme ertheilt hätte; so aber
lässt er ihn als den ersten der Vaterlandsbefreier, den freiesten,
unüberwindlichsten und deutschesten ausrufen: „Wir werden,
o Deutscher, deiner Tugenden nie vergessen."

Auch an der Satire Pirckheimers „Der enteckte
Eck"[33]) hat Lucian einigen Antheil. Dr. Eck oder, wie er
besser heisst, Dr. Keck von Ingolstadt hat sich durch sein
furchtbares schreien bei der Disputation mit Luther in Leipzig,
noch mehr aber durch unmässigen Genuss von Bier und
Wein schwere Krankheit mit heftigem Fieber zugezogen. Von
demselben kann er nicht anders geheilt werden, als dass durch
sieben handfeste Burschen alle Winkel und Ecken an ihm beseitigt, alle Sophismen, Syllogismen und Propositionen von
seinem Kopfe heruntergeschoren, seine Zunge zur Hälfte abgeschnitten, seine Beisszähne ausgezogen, alle Begierden
herausgeschnitten werden. Aehnliche, wenn auch bei weitem
nicht so unsanfte, Behandlung lässt Lucian seinen Philosophen
und Rhetoren in der Unterwelt widerfahren.

Aber das Studium des Lucian sollte noch ganz andere
Früchte hervorbringen.

Als Erasmus, welcher selbst von Freund und Feind ein
zweiter Lucian genannt wurde, im Jahre 1508 auf der Heimreise aus Italien war, erdachte er, um sich die Langeweile
des beschwerlichen Rittes zu vertreiben, sein „Lob der Narrheit". Sowol die Idee ist von Lucian, als auch klingen viele
einzelne Wendungen und Gedanken an diesen an. Indem er
die Narrheit als Göttin einführt, ihre Lebensgeschichte erzählen und ihre Allmacht über Götter und Menschen aus-
einandersetzen lässt, erhält er, ganz wie Lucian, Gelegenheit
die Lauge seines Spottes über die Verkehrtheit aller Stände
auszugiessen. Bekanntlich war der Erfolg des Büchleins so

grossartig, dass es bei Lebzeiten des Verfassers siebenund-
zwanzig Auflagen erlangte.

Eine Art Gegenstück dazu bietet die Utopia seines
Freundes Thomas Morus, in dessen Hause die Niederschrift
des Lobes der Narrheit erfolgt, dem sie gewidmet und von
dem sie gegen theologische Angriffe vertheidigt worden war.
Auch die Utopia kann eine gewisse Beziehung zu Lucian nicht
verläugnen, wie ja die Utopier von Lucians Witzen und Spässen
ganz bezaubert sind[33]). Wie Lucian in seiner „wahren Geschichte" zur Verspottung unglaubwürdiger Geschichtschreibung
eine Reise mit den fabelhaftesten Erlebnissen erdichtet, so beschreibt Morus in jener gegen die Schäden seiner Zeit, besonders Englands, gerichteten Satire das Leben auf einem
glückseligen Eiland, wo es keinen Streit, Hochmuth, Betrug,
Rache, Habsucht, Aberglaube, Müssiggang gibt.

Und des Erasmus „familiäre Gespräche", welche alle
Seiten des menschlichen Lebens, besonders aber mönchischen
Aberglauben, Unwissenheit und Unsittlichkeit halb scherzhaft,
halb ernst behandeln, athmen sie nicht, ähnlich wie manche
der „Briefe der Dunkelmänner", Lucianeischen Geist, den Geist
heiterer Satire?

Endlich treten wir in die Celle eines Franciscanerklosters
in der Vendée; da sitzt ein Bruder nicht über die Postille,
sondern froh, den geistlichen Uebungen auf Augenblicke ent-
ronnen zu sein, über seinen Lucian gebeugt; so oft ihm die
Mönche denselben nebst seinen andern guten Freunden, den
Griechen, entrissen haben, immer kehrt er zu seinem Liebling
zurück; dieser begleitet ihn ins Benedictinerkloster, ins Cabinet des Bischofs, auf die Universität Montpellier, wo er
Student und Doctor der Medicin wird und über Hippokrates
und Galen schreibt und liest, in seine letzte Clause, die
Pfarrei zu Meudon. An ihm hat sich genährt der grösste
Satiriker Frankreichs, der Verfasser von Gargantua und Pan-
tagruel, Francis Rabelais. Schon den Stoff für einzelne
Scenen dieses Werkes hat Lucian gesteuert. Als Beispiel für
viele diene nur eines[34]). Wie Lucian lässt auch Rabelais die
stolzen dieser Welt in der Unterwelt zu niedriger Arbeit und
Bettelei verurtheilt werden; nur den Philosophen weist er eine

etwas andere Rolle zu. Bei Lucian ärgert der Cyniker Diogenes durch seinen lauten garstigen Gesang den Sardanapal
und Midas dermassen, dass sie auszuziehen beschliessen. Bei
Rabelais stolziert Diogenes in weitem prächtigem Purpurmantel
mit einem Scepter in der Rechten wie ein Praelat zum grossen
Aerger Alexanders des Grossen einher, der ihn am liebsten
mit einem Stock bearbeiten möchte. Der Stoiker Epiktet
aber zecht und tanzt in lustiger Gesellschaft in einer schönen
Laube galant à la Françoise geputzt und sagt zu Cyrus, der
ihn um einen Heller bittet, um sich Zwiebeln zum Abendbrot
zu kaufen: „Nix, nix da, ich spiels nicht mit Hellern; da ist
ein Thaler, Schelm, sei ehrlich." Aber auch in der Tendenz,
vorzugsweise die Scheinheiligkeit, Unwissenheit und Sinnlichkeit
durchzuhecheln, trifft Rabelais mit Lucian zusammen, nur dass
der Ton seiner Satire viel derber als der der Lucianeischen ist.

Es erübrigt noch von einer eigenartigen, aber besonders
bedeutungsvollen Einwirkung des Lucian zu reden. Derselbe
verbindet mit einem wahrhaft classischen Kunstsinne, welcher
allem mittelmässigen abhold nur in den Werken erhabener
Grösse oder anmuthiger Schönheit Befriedigung findet, die
Gabe einer äusserst plastischen Darstellung. Diese Eigenschaften machen die Lucianeischen Schilderungen von Kunstwerken zu unübertroffnen Mustern der Gattung. Wenn es
dafür noch eines Beweises bedürfte, so liegt er in folgendem.
Die zahlreichen Beschreibungen von Kunstwerken bei Plinius
haben meines Wissens nie, die bei Pausanias fast nie, die
der Philostrate trotz allen Bemühungen der „Weimarischen
Kunstfreunde" nur ausnahmsweise Künstler zu Nachbildungen
angeregt. Lucian dagegen ist der erklärte Liebling und Berather der grössten Künstler geworden. Niemals aber mehr
als zu der Zeit, welcher auch das Glück einer begeisterten
Hingabe seiten der Künstler an das Alterthum beschieden war.
Die Kunst war bisher durchaus sacral gewesen. Höchstens
waren Möbel, wie Truhen und Bettstellen, mit Stoffen aus
der römischen Geschichte oder aus der Heldensage geschmückt
worden. Mit der veränderten Stellung, welche der neue Zeit-
geist mit einem Male zur griechischen Litteratur einnahm, erweiterte sich auch sofort wie das Ansehen, so das Reich der

bildenden Kunst, indem Gegenstände aus der griechischen Mythologie und Geschichte zunächst für Tafel-, bald auch für Wandgemälde gewählt wurden. Und Lucian war noch nicht lang nach Italien gebracht, als der Mann, welcher alles wusste, alles trieb, nichts menschliches von sich fern hielt, insbesondere aber die Rolle eines Vermittlers zwischen der neuentdeckten griechischen Litteratur und der aufblühenden italienischen Kunst erfolgreich durchführte, als der Florentiner **Leo Battista Alberti** auf ihn, wie überhaupt auf die Alten, als Fundgrube für die Künstler hinwies. Durchdrungen von der Bedeutung der künstlerischen Erfindung empfiehlt er, auch darin Goethe vergleichbar, dass er selbst ausübender Künstler war, in seinem **Tractat von der Malerei** den Künstlern vor allem liebevolle Versenkung in die alten Schriftsteller. Als Beleg dafür, wie viel in ihnen für Künstler stecke, führt er die Beschreibung der **Verläumdung** an, jenes Gemäldes des Apelles, wie sie Lucian, mit dessen Schriften er sehr bald vertraut geworden war[35]), in dem Dialog von der Verläumdung gibt. Rechts sitzt ein Mann mit langen, fast Midas-gleichen Ohren; um ihn stehen zwei Frauen, die „Unwissenheit" und die „Argwöhnung". Er streckt seine Hand aus nach der „Verläumdung", einem wunderbar schönen, aber hitzigen und erregten Weibe, die in der Linken eine brennende Fackel hält, mit der Rechten einen Jüngling an den Haaren schleift, welcher die Hände zum Himmel erhebt und die Götter zu Zeugen seiner Unschuld anruft. Vor ihr geht ein blasser garstiger schbeläugiger abgezehrter Mann, der „Neid", hinter ihr zwei weibliche Figuren, sie theils antreibend, theils schmückend, die „Nachstellung" und die „Hinterlist". Ganz zuletzt kommt noch eine trauernde Frau in schwarzem zerrissenem Gewande, mit Scham rückwärts blickend auf die herantretende „Wahrheit": das ist die „Reue". „Wenn schon", so ruft Alberti aus, „diese Beschreibung die Seele fesselt, welchen Reiz muss erst das Gemälde selbst gehabt haben!" Und wahrlich sein Mahnwort ist nicht auf unfruchtbaren Boden gefallen. Um die Wette machten sich die Künstler daran, die todte Beschreibung des Bildes durch ihre Kunst zum Leben zu führen. So ist eine italienische Uebersetzung

des Dialogs, welche Bartolomeo Fonte für den Herzog Ercole I
von Ferrara machte, von einer Miniatur des Gemäldes in einer
Hamiltonschen, jetzt in Berlin befindlichen Handschrift begleitet; für ein Tafelbild wählte dasselbe Sandro Botticelli;
nicht ohne ˙Kenntniss dieser Composition entwarf Raffael
seine Zeichnung zu einem Gemälde; diese Zeichnung benutzte
Benvenuto Garofalo für ein Gemälde, welches sich im
Schloss Alfonsos zu Ferrara befand, heut leider aber noch
immer verschollen ist. Selbständig und sehr glücklich war
Mantegna in seiner Zeichnung, welche wieder von Rembrandt
copiert wurde. In dem Cyklus von Fresken, mit welchem Pe-
trucci, der Magnifico von Siena, seinen neuen Palast aus-
schmücken liess, befand sich unser Gemälde an erster Stelle.
Der Künstler war Luca Signorelli; zwei griechische Inschriften darunter besagten: „Die Unwissenheit ist die Ursache
des schlimmen", und: „Richte nicht, bevor du beider Rede
gehört hast". Und als der Rath von Nürnberg 1521 den Saal
des renovierten Rathhauses mit Wandgemälden versehen liess
und die Entwürfe zu denselben Albrecht Dürer übertrug,
wählte dieser, von seinem Wilibald Pirckheimer berathen, um
die Bestimmung des Saales als Gerichtsstätte anzudeuten,
wieder unser Gemälde als Symbol der Rechtspflege. So entstand neben dem „Pfeiferstuhl" und dem „Triumphwagen
Kaiser Maximilians" die „Verläumdung" mit der Unterschrift:

> Ein Richter soll kein Urthel geben,
> Er soll die Sach erforschen eben.

Und auch hier that der deutsche Künstler als deutscher Denker
ein Stück eigner geistiger Arbeit hinzu, indem er zwischen
die Gefolgschaft der Verläumdung, welche den unschuldigen
vor den Richter schleift, und die rückwärts schauende „Reue"
eine Gruppe von drei Figuren, die „Strafe" mit Schwert im
Geleit eines Bauern, des „Irrthums", und einer leichtgeschürzten
weiblichen Figur, „der Eile", einschob. Und ähnliche Aenderungen haben auch spätere Künstler, unter denen ich nur
Federigo Zuccaro und Hans Bock in Basel nennen will, mit
der Composition vorgenommen[36]).

   Botticelli aber hat für sein Bild noch ein zweites Motiv
aus Lucian entlehnt. Eines der mythologischen Bildchen, mit

welchen er die Estrade des Richterstuhles geschmückt hat,
stellt eine Centaurenscene zwar nicht ganz so, wie Lucian
ein Bild des Zeuxis beschreibt, aber doch sehr ähnlich dar:
der alte Centaur kommt von der Jagd heim und hält seinem
Weibe, das am Boden liegt und zwei Junge neben sich schlafen
hat, einen jungen Löwen als Jagdbeute hin.

Eine besondere Anziehung übte ferner die Beschreibung
eines Gemäldes des Aëtion, die Hochzeit Alexanders und
der Roxane[37]). Alexander reicht der schönen sittsam zu
Boden blickenden Roxane Hand und Kranz, gefolgt von seinem
Freunde Hephaestion und dem Hochzeitsgotte Hymenaeus, im
Beisein von Amoren, welche sich theils um Roxane, theils
um die Waffen Alexanders zu schaffen machen. Raffael versuchte eine Reconstruction auch dieses Gemäldes. Seine noch
erhaltene Rothstiftzeichnung hält sich, man kann sagen, mit
archaeologischer Treue an den Wortlaut der Lucianeischen Beschreibung. Nach dieser Zeichnung hat einer seiner Schüler
das heut im Palazzo Borghese befindliche Fresco für eine
römische Villa gemalt.

Mit grösster Freiheit dagegen ist der warmblütige Soddoma der Lucianeischen Beschreibung gegenübergetreten. Als
nämlich der „Grosskaufmann der Christenheit", der ebenso
kunstsinnige wie für das classische Alterthum begeisterte,
allzeit thätige, aber auch allzeit lustige Agostino Chigi sich
in Rom ein Haus baute, in welchem Venus und die Grazien
wohnen sollten, und die Wände desselben mit reichem Fresken-
schmuck versehen liess, da durfte auch Lucian nicht fehlen.
Unter den drei Gemälden aus der Alexander-Geschichte, welche
die Wände des Schlafzimmers bedecken, ist das unsrige das
bedeutendste. Indem Soddoma Figuren änderte und ganze
Gruppen hinzufügte, allen Gestalten aber reichstes Leben ein-
hauchte, das ganze mit einem unsagbaren Zauber umkleidete,
hat er eines der schönsten Gemälde der Renaissance hervorgebracht. — Nachmals hat der Gegenstand auch andere Künstler
der Renaissance, wie den Parmigianino und Primaticcio, zuletzt
noch Rubens[38]), zu bildlicher Darstellung begeistert.

Wenn ferner Lucian in einer launigen Plauderei das Bild
des gallischen Hercules beschreibt als das eines kahl-

köpfigen Alten, von dessen Munde zierliche goldne und elfen-
beinerne Ketten ausgehen, und welcher mit diesen eine grosse
Menge Menschen an den Ohren gefesselt hält und lächelnd
unwiderstehlich nach sich zieht, so ist dieses Phantasiebild
hinreissender Beredsamkeit sowol von Raffael als von
Dürer und Ambrosius Holbein in Zeichnungen umgesetzt
worden.

Und wenn Lucian seine Schilderung des Elends der
Gelehrten, welche im Dienste reicher stehen, nicht besser
schliessen zu können meinte als mit einem Bilde, für welches
er nur keinen Maler habe finden können, so ist auch hier
Ambrosius Holbein in die Stelle eines solchen eingetreten.
In der Vorhalle eines Palastes sitzt die Göttin des „Reich-
thums“; ein stattlicher Jüngling, welcher zu ihr kommen will,
wird von der „Hoffnung“ geleitet, alsbald aber von der „Täuschung“ und der „Knechtschaft“ in Empfang genommen, dem
Daemon der „Arbeit“ überliefert und von diesem nach langer
Zeit dem „Alter“; zuletzt fasst ihn der „Hohn“ an und schleppt
ihn zur „Verzweiflung“; die „Hoffnung“ entflieht. Entblösst
und abgezehrt wird er durch eine Hinterthür hinausgestossen,
um von der ihm entgegentretenden „Reue“ zu Tode gequält
zu werden.

Ein noch stärkerer Beweis aber für die Klarheit und den
Reiz Lucianeischer Darstellung liegt darin, dass auch blosse
Beschreibungen den künstlerischen Schaffenstrieb angeregt
haben. So hat die Schilderung der auf dem Rücken des
Zeus-Stieres über die Meeresfläche gleitenden, von Wind- und
Liebesgöttern, Nereïden und Tritonen geleiteten Europa
schon dem jugendlichen Dürer den Stift in die Hand ge-
drückt. Seine Zeichnung ist uns im Skizzenbuch zu Wien
aufbehalten.

Ja einmal hat selbst der Künstler, welcher nie gelacht
haben soll, Michel Angelo, dem Lucian seinen Tribut zahlen
müssen, und zwar, wie es scheint, bereits in höherem Alter,
als er der Antike schon ganz entfremdet schien, dafür aber
zwischen leidenschaftlichen Gefühlen und der Sorge für seiner
Seele Heil hin und her gezogen wurde.

Lucian erzählt in seinem Nigrinos, wie er eines kranken

Auges wegen nach Rom gereist und dort durch einen Vortrag des Philosophen Nigrinos derartig begeistert worden sei, dass er gleichsam als anderer Mensch zurückgekehrt sei. Von ihm habe er gelernt, worin das Geheimniss der Wirkung des Wortes auf die menschliche Seele liege. Diese ist einem Kampfziele, die Redner Bogenschützen gleich. Die einen verfehlen des rechten Zieles, weil sie den Bogen zu straff spannen, so dass ihre Pfeile zurückprallen; die anderen, weil sie den Bogen nicht genug spannen, so dass sie das Ziel überhaupt nicht erreichen oder nur streifen. Der rechte Bogenschütz ermisst zuerst genau die Beschaffenheit des Zieles, darauf bestreicht er seinen Pfeil mit einer leicht beissenden und doch zugleich süssen Salbe, dann erst schiesst er den Pfeil ab. Ein solcher schlägt nicht nur ein, sondern bleibt auch haften und theilt jene Salbe dem ganzen Ziele mit. — Nun gibt es in der Sammlung der Königin von England zu Windsor Castle eine wundervolle Röthelzeichnung Michel Angelos, nach welcher ein Schüler Raffaels nachmals auch ein Fresco ausgeführt hat. Hier schiesst eine Menge Bogenschützen in dichtem Knäuel mit grösster Anstrengung nach einer durch einen Schild bewehrten Her , während hinter ihnen ein Knabe ein Feuer anbläst, in welchem der einer Schale entnommene Saft Pfeilspitzen eingebrannt wird, und ein zweiter Knabe ein neues Bündel Holz hinzuträgt. Michel Angelo hat den Gedanken Lucians leise umgebogen. Denn vorn am Boden rechts hat er noch einen Amor in süssem Schlummer gelagert. Welcher Gegensatz zwischen ihm und der Hast und dem Ungestüm, mit welchem jene Bogenschützen nach der Seele schiessen! Amor kann ruhig schlafen; er weiss, dass seine Pfeile zu ihrer Zeit sicher treffen werden[39]).

Wenn aber die Kenntniss der Schriften des Lucian durch Uebersetzungen verallgemeinert wurde, so erlangte dieselbe die rechte Lebendigkeit und Anschaulichkeit dadurch, dass diese und andere auf ihn zurückgehende Kunstwerke ebenfalls durch Uebersetzungen, d. i. durch Kupferstiche und Holzschnitte, verbreitet wurden. Nicht selten wurden die Ausgaben der Uebersetzungen von Stichen begleitet. Am meisten war Froben in Basel in dieser Richtung thätig. Als Erasmus

durch seine Schrift „Methode, zur wahren Theologie zu gelangen", vor allem aber durch seine Beschäftigung mit dem Ur-
text der Heiligen Schrift, insbesondere die erste griechische Ausgabe des Neuen Testaments mit lateinischer Uebersetzung und
Anmerkungen, grossen Anstoss erregt hatte, als seine wissen-
schaftliche Thätigkeit als kirchen- und glaubensfeindlich ver-
läumdet wurde, da liess Froben der nächsten Auflage des
Neuen Testaments nicht nur das Breve des Papstes Leos X.,
welches Erasmus' Arbeit belobigte, sondern über und unter
demselben auch zwei von Ambrosius Holbein gefertigte
Holzschnitte vordrucken; der eine derselben stellt die Schlacht
dar, in welcher Arminius den Varus schlug, der andere die
Verläumdung des Apelles. Wie tiefe Wurzeln musste die Antike geschlagen, welch vertrauliche Stellung musste Lucian
sich im Herzen der gebildeten Welt erworben haben!

An Lucians Tische aber hatte endlich in Basel mit Erasmus und Froben auch Hans Holbein gesessen, als er die
köstlichen Zeichnungen am Rande seines Exemplars von Erasmus' „Lob der Narrheit" eintrug, als er die Utopia des Morus
illustrierte, als er an die Composition seines Todtentanzes
gieng. Denn, um nur bei dem letzteren stehen zu bleiben,
wenn auch Holbein in der Idee sich an das Mittelalter anlehnte, so verräth doch der Humor, ja die Ironie, mit welcher
er die Gleichheit aller angesichts des Todes und nach dem
Tode behandelt, indem er alle als Gerippe vorführt, den ge-
lehrigen Leser der Lucianeischen Todtengespräche, welche denselben Gesichtspunct wiederholt hervorkehren[40]).

Aber der Frühling des Humanismus war nur ein kurzer.
Zuerst schwand er in Italien unter den rauhen Kriegsstürmen
dahin. Die Erstürmung der Stadt Rom im Jahre 1527 bedeutet auch den Niedergang des italienischen Humanismus.
Ein neuer Geist bemächtigte sich des päpstlichen Stuhles und
der Humanisten; sie beschränkten sich auf die Pflege der antiken Form. Schon Muret nennt den Lucian einen verschmitzten und unredlichen Schriftsteller[41]); auf dem ersten
Verzeichniss der verbotenen Bücher, welches die Inquisition
zu Venedig 1554 aufsetzte[42]), figurieren auch zwei Lucianeische

Dialoge (Peregrinus und Philopatris), und die Jesuiten schlossen ihn ganz von ihren Schulen aus. In Deutschland aber wandte sich sehr bald alles Interesse den religiösen Fragen und Kämpfen zu.

So nahm die gelehrte Beschäftigung und mit ihr die Theilnahme für Lucian auch in Deutschland ab. Immer weniger wurde er gelesen, immer seltener herausgegeben. Zuletzt eiferte auch der evangelische Bischof und Praeses der Brüdergemeinden Amos Comenius gegen ihn. So sank er ausserhalb einiger Gelehrtenstuben in Nichtachtung.

Aus ihr hob ihn erst wieder die Zeit, welche mit sehnsüchtigem Verlangen zum classischen Alterthum zurückkehrte, die Zeit der lebendigen Versenkung in den Geist desselben und der Verschmelzung desselben mit dem deutschen Geiste, die Zeit des zweiten Frühlings der classischen Philologie, die Blütezeit unserer nationalen Litteratur und Kunst.

Was Lucian dieser Zeit gewesen ist, welche Wirkung er insbesondere auf Wieland, seinen Uebersetzer, den Verfasser der Gespräche im Elysium, der Göttergespräche, des Peregrinus Proteus u. a., gehabt hat; wie die Erzählung des Lucianeischen „Lügenfreundes" vom Zauberer Pankrates und dessen Schüler Eukrates Goethen aufs mächtigste angezogen und so lang beschäftigt hat; bis er den Eindruck derselben in der herrlichen Ballade vom Zauberlehrling verklärt hat; wie ferner der Müllerssohn aus St. Jürgen bei Schleswig Asmus Jacob Carstens, dem die alten Autoren die liebste Lectüre waren, dem Lucianeischen Dialog Kataplus, den er in Wielands Uebersetzung las, zwei seiner schönsten Compositionen, die Einschiffung und die Ueberfahrt des Megapenthes, eine dritte dem Gastmahl oder den Lapithen entnahm — dies und anderes auseinanderzusetzen würde die der Rede gesteckten Grenzen bei weitem überschreiten.

Anmerkungen.

1) Vgl. den Brief des Aurispa an Ambrogio Traversari vom 27. August 1423 (Ambros. Trav. epp. I S. 1026 ep. 896 *Risus et seria omnia Luciani*).

23*

2) Vgl. den Brief des Filelfo an Ambr. Traversari vom 13. Juni 1428 (Ambros. Trav. epp. I S. 1010 ep. 875 *aliqui sermones Luciani*).

3) So übersetzte Guarino in seiner Jugend die Calumnia (Arund. 138 unvollständig; Canon. Misc. 38. Marc. class. X cod. 244; Par. lat. 5834; die Vorrede Laur. 90, 65. Ueber die Entstehungszeit vgl. meine „Verläumdung des Apelles in der Renaissance"); Aurispa das Gespräch zwischen Alexander, Scipio und Hannibal, d. i. das 12. Todtengespräch (enthalten in sehr vielen Handschriften, z. B. Arund. 138. Burn. 226. Canon. Misc. 169. Guelferb. 538. Laur. 90, 52. 90, 65. Monac. lat. 466. Vindob. lat. 841. 2509. 3121. 3420. 4923. 13011. Par. lat. 1676. Andre Handschriften und alte Ausgaben habe ich aufgezählt in den Jahrbb. f. Philol. 1876, 219 ff. vgl. unten S. 358 A. 14), desgleichen das Scaphidium, d. i. das 10. Todtengespräch (Laur. 90, 54. Mon. lat. 11789. Vindob. lat. 13011), den Toxaris (Laur. 89, 16. Par. lat. 1676 und 5829); Rinucci von Castiglione bei Arezzo den Charon oder die Beschauer, welcher schon vorher von einem Anonymus (Laur. Sanct. Cruc. 25 sin. cod. 9. Par. lat. 6142) übersetzt worden war (enthalten im Arund. 277. Laur. 89, 16. Mon. 23861. Par. 8729. Vindob. 3094. 3449), das Scaphidium oder Charon (Arund. 277. Laur. 90, 65. Marc. class. X cod. 244), Philosophorum vitarum venditio (Arund. 277. Laur. 89, 16. Mon. 12728. Par. 8729); Poggio den Asinus (Mon. 424. 477); Lapo die Calumnia (Berolin. Hamilton 106. Holkham 488. Laur. 89, 13. Par. 1616. 3127. 6141), de Tyranno (Holkham 488. Laur. 89, 13. Par. 1616), Demonax (Laur. 89, 13. Par. 1616. 5826. 5828), de fletu (Laur. 89, 13), Longaevi, de sacrificiis, patriae laudatio und de somnio (sämmtlich in Laur. 89, 13 und Par. 1616); Francesco Accolti von Arezzo die Calumnia (Arund. 277. Laur. 53, 21. Mon. 414) und die Saturnalia (Vindob. 5445); Lilius Castellanus die Verae historiae libri duo (Mon. 428. Taurin. 942; gedruckt Neapel 1475) und das Scaphidium oder Charon (Taurin. 942); Petrus Balbus den dialogus Diogenis et Alexandri, d. i. das 13. Todtengespräch (Canon. lat. 126. 169); „Jacobus Mucius Perleus" Ariminensis die Reviviscentes (Par. 8729); Seraphius Urbinas den Charon oder die Beschauer (Par. 8729); Nicolaus Eremita das 7. Todtengespräch (Vindob. 10056); Antonius Tudertinus de sacrificiis und Laus patriae (Vind. 3229).

4) Agricola übersetzte die Calumnia (enthalten im Mon. 414 und 24837; gedruckt von Herm. Frisius in R. Agr. lucubrationes, Coloniae 1529 S. 247) und den Gallus (gedruckt Strassburg 1530).

5) Erasmus übersetzte die Saturnalia, Cronosolon, Epistolae Saturnales, de astrologia, de luctu, Abdicatus, Icaromenippus (1512), Toxaris (1506), Alexander (1505), Somnium (1503), Timon (1504), Tyrannicida (1506), de mercede conductis, dialogi mortuorum (1506), Hercules Gallicus, Eunuchus, de sacrificiis, Convivium seu Lapithae (1517), sämmtlich in Luciani Samosatensis Saturnalia, Cronosolon etc. Des. Erasm. Roterod. interprete, Basileae apud. Jo. Frob. 1521.

6) Morus übersetzte den Cynicus, Necromantia, Philopseudes, Tyrannicida (in der Anm. 5 genannten Ausgabe Bl. 244—284).

7) Pirckheimer übersetzte de ratione conscribendae historiae (Nürnberg 1515), Piscator (Nürnberg 1517), Rhetorum praeceptor (Hagenau 1520; cod. Arund. 175), Fugitivi (ebenda 1520), Navis seu Vota (Nürnberg 1522). Vgl. Wilibaldi Pirckheimeri opp. ed. Goldast, Francoforti 1610 S. 51 u. 235 ff.

8) Mosellanus (Schade aus Bruttig an der Mosel) übersetzte den Charon und Tyrannus (d. i. Cataplus, Hagenau 1518). Vgl. Fabricius-Harles, Bibl. graec. V, 352.

9) Ueber Luscinius (Nachtigall) vgl. Fabricius-Harles a. a. O. 354.

10) Melanchthon übersetzte die Calumnia Leipzig 1518 (oft wiederholt, auch in Luciani Samos. opp. per Jacobum Micyllum translata, Francoforti 1538 Bl. 259—262, zuletzt im Corp. Reform. XVII, 979 ff.) und das encomium Demosthenis 1533. Vgl. Anm. 13.

11) Der älteste, wahrscheinlich zu Esslingen 1478 ausgeführte Druck wurde in der Bibliothek des litterarischen Vereins Bd. 57, 248 ff. wiederholt. In der Vorrede heisst es: *„Poggius florentinus hat . . . von kriechischer zungen zu latinischer gebracht und transferyeret ain wundersam gedicht von luciano ainem aller eltisten poeten gemacht und lutende von ainem menschen der durch etlich kunst der zouberye in ainen esel verkeret . . . Als Ich aber nechst ain zyt in dem ellend gewesen bin, müssig aller arbait, ane des gemütes, kam mir zu handen das selb gedicht Luciani obgemelt. Und die wyle ich aber dozemal aller andern miner büchern daselbs mangel hatt, fiel in min gemüte Mir besser und weger sin, daz ich zu vertrybung schwerer gedencken und fantasyen, Dises gedichte zu tütsch transferyerte.“*

12) Der Titel ist: Von Klaffern. Hernach volgen zway puechlein das ain Lucianus: und das ander Poggius beschriben haben haltend in inen. das man den verklaffern und haymlichen ornplousern: keynen glouben geben soll | Durch herrn Dietrichen von Pleningen zu Schaubegk uñ zu Eysenhofen ritter unnd doktor in theutsch gepracht. Anno. Tausent Funffhundert uñ im Funffzehenden. Auff den fierden tag des monetz Septembris zu Landshüt. Im Vorwort heisst es: *„Damit aber E. F. gnadñ jung gemüet: sich vor den betrognen schalckhafftigen verclaffern: dester pass zu verhüten wisse: und den haymlichen ornplousern und verclaffern kainen glouben geben: hab ich undertheniger getrewer mainung zu ainer kunfftigen warnung Luciani des kriechischen: orators Buechli das er in kriechischer zungen uns verlassen hat: uñ von dem intituliert ist worden das man den ornplousern uñ haymlichen verclaffern: nit glouben geben solt: wöllichs büch newlichen durch den hochberömpten unnd hochgelerten Friesen Rodolfen Agricolam meinen preceptor: säliger gedechtnus zu latin transferiert worden ist: das hab ich E. F. G. zu nutz uñ ere: in unser hochtütsche sprach gepracht: des gleichenn das ander büchlin von Poggio auch auss latinischer sprach in die unser transferiert: —“*

Das „Büchlin von Poggio" ist, wie mir Aug. Wilmanns mittheilt, die invectio in delatores bei Mai, Spicileg. Rom. IX, 622 ff.

13) Vgl. Anm. 10. Der griechische Text folgte das Jahr darauf, gewidmet generoso Adulescenti Henrico Birco Aduben., Wittembergae 1519 bei Melchior Lotter. — Melanchthons lateinische Uebersetzung liegt zu Grunde der (zweiten) deutschen Uebersetzung, welche von Heinrich Knaust, Frankfurt a. M. 1569 in 8°, herausgegeben wurde (unter dem Titel: Calumnia. Dass mann dem Affterreden, Schendung, Lästerung, Angebung unnd verleumbdung, so auff andere geredt unnd aussgespeyet wirdt, nicht leichtlich glauben solle, Oration Luciani Samosatensis. Auss dem Latein in teutsche Sprach verwandelt. Durch H. Heinrich Knausten, der Rechten Doctorn etc. . . . Cum Gratia et Privilegio Imp. zu Franckfort am Meyn 1569), trotzdem es im Vorwort heisst: *„Es hat sich, durch Affterreden etlicher meiner missgünstigen Neider, Ursach zugetragen, dass ich die Oration Luciani Samosatensis, de non temere credendo calumniae, in Graeco exemplari auffgesucht, und noch einmal wider für die Handt genommen, und gelesen habe, so ich doch kaum inn zwentzig Jaren zuvor dieselbige einmal angesehen, als einer der ausserhalb der Philosophischen studien, sonst wol anders und dessen gnüg zu thün gefunden. Wann mir aber gemelte Oration, die ich in so langer Zeit nicht wider gelesen, jetzt uffs new, sogar wol gefallen, als hette ich sie nie zuvor in Schülen gehört und gelesen, so doch das wol zwey mal inn meiner Jugent geschehen, hab ich lust darsü gewonnen, dass solche zierliche Oratio des Luciani, zu dem, dass sie Griechisch unnd Lateinisch redet, auch auff unsere Spraach teutsch reden möchte."*

14) Vgl. meine Auseinandersetzung in den Jahrbb. f. Philol. 1876 S. 219 f. Zu den daselbst benützten Hdschrr. füge die hier in Anm. 3 aufgezählten, zu den ebendaselbst genannten Ausgaben die mir seitdem bekannt gewordene Luciani de veris narrationibus, de asino, philosophorum vitae, Scipio etc. Impressum Mediolani per Magistrum Uldericum scincenzeler. Anno domini MCCCCLXXXXVII die XXII. Martii.

15) Diese Uebersetzung findet sich in dem Werke, welches von M. Ringmannus Philesius dem Kaiser Maximilian I. gewidmet und unter dem Titel gedruckt worden ist: Julius der erst Römisch Keiser von seinen Kriegen, erstmals uss dem Latin in Tütsch bracht und nüw getruckt (in der löblichen fryen stat Strassburg durch flyss Joannis Grüninger uff den sübenden Tag des Mertzen. Anno dñi. MCCCCCVII). Dies Werk enthält zuerst die deutsche Uebersetzung von Caesar de bello gallico, civili *(„dem burgerischen Krieg")*, Alexandrino, Africano, Hispaniensi, sodann von Plutarchs Caesar. Unmittelbar daran schliesst sich auf Bl. CXXIIII: Ein zanck Hañibalis Alexandri, uñ Scipionis welcher under denen der fürtreffelichst houptman sy gewesst ouch zu letst von Julio Cesare u. s. w. Dem Gespräch gehen folgende Worte voran: *„Es haben (schrybt Lucianus) dry treffeliche Houptmeñer Alexander, Hanibal uñ Scipio nach irem Tod vor Minoe, der in ihener Welt ein*

Richter ist, um die oberkeit gezanckt wie nachher volgt uñ hub an Hanibal sprechend." Das Gespräch selbst beginnt: *„Es zimpt sich das ich höher dañ du geachtet werd wann ich biñ besser.* **Alexander:** *Ich soll für war höher geacht werden. — So lass Minoem der für den allerbesten richter geschetzt würt urteilen.* **Minos:** *Wer bistu.* U. s. w. — **Alexander:** *Das ist Hañibal von Carthago und ich Alexander."* Und nach der Rede des Scipio und dem Urtheil des Minos folgt als Schluss: *„Ist wol zu gedencken was Minos gesprochen uñ welchē er für den höchsten würd geacht haben, wañ Julius der Keiser zu gegē wer gewesst uñ gesagt het Ich heiss Cajus Julius Cesar uñ biñ zu Rom võ meinē vatter L. Julio Cesare (der mir starb da ich 16 jar alt war) geboren worden* u. s. w. — *So hat der Himmel das ist kundt O Keiser dich unss hie vergundt. Und dich zu einem got gemacht. Geert würstu mit grossem gbracht"* (Bl. CXXVI).

16) Beide finden sich zusammen mit den Uebersetzungen selbst in der in Anm. 5 genannten Ausgabe der Uebersetzungen des Erasmus Bl. 136 b ff. und 285 ff.

17) Zuerst Basel 1539, dann in Caelii Calcagnini opera aliquot, Basel 1544 S. 218—228 gedruckt. Die Widerlegung beginnt S. 220 folgendermassen: *„Magistro Atheniensium Aristarcho Phalerco Pyanepsionis adhuc stantis septima, id est circiter nonas Octobres, ταῦ respondit accusationi Sigma literae, ciusque argumenta diluit, et in eam periculum omne accusationis retorsit, septem Vocalibus ʾiudicio praesidentibus ad clepsydram. Accusationem Sigma Lucianus Samosateus, Defensionem ταῦ Caelius Calcagninus literis mandarunt."*

18) Es ist dies die Ausgabe in Quart, welche unter dem Titel: Luciani Samosatensis Dialogi VI. Latine den Charon, Timon, Palinurus et Charon, Scipio, Charon, Vitarum auctio enthält und mit denselben Typen wie die Homiliae S. Jo. Chrysostomi bei Georg Lauer in Rom 1470 gedruckt ist. Vgl. Audiffredi, catalogus Romanarum editionum saeculi XV S. 409. Panzer, Ann. typogr. II, 523. Auch in den folgenden Ausgaben ist der Palinurus enthalten, zuletzt in der von Hemsterhuys-Reitz vol. III S. 693 ff. Nach Audiffredi ist Rinucci der muthmassliche Uebersetzer; richtiger hiesse es: Verfasser. Doch bleibt der Name desselben unsicher, bis handschriftliches Material entdeckt sein wird. Eine deutsche Uebersetzung des Gesprächs erschien unter dem Titel: Luciani Palinurus uss kriechischer sprach durch das Latyn in tütsch transferiret, sagen von Geferlichkeit und trübsal in allen Stenden der Welt, Cöllen am ryn 1512 in 4°, von Johannes Galinarius, der freyen Künst meyster. Wiederholt Strassburg in demselben Jahre. Vgl. Goedeke, Grundriss zur Geschichte der deutschen Dichtung I, 446.

19) Es ist dies die von Benedictus Bordo in Venedig 1494 bei Simone Bevilaqua besorgte Ausgabe von Luciani de veris narrationibus de asino aureo etc., wiederholt Mediolani per Magistrum Uldericum scincenzeler 1497 und öfter, zuletzt bei Hemsterhuys-Reitz vol. III S. 706 ff. Nach dem mir nur aus Hains Repertorium bibliographicum II, 1 N. 10272

bekannten Drucke (Luciani Philosophi libellus de Virtute conquirente:
in quo introducuntur Mercurius accitus a Virtute petens quid ipsa velit:
et illa factum exponit suum: traductus a Graeco in Latinum noviter per
Carolum Aretinum. Accedit eiusdem dialogus de funerali pompa
per Rinutium traductus. s. l. a. et typ.) wäre auf Carlo Marsuppini als
Verfasser zu schliessen, aber auch hier ist Vorsicht geboten, bis handschriftliches Material vorliegen wird. Als Handschrift in diesem Sinne
kann der zwischen 1511 und 1513 geschriebene codex Monac. lat. 24506
nicht gelten.

20) Das Stück des am 20. Februar 1494 in Reggio gestorbenen
Dichters, welches zuerst unter dem Titel: Timone Commedia del magnifico
Conte Matteo M. Bojardo Conte de Scandiano, Scandione 1500, gedruckt
wurde, enthält vor dem Prolog die Bemerkung: „*traducta de uno Dialogo
de Luciano a complacentia de lo Illmo Principe Signore Hercule Estense
Duca de Ferrara.*" Es ist dies Ercole I (1471—1505). Vgl. Timone, comm.
di Matteo Maria Bojardo, ed. Baruffaldi, Ferrara 1809 S. 11 u. 31. Das
Stück hält sich bis auf den letzten Act ganz an den Dialog des Lucian,
welcher selbst den Prolog spricht, nur dass an Stelle des Plutos la
Richezza erscheint, dass Timon einen doppelten Schatz (erstens Gold
beim graben, zweitens zwei Urnen mit Geld im Grabe des Timokrates,
wo er den ersteren Schatz verbergen will) findet, dass die Nachricht
von der Auffindung dieses Schatzes durch die Fama, welche zu Anfang
des 4. Actes auftritt, verbreitet wird. Die Lösung des ganzen im
5. Acte wird nicht selbst vorgeführt, sondern nur von Boezio (= Ajuto)
angedeutet: Parmeno, der Freigelassne, und Siro, der Sklave des Filochoro, werden, nachdem sie sich vor den Schelt- und Drohworten
Timons zurückgezogen haben, sobald er sich in die Einsamkeit begeben
hat, wiederkehren und den doppelten Schatz finden; die zwei Urnen
mit Geld wird Filochoro, der Sohn des Timokrates, welcher sie versteckt
hatte, das Gold des Timon werden Parmeno und Siro erhalten.

21) Vgl. Delius im Shakespeare-Jahrbuch II, 341. Tschischwitz
ebenda IV, 160 ff. Adolf Müller, die Quellen, aus denen Shak. den
Timon von Athen entnommen hat, Jena 1873.

22) „Laus Podagrae" in den Opera S. 204 ff. Vgl. das Gespräch
des Hans Sachs, Werke herausgeg. von Keller IV, 402 ff.

23) Das Stück wurde 1531 aufgeführt, wie sich aus den zwei bereits
von Classen, Jacob Micyllus S. 82 angezogenen Stellen in Briefen des
Eoban Hesse an Micyllus (Helii Eobani Hessi et Amicorum epistolarum
familiarium libri XII, Marpurgi Hessorum 1543 S. 47 u. 49) ergibt,
wurde aber erst von Julius, dem Sohne des Jacob Micyllus, durch den
Druck veröffentlicht in Jacobi Micylli Argentoratensis Sylvarum libri
quinque. Quibus accessit Apelles Aegyptius seu Calumnia, antehac, ut
et caetera pleraque, nondum edita. Ex officina Petri Brubacchii 1564
S. 577—679. Die Fabel des Stücks hält sich ganz an Lucian; die Personen des Antiphilus, Apelles, Ptolemaeus, der Diabolo, Alethia und

Metanoea hat Micyllus ohne weiteres herübergenommen, desgleichen
Apate und Epibaletis (d. i. Epibule oder Epibuleusis) als Dienerinnen
der Diabole oder Calumnia (Act III Scene 1), aus Phthonos hat er
Phthonides, den Vater der letzteren, aus Agnoia und Hypolepsis hat er
Anoëmon und Hypoleptor gemacht und diesen als dritten Rath des Königs
den Colacides beigesellt, ausserdem nur noch zwei Sklaven Chromylus
und Mnesilochus sowie mehrere Räuber und Gefangene eingeführt.

24) Der Titel ist: Apelles, Ein schöne Historia Wider die Ver-
leumbder erstlich von Luciano in Griechischer Spraach Und zu unser
Zeit vom Hochgelerten Herren Jacobo Mycillo, Komedien weiss in Lateinischer sprache gestellet Jetzt aber in künstliche Teutsche Reimen
gefasset sehr nützlich zu lesen Durch Jacobum Cornerum Hassgerodensem
Pfarrherrn zu Gusten. Getruckt zu Franckfurt am Meyn, MDLXIX. In
dem Vorworte heisst es: *„Diese Comedia* (Apelles) *hat mir dermassen gefallen, das ich sie in der Schule zu Heckstedt, da ich da zumal veror-
denter Schulmeister, anzurichten bedacht war, wo ichs nicht umb der
Knaben willen auss wichtigen Ursachen hett underlassen müssen. Darumb
ich offtmals wündschet das etwa ein guter Deutscher Poet so vil arbeit
dran kerete und dieselb durch gute reimen auff den plan brechte vielen
guthertzigen zu grossem nutze. Aber ich habe bissher keinen vernommen,
so viel als mir bewusst, der solchs gethan hette, derhalben ich nach meinem
geringen verstand von Gott gegeben, davor ich im hertzlich danke, entlich
die arbeit angefangen, Und so gut als ich vermocht verdeutschet habe.
Solchen meinen geringe Fleiss hab ich E. E. W. zuschreiben unnd dedi-
ciren wöllen, umb dieser ursachen willen, das in ewer Kirchen die rechte
reine lehre des heiligen Euangelii fleissig gepredigt wird, und die widersacher so dieselbe lere mit iren wunderlichen ja gotlosen calumnii an-
fechten, mit waren grunde hefftig von euren Predicanten widerlegt
werden"* u. s. w. Die Uebersetzung selbst in gereimten iambischen Dimetern ist ziemlich frei. Vorangeht ein Prologus, gerichtet an den
„Erbarn Rath" und die übrigen Zuschauer; nachfolgt ein Epilogus, enthaltend den Dank an dieselben mit erbaulichen Betrachtungen über den
Inhalt des Stücks und andere Beispiele bestrafter Verläumder. Juppiter
ist hier durch „Gott" ersetzt. Statt *Metanoea* steht durchweg im Druck:
Metanora.

25) So ist z. B. die „tragedi" Caron vom Jahre 1531, wie der
Dichter selbst sagt (Werke VII, 1: *„In freundtschaft, gunst, euch zu gefallen, Kumb wir, ein tragedi zu halten, Die hat gemachet bei den alten
Lucianus, der gross poet. Griechisch er die beschreyben thet Und wirdt
genannt Staphidion"* u. s. w.), Lucians 10. Todtengespräche (Skaphidion)
nachgebildet. Hans Sachs hat nur hinter dem Philosophus noch den
Epikurus eingeschoben, welcher im Zustande furchtbarster Trunkenheit
zu spät kommt und den Nachen des Charon noch einmal zurückruft.
Die „comedi" das iudicium Paridis (ebenda VII, 41 ff.) hält sich in
vielen Einzelheiten an das 20. Göttergespräch des L., welcher auch im

Prolog unter den Quellen genannt ist. Formelle Nachahmung des L.
bieten die zahlreichen Gespräche der Götter.

26) Z. B. in der social-philosophischen Satire Il filotimo, einem
Gespräch zwischen Beretta und Testa über das grüssen und den Begriff
der Ehre (Il filotimo. Dialogo di M. Pandolfo Coldonese. Interlocutori
Testa e Beretta, Bergamo 1594). — Ueber den Momus des Leo Battista Alberti vgl. unten Anm. 35.

27) Opera ed. Boecking IV, 1 ff. Vgl. Strauss, Hutten S. 124².

28) Opera IV, 43 ff. Vgl. Strauss S. 224².

29) Dieser ist der Verfasser des von manchen Seiten dem Erasmus
oder Hutten zugeschriebenen F. A. F. Poetae Regii libellus de obitu
Julii P. M. Anno Domini 1513 (wieder abgedruckt in Hutteni opp. IV,
421 ff. Vgl. Strauss S. 70²). Als der abgeschiedne Papst Julius II. an
die Himmelspforte kommt, vermag er dieselbe nicht aufzuschliessen. Er
meint, das Schloss sei verdreht, wird aber von dem .ihn begleitenden
Genius dahin belehrt, dass sein Schlüssel wol zu seiner Geldkiste, nicht
aber zur Himmelspforte passe. Als endlich auf sein lautes schelten und
heftiges pochen Petrus erscheint, den Papst in seinem Prachtgewande
erblickt und aus seinem Munde die Thaten und Grundsätze seines Regi-
mentes hört, verweigert er ihm den Einlass, da er nicht besser als der
Sultan sei. Vergebens bedroht ihn der Papst mit Excommunication und
Bannbulle. Er muss abziehen, nachdem er geschworen hat, dass er in
wenigen Monaten mit einem Heere von 60000 Streitern wiederkehren
und den Petrus aus dem Himmel jagen werde.

30) Opera IV, 269 ff. Strauss S. 293².

31) Opera IV, 407 ff. Strauss S. 500².

32) Hutteni opp. IV, 515 ff. Strauss S. 514².

33) Th. Mori opp., Francof. ad Moen. 1689 S. 214ᵇ: *Luciani quoque
faceiiis ac lepore capiuntur.*

34) Buch II Cap. 30. Anderes hat Regis, Meister Franz Rabelais
Garg. und Pantagruel II, 1 S. 242. 343. 396. 405. 416. 432. 435. 465.
467. 576. 634 angemerkt.

35) Am offensten tritt diese Vertrautheit in seinem Momus (1451
abgefasst, vgl. Hettner, Italien. Studien S. 50, aber erst 1520 zu Rom
gedruckt: Leonis Baptistae Alberti Florentini Momus) zu Tage. In dieser
gegen die Schäden des öffentlichen Lebens seiner Zeit gerichteten Satire
hat Alberti nicht nur viele einzelne Gedanken und Scenen, sowie die
Hauptfigur, den Momus, dem Lucian entlehnt, sondern hat es auch offenkundig auf eine Nachahmung desselben in Form und Tone abgesehen.
Besonders bemerkenswerth scheint mir auch, wie beide in der Kunst pla-
stischer Beschreibung von Persönlichkeiten übereinstimmen. Nebenbei
erinnere ich daran, dass Lapo (s. oben S. 356, A. 3) dem Alberti seine
Uebersetzung von L. de sacrificiis widmete (Bandini, Catal. codd. lat.
Laur. III S. 362).

36) Eine Publication und Besprechung sämmtlicher Darstellungen werde ich in meiner „Verläumdung des Apelles" geben.

37) Vgl. über den Gegenstand meine „Farnesina-Studien" S. 102 und 139 ff. Die daselbst S. 141 über die Nachbildungen der Raffaelischen Zeichnung vorgetragenen Vermuthungen werde ich anderswo theils zu bestätigen, theils zu berichtigen haben.

38) Das Bild befindet sich in der Gallerie des verstorbenen Königs Georg von Hannover N. 415, rührt aber schwerlich von Rubens selbst her.

39) Das Verdienst, auf die Stelle des L. für die Deutung der Composition zuerst aufmerksam gemacht zu haben, gebührt Conze (Jahrbb. f. Kunstwissenschaft I, 359). Eine schöne Bestätigung dieses Gedankens hat Wickhoff (Mittheilungen des Instituts f. österreich. Geschichtsforschung III, 434) in einer Medaille auf den Cardinal Alexander Farnese gefunden. Ich hoffe im obigen nachgeholt zu haben, was Conze selbst gesehen haben würde, wenn er statt der undeutlichen und sicher unechten Sepiazeichnung der Brera die Originalzeichnung in Windsor Castle gekannt hätte.

40) Vgl. Woltmann, Holbein II, 105.

41) Var. lectt. 17, 8: „ut vafer quidem et improbus, sed politus et urbanus scriptor ait Lucianus" und 18, 16 „si quis sanctissimum eundemque eloquentissimum virum (Gregorium Nazianzenum) a summe impio, sed culto tamen ac polito scriptore (Luciano) aliquid sumsisse credat."

42) Vgl. Reusch, der Index der verbotenen Bücher I, 228.

Das Lied vom Igel.

Von

JOHANNES BOLTE.

Das im Archiv XIII, 427 gesuchte Spottlied auf die Leineweber glaube ich aufgefunden zu haben[1]). Es steht in einem
um die Mitte des 17. Jahrhunderts in Hamburg entstandenen
und mehrfach gedruckten Liederbuche, von dem mir nur das
Exemplar der königlichen Bibliothek zu Berlin zur Hand ist:
Venus-Gärtlein: | Oder | Viel Schöne, | außerlesene Weltliche
Lieder, | . . . | Hamburg, | Gedruckt bey Georg Papen. | Im
Jahr, 1659. | Am Schluss: Hamburg, | Gedruckt durch Georg
Papen, 1655. 1 Bl. + 302 S. + 3 Bl. 8°. — W. v. Maltzahn,
Deutscher Bücherschatz 1875 S. 304 Nr. 718 verzeichnet eine
spätere Auflage: Hamburg, Jacob Rebenlein 1661. Das Igellied steht ohne Versabtheilung in der Ausgabe von 1659 S. 39 f.
und ist in modernisierter Orthographie wiederholt in Hoffmann von Fallerslebens Gesellschaftsliedern des 16. und 17. Jahrhunderts 1860 2, 193 Nr. 356.

Dass ein Volkslied, dessen Entstehung vielleicht noch ins
15. Jahrhundert fällt, nur in einem Drucke des 17. auf uns gekommen ist, wird keinen Kenner der Ueberlieferung befremden.
Ausserdem aber weist das „Venusgärtlein" neben zahlreichen Er-
zeugnissen gleichzeitiger Dichter, wie Rist, Voigtländer, Göring
und besonders Greflinger, auch eine ganze Reihe älterer Lieder
auf: S. 105 das Hildebrandslied (21 Str. Uhland, Deutsche
Volkslieder Nr. 132 = Böhme, Altdeutsches Liederbuch Nr. 1),
S. 275 „Ich sah mir den Herrn von Falkenstein" (10 Str. Uhland

---

1) Das im Archiv XIV, 106 von Boxberger angeführte Igellied in
Schmeltzls Sammlung enthält keine Beziehung auf die Leineweber.

124 = Böhme 29), S. 214 „Es liegt ein Schlösslein in Oesterreich" (17 Str. Uhland 125 = Böhme 27), S. 225 das Lied
vom Lindenschmied (14 Str. Uhland 139 = Böhme 376),
S. 143 „Störtebecher und Gödke Michael" (26 Str. v. Lilien-
cron 44 = Böhme 366), S. 55 „O Magdeburg halt dich feste"
(22 Str. Uhland 202 = Böhme 405), S. 228 „Wehr ich ein
wilder Falke" (12 Str. Böhme 54), S. 212 „So wünsch ich
ihr ein gute Nacht" (5 Str. Uhland 73 = Böhme 435) u. a.
Endlich haben wir auch ein bisher freilich noch nicht ver-
werthetes, um fünfzig Jahre älteres Zeugniss für die Existenz
unseres Liedes in einem Quodlibet Melchior Franks v. J. 1611:
„Ach lieber Igel, lass mich leben, ich will dir meine Schwester
geben, nun wolan"; und dieselben aus der 6. Strophe entlehnten
Worte mit demselben Melodiefragment begegnen uns um
1620 in einem Quodlibet von Nicolaus Zangius[1]) wieder.

Der Text mag allerdings hin und wider verdorben sein.
Strophe 7: „Sie stilt mir das vierdte Kläwen (= Knäuel)"
ist, wie aus dem Redentiner Osterspiel V. 1514 f.[2]) hervorgeht, ein sprichwörtlicher Ausdruck für das Garn - stehlen
der Leineweber; hier klagt sich der in der Hölle befindliche
Weber an:

> „ik levede sere an untruwe,
> wente ik nam jo dat verde cluen."

In Strophe 10, 5 lautete das letzte Wort ursprünglich wol:
„scheiden". Dass in Strophe 6 Grete: schiessen nur im niederdeutschen Dialekte einen reinen Reim ergibt, kann Zufall sein.

---

1) Böhme, Altdeutsches Liederbuch Nr. 501, vgl. Weimarisches Jahrbuch III, 129. — Sehr ähnlich lautet der Reim, mit dem in der Sage von
der Gräfin von Orlamünde deren Töchterchen den von der verblendeten
Mutter gedungenen Meuchelmörder anfleht: „Lieber Hayder, lass mich
leben, ich will dir all meine Docken geben." Grimm, Deutsche Sagen²
Nr. 585. Arnim und Brentano, Des Knaben Wunderhorn II, 290 ed. Birlinger und Crecelius. Eine ähnliche Mordgeschichte bei J. Manlius,
Locorum communium collectanea, Francof. 1594, S. 305; vgl. den Ab-
zählreim bei A. Peter, Volksthümliches aus Oesterreichisch - Schlesien
I, 39 Nr. 121 und ferner noch Grimm, Kinder- und Hausmärchen III³,
190 und 225 zu Nr. 108 und 141. Deutsche Sagen² Nr. 445. A. Hartmann, Oberbayr. Archiv XXXIV, 165.

2) Mone, Schauspiele des Mittelalters II, 88.

Hinsichtlich des Inhalts wird man sich durch den Kampf zwischen Igel und Leineweber an die bekannten Spottlieder auf den Kriegszug der Schneider gegen die Schnecke und den Ziegenbock oder die Geis erinnert fühlen (O. Schade, Deutsche Handwerkslieder 1865 S. 251 und 253 = Des Knaben Wunderhorn II, 680 und 682; F. W. v. Ditfurth, 110 Volks- und Gesellschaftslieder des 16., 17. und 18. Jahrhunderts 1875 S. 141). Dass die Leineweber häufig mit dem Igel geneckt wurden, beweist auch eine Erzählung in Paulis Schimpf und Ernst (1522) Nr. 603 von einem Weberknechte, welcher bei keinem Meister dienen wollte, der einen Igel in seinem Hause hielt. Und Kirchhof, Wendunmut I, 235 (1563), lässt einen Leineweber berichten, dass ihr jährlich neugewählter Zunftmeister einen Igel bei sich im Hause ernähren und halten müsse. Vielleicht gab auch irgend ein wirkliches Begebniss den Anstoss zu jener Dichtung, wie ein analoger Fall glaublich machen könnte.

Am 10. März 1625 erliess der brandenburgische Kurfürst Georg Wilhelm, welcher erfahren hatte, dass die Bernauer leichtsinniger Weise den Gregorius-Tag mit einem festlichen Aufzuge begehen und am Sonntage darauf eine Komoedie spielen wollten, von Cölln an der Spree eine scharfe Vermahnung an Bürger und Rathmannen der Stadt, bei Vermeidung 100 Thaler' unnachlässiger fiscalischer Strafe in den jetzigen betrübten Zeiten sich alles Gassatim-gehens mit dem Gregorio, so auch aller Komoedien ganz zu enthalten. „Auch pflegen", fügte er als letztes und schlagendes Argument hinzu, „die ewrigen Comoedien ohne das etwas hultzernn vnnd schlechtt abzugehen: also das Ihr auch ausser deme am besten thuen wurdet, ob Ihr vmb etwas anders vnd nichtt vmb Comoedien bekummert weret. Es ist kaumen der erschossene wolff vergessen: gebt nun durch die Comoedien den benachbarten newe materien, sich vber die von Bernaw zuerlustigen"[1]). Was es mit dieser für die Bernauer sicher peinlichen Wolfs-

---

[1] Berliner Geheimes Staatsarchiv, Rep. 47 B. 6, Min. Arch. 191. Das ganze Schreiben ist abgedruckt in L. v. Ledeburs Neuem allgem. Archiv für die Geschichtskunde des preussischen Staates III, 181 (1836).

geschichte auf sich hatte, verräth uns ein Titel, den ich dem
Auctionskatalog der berühmten Bibliothek des Andreas Erasmus
von Seidel (Berlin 1718) entnehme: „Wolffgangi Canisii
Lupercalia Bernaviana oder Bernauische Wolffs-Jagt, da man
in Ermangelung einer Brillen einen Hund für einem Wulffe
erschossen, in einem Singe-Gedichte 1602". Wenn dies Jagd-
unglück den Bernauern noch 23 Jahre später in officieller
Weise vorgehalten wurde, so musste es offenbar längst für
Neckereien und Spottgedichte ergibigen Stoff geliefert haben.
Mehrere Schweizer Spottlieder auf verfehlte Jagden sind bei
L. Tobler, Schweizerische Volkslieder I S. CXII—CXIV be-
sprochen.

Ich theile nun das Lied vom Igel und Leineweber genau
in der Schreibweise des Originals mit:

1. Ein Schneider und ein Ziegenbock,
ein Leinweber und ein Igelkopff,
ein Körßner und ein Katze,
nun wollan,
die tantzen auff einem Platze,
so mein Igel so, so mein Igel so.

2. Die Leinweber hätten sich eins vermessen,
bey dem Bier und da sie sessen,
sie wolten in das Holtz fahrn,
nun wolan,
sie wolten den Igel tod schlagen,
so mein Igel so, so mein Igel so.

3. Und das erhörte die Fledermauß,
sie gieng wol für des Igels Hauß,
Igel lieber Herre,
nun wolan,
die Leinwebers drewen dich sehre,
so mein Igel so, so mein Igel so.

4. Der Igel war ein zürniger Mann,
er zog zwey blancke Sporen an,
blanck biß auff die Erden,
nun wolan,
gegen die Linnewebers wolte er sich wehren,
so mein Igel so, so mein Igel so.

5. Die Kurtzweil wehrt ihn dar nicht lang,
die Schwerter gingen klingen klang,
der Linneweber wolt sich bücken,
nun wolan,
vor dem Igel must er sich strecken,
so mein Igel so, so mein Igel so.

6. Ach .lieber Igel laß mich leben,
ich wil dich meine Schwester geben,
meine Schwester Grete,
nun wolan,
sie kan die die Spulen schiessen,
so mein Igel so, so mein Igel so.

7. Und deine Schwester wil ich nicht,
sie ist ein lose böse Hure,
sie ist mir ungetreue,
nun wolan,
sie stilt mir das vierdte Kläwen,
so mein Igel so, so mein Igel so.

8. Sie stal mir einen Ummegang,
der war wol viertzig Elen lang,
sie nam ihn auff den Rücken,
nun wolan,
sie lieff damit über eine Brücken,
so mein Igel so, so mein Igel so.

9. Sie lieff wol einen Berg hinan,
das sahe die Frawe und auch der Mann,
das sahen alle die Leute,
nun wolan,
was wil uns das bedeuten,
so mein Igel so, so mein Igel so.

10. Sie lieffen wol hinter einen grünen Pusch,
da [da] spielten sie beyde jhres Hertzen-lust,
da lebeten sie in freuden,
nun wolan,
darmit hat die lieb ein ende,
so mein Igel so, so mein Igel so.

11. Wer ist der uns diß Liedlein sang,
ein freyer Igel ist er genandt,
er hat es wol gesungen,
pfuy dich an,
die Linnewebers hat er überwunden,
so mein Igel so, so mein Igel so.

Zu Paul Fleming.

Von

KARL GOEDEKE.

In Flemings Poetischen Wäldern (III, 5, S. 131; S. 40 bei Lappenberg) steht ein in Alexandrinern abgefasstes Gedicht: „Auf einer Jungfrauen Absterben". Weder der Name der verstorbenen noch die Zeit der Abfassung sind bisher bekannt gewesen, da ein erster oder Einzeldruck nicht aufgefunden war. Ein solcher liegt mir vor, und zwar als Anhang zu: „Christliche Leichpredigt Vber die Wort des 73. Psalms: HERR, wenn ich nur dich habe, so frage ich nichts nach Himmel vnd Erden, etc. Beym Begräbnus Der Erbaren vnd Tugendsamen Jungfrawen Anna Marien, Des Ehrnvesten vnd Wolgeachten H. JOHANN GROSENS, Bürgers vnd Buchhändlers alhier eheleiblichen Tochter.... Gehalten von CHRISTIANO Langen, S. S. Theol. D. et Prof. Publ. ad D. Thomae designato Pastore. Gedruckt zu Zwickaw, bey Melchior Göpnern, Anno 1633." 5 Bogen, A — E 4. Quart. Das unbestimmte alhier des Titels veranlasste den Sammler des Bandes, in welchem sich die Leichenpredigt in Göttingen (Conciones funebres, Quart, G. Mulieres III, 18) befindet, die Familie Grosse in Zwickau, dem Druckorte, zu suchen. Der Titel des Anhanges (D 2 fg.) widerlegt das. Derselbe lautet:

Frommer Kinder Ehrenspiegel, | Abgebildet | In den Trawergedichten, | Bey der ansehnlichen Leichbestattung | Der Erbarn vnd viel Ehrn Tugendreichen | Jungfrawen | Anna Mariae, | Des Ehrnvesten vnd Wolgeachten | Herrn Johann Grossen, | Bürgers vnd Buchhändlers | in Leipzig, Eheleiblichen | Tochter. | Welche den 3. Julij, Anno 1633. jhres | alters

15. Jahr, 25. Wochen, 4. Tage, durch den | zeitlichen Todt von dieser Welt abgefodert, vnd den 5. dito | in ansehnlicher Frequens zu jhren GroßEltern | vnd Geschwistern beygesetzt vnd | begraben worden.

Dieser Anhang enthält ein lateinisches Gedicht (18 Hexameter) von Felix Heinrich Borck, Eques Pom.; sodann deutsche Gedichte von M. Adam Olearius; M. Paul Fleming; Petrus Meerman; Bonaventura Rehefeld Bornensis Alumn. Elect., der verstorbenen Schwager; Hugo Mörlinn; David Heimburger, Phil. Stud. et Philiater; G. R. (=Gregorius Ritzsch?); eine „Trawer Ede [!]" von den „Gespielinnen" und nochmals ein alexandrinisches Gedicht von Bonaventura Rehefeld Lips. piae defunctae Consobrinus. Von den hier genannten Dichtern kommt, ausser Adam Olearius, keiner sonst in dem Bekanntenkreise Flemings vor, und ebensowenig wird der Leichenredner Lange darin genannt oder eine Beziehung Flemings zu der Familie Grosse erwähnt. Doch sind einige der Einzeldrucke aus des Dichters Leipziger Zeit bei Elias Rehefeld gedruckt, und Felix Heinrich Borck, Eques Pom., erscheint mit einem lateinischen Gedichte in den Propemticis, mit denen Leipziger Freunde 1633 den auf die grosse Reise gehenden Adam Olearius begleiteten.

Anna Maria Grosse war nach der Leichenrede (Ciij fg.) die Tochter des Bürgers und Buchhändlers Johann Grosse und dessen Frau Magdalena, Valentin Stolbergers Tochter, Bürgers und Bareth Cramers in Leipzig, geboren am 5. Januar 1618, am 7. getauft, von Kindheit an zu Hause in aller Gottesfurcht auferzogen, zum Gebet gehalten und, als sie etwas zum Verstande kommen, zur Schule, da sie lesen, rechnen und schreiben gelernet, fleissig angetrieben worden. Sie ist fleissig mit ihren Eltern zur Kirche gegangen und bisher, nachdem sie über das 12. Jahr ihres Alters gekommen, hat sie sich neben den Eltern beim Beichtstuhl und hochwürdigen Nachtmahl des Jahrs zum öftern eingestellt. Die Eltern haben sich auch beflissen, sie also anzuführen, dass sie in Haushaltungssachen und andrer nützlichen Arbeit recht unterwiesen würde. Am 29. Juni 1633 stiess sie ein hitziges Fieber an, das sie anfangs nicht achtete, vielmehr meinte, es

werde sich wol verziehen. Allein am folgenden Tage, als sie
noch in der Sonntagsfrühpredigt gewesen, wurde ihr schlimmer,
so dass sie bettlägerig wurde. Die Krankheit wurde heftiger.
Am ·Mittwoch, 3. Juli, früh am Morgen verlangte sie das
Abendmahl. Als die Mutter fragte, was denn ihr Beichtvater
mitbringen würde, dass sie ein so herzliches Verlangen nach
ihm habe, antwortete sie: „Meinen lieben Herrn Jesum
Christum, den ich fest in mein Herz geschlossen habe." Um
vier Uhr beichtete sie, bat ihre Eltern um Verzeihung, wenn
sie dieselben erzürnt habe, empfieng das heilige Abendmahl
und starb kurz vor 6 Uhr.

Das Gedicht selbst hat kleine Abweichungen von dem
bekannten Texte, der, wie es scheint, nicht von Fleming, über-
arbeitet ist.

Was sol man ferner thun. sie ist nun mehr vorbey,
Das liebe schöne Kind. die Augen sind entzwey,
Diß war der letzte Hauch, in dem die fromme Seele
Aus jhrem Miethause, des keuschen leibes höle,
In jhr recht Vaterland, den hohen Himmel reist,   5
Diß, was hier hinterbleibt, vnd auff die Erde weist,
Ihr wolgeschmückter Leib, wil hin, woher er kommen,
In seiner Mutter Schoß, es hat zu sich genommen,
Ein jedes seinen theil, Ihr blassen Eltern jhr,
Ihr klagt nun gar zu spaat, vor war sie noch allhier,   10
Vor war man noch in furcht, sie würde nicht genesen,
Jetzt steht sie nicht mehr auff. Er ist nun da gewesen,
Des Leibes Gast, der Geist, jetzt hilfft kein Weinen nicht,
Kein Bitten, keine Buß, vnd was man sonst verspricht,
In einer solchen Angst, sie hat den wundsch erfüllet,   15
Der doch auch ewer war, jhr Leid ist gantz gestillet,
Vnd ewers hebt sich an, stillt aber ewers auch,
Daß sie auch ruhen mag, beweist der Christen brauch,
Die zwar den frühen Todt den jhren heist betawern,
Sind aber nicht ohn Trost auch mitten in den Trawren,   20
Vnd vnterscheiden wol, was jhr vnd Gottes ist,
Der mehr, als seines, nichts hinwieder jhm erkiest,
Zur Vnzeit vnd zur Zeit, was er zuvor verborget,
Das fordert er mit recht, ein Heidnisch hertze sorget,
Spricht: einer der jung stirbt, dem ist der Himmel feind.   25
Nicht so, wer zeitlich stirbt, mit dem ist Gott mehr Freund.
Die Liebe hast verzug. Je bälder einer stirbet,
Je lieber ist [er] Gott. Was aber hier vordirbet,

Der Leib, die Zier, die Kunst, vnd was man sonsten liebt.
30 (Darinnen ewer Kind euch billich mehr betrübt,
Die weil sie fertig war:) das folgt der flucht der Zeiten.
Gott aber wird den Leib hinwieder zubereiten,
Daß er sol ewig seyn, da denn die Kunst·vnd Zier,
Die nicht kan vntergehn, wenn wir sind nicht mehr hier,
35 In den verklärten Leib wird wieder eingegossen,
Daß sie gleich ewig seyn. In des habt jhr genossen,
Der zwar wol kurtzen Zeit, da ewer Tochter euch
Von Hertzen hat erfrewt. Sie war an schönheit reich,
An Gaben vielen vor, der Rehen zuvergleichen,
40 Der weisen Künstlerin, ein auffgestecktes zeichen,
Der angelegten Zucht. Vollkommen war sie schon,
Ob sie gleich noch ein Kind: drumb muß sie jung darvon.
Ein Obst, das balde reifft, wird zeitlich abgenommen.
Wir sind von Wilter art. gönnd jhr zu was sie kommen,
45 Vnd wisset, das die Zeit, die sie, als wie man schätzt
Allhier zu kurtz gelebt, die Ewigkeit ersetzt.

                                        M. Paul Fleming.

Abweichungen:

V. 9: Ihr bleichen Lappenberg. — 13: der Leiber L. —
16: eure L. — 17: eures L. — eures L. — 18: recht ruhen L. —
19: der zwar den frühen Tod der Seinen L. — 20: nicht aber
trostlos läßt L. — 21: Sie unterscheiden L. — 25: Einem der
jung L. — 26: zeitlich fält L. — 28: verdirbet L. — 31: der
Flut der Zeiten. L. — 34: nicht mehr wir L. — 37: eure L. —
39: an vielen Gaben hold L. — 40: ausgestecktes L. — 41: der
angewandten L. — 42: ob sie gleich war ein Kind·L. — davon
L. — 44: wilder L.

Fortgesetzte Nachträge zu „S. Hirzels Verzeichniss einer Goethe-Bibliothek, herausgegeben v. L. Hirzel" und zu „Goethes Briefen" von F. Strehlke.

Von

WOLDEMAR Freiherrn v. BIEDERMANN.

Noch immer bleiben bisher entgangene Nachzügler von Büchern und Zeitschriften nicht aus, in denen der Druck eines Goethischen Schrifterzeugnisses vorliegt. Die hier folgenden Nachträge aus Jahren vor 1885 sind z. Th. Nachweisen von G. v. Loeper und R. M. Werner zu verdanken.

1808.

Neue Berlinische Monatsschrift. Herausgegeben von Biester. Zwanzigster Band: Julius bis Dezember 1808. Berlin und Stettin, bei Friedrich Nicolai. [S. 183 das Epigramm auf Kaufmann als ein „in Weimar" verfasstes bezeichnet, abweichend von der Fassung, wie sie Riemer und Veit übereinstimmend mittheilen.]

1810.

Prometheus. Eine Sammlung deutscher Original-Aufsätze berühmter Gelehrten. Herausgegeben von Joseph Ludwig Stoll. Wien und Triest, 1810. Bey Geistinger. [Heft 1 S. 1—11 u. Heft 2 S. 1—14 „Pandora's Wiederkunft" bis zum Ende der Erscheinung Elporens.]

Journal des Luxus und der Moden. Herausgegeben von Karl Bertuch. Fünf und zwanzigster Band. Jahrgang 1810. Mit ausgemalten und schwarzen Kupfertafeln. Weimar 1810. Im Verlage des Landes-Industrie-Comptoirs. [Märzheft S. 139 ff. enthält denjenigen Aufsatz von F. Majer über den Masken-zug der Romantischen Poesie, welcher in L. Hirzels Ausgabe

von „S. Hirzels Verzeichniss" S. 68 im Sonderabdrucke aufgeführt ist; im Journal stehen aber noch als unpaginierte Beilage zu S. 140 die „Personen des Maskenzugs der Romantischen
Poesie" in der Gruppierung, welche Goethe mit Brief vom
31. Januar 1810 dem Freiherrn K. W. v. Fritsch mittheilte.]

1829.

Die Poesie und Beredsamkeit der Deutschen von Luthers
Zeit bis zur Gegenwart. Dargestellt von Franz Horn. Vierter
Band. Berlin 1829, bei Theod. Christ. Friedr. Enslin. [S. 160 f.
Die Zahme Xenie „Da loben sie den Faust"; nicht vollständig.]

1877.

Geschichte der kaiserl. königl. Akademie der bildenden
Künste. Festschrift zur Eröffnung des neuen Akademie-Ge-
bäudes von Carl von Lützow. Mit Stichen und Radirungen
von H. Bültemeyer, E. Doby, L. Jacoby, V. Jasper, J. Klaus,
A. Pfründner, J. Sonnenleiter, W. Unger und Illustrationen,
Vignetten und Initialen, gezeichnet von H. Bültemeyer und
J. Schönbrunner, ausgeführt von Günther, Grois und Rücker.
Wien. Verlag von Carl Gerold's Sohn. 1877. [4. — S. 151
Briefe an Fürst Metternich vom 16. März 1812 — „Hoch-
geborner Graf, Hochverehrter Herr. Dass Ew. Excellenz" —
und an Ellmaurer v. 10. December 1812 — „Wohlgeborner,
insonders hochgeehrtester Herr! Als ich in der ersten."]

1885.

Goethe - Jahrbuch. Herausgegeben von Ludwig Geiger.
Sechster Band. Frankfurt a/M. Litterarische Anstalt Rütten
& Loening. 1885. [S. 3 Scherzgedicht „Ich wüsste nicht, dass
ich ein Grauen spürte"; S. 6 — 26 Briefe: an Reich vom
30. Januar 1775 — „Hier, theuerster Herr Reich, einen Brief" —,
an den Herzog vom 28. März 1784 — „Durchlauchtigster
Herzog, Gnädigster Fürst und Herr! Wie auf Ew. Hochfürstl.
Durchl. gnädigsten" —, an Ludecus vom 17. November
1787 — „Wohlgeborner Hochgeehrtester Herr Steuerrath,
Nachdem ich" —, an Kirms vom 23. Nov. 1800 — „Den
Bericht, welcher völlig" —, an Wieland v. 13. Jan. 1802 —

„Ich überwinde einige Bedenklichkeit" —, an v. Voigt v.
2. Dec. 1806 — „Ew. Excell. ist nicht unbekannt" —, an v. Voigt
vom 5. Dec. 1806 — „Nach Ew. Excell. gütiger Anleitung" —,
an d. herzogl. Kammer vom 25. Febr. 1807 — „Gehorsamstes
Promemoria. Indem Unterzeichneter" —, an v. Voigt v. 5. Sept.
1813 — „Ew. Excell. nehme ich mir" —, angeblich an Gauby
v. 3. April 1815 (Widmung, kein Brief, sowie ein offener Brief,
der aber nicht an Gauby gerichtet ist) — „Herr Philipp Gauby,
gebürtig" —, an Charlotte Kestner vom 9. Oct. 1816 —
„Mögen Sie sich, verehrte Freundinn" —, unstreitig an den
Geh. Rath Hans Heinrich v. Könneritz v. 11. Jan. 1821 —
„Ew. Hochwohlgeboren nach so langer Pause" —, an Weller
v. 29. Juni 1824 — „Mit meinen besten Grüssen ersuche" —,
an Ottilie v. Goethe v. 23. Aug. 1824 (Anfang fehlt), an
Wichmann v. 20. Nov. 1828 — „Ew. Wohlgeb. darf ich
aufrichtig" —, an Hofgärtner Fischer v. 21. Aug. 1829 —
„Herr Hofgärtner Fischer würde Unterzeichneten" —, sowie
an Börner v. 11. Oct. 1831 — „Indem ich das anvertraute
Portefeuille" —; ferner S. 33 an Herder Ende April 1786 —
„Da Camper noch immer" —, S. 42 an Frau Herder v. 13. Juli
1792 — „Es geht nach Tiefurt" —, an Gräfin Egloffstein
v. 25. März 1802 — „Geliebte Freundin, lassen Sie mich im
Singular" —, an H. Meyer v. 3. Jan. 1823 — „Mögen Sie,
mein Theuerster, beikommenden" —; endlich S. 305 an
H. Meyer v. 11. Juli 1826 — „Mit herzlichem Vergnügen".]

Zeitschrift für Deutsches Alterthum und Deutsche Litteratur unter Mitwirkung von Wilhelm Scherer herausgegeben
von Elias Steinmeyer. Neue Folge. Siebzehnten Bandes
zweites Heft. (XXIX. Band.) Berlin Weidmannsche Buchhandlung 1885. Im Satze vollendet am 12. Januar, ausgegeben
am 5. März 1885. [S. 134—138 Berichtigungen zum Druck
von Goethes Briefen an Böttiger nach d. Handschriften
sowie erster Druck e. Briefs v. 26. Juli 1797 — „Vom Vie-
wegischen Almanach" — u. e. undatierten Briefs etwa vom
18. — wol nicht v. 19. od. 20. — Juli 1797 — „Viel Dank
für die Communication".]

Die Grenzboten. Zeitschrift für Politik, Literatur und Kunst.
44. Jahrgang. 2. Quartal. Nr. 24. Ausgegeben am 11. Juni 1885.

Inhalt: Goethe und Levezow. Nebst ungedruckten Briefen Goethes. Von Ernst Elster. Seite 562. Leipzig Fr. Ludw. Herbig (Fr. Wilh. Grunow) 1885. [S. 564 ff. Brief an Levezow v. 13. Apr. 1815 — „Wohlgeborner, Insonders hochgeehrtester Herr! Es wird nun bald".]

— — — Nr. 25. Ausgegeben am 18. Juni 1885. Inhalt: Goethe und Levezow .... (Schluß) Seite 620. [S. 625 f. Brief an Levezow v. 15. Oct. 1815 — „Wäre mein kleiner Aufsatz" —, sowie Brief ohne Adresse v. 26. Juli 1803 — „Leider habe ich gegenwärtig".]

— — — 3. Quartal. Nr. 38. Ausgegeben am 17. September 1885. Inhalt: ... Goethiana. Zu Goethes Verhältniß zu Carlyle. Von Ewald Flügel ... Seite 558. [Brief an Carlyle, v. 14. Juni 1830 — „Goethe's Farbenlehre, zwey Bände".]

Sonderabdruck aus den „Grenzboten" 1885 Heft 24 und 25. Goethe und Levezow. Nebst ungedruckten Briefen Goethes. Von Ernst Elster. [S. 3 ff. u. 16 die obigen Briefe.]

Zeitschrift für das Gymnasial-Wesen. Herausgegeben von H. Kern u. H. J. Müller. XXXIX. Jahrgang. Der neuen Folge neunzehnter Jahrgang. Juni. Berlin. Weidmannsche Buchhandlung. 1885. [S. 396 f. Brief an Mor. Seebeck v. 3. Jan. 1832 — „Auf Ihr sehr werthes Schreiben".]

Deutsche Revue über das gesamte nationale Leben der Gegenwart. Herausgegeben von Richard Fleischer. 1885. Juni..... Breslau und Berlin. Verlag von Eduard Trewendt. [S. 304 Brief an Frau v. Schiller v. 1. Febr. 1814 — „Hofrath Eichstädt wünscht Ihren Ernst".]

Erinnerungen an Schiller mit bisher ungedruckten Briefen von Herber, Schiller und Goethe von Hermann Hüffer, Einzel-Abdruck aus der Deutschen Revue. Breslau, 1885. Eduard Trewendt. [S. 38 der vorgedachte Brief an Frau v. Schiller; der Abdruck ist nur in 20 Exemplaren erfolgt.]

Beilage zur Allgemeinen Zeitung. 1885. Nr. 186. München, Dienstag, 7. Juli. [S. 2730 Neudruck des Briefs an M. Seebeck.]

— — — Nr. 189. München, Freitag, 10. Juli. [S. 2777 ff. Brief und Stellen aus Briefen an Th. J. Seebeck v. 28. Nov. 1812 — 2 Stellen — nebst Nachschrift v. 29. dess. Mon.; v. 15. Jan., 16. Mai u. 29. Oct. 1813 — letzterer beginnend: „Sie

vernahmen gewiss mit Antheil" —; v. 3. Jan. u. 8. Juni 1814;
v. 21. Jan., 22. März — „Sie erhalten hierbei die mir mitgetheilten" —, 11. Mai, 19. Juli — „Ihr werthes Schreiben
trifft mich" —, 22. Juli u. 8. Nov. 1816; 5. Juni u. 30. Dec. 1819;
v. 7. Oct. 1820; v. 16. Apr. 1823 — „Nach e. bedeutenden
Krankheit".]

Karl W. Hiersemann Buchhandlung und Antiquariat in
Leipzig Turnerstrasse 1. Catalog No. 8. Goethe. Ein reichhaltiges Verzeichniss von Werken und Kunstblättern zur Goethe-
Literatur. Inhalt: ....Leipzig. 1885. [S. 11 Stück e. Briefs
an Göschen v. 12. Sept. 1791, Brief an denselben v. 4. Juli
1791 — „Die 6 Laubthaler habe" — u. Anf. e. Briefs v.
19. Oct. 1825 — „Überzeugt, meine theuerste Freundin".]

Johann Georg Müller, Doctor der Theologie, Professor und
Oberschullehrer zu Schaffhausen, Johannes von Müllers Bruder
und Herders Herzensfreund. Lebensbild, dargestellt von Karl Stokar,
weil. Dekan zu Schaffhausen. Herausgegeben vom historisch-anti-
quarischen Verein in Schaffhausen. Mit Müllers Portrait nach
einer Zeichnung von Dr. E. Stückelberg. Basel, Verlag von
E. S. Spittler. 1885. [S. 392 f. Brief an Herder zwischen
14. März u. 13. April 1798 — „Der Herzog hat den Vorschlag".]

Goethes Beziehungen zu Köln von Heinrich Düntzer. Leipzig,
Eb. Wartigs Verlag (Ernst Hoppe). 1885. [S. 106 u. 108 Tage-
buchseinträge; S. 110 Brief an Wallraf v. 9. August 1815 —
„Ew. Wohlgeboren bin ich bei meinem".]

Zum Schluss ist noch auf die im XIII. Bande gegenwärtigen Archivs S. 542 mitgetheilten Tagebucheinträge zu
verweisen.

Bemerkungen zu von Biedermanns neuen „Goethe-Forschungen" [1].

Von

BERNHARD SEUFFERT.

Seinen Goethe-Forschungen von 1879 lässt Biedermann eine neue Sammlung folgen. Sie ist mit einem Schattenbilde Goethes (in ganzer Gestalt) und einem Bilde der Caroline Schulze-Kummerfeld geziert, ferner mit einem Facsimile des in diesem Archive XII, 616 abgedruckten Goetheschen Reimbriefes und einem zweiten des ebenda XII, 168 mitgetheilten Bruchstückes einer Bühnenbearbeitung des Götz. Daran reiht sich der im Goethe-Jahrbuch II, 229 veröffentlichte Druck der offenbar vorläufigen Fassung des Chors: Nennst du ein Wunder u. s. w. aus dem 3. Acte des 2. Theiles Faust. Das bringt die erste Abtheilung.

Auch die Mehrzahl der Abhandlungen ist schon zuvor im Druck erschienen, tritt aber hier häufig gebessert vor den Leser. Für den Forscher ist es sehr werthvoll, die Beiträge zur Wissenschaftlichen Beilage der Leipziger Zeitung, welche wenige benützen können, noch wenigere besitzen, hier vereint zu haben, und für den Goethe-Freund, an den sich die Sammlung ebenfalls wendet, ist es bequem, auch das in diesem Archive niedergelegte in einen Band zusammengeordnet vor sich zu nehmen.

Die Eintheilung der älteren Sammlung ist für die neue beibehalten. Und wieder beginnt die zweite Abtheilung mit einer Untersuchung über den Satyros, welche die Deutung

---

1) Goethe-Forschungen von Woldemar Freiherr von Biedermann. Neue Folge. Mit zwei Bildnissen und zwei Facsimile. Leipzig, F. W. v. Biedermann. 1886. X u. 480 SS. 8°. M. 12.

auf Basedow mit vermehrtem Rüstzeuge vertheidigen, die Deutung auf Herder zerpflücken will. Die Erklärung dieses Dramas hat einen bestimmteren Halt bekommen, seitdem bekannt ist, dass es im September 1773 fertig war. Und Heinses Aeusserung, Goethe habe ein Drama gegen Herder geschrieben, fällt ganz anders ins Gewicht, seit man weiss, dass die Fahlmer Fr. Jacobi gegenüber des Satyros Erwähnung that. Es ist zwar das Datum dieses Briefes 8. Mai 1774 angezweifelt und 8. Juni dafür vorgeschlagen worden (Goethe-Jahrbuch V, 352), wodurch, wenn hier wirklich zuerst — was nicht erwiesen und nicht wahrscheinlich ist dem Verlaufe der Mittheilung nach — der Satyros im Jacobischen Kreise genannt wurde, die Kunde Heinses vom 17. Mai 1774 wieder in Frage gestellt würde. Aber ich glaube am 8. Mai festhalten zu dürfen (Zeitschrift für deutsches Alterthum und deutsche Litteratur XXVI, 281 Anm. 1). Doch ich schiebe einmal mit Biedermann dies Zeugniss bei Seite und suche mich in seine Deutung des Satyros auf Basedow einzuleben, die zugleich die von Gervinus und Loeper ist.

Biedermann trägt sie jetzt mit viel mehr Gründlichkeit vor als früher und hat es an Scharfsinn zur Erhärtung seiner Ansicht nicht fehlen lassen. Er prüft die bekannte Stelle in DW. auf Basedow, und ich verkenne nicht, dass sie auf diesen gewendet werden kann. Aber verfängt das gegenüber der Thatsache, dass Goethe zur Zeit der Abfassung des Satyros Basedow nicht persönlich kannte? Biedermann selbst wagt nicht, die Möglichkeit eines vorherigen Zusammentreffens, etwa in Strassburg, zu betonen. Dagegen macht er wahrscheinlich, dass Goethe schon 1773 durch Merck genaueres über Basedow hörte, und leitet darauf die Anregung zur dramatischen Satire zurück. Mir scheint solche Anregung ungenügend; mir ist es undenkbar und unbegreiflich, dass Goethe damals für einen persönlich unbekannten, der nicht einmal seine specielle Interessensphaere berührte, so viel Aufmerksamkeit gewonnen haben sollte, ihn zum Mittelpuncte einer Dichtung zu machen. Ja, hätte er mit Basedow einen Streit über poetische Grundanschauung gehabt oder auch nur zu haben gemeint wie mit Wieland! Aber was kümmerte den Dichter und Rechtsanwalt

der Paedagoge, so lang ihn nicht die Person fesselte? Bi
mann hält auch die durch Merck etwa gewonnene Kenntn
der persönlichen Art und Unart Basedows nicht für genüg
und stützt sich darum drittens auf Parallelen des Dramas
Worten in Basedows Schriften. Er schliesst: da ein Referent
Frankfurter gelehrten Anzeigen am 8. Januar 1774 die drei ers
Bände des Elementarwerkes ausser der zur Michaelismesse 17
ausgegebenen Anzeige des Verfassers schon durchgelesen ha
konnte auch Goethe bei seinen litterarischen Verbindung
sehr wol die drei Bände früher kennen, als deren Vorred
vom 11. März 1774, dazukam. Aber, soll Goethe das Element
werk vor Abfassung des Satyros gesehen haben, so müsste
noch etwa vier Monate eher als jener Referent dasselbe z
Hand bekommen haben, selbst wenn das Drama nicht lan
vor dem September concipiert worden sein sollte. Ueberdie
muss Biedermann annehmen, dass in der Anzeige Basedow
etwa das nämliche stand wie in der späteren Vorrede, wa
nicht erwiesen ist, und möchte ferner auch den vierten Band
des Werkes zur Vergleichung heranziehen, über dessen Drucklegung vor 1774 nichts bekannt ist. Auch Goethes damalige
Vertrautheit mit der 1773 erschienenen dritten Auflage des Me-
thodenbuches von Basedow setzt Biedermann voraus, die
möglich, aber erst vor Abfassung des einschlägigen Abschnittes
von DW. nothwendig ist. Aber möge Biedermann in all diesen
Annahmen Recht haben, mögen alle Parallelen als schlagende
zügegeben werden — was mir schwer fällt —, so bleibt offen
und unbeantwortet: wie Goethe dazu kam, Basedow sprechen
zu lassen wie den Satyros. Wo hat der Paedagog eine Zeile
geschrieben, die an die Schönheit der Rede des Satyros heran-
streift! Darf man Goethe zutrauen, dass er erhob, wo er paro-
dieren wollte? Er veränderte ja das Wesen seines Objectes
damit. Dazu kommt, dass Goethe in DW. III, 159 ausdrücklich
erklärt, er habe sich nicht einmal die Absichten Basedows
deutlich machen können, als er mit ihm persönlich verkehrte.
Soll er das vorher besser vermocht haben? Schreibt man gegen
einen Autor, dessen Absichten einem nicht klar sind, eine
Satire? Wahrlich, sie müssten Goethe ganz und gar fremd
gewesen sein; denn sonst könnte er nicht den Paedagogen

Basedow durch das einzige Wort: Wollt' eure dummen Köpfe belehren! (das gewiss auch ein Nichtpaedagoge sprechen kann) verrathen wollen. Endlich: Biedermann weiss auch nicht ein einziges Theilchen der Handlung der Farce aus Basedows Leben zu belegen. Und er meint selbst, das Liebesgespräch zwischen Satyros und Psyche scheine ausserhalb des Basedowschen Kreises liegende Bezüge zu haben, wenn es nicht nur als poetischer Gegensatz zu dem ehrwürdigen (?) Erzieherton Basedows dienen solle. Ich kann mich nicht des ersten und immer neu bestärkten Eindruckes erwehren, dass gerade der dritte Act der eigentliche Kern der ganzen Dichtung ist, dass wir hier das Vorbild greifen müssen oder nirgends. Mir scheint also, es muss auch nach dieser Bemühung Biedermanns bei dem bleiben, was Scherer im Goethe-Jahrbuch I, 109 ff. gegen Loeper gesagt hat.

Uebrigens hat hinterdrein Biedermann selbst die Zuversicht an seiner Darlegung etwas verloren und tritt im letzten — seiner Entstehung nach jüngeren — Abschnitte der Untersuchung den Rückzug an. Er hat das richtige und wichtige Bedenken, dass Basedow, so wie er Goethe geschildert worden oder durch seine Schriften erschienen sein kann, ihm kaum den Gedanken an einen Satyr aufdrängen musste. Wenn aber dies nicht, schalte ich ein, so wäre also die Hauptperson, die Titelfigur des Stückes, nicht aus innerlichen Gründen zu ihrer Maske gekommen! Ist das Goethe zuzutrauen? Biedermann nimmt an, dass Goethe „gewissermassen unabhängig von Basedow und seinen Schriften auf die Satyros-Idee verfallen gewesen sei und sich damit beschäftigt gehabt habe“, und zwar indem er „eine Reihe von Darstellungen nach Gemälden und Kupferwerken der Leipziger und Dresdner Sammlungen zu einem Drama zusammenstellte“, „gewissermassen zu einer Reihe lebender Bilder herbeizog“. Der Verf. führt nun mit der ihm eigenen Sachkunde eine Zahl von Bildwerken an, die Goethe gesehen hat oder aus Winckelmanns Beschreibung kannte. Einige Motive des Dramas werden dadurch richtig auf ihre Quelle zurückgeleitet. Gerade für Widersprüche und unfruchtbare Motive desselben gibt diese Betrachtung eine überzeugende Erklärung, z. B. dafür, dass der Einsiedler sich in die Hand

haucht der Erwärmung wegen, obwol es Sommer zu sein
scheint; dass Satyros Obst und Wein verlangt und Milch
(und Brot) des Einsiedlers ablehnt, obwol er gleich darnach
von Milch als gewohnter Nahrung spricht; ferner für das
erste auftreten des Satyros, dessen Verwundung keinerlei Werth
für das weitere hat: das anknüpfen Biedermanns an den
Satyr, dem ein Panisk den Dorn auszieht, besticht mich, obgleich der Nachweis für die Bekanntschaft Goethes mit dieser
Gruppe nicht bestimmt geliefert ist.   Dass ein derartiges
übertragen von Bildwerken in Dichtung für einen Goethe
nahe liegt, leuchtet ein.   Ueberdies hat Biedermann an die
Mittheilung in DW.. erinnert, wonach Goethe in der Leipziger
Zeit Gedichte zu Kupfern und Zeichnungen machte; und wenn
auch hier offenbar nur von kleinen Gedichten die Sprache ist,
so hätte doch der Verf. den Satz Goethes: „indem ich mir
die darauf vorgestellten Personen in ihrem vorhergehenden
und nachfolgenden Zustande zu vergegenwärtigen wusste" recht
wol für den dramatischen Satyros ausbeuten können.   Noch
triftiger freilich dünkt mich Biedermanns Verweis auf die
Scenen im Faust, deren Costüm offenbar von Bildern vorge-
zeichnet ist; der Verf. selbst hat die Kunde davon in dieser
neuen Sammlung S. 85 ff. erweitert.   Und ich glaube, so wie
auf den Faust und nicht viel anders darf man sich den Einfluss der bildenden Kunst auf den Satyros denken.   War
auch bei diesem frei erfundenen Stoffe der Spielraum, bildliche Vorstellungen zu poetisieren, etwas grösser als beim Faust,
so muss doch auch hier ihre Mitwirkung auf Nebensachen,
Verhältnisse, die nicht zum Gange der Haupthandlung gehören, beschränkt bleiben.   Ich kann nicht glauben, dass der
Satyros entstanden ist wie die Gedichte auf Tischbeins Idyllen.
Für die Liebesscenen des dritten und fünften Actes weiss auch
Biedermann nur sehr allgemeine Muster vorzuzeigen, also für
die eigentliche Fabel nichts praegnantes.   Die Fabel aber stand
zuerst vor des Dichters Seele, an die Idee des Satyros knüpften
sich dann Vorstellungen seiner Erscheinung. Biedermann scheint
den umgekehrten Weg der Entstehung zu bevorzugen.   Scheint,
sage ich, denn einmal äussert er: es kam dem Dichter darauf
an, die verschiedenen Darstellungen und Dichtungen (hiev.

nachher) über Satyren unter einem Gesichtspuncte zusammen-
zufassen und zwar unter dem der unbeschränkten Sinnlichkeit.
Das wäre also: erst die Bilder und dann die Idee. Aber vorher
und nachher sagt er, der Satyros sollte sich als Gegensatz an
die gleichzeitig entstehenden Idealitätsdramen, Faust, Sokrates,
Prometheus anschliessen, „das äusserste in Behauptung der
sinnlichen Natur", sowol „das Pathos der Berechtigung einer
Naturforderung als den Umschlag ins nichtige" darstellen, wie
diese „das streben nach einer geistigen Richtung ins unendliche"; und um nun ein Gegengewicht gegen die Darstellung
der Heuchelei, Roheit und inneren Unwahrheit zu haben,
habe Goethe mit künstlerischer Einsicht die antiken Vorstellungen des Satyrwesens, gleich Perlen an einer Schnur auf-
gereiht, im Drama zur Erscheinung gebracht, eine Folge lebender
Satyrbilder vorübergeführt, die das Dichtwerk davor bewahren,
eine Posse zu werden. Danach wäre die Idee, Geisselung
des Naturalismus, doch das frühere und der Bilderbezug das
spätere. Wie dem auch sei, auf beiden Wegen kommt der
Verf. nach eigenem Geständnisse dazu, dass seine neue Auffassung auch diejenigen befriedigen werde, welche das Drama
nicht auf eine bestimmte Person, sondern auf gewisse Zeit-
richtungen beziehen wollen. Und wenn er diesen auch nicht
völlig Recht geben will, sondern aus Rücksicht auf Goethes
bestimmte Erklärung, dass eine Person getroffen worden sei,
Basedow zwischen die Idee und deren durch die Verwerthung
von Satyrbildern künstlerisch gemilderte Darstellung einschiebt
— es wird „eigentlich ein wirklicher Satyr im Drama dargestellt, der doch unverkennbar zugleich Basedow ist" —, so
bleibt er doch im Widerspruch mit Goethe, der eben schlankweg
erklärt, dass er für seine Dichtung von einer bestimmten Person
ausgegangen sei. Bei Biedermanns neuer Auffassung ist es
aber gleichgiltig, ob Basedow nebenher getroffen ist oder
nicht. So kann ich weder dieser noch der älteren Erklärung
Biedermanns, die auf Basedow überhaupt zielte, völlig beistimmen. Was dann?

Ich bekenne, dass ich nicht ohne Schwankungen des Urtheils Scherers Ansicht beipflichte. Ich vermag mich vor allem
dem Eindrucke nicht zu entziehen, dass der schöne dritte Act

Herder und die Flachsland ganz und gar in der Stimmung
des Briefwechsels der Verlobten zeigt. Und alle Gründe, die
ich dagegen vorbrachte, gelten nichts? wird der verehrte Verf.
fragen. Ich will einen Theil derselben beleuchten.

Zunächst bestreitet Biedermann die von Scherer gebilligte
Düntzersche Deutung der brieflichen Bezeichnung Satiros auf
Herder. Dass unter den Verstecknamen Jupiter-Sus und Satiros
im Briefe der Herzogin Mutter vom 2. August 1779 Wieland
und Herder zu verstehen sind, ist auch ihm wahrscheinlich.
Nur möchte er lieber unter Satiros Wieland, unter Jupiter-
Sus Herder finden als umgekehrt. Seine Beweisführung stützt
sich hauptsächlich darauf, dass Anna Amalia am 2. August
schreibt, Jupiter-Sus habe an dem Tage zu ihr kommen sollen,
„war aber verreiset", dass aber Wieland an demselben 2. August
sowol an Merck als — wie er hätte hinzufügen können —
an Meusel aus Weimar schreibt, also nicht verreist war. Jedoch,
Wieland war allerdings an diesem Tage „im Begriffe, eine
kleine Lustreise auf etliche Tage nach Gera zu thun" (Ausgew.
Briefe III, 300). Das Datum des Briefes an Meusel ist ausser
Zweifel, weil er eine ungedruckte Zuschrift Meusels vom
1. August beantwortet. Das Doppeldatum 1. und 2. August
des Schreibens an Merck bedarf aber einer Betrachtung. Nach
Wagners Druck ist der Brief am 1. August begonnen; ob der
Tag am Anfang oder Ende desselben bemerkt ist, steht dahin.
Im Verlaufe des Briefes ist „feci den 2. August, 8 Uhr Morgens"
eingefügt; die Stelle, worauf sich dies bezieht, scheint ein
Nachtrag zu sein, was auch die eckigen Klammern, in welche
sie Wagner schliesst, bezeugen. Nur so kann ich verstehen,
warum Wieland schreibt, von der Herzogin wisse er nichts,
als dass die Bernstorff, Bode, Kranz und Kammermusiker bei
ihr in Ettersburg seien; es wäre doch höchst wunderlich, wenn
er hier nicht beifügte: ich sollte heute zu ihr hinaus, reise
aber nach Gera. Ich nehme also an, dass der ganze Brief
mit Ausnahme der kleinen Einschaltung in [ ] am 1. August
früh geschrieben ist, bevor er die Einladung nach Ettersburg
erhalten hatte. Da er am Abende noch einen Brief von Merck
erwartete, liess er das Blatt bis zum nächsten Tage liegen
und setzte um 8 Uhr Morgens den Nachtrag zu und wol noch

einen verlorenen oder von Wagner nicht veröffentlichten Schluss,
der die Reise nach Gera meldete; denn sein nächster Brief an
Merck scheint vorauszusetzen, dass dieser von der Lustfahrt
unterrichtet war. Die erwartete Sendung Mercks war bis
dahin nicht eingetroffen, Wieland findet dessen Schreiben vom
29. Juli erst nach seiner Rückkehr von Gera vor. Die Abreise
dahin hat er vielleicht gerade mit Rücksicht auf die herzog-
liche Einladung beschleunigt; er hielt es damals für nöthig
und schicklich, sich einige Zeit von der Gönnerin entfernt zu
halten, und entschloss sich erst wieder sie zu besuchen, als er
weiss, dass die Herzogin in einem sehr guten Tone von ihm
gesprochen (Wagner I, 174). Der Brief Wielands mit diesen
Bemerkungen ist bei Wagner vom 19. datiert, und der Schreiber
sagt, er gehe Tags darauf nach Ettersburg, auf eine schon
vor acht Tagen erhaltene Einladung, die er aber nicht gleich
habe Statt finden lassen können. Nun erstaunt es doch einigermassen, dass Wieland, der schon am 2. August zur Herzogin
kommen sollte und nicht kam, auch einer zweiten Einladung,
auf den 11. etwa, nicht Folge leistete und erst am 20. zu ihr
gieng. Ich möchte um so lieber annehmen, dass die Ein-
ladungen zum 2. und 11. identisch. sind, als Wieland gegen
Merck nur eine einmalige Aufforderung erwähnt. Hat er etwa
das Briefdatum 9. in 10. (oder umgekehrt) verbessert, und
kam so Wagner zur irrigen Lesung: 19. August?[1]) Gleichviel,
jedesfalls hat sich Wieland für den 2. August bei der Herzogin
durch seine Abreise entschuldigt und diese wol etwas drängender
hingestellt, als sie war, um der ihm damals unbequemen Aufwartung zu entgehen. Darum legt Wieland Gewicht darauf,
dass die Fürstin seine, wie er fühlen musste und sie leicht
erfuhr, nicht ganz triftige Entschuldigung des ausbleibens
„ganz wol aufnahm", darum konnte Anna Amalia an Merck
schreiben, Jupiter-Sus sei verreist, statt des genaueren: war
im Begriff zu verreisen. Also ist doch Wieland Jupiter-Sus

---

1) Ich stellte ursprünglich diese Betrachtung, die nun eine Ab-
schweifung ist, mit der Absicht an, das Datum des Briefes der Herzogin
dadurch ins wanken zu bringen, kann mich aber doch nicht entschliessen,
den 12. August dafür vorzuschlagen, weil ich nicht weiss, ob Wieland
damals noch in Gera war.

und danach Herder der Satiros, und Biedermann ist ein Haupt-
argument gegen Scherer entzogen.

Aber selbst wenn Biedermann doch Recht hätte, Satiros
Wieland — was an sich keine unmögliche Bezeichnung für
diesen ist, nur dass sie eben ja nicht als Beweis für einen
Zusammenhang zwischen dem dramatischen Satyros und Wieland
genommen werden dürfte — und Herder Jupiter-Sus wäre, so
käme ich doch wieder darauf, dass der Dramenheld Herder ist.
Scherer hat auf die Stelle: Dünkt Adeler sich, Jupiter (Herders
Nachlass I, 48) und auf die Wiederkehr der beiden Bezeich-
nungen im Satyros aufmerksam gemacht: nimmt man dazu,
dass kurz bevor sich Satyros einen Sohn Jupiters nennt, das
Volk ihn: Ein Thier! ein Thier! anruft, so wären wir, denke
ich, vom Jupiter-Sus nicht zu weit entfernt. Doch ist diese
Beobachtung, wie gezeigt, überflüssig und somit bedarf auch
Biedermanns Conjectur, es sei vielleicht Jupiter S[atan]as zu
lesen, keiner Prüfung.

Punct für Punct die weiteren Einwände Biedermanns
gegen die Deutung des Satyros auf Herder durchzusprechen
würde, fürchte ich, die Sache wenig fördern, da es sich oft
nicht um einen Beweis, sondern um ein Urtheil handelt. Nur
das sei gesagt: wenn Biedermann sich den Namen Satiros
für Wieland aus dem Zusammenfluss von Satyr und Satiriker
erklärt S. 22, so musste er das gleiche auch S. 24 Scherer
zu Herders Gunsten zugestehen. Wenn Biedermann eine Un-
terrichtung Goethes über Basedow durch Merck und eine Bekanntschaft mit dessen Elementarbuch annimmt, so muss er
doch mit mehr Grund eine Vertrautheit Goethes mit Herders
nachher in der Aeltesten Urkunde veröffentlichten Ideen zugestehen. Im ganzen legt Biedermann zu ausschliesslich den
Massstab der äusseren Thatsachen an, und da ergibt sich
freilich keine genaue Richtigkeit, keine Congruenz im mathe-
matischen Sinne. Aber darauf darf man solchen Producten
gegenüber nicht zu streng und zu einseitig pochen. Ich bilde
mir ein, für Götter, Helden und Wieland gezeigt zu haben,
dass sich Goethe nicht nur starke Uebertreibungen als Parodist
erlaubte, sondern auch schiefe Auffassungen seines Objectes
mit unterlaufen liess. Und wenn er über Wieland bekennt,

dass er ihn immer für einen ganzen Kerl gehalten habe u. s. f.,
und doch die böse Farce schrieb und sogar veröffentlichen
liess, so sehe ich gar nicht ein, warum er nicht auch Herder
gegenüber einmal seine Herodes-Laune gehabt haben sollte bei
aller Verehrung, die zudem diesmal stark genug war, das
Werkchen nicht in Druck zu geben. Und fürwahr, es spricht
in vielen Reden des Satyros der bewundernde, nicht der
spottende Goethe, jene meine ich, welche andere als Goethesche
Elemente der Figur bezeichnet haben.

Ich verhehle nicht, dass auch mir nicht alles einzelne in
der Schererschen Deutung des Satyros überzeugend ist. Besonders Eudora auf die Gräfin Maria von Bückeburg zu beziehen, scheint mir gewagt zu sein, auch wegen ihrer Verbindung mit dem Einsiedler-Goethe. Aber Herder Satyros,
Psyche Caroline wird nicht zu widerlegen sein. Biedermann
selbst wäre ja dazu zu bekehren nach einer Aeusserung S. 15,
wenn ihn nicht die Nothzuchtscene irrte. Auch in diesem Puncte
hätte er bedenken sollen, dass Goethe dichtete und nicht ein
Stück Lebensgeschichte verfasste; der Dichter zeichnete seine
Caricatur zu Ende. Und er entlehnte dazu von andersher
poetische Motive, die ihm tauglich erschienen.

Biedermann erinnert sicher richtig an die Weltschöpfungs-
dichtung, welche Silen in der 6. Ekloge Vergils als Gesang
vorträgt; das passt vortrefflich dazu, dass Scherer gerade für
den entsprechenden Gesang des Satyros Herdersche Elemente
vermisste. Wie nun hier Vergil anregend dazu tritt, so lässt
sich Goethe in andern Stücken von Wieland beeinflussen, was
von Wilmanns und Scherer schon ausgeführt ist. Es liessen
sich zu diesen auf den Einsiedler und auf Satyros-Scenen ver-
theilten Wielandischen Motiven wol noch einige Kleinigkeiten
aus den Geheimen Beiträgen herbeiziehen. Aber es lohnt sich
nicht, und ich möchte bei Leibe nicht durch eine Häufung die
Vermuthung erregen, dass etwa auch Wieland im Satyros gemeint sei. Das verbietet neben vielem andern der Redestil
so gut wie bei Basedow, das verbietet Goethes Eröffnung, er
habe im Satyros einen derberen als im Pater Brey dargestellt;
und derb war Wieland gewiss nicht, selbst nicht an einem
Leuchsenring gemessen. Wieland kommt nicht als Person,

25*

nicht als Autor in Betracht; Goethe entlehnt nur seinen
Schriften kleinere und grössere Motive, die ihm zur Aus-
rundung seines Dramas passten. Von dem er den Namen des
Hermes nahm, aus dem nahm er auch die Nothzuchtscene
herüber. Und ich bin gerade, weil sich das greifen lässt, geneigt, für Hermes und Eudora keine lebenden Vorbilder zu
suchen. Darin deckt sich meine Art von Erklärung mit der
letzten Biedermanns; ich stelle die Anlehnungen an Wieland
gleich denen an Vergil und Bildwerke, wie er sie annimmt.
Aber darin trenne ich mich von ihm, dass er diese Anlehnungen als den Ausgangspunct betrachtet, zu dem eine persönliche Satire hinzugekommen ist; umgekehrt, sie sind überflüssige und nothwendige Füllsel zur Personalsatire. — —
    Der nächste Abschnitt der Sammlung bringt Studien zu
Faust. Fast allen Erklärungen und Beleuchtungen einzelner
Stellen wird man zustimmen. Bedenklicher bin ich, der Meinung beizupflichten, Goethe habe bei Zusammenstellung der
zu verschiedenen Zeiten entstandenen Faust-Scenen die Widersprüche zwischen den einzelnen erkannt, aber so wenig, wie
Shakespeare dann und wann, für geboten erachtet, die in sich
wol abgerundeten und wirkungsvollen Theile einer nur vor-
stellbaren, nicht in die Sinne fallenden Uebereinstimmung mit
andern Theilen zu Liebe zu ändern, weil er Aristotelische
Logik nicht als höchstes Gesetz der Dichtung anerkannte
(S. 87 ff.). Es stimmt damit zusammen, wenn Biedermann in
seinem nicht ganz zutreffend: Das Aeussere im zweiten Theile
des Faust überschriebenen Aufsatze sagt, Goethe lasse in der
von landläufigen Regeln nüchterner Poetik entbundenen Faust-
Dichtung allerwärts Mittelglieder aus, deren Ergänzung dem
Hörer oder Leser zugemuthet werden darf, lasse sie aus als
unnöthiges Füllwerk. Das heisst denn doch die durch die
äussere Entstehung erklärlichen Widersprüche, Lücken, Ver-
schiebungen im Faust zum Kanon einer höheren Poetik machen;
das heisst alle Faust-Erklärer zu Thoren stempeln, weil sie
nöthige Ergänzungen vermissten, deren auffinden jedem zugemuthet werden darf. Und doch gesteht der Verf. selbst zu,
dass noch nicht alle Winkel der Dichtung erhellt sind und
noch viel zu erklären übrig bleibt. Ein solcher Fall ist gleich

der, ob im zweiten Theil V. 5449 Aurora Gretchen ist oder
nicht. Biedermann will Aurora nur als sinnbildlichen Ausdruck der frühzeitigen Liebe gelten lassen, weil in Faust jede
Erinnerung an Gretchen durch den Gesang Ariels und der
Elfen — nebenbei: sie sollen im Dienste des Mephistopheles
stehen wie die Luftgeister im ersten Theile; das scheint mir
für einen Ariel ausgeschlossen — ausgelöscht sei. Die Uebereinstimmung zwischen V. 5446. 5450 mit dem ersten Theile
V. 2262. 2265 ist aber doch wol für die Erinnerung an
Gretchen beweiskräftig, und würde V. 39 im zweiten Theile
nicht lauten: Hingeschwunden Schmerz und Glück, so würde
man Ariels Worte V. 11 ff. lediglich auf die Schlusserlebnisse
mit Gretchen beziehen und das Gedächtniss dieser allein tilgen
lassen dürfen.

Den ganzen zweiten Theil sieht Biedermann darauf gestellt, dass Faust sich dem Einflusse des Mephistopheles durch
Thaten entzieht. Er knüpft an die Bibelscene des ersten Theiles
an und meint, Mephistopheles sei es bei Fausts Interpretation
des λόγος (vgl. hiezu S. 90 f.) als That für seine Wette so
bang geworden, dass er es für höchste Zeit fand, die thierische
Gestalt abzuwerfen. Mit nichten! Der Pudel knurrte und
bellte vor der Bibelerklärung so gut wie nachher, und erst auf
die Beschwörung hin entpuppt sich Mephistopheles. Auch bezieht er sich V. 976 f. keineswegs auf die That. Und dann
ist die Helena-Tragoedie eine That? Biedermann sagt S. 103:
Faust nimmt Theil am öffentlichen Leben und er führt das
Alterthum ins Leben ein. Sind das gleichwerthige Thaten?
S. 114 sagt er selbst anders: die classische Walpurgisnacht
bedeute für das Drama, Faust durch Versetzung ins gesunde,
das Dasein ausfüllende hellenische Alterthum zum Ziele höchsten
Strebens hinzuleiten, verweist ausserdem wiederholt auf das
sagenhafte Verhältniss zwischen Faust und Helena und betrachtet die classische Walpurgisnacht für den Besuch, den
Faust in der Sage der Hölle abstattet. — Der Grundgedanke
des ganzen Aufsatzes scheint mir die berechtigte Mahnung,
nicht immer zu erörtern, ob Goethe im Faust dies oder jenes
habe thun dürfen. Auch darin muss jeder Biedermann beistimmen, dass ein Hauptziel aller Faust-Untersuchungen sein

muss die Motivierung von Einzelheiten nachzuweisen. Das
zweite Hauptziel, das Biedermann steckt: die Einheitlichkeit
der ganzen Dichtung nachzuweisen, ist ideal. Praktisch wird
die Untersuchung so gefördert werden müssen, dass das entstehen der einzelnen Stücke und die zu verschiedenen Zeiten
verfolgten Absichten der Idee und der Kunst auf Gleichheit
oder Ungleichheit geprüft werden.

Zum Schlusse dieser Abtheilung seines Buches beleuchtet
der Verf. Art und vermuthliche Ursache der Umarbeitung von
Jeri und Bäteli. Die dritte Abtheilung bespricht dramatische Entwürfe Goethes. Bemerkungen über Prometheus
im Anschluss an die von E. Schmidt publicierte Handschrift
desselben eröffnen, solche zum Trauerspiel in der Christenheit und über Caesar (er sei dem Egmont-Plane gewichen)
schliessen. Den Mittelpunct bildet der Artikel über Elpenor
und die delphische Iphigenie.

Leider sind mir nicht alle Schriften über Elpenor zur
Hand. Schwerer als Viehoffs Fortsetzung vermisse ich das
einschlägige Programm Strehlkes. Aus Zarnckes Festschrift
liegt mir nur ein Excerpt vor. Weder diese drei noch Biedermann und Ellinger, und ich fürchte auch kein künftiger Be-
trachter des Stückes, dem nicht etwa das Goethe-Archiv neue
Quellen eröffnet, haben den beneidenswerthen Sinn Zelters, der
durch den ersten Act vollkommen in alle fünf Acte des Stückes
sich eingerichtet fühlte wie im eigenen Hause, der sah, wie
alles kommen muss, der den historischen Theil sicher ergriff
(Briefwechsel I, 256 f.). Uns bleiben die Absichten Goethes
zu errathen. Wie weit wir ihnen durch Schlüsse nahe kommen
können — ich glaube etwas näher, als bislang geschehen ist
— will ich mit Benützung der mir zugänglichen Vorarbeiten
zu zeigen versuchen.

Zuvor: die Beobachtung Zarnckes, der Elpenor stehe in
Zusammenhang mit der Geburt eines Weimarischen Prinzen,
indem das Drama kurz vor der unglücklichen Entbindung der
Herzogin 1781 begonnen und nach der Geburt des Erbprinzen
wieder in Angriff genommen wurde und diesmal ausgesprochener
Massen zum Kirchgang der fürstlichen Mutter vollendet werden
sollte, hat durch Ellingers Einspruch (Goethe-Jahrbuch VI, 263)

nichts an Gewicht und Richtigkeit eingebüsst. Vielleicht liegt eine Erinnerung an solch feierlichen Zweck des Elpenor auch darin, dass er in den Tag- und Jahresheften Abs. 14 hart hinter verloren gegangenen Festspielen (für Ettersburg) genannt wird. Ferner ist zu bemerken, dass in den ältesten Erwähnungen das Stück nie als Trauerspiel bezeichnet wird, auch noch nicht 1798 Schiller gegenüber; es besteht die Möglichkeit, dass Riemer, bekanntlich der Redactor des Fragmentes, diesen Beisatz gab, so gut wie er nach Biedermanns und meiner Ansicht das Personenregister selbständig und nur aus den ihm vorliegenden Aufzügen geschöpft hat. Aber wenn auch Goethe selbst die Dichtung von Anfang an als Trauerspiel gedacht und so benannt hat, so folgt daraus nicht, dass der Titelheld sterben muss, sondern nach dem alten Begriff der Tragoedie nur, dass darin etwas tragisches vorfällt. Die Annahme, dass Elpenor zu Grunde geht, wird durch das Fragment selbst in keiner Weise nothwendig. Auch Biedermann gibt seine frühere Ansicht auf und hält nun mit Zarncke für unmöglich, dass Goethe „beim Ausgang der Herzogin" ihr ein Stück zueignen wollte, an dessen Schluss eine Mutter an der Leiche des Sohnes klagt. Darf man nicht weiter gehen und Antiope, die lang ein einsam trübes Leben geführt, sich der Hoffnung, den Sohn zu finden, fast begeben hat und doch ihn findet, mit der Herzogin Luise vergleichen? mit ihr, die, obwol nicht Wittwe wie Antiope, doch nicht im seelischen Vollbesitze ihres Gemahles, vereinsamt in Weimar, verstimmt, nach siebenjähriger Ehe noch immer ohne den ersehnten Sohn und jetzt Mutter Karl Friedrichs war? „Mich dünkt ich sah sie heute froh, das Auge hell. O mögen ihr die Götter ein frisches Herz erhalten! Denn leichter dient sich einem glücklichen, der edel ist, nicht hart im Uebermuth, wie wir sie billig preisen, unsre Frau." Passt dies Zwiegespräch der Jungfrau und Evadnes nicht auf Luise? ist es nicht eine treue Huldigung vor ihr? Taugen etwa die Worte Antiopes nicht in Luisens Mund: „Nicht im Elend allein ist fröhlicher Liebe reiner, willkommner Strahl die einzige Tröstung. Hüllt er in Wolken sich ein, ach, dann leuchtet des Glückes, der Freude flatternd Gewand nicht mit erquickenden Farben." Die Herzogin

war äusserlich nicht im Elend, sie war äusserlich im Glück,
aber sie genoss nicht die Erquickung fröhlicher Liebe. Ich
bin weit entfernt, die Parallele weiter durchführen zu wollen.
Ich theile auch Biedermanns Ansicht, dass manches von dem
Sinne der Frau von Stein auf die königliche Wittwe übergegangen ist. Mir liegt nur daran, dass neben dem äusseren
Bezug auf der Herzogin Kirchgangfeier auch ein innerer auf
die Fürstin anerkannt werde und damit die Nothwendigkeit,
dass Antiopes Sohn das Drama überlebt.

Dieser Sohn ist Elpenor. Das bedarf nach den Ausführungen
Biedermanns keiner weiteren Stütze. Es müssen also die
Söhne der Brüder vertauscht worden sein ohne Wissen der
Antiope und Evadne, des Lykus und Polymetis[1]); denn sie
alle halten Elpenor für des Lykus Sohn, in welcher Stellung
er lebt.

Ebenso fest steht, dass Lykus der Mörder des Gatten der
Antiope, der Räuber ihres Sohnes ist. Dass der Raub nicht
zum Tode führte, wissen Antiope, Evadne und Lykus nicht.
Polymetis weiss es wol. Seine Worte: „Soll ich das Ungeheuer, das dich (d. i. des Lykus Sohn) zerreissen kann, in
seinen Klüften angeschlossen halten?" sind als Geständniss
gedeutet worden, er wisse, dass der Antiope Sohn im Gebirge
noch lebt. Es kann dies Bild aber auch nur den Ort des
Ueberfalls, bezw. diesen selbst bezeichnen wollen in Polymetis'
Meinung und dem ahnenden Zuschauer die andere Deutung
vorbehalten bleiben. Doch wird das erstere aus anderem Grunde
wahrscheinlicher werden.

So viel ist ferner klar, dass die Entlarvung des Lykus
und die Enthüllung der Abstammung des Elpenor das Ziel
des Dramas sein muss.

Die Entlarvung wird durch Polymetis geschehen. Er beabsichtigt sie, aber er wartet den Zeitpunct ab, wo er, ob-

---

1) Man hat kein Recht, Riemer eine Verderbniss der Rede des
Polymetis zuzutrauen, da er ausdrücklich versichert, er habe die Abtheilung der rhythmischen Prosa in Verse ängstlich gewissenhaft ausgeführt und sich keine Zusätze und Weglassungen erlaubt. Der Gang
der Handlung würde allerdings sehr vereinfacht, wenn Polymetis von
der Vertauschung wüsste.

gleich an der Uebelthat betheiligt, dabei gewinnen könne. Der Gleissner kann sich nur Verzeihung hoffen — ob sie gewährt werden darf, ist eine andere Sache —, wenn er den Sohn der Antiope beim Raube vom Tode rettete.

Schwieriger sind die Fragen zu beantworten: wer hat den Knabentausch vollzogen? wer enthüllt ihn? Es wird nur eine Person um dies Geheimniss wissen. Wahrscheinlich jene Gefährtin der Antiope, welche beim Raube des Sohnes „schwer geschlagen" fiel. Wie sie mit dem Knaben vereinigt wurde, lässt sich allesfalls denken. Antiope sagt zwar nichts von ihrem Schicksal. Sie erzählt: „so fanden uns die Hirten des Gebirgs", berichtet dann aber nur von dem eigenen wiedererwachen und der eigenen Heimkehr. Die Gefährtin blieb also zurück und mochte der Herrin für todt gelten. Sie war es nicht; genesend bleibt sie bei den Hirten, weil sie daselbst den von Polymetis ausgesetzten oder, weil er das junge Leben erhalten wollte, den Hirten übergebenen königlichen Knaben findet. Die Angst für das bedrohte Kind legt ihr Schweigen über dessen Abstammung auf. Dieselbe Sorge veranlasst die Vertauschung mit des Lykus Sohn. Dafür, gerade diesen einzuwechseln, war der entscheidende Grund — ausser der Gelegenheit! des Lykus Gattin war todt —, dass ihr geliebter Prinz doch nirgends geschützter war als unter der Maske des Sohnes des Lykus. Und als Sohn des Lykus musste er doch zur Herrschaft kommen, die ihm gebührte. Auch war kein Pfand für das Leben des Kindes sicherer als eben dieser Sohn. Darum durfte sie auch den eingetauschten Knaben niemals aus ihrer Obhut geben. Die Vorsicht gebot, ihn fremder Beobachtung zu entrücken. Den Hirten musste er das vorige Kind sein, wie dies geschmückt mit dem mütterlichen Kleinod, das Elpenor am Hofe des Lykus doch nicht besitzen durfte. Wie die Vertauschung bewerkstelligt wurde, steht dahin. Am Hofe des Lykus, wohin Zarncke die Frau vorübergehend führt, darf sie wenigstens zu der Zeit nicht sich aufhalten, da Antiope dort erscheint. Aber wenn sie je bei Hofe im Dienste des Lykus stand, warum vertraut sie dem Oheim nicht an, dass der Neffe gerettet ist? Oder weiss sie, dass Lykus der Räuber ist? Dann kann sie ihren Schützling nicht in seine Nähe zu bringen wagen. Sie darf dessen

Frevel nicht einmal ahnen, wenn ihr Beginnen nicht tollkühn
sein soll. Auch müsste sie als treue Gefährtin ihre Herrin
vor Lykus warnen, deren Leben doch auch gefährdet war.
Bleibt sie aber im Gebirge und weiss oder ahnt den Urheber
des Raubes und bekommt da Gelegenheit zum Knabentausch,
so ist ihr Unternehmen weniger gewagt und zugleich ziel-
bewusster; der Werth des Pfandes steigt dadurch noch. An
ihrem entlegenen Aufenthaltsorte ist sie vom Verkehr mit
Antiope abgeschnitten. Auch hütet sie ihr doppeltes Geheimniss,
weil Lykus die Macht hätte, seinen Sohn aus der Geiselhaft
zu befreien und die schwache, alleinstehende Antiope, deren
Sohn und sie selbst zu vernichten. Also: sie bleibt verborgen
bei den Hirten des Gebirges und hat des Lykus Sohn bei
sich, dort in den Klüften, wo Polymetis den Sohn der
Antiope wähnt. So weit, dünkt mich, kann man der Verwicklung, allerdings mit Lücken, nachkommen. Wie aber der
Lösung?

Antiope überträgt dem, der ihr „durch Liebe und Bildung"
am nächsten steht, ihre Rache. Dass diese sich gegen den
Mörder und Räuber richten soll, ist nothwendig; dass sie sich
auch auf dessen Geschlecht ausdehnen soll, minder erforderlich
und darum für den Fortgang der Handlung wol ein Fingerzeig. Elpenor wird das Leben des Sohnes des Lykus gefährden.
Die Waffe, mit der es geschehen wird, ist bezeichnet. Es ist
der Bogen, den Elpenor nach altem Wunsche endlich von
Antiope erhält; es sind die Pfeile, die er nach „würdgem
Ziele senden" soll. Der Bogen muss, wenn Goethe nicht
dichterische Einsicht, dichterisches Mass abgesprochen werden
soll, eine Rolle spielen im Verlaufe der Ereignisse. Zum Selbstmord freilich wäre er untauglich, aber dieser Ausgang darf
ja auch aus andern Gründen nicht bedacht werden. Zum
tödten eines fremden jedoch auf oder lieber hinter der Bühne
muss er Verwendung finden. Bin ich recht unterrichtet, so
bestreitet Zarncke, dass der Bogen ein bühnenmässiges Mord-
instrument sei. Aber ich dächte doch, wenn Odysseus Philo-
ktets Pfeile fürchtet, ist die Möglichkeit der Tödtung durch
Pfeile auf der Bühne Voraussetzung. Und Philoktet ist im
Drama erwähnt. Für Goethe genügte übrigens, dass Odysseus

die Freier der Penelope mit dem Bogen mordet. Auch Penelope lag ihm bei Antiope im Sinne: sie wehrt, wie jene, Freier ab. Wie findet sich nun die Gelegenheit zum entsenden des Geschosses?

Evadne sagt voraus, Elpenor werde durch ferne Gegenden wandern. Er freut sich, seine Gespielen ungebahnte Wege zu führen, kletternd schnell den sichern Feind in seiner Felsenburg zu Grunde zu richten. Heisst das nicht, er wird mit seinen Gespielen — Polymetis mag die Richtung geben — in das Gebirge kommen, wo des Lykus Sohn verborgen lebt?

Man hat diesen zwar unter den zwölf dem Elpenor zugetheilten Gespielen selbst suchen wollen. Aber wie sollte er unter „die edelsten" gekommen sein, aus denen die Gefährten für den Prinzen gewählt wurden? Und was hätte es für einen poetischen Sinn, dass Elpenor an den zwölf zugewiesenen nicht Genüge hat, wenn nicht den, ihn erst beim aufsuchen weiterer Kameraden mit des Lykus Sohn zusammen zu führen? Wenn er nun „eine Menge" hat, dann will er sie in zwei Heere theilen und Schlachten „recht ernstlich spielen". Bei solch ernstlichem Spiel im Gebirge mag die wachsende Kraft des Jünglings, der seinen kriegerischen Muth gegen Evadne und gegen Antiope und gegen Polymetis ausgesprochen hat, den Bogen spannen und sein Pfeil den gegenspielenden Sohn des Lykus sicherer treffen, als der Wille war. So löst Elpenor einen Theil des Racheschwurs und löst ihn doch nicht als Vorbedachter Mörder oder als Richter.

Diese Lage würde die von Antiope angegebenen Erkennungszeichen offenbaren, das Halsband und das Mal. Zarncke nimmt an, dass letzteres fehlte, um einen Aufschub für den Gang der Handlung zu gewinnen. Ein solcher wäre gelegen, da bei der raschen Art des Elpenor ein Selbstmord nach voller Entdeckung beider Merkmale zu erwarten steht, ehe die Vertauschung ihm kund werden kann. Und da Antiope erst, nachdem sie den vermeintlichen Sohn des Lykus zu sich genommen, die Gleichheit des Leibeszeichens beider Kinder zu schliessen, nicht sie von früher her zu wissen scheint, so wäre das fehlen des Males an sich möglich. Nur deswegen möchte ich mit

Biedermann auch bei dem wahren Sohne des Lykus das gleiche
Mal annehmen, weil sein fehlen die Verwechslung der Kinder
erschwert, ja unmöglich gemacht hätte: die Pfleger am Hofe
des Lykus hätten an dem Male des unterschobenen Knaben
Anstoss nehmen müssen. Also: Elpenor glaubt in dem getödteten den Sohn der Antiope zu entdecken. Der durch den lang-
gedehnten Racheschwur nothwendig zu erwartende Conflict ist
da. Schnell findet sich die in den Knabenwechsel eingeweihte
Person ein und hält durch ihre Mittheilung den verzweifelnden
Elpenor vom Selbstmord ab.

Es läge nun nahe, dass Lykus, des Erben beraubt und in
der Furcht der Enthüllung seines Verbrechens, sich selbst
vernichtet, dass danach Polymetis die Schuld des todten, der
ihn der Theilnahme nicht mehr .überführen kann, aufdeckt,
zugleich sich als Retter Elpenors ausspielend, und dass auf
diese Weise Elpenor der Erfüllung des andern Theiles der
geschworenen Rache entledigt wird. Es wäre auch möglich,
dass Polymetis noch zu Lebzeiten des Lykus dessen Anschläge
aufdeckt, wodurch Elpenor vor die Aufgabe, seinen Pflegevater
zu strafen, gestellt würde. In diesem peinlichen Moment,
peinlich auch wenn Lykus der Strafe irgendwie zuvorkäme
oder entkäme, würde dann auch die erste Hälfte des schweren
Eides ihren tragischen Conflict erreichen.

Aber mir scheinen Verzahnungen in das Bruchstück gefügt zu sein, welche zeigen, dass die Lösung nicht rasch und
nicht in Folge eines Ereignisses eintreten sollte.

Es ist eine Lage vorgesehen, in welcher Elpenor „das Glück
durch Thorheit, Uebermuth beleidigt", etwa verführt durch
falsche Rathgeber, d. h. Polymetis. Denn Evadne empfahl dem
Elpenor, er möge von den Göttern sich verständige und wol-
gesinnte zu Gefährten bitten, was das eintreten des andern
Falles in mögliche Erwartung stellt. Auch Polymetis selbst
nimmt einen Irrthum des Elpenor in Aussicht, wobei, wie er
schmeichlerisch sagt, er an dessen Seite sein Blut wagen werde.
Er nimmt ferner in Aussicht, dass Elpenor wie die Knaben
zum Jugendspiel, so bald das ganze Volk, Jünglinge, Männer
Greise, zum ernsten Spiele führen werde. Und weiter wünscht
Polymetis und führt es wol herbei, dass ein ungeheurer Zwist

das Haus zerrüttc; dann ist der Augenblick gekommen, in welchem er den Lykus zu entlarven plant, hoffend sich dabei in Elpenors Gunst einzunisten.

Also: ein Krieg bricht aus. Elpenor muss dabei activ sein, wenn er irren, wenn er thöricht und übermüthig sein soll. Dann wäre die Verwicklungsstufe betreten, auf der Evadne unverlangt Rath gibt, wo Elpenor ihre Mahnung, sich das Alter ehrwürdig sein zu lassen, nicht erfüllt. Eine derartige Verwicklung muss sich bilden und ihre Spitze darf nicht gegen den greisen Lykus oder Polymetis gerichtet sein; denn nimmermehr darf Evadnes Milde Verbrechern zu Gute kommen; Evadnes Gefühl konnte Goethe nicht irren lassen. Welcher Trug nun trägt Elpenor, dass er „das rühmliche von dem gerühmten nicht rein zu unterscheiden" vermag? Gegen wen kämpft er?

Um die Antwort hiefür zu finden, muss ich den skizzierten Weg rückwärts verfolgen bis zu dem Puncte, wo der vermeintliche Sohn der Antiope entdeckt wird. Er bleibt am Leben und tritt als Praetendent auf, schroff, mit dem herrschsüchtigen Charakter seines Vaters. Lykus, vom Tode des Antiope-Sohnes überzeugt und jedesfalls nicht gesonnen, den wiederauferstandenen anzuerkennen, reizt Elpenor zum Zweifel an der Echtheit des Praetendenten. Auch Polymetis, obgleich besser unterrichtet, stachelt zum Kampfe. Ja, es kann sogar jetzt schon die Vertauschung kund geworden sein; Elpenor glaubt sie nicht: sein vermeintlicher Vater leugnet sie, Polymetis leugnet sie, Antiope selbst hat ihn für den Sohn des Lykus so lang gehalten. Auch die Verdächtigung des Lykus wird vor Elpenor ausgesprochen; sie widerstrebt seiner ganzen Erziehung. Nach allen Seiten hin Verwirrung. Das natürliche Gefühl wird in Elpenor betäubt. Da er der Gesammtheit der Enthüllungen nicht Glauben schenken kann, misstraut er auch jedem Theile derselben. Er zeiht die Trägerin der Geheimnisse der Lüge, er lässt ihr Alter sich nicht ehrwürdig sein. Thöricht, übermüthig steht Elpenor gegen den Praetendenten im Felde, im guten Glauben an die Unechtheit des Gegners, darum ohne das Bewusstsein, seinen Schwur zu verletzen, ohne an die gelobte Theilung des Reiches zu denken, ohne Acht auf die

Warnungen der Evadne. Im Kampfe wird Lykus fallen. Im
Kampfe wird Polymetis verwundet werden und sterbend offenbaren, dass der Antiope Sohn lebt und dass Lykus ein Frevler
war, und so die älteren Enthüllungen theilweise bestätigen, wodurch auch der übrige Theil glaubhaft wird. Was beide Uebel-
thäter zu ihrer Rettung unternahmen, führt tragisch ihren Untergang herbei. Der Bogen des Elpenor wird dabei eine Rolle
spielen, etwa so dass sein Pfeil unabsichtlich den Pflegevater
trifft. Auch der Praetendent wird fallen, etwa beim Versuche,
den Tod seines nun erkannten Vaters zu rächen, oder schon
zuvor durch des Lykus Hand. Antiopes Rache ist vollzogen.

Ein derartiger Schluss ist nach den Andeutungen der
ersten Aufzüge, wie mich dünkt, möglich. Dichterisch befriedigt er nicht. Aber das soll er auch nicht. Warum hätte
sonst den Dichter eine Aversion gegen das unglückliche Product
erfasst, warum hätte er sonst von einem unglaublichen ver-
greifen im Stoffe gesprochen?

Ich habe bei diesen Betrachtungen — mehr will das vorstehende nicht sein — einen Punct nicht berücksichtigt. Anscheinend muss so gut wie dem Bogen auch dem feurigen
Pferde, das sich Elpenor der Evadne gegenüber und dem Polymetis gegenüber wünscht, eine Stelle in der Verwicklung oder
Entwicklung angewiesen werden. Aber ein Unfall mit dem
Pferde, ob er Elpenor, der doch nicht ernstlich gefährdet
werden darf, oder einem andern, etwa des Lykus Sohn, Schaden
bringt, ist für die Bühne kaum statthaft. Ich stelle diesen
Wunsch Elpenors in eine Linie mit seiner Freude an Waffen;
wer beachtet, dass er das Schwert ähnlich dem Georg im Götz
von Berlichingen an Bäumen des Waldes versuchen will, wird
diese lediglich als Symptom des kriegerischen Muthes des Elpenor einschätzen. Wer das nicht will, müsste ein ganz anderes
Gefüge des Dramas aufbauen. Er könnte Elpenor im Gebirge
durch das Pferd in Gefahr gerathen lassen, natürlich hinter
der Scene, des Lykus Sohn würde ihn retten, dabei treten die
Wahrzeichen des verschwundenen Antiope-Sohnes ans Licht.
Elpenor würde eine Theilung des Reiches anbieten gemäss
seinem Gelöbniss, der herrschsüchtige Lykus, damit nicht einverstanden, bestärkt von Polymetis, Krieg anfachen, Elpenor,

zwischen dem vermeintlichen Vater und dem vermeintlichen
Sohne der geliebten Antiope stehend, Lykus mit dem Bogen
tödten, Polymetis dessen Frevel enthüllen und so den Sohn
einerseits beruhigen, anderseits vor den Zwang, die Rache
am Geschlechte des Lykus an sich selbst auszuführen,
stellen, wovon ihn die Vertauschungskunde befreit. Nun
könnte Elpenor den zweiten Theil seines Racheschwures
an seinem Lebensretter nicht vollziehen und Antiope, die
sich von Hass feierlich gereinigt hat, würde der Begnadigung
nicht widerstreben. Aber mir scheint eine derartige Lösung
unglaublicher als die zuvor entworfene. Konnte Goethe um
des versöhnlichen Schlusses willen seine antikisierende Dichtung
zum Exempel der fortgeschrittenen Moral oder Rechts-
anschauung machen wollen, wonach der Sohn nicht für die
Thaten des Vaters haftet?

An alle meine Betrachtungen, selbst wenn sie theilweise
etwas richtiges treffen sollten, knüpft sich ein schweres Bedenken, das freilich ebenso alle andern bisherigen Ausführungen
über Elpenor belastet. Das Stück beginnt am frühen Morgen,
der zweite Aufzug fällt in den Vormittag, die Ankunft des
Lykus, d. h. der dritte Aufzug, ist für die Mittagsstunde angekündigt. Danach ist doch für den Schluss der übrige Theil
des Tages als dramatische Zeit zu erwarten. Von dem Dichter
der Iphigenie und des Tasso ist in der That eine starke Ver-
letzung der Zeiteinheit nicht zu gewärtigen. Aber wie sollen
die verschiedenen Vorausdeutungen, die ich im Fragmente zu
finden glaubte, in dieser Frist verwirklicht werden? Sollten
es nur „Longueurs und Abschweifungen", Schillers Ausdruck,
sein? Darf dies dem damaligen Goethe zugetraut werden?
Soll doch des Lykus Sohn sich unter den zwölf nahenden Gespielen befinden? soll der Zeuge für die Kindervertauschung
auch in Lykus' Gefolge mit einziehen? soll kein Krieg sich
entspinnen, dessen Massenentfaltung ja allerdings zu einer
Iphigenie-artigen Dichtung nicht taugt? Oder soll Elpenor
nicht classisch wie Iphigenie sein, obgleich Goethe hart nach
der Notiz im Tagebuch am 19. August 1781: er habe an
Elpenor gearbeitet, vermerkt, dass er Iphigenie durchgesehen?
hat sich Goethe, der damals mit Shakespeare, wenigstens

dem Hamlet, sich liebevoll befasste, der die Volksscenen
im Egmont entfaltete, im Elpenor nicht an die Alten, nicht
an Lessing gehalten? Wozu auch sonst die in die Zukunft
zielenden Reden zwischen Elpenor und Evadne, besonders
zwischen Elpenor und Polymetis? Wollte Goethe zwischen
den enggeschlossenen drei ersten Acten und den folgenden
eine Pause eintreten lassen? Dann würde Biedermanns Aufstellung, der Dichter habe im Stoffe an das chinesische Drama
Des Hauses Tschao kleine Waise sich angelehnt, bestätigt; denn
dessen 4. und 5. Aufzug spielen zwanzig Jahre später als die
ersten.

Auf die Stofffrage gehe ich nach so vielen Fragen un-
gern ein. Ich komme über eine Mischung aus diesem chine-
sischen Dichtwerk und der Hyginischen Fabel von Antiope
so wenig hinaus wie Zarncke und Biedermann, obwol die
Mischung ungeheuerlich ist. Auf den Antiope-Stoff mag
Goethe so gekommen sein, wie Ayrenhoff; der ist durch
Lessing, dem er auch die Tragoedie 1772 — 1782 unter der
Vorrede in den Sämmtlichen Werken II, 6 ist natürlich ein
Druckfehler — gewidmet hat, und zwar durch die Erwähnungen
der verlorenen Antiope-Tragoedien in der Hamburgischen Drama-
turgie und der Theatralischen Bibliothek, wo auch Hygin als
Quelle genannt ist, auf die Fabel gekommen. Biedermann hat
schon angemerkt, dass Ayrenhoffs Ausarbeitung nirgends mit
der Goetheschen zusammenstimmt.

Und damit scheide ich von diesem Abschnitte der Bieder-
mannschen Sammlung. Das vorstehende ruht in wesentlichen
Puncten auf seinen Untersuchungen. Auch in der Ablehnung
der von Zarncke postulierten Nebenhandlung und Neben-
katastrophe stimme ich mit ihm überein, ebenso in der des
Ellingerschen Verweises auf Hamlet, den übrigens Biedermann
durch eine Bemerkung in seinen älteren Goethe-Forschungen
S. 121 angeregt haben wird. Mit Biedermann den Ausblick
von Elpenor auf die Delphische Iphigenie zu thun, trage ich
Zweifel, auch wird dabei für beide Bruchstücke wenig gewonnen.

Die vierte Abtheilung des zur Besprechung vorliegenden
Buches bringt Notizen und Ausführungen über Goethes Be-

ziehungen zu Zeitgenossen: zu Nicolai, Fritsch, Voigt, Krug von Nidda, Caroline Schulze (bisher ungedruckt; S. 192 lies: Wieland 1758 in Bern statt Bonn). „Goethe und Lessing" ist bekannt und hat herbere Abweisung erfahren, als ich begründet halte. Für die Aufnahme der „Humoreske" „Goethe und zwei Müller" hat der Verfasser selbst eine Entschuldigung angezeigt erachtet; er hätte auch hier die Ritterlichkeit, mit der er sonst in diesem Buche an einem allzu hitzigen Gegner stumm·vorüberschreitet — leider nicht auch S. 18 — walten lassen und die Satire unterdrücken sollen. Der Artikel Goethe und Göttling wäre durch die wichtige Prüfung des Einflusses Göttlings auf die Octavausgabe noch werthvoller geworden; auch so hat Biedermann schon viel mehr gethan als der Herausgeber des Briefwechsels. Goethe und Kotzebue schliesst diese Gruppe.

Fünftens: „Vermischtes zur Goetheforschung" und zwar: zu den Frankfurter gelehrten Anzeigen 1772, zu Pietsch, Goethe als Freimaurer, über Goethes Tanzlehrer in Strassburg und das Prinzesschen in Neapel. In einer längeren Untersuchung wird Goethes Interesse am Volkslied chronologisch verfolgt und der Theil seiner Gedichte, welcher Motive daher entlehnt, geprüft. Eine bisher nicht veröffentlichte Untersuchung über Goethes Verskunst zählt die fremden Formen, welche Goethe nachbildet, auf und erläutert, wie viel Gewicht für den Charakter der Dichtung Goethe dem Versbau beimass, wie er aber knechtischem nachahmen fremder Masse abhold war.

Die letzte Abtheilung des Werkes bringt eine Fülle von Nachträgen zu älteren Schriften des Verfassers; sie werden dem Benützer seiner Ausgabe der Briefe an Eichstädt, der Schriften über Goethe und Dresden, Goethe und das sächsische Erzgebirge, Goethes Gedichte immer zur Hand liegen müssen. Vor allen die Nachträge zum letzten Werkchen haben auch selbständigen Werth und sind als Erläuterungen mehrerer Gedichte und Gedichtgruppen willkommen. —

Ich habe mich einer sehr ungleichen Behandlung des reichen Inhaltes der neuen Goethe-Forschungen schuldig gemacht, wie es einem Sammelwerk gegenüber sich allzu leicht ergibt. Der Goethe-Forscher und Goethe-Freund wird auch bei den Theilen des Buches verweilen, die ich nur verzeichnete, immer objective Belehrung finden, auch wo er der subjectiven Ausführung nicht voll zustimmt. Ein ausführliches Verzeich-niss der in beiden Sammlungen von Goethe-Forschungen besprochenen Goetheschen Werke und der berührten Personen erleichtert die dauernde Benützung beider Bände.

Aus Knebels Tagebüchern.

Von

WILHELM FIELITZ.

Zum Zweck der Ausgabe von Goethes Briefen an Frau von Stein (Frkf. 1883 und 1885) habe ich die Kalender-Tagebücher Knebels, welche Herr v. Loeper besitzt, bis zum Jahre 1790 incl. excerpiert und darin auch manches, was für Schiller, namentlich sein sich entwickelndes Verhältniss zu Charlotte von Lengefeld wichtig ist, gefunden. Dasselbe sei mit einigen anderen, auf denselben Gegenstand bezüglichen Dingen, die ich seit meiner Ausgabe von Schiller und Lotte gesammelt habe, hier mitgetheilt.

Ueber Heron (Schiller und Lotte I S. 6 fg.) enthält Knebels Tagebuch (KT) folgende Notizen.

1786. Sonnabend 20. Mai [Jena]: Abends Convivium bey mir. 3 Engländer hier.

Sonntag 21. Mai. Nachmittag mit den Engländern u. Göthe nach Burgau spazieren. [An diesem Tage schreibt Goethe an Frau v. Stein: Die Engländer finden sich hier ganz wohl. Sie haben ein schönes Quartier bei Griesbach bezogen und scheinen eine gute Sorte Menschen.]

Montag 22. Mai. Lord Inverary, Mr. Heron, Mr. Ritchie. Mittags zu Fuss nach Lobeda. Hofrath Voigt da. Mit G. zurück.

Donnerstag 1. Juni. Supiert bey den Engländern.

Sonntag 4. Juni. Mittags mit Göthe allein. Abends bey den Engländern supiert und Punsch. Kings Geburtstag.

Dienstag 6. Juni. G. reitet nach dem Essen fort. Einladung von Imhof u. Antwort. [Imhof ist mit seiner Tochter Amalie schon im Mai drüben und bei den Engländern gewesen.

26*

Bei seinen Beziehungen zu England — er war mit seiner
Familie Anfang 1785 dort gewesen, vgl. Goethes Br. an
Frau v. St. II² S. 587. 597 — darf man wol annehmen,
dass an ihn die Engländer empfohlen waren.]

Donnerstag 8. Juni. Nach Weimar gefahren. Wagen zerbricht
noch in Jena. Abends bey Imhof Ball. [Vgl. Goethe an
Fr. v. Stein II² No. 805 fg.]

Freitag 9. Juni. Morgens nach 2 Uhr vom Ball. Bey Herder.
Bey Graf Moritz Brühl. Spazieren mit Göthe. Engländer.
Mittags bey Hof. Spanische Werther. Abends bey Hof.
Nachts mit dem Herzog spazieren. [Fourrierbuch: Gemeldet
wurden: Graf Werthern - Neunheilingen. Lord Inverary,
Mr. Heron, Mr. Ritchie. An der Hoftafel sind ausser diesen
vieren u. a. auch Knebel und Goethe verzeichnet.]

Sonnabend 10. Juni. Mittags mit den Engländern. Bey der
Herzogin Mutter. Abends bey Göthe im Garten u. supiert.

Sonntag 11. Juni. Mit den Engländern bey Bode. Mittags
bey Hof. Nach Ettersburg. Scheibenschiessen. Hottelstedter
·Ecke supirt. 11 Uhr zu Hause. [Fb.: Der Herzog mit den
Cavalieren nach Ettersburg auf die Jagd, eine Lust-Stern-
scheibe abgeschossen, auf der Hottelstedter Ecke kalt gespeist.]

Montag 12. Juni. Die Engländer reysten ab [nach Jena zurück].

Freitag 16. Juni. Zurück nach Jena.

Sonnabend 17. Juni. Imhof u. Amalie. Graf Brühl speisen
hier mit den Engländern.

Freitag 23. Juni. Brief vom Herzog nebst Erlaubniss zur
Jagd. [Karl Aug. an Knebel, hrsg. v. Düntzer, S. 61: Bei-
liegendes kannst du, wenn du es gebrauchen willst, dem
Förster Schlevoigt und Consorten vorzeigen und mittelst
dieser Aegide den dortigen Rehen und Wildpret mit deinen
Engländern zu Leibe gehen. Grüsse diese recht sehr von mir.]

Sonntag 2. Juli. Imhof kommt mit Amalie.

Dienstag 4. Juli. Brief von Göthe durch den Husaren, um
nach Weimar zu kommen.

Mittwoch 5. Juli. Morgens 5 Uhr nach Weimar mit Mylord
Inverary u. Mr. Heron gefahren. Bey Imhof Frühstück.
Beym Herzog. Bibliothek. Herzog Ludwig von Braun-
schweig [Goethe an Frau v. St. II S. 327]. Capt. Cleve.

Donnerstag 6. Juli. Morgens nach der Gewehrkammer. Im
 Stern. Bey Hof. Bey Imhof supirt in Gesellschaft der
 Engländer, Göthe, Capt. Cleve etc.
Freitag 7. Juli. Nachm. 5 Uhr von Weimar [nach Jena].
Montag 17. Juli. Wedel, Major Imhof, L. Wöllwarth vom
 Favrat'schen Regt. kommen hier an. Göthe ingl. (? nicht ?)
 Mittag bey mir. Thee bey den Engl.
Sonntag 20. Aug. Mit Capt. Heron nach Weimar.
Freitag 25. Aug. Von Weimar weg.

Ich bemerke, dass von einer Reise Knebels nach Kochberg im August 1786 nichts ersichtlich ist; überhaupt ist
Knebel mit den Engländern zusammen nicht in Kochberg gewesen; wann und von wo aus Heron also Rudolstadt besucht
hat, ist nicht nachzuweisen. Der Bericht bei Urlichs III S. XV
und der meinige, Schiller und Lotte I, bedarf also der Berichtigung;
das Billet der Stein an Charl. von Lengefeld bei Url. II S. 258
ist aus dem September 1788, nicht 1786.

Sonntag 1. Oct. [Tieffurt.] An Gräfin de la Rosée née Mora-
 witzky nach München, auf Verlangen der Herzogin [Mutter]
 für drey Engländer.
Mittw. 27. Dec. Mit Heron u. Ritchie nach Weimar gefahren.
 Thee bey Fr. v. Stein, Abends in der Redoute.
1787. Sonnabend 10. Febr. [Knebel hat mit Karl August eine Reise
 nach Mannheim, Heilbronn, Karlsruhe etc. gemacht.] Gegen
 4 Uhr in Jena. Engländer fort. Heron bleibt. [Dann fährt
 Knebel nach Weimar.]
Montag 19. Febr. Frl. Lengefeld [dieselbe war damals mit
 Friederike v. Holleben in Weimar].
Donnerstag 22. Febr. Verse für Frl. Lotte Lengefeld [Sch. u.
 L. I S. 6 fg. Gleichzeitig schrieb sich Heron in ihr Stamm-
 buch].
Sonnabend 24. Febr. Mittags bey Imhof mit den Lengefeldischen,
 da gespielt. Abends bey Frau v. Stein mit denselben.
 Iphigenie 1. Akt.
Montag 26. Febr. Heron geht nach Jena.
Freitag 12. April. Nach Göthens Garten gezogen, mit Heron.
Montag 15. April. Um 9 Uhr mit Heron aus G. Garten weg
 nach Jena.

Donnerstag 2. Mai. Heron kommt mit H. u. Frau Griesbach zu mir. Diese zur Trauung in Oberweimar, jener bleibt bey mir.

Sonntag 5. Mai. Jäger Bublitsch von Ilmenau nach Schottland zu Lord Lintower engagiert u. geht mit Heron. Mit Letzterem 10 Uhr nach Denstädt [dem Praesidenten v. Lyncker gehörig]. Mittags da. Grundstein zu seinem Gewölbe gelegt.

Montag 13. Mai. Heron reist ab. Begleitet bis zum Erfurter Thor.

Dienstag 21. Mai. An Heron nach Maynz.

Freitag 12. [24.?] Mai. An Heron.

Frau v. Kalb, Schillers Freundin, ist 1786 etwa im Mai aus Mannheim gegangen; Schiller erhielt (an Körner I² S. 42. Speidel und Wittmann, Bilder aus der Schillerzeit S. 156 fg.) im April durch Beck die Nachricht von ihrer beschlossenen Abreise. Sie gieng nach Kalbsrieth in der goldnen Aue zu ihrem Schwiegervater, von da will sie im April 1787 (vgl. Charlotte, hrsg. von Palleske S. 155) nach Gotha und nach einigen Monaten (S. 160) nach Weimar gegangen sein. In Knebels Tagebuch erscheint sie zum ersten Male und ganz vereinzelt am 23. Oct. 1786. Knebel hält sich damals vorübergehend in Tieffurt bei der Herzogin Mutter auf und notiert unter dem genannten Datum: Nachm. Frau v. Kalb hier mit Fr. v. Imhof u. Schardt, und über dem Namen v. Kalb steht unterstrichen: Lotte, es ist also die Frau Charlotte v. Kalb, die von Kalbsrieth aus vorübergehend damals muss in Weimar gewesen sein. Dann taucht sie in KT erst wieder am 19. April auf: „Zu Frau v. Stein. Frau v. Kalb da." Schiller schreibt etwa am 21. April (Sonnabend) an Körner: „Charlotte lässt sich euch herzlich empfehlen, sie wird einige Monate in Weimar zubringen." Ihr Brief an ihn wird also schon aus Weimar gekommen sein.

Sonntag 1. Juli. Abends Herder, Graf Solms, Frau v. Imhof u. von Kalb hier [d. h. bei Knebel in Goethes Garten, den derselbe seit dem 18. April 1787 (KT) bewohnte. Der erwähnte Graf Solms ist derselbe, mit dem auch Schiller lebhaft bekannt wurde (an Körner I² S. 67. 75); er wird in KT am 28. Juni und 31. Juli als anwesend erwähnt, am

10. August wird ein Brief an Graf Solms nach Cassel
notiert. Auch schreibt Knebel in dieser Zeit oft „an die
Fürstin Regentin zu Solms, geb. Prinzess v. Isenburg-Bir-
stein zu Laubach".]

Mittwoch 18. Juli. Bey Frau v. Kalb, v. Imhof. Sonnabend
21. Juli. Bey Frau v. Kalb, v. Imhof. Herzog geht nach .
Potsdam. [An diesem Tage kam Schiller in Weimar an;
in Naumburg verfehlte er den Herzog um eine Stunde (an
Körner I 66); letzterer kam erst am 30. Sept. (KT) zurück.]

Sonntag 22. Juli. Frau v. Stein zurück von Karlsbad.

Montag 23. Juli. Morgens Frau v. Kalb hier; mit ihr spazieren.

Montag 30. Juli. Morgens Frau v. Kalb hier. Spazieren mit ihr.

Dienstag 7. August. Kiste mit Mineralien von Karlsruh. Rath
Schiller hier. Mit ihm nach Tieffurth. [Ueber diesen Be-
such und den gemeinsamen Gang nach Tieffurt berichtet
Schiller, ohne Angabe des Datums, an Körner I S. 87;
ebendaselbst auch über die Operette in Ettersburg, wovon
KT in der folgenden Notiz.]

Sonnabend 11. August. Mit Kraus nach Ettersburg gefahren.
Operette daselbst. Prolog von Gotter. Nach dem Essen
mit ihm zurück.

Montag 13. August. Herzogin Louise kommt zurück [aus dem
Bade Aachen, wohin sie am 30. Mai (KT) gegangen].

Mittwoch 15. August. Bey Herder. Dieser wird krank. [Vgl.
Schiller an Körner I, 97. Wenn Schiller in demselben
Briefe schreibt: „Wieland ist noch in Eisenach bei dem
bekannten Herzog Ludwig v. B.", so ist das der von Goethe
an Frau v. Stein II S. 327 fg. 330 erwähnte. Seit dem
Sommer 1786 wohnte er in Eisenach und ist daselbst am
12. Mai 1788 (KT) gestorben.]

Sonnabend 25. August. Frau v. Stein reysst ab nach Kochberg [vgl. Schiller an K. I, 103].

Dienstag 28. August. Gesellschaft hier. Feuerwerk u. Illu-
mination [Sch. an K. I, 111].

Dienstag 25. Sept. Junge Lavater bey mir [Sch. an K. I, 123].

Mittwoch 26. Sept. Beym lieblichen warmen Sonnenglanz nach
Kochberg geritten. Gegen 3 Uhr da. Frl. v. Lengefeld da.
Spazieren daselbst.

Donnerstag 27. Sept. Etwas wolkicht und trüb, doch abwechselnd. Frl. Lengefeld geht mit Fritz Abends nach Rudolstadt.

Freitag 28. Sept. Nachmittags allein spazieren nach Kuhfrass.

Sonnabend 29. Sept. Mit Fritz Morgens nach Rudolstadt zu
Fuss. Spazieren daselbst. Mit den Lengefeldischen u. Frau
v. Beulwitz zurückgefahren nach Kochberg. In Kochberg
Kirms.

Sonntag 30. Sept. In Kochberg gelebt, gelesen, spazieren.
Herzog kommt nach Weimar.

Montag 1. October. Rüste mich zur Abreise. Husar vom
Herzog da, nach W. zu kommen. Mittags 12 Uhr weggeritten, Abends 5 Uhr in Weimar.

Am 28. September 1787 hat Knebel an Lottchen v. Lengefeld
den Brief geschrieben, aus dem bei Urlichs III S. 300 ein
Abschnitt mitgetheilt und in den Mai 1788 gestellt ist (vgl.
Sch. u. L. I S. 35 A. 1); da bei Urlichs die beweisenden Sätze
ausgelassen sind, so gebe ich das betr. Stück hier nach dem
Greiffensteiner Original:

Kochberg, Freitag Morgens.

Unsere Gedanken haben Sie gestern auf dem nassen Wege verfolgt, u. Frau von Stein hätte bald nachgeschickt, Sie wieder zurück-
holen zu lassen, als sie sah, dass es mit dem Regen Ernst sei. Doch
hat uns Fritz gute Nachricht gebracht. Der kleine Fritz schien
diessmal alles Ungemach der Reise alleine getragen zu haben, denn
er kam ziemlich grau u. schmutzig wieder und bekam deshalb
keine freundliche Anrede. Heute ist der Himmel mehr als zweideutig. So gerne ich mein Versprechen erfüllte u. mich im Voraus
über die gütige Aufnahme freue, die Sie mir versprochen haben,
auch dazu keine nassen Wege scheue, so würde es Ihnen doch
gewiss wenig Freude machen, mir Ihre angenehmen Gegenden in
einem trüben Himmelslichte zu zeigen. Morgen wissen es schon
alle Leute hier, dass es besser Wetter werden wird. Dann komme
ich noch, wenn ich die Erlaubniss habe.

Es ist dies, wie es scheint, der erste Besuch, den Knebel
bei Lengefelds macht.

Dienstag 2. Oct. An den Herzog geschrieben wegen Ablehnung
mit nach Holland zu reisen.

Sonntag 7. Oct. Der Herzog reist mit Herrn v. Wolfskeel ab
[nach Holland. Schiller an K. I, 123].

Mittwoch 10. Oct. Gegen 8 Uhr weggeritten nach Kochberg, vor 12 Uhr da. Unterwegs in Blankenhayn. Bey dem Gerichtsschreiber Engelschall zu Mittag. Spazieren. Ardingello gelesen.

Donnerstag 11. Oct. Geschrieben. Nachmittags mit Frau v. Stein, Frl. v. Lengefeld u. Fritz spazieren nach Kuhfrass. Jaspisse dort auf den Aeckern herum. Etwas spät zu Hause.

Freitag 12. Oct. Ganzen Tag zu Hause u. abwechselnd gelesen.

Sonnabend 13. Oct. Morgens 7 Uhr von Kochberg, über Magdel nach W.

Sonntag 2. December. Bey Hofe. Herr v. Kalb da [das ist der Major, Gatte Charlottens. Sch. an K. I, 138. 143].

1788. Dienstag 29. Januar. Lied, traurig süss. Nachmittags bey Frau v. Stein. Erwin. Bey Frau v. Imhof.

Donnerstag 31. Januar. Abends Comödie. Die Schule der Eifersucht.

Freitag 1. Febr. Redoute. Aufzüge. [Es ist die sogen. Geburtstagsredoute zur nachträglichen Feier des Geburtstags (30. Jan.) der Herzogin Louise. Unter den Aufzügen befanden sich Schillers Sonnenpriesterinnen. Auf dieser Redoute oder auf der vorhergehenden des 25. Januar (KT) war es, wo Schiller unvermuthet Lottchen v. Lengefeld traf; Schiller u. L. I, 213.]

Mittwoch 6. Febr. Abends bey Frau v. Stein. Frl. Lengefeld da.

Donnerstag 7. Febr. Nach Denstädt geschrieben, Antwort. Mittags hingeritten. Frau v. Stein, v. Imhof u. Frl. Lengefeld auch da.

Sonnabend 9. Febr. An Dr. Seiffert [? vgl. Diezmann, Aus Weimars Glanzzeit S. 14 A.?] nach Denstädt.

Dienstag 12. Febr. Frau v. Stein etc. hier Morgens zum Caffee. Abends bey Frau v. Imhof. [Ueber diesen Abend vgl. Url. III, 295.]

Mittwoch 13. Febr. An Frl. Lengefeld.

Donnerstag 14. Febr. Der Herzog kommt [aus Holland und Mainz zurück; vgl. Sch. an K. I, 167].

Sonnabend 16. Febr. Abends bey Frau v. Stein.

Dienstag 19. Febr. 12⁰—. Abends 7⁰—. Bey Frau v. Imhof
mit Schiller. [Danach könnte vielleicht Schiller u. L. Nr. 1
u. 2 am 18. Febr. geschrieben sein. Am 20. notiert KT
Regen; am 21.—24. Sehr gelind u. schön Wetter; 25.
Regen; 26. Friert die Nacht etwas; 29. Weich Frühlingswetter; 2. und 3. März. Schnee u. Koth; 4. Schnee ist liegen
geblieben; dann Schnee und Frost bis zum 18. März. Die
Schlittenfahrt Lottens in Nr. 2 scheint also vor dem
19. Febr. oder nach dem 4. März anzusetzen.]

Freitag 29. Febr. Abends Ball bey Hof.

Freitag 7. März. Mittags bey Hr. v. Kalb mit Seckendorf,
Frau v. Stein etc.

Sonnabend 8. März. Abends bey Frau v. Imhof.

Sonntag 16. März. Abends bey Frau v. Imhof.

Sonnabend 22. März. Mittags beym Herzog der unbass. Abends
bey Frau v. Imhof u. Frl. Lengefeld.

Montag 24. März. Der Schnee schmilzt gänzlich weg.

Freitag 28. März. Abends in Gesellschaft bey Frau v. Koppenfels.

Sonnabend 29. März. Bey Herder mit Fr. v. Stein, Frl. v.
Lengefeld, Fr. v. Imhof.

Donnerstag 3. April. Abends bey Frau v. Stein [vgl. Sch. u.
L. I, 18].

Freitag 4. April. Verse an Fr. v. Stein.

Sonntag 6. April. An Lottchen geschrieben. Reysst Mittags
ab [vgl. Sch. u. L. I, 22].

Freitag 11. April. Herzog geht ab, mit den Meinungern, Nachm.
3 Uhr, nach Leipzig.

Sonnabend 12. April. An Frl. v. Lengefeld nach Rudelstadt
nebst 4 Bäumen [Url. III, 297].

Sonntag 13. April. Kleine Prinz hier. Blattern inokulirt. Graf
Solms [derselbe ist schon am 11. und 12. verzeichnet; am
14. reist er wieder ab]. Nachmittag Schiller.

Sonntag 20. April. Ernst [Imhof] noch besucht.

Dienstag 22. April. Bey Frau v. Kalb u. Imhof. Pocken [vgl.
Sch. u. L. I, 29].

Donnerstag 24. April. Gegen Abend die Imhoffischen Blatter-
Kinder besucht und den kl. Prinz.

Sonntag 27. April. Comödie der Brunnen der Wahrheit geschrieben. Brief von Lottchen [Url. III, 297]. Kleine Neumann [Christiane] hier.

Montag 28. April. Erste Nachtigallen gehört [vgl. Sch. u. L. I, 25].

Dienstag 29. April. In der letzten Comödie [vgl. Sch. u. L. I, 29].

Freitag 2. Mai. An Frl. v. Lengefeld nebst Shaftesbury [Url. III, 298. Also nicht Thomson, wie Urlichs meint, schickt er]. — Ali oder die Gärten des Glücks.

Montag 5. Mai. Der Herzog hier von Aschersleben [am 9. geht er wieder ab].

Dienstag 6. Mai. Kalb nimmt Abschied [am 7. gieng er mit seiner Frau nach Kalbsrieth, Sch. u. L. I, 29].

Montag 12. Mai. Mittags bey Herder mit Canonikus Gleim. Abends im Clubb mit Herder. (Tod von Herzog Ludwig in Eisenach.)

Dienstag 13. Mai. Abends bey der Herzogin Mutter mit Gleim, Herder, Wieland etc.

Mittwoch 14. Mai. Mittags bey Geh. Rath Schmidt, Abends bey Bertuch.

Donnerstag 15. Mai. Morgens Gleim und Herder hier bey mir. Mittags mit beyden bey Hof. Abends bey Wieland. [Bei Bertuch und Wieland war auch Schiller zugegen, dessen Brief an Körner I S. 188 fg. also am 15., nicht am 17. Mai geschrieben ist. So schon Düntzer, Aus Goethes Freundeskr. S. 69, und ich im Archiv f. LG. IV S. 96 fg.] Steine von Göthe.

Montag 19. Mai [in Jena]. Von Frl. Lengefeld.

Sonnabend 24. Mai. Ganz schön u. heiter. Mein Mscript. nach Weimar an Frl. Göchhausen geschickt. Nach Rudelstadt um 11 Uhr. Himmel u. Erde schön. In Uhlstedt gespeisst. Gegen 4 Uhr angekommen. Zu Frau v. Lengefeld.

Sonntag 25. Mai. Nach Volkstedt zu Herrn Schiller. Mit ihm zu Mittag gegessen. Nachmittags zu den Lengefeldischen. Mit ihnen im Erbprinzgarten. Da supirt. [Also nicht von Kochberg, sondern direct von Jena kam Knebel. Am 25. ist sein Billet Url. III, 300: „Sie haben die Gnade" ge-

schrieben. Die „gestrige Partie", von der Schiller am 26.
(Sch. u. L. I, 34) spricht, gieng nach dem Erbprinzgarten.]

Montag 26. Mai. Mit Hr. v. Beulwitz in das Naturaliencabinet
[Sch. u. L. I, 83]. Viel gute Sachen da. Frau v. Stein
kommt aus Kochberg. Bleibt bis Abends. Im Garten.
Nachher das Nat.-Cabinet des Hr. Cammerrath von Brockenburg. Abschied.

Dienstag 27. Mai. Morgens 7 Uhr von Rudelstadt weggeritten.
Abends 7 Uhr in Jena.

Mittwoch 28. Mai. An Frl. Lotte v. Lengefeld nebst Büchern
[Url. III, 300 fgg.].

Donnerstag 29. Mai. Etwas Gewitterregen.

Freitag 30. Mai. Schwül u. Regen.

Sonnabend 31. Mai. Etwas Regen. Nach Weimar. Der junge
Dalberg kommt an, logiert bey Herdern. [Ueber die Regen-
zeit vgl. Sch. u. L. I, 37. 39. Auch am 1. Juni notiert
KT Etwas Gewitterregen; am 2. Trüb; am 3. Morgens
kühl, doch heiter; am 4. Morgens Regen; 5. Regen; 7.
Heitert sich auf; 10. 11. 12. Regen; 13. Trüb; 14. Heitert
sich aus, schön Wetter; 15. Morgens Nebel und kühl,
nachher heiter; 20. Neblicht an den Bergen, sehr heiss
u. matt; 22—27. Täglich abwechselnder Regen. Der junge
Domherr Hugo v. Dalberg wird von Frau v. Kalb Url. II,
217 und von Knebel Url. III, 302 fg. erwähnt.]

Freitag 6. Juni. Frau v. Kalb hier [aus Kalbsrieth zurück].

Sonntag 8. Juni. Herzog kommt des Morgens hier an.

Montag 9. Juni. Brief von Lottchen u. Brockenburg.

Donnerstag 12. Juni. Dalbergs Abschied.

Freitag 13. Juni. Hr. v. Dalberg und Frau v. Seckendorf
Morgens ab nach Gotha u. Mannheim. An Lottchen [Url. III,
302 fg.]. An Hr. v. Brockenburg.

Sonntag 15. Juni. Mit dem Bergsecretär Voigt nach Ilmenau,
logirte in der Post bey — [?].

Donnerstag 19. Juni. Von Heron aus Madera über Lissabon.

Freitag 20. Juni. An die reg. Herzogin nebst Herons Brief.

Sonnabend 21. Juni. An Frl. Lotte nach R. nebst Steinen von hier [Url. III, 304].

Sonnabend 28. Juni. Nach Weimar.

Montag 30. Juni. Von Frl. Lotte. Antwort nebst Herons Brief [Url. III, 305].

Die Wetternotizen für den Juli sind folgende: 1. 2. Trüb; 3. Schön Wetter; 4. Heiterer guter Himmel; 5. In der Nacht Sturm. Bey Tag gewittrig. Nachmittags u. Abends Regen; 6. Gewitterregen; 7. Abwechselnd; 8. Gewitterregen; 10. Schön Wetter; 11. Um 11 Uhr 25°; 12. Nachm. 2 Uhr 27³/₄°, 3 Uhr 28°, 6 Uhr 25¹/₂°; 13. Sehr warm u. heiter, 22—29°; 14. In der Nacht etwas Gewitter u. Regen bis Morgen. Trüb. Das Therm. 20°; 15. 16. Warm u. heiter; 17. Morgens früh etwas Gewitter u. Regen; 18. Desgl.; 19. Schön u. warm; 20. Sehr warm, gewittrig u. schwül; 21. Meist trüb Morgens. Therm. 21°; 23. Heiter u. warm. 24° in verschlossner Stube; 24. Sehr warm. Abends Gewitterregen; 25. Trüb u. regnicht; 26. Nachts etwas kühl. Therm. 16° abwechselnd bey Tag; 27. Schön Wetter; 28. Heiter; 30. Warm; 31. Morgens heiter, nachher trüb u. Nachmittags Gewitter. — Angesichts dieser Wetterübersicht ist sicher, dass das Billet Nr. 33, das ich vermuthungsweise auf den 20. Juli gesetzt habe, falsch gestellt ist. „Dass heute viele Menschen gefroren haben; da muss wohl die Luft so sein“, kann Lotte sicher nicht am 20. Juli, wahrscheinlich überhaupt im Juli nicht schreiben. Also ist es wol in das Ende des Juni zu setzen, wo vom 22.—27. bei Knebel abwechselnder Regen war. Die folgenden Billets 34—38 hängen durch Beulwitzens Krankheit und den vielfachen Schnupfen in Rudolstadt und Volkstedt mit 33 zusammen und setzen ebenfalls ein unfreundliches Wetter voraus; also auch sie werden in den Juni zu setzen sein. Die Apricosen in Nr. 38 können dann freilich wol nur im Treibhause gewachsen sein.

Montag 7. Juli. Briefe von Rudelstadt.

Freitag 14. Juli. An Frau v. Kalb nach Meinungen.

Die Wetternotizen aus dem August sind folgende: 1. Etwas Regen; 3. Trüb u. kühl; 5. Kühl u. regnerisch; 6. Regnerisch; 7. Abwechselnd; 8. Trüb u. abwechselnd; 9. Trüb,

doch etwas schwül; 10. Schön, doch etwas kalt; 11. Schön,
etwas kühl; 13. Regen; 15. Heftiger Sturm in der Nacht, der
viele Bäume umgeworfen, u. —?; 16. Schön Wetter; 19. Schön
u. warm; 20. Trüb, doch schön; 21. Trüblicht, doch schön;
25. Morgens etwas Regen; 26. Abwechselnd warm u. gut; 28.
Etwas Regen.

Sonntag 3. August. An Frau v. Kalb nach Woltershausen
  bey Meinungen.

Freitag 8. August. An Frau v. Stein nach Kochberg.

Sonnabend 9. August. Einsiedels Möbel gekauft [derselbe gieng
  mit der Herzogin Mutter nach Italien].

Mittwoch 13. August. Morgens meine Sachen von Hr. v. Einsiedels Haus nach dem neuen Quartier bey Fran Rath
  Voigt gebracht. Um 12 Uhr nach Jena.

Sonnabend 16. August. An Lotte L. [Url. III, 305 fg.].

Dienstag 19. August. An Frau v. Beulwitz. An Frau v. Stein
  [vgl. Sch. u. L. I, 73].

Mittwoch 27. August. Die beiden Engländer Mr. Williams u.
  Mr. Owen hier [in Jena].

Freitag 29. August. Mit Mr. Owen weggeritten u. Abends
  6 Uhr in Kunitz. Bey Bergcommissar Gottschild daselbst
  über Nacht geblieben. Eisenhütte u. Halden besucht.

Sonnabend 30. August. Morgens unter unangenehmer Wit-
  terung nach Lamsdorf. Von da nach Saalfeld. Nachmittags
  in Rudolstadt. Im Beulwitz'schen Hause supirt. Schlecht
  im Adler logirt.

Sonntag 31. August. Morgens nach Kochberg. Frl. v. Lengefeld
  kommt Nachmittags von Rudolstadt [vgl. Sch. u. L. 1
  S. 80].

Montag 1. September. Gegen 11 Uhr von Kochberg weg über
  Orlamünde. Nachmittag 6 Uhr in Jena.

Dieser Aufenthalt Knebels in Rudolstadt ist bisher un-
bekannt gewesen. Offenbar traf er nicht mit R. Z. Becker
zusammen; dieser wird also erst am 31. angekommen sein.
In Bezug auf Beckers Verhältniss zu dem Lengefeldischen
Hause theile ich nebenbei aus Lottens Stammbuch Beckers
Einzeichnung mit:

Ewig ist die Fortschreitung der Vollkommenheit, obschon am
Grabe die Spur des Weges vor dem sterblichen Auge verschwindet —

möchte Ihnen, Theuerstes Fräulein, jede Tagereise so
reich an Freuden seyn, wie mir die heutige war.

Rudolstadt den lezten May
1786.   Ihr unterthäniger Verehrer
                            R. Z. Becker.

Die Wetternotizen Knebels aus dem September, October
und November lauten: 4. September. Starker Nebel Morgens,
nachher heiter u. schön; 5. 6. Ganz heiter, warm u. schön;
7. Sehr warm u. schön; 8. Wenig Wolken u. warm; 9. Trüb,
doch warm u. gut; 10. Vortreflich schön u. heiter; 11. Der
Nebel steigt auf und es regnet gegen Abend; 12. Trüb u.
Regen; 13. Schön u. heiter; 14. Desgl., Nachmittag Gewitterregen; 15. Heitert sich wieder aus; 16. Heiter u. schön
Wetter; 17. Vollkommen schön u. heiter Wetter mit etwas
Wind; 18. Schön u. heiter Morgens. Das Wetter ändert sich.
Der Wind dauerte den ganzen Tag fort u. brachte gegen
Abend Regen; 19. Abwechselnd, doch meist den ganzen Tag
regnerisch; 23. Heitert sich auf; 24. Schön Wetter; 25. Trüb
u. etwas stürmisch; 26. Nachts etwas kühl und Reif; 27.
Reif, heiter u. schön. 1. October. Trüb u. zum Regen geneigt; 2. Trüb u. regnerisch, doch gelinde; 3. Trüblicht u.
sehr gelinde; 4. Heitert sich gegen Abend auf; 5. Schön
Wetter; 6. Ganz heitrer schöner u. warmer Tag; 7. Der
Himmel wölkt sich auf. Nachm. fängt es an zu regnen; 8.
Die Nacht durch Regen, heitert sich bey Tage auf und neigt
zur Kälte; 9. Reif u. Eis in der Nacht; 10. Desgl., heitert
sich gegen Mittag aus; 11. Nebel bis 11 Uhr; 12. Nebel den
ganzen Tag, Nachmittags zerstreut er sich etwas; 14. Es
heitert sich aus; 15. Schön Wetter; 17. Abwechselnd heiter;
18. Heitert sich wieder auf; 19. Trüb u. kalt; 20. Rauher,
kalter Wind, Nachm. etwas heiter; 21. Regnerisch u. rauh;
22. Regnet u. stürmt die ganze Nacht; 25. Trüb; 26. Regen
u. dicke Luft; 27. Regnerisch u. feucht; 30. Dunstig im
Sonnenschein mit Wolken; 31. Nachts Frost u. Morgens
heiter. Abwechselnd nachher. 1. November. Weich u. warm
Wetter; 2. Weich u. warm; 3. Abwechselnd; Morgens heiter;

6. Nachts Regen, Morgens dunstig, heitert sich auf; 7. Heiter
u. schön Wetter mit Frost; 8. Nachts Frost, ausserordentlich
heiter u. schön; 9. Ganz heiter u. schön, mit Frost. Mild bey
Tag; 10. Schlägt sich etwas Gewölk nieder, Frost; 12. Abwechselnd gelind Wetter, doch Reif bey Nacht; 13. Schön
u. sehr gelind Wetter; 14. Abwechselnd gelinde Luft u.
Sonnenschein; 15. Abwechselnd; 16. Etwas Schnee.

Mittwoch 3. Sept. An Frau v. Stein nach Kochberg.

Montag 8. Sept. Mittags Göthe, Frau v. Schardt, die Herdern
    u. Fritz Stein von Kochberg hier. Abends nach 6 Uhr
    wieder weg. [Vgl. Sch. u. L. I, 81 fgg. Am 7. u. 8.
    September 1788 ist das Billet der Frau v. Stein an Lottchen
    (Url. III, 258) geschrieben, das der Herausgeber ins Jahr
    1786 gesetzt hat.]

Donnerstag 11. Sept. Frau v. Stein, Frau v. Lengefeld, Frau
    v. Beulwitz u. Frl. Lengefeld kommen Mittags von Rudol-
    stadt hieher. Cabinet. Gegen Abend bey Griesbach im
    Garten, Thee. Solche Abends hier mit supirt.

Freitag 12. Sept. Trüb u. Regen. zu Haus. war Griesbach hier.
    Nachmittags HofR. Büttners Bibliothek. Abends zusammen
    supirt.

Sonnabend 13. Sept. Schön u. heiter. Wedel u. Herr v.
    Wöllwarth von Weimar zu Mittag hier. Im Griesbach-
    schen Garten Abends und supirt. Nachher elektrische
    Versuche durch Lenz hier. Unvergesslich schöner Abend
    in Gr. Garten.

Sonntag 14. Sept. Schön u. heiter. Nach 9 Uhr Frau v. Stein,
    Frau v. Lengefeld u. ihre beyden Töchter wieder abgereysst.
    Sie begleitet zu Pferde nach Lobeda. Ich blieb da Mittags.
    Geh. Räthin Schnauss und ihre Töchter nebst Mslle Bohlin
    aus Eisenach da. [Ueber diese Reise der Rudolstädterinnen
    nach Jena vgl. den Bericht Sch. u. L. I, 84 fg., der durch
    Knebel vielfach berichtigt und vervollständigt wird.]

Dienstag 16. Sept. An Frau v. Stein nach Kochberg. An Frl.
    v. Lengefeld, nebst Magnet u. Glas, worinn Quecksilber
    [Url. III, 306].

Sonnabend 27. Sept. An Frl. Lengefeld nebst Schweizerreise.

[Das ist der Brief, vonwelchem Lotte in Nr. 56 spricht;
sie beantwortet ihn am 28. (Briefe von Schillers Gattin
an einen vertr. Freund S. 29 fgg.). Damit ist das Datum
der beiden Billets Sch. u. L. I Nr. 56 und 57 auf Sonntag
den 28. September festgelegt.]

Sonnabend 4. Oct. Nach 10 Uhr von hier [Jena] weg,
nach Kochberg geritten. Abends 6 Uhr da. In Orlamünde
gefüttert. Heitert sich gegen Abend auf.

Sonntag 5. Oct. Schön Wetter. Aus dem Göttinger Allmanach
gelesen. Spazieren — Sekretär.

Montag 6. Oct. Ganz heitrer, schöner u. warmer Tag. Nachmittags bis gegen Abend spazieren. Schöne Gegend u.
Himmel. In der Thal-Müllern Hütte. _

Dienstag 7. Oct. Der Himmel wölkt sich auf. Gegen 10 Uhr
von Kochberg weg. Um 3 Uhr in Jena. Fängt an zu
regnen.

Zu Sch. u. L. I, 101 A. 3 bemerke ich, dass die bei Url..I
423 genannte Reise durch Griechenland ist: Guys, Voyage littéraire de la Grèce ou lettres sur les Grecs anciens et modernes
avec une parallèle de leurs moeurs, Paris 1783, 3. Ausg. Nach
einer früheren Auflage auch deutsch: Litterarische Reise nach
Griechenland, 2 Bde. Lpz. 1772. Den Nachweis verdanke ich
meinem Freunde Dr. O. Lüders in Athen.

Dienstag 28. Oct. Abends Brief von Rudolstadt nebst Kistchen.
Antwort [Url. III, 306] nebst Pflanzen.

Montag 17. Nov. Briefe von Rudolstadt.

Mittwoch 19. Nov. Nach Rudolstadt nebst Baroskop [Url.
III, 307].

Freitag 21. Nov. Mit Göthe nach Weimar.

Mittwoch 26. Nov. Mittags allein bey Frau v. Kalb. Schiller
da. [Vgl. Sch. u. L. I, 131. Schiller schreibt: „Herr v.
Knebel erzählt mir, dass das böse Lolochen das schöne
Glas zerbrochen habe." Das ist nicht, wie ich in der Anm.
gesagt, das Glasbecherchen aus Ilmenau, sondern das Glas
mit dem Quecksilber, vgl. oben KT 16. Sept., Briefe an
einen vertr. Fr. S. 31. Schiller fährt dann fort: „Er hat
Ihnen aber, wie ich höre, ein noch weit schöneres Phy-

sikalisches Präsent gemacht"; das ist das Baroskop, das er
am 19. Nov. schickte.]

Mittwoch 3. Dec.   Abends auf den Ball bey Frau v. Kalb
[Url. III, 308].

Donnerstag 4. Dec.   Moriz hier.   Göthe kommt von Gotha
zurück.   Abends bey ihm mit Moriz [Sch. u. L. I, 153].

Freitag 5. Dec.   Abends bey Göthe mit Moriz.

Sonnabend 6. Dec.   Mittags bey Hof mit Göthe.   Comödie
Hamlet.

Sonntag 7. Dec.   Abends noch bey Göthe u. Moriz.

Montag 8. Dec.   Bey Göthe.

Dienstag 9. Dec.   Mit dem Herzog aufs Eis.   Zu Göthe mit ihm.

Mittwoch 10. Dec.   Gegen Abend bey der Herdern.   Nachher
beym Herzog gerufen.   Göthe u. Moriz da.

Donnerstag 11. Dec.   Abends bey Göthe.   Herzog, Wieland
u. Moriz da.

Sonnabend 13. Dec.   Mit Moriz bey Hofrath Voigt.   Abends
bey Göthe.

Sonntag 14. Dec.   Zu Haus.   Moriz hier bey der Herdern.
Abends bey Hofrath Voigt mit Göthe u. Moriz.

Dienstag 16. Dec.   Mittags bey Geh. Rath Göthe mit Moriz,
Fr. v. Stein, Fr. v. Kalb.

Mittwoch 17. Dec.   Bey Frau v. Stein Gesellschaft [Sch. u. L.
I, 182].   Abends bey G.

Donnerstag 18. Dec.   Abends bey Mad. Herder.

Freitag 19. Dec.   Der Herzog kommt von Aschersleben zurück.
Abends bey Göthe.

Sonnabend 20. Dec.   Nachm. bey Frau v. Kalb [Sch. u. L. I,
182].   Abends mit Göthe u. Moriz beym Herzog bis
12 Uhr.

Sonntag 21. Dec.   Abends bey Hof, nachher bey Göthe.

Montag 22. Dec.   Abends bey der Herzogin Louise Gesellschaft,
chevalier Landriani da [Sch. u. L. I, 185].

Mittwoch 24. Dec.   Von Frl. Lotte. Antwort [Url. III, 308 fg.
Sch. u. L. I, 184].   Abends bey Fr. v. Kalb.

Donnerstag 25. Dec.   Ein Bouquet von Belveder, an Frau v.
Stein zum Geburtstag.

Freitag 26. Dec.   Mittags beym Herzog mit Moriz u. Göthe

Sonnabend 27. Dec. Mittags bey Göthe mit Hofr. Voigt,
Moriz u. Fritz Stein.. Abends beym Herzog mit Moriz u.
Göthe.

Sonntag 28. Dec. Bey Mad. Herder. Frau v. Imhof reysst
morgen nach Bayreuth [Sch. u. L. I, 193].

Montag 29. Dec. Mit Moriz im Schlitten nach Jena.

Dienstag 30. Dec. Moriz 4 Uhr zurück [nach Weimar].

Vom 14. Dec. ab notiert KT grosse Kälte, bis zu $25\frac{1}{2}^0$
— (am 17. Morgens 9 Uhr). Dann nimmt sie allmählich ab,
am 21. sind $5\frac{1}{2}^0$ —. Am 25. Gelinde u. Thauwetter; 26. Die
Kälte nimmt wieder zu; 27. Strenge Kälte u. heiter.

1789. Donnerstag 1. Januar. Cammerrath Wiedeburgs Tod
erfahren. Er wurde Morgens $\frac{1}{2}$11 Uhr vom Schlag getroffen u. starb Abends gegen 11 Uhr.

Freitag 2. Jan. An Göthe wegen Wiedeburgs Tod u. an Frau
v. Stein.

Sonntag 11. Jan. Frau v. Stein u. Frau v. Kalb kommen gegen
11 Uhr. Gegen Mittag Frau v. Imhof v. Bayreuth. Abends
mit der Gesellsch. nach Weimar.

Montag 12. Jan. Nachmittag bey Frau v. Kalb — Herdern —
Abends bey Göthe.

Dienstag 13. Jan. Göthe. Moriz hier. Abends beym Herzog
mit vorigen bis Mitternacht.

Freitag 16. Jan. Redoute. Zigeunerinnen daselbst, nebst Versen
an Göthe u. Moriz etc.

Montag 26. Jan. Brief gedrukt von Göthe erhalten. Mittags
bey Frau v. Stein mit der Ziegesarischen Familie. [Das
ist der Brief Goethes an Knebel im Februarheft des Merkur
S. 126: Naturlehre. Vgl. Sch. u. L. I, 229. Düntzer,
Goethe u. Karl Aug. I, 323 fgg.]

Dienstag 27. Jan. Nachts nicht geschlafen, sondern geschrieben
an der Antwort von obigem Brief. Mittags beym Herzog,
vorher bey Frau v. Stein.

Mittwoch 28. Jan. Morgens Moriz hier. Explikation des Obigen
[vgl. Goethe an Knebel I, 92].

Donnerstag 29. Jan. An Moriz die Antwort des obigen
Briefes.

27 *

Freitag 30. Jan. Abends Redoute bis 2 Uhr [Sch. u. L. I, 213].

Sonntag 1. Februar. Bey Göthe [zum ersten Mal seit dem 24. Jan.].

Donnerstag 5. Febr. An Göthe über Moriz Schrift [Sch. u. L. I, 226].

Montag 9. Febr. Fragen an Göthe.

Dienstag 10. Febr. Bey Schiller [Sch. u. L. I, 225].

Freitag 13. Febr. An Frl. Lotte Lengefeld nebst Vollneys Reisen [Url. III, 309. Sch. u. L. I, 230].

Donnerstag 26. Febr. Brief v. Lottchen Lengefeld.

Donnerstag 26. März. Brief von Lottchen Lengefeld [Br. an e. vertr. Fr. S. 38 fg.].

Sonnabend 4. April. Quartier gesucht.

Sonntag 5. April. An Frl. Lengefeld [Url. III, 309].

Montag 6. April. Quartier bey Frau Hofrath Günthern gemiethet.

Sonnabend 11. April. Aus meinem Quartier bey Voigtin ausgezogen u. in der Hofr. Günthern Haus.

Freitag 24. April. Hr. Capellmeister Reichardt aus Berlin hier. An Frl. Lotte nach Rudolstadt.

Dienstag 5. Mai. Nach Jena.

Sonnabend 9. Mai. An Frl. Lotte nach Rudolstadt.

Sonntag 10. Mai. Briefe von Rudolstadt [Br. an e. vertr. Fr. S. 46].

Donnerstag 14. Mai. Abends mit Schiller spazieren.

Sonnabend 16. Mai. An Lottchen [Url. III, 310].

Dienstag 9. Juni [in Weimar]. Briefe von Rudolstadt [Br. an e. vertr. Fr. S. 50].

Freitag 12. Juni. An Frl. v. Lengefeld [Url. I, 341].

Montag 22. Juni. Nach Jena mit dem Herzog.

Dienstag 23. Juni. Militärische Tafel beym Herzog im Schloss.

Mittwoch 24. Juni. Mittags die Professors bey Tafel.

Donnerstag 25. Juni. Mit Fr. v. Kalb morgens spazieren [Sch. u. L. I, 302].

Freitag 26. Juni. Mittags Frau v. Kalb, Frau Geh. Kirch. R. Griesbach u. Hr. Pr. Schiller bey mir im Schloss. Frau v. Kalb reysst ab.

Sonnabend 27. Juni. Bey Mad. Griesbach, die morgen nach Rudolstadt geht [Sch. u. L. I, 303].

Donnerstag 9. Juli. Nachmittags Schiller da.

Freitag 10. Juli. Morgens dicker Nebel, heitert sich auf. Schöne Luft u. Himmel. Nachmittags im Garten bey Mad. Griesbach, wo die beyden Damen aus Rudolstadt. Mit ihnen u. Gesellschaft in der Rose supirt. Göthe kommt Abends. [Eine wesentliche Ergänzung zu Sch. u. L. I, 308.]

Montag 20. Juli. An Frl. v. Lengefeld nach Lauchstedt [aus Weimar. Url. III, 312].

Freitag 14. August [Weimar]. Nachmittags u. Abends, mit Gesellschaft aus Dresden, bey Frau v. Kalb.

Sonnabend 15. August. Mittags bey Frau v. Stein.

Sonntag 16. August. Abends bey Herder, nebst den Fremden, Hr. Körner etc.

Montag 17. August. Abends bey Frau v. Kalb grosses Convivium.

Dienstag 18. August. Morgens mit den Körnerischen in der Herzogin Mutter Palais u. bey Kraus. Mittags bey Hof. Spazieren mit solchen bis Abend. Nachher bey Frau v. Stein.

Also Körners, die vom 10. August an bei Schiller in Jena zum Besuch waren, hielten sich, wie es scheint ohne Schiller, am 14., 16., 18. in Weimar auf; man sollte meinen, dass sie auch am 17. an dem „grossen Convivium bey Frau v. Kalb" Theil genommen hätten, doch widerspricht dem, was ich aus Minna Körners Stammbuch — nach einer Abschrift, die ich aus Hermann Uhdes Nachlass genommen — mittheilen kann.

Jena am 18ten August
1789.

Freude nehmen, Freude geben
Hebt das niedre Erdenleben
Bis zur Götterseligkeit:
Möchte, aus der reinen Quelle
wo du schöpfest, jede Welle
neuen Stoff zur Fröhlichkeit
dir und deinem Körner reichen,
Minna, und dir Emma gleichen!

Am Morgen nach einem Abend, den mir die lieben Körners mit ihrem Dorchen, Schiller, Reinhold und den andern Guten froh gemacht hatten —

Rudolph Becker.

Schiller schreibt am 18. August an seine Schwester Christophine: „Erst vor wenigen Stunden sind sie fort." Ueber Weimar aber sind Körners nicht gefahren, sondern (Körn. an Sch. I, 326) über Gera, Altenburg, Grimma, Borna; also ist die Rückreise von Jena aus angetreten; wenn demnach Körners am 18. bis zum Abend in Weimar waren, so folgt, dass Schillers Brief an Christophine vom 19. zu datieren sei; am 19. früh sind sie aus Jena gefahren und haben dann (Körner a. a. O.) in zwei Tagereisen am 20. Abends Dresden erreicht.

Dienstag 25. August. Frau v. Stein u. Fr. v. Imhof reisen Morgens ab nach Kochberg [am 29. wurden beide in Rudolstadt erwartet, doch kam nur die Stein am 3. Sept. Sch. u. L. II, 18. 27].

Sonnabend 5. Sept. Nach Kochberg gegangen, zu Fuss 8 Uhr bis nach 1 Uhr.

Dienstag 8. Sept. Nach Weimar zurück gegangen, 8 Uhr bis 1 Uhr.

Am 18. Sept. traf Schiller zu den Michaelisferien in Rudolstadt ein und bezog wieder sein Quartier in Volkstedt. Von den Briefen zwischen ihm und Lotte aus den 35 Tagen seines dortigen Aufenthalts ist merkwürdiger Weise gar nichts erhalten, offenbar wurde jedes Billet sofort nach Empfang vernichtet, damit es nicht in unberufenen Händen zum Verräther würde. Aus dieser Zeit kann ich zwei Briefe von Caroline v. Beulwitz an R. Becker mittheilen, die ich ebenfalls aus dem Nachlass von Dr. Hermann Uhde habe.

I.

Rudolstadt den 27ten Sep.
1789.

Wie geht es Ihnen, mein lieber Becker? Ich darf im Stillen an die Fortdauer Ihres Andenckens u. Ihrer Freundschafft glauben,

ob 'wir gleich nichts von einander hören, nicht wahr? Eigentlich
ists eine Comission die Ihnen diesen Brief zuzieht, ich ergreiff
die Gelegenheit sehr gern um Ihnen ohne Unbescheidenheit ein
paar Augenblicke zu ver- | derben. Sie besinnen sich wohl dass 2
Sie ein Clavier bei Steinbrück, für eine hiesiege Dame bestellt
haben, diese mögte gern wissen ob sie es bald erhalten könnte.
Wollen Sie so gut sein u. darnach fragen lassen? Bitten Sie Ihre
liebe Schwester, oder Frau, die wir beide herzlich grüssen, mir die
Antwort zu sagen, wenn Sie keine Zeit haben. Nun auch einen Auf-
trag von unsrem Freund | Schiller, der eben wieder bei uns in 3
Volckstädt ist, u. Sie schön grüsset. Er wünschte le rêve d Alembert, zu lesen, ein Manusskript dass der Prinz August besizt. Wenn
Sie einen Kanal haben, es uns für einige Tage zu verschaffen, so
würde es uns viel Freude machen. — Von unsrer Freundin Caroline kann ich Ihnen nichts gutes sagen. Mein Herz ist so wund
über diesen Gegenstand dass ich ihn nur mit Schrecken u. Furcht
berühre. | Ich habe sie sehr kranck verlassen, u. seitdem von keiner 4
Besserung gehört, izt ist sie in Halle mit ihren Vater bei einen
trefflichen Arzt vom Geist u. Herzen den Pr. Meckel. Caroline hat
mir versprochen in meinen Armen zu sterben, aber ihre Zufälle sind
so heftig u. kommen so unvermuthet, dass ich mit jeden Posttag
fürchten mus eine schreckliche Nachricht zu erhalten. Unser Zusammensein hat unsre Seelen noch inniger verflochten — u. sollte
schon izt die Trennung erfolgen! Meine Seele ist so bewegt. leben Sie
wohl, mein Theurer Freund, u. bleiben Sie es immer! C. von Beulwiz.

II.

Rudolstadt d. 4(9?)ten Oct.
1789.

Nur durch zwei Worte eile ich Ihnen, meine guten Nachrichten
mitzutheilen, lieber Becker. Unsre Freundin ist ausser Gefahr, auf
den Wege zur Besserung, u. wird den 10ten in Erfurth eintreffen.
Vorgestern empfing ich einen Brief von ihr, es fiel mir eine Centner
Last vom Herzen als ich die Züge | ihrer lieben Hand wiedersah. 2
Meinen herzlichen Glückwunsch zur Vermehrung Ihrer Familie,
mögen Sie viel Freude erleben an Ihren lieben Kindern! Von unsren
Reisenden haben wir die besten Nachrichten, mein Mann gefällt sich
immer besser in Geneve, u. sagt mir dass er viel interressante Be-
kanntschaften dort mache. Ich werde der ungedultigen | Dame die 3
Nachricht wegen das piano forti [sic] sagen, sie kann es dann bei
Steinbrück selbst abbestellen, wenn sie nicht warten will. Herzliche
Grüsse Ihrer lieben Familie, u. von der meinigen viele für Sie. Auch
Schiller emphielt sich Ihnen bestens. Ich hoffe wir begegnen uns
diesen Winter wieder in Erfurth wie voriges Jahr. Leben Sie

wöbl, lieber theurer Freund, u. lassen mich Ihrem Andencken nicht fern sein.

　　An Herrn　　　[Siegel wie Sch. u. L. I No 41.]　Caroline v. Beulwiz.
　　Rath Becker　　　　　　　　　　　．
　　　　　　　　　in
frei　　　　　　　　　Gotha.

　　·　　Knebel lud in dieser Zeit die beiden Kochberger Damen nach Jena ein, wo er seit dem 17. Sept. sich aufhielt [vgl. Sch. u. L. II, 62. · Er war, fast ebenso lang in Jena, wie Schiller in Rudolstadt].

Sonntag 27. Sept. Morgens mit Göthe im Schiff nach Dornburg gefahren, Abends zurück im Wagen. G. erhält Briefe von W. nach Aschersleben mit der Herzogin zu gehen u. reist Abends ab.

Montag 28. Sept. An Frau v. Stein nach Kochberg einen Expressen mit Weintrauben.

Dienstag 29. Sept. Antwort von Frau v. Stein u. noch einen Brief von derselben. Abermalige Antwort an dieselbe, nebst Briefe für Frl. Lotte [das ist die „Beichte“, Url. III, 293 fg, wie aus Lottens Antwort hervorgeht. Dieselbe ist also zu datieren „Jena d. 29. Sept. 1789“].

Sonntag 4. Oct. Morgens gegen 4 Uhr nach Naschhausen gefahren, Frau v. Stein u. Frau v. Imhof daselbst abzuholen. Solchen zu Fuss entgegen, bis über Orlamünde. Unterhandlungen wegen des Wagens mit Fr. v. Schmidt. Abgefahren nach 10 Uhr von Naschhausen u. gegen 2 Uhr in Jena.

Montag 5. Oct. Den ganzen Tag zu Hause.

Dienstag 6. Oct. Frau Geh. Kirch. R. Griesbach, Nachmittag in ihrem Garten. Bey mir Thee u. supirt.

Mittwoch 7. Oct. Die beyden Dames reisen um 10 Uhr wieder nach Kochberg.

Montag 12. Oct. Von Lotte, von Rudolstadt [Br. an e. vertr. Fr. S. 57 fgg.], an den Herzog geschrieben.

Mittwoch 14. Oct. An Frl. Lotte v. Lengefeld. An Fr. v. Stein, nebst Copie des Briefes an den Herzog.

Sonnabend 17. Oct. An Frau v. Stein, durch Frl. Lengefeld.

Montag 19. Oct. Nach Weimar.

Mittwoch 21. Oct. Spazieren mit Lore v. Kalb [das ist die Praesidentin, die Schwester von Charlotte v. Kalb].

Donnerstag 22. Oct. Abends bey Frau v. Kalb nebst den beyden Brüdern v. Kalb [vgl. Sch. u. L. II, 67].

Dienstag 27. Oct. An Frau v. Stein nach Rudolstadt [vgl. Sch. u. L. II, 65. 67].

Mittwoch 28. Oct. Fritz Stein kommt von Kochberg.

Donnerstag 29. Oct. Bote von Rudelstadt mit Briefen. Antwort an Fr. v. Imhof.

·Montag 2. Nov. Trüb. 10 Uhr zu Fuss nach Kochberg gegangen. Nach 3 Uhr daselbst angekommen. Neblicht. Trauriger Himmel unterwegs.

Dienstag 3. Nov. Abwechselnd heiter. In Kochberg Fr. v. Stein, v. Imhof u. Frl. Lengefeld. gelesen. [Vgl. Sch. u. L. II, 82. 96 fg.]

Mittwoch 4. Nov. Um 2 Uhr von Kochberg mit Frau v. Imhof u. Käthchen [deren Tochter] abgefahren. Halb 7 Uhr in Weimar.

Donnerstag 19. Nov. Bey Frau v. Stein, die von Kochberg wiederkommt.

Mittwoch 25. Nov. Mittags bey Herzogin Luise mit Major Beulwiz, Wieland [Sch. u. L. II, 72. 109. 166].

Donnerstag 26. Nov. Mittags bey Frau v. Stein mit Herder, Major v. Beulwiz von den Gens d'armes. Auch Abends da.

Sonnabend 28. Nov. Von Frl. Lengefeld aus Rudolstadt [Br. an e. vertr. Fr. S. 61 fgg.].

Mittwoch 2. Dec. Nachm. Schlittschuhfahren. Abends die Lengefeldischen (die ankommen), Frau v. Stein, bey mir zum Abendessen [Sch. u. L. II, 156 fg.].

Donnerstag 3. Dec. An Fr. v. Stein. Mittags bey Hof. Der Coadjutor da. Nachmittags bey Frau v. Stein, bey Frau v. Beulwiz. Abends bey Göthe, Faust vorgelesen. Coadjutor, Herzog, Herder, Wieland, Wedel etc. supirt.

Freitag 4. Dec. Morgens 8 Uhr mit dem Herzog, Coadjutor, Göthe nach Jena gefahren. Cabinet. Professors etc. Gegen 5 Uhr wieder zurück. [Sch. u. L. II, 157. 162 A. 2. 164 fg.]

Beym Herzog supirt in derselben Gesellschaft mit der
Herzogin.

„Das neue Knebelische. Sopha", von dem Schiller II,
158 schreibt, war aus Einsiedels Hinterlassenschaft und neu
aufgebessert. Vgl. oben S. 414. Url. I, 429. Knebel wohnte rechts
neben Lottens Wohnung bei der Hofräthin Günther [Sch. u.
L. II, 180].

• Wenn Lotte II, 170 von Goethe schreibt: Er sieht wieder
geistiger aus als in J., so meint sie ihr letztes Zusammentreffen
mit Goethe in Jena in der Rose am 10. Juli. Vgl. oben S. 421. —
Woraus dieselbe Berichterstatterin S. 173 schliesst, dass Knebel
mit dem Hofe in Unfrieden lebe, sehe ich nicht. Das Tagebuch zeigt ihn in wiederholtem Verkehr am Hofe.

Freitag 11. Dec. Abends bey Frau v. Beulwiz, nachher bey
    Göthe supirt, wo Gesellschaft.

S. 216 berichtet Lotte von einer Aeusserung der Frau
von Kalb, dass sie auf den Tod krank gelegen habe. KT erwähnt sie am 12. Dec. und dann wieder am 23.

Donnerstag 24. Dec. Mittags bey Frau v. Kalb, Charlotte. —
    Abends heiliger Christ daselbst.

Freitag 25. Dec. Milde Luft u. laue Frühlingstage. An Frau
    v. Stein, Kripplein geschickt, durch Fritz. Nachmittags u.
    Abends daselbst. Liegt zu Bette. [Daraus ist klar, dass
    an diesem Tage Schiller und seine Damen nicht bei der
    Stein zu Mittag gegessen haben, wie er irrthümlich an
    Körner I², 351 berichtet. Vgl. Sch. u. L. II, 222.]

Sonnabend 26. Dec. Laue u. milde Tage. Lynker hier. zu Haus;
    Abends Gesellschaft bey Göthe. Nachher bey Frau v. Stein,
    Frau v. I.

Sonntag 27. Dec. Abends bey Fr. v. Stein, Gesellschaft kommt hin.

Sonnabend 9. Jan. 1790: Im Othello. schlecht. [Lotte schreibt
    an demselben Tage, Sch. u. L. II, 233: Othello wird gegeben.
    Ich bin gar begierig auf das Stück und freue mich darauf.]

Donnerstag 21. Jan. Nachmittag u. Abends Gesellschaft bey
    mir, wobey sich Demoiselle Weber auf der Harfe hören
    liess. Blieben bis 11 Uhr. [Sch. u. L. II, 254.]

Montag 25. Jan. Nachm. Conzert der Harfenspielerin Demselle
Weber [a. O. S. 261].

Dienstag 26. Jan. Bey Frl. Waldner Thee im Clubb [Sch. u.
L. II, 265].

Mittwoch 27 Jan. Abends bey Göthe zum Thee [auch die
Lengefeldischen Damen da? vgl. Sch. u. L. II, 265]. Nachher
noch geblieben bis 11 Uhr.

Donnerstag 4. Febr. Mittags bey Frau v. Stein mit Lips, u.
die Lengefeldischen. Abends auch da, mit Herder etc. [Sch.
u. L. II, 273.]

Sonntag 7. Febr. Abends bey Bertuch in Gesellschaft. Hr. v. Salis
aus Chur u. andere. [Sch. u. L. II, 286.]

Montag 8. Febr. Mittags bey Frau v. Kalb, mit Herder, Wieland, Göthe etc. Hr. v. Salis.

Dienstag 9. Febr. Salis ab nach Graubünden.

Montag 22. Febr. Morgens spazieren u. schön. Hochzeit von
Schiller u. Frl. Lengefeld.

Dienstag 23. Febr. Ausserordentlich schön Frühlingswetter.
Mit Fr. v. Stein u. Fr. v. Imhof Morgens nach Jena ge-
fahren. Alte Büttner etc. Abends wieder zurück. [Sch. u. L.
III, 3 fg.]

Donnerstag 22. April. Von Weimar nach Jena [Url. II, 270].

Dienstag 27. April. Früh von Jena weg. Mittags bey den Lengefeldischen [in Rudolstadt], dann nach Gräfenthal [und weiter
nach Nürnberg, Anspach u. s. w. Schillers waren am 27.
nicht mehr in den Ferien in Rudolstadt, sondern erhielten
an diesem Tage bereits in Jena den Besuch der Frau
v. Stein. Url. II, 270 fg.].

Am 25. Mai, Dienstag, kam Frau v. Stein wieder nach
Jena; in einem ungedruckten Briefe an Knebel (Abschrift in
Schölls Papieren): „Jena den 26. am Mittwoch" theilt sie
diesem mit, dass sie seinen Brief vom 16. mit der Bestätigung
seines Verlustes erhalten [sein Bruder Max hatte sich er-
schossen]. Seit gestern sei sie hier. „Ehe ich ging, trug mir
der Herzog auf, Ihnen zu schreiben, dass Sie mit Mutter u.
Schwester mögten nach Jena ziehen. Die Herzoginn liess mir
merken, Ihr Gemahl werde Ihnen 200 ℳ zulegen. Ich ver-

misse Sie hier allerwegens, so lieb es auch hier die gute
Schillern mit mir meint. ich logire bei Frl. Segnern [Sch. u. L.
II, 267 fg. 272. 305. III, 63] und bleibe bis Sonnabend oder
Sonntag hier."

Aus Uhdes Nachlass endlich habe ich mir noch folgendes
aus einem Briefe Körners an Becker vom 17. März 1790 notiert: „Schillers Heyrath ist vollzogen, und er schreibt sehr
heitere Briefe. Sie kennen ja die Familie genauer; lassen Sie
mich doch gelegentlich wissen, was Sie von ihnen halten.
Ich habe Schillers Frau und ihre Schwester nur ein Paar
Stunden gesehen [in Leipzig am 7. August 1789]. — Sie sehen
wohl jetzt den Coadjutor oft! Es freut mich, dass er sich
für Schiller so sehr interessirt; wer weiss, was dieser Mann
uns allen noch einst werden kann."

Beiträge zur Kritik und Erklärung Hölderlins.

Von

ROBERT WIRTH.

III.

Der Tod fürs Vaterland.

(Werke I S. 32; Gedichte 1878 S. 40; Köstlin,
Dichtungen Hölderlins 1884 S. 106.)

Von der Ode: Der Tod fürs Vaterland haben wir im
handschriftlichen Nachlasse des Dichters noch Concepte; gedruckt wurde sie zuerst im Taschenbuche für Frauenzimmer
von Bildung auf das Jahr 1800, herausg. v. C. L. (Christian
Ludwig) Neuffer, Stuttgart, Steinkopf, S. 204. Im Taschenbuche
hat die Ode 6 Strophen, die erste Ausgabe der Gedichte brachte
deren nur 5 (es war die Schlussstrophe des Taschenbuchs
weggefallen), und so wurde es in allen folgenden Ausgaben
gehalten bis auf die zur Zeit jüngste von 1878, in welcher
das Gedicht wiederum 6 Strophen hat; Köstlin endlich fügte
zu diesen sechs Strophen eine neue Strophe und zwar am
Anfang hinzu, so dass die Ode also jetzt aus 7 Strophen bestehen würde. Köstlin (Einleitung zu seiner Ausgabe S. XLIII)
nahm die Strophe aus den Manuscripten, aber auffallend ist
es, dass er deren 2. Vers verkürzt wiedergibt, so dass derselbe, der ein sogen. Hendekasyllabus sein sollte, nur aus
9 Sylben besteht in dieser Form:

Flammst blutend über den Völkern auf —

während es im Concepte metrisch richtig heisst:

Flammst heute blutend über den Völkern auf.

Die Ueberschrift des Gedichts lautet im Concept Die Schlacht;

von andrer Hand, wol von Chr. Schwab, wurde dazu beigeschrieben Der Tod fürs Vaterland, offenbar, um anzudeuten, dass diese Verse das Concept seien zu der im Taschenbuche unter dieser letzteren Ueberschrift gedruckten Ode;
Köstlin setzte beide Titel über das Gedicht in der Form: Die
Schlacht oder der Tod fürs Vaterland.

Wie viel soll also diese Ode Strophen haben und wie
soll die Ueberschrift lauten? Wir haben uns hier einfach nach
dem ersten Drucke im Taschenbuche zu richten, da der Dichter
selbst seinem Freunde Neuffer das Gedicht doch wol als druck-
reif und in der Gestalt, in der er es bleibend sehen wollte,
für das Taschenbuch gegeben hat; die von Köstlin also zuerst
aufgenommene einleitende Strophe ist, wenn sie überhaupt in
einer Ausgabe des Dichters für das grosse Publicum beibehalten
werden soll, ausdrücklich als aus den Manuscripten des Dichters nachträglich hinzugefügt zu kennzeichnen. Ebenso ist
als Ueberschrift allein die des Taschenbuchs fortzuführen, da
Hölderlin die ursprüngliche Ueberschrift: „Die Schlacht“ ohne
Zweifel dahin geändert wissen wollte. Freilich könnte dieser
spätere Titel (Der Tod fürs Vaterland) — die richtige Auffassung des Gedichts, von der wir gleich sprechen werden,
festgehalten — für uns heute sogar etwas anstössiges haben,
und wir möchten wol den allgemeineren Titel: „Die Schlacht“
vorziehen, doch müssen unsere subjectiven Meinungen, die
durch unsere heutigen glücklicheren vaterländischen Verhältnisse bedingt werden, vor denen des Dichters zurücktreten.

Was aber vor allem die Kritik des Textes betrifft,
so ist, wie ich bereits in meinem Programme erwähnte, in
der 2. Strophe (die 1. Strophe bei Köstlin nicht mitgerechnet)
für den genet. plur. der Ehrelosen mit dem Concepte, dem
ersten Drucke im Taschenbuche und der jüngsten Ausgabe
der Gedichte bei Cotta von 1878 den Ehrelosen zu lesen[1]); in
der 4. Strophe aber ist ebenfalls mit dem Concepte, dem
Taschenbuche und der 1. (1826) und 2. (1843) Ausgabe der

---

1) Es kommt hinzu, dass der Dichter in einem ausserdem erhaltenen
früheren Concepte „den Unterdrückern“, also in gleicher Weise den
Dativ, schrieb (später setzte er — wie aus der Farbe der Tinte ersichtlich — auch hier schon dafür „den Ehrelosen“).

Gedichte leben zu lesen für lieben. Lieben taucht erst in der Gesammtausgabe auf (Druckfehler? im Druckfehlerverzeichniss jedoch nicht als solcher aufgeführt); aber der Sinn selbst fordert als Gegensatz zu sterben (letzter Vers der Strophe) den Begriff des lebens.

Was sodann die Auffassung der Ode betrifft, so hat eine solche Leimbach im 3. Theile seiner ausgewählten Dichtungen, 2. Aufl., 1880, S. 54 zu begründen versucht. Leimbach meint, das Gedicht sei, da es 1800 erschienen sei, wol um 1799 verfasst worden, und fügt hinzu: „Zu jener Zeit hatte sich der Herzog Friedrich II. Wilhelm Karl von Württemberg der zweiten Coalition gegen Frankreich angeschlossen und mit englischen Hilfsquellen den Krieg gegen Frankreich begonnen. Aber schon im Jahre 1800 drang Moreau in Württemberg ein, besetzte es ganz, so dass der Herzog nach Erlangen entfliehen musste. Das Kriegsglück hatte sich ganz anders gezeigt, als der Dichter es gewünscht und vorausgesetzt hatte." Genau die entgegengesetzte Auffassung ist die richtige, was bis zur völligen Gewissheit nachweisbar ist. Dabei erweist sich aber auch meine eigene Ansicht, die ich im Programme S. 24 über die Auffassung der Ode vorgebracht habe, als unrichtig. Diese Ansicht hatte ich in folgenden Worten ausgesprochen: „Das Gedicht geht zurück auf Eindrücke in der Nähe des Schauplatzes der Hermannsschlacht, da der Dichter einen Theil des Sommers 1796 im Bade Driburg bei Paderborn mit der Familie Gontard verbrachte (»wahrscheinlich nur eine halbe Stunde von dem Thale, wo Hermann die Legionen des Varus schlug« — wie er selbst an seinen Bruder schrieb, Schwab Werke Höld. II S. 35)." Hinzugefügt hatte ich: „Wenn der Dichter in der 3. Strophe bittet: Nehmt mich (oder vielmehr, wie er im früheren Concepte schreibt, Nimt mich — das spätere Concept und das Taschenbuch haben: Nimmt mich —) mit in die Reihen auf — so ist dies echt dichterische Vergegenwärtigung des Ereignisses — aber gegen Republicaner würde Hölderlin niemals gekämpft haben. Auch die Emilie hat zum Hintergrunde jene Gegend, beide Gedichte aber stehen sich zeitlich nahe und wurden zusammen an Neuffer für dessen Almanach geschickt." So weit die Worte

des Programms. Die „Emilie" — um dies im voraus zu erwähnen — wurde nicht zusammen mit unsrer Ode zum Abdruck im erwähnten Taschenbuche geschickt, sondern nach
derselben und zwar am 3. Juli 1799 (Werke II S. 124). In
den zur Zeit noch ungedruckten Briefen nämlich des Dichters
an den Herausgeber des Taschenbuchs, Neuffer, aus dem Jahre
1799 (dem Jahre also des erscheinens des Taschenbuchs) finde
ich (Brief Nr. 30) folgende hieher gehörige Stelle: „Ich schike
Dir hier einige Gedichte, lieber Neuffer! Ich wünsche, dass
sie Dir nicht unangenehm sein mögen. Da ich die Arbeit,
die ich gegenwärtig unter den Händen habe [der Dichter
meint den Empedokles], nicht wohl auf lange unterbrechen
kann, so gab' ich Dir eben, was ich da liegen hatte [ohne
Zweifel auch unsre Ode, da sie ja im Taschenbuche auf 1800
gedruckt ist] und für das Taschenbuch nicht ganz unbrauchbar
schäzte. Wenn · einige derselben vieleicht zu wenig populär
sind, so taugen sie vieleicht für ernstere Leser, und versöhnen
diese, die laider [so — phonetisch nach der schwäbischen Aussprache — häufig bei unserem Dichter] oft eben so aufgelegt
sind, unsere gefälligere [!] Producte zu verdammen, als der ent-
gegengesezte Geschmak es sich zum Geschäffte macht, alles
wegzuwerfen, was nicht pur amüsant ist. Ueberdiss schik
ich ja noch eine Erzählung [gemeint ist die Emilie!], sobald
ich weiss, dass das Project mit dem Journale [siehe hierüber
Werke II S. 299] nicht fehlschlägt."

Doch zurück zu der zu erörternden Auffassung des Gedichtes! Ich habe im Nachlasse des Dichters den Anfang eines
ersten prosaischen Entwurfs zu unserer Ode gefunden; die
Ideen, die hier der Dichter hingeworfen, geben auf das deut-
lichste die richtige Erklärung der Ode an die Hand. Der Entwurf lautet: „O Schlacht fürs Vaterland, flammendes blühendes
Morgenrot des Deutschen, der wie die Sonne erwacht, der
nun länger das Kind nicht ist, Ich sehe dich kommen, heilige
Schlacht, der [der Deutsche nämlich] nun nimmer [dialektisch
bekanntlich für nicht mehr] zögert, der nun länger das Kind
nicht ist, denn die sich Väter ihm nannten, Diebe sind si
die den Deutschen das Kind aus der Wiege gestohlen u
das fromme Herz des Kinds gebrochen, Wie ein zahmes Thi

zum Dienste gebraucht —". So viel ist von diesem Entwurfe zu finden. Der Alcaeische Rhythmus klingt bereits durch: es steht fest, dass der Dichter diese Strophenform mit grosser Leichtigkeit handhabe. Bei der strophischen Ausarbeitung sind nur die ersten Ideen geblieben und zwar in der heute bei Köstlin ersten Strophe (welche auch die erste Strophe in den Concepten ist; für den Druck im Taschenbuche liess sie der Dichter fallen). Unsere Ode ist also, um es endlich kurz zu sagen, ein revolutionärer Freiheitsgesang der Deutschen gegen ihre damaligen fürstlichen Machthaber oder „Tyrannen", wie namentlich Schubart und seine zeitgenössischen Verehrer[1]) unter den Dichtern ihre Landesoberhäupter in poetischer Sprache zu nennen pflegten. Sie sind die „Unterdrücker" des einen Conceptes unserer Ode; die „Knechte" aber, wie in demselben Concepte der Dichter ursprünglich für „Würger" in der 1., beziehentlich 2. Strophe schrieb, sind die sonst genannten „Tyrannen" oder Fürstenknechte"; die ganze Ode wurde verfasst auf Anlass des Einfalls der Franzosen, der „Vertheidiger der Menschenrechte", in das Vaterland des Dichters 1796. Da ferner der damalige Herzog Friedrich Eugen (1795—97) am 17. Juli desselben Jahres mit Moreau den Waffenstillstand von Baden schloss, dem am 7. August der Friedensvertrag von Paris folgte, so muss die Ode in der ersten Hälfte dieses Jahres geschrieben worden sein — genauer ist ihre Abfassungszeit nicht zu bestimmen. Schon im theologischen Seminar zu Tübingen, dem Hölderlin seit dem Herbste 1788 angehörte, wurden der französischen Revolution aus den Kreisen der Studentenschaft begeisterte Sympathien entgegengebracht (Werke II

---

1) Bezüglich des Verhältnisses Hölderlins zu Schubart erwähne ich nebenbei, dass die Bemerkung Schwabs in der Biographie unseres Dichters (Werke II S. 275): „Die persönliche Bekanntschaft des im Jahre 1791 verstorbenen Schubart scheint Hölderlin nicht gemacht zu haben" unrichtig ist nach einem (ungedruckten) Briefe des Dichters aus Tübingen an seine Mutter, worin derselbe von einem Besuche bei Schubart spricht: dieser habe ihn „mit Freundschaft und väterlicher Zärtlichkeit aufgenommen und einen ganzen Vormittag habe er bei ihm zugebracht". Uebrigens ist, da Schubart 1791 starb, das diesem Briefe mit Bleistift — wahrscheinlich von Chr. Schwab — beigeschriebene Datum: Tübingen 1793 der Zeit nach unrichtig.

S. 279; dagegen entspricht die auf derselben Seite erzählte
Geschichte von dem Freiheitsbaume nach Wohlwill in der
Allgemeinen deutschen Biographie Bd. 12 S. 728 keinem thatsächlichen Ereigniss. In einem Briefe aus dieser Zeit (vermuthlich — das Datum ist näher nicht zu bestimmen — aus der
zweiten Hälfte des Jahres 1792, nach der ersten Coalition, mindestens nach der Kriegserklärung Frankreichs, also nach dem
20. April) an seine Schwester Heinrike (auch Rike von ihm genannt,
seit 1792 an den Professor Bräunlin in Blaubeuren verheiratet)
schreibt der Dichter (ungedr.): „Glaube mir, liebe Schwester,
wir kriegen schlimme Zeit, wenn die Oestreicher gewinnen.
Der Misbrauch fürstlicher Gewalt wird schröklich werden.
Glaube das mir und bete für die Franzosen, die Verfechter
der menschlichen Rechte." Ich erinnere ferner an folgende
Stelle aus einem Briefe an seinen Bruder vom 6. Aug. 1796
(Werke II S. 33), von Kassel aus geschrieben, wo sich damals der Dichter unterwegs mit der Frau Gontard und deren
Kindern gelegentlich der Reise in das erwähnte Bad Driburg
befand: „Dir, mein Karl, kann die Nähe [Karl wohnt in Nür-
tingen, wie auch die Mutter des Dichters] eines so ungeheuren
Schauspieles, wie die Riesenschritte der Republicaner gewähren,
die Seele innigst stärken." Auf diese Stelle hauptsächlich
möchte ich fussen bei der angegebenen Erklärung der Ode.
Derselbe Brief veranlasst uns übrigens bei den „Helden aus
alter Zeit" in der vorletzten Strophe vornehmlich an die Mara-
thon-Kämpfer zu denken. Es folgen nämlich im Briefe die
Worte: „Es ist doch was ganz leichters, von den griechischen
Donnerkeulen zu hören, welche vor Jahrtausenden die Perser
aus Attika schleuderten..., als so ein unerbittlich Donner-
wetter über das eigne Haus hinziehen zu sehen." Die Marathon-
Kämpfer wurden ja überhaupt im Freundeskreise Hölderlins
sehr gefeiert. Am 23. November 1793 schrieb (ungedruckt —
die Sache jedoch von Schwab in der Biographie erwähnt)
Magenau an Neuffer, Hölderlin sei (er hatte im Herbste seine
Studien in Tübingen vollendet) bei ihm zu Besuch gewesen,
„und morgens schwuren wir unserem Bunde μα τους εν Μαρα-
θωνι πεσοντας neue, dauernde Vestigkeit". Wenn wir die
Geschichte der damaligen deutschen Fürstenhöfe und namentlich

die des Württembergischen Hofes betrachten, so begreifen wir
sehr wol eine solche Gesinnung, wie sie sich in unserer Ode
ausspricht. Freilich stehen solche Aeusserungen mit dem
sonstigen weichen und demüthigen Wesen, wie es der Dichter
in Wirklichkeit an den Tag legte, in eigenthümlichem Widerspruche. Ich könnte zahlreiche Proben von dem „Tyrannen-
hasse" des Dichters anführen, es mögen einige genügen. In
einer (ungedruckten) Alcaeischen Ode: „Die Weisheit des Trau-
rers" (so lese ich; Herr Bibliothecar Prof. Dr. Herm. Fischer
hat „des Traumes" gelesen) aus dem ersten Jahre der Tübinger
Stiftszeit spricht Hölderlin von „Tyrannenfesten, wo ha! des
Greuels, an getürmten Silbergefässen des Landes Mark klebt" —
ein gereimtes trochaeisches Gedicht ohne Titel (wol aus derselben Zeit) beginnt (ebenfalls ungedruckt): „Wenn die Starken
vor Despoten tretten, Sie zu mahnen an der Menschheit Recht[1]),
Hinzuschmettern die Tirannenketten, Fluch zu donnern jedem
Fürstenknecht, Wenn in todesvollen Schlachtgewittern, Wo
die Vaterlandesfahne weht, Muthig, bis die Heldenarme split-
tern, Tausenden die kleine Reihe steht — Harret eine Weile,
Orione" u. s. w. Wer sähe nicht, dass diese Verse eine auffallende Verwandtschaft mit unserer Ode zeigen? Wer kann
da noch über die richtige Auffassung letzterer im Zweifel
sein? Ich darf zudem nicht unerwähnt lassen, dass sich in
den nachgelassenen Concepten des Dichters auf derselben
Seite, auf welcher der oben angeführte prosaische Entwurf zu unserer Ode steht, folgendes Epigramm mit der Ueberschrift Advocatus diaboli (ungedruckt) findet:

> Tief im Herzen veracht' ich die Rotte der Herren und Pfaffen,
> Aber noch mehr das Genie, macht es gemein sich damit.

Ueberschrieben (als Verbesserung) für „die Rotte der Herren"
finden wir die Worte „den Tross der Despoten". Wer bezweifelt, dass dieses Epigramm aus der nächsten Nachbarschaft
unserer Ode einer ähnlichen Stimmung des Dichters als diese
entsprang?

Warum aber liess der Dichter, als er nun im Jahre 1799

---

1) Erinnert an das Studium Rousseaus, dem der Dichter übrigens
eine im Concept noch vorhandene (ungedruckte) Ode widmete.

die Ode seinem Freunde zum Abdruck für das Taschenbuch
sandte, die in den Manuscripten und bei Köstlin erste Strophe
fallen? Diese Frage zu beantworten bereitet meines Erachtens keine Schwierigkeit. Die genannte Strophe nämlich konnte
am leichtesten im Sinne des Dichters gedeutet werden; der
Dichter wollte jedoch, nachdem er älter geworden und in der
genannten Zeit (nach dem Frankfurter Aufenthalte) in enger
Gemeinschaft mit seinem Universitätsfreunde, dem Hofmann
und Hessen-Homburgischen Regierungsrathe John v. Sinclair
(pseudon. Crisalin, 1776—1815) lebte, diese Strophe offenbar
aus politischen Gründen unterdrücken — schrieb er doch kurz
nach der oben angeführten Theilnahme an den „Riesenschritten
der Republicaner" an seinen Bruder (Werke II S. 36): „Ich
mag nicht viel über die politischen Sachen sprechen. Ich bin
seit geraumer Zeit sehr stille über alles, was unter uns vorgeht." Die übrigen Strophen aber konnten als von unbestimm-
terem, im allgemein-patriotischen Sinne deutbarem Inhalte ohne
Bedenken gedruckt werden — sind sie doch noch heute in
„deutsch-freundlichem" Sinne gedeutet worden. Ich möchte
sogar glauben, dass der Dichter durch den für das Taschenbuch neuen Titel (vergleiche oben): Der Tod fürs Vaterland
die ursprüngliche Bedeutung des Gedichtes verschieben wollte.

So viel über „die Schlacht". Eine lateinische Uebersetzung
habe ich in meinem Programme näher erwähnt.

Stern, Adolf, Geschichte der neueren Litteratur. I. Bd.:
Frührenaissance und Vorreformation. 302 SS. II. Bd.:
Hochrenaissance und Reformation. 454 SS. III. Bd.:
Gegenreformation und Akademismus. 402 SS. IV. Bd.:
Klassizismus und Aufklärung. 434 SS. V. Bd.: Die Rück-
kehr zur Natur und die goldene Zeit der neueren
Dichtung. 582 SS. VI. Bd.: Liberalismus und Demo-
kratismus. 560 SS. VII. Bd.: Realismus und Pessimis-
mus. 599 SS. 8º. Leipzig, Bibliograph. Institut. 1882—
1885. ℳ 20.

Wie Hettners Litteraturgeschichte des achtzehnten Jahrhunderts, so ist auch Sterns Darstellung der europäischen Litteratur-
entwickelung während der letzten sechs Jahrhunderte bestimmt, das
Interesse weiterer Bildungskreise für die Leistungen der Dichter
und Schriftsteller anzuregen. „Innern Antheil und wirklichen Genuss“
an ihren Werken zu wecken bezeichnet Stern selbst als den Hauptzweck seiner Arbeit. Wenn es nun freilich auch viele Zunftgenossen
gibt, die ein Werk, welches seine populäre Tendenz und aesthetischen
Zweck offen eingesteht, von vornherein geringschätzen — J. Schipper
hat es im Vorworte zu seiner trefflichen Biographie und Uebersetzung William Dunbars nothwendig gefunden, sich gegen solche
engherzige Auffassung zu vertheidigen —, so wird doch jeder unbefangene Richter auch den streng wissenschaftlichen Werth von Sterns
Arbeit anerkennen müssen. Es ist selbstverständlich, dass nicht in
jedem Abschnitte eines so ungeheuren Gebietes ein Verfasser in
gleicher Weise heimisch sein kann. Stern selbst gesteht diese
unvermeidliche Schwäche bescheiden zu. „Obschon ich nach längerer
Vorbereitung eine Reihe von Jahren an die Ausarbeitung der Geschichte der neueren Litteratur gesetzt habe, so weiss ich wol, dass
es ein Leben erfordern würde, die Arbeit in allen Einzelheiten der
Vollendung zuzuführen, während doch der Gesammtentwurf, die uner-
lässliche Einheit des Tons einen raschern Abschluss bedingten. Es
würde mir eine Genugthuung sein, wenn man dem ersten Versuch
zunächst nur die Haupteigenschaften zuspräche, die von einer Leistung
dieser Art billiger Weise gefordert werden können.“

Was wir aber von einer Leistung dieser Art billiger Weise
fordern können und müssen, ist, dass der Autor mit umfassender
Geschichtskenntniss seinen Stoff als ein ganzes erfasst und auch in
der einzelnen Erscheinung den Zusammenhang mit der ganzen
grossen Entwickelung festzuhalten versteht. Aus kleinen Steinchen
muss er das Gesammtbild zusammensetzen; er muss die Gruppen-
bilder wie die einzelnen Portraits mit genauer Detailkenntniss ausführen und darf dabei nie vergessen, auf die Einfügung dieser
Gruppen und einzelne Erscheinungen in den grossen, alles umfassenden Rahmen Bedacht zu nehmen. Nahe liegt die Gefahr, dass
uns eine derartige Litteraturgeschichte durch massenhafte Anführung von Namen und Werken verwirrt, die für uns eben lebenslose
Namen bleiben, anderseits sich die Litteraturgeschichte in Monographien über einzelne hervorragende oder gar unbedeutende, dem
Verfasser durch Specialstudien besonders nahe gerückte Dichter
auflöst. Dem ersteren, in einem Werke von solcher Ausdehnung
vielleicht unvermeidlichen Fehler ist auch Stern wol nicht immer
ganz entgangen; wenigstens in der Geschichte des spanischen Dramas tritt uns eine zu wenig gegliederte Masse entgegen. Im allgemeinen müssen wir an Stern jedoch gerade als besondern Vorzug
rühmen, dass er durch kluges Mass-halten und ebenso kurze wie
scharfe Charakteristik es verstanden hat, blosse Namenanhäufung
vermeidend die Dichter und ihre Werke vor unsern Augen lebendig
und anschaulich werden zu lassen. Von Dante und Chaucer bis
herab auf Heyse, Zola, Carducci und Turgenjew werden uns die
bedeutenderen Dichter aller europäischen Völker und Nordamerika
in ihrem Leben und nach ihrem wirken geschildert. Ohne Voreingenommenheit sucht Stern den verschiedensten Persönlichkeiten und
entgegengesetzten Richtungen gerecht zu werden. Nur zweimal
scheint mir Stern die historische Objectivität nicht ganz inne gehalten
zu haben. Das mit Corneille anhebende classische französische Drama
und Corneille selbst beurtheilt er viel zu sehr vom Standpuncte der
Hamburger Dramaturgen aus. Es ist dies ein Fehler, dessen die
deutsche Kritik seit August Wilhelm Schlegel sich meistens schuldig
macht. Wir erkennen — und es ist dies ja ein sehr natürlicher
Fehler — Lessings im Kampfe gegen das französische Drama ge-
fälltes aesthetisches Urtheil über die Tragoedie Corneilles zu viel
als ein objectiv historisches an. Lessing hat aber die classische
Tragoedie der Franzosen nur in ihrem Verhältniss zum hellenischen
Drama und Aristoteles, in ihrem unsere Entwickelung hemmenden
Verhältniss zum deutschen Theater beurtheilt. Ganz anders erscheint
dieselbe jedoch als nationale Hervorbringung des französischen Geistes
betrachtet. Man muss Corneille und Racine im Théâtre français und
im Odeon spielen sehen, um ihnen gerecht zu werden. Dramatische
Werke, die sich auf der Bühne so lebendig erhalten, die alle Staats-

und Gesellschaftsumwandlungen siegreich überdauert haben, müssen
als eine dem innersten Wesen der Nation durchaus congeniale,
ihrem eigensten Bedürfniss entsprungene Dichtung angesehen werden.
Ist dies aber der Fall, so müssen wir als Historiker viel günstiger,
als dies gewöhnlich geschieht, über sie urtheilen. In der Besprechung der spanischen Zustände und Entwickelung leiht Stern seiner
Entrüstung über die Inquisition und Philipp II. scharfe Worte. Ich
würde die erstere mehr als eine nothwendige Erscheinung der spanischen Geschichte betrachten und König Philipp, dessen Politik
durchaus den Wünschen seiner castilianischen Unterthanen und ihrem
nationalen Gefühle entsprach, weniger persönlich für den Niedergang Spaniens verantwortlich machen.

Im allgemeinen wissen wir Stern Dank für die persönliche
Wärme, die er mit der vom Historiker geforderten objectiven Haltung zu vereinen weiss. Die Erscheinungen der Litteratur setzt er
mit Recht stets in enge Beziehung zu der politischen Entwickelung
der Epoche. Indem er auf die allgemein herrschenden Strömungen,
welche den Gang auch der Litteraturgeschichte bestimmen, hinweist,
wird er doch auch den einzelnen Individualitäten gerecht. Die bewusste und unbewusste Abhängigkeit des einzelnen von der bestimmten Richtung seiner Zeit, wie der einzelne die eingebornen
Anlagen unter dem Drucke der allgemeinen Entwickelung verwerthet,
wird von Stern — ich verweise auf seine Schilderung der italienischen
Renaissance und Gegenreformation (Ariost—Tasso) — in trefflicher
Weise zur Anschauung gebracht. Indem er von den grossen Wandlungen der politischen Geschichte ausgeht, tritt er doch völlig unbefangen an die einzelnen poetischen Leistungen heran. Er bleibt,
und man wird im Hinblick auf andere Litteraturgeschichten diesen
Vorzug zu würdigen wissen, frei von aller systematischen Voraussetzung, der zu Liebe so oft den historischen Thatsachen Gewalt
angethan wird. Mit besonderem Geschicke verfährt Stern bei Inhalts-
angaben, so z. B. bei Dante, bei Honoré d'Urfés Astraea u. a. Dass
sich Stern auf zahlreiche Vorgänger stützt, ist selbstverständlich,
dass er besonders treffende Urtheile derselben anführt, durchaus zu
loben. Das Citat aus Prölss III, 112, der in seiner Geschichte des
spanischen Dramas doch völlig von Schack und Klein abhängig
blieb, rechne ich freilich nicht zu den wünschenswerthen, dagegen
hätte ich bei Lope de Vega gern Grillparzers spanische Studien
erwähnt gesehen. Bei Anführung litterarischer Hilfsmittel hat sich
Stern strenge Beschränkung aufgelegt; dem Zwecke seines Buches
entsprechend führt er besonders die Uebersetzungen an. Es ist ein
erfreuliches Zeichen für den neuesten Aufschwung der deutschen
Uebersetzerthätigkeit, dass eine neue Auflage des erst 1882 veröffentlichten Werkes bereits zahlreiche Ergänzungen bringen müsste.
Von Boccaccio, Chaucer, Ariost, Dunbar, Cervantes, Camoens haben

wir inzwischen durch Beaulieu Marconnay, Düring, Gildemeister, Schipper, Braunfels, Storck meist musterhafte, alle älteren meist übertreffende Uebersetzungen erhalten.

Es wird nie möglich sein, in einem siebenbändigen Werke nicht manchem Leser und Kritiker manchen Wunsch unerfüllt zu lassen. Nicht jedem Urtheile wird man beipflichten, nicht jedes angeführte Werk für nothwendig, manches ausgelassene für geboten erachten. So habe ich z. B. im II. Bande, der eine so schöne Charakteristik Michel Angelos gibt, ungern Benvenuto Cellini vermisst; wie ersterer durch seine Sonette, so gehört letzterer durch seine Autobiographie, die doch eine der lebensvollsten, anschaulichsten Schilderungen der italienischen Zustände im 16. Jahrhundert enthält, der Litteraturgeschichte an. Ich glaube nicht, dass die III, 111 erwähnte, oft citierte Aeusserung Lopes ironisch zu nehmen ist. VII, 429 vermisse ich ein eingehen auf Zolas theoretische Schriften, die freilich in Deutschland überhaupt seinen Romanen gegenüber zu wenig Beachtung gefunden haben. Von thatsächlichen Unrichtigkeiten habe ich — andere mögen erfolgreicher suchen — nur eine einzige in den sieben Bänden gefunden: Richard III. hat sich (I, 216) keine Komoediantentruppe, sondern Musiker gehalten. Ich hebe dies unbedeutende Versehen eigens hervor, weil Sterns Arbeit jeden Anspruch auf Gründlichkeit vollständig befriedigt. Nach jeder Seite hin hat Stern seine gewaltige Aufgabe, die nur in Angriff zu nehmen einen kühnen Muth erforderte, glänzend gelöst. Fleiss und Wissen, wie Sicherheit des Urtheils und Geschmack in der Darstellung, Grösse der historischen Auffassung im ganzen wie philologische Genauigkeit im einzelnen zeichnen die Arbeit aus, die nicht nur in weiteren Kreisen der Gebildeten das Verständniss für die Litteratur und ihre Geschichte fördern kann, sondern auch den Fachgenossen vielfach Anregung bietet. Möge der treffliche Autor, dessen Verdienst erst jetzt, wo das ganze Werk, die Arbeit langer Jahre, vollendet und in sich geschlossen vorliegt, ganz gewürdigt werden kann, überall die reich verdiente Anerkennung, seine Litteraturgeschichte aber die weiteste Verbreitung finden.

Marburg i. H.   Max Koch.

Miscellen.

1.

Zu Bauch, Rhagius Aesticampianus (Archiv XII, 321).

Aesticampian kam bei seinem Aufenthalte in Mainz mit dortigen Gelehrten zusammen, wie wir aus der Epigrammensammlung[1]) Aesticampians erfahren. Bauch gibt dankenswerthe gute Angaben zur Bio-Bibliographie, welche ich in folgendem erweitern kann.

· Jacob Merstetter aus Ehingen (S. 344) war Pfarrer an der Pfarrkirche St. Emmeran zu Mainz und zugleich Rector der theologischen Facultät an der jungen Hochschule. Vgl. näheres in Petzholdts Neuem Anzeiger für Bibliographie 1878 S. 260 und den Forschungen zur deutschen Gesch. XX, 54.

Merstetter veranstaltete eine Epigrammensammlung auf den Heidelberger Marsilius ab Inghen, welche sehr selten geworden; eine ganze Reihe von Dichtern[2]) jener Tage begegnet uns hier. Die Sammlung enthält zudem ein gewichtiges Zeugniss für Gutenbergs Grabstätte in der Barfüsserkirche zu Mainz, worüber ich im 3. Bde der Mainz. Zeitschr. für rhein. Gesch. S. 313 gehandelt.

Ueber Aesticampian kann noch nachgesehen werden: Krafft, K. und W., Briefe u. Documente aus der Zeit der Reformation im 16. Jahrhdt S. 123. 137. 143. 199 u. S. XVI.

Joh. Monster (S. 345) war Weihbischof, worüber nachzusehen Joannis, rer. Mog. II, 441. 910. Nausea dedicierte ihm verschiedene sehriftliche Arbeiten.

Theodorich Gresemund d. j. (S. 346). Seine Synodalrede 1499 (Hain 8050), seinen dialogus artium liberalium behandelt bibliographisch Helbig im Bibliophile belge, onzième année (1876) S. 22—55, und supplém. ebd. S. 209—213. Das Carmen de historia crucis violatae erschien zum ersten Male 1512, nicht erst 1514; die Staatsbibl. zu München besitzt diese sehr seltene erste Ausgabe; sie erschien zum dritten Male 1564 zu Mainz. Die Epigrammata

---

1) Die Münchener Hof- und Staatsbibliothek besitzt ein Exemplar dieser selten gewordenen Sammlung.

2) Es wäre verdienstlich, auch diese Sammlung zu commentieren.

Gresemunds im cod. lat. mon. 388 Bl. 82^b in ducem Sigismundum beziehen sich wol auf Erzherzog Sigismund von Oesterreich.

Joh. Huttich (S. 361) stammte aus dem zum ehemaligen Herzogthum Nassau (Reg.-Bez. Wiesbaden) gehörigen Oertchen Strinz; es gibt zwei Orte desselben Namens: Strinz Margareth und St. Trinitatis. Am letzteren Orte bestand wie in Idstein seit den frühesten Zeiten ein Stift mit regulierten Chorherrn und an ihm eine Schule. Bei Einführung der Reformation war sie nur wenig nach den neuen Grundsätzen geändert worden. Gauschmann, Gesch. v. Idstein S. 39. Wir können unbedenklich Strinz Trinitatis als Geburtsort Huttichs annehmen und zwar der dort bestandenen Schule halber.

Vgl. übrigens noch epistolae obscur. virorum ed. Böcking S. 198.

Die Thätigkeit Magister Huttichs in Strassburg erscheint in neuem Lichte, in Dr. Hase, Die Koberger, zweite Aufl. S. 97 u. an anderen Orten.

Mombach bei Mainz. F. Falk.

2.

Zu Daniel Zangenried (oben S. 1).

Man kennt von ihm folgende Abhandlung: Compendiosus tractatulus praestantissimi doctoris Danielis Zanggenryed canonici et concionatoris cathedralis ecclesie Wormatiensis de Forma absolvendi per eum tradita dominis penitentiariis Wormatie tempore iubilei ao dni M. D. X. 4 Bll. kl. 4^0, goth. Naumanns Serapeum XVII, 27.

Bei ihm in Heidelberg wohnte der Klostergeistliche Nic. Ellenbog, als er zu Heidelberg studierte. Ellenbog wünschte Zangenrieds Predigten gedruckt zu sehen. Ein Brief an Zangenried 1505, Aug. 27, in: Dr. Geiger, N. Ellenbog, in östreich. Vierteljahrsschrift für kath. Theol. 1871 S. 444.

Mombach bei Mainz. F. Falk.

3.

Französische Komoedianten in Augsburg (1613).

Unter den Schauspielern und andern fahrenden Gesellen, welchen gestattet worden war im Jahre 1613 auf dem Reichstage zu Regensburg vor Kaiser Matthias ihre Kunst zu zeigen und die man in Folge dessen bei der kaiserlichen Hofcasse ablohnte, stossen wir auch auf einen französischen Komoedianten, Peter Billet[1]) mit Namen.

1) Joh. Meissner, Die englischen Komoedianten zur Zeit Shakespeares in Oesterreich, Wien 1884. S. 52. Vgl. auch Schlager in den Sitzungsberichten der Kaiserlichen Akademie der Wissenschaften. Philosophisch-historische Classe. Jahrgang 1851. Band VI S. 168.

Die Kammerrechnungen (Bl. 305) bemerken hierüber: „Denn zwainzigisten dito (September), Anno Ain Tausenth Sechshundert Dreyzehn Pietro Billet Frannzösischen Commedianten uf quittung geraicht Vierzechen gulden rh. — 14 fl.“

Den 25. October verliess der Kaiser Regensburg, um sich nach Linz zu begeben. Billet seinerseits muss schon gegen Ende September der Stadt den Rücken gekehrt haben; am 1. October treffen wir ihn in Augsburg, wo er mit dem nachfolgenden Gesuche (gegenwärtig im städtischen Archive) beim Rathe um Spielerlaubniss einkommt:

„Wolgeborn, Edel vnd Vöst, Fürsichtige, Ersame vnd Weiß, Günstige, Gnedige vnd Gebietende Herren.

Demnach jch Peter Gilch v(on) Pariß, ein comediant vor Jr. Kaiß. Maj. vnd anderer fürsten vnd herren anjetzo zu Regenspurg meine comedia gehalten vnd gespilet welche, one ruhm, meniglichen wolgefallen; weiln aber ettwa bei diser loblichen reichstatt Augspurg in messen vnd anderen zeitten allerlei billichen sachen vnd kunstwerck verüebt vnd getriben worden, alß gelangt auch mein allervndertthenigst bitten, Eur H: G: vnd Gst. wellen mir diser angehender meß meine schöne comedia zuhalten vnd meniglichen fürzuweisen günstig vnd gnedig vergunnen, daß welle jch meines geringen dienstes gantz vndertthenigst widerumb beschuld(en); thue mich E: H: G: vnd Gst. höchster diemuet befelh(en).

E: H: G: vnd Gst. diemüetiger

Peter Gilch v(on) Pariß auß Franckreich.“

Der Rath beschliesst die Bittschrift zur Begutachtung an die Verordneten über das Schulwesen hinüberzugeben, denen damals die Censur der aufzuführenden Stücke oblag.[1]) Unterm 3. October erfolgte die Rückäusserung dieser Herren:

„Edel, Wolgeborn, Vössste, Fürsichtig, Ersam vnnd Weise Herrn, Pflegere, Bürgermaister vnd ein E. Rath, Gebüettendt, Gnedig vnd Günstige Herrn.

E. H. G. vnnd Gst. haben vns Peter Gilchen Französischen comoediantens diemüettiges anlangen per decretum firhalten lassen. Weiln dan in denen von ime vns fürgewisnen getruckhten Französischen tragoedien, die er zu spilens fürhabens, nichts vnerbars oder vngebürlichs zu fünden, er auch als ein ausländischer mit zimlicher starckher geselschaft raisender mann grossen vncossten, bis er albero gelangt, aufwenden müessen, also vermeinen

---

1) L. Greiff, Beiträge zur Geschichte der deutschen Schulen Augsburgs, Augsburg 1858. S. 152.

wir, es möchten ime bei iezt wehrender kirchweihen 2 tag zu spilen vergundt werden.

E. H. G. vnd Gst. vns benebens gehorsambs vleiss beuelhendt.

E. H. G. vnnd Gst. gehorsame

die verordnete obern vber die schuelen."

Auf solch günstigen Bericht hin werden dem Supplicanten zwei Tage bewilligt, eine weitere Bitte aber, wahrscheinlich um Verlängerung der Spielerlaubniss, findet abschlägigen Bescheid:

(Augsburger Rathserkenntnisse von 1613, Sitzung vom 3. October 1613) „Peter Gilg. Peter Gilgen seien zween tåg bewilligt."

(Sitzung vom 5. October 1613) „Peter Gilg, Barth. Schrekhsnötel[1]). Peter Gilgen vnd Bartholme Schreckhsnötteln soll jr begeren abgeschlagen werd(en)."

Auf der allerdings nicht eigenhändig unterschriebenen Eingabe heisst der Gesuchsteller Peter Gilch (und nicht Gileh, wie L. Greiff und nach ihm Weller[2]) angeben), was, im Zusammenhalte mit dem Pietro Billet der Kaiserlichen Kammerrechnungen, auf Pierre Gillet als den eigentlichen Namen dieser bis jetzt noch in der französischen Schauspielgeschichte unbekannten Persönlichkeit schliessen lässt.

München.   Karl Trautmann.

4.

Ein unbekanntes litterarisches Urtheil Goethes.

Im Jahre 1844 erschienen in Lemberg, Stanislau und Tarnów: Rozmaite Pisma Ludwika Kropińskiego byłego jenerała wojsk polskich i wielu towarzystw uczonych członka itd. Vermischte Schriften von Ludwig Kropiński, gew. poln. General u. Mitglied verschiedener gelehrter Vereine u. s. w. Darin ist S. 223—316 eine Originaltragoedie in fünf Acten[3]): „Ludgarda" abgedruckt und in der „Vorrede des Herausgebers" (Johann Milikowski) heisst es S. 225 unter anderem, die Tragoedie sei in den letzten Jahren auf allen polnischen Theatern mit grösstem Erfolg aufgeführt worden, zu tausenden seien

---

1) Einer Persönlichkeit gleichen Namens begegnen wir 1620 in Nürnberg. (Nürnberger Rathsmanual, Jahrgang 1620, Nr. 7, Bl. 53[b], Sitzung vom 20. October 1620) „Hannß Jacob Poß von Strassburg vnd Barthl Schrecksnotul, comedianten vnd sailfarer soll man abweisen."

2) Wellers Annalen Band II S. 288.

3) Mein Zuhörer, Herr Drd. Eduard Schnobrich, von welchem demnächst ein Aufsatz: Goethe in Polen zu erwarten ist, machte mir das Material zugänglich.

fehlerhafte und verderbte Abschriften in die Hände des Publicums gerathen. „Herr Malisch übersetzte sie in fliessende deutsche Verse, ebenfalls aus einem fehlerhaften Exemplare. Bekanntlich hat der unsterbliche Goethe ein sehr lobendes Urtheil über die Tragoedie Ludgarda abgegeben, als man sie ihm übersetzte." (Wiadomo jak pochlebne wydał zdanie o tragedii Ludgardzie nieśmiertelny Göthe, kiedy mu ją tłumaczono.) Milikowski hat schon 1830 ein verbessertes Exemplar vom Autor erhalten, nach welchem er die Tragoedie veröffentlicht, indem er ausdrücklich auf den Unterschied seiner und einer in Posen 1841 erschienenen Fassung aufmerksam macht.

Goethes Urtheil scheint nicht bekannt worden zu sein, wie mir auch Freiherr von Biedermann bestätigt. Goedeke nennt zwar, 3, 1389, nach einer nicht bezeichneten Quelle J. Malisch als Uebersetzer Kropińskis, aber ohne weitere Bemerkungen. Es gelang mir nicht, festzustellen, wer etwa Goethe für die Tragoedie interessierte, ebensowenig, wann dies geschah. Auch aus Kropińskis Correspondenz, welche im hiesigen Ossolineum aufbewahrt wird, ergibt sich nichts näheres; es heisst darin nur einmal von der Tragoedie: a od Göthego była pochwalona (und von Goethe wurde sie gelobt).

In den Gedichten Kropińskis möchte ich S. 27 Einfluss Goethes entdecken: es wird „Amor als Maler" dargestellt, der ein Mädchenportrait zu entwerfen beginnt; und mehrmals bekundet Kropiński seine Verehrung für Goethe, besonders in seinen Episteln. Man vgl. noch S. 105. Vielleicht findet sich Goethes Urtheil über die Ludgarda später.

Lemberg.   R. M. Werner.

_____

5.

Der Teufel in Salamanca.

„Glauben Sie, der Teufel ist ein Mann von Wort; ja ein wahrer Sklav seiner Worte, wie aus vielen Beyspielen zu erweisen stehet, davon ich Kürze halber, nur zwey zu Ihrem Troste anführen will. Da er vor Zeiten, in sichtbarer Gestalt, auf der hohen Schule zu Salamanka als Privatdozent in einem unterirdischen Gewölbe die schwarze Kunst lehrte, bedang er sich beym Schluss seiner Vorlesungen, fürs Honorarium, die Seele des, durchs Loos, zuletzt aus dem Keller tretenden Zuhörers. Die unglückliche Nummer traf einen jungen Grafen von Almeida, der durch sonderbare List den Klauen des furchtbaren Lehrers entgieng. Der ernste Meister lauerte an der Thür auf seinen Raub; [229] der Graf schritt seinem Schicksal getrost entgegen. Auf der obersten Staffel brüllte ihm der Mordgeist entgegen: Halt Gesell, dass ich dir das Genick breche! Es war gerade in der Mittagsstunde, da der *Coetus* auseinander gieng, und die Sonne stund dem Eingang des Gewölbes gegenüber. Ich

bin nicht der Letzte, antwortete der Graf ganz ruhig, halte dich an
den, der mir folgt, und deutete mit der Hand auf seinen Schatten.
Augenblicks verschwand der Satan, liess den verschmitzten Auditor
frey ausgehen, dessen Körper im Sonnenschein nachher nie wieder
einen Schatten von sich warf."

Diese Sage, in welcher der Leser schon die Quelle für Theodor
Körners Gedicht „Der Teufel in Salamanca" erkannt haben wird,
findet sich im 1. Bande der „Straussfedern", Berlin und Stettin,
F. Nicolai 1787 S. 228 f. in eine Novelle „Elias Walther" eingeschoben.[1])
Wie der ganze Band rührt dieselbe von J. K. A. Musäus her; erst
nach seinem Tode giengen die „Straussfedern" in die Hände Johann
Gottwerth Müllers, des Verfassers des Siegfried von Lindenberg,
und dann in die Tiecks über (Goedeke, Grundriss[1] 2, 631. R. Köpke,
Ludwig Tieck 1, 200 f.). Die Erzählung ist nicht etwa von dem
Sammler der „Volksmärchen der Deutschen" erfunden, sondern be-
ruht auf einer längst in die Litteratur übergegangenen spanischen
Localsage. Hundert Jahre früher finden wir sie in ganz ähnlicher
Gestalt in Johann Limbergs Denckwürdiger Reisebeschreibung
durch Teutschland, Italien, Spanien, Portugall, Engeland, Franckreich und Schweitz, Leipzig 1690 S. 590 f., woraus sie auch in des

---

1) Unmittelbar darauf folgt eine Sage vom Bau der Rheinbrücke
durch den Teufel, welche ganz Grimms Deutschen Sagen[2] Nr. 186 und
337 entspricht. Auch der prosaische Müller versuchte im 2. Bande
(1790 S. 1—121) die Richtung seines Vorgängers nachzuahmen, indem
er ein Märchen von einer Spinnerin und einem Prinzen erzählte, das
sich in Grimms Kinder- und Hausmärchen Nr. 55 (vgl. R. Köhlers Anmerkungen zu Gonzenbach, Sicilianische Märchen 1870 Nr. 84) wiederfindet. — Bd. II S. 189 f. ist ein altbekannter, nicht ganz saubrer Schwank;
vgl. Poggii Facetiae, Lond. 1798, 1, 137: „Somnium aureum", dazu
2, 129 und Hagedorn, Poetische Werke 1760 2, 69: „Aurelius und Beelzebub" mit der Anmerkung; Dunlop-Liebrecht, Geschichte der Prosadichtungen 1851 S. 494 b Nr. 10; Wickram, Rollwagenbüchlein Nr. 37; Frey,
Gartengesellschaft 1575 Nr. 77; B. Hertzog, Schiltwacht o. J. Bl. L v b;
Fischart, Dichtungen ed. Kurz 2, 31 V. 1097; Socin, Die neuaramaeischen
Dialekte von Urmia S. 205. Eine noch ungedruckte Version ist in
einer gereimten Schwanksammlung des Schmalkaldener Schulmeisters
Dietrich Mahrold vom Jahre 1608: „Schmahl Vnndt Kahl ROLD-
MARSCH KASTEN, Darinnen 99 Auserlesener, Lustiger, vnndt zu
Schwerer Zeit Kurtzweiliger Historien vnndt Boßirlicher Schwanck vnndt
Geschicht Zusammen greßpelt, vnnd Inn achtsillabige Verslin vnndt
eynfeltige Reumen gebracht" (Cassel, Ms. poet. Fol. 21. 460 Bl.) auf
Bl. 103 als Nr. 27 enthalten. Drei andere Reimwerke desselben Ver-
fassers v. J. 1594, 1595 und 1622 (Cassel, Ms. theol. Quart 31—33) führt
Strieder, Hessische Gelehrtengeschichte 8, 237 an.

unermüdlichen Vielschreibers Jacob Daniel Ernst Auserlesene
Denckwürdigkeiten in vierhundert Abtheilungen verf. Leipzig 1693
S. 1024 Nr. 377 übergegangen ist. Sie lautet: „Man erzehlte mir
[in Salamanca], dass in der Gassen S. Pollo unter einem Eck-Hause,
in welchen damalen ein Becker wohnete, eine Grufft solte seyn,
darinnen schöne Palläste, Zimmer und Garten, in welcher der Teuffel
vormahlen Schule gehalten, und [591] allezeit 7 Studenten darinnen
ernähret und unterwiesen, ja auch aller ·Künsten und Wissenschaften
theilhaftig gemacht hätte, mit dem Beding, dass, nachdem sie aus-
gestudirt, der Letzte von den 7 bleiben solte, und ihm zur Belohnung in Ewigkeit dienen. Nun hat es sich zugetragen, dass der
Marqueso de Villano der Letzte gewesen und dem Contract nach
bleiben sollen. Darauff sagte der Teuffel (indem er sie alle hinaus
geführt) zum Villano: Bleib hier Villane, du bist der Letzte, der
Marggraff de Villano antwortete und sprach: Nein ich bin nicht der
Letzte, behalte diesen, und zeigete auff seinen Schatten, darauff behält der Teuffel den Schatten, und es [592] sey bey Tage oder Nachte
gewesen, so hat der Marqueso de Villano keinen Schatten gehabt.“[1])
Ganz ähnlich klingen die Ueberlieferungen andrer Völker. In
einem isländischen Märchen bei K. Maurer, Isländische Volkssagen
der Gegenwart 1860 S. 121, lässt Saemundr Sigfússon, der mit
zwei andern die schwarze Schule zu Paris besucht hat, dem bösen
seinen Mantel oder seinen Schatten zurück; bei Müllenhoff, Sagen,
Märchen und Lieder von Schleswig, Holstein und Lauenburg 1845
S. 554, äfft der Küster in Bröns den Teufel, bei dem er die schwarze
Kunst gelernt, auf dieselbe Weise, als beim heraustreten die Sonne
gerade in die Thür hineinscheint. Gleiches berichtet eine schwedi-
sche Sage bei Eva Wigström, Folkdiktning. Andra Samlingen 1881
Abteilg. 9 (vgl. Liebrecht, Germania 28, 111), eine dänische und
schottische in J. Grimms Deutscher Mythologie⁴ S. 856 vgl. 3, 302.
Während der Ort der Handlung hier jedesmal wechselt, hält das
portugiesische Volk an der Teufelsakademie zu Salamanca fest[2]),
wo die Geschichte passiert sein soll. Eine solche Schule zu Salamanca kennt schon Hieronymus Cardanus, De subtilitate libri
XXI ed. Lyon 1589 S. 621 lib. XIX, und ausführlicher weiss Bernhard Basin in seinem Tractate *De artibus magicis ac magorum*

---

1) Auch die hübsche von Wilhelm Müller besungene Geschichte
des trinklustigen deutschen Herren, der am Montefiascone so wacker
vom Est est zechte, weiss Limberg S. 318 aus Italien zu berichten. Vgl.
Herm. Suden, Der gelehrte Criticus 1, 259 (3. Aufl. 1715), und als noch
früheren Gewährsmann Fischart, Geschichtklitterung Cap. 4 (= Scheibles
Kloster 8, 95).

2) J. Leite de Vasconcellos, Tradições populares de Portugal 1882
S. 291 nach Liebrecht, Göttinger gelehrte Anzeigen 1883, 251.

maleficiis[1]), welcher Jacob Sprèngers *Malleus maleficarum*, Francof.
1580 S. 662, angehängt ist, von ihr zu berichten: „*Sed est sciendum.
quod iam olim apud Salamanticam urbem idolum marmoreum in
profundissima cavea positum colebatur, cui daemon assistebat, in-
struens in huiusmodi artibus eos, qui sibi certis pactis et invocationibus
subiicere volebant, qui post tractum temporis in quibusdam affectibus
admirabiles apparebant. Veruntamen . . . ab annis antiquissimis cavea
illa obstructa est et desuper ecclesia fabricata. Idolum vero prae-
dictum ante ecclesiam in via publica a pertranseuntibus conculcatur
adeo, ut vix sculpturae vestigium appareat.*" Dem fügt Martin
Delrio, *Disquisitiones magicae* 1599, im Prooemium hinzu, dass die
Höhle zu Salamanca auf Befehl der Königin Isabella, der Gemahlin
Ferdinands des Katholischen, zugemauert worden sei. Eine poeti-
sche Verherrlichung der altberühmten Höhle von Salamanca lieferte
endlich Cervantes 1615 in einem nach ihr betitelten humorvollen
Zwischenspiele (*La cueva de Salamanca*), dessen Stoff der auch von
Hans Sachs im Fastnachtspiele „Der fahrend Schüler mit dem
Teufelbannen" auf die Bühne gebrachte Schwank hergab. In jener
Zauberhöhle versichert der Student die Kunst, Teufel zu citieren,
erlernt zu haben, als er vor dem abergläubischen und neugierigen
Wirthe den in der Kohlenkammer versteckten Galan seiner Frau
und dessen Begleiter als böse Geister erscheinen und eine Abend-
mahlzeit auftragen lässt.

Berlin.   J. Bolte.

---

1) Dagegen polemisiert Bayle, Réponse aux questions d'un pro-
vincial, chap. 37. G. C. Horst, Zauberbibliothek 1821 1, 99 f. citiert
noch J. A. Ballenstedt, Versuch über einige Merkwürdigkeiten der braunschweigischen Länder 1771 und Prof. Fischer in seinen fliegenden Blättern, Stück 3 S. 364. Vgl. noch Hauber, Bibliotheca s. acta et scripta
magica (1738) 1, 101 und 2, 87. Ueber andre sagenhafte Schulen der
Magie handeln Vulpius, Curiositäten 3, 271 (1813) und 10, 524 (1823)
und Dunlop-Liebrecht, Geschichte der Prosadichtungen S. 479a.

Verbesserungen und Nachträge.

Bd. 6 S. 396 f. Herr Hugo Ramann, Stadtrath und Kaufmann in Erfurt, berichtigt in einem vom 23. Dec. 1885 datierten Schreiben an den Herausgeber mehrere der Angaben, welche das „Archiv" bei Gelegenheit des Abdrucks einiger Briefe Goethes an die Weinhandlung der Gebrüder Ramann veröffentlicht hat. Insbesondere theilt er mit, dass die Originale der a. a. O. unter Nr. 1—6 abgedruckten Goethischen Schriftstücke noch gegenwärtig in seinen Händen seien und eine Vertheilung Goethischer Briefe an Kunden nicht stattgefunden habe, vielmehr „nur hie und da auf ganz besonderes Bitten und Drängen ein Brief an einen Freund abgelassen worden sei"; ferner, dass die Briefe Schillers an die Handlung dieser zwar auf eine unaufgeklärt gebliebene Weise abhanden gekommen, sicher aber niemals von ihr an ein Dienstmädchen des Hauses verschenkt worden seien. Als unrichtig bezeichnet derselbe auch, dass im „Archiv" von einem „jetzigen Inhaber der Handlung, Herrn Eckardt" gesprochen worden sei, da zwei Herren Eckhardt, Vater und Sohn, nach einander nur Theilhaber des Geschäfts gewesen seien und letzteres seit seiner Begründung im Jahre 1791 sich ununterbrochen im Mitbesitze eines Mitgliedes der Ramannschen Familie befunden habe.

Bd. 13 S. 534 Z. 7 v. u. Vgl. Bd. 14 S. 205.

Bd. 14 S. 137 ff. Wie Herr Professor Düntzer unter dem 1. Sept. 1886 mittheilt, hat er selbst in seiner Ausgabe Herders Bd. 14 S. 195 schon vor Jahren seinen Irrthum berichtigt und öffentlich ausgesprochen, dass Knebel, nicht Herder Verfasser der im 3. Bande des „Archivs" abgedruckten 54 Sprüche sei.

Bd. 14 S. 185 ff. Das Motiv der „Fürstengruft" behandelt, wie ich anzugeben vergass, bekanntlich auch Leisewitz, welcher es dem Prinzen Julius in seinem Julius von Tarent IV 2 in den Mund legt. Von ihm können Schubart und Schiller beeinflusst worden sein und zwar unabhängig von einander. Schubart kannte das Drama (vgl. Deutsche Chronik 21. Sept. 1775 76. Stück), und wie sehr Schiller von demselben bewegt war, hat er wiederholt ausdrücklich versichert.

24. Juni 1886.   R. M. Werner.

Bd. 14 S. 223 Z. 19 v. u. Für Vier Bemerkungen l. Deine Bemerkungen.

Register.

Die Zahlen weisen auf die Seiten.

ARCHIV

FÜR

LITTERATURGESCHICHTE

HERAUSGEGEBEN

VON

Dr. FRANZ SCHNORR von CAROLSFELD,
OBERBIBLIOTHECAR IN DRESDEN.

XV. Band.

LEIPZIG,

DRUCK UND VERLAG VON B. G. TEUBNER.

1887.

Inhaltsverzeichniss.

Eginhard und Emma.

Eine deutsche Sage und ihre Geschichte[1]).

Ein Vortrag

von

HERMANN VARNHAGEN.

Karl d. Gr. war mit Töchtern reich gesegnet; er hatte deren ausser zwei, wie es scheint, früh verstorbenen sieben: Hruodrud, Bertha, Gisla, Theoderada, Hiltrud, Ruodhaid und Adaltrud, die alle von ungemeiner Schönheit gewesen sein sollen. Es wäre ihm ohne Zweifel ein leichtes gewesen, dieselben an seine Grossen oder anderweitig zu verheiraten. Um so auffallender muss es erscheinen, dass keiner derselben dieses Los zu Theil geworden ist. Karls Freund und Biograph Eginhard berichtet uns, der Kaiser habe erklärt, ohne ihre Gesellschaft nicht leben zu können. Aber die Historiker gehen wol kaum fehl, wenn sie hinter diesen Worten politische Gründe suchen: Karl mochte in seinen Schwiegersöhnen gefährliche Feinde befürchten.

Nur einmal scheint Karl Willens gewesen zu sein, eine Ausnahme zu machen, indem er seine Tochter Hruodrud dem griechischen Kaiser Konstantin VI. versprach. Aber auch aus dieser Heirat ist nichts geworden.

Doch wussten Karls Töchter oder wenigstens einige derselben, da ihnen die Pforten der Ehe verschlossen waren, sich auf andere Weise zu entschädigen, wozu bei ihnen um so

---

1) Der folgende Vortrag beruht auf meinen Untersuchungen über die Sage in meiner Schrift über Longfellows Tales of a Wayside Inn (1884). Dass manches aus dieser Arbeit wörtlich in diesen Vortrag übergegangen ist, muss erwähnt werden.

grössere Neigung und um so geringere Bedenken vorhanden
sein mochten, als bekanntlich Karls Hof nichts weniger als
ein Muster von Sittenreinheit war und der Kaiser selbst nicht
in jeder Hinsicht das beste Beispiel gab. So stand die älteste,
Hruodrud, in intimen Beziehungen zu dem Grafen Rorich, und
die zweite, Bertha, in eben solchen zu Karls vertrautem Freunde
Angilbert, dem sie zwei Söhne schenkte, von denen der eine
der Geschichtschreiber Nithard ist.

Gewiss mit Recht hat man in diesen Liebeshändeln, speciell
in dem schliesslich von Karl geduldeten Verhältnisse Angilberts zu Bertha, den Ursprung der Sage von Eginhard und
Emma (Imma) zu erkennen geglaubt. Denn dass man es mit
einer Sage zu thun hat, geht daraus hervor, dass Eginhards
Frau Emma keine Tochter Karls war und dieser überhaupt
keine Tochter dieses Namens gehabt hat. Man wird sich die
Sache etwa folgendermassen zu denken haben. Es gieng am
Hofe Karls die Rede — vielleicht auf Wahrheit begründet —,
der Kaiser habe einst, als er von dem Verhältnisse noch nichts
wusste, Angilbert bei seiner Tochter Bertha betroffen, worauf
eine peinliche Scene, eine zeitweise Erkaltung der Beziehungen
zwischen dem Monarchen und seinem Freunde, später aber
eine Aussöhnung erfolgt sei, während jenes Verhältniss, fortan
vom Kaiser geduldet, fortbestand. Dieses pikante Geschichtchen
der chronique scandaleuse verbreitete sich, wie natürlich, weiter
und erhielt sich auch, als die betheiligten Personen schon
längst gestorben waren. Dabei trat aber im Volksmunde, wie
das bei dergleichen Dingen häufig der Fall ist, eine Verwechselung der Personen ein: Eginhard trat an Angilberts
Stelle. Nun lebte aber der Name und das Andenken der Gemahlin des ersteren im Volke noch fort, und so wurde Emma
zu einer Tochter Karls.   ·

Wie begreiflich eine solche Verwechselung Eginhards mit
Angilbert ist, führt ein Historiker[1]) aus: „Von seiner frühesten
Kindheit an lebte Angilbert an Karls Hofe, war wie Egin-
hard sein Umgang im täglichen Leben, sein treuer und brauch-

---

1) Otto Abel in seiner deutschen Uebersetzung von Eginhards
Biographie Karls.

barer Diener in öffentlichen Geschäften, der Genosse seiner
wissenschaftlichen Bestrebungen. Wie Eginhard war er ein
Schüler Alkuins, der ihn sehr hoch stellte, und gab jenem,
was gelehrte Bildung betrifft, wol kaum etwas nach. Auch
er benützte sein schriftstellerisches Talent dazu, seinen Erzieher und Freund zu verherrlichen. Wie Eginhard endlich
trat auch er später in den geistlichen Stand."

Erhalten ist uns die Sage von Eginhard und Emma in
dieser ihrer ältesten, einfachsten Gestalt mehrfach, wenn auch
meist die Namen der Personen verschwunden oder durch andere
ersetzt sind. Es gibt eine im Mittelalter weit verbreitete und
in den verschiedensten Sprachen bearbeitete Sage, welche die
Thaten der beiden einander zum verwechseln ähnlichen Freunde
Amicus und Amelius zum Gegenstande hat, die beide im
Dienste Karls d. Gr. stehen. In derselben findet sich die folgende Episode. Belixenda, die Tochter Karls, hat ein heim-
liches Liebesverhältniss mit Amelius, der ihres Vaters Truch-
sess ist. Dasselbe wird durch Ardericus dem Kaiser verrathen.
Aber Amelius leugnet. Zu dem in Folge dessen angesetzten
Zweikampfe mit Ardericus begibt sich aber nicht Amelius, der
schuldig war und deshalb unterlegen sein würde, sondern
Amicus, auf dem Rosse und angethan mit den Kleidern seines
Freundes. Er besiegt und tödtet den Verräther, worauf Karl
ihm seine Tochter zur Frau gibt, die dann Amelius in Empfang
nimmt. — Schält man sich hier heraus, dass eine Tochter
Karls ein geheimes Liebesverhältniss mit einem in ihres Vaters
Diensten stehenden Manne hat und der Vater endlich die
liebenden vereinigt, so wird man nicht zweifeln, hier unsere
Sage vor sich zu haben.

Dieselbe begegnet uns ferner auf der pyrenäischen Halbinsel in mehreren alten spanischen und portugiesischen Romanzen, die aber alle nur verschiedene Redactionen eines einzigen
verloren gegangenen Originales sind; und zwar geben im allgemeinen die portugiesischen dieses Original treuer wieder als
die spanischen. Eginhard hat seinen Namen hier in Eginaldo,
Reginaldo, Gerinaldo oder ähnlich verwandelt. Der König und
seine Tochter sind namenlos; nur einmal heisst letztere Enilda,
eine Form, in welcher man eine Entstellung aus Emma ver-

1*

muthen darf. Eine der portugiesischen Romanzen sei hier in
deutscher Uebersetzung mitgetheilt.

> „Gerinaldo, Gerinaldo,
> Lieblingspage deines Königs,
> Möchtest du, o Gerinaldo,
> Mit mir süsser Liebe pflegen?“
>
> ‚Meine hohe Herrin seid Ihr,
> Ihr treibt Euren Scherz mit mir nur.‘
>
> „Scherz nicht treib’ ich, Gerinaldo,
> Ernst gemeint ist meine Frage.“
>
> ‚Saget mir, o meine Herrin,
> Welche Stunde darf ich kommen.‘
>
> „Komme zwischen ein und zwei Uhr,
> Wenn im Schlafe liegt mein Vater.“
>
> Noch nicht ein Uhr war’s, da stand schon
> Gerinaldo an dem Pförtchen,
> Ohne Schuh und ohne Strümpfe,
> Dass Geräusch er nur nicht mache.
>
> „Wer pocht da an meiner Thüre,
> Wer ist der, der sich erdreistet?“
>
> ‚Gerinaldo ist’s, o Herrin,
> Der hier kommt, wie ihm geheissen,
> Ohne Schuh und ohne Strümpfe,
> Dass Geräusch er nur nicht mache.‘
>
> „Lege ab da deine Rüstung
> Und belust’ge dich mit mir hier.“
>
> Einen Traum der König träumte;
> In demselben sah er deutlich,
> Dass entehrt die Tochter werde
> Oder ihm das Schloss geplündert.
> Er erhob sich aus dem Bette,
> Angst und Schreck in seinem Herzen,
> Nahm zur Hand das Schwert das scharfe
> Und das ganze Schloss durchsucht’ er.
> Schlafend fand er die verliebten.
>
> „Um zu tödten Gerinaldo,
> Habe ich ihn aufgezogen?
> Wenn ich tödte die Infantin,

Ist das Reich für mich verloren.
Zwischen sie leg' ich das Schwert hin,
Das als Zeichen ihnen diene."

Gerinaldo bald erwachte,
Todt vor Schreck mehr als lebendig.

„Nicht erschreck dich, Gerinaldo,
Dass mein Vater uns gesehen;
Hätte er uns tödten wollen,
Würd' er es gethan schon haben.
Nicht erschreck dich, Gerinaldo,
Such den König auf im Schlosse."

„Woher kommst du, Gerinaldo,
Woher kommst du, bleich im Antlitz?"

‚Von des Flusses Ufer komm' ich,
Herr, wo ich des Waidwerks pflegte.'

„Lüge nicht, o Gerinaldo,
Der du niemals mich belogen."

‚Herr, besprengt hab' ich die Blumen,
Die danach gar sehr verlangten.'

„Nimm die Tochter denn zum Weibe,
Und sie dich zu ihrem Gatten."

Auch auf italienischem und deutschem Boden kommt die
Sage in Bearbeitungen des 14. bis 16. Jahrhunderts vor. So
in Boccaccios Decameron (V, 4); doch ist sie hier mit zu
obscoenen Details ausgeschmückt, als dass an dieser Stelle
näher darauf eingegangen werden könnte. Dasselbe gilt von
zwei metrischen Bearbeitungen, einer ebenfalls in italienischer,
einer anderen in deutscher Sprache, beide „die Nachtigall"
betitelt. Fern von solchen anstössigen Beigaben ist dagegen
eine den angeführten nahe stehende Darstellung, welche Jörg
Wickram von Kolmar, bekannt als der eigentliche Begründer
des deutschen Prosaromans, im J. 1557 in die zweite Auflage
seiner Schwanksammlung „Rollwagenbüchlein" aufnahm. Die
Tochter eines Grafen von Paris wird von einem jungen Edelmanne, der in ihres Vaters Diensten steht, geliebt. Sie verabredet mit ihm ein nächtliches Rendezvous in ihres Vaters
Garten, zu welchem sie ihm den Schlüssel gibt. Da der Graf
früh am Morgen nicht mehr schlafen kann, macht er einen

Spaziergang in den Garten, wo er die liebenden schlafend
findet. Ohne ein Wort zu sagen, kehrt er in das Haus zurück, befiehlt nachher der Tochter und dem Edelmanne in
die Kirche zu gehen, um die Messe zu hören, lässt beide
daselbst an den Altar treten und sie, ohne dass sie davon
vorher etwas erfahren haben, von dem Caplane trauen.

Besonders interessant ist endlich noch die Erhaltung der
älteren Gestalt der Sage in einer arabischen Quelle. Sie findet
sich nämlich, zu einem umfangreichen Romane verarbeitet, der
die Tendenz einer Verherrlichung des Islams gegenüber dem
Christenthume verfolgt, in „Tausend und Einer Nacht", in der
„Erzählung von Nureddin Ali und Maria der Gürtelmacherin".
Maria — dies ist in Kürze der Inhalt dieser Erzählung[1]) —
war die Tochter des Königs von Frankreich, welche eine
ungemein sorgfältige Erziehung erhielt, in Beredsamkeit und
Schreibkunst ebenso ausgebildet ward, wie in Ritterlichkeit
und Tapferkeit, besonders aber Kunstfertigkeit in allerlei weiblichen Handarbeiten erlangte, von deren einer sie nachher
ihren Beinamen „Gürtelmacherin" bekam. Viele Könige freiten
um sie, doch alle wies ihr Vater zurück, weil er sie ungemein
liebte und auch keinen Augenblick von ihr getrennt sein
mochte. Einst erkrankte sie sehr und that das Gelübde, im
Falle ihrer Genesung ein gewisses in hohem Ansehen stehendes
Kloster, das auf einer Insel lag, zu besuchen. Als sie genesen
war, sollte ein kleines Schiff sie in das Kloster bringen; doch
dasselbe wurde von muhamedanischen Piraten gekapert, welche
die Prinzess in Kairuwan an einen persischen Kaufmann
verkauften. Diesen pflegte sie in seiner Krankheit so auf-
opfernd und treu, dass er ihr auf ihren Wunsch versprach,
sie nur einem solchen Manne weiter zu verkaufen, den sie
lieben würde. Der Perser führte sie in den Islam ein und
verkaufte sie nachher in Alexandrien an Nureddin, mit dem
sie ein sehr inniges und fröhliches Liebesleben führte. Doch
der Frankenkönig schickte seinen einäugigen und lahmen, aber
sehr listigen Vezier, um der geraubten auf die Spur zu kommen,

---

1) Nach Professor Bachers Mittheilung in der Zeitschrift d. deutsch.
morgenländ. Gesellschaft 1880. Auch die Bemerkungen Bachers dazu
sind verwerthet worden.

und es gelang diesem wirklich, dieselbe wieder in ihre Heimat
zurückzubringen. Nureddin zog der verlorenen geliebten ins
Frankenland nach und zum gefangenen gemacht, ward er als
Diener bei einer Kirche verwendet und kam dann oft mit
Maria zusammen. Endlich entschlossen sie sich zur Flucht.
Der König aber setzte ihnen mit Heeresmacht nach, und
Marias Bruder Bertot holte sie ein. Derselbe forderte seine
Schwester zur Rückkehr auf, doch vergebens; sie fochten mit
einander und die waffenkundige Königstochter tödtete jenen
und nach ihm in derselben Weise noch zwei weitere ihrer
Brüder. — Nun sandte der König von Frankreich ein Schreiben
an den Kalifen, den Fürsten der Gläubigen Harun al-Raschid
mit der Bitte, er möge in allen Ländern der Moslimen die
flüchtige Maria suchen lassen und sie dem Vater zusenden.
Der Kalif liess die nöthigen Befehle ergehen, und die flüchtigen wurden in Damascus eingebracht. Von hier führte man
sie nach Bagdad vor den Kalifen, der an ihnen Gefallen fand
und sich ihre Geschichte erzählen liess. Als er dann Maria
den Wunsch ihres Vaters mittheilte, legte sie in begeisterten
Worten das muhamedanische Glaubensbekenntniss ab und flehte
um seinen Schutz. Harun verheiratete nun die beiden liebenden
gesetzlich und wollte den abgesandten des Königs, der keck
die Vollziehung seines Auftrags forderte, tödten. Doch Maria bat,
selbst seine Enthauptung vornehmen zu dürfen. Nureddin liess
nunmehr auch seine Eltern nach Bagdad kommen, und sie lebten
vereint in Freuden und hochangesehen bis zu ihrem Tode.

Dass in dieser Erzählung mit dem Könige von Frankreich kaum ein anderer als Karl d. Gr. gemeint sein kann,
geht daraus hervor, dass jener ein Zeitgenosse Harun al-Raschids
ist, wie denn auch die Botschaft jenes an den Kalifen an die
Gesandtschaft erinnert, welche Karl an diesen schickte. Dazu
passt durchaus, dass der Vater Maria keinem Freier geben
will, ganz wie Karl es mit seinen Töchtern machte. Nicht
minder auch, dass Maria eine ungemein sorgfältige Erziehung
erhält und Kunstfertigkeit in weiblichen Handarbeiten erlangt.
„Die Erziehung seiner Kinder, sagt Eginhard in seiner Biographie, richtete Karl so ein, dass Söhne wie Töchter zuerst
in den Wissenschaften unterrichtet wurden. Dann mussten

die Töchter sich mit Wollarbeit abgeben und mit Spinnrocken
und Spindel beschäftigen." Ausserdem wird man in der besonderen Hervorhebung der Geschicklichkeit Marias in Handarbeiten, sowie besonders in dem Beinamen „Gürtelmacherin"
einen Einfluss der Sage von Bertha der Spinnerin erblicken
dürfen, während die Waffentüchtigkeit aus anderen Erzählungen
von waffenkundigen Weibern auf sie übertragen ist. Die
Charakteristik Nureddins, der als ein furchtsamer, unmänn-
licher, dem Waffenhandwerk abgeneigter Mann geschildert
wird, darf man wol als ein vergröbertes Spiegelbild Eginhards
betrachten, insofern als letzterer, wenn auch nicht der Geheimschreiber und Erzcaplan Karls, wozu ihn erst die spätere Sage
gemacht hat, vielmehr, wie man es bezeichnet hat, eine Art
von Minister der öffentlichen Arbeiten, doch jedesfalls ein Gelehrter war, der in der Handhabung der Waffen wol kaum
besonders geschickt gewesen sein mag.

Die Sage von Eginhard und Emma hätte vielleicht in
Wickrams Schwankbuche als der spätesten Darstellung, der
wir begegnet sind, ihr Ende gefunden, hätte sie nicht durch
Verschmelzung mit einer anderen, ihr ursprünglich ganz fern
stehenden Erzählung einen erhöhten Reiz und neue Lebens-
kraft gewonnen. Diese Verschmelzung ist schon im 12. Jahrhundert oder noch früher erfolgt, während die Sage daneben
in ihrer älteren, einfacheren Gestalt, wie wir gesehen haben,
noch Jahrhunderte lang fortbestand. Ein unbekannter Mönch
des Klosters Lorsch bei Worms, der im 12. Jahrhundert die
auf sein Kloster bezüglichen Urkunden zusammenschrieb (die
sogen. Lorscher Chronik), benutzte die Erwähnung einer von
Eginhard gemachten Schenkung, um die Sage, wie er sie vermuthlich mündlicher Ueberlieferung entnahm, aufzuzeichnen.
Was er berichtet, ist folgendes.

Eginhard, der Erzcaplan und Geheimschreiber des Kaisers
Karl, am königlichen Hofe wegen seiner hervorragenden Dienste
von allen werth gehalten, wurde von der Tochter des Kaisers
selbst, Namens Emma, die mit dem Könige der Griechen verlobt war[1]), heiss geliebt. Einige Zeit war verflossen, und ihre

---

1) Wie bemerkt, war es Hruodrud, die mit Konstantin verlobt war.

gegenseitige Liebe wuchs von Tag zu Tag. Aber die Furcht vor dem Zorne des Königs hielt sie ab, die Gefahr einer Zusammenkunft zu wagen. Doch

> „Heisse Liebe siegt über alles"[1]).

Als der treffliche Mann endlich von unheilbarer Liebe glühte und sich nicht durch einen Boten dem Ohre der Jungfrau zu nahen wagte, fasste er zuletzt Muth und schlich zur Nachtzeit zu dem Gemache des Mädchens. Dort klopfte er leise und wurde eingelassen, indem er that, als ob er der Jungfrau eine Botschaft vom Könige auszurichten habe; sobald er aber mit ihr allein war, wechselten sie trauliche Reden, küssten sich und folgten dem Drange der Liebe. Als er nun vor Anbruch des Tages in der Stille der Nacht dahin zurückkehren wollte, woher er gekommen war, bemerkte er, dass inzwischen unerwartet ein starker Schneefall gewesen war, und wagte nicht fortzugehen, um nicht durch seine männlichen Fussstapfen verrathen zu werden. Als sie nun in ihrer Noth beriethen, was zu thun sei, kam das schöne Fräulein, welchem die Liebe Kühnheit verlieh, auf den Einfall, sie wolle sich bücken und ihn auf ihren Rücken nehmen, ihn so noch vor Tag bis in die Nähe seiner Wohnung tragen, hier ihn niedersetzen und dann wieder genau in ihre Fussstapfen tretend zurückkehren. Dieselbe Nacht hatte der Kaiser, wie man glaubt nach einer besonderen göttlichen Schickung, schlaflos zugebracht. In der ersten Dämmerung stand er auf, und als er aus seinem Palaste schaute, sah er, wie seine Tochter unter ihrer Last dahinschwankte und kaum gehen konnte, dann, sobald sie ihre Bürde an dem bestimmten Orte abgesetzt hatte, schnellen Schrittes zurückkehrte. Der Kaiser sah sich, von Staunen wie von Schmerz ergriffen, den ganzen Hergang an, beherrschte sich jedoch, da er glaubte, es geschehe das nicht ohne göttliche Fügung, und beobachtete einstweilen Stillschweigen über das, was er gesehen. Unterdessen fand Eginhard, dem das Gewissen schlug und der wol wusste, dass die Sache auf keinen Fall seinem Herrn lang verborgen bleiben könne, endlich Rath in seiner Noth: er trat vor den Kaiser

---

1) Ein Citat aus Virgil, wo jedoch „Arbeit" anstatt „Liebe" steht.

und bat ihn auf seinen Knien um seine Entlassung, indem
er erklärte, seine vielen und grossen Dienste würden nicht,
wie sie es verdienten, belohnt. Auf diese Worte hin liess
der Kaiser sich nicht das geringste merken und schwieg lang.
Hierauf versicherte er ihn, er werde seiner Bitte baldmöglichst entsprechen, und setzte einen Tag fest, auf den er sogleich seine Räthe, die Grossen seines Reichs und die übrigen,
die ihm sonst nahe standen, zu sich entbot. Als diese glänzende Versammlung seiner verschiedenen Würdenträger sich
eingefunden hatte, hub er an, seine kaiserliche Majestät sei
schwer beschimpft und missachtet worden durch die unwürdige Verbindung seiner Tochter mit seinem Schreiber, und er
empfinde darüber keinen geringen Zorn. Dann forderte er sie
auf, ihm ihren Rath und ihre Meinung darüber kundzugeben.
Sie aber waren getheilt in ihren Ansichten und schlugen
mancherlei harte Strafen gegen den vor, der sich so vergangen.
Einige indessen zeigten sich um so milder, je verständiger
sie waren, und baten den König inständig, er möge die Sache
selbst prüfen und nach der ihm von Gott verliehenen Weisheit eine Entscheidung zu treffen geruhen. Als nun der König
die verschiedenen Ansichten erwogen hatte, sprach er: „Ich
will ob dieser betrübenden That über meinen Schreiber keine
Strafen verhängen, durch welche die Schande meiner Tochter
eher vergrössert als verringert werden würde. Vielmehr halten
wir es für würdiger und dem Ruhme unseres Reiches angemessener, es ihrer Jugend zu verzeihen, sie durch eine
rechtmässige Ehe zu verbinden und so eine schimpfliche Sache
mit dem Schleier der Ehrbarkeit zu bedecken." Als der König
diesen Spruch verkündet hatte, entstand eine grosse Freude.
Inzwischen wurde Eginhard hereingerufen. Als er eintrat,
grüsste ihn der König unerwartet freundlich und sprach zu
ihm mit heiterem Gesichte: „Schon neulich ist Euere Klage
uns zu Ohren gekommen, dass wir Euere Dienste bisher nicht
so, wie es einem Könige geziemte, belohnt hätten. Ich werde
Eueren Beschwerden durch das köstlichste Geschenk abhelfen,
und damit ich Euch auch ferner wie bisher mir treu und wol-
gesinnt erfinden möge, will ich Euch meine Tochter in Euere
Gewalt und zum Weibe geben, Euere Trägerin nämlich, die

schon neulich hochgeschürzt sich willfährig genug zeigte, Euer Joch auf sich zu nehmen." Sofort ward Emma, umgeben von zahlreichem Gefolge, hereingeführt und hocherröthend aus der Hand des Vaters in die Eginhards gegeben.

Neu ist in dieser — oben etwas gekürzten — Aufzeichnung des Lorscher Mönches der Zug des tragens durch den Schnee. Man darf annehmen, dass dies ein ursprünglich selbständiger Schwank ist, der aber durch den Volksmund mit der Sage von Eginhard und Emma in Verbindung gebracht worden ist. Man ist hiezu einmal dadurch berechtigt, dass in allen den früher besprochenen Quellen, der Sage von Amicus und Amelius, den spanisch-portugiesischen Romanzen, in „Tausend und Einer Nacht" sowie bei Wickram und in den zunächst verwandten Darstellungen, sich keine Spur von einem solchen Zuge findet; dann aber auch weil jene Erzählung auch an andere Personen geknüpft auftritt. Der englische Chronist Wilhelm von Malmesbury, der ungefähr um dieselbe Zeit schrieb, in welcher die Lorscher Chronik entstand, wahrscheinlich noch mehrere Decennien früher, — und nach ihm spätere Chronikenschreiber — berichtet eben diese Schneegeschichte von einer Schwester Kaiser Heinrichs III. und einem Geistlichen desselben. Nur werden die leichtfertigen hier nicht durch die Ehe vereinigt.

Als gegen Ende des 16. Jahrhunderts die Lorscher Chronik aus dem Staube der Klosterbücherei hervorgeholt und veröffentlicht wurde, erstand auch die Sage von Eginhard und Emma zu neuem Leben. Der berühmte Philologe Justus Lipsius hielt 1613 die „scherzhafte Erzählung", wie er sie nennt, für passend zur Aufnahme in seine „Politischen Warnungen und Beispiele", und Zincgref wies ihr 1626 einen Platz an in „Der Teutschen scharpfsinnigen klugen Sprüchen". Der holländische Dichter Caspar Barlaeus († 1648) behandelte die Sage in fast 700 lateinischen Hexametern in seiner „Männertragenden Jungfrau", wobei er mehrere neue Züge einfügte. Am Hofe findet ein grosses Fest mit allerhand Aufführungen und Reigentänzen statt. Bei den letzteren wirkt auch Eginhard mit, welcher — ganz im Gegensatze zur Wirklichkeit — als ein Wunder von Schönheit geschildert wird. Emma hat hier

Gelegenheit, seinen schönen Körperbau zu bewundern, und entbrennt in heftiger Liebe zu ihm. Nachdem sie eine Zeit lang
ihre Leidenschaft bekämpft hat, citiert sie ihn endlich in einem
langathmigen Briefe zu sich, unter dem Vorgeben, unter seiner
Leitung sich in der Schreibkunst vervollkommnen zu wollen.
Eginhard erscheint, und der Unterricht beginnt sogleich, jedoch
nur um durch eine Liebeserklärung und, was ihr folgt, ein
baldiges Ende zu finden. (Diesen ganzen Zug hat der Dichter
der Liebesgeschichte von Abälard und Heloise entlehnt.) Als
die schuldigen später vor den Gerichtshof geführt werden,
nimmt ein jeder von ihnen, um den anderen zu retten, die
ganze Schuld für sich in Anspruch, wodurch der Kaiser so
gerührt wird, dass er ihnen verzeiht.

Im wesentlichen nichts als eine breitgetretene, durch Einführung einer neuen Person, Adelheid, Emmas Kammerfrau,
sowie Einstreuung einiger poetischer Ergüsse erweiterte Prosa-
auflösung dieses lateinischen Gedichtes ist der deutsche Roman
des Pegnitz-Schäfers Omeis, der norische Damon genannt:
„Die in Eginhard verliebte Emma" (1680).

Dass Hofmannswaldau in den ein Jahr früher erschienenen „Heldenbriefen" sich die Sage nicht entgehen liess,
ist zu erwarten; er brachte sie sogar an erster Stelle.

Nachdem noch Langbein in seinem ersten längeren Gedichte den Stoff behandelt und sich damit Bürgers Anerkennung erworben hatte, der ihm von einer Strophe schrieb:
„Ich möchte Sie todtschlagen, um diese Strophe für die meinige
ausgeben zu können", eröffnete Benedicte Naubert die lange
Reihe ihrer historischen Romane mit der „Geschichte Emmas"
(1785). Die eigentliche Sage ist hier, abgesehen von einem
doppelten Quiproquo — Emma hält Eginhard für einen Fürsten
und er sie für ein einfaches adeliches Fräulein — unverändert
geblieben. Doch laufen mehrere andere Liebesgeschichten neben
jener her, die aber mit derselben keinen inneren Zusammenhang
haben. Die Entwickelung wird fortwährend durch unendlich
lange Berichte und Briefe, die nur auf die Nebenpersonen Bezug
haben, unterbrochen, wie überhaupt die Technik höchst un-
beholfen und mangelhaft ist. Man fühlt sich erleichtert, wenn
man die mehr als 700 Seiten pflichtschuldigst durchgelesen hat.

Sehr gewonnen hat der Stoff unter der Hand Millevoyes. Sein „Emma und Eginhard" gehört zu seinen besten Leistungen. Der französische Dichter hat es verstanden, um das ganze — trotz dem Fehltritte — einen lieblichen Duft der Keuschheit zu verbreiten. Das Verhältniss Eginhards zu Emma hebt er sehr: edle, reine Liebe ist es, was sie zusammenführt. Nicht das Gemach Emmas ist der Ort, wo sie sich heimlich sehen, sondern ein stilles Plätzchen unter den Balcons des Palastes, wo das Laubwerk sie verbirgt.

> Dorthin kam täglich unter die Balcons
> Zu diesem stillen Plätzchen Eginhard,
> Erzählte von des Tages Last und Mühe;
> Dann schieden sie auf wiedersehn im Traume.

Aber ihr Glück soll gestört werden. Karl will in den Krieg ziehen, und Eginhard soll ihn begleiten. Traurig sucht dieser am Abend den bekannten Platz auf, um Emma zu sehen — vielleicht zum letzten Male, denn am folgenden Tage wird das Heer ausziehen. Aber der Sturm heult und macht es ihnen unmöglich, sich zu verstehen. Da bittet Eginhard, auf seine edle und reine Liebe sich berufend, mit ihr in ihrem Gemache Zuflucht suchen zu dürfen. Widerstrebend willigt sie ein. Beide betreten dasselbe ohne böse Absicht. Erst hier, im verführerischen Halbdunkel des Zimmers, bei dem Gedanken an die bevorstehende Trennung wird unter Küssen das Verlangen in beiden erweckt. Emma bittet ihren geliebten, zu fliehen. Er aber verweist darauf, dass es vielleicht das letzte Mal sei, dass sie sich sehen, und bleibt. Unter diesen Umständen erfolgt der Fehltritt. — Am folgenden Morgen verlässt Eginhard nicht „auf ihr sitzend", wie in der Lorscher Chronik, das Haus; sondern der Dichter lässt, indem er diese komische und zu seiner Auffassung nicht passende Position modificiert, ihn von Emma auf ihren Armen hinausgetragen werden:

> Sie nimmt auf ihre Arme den geliebten,
> Indem vor Angst sie und vor Liebe bebt,
> Und trägt ihn fort; der lose Schnee dumpf knarrend
> Gibt nach dem Drucke ihrer zarten Füsse.

Recht effectvoll weiss Millevoye den Schluss zu gestalten. Nach der verhängnissvollen Nacht citiert Karl die liebenden

vor sich, hält Eginhard in strengem Tone sein Vergehen vor
und verlässt den Sal mit der Erklärung, er werde sofort
zurückkehren, um ihnen seinen Beschluss mitzutheilen. Sie
bleiben allein, beide Eginhards Todesurtheil erwartend. Da
erscheint der Kaiser wieder, von seinen Paladinen und Grossen
begleitet, und nimmt auf dem Throne Platz:

> „Gerecht ist der Beschluss, den ich verkünde;
> Ich weiss zu strafen, ich weiss zu belohnen.
> Wenn irgend wer von mir verdient hat Lohn,
> Ist's Eginhard! Sei, Eginhard, mein Eidam!"

Dem schönen Gedichte Millevoyes tritt ein anderes französisches würdig zur Seite, „Der Schnee" von Alfred de
Vigny, verfasst 1830. Vigny ist es in noch höherem Masse
als seinem Landsmanne gelungen, die anstössige Seite des
Motivs in den Hintergrund treten zu lassen. Dabei ist seine
Behandlung eine eigenartige. Er entrollt eigentlich nur, indem
er erst da einsetzt, wo der Fehltritt bereits geschehen ist,
zwei Bilder vor unseren Augen.

I.

Wol sind sie klein, im Schnee die beiden Füsschen.
Doch, selbst nicht sichtbar, hinter seinem Fenster
Der König schaut und wünscht, er sähe nicht:
Er fürchtet seinen Zorn und seine Macht.

Die dunkle Stirn, von weissem Haar umwallt,
Mit tiefen Falten, trägt der Krone Eisen;
Sein reiches Kleid ist Purpursamt, und drüber
Hat er ein schweres Bärenfell geworfen.

Er starrt nach vorn gebeugt, die dunklen Scheiben
Bedeckt sein Seufzen ganz mit einer Wolke.
Der Marmor hallt, von schwerem Fuss getroffen,
Wol zwanzig Mal von der Sandale wieder.

Bist, weisse Emma, du's, Princess von Gallien?
Welch eine Liebeslast trägt deine Schulter?
Den Pagen Eginhard; ihn hat der Tag
In dem geheimen Thurme überrascht.

Sanft schlingt sein Arm sich um den Schwanenhals,
Sanft streift die Lippe eine schwarze Flechte,
Die Wange und den Rücken, dessen Weisse
Beschämt den Hermelin, der ihn bedeckt.

Erfüllt von Angst hält er zurück den Athem:
So meint er ihr die Mühe zu erleichtern;
Er seufzt ob seiner Last, beklagt die Füsschen,
Die seine Hand am Abend trocknen will.

Doch Emma rühmt, kurz rastend, ihren Gang,
Wie sicher der, beruhigt lächelnd ihn,
Fleht, dass durch einen Kuss er neu sie stärke;
Dann schwankt sie weiter und durchmisst den Hof.

Doch horch! Soldatenstimmen in den Hallen.
Bewaffnete versperren alle Wege.
Den Banden Eginhard entschlüpft und springt
Von Emmas Arm, die in den seinen sinkt.

II.

Auf hohem Thron mit reichem Purpurrücken,
Umwogt von deutschen Bannern sitzt der Kaiser.
Die Paladine — zwölf — stehn auf den Stufen
In ihrer goldgestickten Mäntel Pracht.

Es stützt den starken Arm ein langes Schwert,
Ins Blut der Sachsen neun Mal eingetaucht;
Auf ihren Schilden schlingt sich in drei Farben
Ihr Wahlspruch um besiegter Kön'ge Namen.

Rings unter dreigetheilten maur'schen Säulen
Sind hünenhafte Krieger aufgestellt;
Geschlossen ist der reichgeschmückte Helm,
Und kaum dringt durchs Visier der Augen funkeln.

Die Hände faltend, auf dem Boden knieend,
Eins für das andre suchend ein Gebet,
Die schönen Kinder zitterten, die Stirn
Gesenkt, bald bleich vor Furcht, bald roth vor Scham.

Die tiefste Ruhe, eis'ges Schweigen herrschte.
Im stillen segnend seine blonden Locken,
Wirft Eginhard, wie unter einem Schleier,
Nach der geliebten furchtsam einen Blick.

In ihren Händen Emma birgt ihr Haupt,
Erwartend das Gewitter, das im Anzug;
Doch da noch alles still bleibt, wirft sie kühn
Durch ihre schönen Finger einen Blick.

Der Kaiser lächelte, im Auge Thränen,
Die seine Züge unaussprechlich hoben;

> Er rief Turpin, den Bischof seines Hofs,
> Mit milder Stimme sprach er: „Segne sie!“

Auf französischem Boden hat die Sage ihre schönste und edelste Behandlung gefunden. An Millevoye und Vigny reicht keiner der übrigen Bearbeiter heran, denen in Deutschland noch Wolfgang Müller von Königswinter, in Amerika Longfellow hinzuzufügen sind.

Dass auch die Bühne sich einen so dankbaren Stoff nicht hat entgehen lassen, ist natürlich. Im J. 1801 veröffentlichte Franz Kratter „Eginhard und Emma, ein Schauspiel in fünf Aufzügen“. Der Dichter hat — wol nach der Naubert — eine Werbung des eben bekehrten Wittekind um Emmas Hand in das Stück verflochten, ausserdem Alkuin sowie Angilbert Rollen in demselben zugetheilt. — Zehn Jahre später lieferte de la Motte Fouqué eine Dramatisierung in gebundener Rede. Die Personen sind durch den sächsischen Ritter Degenwerth, den griechischen Gesandten Arsaphius, der für seinen Kaiser um Emmas Hand zu werben gekommen ist, einen Köhler und einige Nebenpersonen vermehrt. Nicht ohne Geschick hat der Dichter die Thatsache, dass Karl an den alten Volksliedern Gefallen fand und sie sammeln liess, eingewoben. Sonst führt er, von Einzelheiten abgesehen, nur seine Vorlage weiter aus, wobei man allerdings öfter durchfühlt, dass es ihm nicht leicht geworden ist, dem Stoffe die nun einmal erforderliche Ausdehnung zu geben. — Auber componierte die Oper „Der Schnee“, deren Libretto Scribe und Delavigne verfassten.

In einer Gruppe von Bearbeitungen liegt eine abermals erweiterte Gestalt der Sage, wie sie die Lorscher Chronik verzeichnet, vor, indem die beiden liebenden von Karl verbannt werden oder heimlich fliehen und längere Zeit in den dürftigsten Verhältnissen am Spessart in Mühlheim a. M., später Seligenstadt genannt, leben, wo sie eine Wirthschaft betreiben, bis sie von Karl, der sich auf der Jagd verirrt hat oder aber seine Tochter zu suchen ausgezogen ist, gefunden und an einer von Emma bereiteten Speise erkannt werden, worauf er alles verzeiht. Die Sage in dieser Form ist dem Volksmunde der Umgegend von Seligenstadt entnommen worden, wo Eginhard

und Emma eine Abtei gründeten und eine Kirche erbauten,
in welcher sie begraben liegen und Verehrung geniessen.
Daraus, dass die Sage mit diesem Schlusse sich nirgends in
älterer Zeit aufgezeichnet findet, scheint man geschlossen zu
haben, dieselbe habe sich in jener Gegend unabhängig von
der schriftlichen Ueberlieferung durch mündliche Tradition
von alten Zeiten her erhalten. Wenn man aber auf dem
weiten Gebiete der Sagen Umschau hält, so gelangt man bald
zu der Ueberzeugung, dass dieser Schluss ursprünglich eine
selbständige, mit der Sage von Eginhard und Emma in gar
keinem Zusammenhange stehende und erst in späterer Zeit
mit derselben in Verbindung gebrachte Sage ist. Man findet
dieselbe vom Kaiser Nero, seiner Tochter und einem Jäger
desselben erzählt. Man begegnet ihr ferner in der Stamm-
sage des württembergischen Königshauses, und in böhmischen
Chroniken wird sie an die Tochter eines deutschen Kaisers
und einen Grafen von Altenburg geknüpft. Sie tritt uns
endlich auch entgegen in einem deutschen Volksliede, wo der
Entführer ein Schreiber ist, eine in der deutschen erotischen
Volksdichtung häufig vorkommende Persönlichkeit. Dasselbe
lautet: .

> Der König zog wol über den Rhein
> Zur Maienzeit.
> Er dacht' ans liebe Töchterlein.
> Zur Maienzeit das Herz erfreut, von dannen das Winterleid.
>
> Der König ritt vor eine Thür,
> Der junge Wirth der trat dafür.
>
> „Herr Wirth, gib du mir Wein und Brot,
> Vor Hunger leid ich grosse Noth."
>
> Der Wirth sandte sein Töchterlein,
> Das bracht dem König Fisch und Wein.
>
> „Den Fisch konnt keiner kochen
> So gut wie meine Tochter.
>
> Sie ist davon gezogen,
> Mit einem Schreiber geflohen."
>
> Der Wirth und die Wirthin fielen aufs Knie,
> Um Gnad' und Verzeihung baten sie.

‚Du wollst uns, Vater, vergeben,
Wir verdienen nicht zu leben.

Gieng ich um die Welt barfüssig,
So könnt' ich es nicht büssen.‘

Der König sprach: „Was habt ihr gethan!
Ich hab getrauert so manches Jahr."

Der König sprach: „Solch edle Jagd!
Dran hätt ich nimmermehr gedacht."

Der König zog wol über den Rhein
Zur Maienzeit,
Mit dem Schreiber und mit dem Töchterlein.
Zur Maienzeit das Herz erfreut, von dannen das Winterleid.

In diesem Volksliede darf man das Original des Schlusses
der Seligenstädter Version erblicken, mit welchem es vollständig übereinstimmt. Es war in der That gerade wie dazu
geschaffen, um an die Sage von Eginhard und Emma, wie
sie die Lorscher Chronik bietet, angeschweisst zu werden: in
letzterer hat der Schreiber Karls ein Liebesverhältniss mit
dessen Tochter — in dem ersteren hat ebenfalls ein Schreiber
ein eben solches mit der Tochter seines Herrn, eines Königs,
gehabt und ist mit ihr geflohen, worauf sie dann später vom
Vater wiedergefunden werden.

Im J. 1811 lernte Helmina von Chézy, die Enkelin der
Karschin, die Sage in dieser erweiterten Gestalt auf einer
Rheinreise kennen und machte sich sofort an eine dramatische
Bearbeitung derselben, die aber erst 1817 in der Urania erschien. Die Dichterin behandelt nur den zweiten Theil. Das
übrige, also alles, was die Lorscher Chronik erzählt, legt sie
einem — um ein par Jahrhunderte zu früh geborenen —
Minnesänger in den Mund, welchen, als Karl die Tochter gefunden, aber noch nicht erkannt hat, der Zufall ebenfalls dorthin führt. Ausser diesem sind einige weitere Personen hinzugefügt, darunter auch eine erwachsene Tochter Eginhards und
Emmas, welche einem Missverständnisse ihr Dasein zu verdanken scheint. Ferner hat die Dichterin die angebliche Abstammung der gräflich Erbachschen Familie von Eginhard
und Emma in das Drama verflochten, indem sie Karl am

Schlusse seinen Schwiegersohn zum ersten Grafen dieses Namens erheben lässt. — Das Stück wurde 1812 auf dem Theater Dalbergs in Aschaffenburg sowie auf dem dem Fürsten von Leiningen gehörigen Schlosse Amorbach im Odenwalde aufgeführt.

Wenige Jahre darauf widmete der um Rheinische Geschichte verdiente Niklas Vogt der Sage eine ausführliche Darstellung, wobei er zwei neue Züge einwob. Der Kaiser überträgt Eginhard die Geistesbildung seiner Tochter, und in den Unterrichtsstunden entwickelt sich das Liebesverhältniss — eine Entlehnung aus Abälard und Heloise, die sich früher schon Barlaeus sowie die Naubert erlaubt hatten. Ferner ist bei dem Pfalzgerichte, das über Eginhard aburtheilen soll, dieser selbst zugegen, und als die übrigen Räthe in ihrem Urtheile schwanken, spricht er: „Er ist des Todes schuldig".

Diese Darstellung Vogts legte dann A. T. Beer der seinigen zu Grunde, wobei er jedoch auch seinerseits mancherlei selbständige Erweiterungen und Einschiebungen vornahm. So rührt von ihm besonders eine liebliche Scene her, die Vermählung der liebenden in der Waldeinsamkeit ohne Geistlichen und Zeugen. Dieselbe ist auch in Gruppes umfangreiche, hübsche Bearbeitung der Beerschen Darstellung in der Nibelungenstrophe übergegangen und mag hier eine Stelle finden. Nach mehrtägiger Wanderung sind die vom Kaiser verstossenen in den Odenwald gelangt und haben sich dort ein Häuschen gebaut.

Nun sah'n sie's an mit Freuden, doch ernster wurden sie:
Sollen wir mitsammen beide wohnen hie?
Und haben doch den Segen selbst des Himmels nicht —
Da rollten wieder Thränen über ihr schönes Gesicht.

Er aber macht aus Scheiten ein Kreuz und stellt es hin;
Da knieten vor dem Kreuze die beiden mit frommem Sinn:
„Lieber Gott im Himmel, gescheh der Wille dein,
Gib uns deinen Segen und lass uns ehlich sein.

Wir haben nicht verdienet, dass du uns gnädig bist,
Doch nimm uns an zu Gnaden, gib uns zur Reue Frist.
Um deines Sohnes willen, der hingab seinen Leib,
Gib deinen heil'gen Segen und lass uns sein Mann und Weib."

2*

Da schien die Sonn' aus Wolken mit rothgoldnem Strahl,
Verklärt in sel'gem Glanze lagen Berg und Thal,
Dann hörten sie ein flattern, das hoch vom Himmel kam:
Das war eine Taube, die Sitz auf dem Kreuze nahm[1]).

Sie knieten lang, dann standen sie auf, so frohbewusst,
Da gab es ein umarmen, ein pressen an die Brust,
Da gab es ein langes küssen, niemand hat's gezählt:
So wurde Fräulein Emma Herrn Eginhard vermählt.

Ganz neuerdings hat die Sage wieder einen Bearbeiter gefunden in Thikötter. Doch hat sich der Dichter „nicht beschränkt auf eine Wiedergabe der Sage, sondern hat versucht, ein Lebensbild Eginhards und seiner Stellung zu Karl d. Gr. zu zeichnen". Für die Sage selbst — nur dieser Abschnitt der ganzen Dichtung interessiert uns hier — hat Thikötter einmal die Lorscher Chronik, dann aber, so besonders für den zweiten Theil, Gruppes Bearbeitung zu Grunde gelegt, sich dabei jedoch in den Details eine gewisse Freiheit gewahrt. Mancherlei Härten im Versbau dienen nicht eben dazu, die Wirkung der Dichtung zu steigern[2]).

---

1) Es war dies eine Taube, die Emma ehemals gezähmt hatte und die jetzt ihrer Herrin nachgeflogen kam

2) Siehe noch den Nachtrag am Schlusse des Bandes.

Neue kleine Beiträge zur Kenntniss Chr. F. D. Schubarts.

Von

ADOLF WOHLWILL.

I.

Zu Chr. F. D. Schubart in seinem Leben und seinen Werken von Gustav Hauff (Stuttgart 1885) [1]).

Das unter obigem Titel erschienene Buch ist als ein sehr verdienstliches zu bezeichnen. Der Verfasser erweist sich mit den Resultaten der bisherigen Schubart-Forschung wol vertraut; er ist ein trefflicher Kenner der Dichtungen Schubarts und hat auch die Lebensgeschichte desselben zum Gegenstande erneuter sorgsamer Studien gemacht. Die Befriedigung über seine Publication würde jedoch eine noch grössere sein, wenn er dieselbe, wie es anfänglich sein Vorsatz gewesen zu sein scheint, nur als „kritische Studien über Schubart“ dargeboten hätte. Titel und Vorrede erwecken dagegen die Vorstellung, dass der Verfasser es auf ein abschliessendes Werk über Schubarts Leben und Dichten abgesehen habe. Von der Erfüllung einer solchen Aufgabe ist er freilich in mehr als einer Beziehung fern geblieben. Schon die äussere Anlage des Buches

---

[1]) Unter den anderweitigen Aufsätzen, welche durch das Buch von Hauff hervorgerufen worden, ist derjenige von K. Geiger: „Zu Schubarts Leben und Schriften“ in der Besonderen Beilage zum Staatsanzeiger für Württemberg (1885 S. 244 ff.) der eingehendste. Derselbe konnte (soweit er im J. 1885 erschienen) noch bei der Revision des obigen Artikels verwerthet werden. — Ich benutze zugleich die Gelegenheit, um Herrn Dr. Geiger, Bibliothecar an der k. Univ.-Bibliothek in Tübingen, ebenso wie Herrn Prof. Veesenmeyer, Bibliothecar in Ulm, für die mir persönlich bei meinen Schubart-Studien gewährte Hilfsleistung meinen verbindlichsten Dank auszudrücken.

dürfte als eine nicht ganz glückliche zu bezeichnen sein. Wenn
irgend ein Dichter des 18. Jahrhunderts, verdient Schubart
eine für weitere Leserkreise bestimmte, mit einem gewissen
epischen Behagen ausgeführte Lebensdarstellung. Es ist nicht
zu bezweifeln, dass Hauff die Befähigung besitzt, eine populär
gehaltene Biographie Schubarts zu schaffen, wie er dies ja
im kleinen bereits in der Einleitung zu seiner Ausgabe der
Schubartschen Gedichte[1]) gethan hat. In dem vorliegenden
Werke aber hat er sich vielfach damit begnügt, die Angaben
seiner Vorgänger Revue passieren zu lassen und dieselben je
nach Umständen zu billigen, zu verwerfen, zu ergänzen oder
zu modificieren. Es begreift sich, dass hiedurch das Buch für
den Laien an manchen Stellen recht unerquicklich wird, während
es für den litteraturkundigen Leser nicht erforderlich war,
so häufig, wie es geschehen, grössere Abschnitte aus früheren
Bearbeitungen des Themas in extenso zum Abdruck zu bringen.
Es macht ferner keinen günstigen Eindruck, dass sich Hauff
bei der Kritik seiner Vorgänger allzusehr aufs hohe Pferd
setzt. So werthvoll z. B. seine Berichtigungen und Ergänzungen des bekannten Werks von Strauss sein mögen, so
dürfte dadurch doch die Hochschätzung, deren sich das letztere
bisher bei allen Litteraturkennern erfreut hat, nicht erheblich
verringert werden. Soll das, was Strauss für die Biographie
Schubarts geleistet, überboten werden, so gilt es das Lebensbild des Dichters noch mehr, als es bisher geschehen, in den
Rahmen der Zeitgeschichte einzufügen. Schubart gehört eben
nicht bloss der Litteratur-, sondern auch der Culturgeschichte
an. Seine Verdienste als Bildungsträger und als Verkünder
patriotischer Denkungsart sind, wie zuvor von Strauss, auch
von Hauff hervorgehoben worden; doch um die Entwicklung
der Anschauungen und Gesinnungen Schubarts, sowie den
Einfluss, welchen er auf seine Zeitgenossen geübt, vollkommen
zu würdigen, wäre es erforderlich gewesen, den geistigen,
socialen und politischen Zuständen Deutschlands im vorigen
Jahrhundert ein noch umfassenderes und eingehenderes Studium

---

1) Cbr. Fr. D. Schubarts Gedichte. Historisch-kritische Ausgabe
von Gustav Hauff. (Leipzig, Reclam.)

zu widmen. — Dies schliesst jedoch nicht aus, dass wir Hauff
für zahlreiche Belehrungen dankbar sein müssen und dass
sein Buch jedem Litterarhistoriker und Litteraturfreund, der
sich in Zukunft mit Schubart beschäftigt, ein unentbehrliches
Hilfsmittel sein wird. Auch die folgenden Einzelerörterungen
haben keineswegs den Zweck, den Werth seiner Leistung
herabzusetzen; sondern es gilt nur einige Wünsche für den
Fall einer künftigen Ueberarbeitung zu äussern, kleine Ergänzungen für eine solche beizusteuern und zugleich auf einige
Bemerkungen näher einzugehen, in denen der Verfasser auf
den Aufsatz „Beiträge zur Kenntniss Chr. Fr. D. Schubarts“
im 6. Bande dieses Archivs S. 343—391 Bezug genommen hat.

Unter den an letzterer Stelle vorgetragenen Ansichten
wird von Hauff namentlich die Auslassung über Schubarts
Stammesangehörigkeit bekämpft. S. 347 f. war von mir darauf
hingewiesen worden, dass Schubarts Vater und Grossvater aus
Altdorf bei Nürnberg stammten, seine Mutter aber in Sulz-
bach am Kocher zu Hause war, also in einer Gegend, wo
fränkische und schwäbische Art in einander übergeht. Hieraus
ward gefolgert, dass Schubart seiner Herkunft nach mehr
dem fränkischen als dem schwäbischen Stamme angehöre.
Zugleich wurde bemerkt, dass Schubart auch in seinem Naturell
mehr die Eigenart des ersten als des zweitgenannten Stammes
hervortreten lasse. Ich trage kein Bedenken zuzugestehen,
dass ich auf den letzten Theil jener Aeusserung jetzt weniger
Gewicht lege. Denn erwägt man, wie vielseitig sich der
deutsche Volkscharakter innerhalb einer und derselben Stammes-
gemeinschaft offenbart, und vergegenwärtigt man sich anderseits die Originalität eines Mannes wie Schubart, der sich aller
Orten von den Durchschnittsmenschen unterschieden haben
würde, so wird man zu dem Resultat kommen, dass die Frage,
ob unser Dichter in seinem Wesen mehr der Eigenart des
einen oder des anderen Stammes entspreche, eine absolute
Entscheidung überhaupt nicht zulässt. Soll aber auch die
Bedeutung genealogischer Nachforschungen nicht überschätzt
werden, so pflegt man es doch nicht ohne Grund zu den Ob-
liegenheiten eines Biographen zu rechnen, sich über die Vorfahren der darzustellenden Persönlichkeit so genau wie möglich

zu unterrichten; und insofern dürften die von mir beigebrachten
thatsächlichen Angaben ihren bescheidenen Werth behalten. —
Was die freilich über den schwäbischen und fränkischen Stamm
hinausweisende Notiz der Selbstbiographie Schubarts betrifft,
dass sämmtliche Schubarte aus der Lausitz stammen, so findet
sich für dieselbe ein gewisser Anhalt in dem „Anhange kurzer
Nachrichten von den durch Gelehrsamkeit etc. merkwürdigen
Schubarten", welche T. H. Schubart, Archidiaconus zu St. Michael.
in Hamburg, seiner Predigtsammlung „Weide der Herde
Christi"[1]) hinzugefügt hat. Unter den hier angeführten Namens-
verwandten gehört in der That ein nicht ganz geringer Bruchtheil der Lausitz an, während die übrigen der Mehrheit nach
den benachbarten schlesischen und obersächsischen Gebieten
oder auch Thüringen entstammen.

Bezüglich des Geburtsortes Obersontheim dürfte es nicht
überflüssig sein, darauf hinzuweisen, dass Schubart, der begeisterte Verkünder des deutschen Patriotismus, in einem Gebiete das Licht der Welt erblickte, in welchem die Zersplitterung
der deutschen Territorien zufolge der wiederholten Theilungen
unter den Erben der Schenke von Limpurg im Laufe des
18. Jahrhunderts vielleicht mehr als sonst irgendwo zur Caricatur geworden war[2]). — In Vergleich zu den winzigen Parcellen,
in welche die Grafschaft Limpurg zerfallen, konnte die Reichsstadt Aalen für ein ansehnliches und lebensfähiges Territorium
gelten. Auch auf die Verhältnisse dieser dem Dichter „so unaussprechlich theuern" Stadt wäre näher einzugehen, weil dieselbe
mehr als irgend ein anderer Winkel Deutschlands als die eigentliche Heimat Schubarts gelten kann; wie es sich denn auch aus
den hier gewonnenen Eindrücken erklärt, dass er einerseits für die
Reichsstädte, wie für die republicanisch regierten Gemeinwesen

---

1) Hamburg 1742. Auf dieses Verzeichniss ist bereits in der kurzen
Biographie Schubarts hingewiesen worden, welche sich in Haugs Schwäb.
Magazin v. 1777 S. 473 ff. befindet. — Ueber die von dem Dichter (Ges.
Schriften, S. 12 f.) ausdrücklich als seine Vorfahren bezeichneten Andreas
Christoph Schubart und Georg Schubart finden sich in der er-
wähnten Hamburgischen Publication S. 414 u. 431 genauere Angaben.

2) Vgl. Beschreibung des Oberamts Gaildorf, herausgeg. von dem
k. statist.-topograph. Bureau. Stuttg. 1852. S. 94 ff.

überhaupt stets lebhafte Sympathie empfand, dass anderseits aber auch der Hang zur Kritik und Satire auf politischem Gebiet frühzeitig in ihm geweckt wurde.

Die Annahme Hauffs, dass der in Aalen weilende preussische Werbeoffizier, Herr von Maltitz, den Knaben Schubart nicht nur für Klopstock, sondern auch für Friedrich den Grossen enthusiasmiert habe, ist durchaus einleuchtend[1]).

Zu den befriedigendsten Abschnitten in Hauffs Buche gehört derjenige, welcher dem Geislinger Aufenthalte Schubarts gewidmet ist[2]). Es ist gewiss zutreffend, wenn Hauff bemerkt, dass Schubart seine damalige Lage in seiner Selbstbiographie mit zu freundlichen Farben, in seinen Briefen aber allzu ungünstig geschildert habe. Die Auslassungen in den letzteren, sowie in verschiedenen Dichtungen, in welchen Schubart sein Schulmeisterlos als ein ebenso würdeloses, wie unerträgliches hinstellt, sind offenbar zum Theil auf momentanen Missmuth, zum Theil aber auch auf den Hang des Dichters zurückzuführen, sich in humoristisch gefärbten Uebertreibungen zu ergehen. Die auch von Hauff herangezogenen, von Schubart dictierten Schulhefte, sowie seine Correspondenz mit dem jungen Wolbach beweisen zur Genüge, dass er nicht ohne Geschick und Erfolg und daher auch sicher nicht ganz ohne Freudigkeit und Befriedigung seines paedagogischen Amtes gewaltet hat.

Unter den Dichtungen dieses Zeitraums hätten namentlich

---

1) Mittlerweile hat Karl Geiger a. a. O. S. 279 f. auf einen verschollenen Artikel Ludwig Schubarts im „Freimüthigen" vom J. 1809 aufmerksam gemacht, aus welchem hervorgeht, dass schon der Aalener Diaconus Schubart, der Vater des Dichters, ein feuriger Verehrer Friedrichs des Grossen war.

2) Schubarts damalige äussere Stellung ist von Klemm (Beiträge zur Gesch. von Geislingen und Umgegend, in den Württ. Vierteljahrsheften, Jahrg. 7, 1884, S. 254) näher untersucht worden. Die genaue Bezeichnung seiner Titel und Aemter ergibt sich u. a. auch aus der Geburtsurkunde seines erstgeborenen (unter den Acten der Karls-Akademie im k. Haus- und Staatsarchiv zu Stuttgart). Es heisst da: Ludwig Albrecht. Ao 1765 d. 17. Febr. zu Geißlingen gebohren. Vater C. F. D. Schubart, der h. Gottes Gelehrtheit Beflißener, auch Praeceptor Adj. bey der allhiesigen Latein- und deutschen Schul, Director Musicae u. Organist etc.

die Zaubereien eingehendere Erörterung verdient, als ihnen
S. 67—69 zu Theil geworden ist. Das allerdings recht mittel-
mässige Gedicht auf Thomas Abbt ist inzwischen von
Pentzhorn[1]) zu erneuter Kunde gebracht worden. Auch die
übrigen, dieser Periode angehörigen Gelegenheitsgedichte hätten
im biographischen Interesse möglichst vollständig berücksichtigt
werden müssen. Abgesehen von dem S. 67 flüchtig erwähnten
Gedicht „die Badcur", welches für die Beziehungen Schubarts
zu seinem aufrichtigst verehrten Freund und Wolthäter, dem
Ulmer Rathsconsulenten Häckhel[2]), in Betracht kommt, waren
die dem Grafenhause Degenfeld-Schomburg gewidmeten
Dichtungen zu nennen: einerseits ein der „Badcur" angehängtes
Poem „auf die Geburth eines Herrn von Degenfeld-Schomburg",
anderseits eine Ode, welche die Grundsteinlegung eines gräflichen Schlosses zu verherrlichen bestimmt war[3]). Bezeich-
nender Weise ist dieser Ode ein Pindarisches Motto vor-
gesetzt. Dieser, wie so mancher anderen der Schubartschen
Dichtungen, gereicht es zum Nachtheil, dass der Verfasser,
weder die Natur des zu behandelnden Gegenstandes, noch die
Schranken der eigenen Begabung beachtend, einen allzu hohen
Flug versuchte und daher das Pindarum quisquis studet
aemulari in nur allzu augenfälliger Weise illustrierte. Es
scheint, dass Schubart sich von diesen überspannten Bemühungen zu erholen suchte, indem er in seinen volksthümlichen Improvisationen einen um so ungezwungeneren Ton

---

1) Thomas Abbt. Ein Beitrag zu seiner Biographie. Berlin 1884.
S. 94 ff.

2) Auf dem Widmungsblatt dieser Dichtung und bei Weyermann,
Neue Nachrichten von Gelehrten und Künstlern etc. der vormaligen
Reichsstadt Ulm, S. 151 findet sich die Namensform Haeckel oder Häckel.
Richtiger ist wol die Schreibweise Häckhel. In dem erwähnten Extract des
Geislinger Taufbuchs wird als Gevatter Ludwig Albr. Schubarts auf-
geführt: Herr Ludwig Albrecht Häkhel, J. U. Dr. Raths-Consulent, bei
wohllöbl. Reichsstadt Ulm, auch Statt-Ammann — Amts Vicarius allda.

3) Ode auf des Grafen von Degenfeld-Schomburg Hochgräfliche
Excellenz. Als zu Eibach der Grundstein zu einem gräflichen Schlosse
gelegt wurde. Verfertiget von Chr. F. D. Schubart etc. Ulm 1766. —
Ich verdanke die Kenntniss dieses Gedichtes der Güte des Herrn Grafen
Kurt von Degenfeld-Schonburg.

anschlug und gelegentlich selbst vor Trivialitäten nicht zu-
rückschreckte. Ein Beispiel für letzteres bietet jener „lustige
Neujahrswunsch"[1]), welcher den gewiss nicht ganz unberech-
tigten Unwillen des Ulmer Ministeriums hervorrief. Ein Exemplar desselben — es ist schwer zu entscheiden, ob ein echtes
oder ein „durch schlimme Abschreiber verstümmeltes" — ist
mir vor Jahren mitgetheilt worden[2]). Es ist unerquicklich,
aber unerlässlich für den Biographen, dem Dichter auch auf
diesen Wegen zu folgen, um zu erkennen, wie tief derselbe
gelegentlich herabsank.

Zur richtigen Würdigung der Ludwigsburger Periode
Schubarts erscheinen mehrere von Hauff nicht berücksichtigte,
der Verherrlichung des Herzogs Karl Eugen gewidmete dich-
terische Publicationen von Bedeutung: 1) Ein Paean auf das
Geburtsfest des Durchlauchtigsten Herzogs von Würtemberg
(1771). Aus dem Lat. des P. H. (Professor Haug), im Schwäb.
Magazin v. 1775 S. 110—117[3]), 2) das (in diesem Archiv
Band IX S. 173—176 wiederabgedruckte) Gedicht: Würtem-
bergs Genius, den 11. Februar 1772; ausserdem ist möglicher
Weise die Dichtung „Empfindungen eines Knaben bey dem
Geburtsfeste Sr. Herzogl. Durchl. Carls von Würtemberg" in
der Sammlung „Schubartiana" (Augsburg und Ulm 1775) hie-
herzurechnen[4]). Bekanntlich sind Schubarts Bemühungen, die

---

1) Vgl. Strauss I S. 193.

2) Um zu zeigen, welche Trivialitäten von Schubart geschrieben
— oder ihm doch untergeschoben werden konnten, möge hier der Anfang
des „Neujahrswunsches" eine Stelle finden: „Was wünsch' ich Dir,
Herr Bruder? Heut ist das neue Jahr. Ich bin so faul, wie Luder,
Gedanken sind so rahr. Heut sind fast alle Menschen Von Kompli-
menten starr. Waß soll ich denn nicht wünschen? Heut wünscht ein
jeder Narr; Drum wünsch' ich, daß Du Glüke In diesem Jahr erlangst,
Daß Du an keinem Stüke Diß Jahr am Galgen prangst. Friß nicht,
wie Schaf und Rinder Graß, Stroh und dürres Heu; Es hau Dir auch
der Schinder Den Schädel nicht entzwei." Es folgen dann mancherlei
Derbheiten und Unfläthigkeiten. Zum Schluss finden sich die Worte:
Gemacht von H. Schubart, Prezeptor in Geißlingen.

3) Vgl. Weltrich, Friedrich Schiller S. 219 f., wo die Dichtung
irrthümlich in das J. 1775 gesetzt wird.

4) Schubart hat allerdings diese von unbefugter Seite veranstaltete
Sammlung in seiner „Deutschen Chronik" (15. Mai 1775) „vor den Augen

Gunst des Herrschers zu erlangen, vergeblich gewesen, und
ist es vielmehr wahrscheinlich, dass schon in Ludwigsburg zu
dem verderbenbringenden Groll des Herzogs wider den Dichter
der erste Grund gelegt wurde.

Manche Einzelheit aus diesem Zeitraume wird wol immer
räthselhaft bleiben. Mit Recht betont Hauff, dass Schubart
seine damalige sittliche Versunkenheit weder in der Selbstbiographie noch in den Briefen abgeleugnet hat. Indessen
hat ihm unter den damaligen Verhältnissen am Ludwigsburger
Hofe seine Immoralität vermuthlich weniger als seine Unvorsichtigkeit zum Verderben gereicht [1]). Beachtenswerth ist
Hauffs Annahme, dass in der deutschen Chronik vom 11. Jan.
1776 ebensowol das für Schubart verhängnissvoll gewordene
Lied auf einen wichtigen Hofmann, wie auch die Parodie auf
die Litanei zum Abdruck gelangt sei [2]). Eine andere zur
Illustrierung der Ludwigsburger Periode dienende Stelle dürften
wir im 56. Stück des Jahrganges 1775 zu erblicken haben.
Schubart theilt hier aus einer neu erschienenen Fabelsamm-
lung als Probe ein Gespräch zwischen einem Uhu und einer
Nachtigall mit und macht dabei die Bemerkung: Sie ist wie
ein Dialog zwischen Z... und S... (schwerlich anders als
„Zilling und Schubart" zu deuten).

Der Charakter Zillings wird von Hauff (S. 177) minder
ungünstig beurtheilt als von Strauss. Ob Schubart im Recht

---

des Publikums als Missgeburten weggeworfen", dies jedoch, wie mir
scheint, nicht um sie als unecht zu bezeichnen, sondern weil er sie für
unwürdig erachtete, dem deutschen Publicum vorgelegt zu werden. An
zweiter Stelle findet sich hier das „Lied eines Schwabenmädgen" in der
Fassung des Ulmer Intelligenzblattes abgedruckt. Vgl. unten.

1) Dass Schubarts feuriges und genialisches Wesen bereits in der
ersten Zeit seines Ludwigsburger Aufenthalts Anstoss erregte, ergibt
sich aus einem vom Oberamtmann Kerner und Special Zilling erstatteten
Bericht vom 8. Januar 1771, wo es heisst, „daß sein feuriges Tempera-
ment ihne jezuweilen zu einer allzufreyen Aufführung verleitet" und
„daß er zu Zeiten seine Wißenschaften und sein gutes Genie miß-
brauchet, und dadurch in das Lächerliche und Ungeräumte verfällt".
Vgl. die (erst nach dem erscheinen von Hauffs Buch) von Schlossberger
veröffentlichten Actenstücke in der Besonderen Beilage zum Staatsanzeiger f. Württemberg S. 129 ff.

2) Von ersterem könnte freilich nur ein Auszug mitgetheilt sein.

war, indem er diesen seinen geistlichen vorgesetzten als den Haupturheber seiner Ausweisung aus Ludwigsburg bezeichnete[1]), wird sich schwerlich mit Bestimmtheit feststellen lassen.

Für die von Hauff im Abschnitt V seines Buchs behandelte Periode der Kreuz- und Querzüge von Ludwigsburg bis München wäre Verarbeitung eines umfassenderen culturhistorischen Materials, sowie eine genauere Charakteristik der Männer, mit denen Schubart verkehrte, um so erwünschter gewesen, als letzterer die während dieses Zeitraums gewonnenen Eindrücke vielfach für seine Chronik verwerthet hat. Das gleiche gilt von dem im VI. Abschnitt geschilderten Augsburger und Ulmer Aufenthalt. Namentlich durfte der Biograph Schubarts sich die Mühe nicht verdriessen lassen, die zahlreichen sich mit Gassner befassenden Flugschriften durchzusehen, insofern in denselben sowol von befreundeter, wie von befeindeter Seite auf Schubarts Polemik mit dem berühmten Wunderthäter und seinem Anhang Bezug genommen wird. Auch die litterarische Wirksamkeit Schubarts während der Ulmer Periode hätte wol eine noch eingehendere Würdigung verdient. Das Vorspiel „Thalias Opfer" ist nicht nur als erster uns bekannter dramatischer Versuch des freilich für diese Dichtungsgattung wenig beanlagten Verfassers beachtenswerth, sondern auch weil er darin seine Anschauungen über das damalige deutsche Bühnenwesen und die Ursachen des trostlosen Zustandes, in welchem sich dasselbe befand, dargelegt hat[2]). Geringeres Interesse haben natürlich die prosaischen Werke, welche Schubart jener Zeit neben der Chronik meist wol nur um des Erwerbs willen und in der resignierten Voraussicht, dass sie „unter Käspapier und Heringsumschlag

---

1) Die von Strauss (I S. 292) ohne genaueren Beleg wiedergegebene Aeusserung Schubarts, „der Bannstrahl des Papstes Zilling habe ihn aus Ludwigsburg weggeblitzt", stammt aus einem Brief an den Universitätssecretär Vischer v. 14. März 1789. Vgl. unten.

2) Zum Vergleich heranzuziehen wären die verschiedenen Notizen, welche die deutsche Chronik im Jahrgang 1775 über die Bernersche, im Jahrgang 1776 über die Reichardsche Schauspielergesellschaft enthält. — Bei dieser Gelegenheit sei der Druckfehler im Archiv VI S. 373 Z. 6 v. u. „Reinhardsche" in „Reichardsche" verbessert.

ihr Grab finden" würden, aufs Papier geworfen[1]). Immerhin
ergibt sich auch solchen Schriften gegenüber dem Biographen
die Aufgabe, das völlig bedeutungslose bei Seite lassend, hervorzuheben, was für die Charakteristik der Persönlichkeit oder
der schriftstellerischen Eigenart des Autors beachtenswerth
erscheint. Schubarts Neueste Geschichte der Welt auf das
J. 1775, welche mannigfachen Anlass zu Vergleichen mit der
deutschen Chronik darbietet, scheint Hauff unbekannt geblieben
zu sein.

Sehr begründet sind die Zweifel, welche Hauff S. 137 ff.
bezüglich des zusammentreffens Schubarts mit Goethe äussert[2]).
Hätte wirklich eine persönliche Berührung der beiden Dichter
stattgefunden, Schubart würde vermuthlich ausführlicher, öfter
und in anderen Ausdrücken darüber berichtet haben. Sicher
sind die Worte: „ein Genie, gross und schreklich, wie's
Riesengebürg" leichter aus der Vorstellung, welche sich
Schubart von dem genialsten aller Stürmer und Dränger gebildet hatte, als aus dem persönlichen Eindruck zu erklären.
Auch abgesehen von diesem Fall erscheint Schubart verdächtig,
seinem Bruder gegenüber in unberechtigter Weise mit seinen
litterarischen Beziehungen geprahlt zu haben. Wenn er diesem
z. B. am 13. Juli 1775 schreibt, dass ihm Lavater ein Exemplar seiner Physiognomik verehrt habe, so steht damit in
Widerspruch, dass er am 6. Oct. 1776 gegen Kayser den sehn-
lichen Wunsch äussert, dies Werk eigen zu besitzen.

Den Ursachen der Verhaftung Schubarts nachzuspüren ist
für Hauff, wie er in seinem Vorwort sagt, ein Hauptanliegen
gewesen. Nach dem Vorgang von Schubarts Selbstbiographie
und von Strauss scheint auch er daran festzuhalten, dass drei sehr
verschiedene Factoren zum Verderben des Dichters zusammen-
gewirkt haben: 1) der Hass der Jesuiten, 2) die Feindschaft
des kaiserlichen Residenten Ried in Ulm und 3) der Tyrannen-
wille des Herzogs Karl Eugen. Bezüglich des ersten Punctes
berichtet Schubart: seine Unvorsichtigkeit, den gefallenen
Jesuitenorden anzugreifen, habe den einen, seine Einmischung

---

1) Vgl. unten Schubarts Brief an Kayser vom 6. Oct. 1776.
2) Vgl. übrigens auch Rieger, Klinger in der Sturm- und Drangperiode (Darmstadt 1880) S. 74 Anm.

in die Sache Gassners den zweiten Stein zu seinem Kerker-
gewölbe gebildet. Hiezu hatte ich Archiv Band VI S. 364
bemerkt: „Den auch an einer anderen Stelle der Selbstbiographie (a. a. O. S. 295) angedeuteten Zusammenhang des Zorns
der Jesuiten und der Anhänger Gassners wider Schubart mit
der nachmaligen Gefangenschaft desselben im einzelnen nachzuweisen, wird nicht leicht möglich sein. Dagegen ist es aus
mannigfachen Gründen höchst wahrscheinlich, dass der er-
bitterte Groll jener Widersacher zu seiner Vertreibung aus
Augsburg in erheblicher Weise beigetragen hat." Diese vorsichtig abgewogenen Worte recapituliert Hauff nicht ganz zutreffend, wenn er S. 155 schreibt: „Wohlwill meint zwar, der
Priesterhass habe ihn (Schubart) aus Augsburg vertrieben,
aber nicht auf den Asperg gebracht", um dann den Trumpf
daraufzusetzen: „Jedoch Schubart musste es besser wissen".
Nun ist ja keineswegs jedes Wort der Selbstbiographie Schubarts als unantastbare Wahrheit anzusehen; der Dichter konnte
sich bezüglich der Ursachen seiner Gefangenschaft recht wol
geirrt haben. Doch ist dies von mir an der angedeuteten
Stelle gar nicht behauptet worden, sondern nur, dass der Zusammenhang zwischen der Feindschaft der Jesuiten gegen
Schubart und dessen Gefangensetzung nicht leicht zu erweisen sei. Der Dichter selbst freilich, dem darin die meisten
Biographen folgen, erblickt das von mir vermisste Mittelglied
in dem eingreifen des kaiserlichen Residenten v. Ried und der
Maria Theresia; doch scheint mir das, was über den Antheil
der beiden letzteren an Schubarts Geschick überliefert wird,
keineswegs so sehr über allen Zweifel erhaben zu sein, dass
man daraus weitere Schlüsse ziehen dürfte[1]). Unter den Factoren,

---

1) Oesterreichs Antheil an Schubarts Gefangensetzung erörtere ich
in Abschnitt II. Geiger S. 287 neigt in diesem Puncte auf Hauffs Seite;
doch scheint mir in dem von ihm mitgetheilten Bruchstück des Gedichts „Ecce Schubart von Ala" kein wesentlich neues Moment bei-
gebracht zu sein. Daraus, dass der Autor dieses Machwerks über das
dem Dichter widerfahrene Missgeschick aufgejubelt, ergibt sich doch
keineswegs, dass er zur Herbeiführung desselben beigetragen. — Von
ähnlich fanatischen und schadenfrohen Gesinnungen zeugt u. a. das
Elaborat desselben oder eines geistesverwandten Verfassers: „Poetische
Gedanken über den schon aus drey ansehnlichen Städten verwiesenen

auf welche die Katastrophe in Schubarts Leben zurückgeführt
wird, haben wir demnach nur die persönliche Gereiztheit und
die despotischen Entschliessungen des Herzogs Karl Eugen als
unumstösslich feststehend zu betrachten. — Beachtenswerth
ist, was Hauff über die Motive des letzteren vorbringt.

Ueber Schubarts Aufenthalt auf dem Hohenasperg waren
wir bereits früher dank dem umfangreichen Material, welches
von Strauss gesammelt und verwerthet worden, trefflich unterrichtet. Dennoch hat Hauff auch in seinem VII., der Gefangenschaft des Dichters gewidmeten Capitel manche schätzens-
werthe Ergänzung geboten.   Eine Kleinigkeit möge hier zur

Chronikschreiber Schubart. 1776", welches ich in einem Miscellaneen-
band der Züricher Bibliothek gefunden.   Es möge hier der charakteristische Schluss desselben folgen:

> Fort in Siberien mit einem solchen Mann,
> Der die Religion, und Gotteshaus entehret,
> Die zarte Jugend führt auf seine Lasterbahn,
> Hohn grossen Häuptern spricht, der Ruh, und Friede stöhret.
> Man höre Gotteswort, so sieht man sonnenklar,
> Dass er befiehlt den Greul der Aergerniss zu meiden,
> Ja was noch mehrers ist, so heisst er uns sogar,
> Um davon frey zu seyn, den Fuss vom Leibe schneiden.
> Wo hätt er seine Füss, und sein der guten Zucht
> So wiedrigs Augenpaar? wo hät er seine Hände,
> Wenn ein so harter Spruch zur Straf hervorgesucht
> Bey unsrer schlimmen Zeit im Gange sich befände?
> Ach Gott! ob er schon auch ein Briareus wär,
> Wurd er bald keinen Fuss, und keine Hand mehr finden,
> Und gäb ihm Argus schon die Augen alle her,
> So müsste Schubart doch in kurzer Zeit erblinden.
> Man hätt ihm schon vorlängst, wie billig, einen Stein
> Aus nächster besster Mühl an seinen Hals gehenket,
> Und ihn ins tiefe Meer, damit von ihm kein Bein
> Zum neuen Aergerniss mehr übrig sey, versenket.
> Es wurd' auch besser seyn, wenn er in solcher Gruft
> Sammt seiner Zunft ersäuft die starren Glieder streckte,
> Und selbe lieber todt, als lebend unsre Luft
> Durch seiner Schriften Gift so jämmerlich befleckte:
> Allein ein solcher Mensch, wie er in Wahrheit ist,
> Ist viel zu ungeschickt dergleichen was zu fassen,
> Indem er den Verstand als wie ein Zugvieh misst,
> Nachdem er sich so lang vom Satan reiten lassen.

Bestätigung einer von ihm ausgesprochenen Ansicht vorgebracht
werden. Durchaus mit Recht polemisiert er gegen Boas und
Palleske, indem er die Worte im Anfang des Hymnus auf
Schiller: „Meines Berges Genius, der Riese" nicht wie diese
auf Rieger, sondern auf den Geist des Aspergs bezieht. Zu
Gunsten von Hauffs Auffassung scheint mir insbesondere ein,
wie ich vermuthe, bisher unbekannt gebliebenes Gedicht zu
sprechen: „Der Berggeist an Herrn General und Kommandanten
von Hügel — April 1784", in welchem der Berggeist, aus des
Aschbergs Bauch emporsteigend, redend eingeführt wird[1]).

Bezüglich der von Hauff nur flüchtig berührten Frage,
in welcher Weise sich Schubarts Gedichte vom Asperg aus
verbreiteten, dürfte uns vielleicht aus den Aufzeichnungen und
Correspondenzen der Zeitgenossen noch die eine oder andere
Notiz zu Theil werden. Es sei jedoch gestattet, hier auf einige
Mittheilungen, welche von Schubart selbst stammen, hinzuweisen. In einem Verhör, welches nach dem erscheinen der
ohne seine Mitwirkung entstandenen Züricher Ausgabe mit
ihm vorgenommen worden, erklärte er bezüglich der Mehrheit
der in diese Sammlung aufgenommenen Gedichte: „die meisten
habe er während seines Arrests allhier verfertigt. Die nun
verstorbenen Herrn Commandanten General Majors von Rieger
und von Scheler haben hiervon Abschriften machen lassen
und selbige wieder unter gute Freunde distribuirt"[2]). Un-

---

1) Vgl. Abschnitt IV dieser Beiträge.

2) Als nicht von ihm herrührend bezeichnete Schubart in diesem
Verhör die folgenden vier Dichtungen der Züricher Sammlung: „An
meinen Nachtigallruf", „Der Emritz", „Auf Sophiens, der regierenden
Herzogin von Würtemberg Tod" und, was allerdings selbstverständlich,
„Antwort an Schubart". Bezüglich der übrigen in dieser Sammlung
enthaltenen Gedichte erklärte er, manche derselben seien nicht zum
Druck bestimmt oder nicht genügend ausgefeilt; dagegen seien viele
des Drucks würdigere Gedichte nicht aufgenommen. Abgesehen von der
schlechten Auswahl beklagte er die vielen Druckfehler. Ihm sei nichts
vorher von dieser Ausgabe bekannt gewesen; „er hätte auch nie dazu
eingewilligt, da er wohl wiße, daß ihm nicht erlaubt ohne höchste Er-
laubniß etwas zum Druk zu befördern". Nach dem Schreiben seines
Sohnes sei der Herausgeber der ehemalige Eleve Armbruster, der sich
der Zeit in der Schweiz aufhalte. Er kenne diesen gar nicht und habe
niemals weder Briefe von solchem erhalten, noch an ihn geschrieben.

bestimmter äussert sich Schubart in der „Nachricht an's
Publikum"[1]), welche er bald darauf als Ankündigung der von
ihm selbst veranstalteten Sammlung verbreiten liess:

„Nie hatt' ich meine Gedichte so eigentlich für den Druck
bestimmt. Ich dachte, sie mögen verhallen in den öden Zellen
meiner Einsamkeit, mögen vom Flügel begleitet diesen oder
jenen gefühlvollen Hörer auf Augenblicke unterhalten; mögen —
gut deklamirt — dem oder jenem ein paar Feuerflocken in
die Seele werfen[2]); so ist mein Endzweck erreicht. Ich habe
damit den Dämon Langeweile gebannt und gute Empfindungen
im Herzen des Hörers geweckt und unterhalten.

Allein der Wurf meines kleinen Sandsteinchens bildete
weitere Kreise, als ich je vermuthen konnte. So viele grosse
und edle Seelen — mein Genius grüsst und seegnet sie in dieser
heiligen Stunde des Wiedersehens — nahmen Antheil an meinem
Schicksal; jeder Erguss meines Herzens, jeder Pinselstrich von
der Nachtgrotte meines ehmaligen Gefängnisses, jeder der
Menschheit so natürliche Aufschrei nach Freiheit — die allein
die Wolke des Lebens vergüldet und die Menschen Gottähnlich
macht — erweckte Aufmerksamkeit bei ihnen. Sie nahmen

Die meisten der Gedichte habe derselbe periodischen Schriften entnommen, in welchen sie ebenfalls ohne des Dichters Mit- und Vorwissen
erschienen. Weder er noch seine Frau hätten ein Honorar erhalten.
Zum Schluss betheuerte Schubart weder mediate noch immediate den
mindesten Antheil an der Züricher Ausgabe zu haben; dafür wolle er
eidlich einstehen. — Die obigen Auszüge entstammen dem Protokoll,
welches mir der verstorbene Herr Postdirector von Scholl aus seiner
Autographensammlung mitgetheilt: „Actum Hohen-Asperg, den 7. April
1785 in Gegenwart des Herrn General Majors und Commandanten von
Hügels und Meiner des Lieutenants und Auditors Hahn".

1) Vgl. Schubart an Seeger d. 25. April 1785 (Strauss II S. 184).
Mir liegt ein Exemplar dieser „Nachricht", auf Löschpapier gedruckt, vor.

2) Treffend hebt Hauff S. 367 hervor, dass Feuer, namentlich in
Zusammensetzungen, zu den Lieblingswörtern Schubarts gehörte. Der
ebenso kräftige, wie ungewöhnliche Ausdruck: „Feuerflocken in die Seele
werfen" hat offenbar die berühmte Stelle in dem Monologe des Marquis
Posa (Don Carlos III. 9) veranlasst:

„Und wär's
Auch eine Feuerflocke Wahrheit nur,
In des Despoten Seele kühn geworfen — ".

Kopien von einigen meiner Gedichte, und so fand ich sie auch da und dort im Drucke."

In dem VIII., die Stuttgarter Periode behandelnden Capitel hätte die Thätigkeit Schubarts als höfischer Festspieldichter nicht ganz übergangen werden dürfen[1]). — Nachdem der Verkehr des Dichters im Gasthof zum Adler und insbesondere mit dem Schieferdecker Baur ausführlich geschildert worden, hätte es sich ferner empfohlen, um eine einseitige Zeichnung zu vermeiden, die Stellung des Dichters zu den gewaltigen Zeitereignissen, welche während der letzten Jahre seines Lebens die Welt erschütterten, auch schon in diesem biographischen Zusammenhang zu erörtern.

Bezüglich der Sage, dass Schubart lebendig begraben worden, gedenkt Hauff der Auffassung von Strauss, ohne Stellung zu derselben zu nehmen. Die bildliche Anschauung von dem Gefangenen als einem lebendig begrabenen, die nach Strauss die erwähnte mythische Tradition hervorgerufen hat, tritt uns ergreifend in dem Gedicht „Tod und Gefangenschaft" entgegen, welches sich in Stäudlins Musenalmanach auf 1784 S. 173 befindet und unzweifelhaft auf Schubart selbst zurückzuführen ist[2]).

Auf die nächstfolgenden Abschnitte Hauffs, welche Schubart als Dichter, Kritiker, Patriot, Politiker, Stilist u. s. w. behandeln, kann hier nur in der Kürze hingewiesen werden. Sie enthalten insgesammt sehr schätzbare Bemerkungen, ohne jedoch ihren Gegenstand zu erschöpfen. Dass es erwünscht gewesen wäre, wenn Hauff bei der Erörterung von Schubarts dichterischer Eigenart sein Verhältniss zu früheren Dichtern mehr berücksichtigt hätte, ist bereits von anderer Seite[3]) hervorgehoben worden. Nicht minder vermissen wir eine ge-

---

1) Einige der von Weyermann, Neue Nachrichten etc. S. 506 aufgeführten Festdichtungen dürften in Stuttgart noch aufzutreiben sein. Des Prologs „Nekrine" gedenkt E. Vely, Herzog Karl von Württemberg und Franziska von Hohenheim, S. 198 f.

2) Es ist T. d. ä. unterzeichnet. In den Schlusszeilen heisst es von dem Gefangenen:

Er sieht sein Kerkergrab, so oft es um ihn tagt
Und fühlt des Wurmes Zahn, der seinen Leib zernagt.

3) Von A. Sauer in der Deutschen Litt.-Ztg. 1885 Nr. 48.

nauere Darlegung des Einflusses von Schubart auf die jüngere Dichtergeneration. Die Einwirkungen Schubarts auf Schiller würden allerdings recht wol den Gegenstand einer besonderen litterarhistorischen Monographie bilden können. Als Kritiker ist Schubart zuerst von Seuffert mit Rücksicht auf seine congenialen Urtheile über den Maler Müller gebührend gewürdigt worden. Durch Heranziehung eines umfassenderen Materials war Hauff in . der Lage, die trotz manchen Missgriffen vielfach bewundrungswürdige kritische Befähigung Schubarts auch von andern Seiten zu beleuchten. Das Citat aus Schubarts Brief an Müller vom 27. Nov. 1776 (Hauff S. 282) hätte vielleicht besser in dem Capitel, welches Schubart als Kritiker charakterisiert, als in dem Abschnitt über ihn als Dichter eine Stelle gefunden; denn das Ovidische video meliora proboque, deteriora sequor trifft auf ihn in aesthetischer kaum minder als in moralischer Beziehung zu. — Am wenigsten ausreichend dürfte erscheinen, was Hauff in dem Capitel „Schubart als Patriot und Politiker" über die Chronik vorbringt. Hier schliesst er sich allzu eng an das an, was von seinen Vorgängern geboten war. Um darüber erheblich hinauszugehen, würde es sich vielleicht empfohlen haben, eine Uebersicht über alle wichtigeren in den verschiedenen Jahrgängen der Chronik behandelten Themata zu geben und im einzelnen zu verfolgen, wie weit die Ansichten des Autors für das Zeitalter im allgemeinen, für die damaligen deutschen oder speciell süddeutschen oder schwäbischen Verhältnisse, oder in wie fern sie für die Weltanschauung der Sturm- und Drangperiode, oder endlich für die Individualität des Dichters charakteristisch sind.

Dem auf S. 381 ausgesprochenen Gesammturtheil über Schubart ist völlig zuzustimmen. Alles in allem ist Hauffs Buch eine höchst anerkennenswerthe Leistung, aber es bedarf vielfacher Modificationen, Kürzungen und Erweiterungen, um vollkommen allen denjenigen Anforderungen zu genügen, welche sowol von dem grösseren Publicum, wie abseiten der cultur- und litterarhistorischen Forscher an eine abschliessende Schubart-Biographie gestellt werden können.

Carl August und Gräfin O'Donell.

Ungedruckte Briefe mitgetheilt

von

RICHARD MARIA WERNER.

Am 2. Juli 1812 traf die Kaiserin Maria Ludovica in Töplitz zum Curgebrauche mit einem ganz kleinen Gefolge ein; Graf und Gräfin Althan als Obersthofmeister und Oberst- hofmeisterin, Gräfin Josephine O'Donell als dame du palais und Dr. Thonhauser als Leibarzt nahmen mit ihr Wohnung im fürstlich Claryschen Herrenhause. Gräfin O'Donell war die Stiefschwiegermutter der im Hause Clary erzogenen Enkelin des Prinzen de Ligne Titine, jung verwitwet und im Alter der fünfundzwanzigjährigen Kaiserin am nächsten stehend, nur um acht Jahre älter.

Fünf Tage nach der Kaiserin kam auch der Herzog Carl August mit seinem Secretär Vogel in Töplitz an und ge- hörte von da ab zur gewöhnlichen Gesellschaft der fröhlichen Herrscherin. Er berief am Tage nach seiner Ankunft den im Carlsbade weilenden und leidenden Goethe zu sich, welcher denn auch am 15. Juli in Töplitz anlangte. Die nächste Zeit mit ihren verschiedenen Zerstreuungen und geselligen Ver- gnügen ist in dem Buche „Goethe und Gräfin O'Donell" (Ber- lin 1884) eingehend geschildert. Es war ein Badeidyll, dessen Reiz allen betheiligten noch lange lebendig blieb. Am 10. August verliess die Kaiserin mit ihrer Begleitung Töplitz, um über Wien die Reise nach Baden bei Wien anzutreten; Goethe blieb wol auch nur noch kurze Zeit, am 14. August war er schon wieder in Carlsbad zurück, er trennte sich von seinem Her- zoge, der noch kurz in Töplitz weilte, dann aber heimkehrte.

Dies schildert er uns selbst in dem ersten Briefe an die Gräfin
O'Donell, welcher sich erhalten hat. Graf Moriz O'Donell
bewahrt zu Lehen nächst Salzburg vierzehn Briefe des Herzogs an die Gräfin und hat mir in der freundlichsten Weise
gestattet, diese wichtige Ergänzung der Goethischen Briefe
zu veröffentlichen. Wer jemals einen Brief des Herzogs in
Händen hatte, weiss aber, dass es nicht immer leicht ist,
seine kühnen Schriftzüge zu entziffern; so blieben auch in
den nachfolgenden Briefen einige Stellen unklar, obwol mir
Graf O'Donell während köstlicher Stunden hilfreich beistand.
Was ich allein nicht zu deuten vermochte, wurde von uns
gemeinsam wiederholt betrachtet, und so hat sich die Anzahl
der Lücken auf sehr wenige reducirt. Ich kann nicht umhin,
für alle mir vom Grafen Moriz O'Donell während der letzten
Weihnachts- und Neujahrszeit wiedererwiesene Freundlichkeit
und Freundschaft auch öffentlich zu danken.

Ich bringe im folgenden die Briefe unverändert zum Abdrucke, lasse natürlich die orthographischen Kühnheiten und
die Germanismen im Französischen unberührt, da man ohne-
dies weiss, dass man es zu jener Zeit mit diesen Dingen nicht
allzugenau nahm. Da der Herzog immer eigenhändig schrieb,
müssen die Eigenheiten seiner Schreibung um so mehr gewahrt
werden. Er zeigt sich in diesen vierzehn Briefen als ein
heiterer, lebenslustiger Mann, der gerne humoristisch den Hof
macht, neckt und scherzt, dem aber auch ein ernstes Wort
zur rechten Zeit nicht fremd ist. Auch hier tritt wieder der
mächtige Eindruck zu Tage, welchen die junge Kaiserin auf
ihre Umgebung ausübte, der Herzog gehörte zu ihren lebhaftesten Verehrern und deutet, wenn mich nicht alles triegt,
sogar an, dass Gentz Unrecht hatte, von ihr zu sagen: „son
influence est nulle“. Der Herzog bespricht auch politische
Fragen und macht die Gräfin zur Vermittlerin wichtiger Nachrichten, welche gar nicht der Post anvertraut werden können,
sondern durch sichere Gelegenheit der österreichischen Gesandtschaft in Dresden zur Weiterbeförderung überschickt
werden[1]). Ich glaube nicht fehl zu gehen, wenn ich die ver-

---

1) Carl-August-Büchlein S. 127: „Der Herzog hatte mit der Kaiserin
von Oesterreich selbst geheimen Briefwechsel.“

änderte Haltung des Herzogs gegenüber Napoleon dem Einflusse der Kaiserin zuschreibe; sie machte Politik gegen
Napoleon.

Die Briefe lassen den Herzog in aller seiner Liebenswürdigkeit erscheinen und beweisen von neuem, wie heiter
und ungezwungen der Verkehr in Töplitz gewesen sein muss.
Darum verdienten sie auch publiciert zu werden, mögen der
Thatsachen, die sich neu aus ihnen ergeben, auch noch so
wenige sein.

Das erste Schreiben des Herzogs ist falsch datiert, es
wurde am 30. August 1812 geschrieben, wie sich aus meinem
Buche „Goethe und Gräfin O'Donell" S. 66 ff. ergibt.

1.

30⁰. 7. 12.

Votre lettre Madame et très chere Exellence, datée du 20
m'est parvenue hier au Soir, en rentrant d'une chasse heureuse a la
quelle un Cerf a payé les fraix de la Coursse. Cette lettre du 20,
m' a causée une vive joie, parceque j'en attendois une de Votre part,
et qu'elle n'arivoit pas aussi vitte que je l'attendois; Enfin j'ai
grande joie, a l'histoire de la Colique de Czaslau pres, que Vous
ayez pensée a moi, et que j'ai reçu Votre très gracieuse Mission.
Mais c'est pourtant triste que cette Colique soit revenue[1]), et que
Vous ayez souffert aussi de ces attaques Rheumatiques, qui, selon
moi, seraient faciles a chasser, si Vous suiviez mes conseils; non en
prennante les fameuses eaux dont je m'innonde encore comme jadis,
mais en imitant le regime, que je me suis prescrit, et dont la maxime
principale dit, qu'il faut se refuser aussi peu que possible. Quittant
Tepliz, j'ai vecu quelques jours dans les montagnes de la Saxe jusqu'au 17 Soir, epoque ou je suis rentré dans ma veille tenpiniere, ayant
eté reçu a 8 lieu d'ici par ma femme et par ma belle fille. C'etoit
envain que je voulois confier aux Echos des bois mes soupirs, ils
ne m'entendoient point; il pleuvoit tant que ma voix ne perçoit
point: j'ai melé mes larmes avec celles que le Ciel laissait tomber
sur moi, pendant que Vous etiez a sec a Czaslau; Je Vous jure que
la fin de cette charmante saison de Tepliz a eté pour moi, comme
si je quittois la vie: je suis toujours encore a me demander si
c'etoit un reve que le tems passé, ou si le songe existoit apresent!
Göthe n'a pas donné souffle de vie depuis qu'il est a Carlsbad[2]), ce

---

1) Diese Worte erklären uns eine Dunkelheit in Goethes zweitem
Brief an die Gräfin S. 64, vgl. S. 67 zweiter Absatz.

2) Diese Stelle wurde Werner S. 68 citiert.

n'est qu'aujourd'hui que notre Ministre de France, j'ignore pourquoi
justement celui la, a reçu une [2] de sa part[1]), ou il lui dit qu'il a
eté tres souffrant, a son arrivée sa femme [dit?] partout qu'il reviendra
le 15 7[br]. Veuliez dire a ma chere Titine[2]) combien je fais des voeux
pour son bonheur, elle n'a qu'a y ajouter les details de ses voeux[3]).
Le Pr. de Ligne a eté a Dresde pendant quelques jours! Mon fils
reviendra demain au plus tard. *Unsere hütte habe ich an dem
tage meiner Rückunft von Lauten schon entweiht gesehn; seit diesem
Augenblick betrat ich sie nicht wieder, u. sah auch nicht, die ent-
heiliger wieder: ich habe sie Christlich verflucht[4]).*

*Sollten der Kajserin Myst. meiner gedencken, so bitte ich Ew.
Exellenz mich Ihr zu füßen zu legen. Kein tag vergeht wo ich
nicht über die Maaßen ausgefragt werde, u. noch immer finde
ich antworten! daß beweist wie reichhaltig der Gegenstand der
unterhaltung ist, da ich bej meiner Maulfaulheit doch noch immer
rede wie* Simeon *als er den Heyland gesehn hatte[5]). Einmahl werde
ich mich doch unterstehn bej Ihrer Mast. Schriftl. aufzutreten. Eine
Menge alter bekannten von mir, in der Sächsischen Armee haben
ins Gras gebißen, ein verlust der mich recht betrübt hat.*

Faite bien mes amitiés aux chers et exellants Althans; je
n'oublirai jamais, *das Er, die Exellenz, mein Wohlthäter war[6]).*
Je lui ecrirai au premier jour. Je ne fais que chasser apresent,
occupation innocente qui fait passer les jours et les souçis. Ma
bien aimable dame, je Vous prie de me conserver un peu d'amitié,
alors le souvenir s'y joindra, et croyez que je Vous venere au meme
beaucoup, et que je Vous suis tres attaché. Ma femme est tres
sensible a Vostre bonté, et me [3] charge de Vous dire, qu'elle desire
beaucoup Vous voir, et qu'elle Vous porte toute sorte d'affection
parcequ'elle connoit la pureté de mon gout, et la severité de mes
principes. Adieu Excellence.

Ch A.[7])

---

1) Gemeint ist Baron Saint-Aignan, der französische Gesandte
bei den sächsischen Höfen. Von Briefen Goethes an ihn war bisher
nichts bekannt. Er hiess Etienne de Saint Aignan; über seine Gefangennehmung vgl. ausser Goethe 27, 212: Aus Metternichs nachgelassenen
Papieren I, 177 f.

2) Titine, Gemahlin des Grafen Moriz O'Donell, Enkelin des Prinzen de Ligne. Sie hatte am 6. November 1811 geheiratet. Vgl. Werner S. 45 f.

3) Titine sah der Geburt ihres ersten Kindes entgegen, am 29. October 1812 wurde Graf Max geboren, der gegenwärtig in Salzburg lebt.

4) Die Anspielung ist mir unverständlich.

5) Lucas 2, 28 ff.

6) Worauf sich das bezieht, weiss ich nicht.

7) Die Unterschrift ist unleserlich, es könnte auch D d S heissen.

Mes respects je Vous prie a Mlle. F a n n i, Mr. J o s e p chez Vous[1]) et a Z w e k l e r[2]) pres de l'Imp.

Je n'ai joué depuis qu'une fois au Whist, et cela, prennant les cartes de ma femme. Mon talent pour le jeu et pour le vol, repose jusqu'a l'année prochaine. Adieu.

2.

Exellenz!

Votre trés aimable lettre, Madame la Comtesse, ayant eu la bonté d'arriver a bon part, je la remercie de cette complaisence, et je l'ai reçu comme un bon ami, dont la visite me fait grand plaisir. *Da unsere Correspondenz nicht den Augen der Welt preyß gegeben werden darf, so wähle ich dieses mahl nicht den schnellsten, aber doch den sichersten weg um Ew. Exellenz die ausdrücke meiner Ehrfurchtsvollen Ergebenheit zu Füßen zu legen. Der F. K.[3]) legt diesen Brief bej seine diamanten, u. dann kommt er gewiß wohl behalten in Wien an.* Goethe est dans ce moment ci a Jena; le second tome de la quasi histoire de sa vie a paru; il est rempli d'objets trés interessants, d'observations remarcabilissimes, fines, instructives pour l'anatomie de l'ame; mais quelque fois fastidieuses, trop clairement filées pour porter droit au but, il y a beaucoup de mots empoulés que je n'aime point, et bien des details fort ennuyeux. *Indeßen ist dieser zweite theil ein sehr merkwürdiges Werck, u. mir 10 mahl lieber wie der erste, den ich ihn gerne geschenckt hätte.* La Santé de l'auteur est trés bonne. Je suis persuadé qu'il Vous enverra lui même son livre, et c'est pour cela que je n'ose pas prendre cet envoi sur moi. *da Sie treuloß an mir geworden sind, so würden Sie nur auf* Göthens[4]) *Aufmerksamkeit, werth gelegt haben[5]).* Les bonnes nouvelles Madame que Vous avez daignée me donner de la Santé de notre chere et incomparable Imperatrice, ont remplis mon ame de contentement, que le Ciel la benisse, la conserve, et la rende toute aussi vigoureuse de Corps, comme elle l'est du coté de l'ame; je Vous supplis chere Comtesse de me mettre a ses pieds; Althan y aura mis une lettre de ma part; il m'a ecrit du moins

---

1) Diese beiden Worte sind über der Zeile nachgetragen.

2) Die Personen, welche in der Nachschrift genannt werden, vermag ich nicht festzustellen; wahrscheinlich ist die Dienerschaft gemeint, was ein Scherz des Herzogs wäre.

3) Wie sich aus dem folgenden ergibt: Fürst Kourakin; Fürst Alexander Kourakin war russischer Botschafter in Paris.

4) „Göthens" ist in der Hs. zweimal geschrieben, das erstemal gestrichen.

5) Die ganze Stelle über Goethe ist gedruckt Werner S. 69.

qu'il l'avoit reçu et expedié. S. M. J. sera comme [2] Dieu qui reçoit a chaque seconde les hommages des mortels —

Nous avons jouis d'un trés bel autumne, et quoiqu'il pleuvotte apresent assez frequement, l'on peut pourtant vouer les jours encore aux chasses, et les longues nuits a la meditation. Nous jouissons apresent de la presence du peintre Schoenberger et de ses beaux paysages; sa femme nous enchante par son chant et par son art dramatique qu'elle produit en habits d'homme. Vous savez peut-etre qu'ils sont tous les deux habitans de Vienne. Les sons que le gazier de Md. S. fait eclore, quoique trés peu nombreux, sont trés beaux, et elle possede assez du gout pour rester dans les limites assez etroites de la circonference de sa voix[1]): je m'etonne que Lobkowitz ne l'aye point accaperé pour son theatre, pendant qu'il n'y est pas bien riche au Tenor et Alt[2]). Je ne voudrois pas avoir une femme avec une voix pareille ni pour epouse ni pour maitresse; je craindrois, en l'entendant, qu'elle me batteroit. J'aime que mes Compagnes ayent le son doux et flexible. Que fait Titine, ou qu'a t-elle faite? je ne sçais rien de rien. daignez me rappeller a son souvenir. Le Pr. K. (Kourakin) porteur de celle ci, est resté dix jours avec nous; c'est un exellent mortel, qui est un rare reste du bon ton, et de cette amabilité bannale des anciennes Cours; il est a son aise avec tout le monde, et je trouve même que sa vanité en parure lui sied extremement bien; l'on sent combien il est heureux de se voir couvert de diamants et de perles sans insulter par ses richesses les Spectateurs qui ne peuvent se couvrire que de laine et du met al jaune. Il est trés galant envers les femmes, et je Vous l'adresse^e speciallement a Votre Exellence, par ce qu'il est rare que deux Exellences aimables se rencontrent. Même la quantité de ses pupiles le rend heureux, et il aime qu'on lui en parle; celui qui l'accompagnoit ici, est tombé malade d'un tordi colli[3]) qui l'a retenu tous ses jours ci au lit, il s'appelle Serdobin[4]), et fait un trés joli

---

1) Goethe, Tag- und Jahreshefte 27, 105 schreibt: „Die Anwesenheit der Madame Schönberger veranlaßte die erfreulichsten Darstellungen". Gemeint ist der Landschaftsmaler Lorenz Sch. und seine Frau Marianne geb. Marconi, welche als Tenoristin auftrat. Sie sang in Weimar am 24., 28. und 31. October im „Unterbrochenen Opferfest", „Jacob und seine Söhne" und „Titus". Vgl. Biedermann 27, 472 f.

2) Der Herzog meint natürlich den bekannten Kunstmaecen Anton Isidor Fürst Lobkowitz (1773—1819); in einer von Wurzbach 15, 309 citierten französischen Reisebeschreibung heisst es von ihm: Il avait une chapelle composée de chanteurs qui pouvaient en quelque sorte lutter avec ceux de l'Empereur, et un nombreux orchestre formé tout exprès pour essayer les oeuvres de Beethoven avant leur publication.

3) l. torticollis.

4) Diesen Begleiter vermag ich nicht festzustellen.

garçon. Notre Ministre de France est trés [3] bien avec le Pr. Russe.

L'on vient de decouvrir a deux lieux d'ici, dans une charmante contrée boisée, montagneuse, arosée par une rivière dont les eaux sont trés limpides, des sources sulphureuses, qui sont si fortes qu'elle peuvent etre mises a coté de bains anti rheumatiques du premier ordre; nous sommes apres pour les encaisser et pour les rendre utiles, elles sont trés salutaires pour les nerfs irritables, et pour ceux qui ne le sont point; le local poetique, dans le Sein du quel elles jallissent, operera benignement sur tout etat nerveux, la proximité des nos poetes, en augmentera l'effet, et j'ose en bonne conscience y inviter Votre Exellence pour l'année prochaine, et d'autres personnes illustres de Votre Societé; la cure sulfureuse finie, nous irons ensembles a Wirtzbourg, a Carlsbad et a Töpliz. la Ville aupres de la quelle jallissent ces fontaines s'appelle Berka, notez cela dans Votre Album¹), et ne le perdez pas; les plus belles chaussées y menent des quatre vents; on s'y rend en caleche en ³/₄ d'heures de Weimar. Les bois sont remplis de rossignols qui y chantent jusqu'apres la St. Jean: la verdure des prés y est incomparable, c'est un vray pays de Cocagne.   Apropos! qu'avez Vous perdue, et retrouvée depuis notre separation²)?

Si vous voyez la Cᵉ. Esterhazy Roisin³), pincé la, je Vous prie, dans un de ses beaux bras de ma part, pour qu'elle pense a moi, mais un peu fort; fait-elle encore la partie du D. de Wirtbg? et fait-elle benigement et indulgement attention encore a la quantité incommensurable de ses reverences? Que fait Lichnofsky⁴)? je n'en entens⁵) plus parler, n'y n'en lis rien.

Da alle Dinge ein ende, u. hauptsächl. zur rechten zeit
haben müssen, so schließe ich dieses geschwatze u. geschmiere,

---

1) Ueber die Bemühungen wegen Berkas vgl. Goethe, Tag- und Jahreshefte 27, 207. 211 f. Man bemühte sich sehr das Bad zu heben.
. 2) In allen Briefen, auch denen Goethes wird auf die Vergesslichkeit und Zerstreutheit der Gräfin angespielt. Goethes Gedicht „Der liebenden Vergesslichen, zum Geburtstage" (Hempel II, 423) ist bekannt und sagt ihr ausdrücklich:

Dem schönen Tag sey es geschrieben
Oft glänze dir sein heitres Licht
Und hörest du nicht auf zu lieben
So bitten wir: vergiss uns nicht.

Es wird jetzt erst die heitere Pointe der Goethischen Zeilen ganz klar.
3) Geborene Gräfin Festetics? Sie befand sich 1812 in Töplitz.
4) Fürst Karl Lichnowsky, welcher 1812 als Vorleser der Kaiserin in Töplitz war. Vgl. Werner S. 37. 67.
5) l. entends.

mit der versicherung meiner Freundschaftlichsten Ergebenheit, hoch-
achtung, u. sogar respect *Mich Ew. Exellens su gnaden em-*
pfehlend.

　　ce 4 nov. 12.　　　　　　　　　　　　　　C. A.

[4] Exellenz! Le Pr. Kourakin ne partant que demain et voya-
geant trés lentement, je faire partir cela ci par la poste, au risque
de la faire ouvrir par tous les blancsbecgs de la Saxe de la Boheme,
et de Vienne. Le Pr. Vous apporterra de ma part une Caisse
remplie des membres apars du Cadavre de Göthe, que j'ai mis en
pieces, parce que Vous m'avez trahis pour ses beaux yieux a
Tepliz. Remetez les et faites en un nouvel homme: Que Vous sera
trés facile. Adieu.

　　8. 9^{br} 12.

3.

　　Exellenz

　　J'ai l'honneur de Vous envoyer ci joint le reçu du chargé
d'affaire d'Autriche a Dresde. Veuillez Madame m'accuser le reçue
de celle ci, mais bien exactement, sans oublier la chose principale
ni les accessoires, ni d'en perdre quelque chose. La Mission de
Dresde m'avertit a cette occassion que la Chancellerie d'etat de
Vienne est trés inexacte, a soigner les lettres qu'on confie a cette
Chancellerie. Donc! que le Diable emporte la Chancellerie et le
Chancellier! Amen.　　Le Pr. de Ligne m'a averti que Titine a
mis un O'Ligne[1]) au monde, et que la mere se porte bien. Dieu
benisse l'ensemble de cette epoque. Nous jouissons a la mi d'Autumne d'un hiver inconcevablement rude; les rivieres sont prises,
et charient des glaces, le thermomètre descent jusqu'a 11—12 degrez
sous 0. A quel point ce trouva t-il ce Soir a Vienne? Vos distrac-
tions Vous permettront - elles de me repondre exactement a me
questions?

　　J'ai eté chercher hier ce miserable Göthe, qui m'a fait tant de
tort, a Jena, en chassant dans cette contrée[2]): le voila de retour —
et je ne Vous dis plus rien. Adieu la plus distraite des femmes —
adieu — bon soir — a revoir.

　　25. 11. 12.

---

　　1) Der Herzog bildet diese Form scherzhaft aus O'Donell und
de Ligne.

　　2) Goethe schreibt am 24. Nov. 1812 an die Gräfin (Werner S. 74):
„Morgen erwarte ich den Herzog den eine Jagdpartie über den Schnee
in diesen Musensitz führt."

4.

29ᵗ 12. 12.

Exellenz!

*Kein Gevatter Brief, aber ein Neujahrs gratulatiönchen, vertraue
ich Ihren schönen, treuen, vortrefl. schreibenden Händen an! Es
befinden sich einige ansüglichkeiten auf — darinnen[1])! mögen meine
Wünsche erhört werden.*

*Ew. Exellens lege ich ganz besonders meine Glückwünsche zum
Neujahrsfeste zu Füßen, Mögen wir uns dieses Jahr wiedersehn! Daß ist der innbegrif alles meines Verlangens; bleiben
Sie mir hold und gewärtig[2]); ich bin Ihr treuer Knecht, u.
verehrer.*

Il faut apresent Madame la Comtesse que je Vous remercie
exessivement de Votre charmante lettre, qui m'a fait un plaisir
extreme, comme qui diroit, indisible. Vous etes réellement trés
aimable personellement, et Epistolairement, et j'ai, si Vous le per-
mettez, l'honeur de Vous en aimer beaucoup. Depuis le regne du
Charles V il n'y a eu a Vienne de si bon correspondant que V. E.
C'est que Vienne depuis Charles V est fameuse a cause de ses non
reponçes: Vous en faits une exeption, et serez la graine d'une
nouvelle epoque, et cela d'une communicativité infiniment interressante. S'il y avoit moyen de me detacher d'ici, endroit d'etappe
de la route militaire, je volerai me rendre a Votre gracieuse invitation,
pour voir toutes les nouvelles fleurs qui sont ecloses dans les seves
de Vienne, et j'y jouirai des plaisirs de botaniçien; mais je suis,
soufle respect, cul gelé sur mon territoire glaçé par cet enorme hiver,
pour degeler les passans, qui arrivent heure par heure; le commen-
cement du passage des gelés a eté le 14 de ce mois, jour ou le trés
Gelé[3]) a passé incognito par ici [2] dans la plus infame Caleche de
poste, appartenante au Maitre de Poste, d'une Station a 6 lieux d'ici,
endroit aupres du quel le malheureux Roy de Prusse perdit l'année
6 la bataille d'Auerstedt; la, a cette poste, le trés gelé cassa une
voiture, que le bon Roy de Saxe lui avoit preté a Dresde le 13 de
ce mois. La Caleche le transporta avec Mr. de Caulincourt jusqu'a
Erfurth; arrive sur son territoire conquis, il accapera une voiture
de son Ministre resident ici, Mr. de St. Aignant, dans la quelle il

---

1) Auf wen sich Anzüglichkeiten darin fanden, weiss ich nicht; vielleicht auf Napoleon?

2) Dieses Wort ist sehr undeutlich geschrieben, aber „gnädig", was
man vermuthen würde, kann es doch nicht gelesen werden.

3) Natürlich Napoleon. Die ganze Schilderung ist sehr interessant;
vgl. Carl-August-Büchlein S. 127. Für Caulaincourt vgl. Aus Metternichs nachgelassenen Papieren II, 369.

fut dans sa bonne Ville de Paris, dont Vous avez les discours et les nouvelles plus recement que moi.

Voyons ce que cette année 13 anoncera! jamais Noel a conté tant de douleurs d'enfantement a la Vierge que celui de l'année 12. mais c'est sa faute; etant pres du grand Monarque, pourquoi n'influit-elle pas d'avantage sur le Coeur du tout puissant, pour donner des Sentiments d'humanité a la Majesté Eternelle?

Göthe ne sort point depuis quelques Semaines ayant peur du froid, qu'il fait a outrance chez nous: je me suis bien gardé de lui dire, que Vous pensiez a lui. Nous avons Iffland ici[1]), qui nous cause bien des bonnes soirées par la perfection de son jeu theatral et par l'amabilité de son esprit, en societé. J'ai ecrit a Titine[2]) pour lui reiterer les emmotions des Sentiments d'interet, qu'elle m'a inspirée depuis longues années; si la loi du Charles V le permet, elle reportera avec son amabilité habituelle epistolairement a ma mission. Adieu ma chere Exellence ne m'oubliez point, *u. bleiben Sie mir wohlgewogen. hier ist noch etwas an Gr. Althan. Der alte Ligne hat mir geschrieben, u. ist wüthend auf Rostopssien daß er Moskau angesteckt hat! daß ist recht possierlich! ich werde ihm ehestens* [3] *antworten. Wie tröstet sich die Bagration[3]) über den verlust ihres Mannes?*

Sie glauben nicht Exellenz! was mich Ihr Brief gefreut hat, u. wie liebenswürdig er war, u. noch ist, denn ich hebe ihn auf, u. lege ihn in mein Schatzkästlein.

Wenn Sie auch alles dieses Jahr, wie in den vergangenen ver-liehren So heben Sie doch mir einen plas in Ihrem Andencken auf.

Leben Sie recht glücklich und damit Gott befohlen.

[4])

Ma femme Vous presente ses hommages.

---

1) Goethe, Tag- und Jahreshefte 27, 205: „Iffland schloss das Jahr auf das Erwünschteste, indem er mehrmals auftrat...“; vgl. Goethes Brief an Zelter 15. Januar 1813. Briefwechsel II, 65 ff. An Knebel II, 67.

2) Dieser Brief hat sich erhalten, bietet aber kein allgemeines In-teresse, daher unterbleibt der Abdruck.

3) Die schöne Fürstin Bagration war 1812 Witwe geworden. Vgl. Biedermann 27, 1, 590. Der Herzog und Goethe waren mit ihr 1810 beisammen; vgl. Werner S. 36.

4) Ein solcher Schlussschnörkel findet sich in den meisten Briefen des Herzogs.

5.

Exellenz

*Nicht ehr wolte ich die Feder ansetzen biß daß ich hin-
längl: aus denen von Ihnen an G ö t h e geschickten Büchern (auf
schlecht papier gedruckt) Ihre Muttersprache gelernt hätte, um meine
Ideen Ew. Exellenz deutl. vor die Füße zu legen; mein nächster
Brief soll in der ächt Oesterreich Mundart sich* produciren[1])*; aber
Beyl. zwang mich den Gänse Kiel wieder zu Ew. Exellenzigen plage
zu erfassen. Beigeschloßenes Briefchen, ist kein Brief, denn ich
unterstünde mich nicht, so ofte zu schreiben; aber es sind notizen
drinne, die zu wissen Ihre Mst. doch interreßant seyn können.*

Pardonnez donc mon aimable Comtesse que je Vous tombe a
charge avec mes sottes lettres, mais depuis que le Souris a rongé
les filets d'un lion, je ne me pardonnerai point si je me taisois,
lorsque ma[2]) conscience m'inflige de parler. N'allez pas perdre ma
lettre; je ne voudrais pas etre pendu, il y a des plus belles morts
que cela.

Que fait T i t i e n? elle m'a oubliée!

G ö t h e a eté de nouveau malade depuis le nouvel an: il ne sort
point[3]). W i e l a n d est très mal, et s'il rechappe cette fois ci, alors
l'accident, une indigestion, qu'il a eu, lui prendra bien des forces,
qu'il aura pein de réaccapparer[4]).

Voici un reçu sur mon dernier paquet.

Adieu mon Exellence

17. 13.

---

1) Dieser Eingang wurde schon Werner S. 86 gedruckt.

2) ma über der Zeile nachgetragen.

3) Vgl. Goethe an Knebel 18. Januar 1813 (II, 71): „Ich bedaure,
dass auch Du von der Jahreszeit angegriffen worden bist. Mir ging es
nicht besser: denn kaum wagte ich mich aus meiner langen Verborgenheit hervor, ging einige Male nach Hofe und in die Stadt, so meldeten
sich schon allerlei Mängel und ich muss wieder das Zimmer hüten;
doch muss man mit jedem Zustande zufrieden seyn, in Betrachtung,
dass so viele Menschen in diesem Augenblicke leiden und fernerhin auf
das unsäglichste leiden werden."

4) Vgl. Goethe an Knebel am 18. Januar 1813: „Wieland hat auch
einen Anfall gehabt, erholt sich aber wieder."

Daignez tourner la feullie. serri pri tasch[1]).

[2] 19. 13.

l'occassion sure qui porte ceci a Dresde dans les mains de la mission Autrichienne, ne partant que ce Soir, je rouvre ma lettre, pour dire a V. E. que Göthe va bien; Wieland a eu cette nuit des evacuations enormes, et le Medecin est sur qu'il sera retabli dans peu.   Un Courrier russe a porté un paquet a Lemberg sous mon adresse, et le Pr. Reuss, Commandirender en Gallizie a eu la complaisance de me l'envoyer par Estaffettes; ce paquet contient la triste nouvelle de la mort du Pr. George d'Oldenburg marie a la Gr. D. Catherine. Il est mort d'une fievre putride avec des taches a Tiver le 27 Dec.[2]).   Veulliez dire cela a S. M. en cas qu'elle ne le sache point.   Je Vous baise les mains.

je viens d'apprendre par une lettre de l'Imp. Mere a Md. sa fille que le Pr. d'Oldenburg est lui meme cause de sa mort; en visitant les mourants dans les hospitaux, et en refusant de pendre apres les remedes necessaires contre la contagion, comme emetique, &; au contraire il s'est ordonné lui meme un bain tiede, et cela l'a tué d'apres ce qu'en dit notre Medecin.   La Gr. D. est fort triste d'avoir perdu ce beau frere.

Je vous baise encore les mains.

A propos! j'ai eu une lettre du Maurice Lichtenstein[3]), et j'ai trouvé dans son cachet les armes de Saxe, *den Rauten Crans*. J'ai fait chercher partout et ai consulté mes Mages comment, quand, pourquoi les L. [3] usoient de ces armes la, mais toujours infortunement[4]).   Je supplie donc V. E. et Votre profonde sapience, de

---

1) Der Brief ist vom 17. Januar 1818. Die Schlussworte dieser Seite vermag ich nicht zu deuten; der Herzog schreibt am 19. Januar weiter.

2) Vgl. Werner S. 94 f.

3) Vgl. Werner S. 126 f.

4) Dieses Wort ist ganz undeutlich geschrieben, aber infor ... ist sicher zu erkennen.

decouvrir cette enigme, et de m'instruire: il faut que les L. dans leurs Archives puissent trouver tout ce que je desire savoir.

Adieu et encore!

A propos: nous avions depuis quinze jours un tems doux pres du degel; depuis hier au soir le Thermometre du Reaumur est desçendu jusqu'a 13° et les eaux prement. Si cela ferme la Vistule, alors les Russes qui sont a l'heure qu'il est devant Danzig, auront beau jeu, et Mr. R app sera Rappé[1]).

Encore Encore
pour la derniere fois.

6.

Exellenz!

Notre pauvre bien vieux W ieland est pourtant mort entre le 20—21 exactement a Minuit[2]); il est resté trés clair d'esprit jusqu'a 9 heure du Soir, alors il a perdu connoissance, s'est endormi, pour ne plus se reveiller! beni et honor^ soyent ses Cendres et sa memoire! je Vous prie ma chere Comtesse de dire cette triste nouvelle a S. M. J. et avec quelque circonspection au Pr; de Ligne. W. avoit 80 ans passés. Il a vecu une belle vie, trés calme, existant continuellement dans ce bercement[3]) d'esprit qui soutient toujours la vie dans un etat poetique, sans que la realité aye pu en troubler la cadence; W. etoit toujours trés sobre, et se soutenoit avec des moyens trés modiques, sans avoir besoin de plus, et se resignant facilement au moins, lorsque les libraires payaient mal. C'etoit un etre que ce vieux W. qui avoit conservé la pureté de la sobrieté; qualité que peu d'humains comprennent; les femmes s'y entendent

---

1) Der bekannte General Napoleons J e a n R a p p, langjähriger Commandant in Danzig. 1. rapé.

2) Vgl. Werner S. 101 f.

3) Wol ein vom Herzog frei gebildetes Wort von bercer.

mieux que les hommes. On l'entere demain matin aupres de sa
femme a la Campagne. bon soir.

23. 13 ¹).

7.

Exellenz!

Daignez, je Vous prie, me dire bientot si Vouz avez reçu mon
paquet que j'avais envoyé a²) P. Esterh.³) a Dresde, pour en avoir
soin; c'etoit le 21 Janv. si je ne me trompe que mon estaffette
partit pour Dresde: Esterhz. devoit Vous faire passer ma mission
d'apres son bon plaisir. Veuillez donner Votre trés gracieuse reponse a
Mr. Freege de Leipzig, qui Vous remettra celle ci en belles mains pro-
pres, mais ne la retenez point trop long tems, comme cela Vous arrive
quelque fois. Je Continue aujourd'hui, mais par Systeme, c'est que
parceque mes Entrailles me genent, et dans cet etat la l'on ne fait
rien de bon, comme St. Paul a dit aux Corinthiens⁴), qui souffroit
de ce mal, et c'est pour cela, que je n'ecris point aujourd'hui a notre
Imperatrice dont j'ai baisé une lettre il y a apeine cinq⁵) jours,
datée du 18. Janv. ma belle fille a eté plus pronte que moi. S. M.
a daignée me dire dans sa charmante lettre qu'il y avoit encore un
paquet en chemin, ou je trouverai sa reponce a ma lettre de Gratu-
lation, mais ce paquet n'est point arrivé encore. Si S. M. confie
des lettres a la Ch.⁶) d'Etat a Vienne alors elle peut etre sure
d'etre mal servie, je Vous supplie de faire en sorte qu'on voue un
peu d'attention a l'expedition de cette Chancellerie.

Nous attendons des grands evenements; la royaume de Prusse,
et le Grand duché de Berg sont en pleine Insurrection; le premier
organisé, le second point; dans ce dernier l'on crie vive Alexandre,
et on a jetté le Prefet par les fenetres.   Dite donc a Titine qu'elle
me reponde, je suis trés irrascible⁷) sur cet article la.   Adieu ma
belle et bien aimable Exellence, ne me perdez point.

4. Fev. 13.

---

1) Gemeint ist der 23. Januar 1813, wie schon aus dem Zusammenhange hervorgeht, überdies bezieht sich der Herzog im 7. Brief darauf.

2) Steht statt au.

3) Prince Esterházy, wol Paul Fürst Esterházy, österreichischer
Diplomat.

4) 1. Corinth. 11, 29.

5) cinq ist über ein durchgestrichenes trois geschrieben.

6) Chancellerie.

7) So steht geschrieben, gemeint ist irrassasiable.

8.

Exellenz

Ce sera peut etre la derniere lettre que Vous receverez de moi dans ce printems ci, mon aimable Comtesse, l'absence de tout etre Missionnaire Autrichien en Saxe, nous couppe toute connexion; nous sommes ici comme une troupe de harengs entouré des Monstres marins: je me sens très gelé et tappé; la derniere blessure, c'est Vous qui me l'avez donnée. Un messager porte ceci a Tepliz. Faite Vous porter de S. M. un livret qui je lui envoi et qui contient un discours de feu Wieland, et un de Goethe sur Wieland, cela Vous interressera beaucoup, parceque cela est très beau. Göthe a lu son discours lui même[1]). Au reste nous sommes très mal a notre aise, des maladies pestilencielles infectent toute la contrée, il fait toujours froid, les rhumes ne discontinuent point, et même la chasse aux becasses va mal; je voudrois me pendre. Nous en avons pendu un dernierement, et le lende main il y a eu deux vols commis encore; comme la moralité de l'humanité est minuée! je vois rarement Göthe, il ne sort point et se dorlotte[1]). Ma femme, qui par la lecture de Vos lettres, a prise un tendre pour Vous Madame mon Exellence, me charge de Vous presenter ses hommages. Adieu ma belle, je me sens ennuyant et m'abstiens de Vous en faire participer. Adieu [2]).

9.

Exellenz

Votre Exellence a ecrit sur deux feullies du Papirus comme une veritable Greque, car je n'ai pu dechiffrer la quelle des deux

---

1) Diese Stellen stehen schon gedruckt Werner S. 102, wo auch das nötige bemerkt ist.

2) Der 8. Brief muss Ende März 1813 geschrieben sein, da Goethes Trauerrede: „Zum Andenken des edlen Dichters, Bruders und Freundes Wieland", obwol am 18. Februar in der Loge gelesen, doch erst in der letzten Märzwoche verschickt werden konnte. Der Eingang des Briefes, besonders die Bezeichnung dans ce printems macht es auch möglich, an den Beginn des Aprils zu denken. Vgl. Werner S. 101.

4 *

feullies du papirus etoit la premiere ou la seconde; j'ai donné ces
deux feullies a ma femme pour qu'elle prenne du respect pour Votre
Exellence; et depuis ce moment la, ma femme est persuadée que
Vous etes [1]) une descendante, en ligne directe, du bien heureux Con-
fucius, et que Vous possedez toute la sapience a nous inconnue; en
attendant ma femme me charge de Vous dire qu'Elle desire beaucoup
faire Votre connoissance. Vos lettres ont dormies, et cette de S. M.
jusqu'a aujourd'hui a Leipzig, et ce n'est qu' aujourd'hui que je les
reçuis. Votre lettre a Göthe, je l'ai envoyé a sa femme; lui, cor-
porellement, etant a Tepliz depuis quatre Semaines; il parait que
Vous avez perdue totalement sa piste? hem? est-ce donc l'Anglois
qui Vous occuppe tout? hem? God dam! l'on dit que Vous apprenez
cette langue par Coeur[2]). Pourquoi n'ose je point ecrire comme je
le voudrois. *lebens Wohl* Exel.[3]).

10.

Exellenz!

Sçavez Vous ce que cela veut dire, s'ennuyer jusqu'a en avaler
sa langue? venez a Töpliz et Vous l'apprendrez; je m'y morfond
depuis le 5 de Julliet au Soir[4]). *Nicht ein einziges bißchen Inter-*
eße. Göthe habite la petite maison du petit jardin depuis le com-
mencement de Mars[5]); moi j'enjambe les bel etages de l'Englische
Gemach et des trois pommes, vis a vis des fenetres d'Althan.

- - - - - -

1) Über der Zeile nachgetragen.

2) Die Goethe betreffenden Sätze sind gedruckt Werner S. 96.

3) Der Brief ist jedesfalls im Mai geschrieben; Goethe soll schon
vier Wochen in Töplitz sein, das würde auf Ende Mai weisen, da Goethe
am 26. April in Töplitz eintraf. Nun erhält er den Brief der Gräfin
durch Vermittelung des Herzogs am Sonntag Exaudi, d. i. am 30. Mai
1813. Wir dürfen daher den Ausdruck „depuis quatre Semaines" nicht
pressen oder müssen vom Tage seiner Abreise aus Weimar (17. April)
rechnen. Der Brief des Herzogs kann am besten „Mitte Mai" datiert
werden. Vgl. Werner S. 87. 101.

4) Durch diese Nachricht werden die Zweifel über den Tag seiner
Ankunft in Töplitz (vgl. Werner S. 116) gehoben.

5) Das ist nicht richtig, Goethe traf erst am 26. April in Töplitz
ein, nachdem er Weimar am 17. desselben Monats verlassen hatte
(Werner S. 87 f.); Goethe theilte der Gräfin gleichfalls mit, „dass er in
dem kleinen Gartenhause wohne" (Werner S. 91).

Venez donc nous voir. J'apprens que .....[1] plait a quelqu'un qui s'appelle ou Manchette, ou Chapau, ou Jabot, et qu'elle souffre cela; je Vous prie de me mettre au fait, car il faut absolument que je clabaude ici quelque chose. La C° Reitzenstein pres de la Pr. Marianne a un amoureux; je me suis apperçu de cela ayant été 6 jours a Dresde; Vous ne parlerez plus qu'Anglais mon Exellence tout dit-on Vous etes Vous vouée pendant cet hiver a l'Anglomanie, Vous ne comprendrez plus Göthe; mais j'ai quelqu'un avec moi qui sçait mieux le Grand Breton que sa langue Maternelle, et Vous en serez trés contente[2]). J'attens avec impatience l'arrivée des Clary; je n'ai pas vu Leonhardi ni ses anticallies[3]) encore. Vos appartements sont occuppées par deux dames Livonniennes trés malades, qui ont demeuré pendant quelque tems chez nous: la demoiselle qui chantoit tant est derechef ici avec sa famille; l'on dit que Clary a fait oter dans le *Herrenhaus* la Cuisine, de maniere que l'Imperatrice y seroit plus a son aise apresent[4]). Que font les Althans? ou sont ils? ayez la bonté de leur protester mon tendre attachement. J'espere que ma belle fille viendra me voir ici, elle rode encore en Boheme: j'en attens tous les [2] jours de ses nouvelles de Carlsbad, j'y ai envoyé même un Courrier lundi, le 5, mais qui n'est pas revenu encore. J'ai supplié l'Imperatrice de Vous envoyer en Courrier ici, pour que je Vous confie les choses du monde les plus interressantes pour S. M. Peut etre que cette chere Majesté viendra encore cet eté en Boheme, si la paix se fait, evennement au quel je crois comme a l'Evangile.

Adieu mon Exellence, hates Vous d'atteindre Töpliz.

Kiß die Hand.

Töpliz a 10 Julliet
       13.

----

1) Ein Name ist durchgestrichen, man könnte ihn Nolicki oder dgl. lesen.

2) Auf diesen Begleiter spielt auch der folgende Brief an; wer es war, weiss ich nicht.

3) l. antiquailles.

4) Auch Goethe berichtet (S. 91): „Das Fürstenhaus ist sehr hübsch neu eingerichtet und freundlich decorirt. Diess berechtigt zu den schönsten Hoffnungen."

11.

Exellenz

Votre trés gracieuse, sans date mais dressée a Laxburg[1]) m'a
eté remise il y a trois jours, m'a eté remise par les belles mains de
ma trés chere belle fille, qui me quittera demain. Ma langue, a
la quelle Vous voulez tout de mal, est plus engourdie encore que
mes .pieds, car je suis devenu absolument muet, et il ne me reste
plus a pecher que par[2]) les plumes d'oies.

*Was machen Sie denn in der Laxburg u. warum sind Sie
nicht in Töpliz? bey der Mayestät zu Seyn ist freyl. ein unschätz-
barer vorzug, der mit nichts auf der Welt aufzuwiegen ist, dem abgerechnet ists doch beßer sich manchmahl des besten zu enthalten u.
etwas schlechteres zu genießen, u. hiezu hätte ich Ew. Exellenz
meine stumme unterhaltung vorgeschlagen, u. zwar in Töpliz. Göthe
ist auch stumm, dicktiert aber an zwey Schreiber, die er sich hier von
der Polizey geliehen hat, seine lebens u. liebes Geschichte, u. ist eben
jezt an der Epoke Wo Er Ew. Exellenz — Sah! er frägt mich
dabey öfters um rath ob er auch nicht zu viel dem papiere anvertraue?,
da predige ich ihm dann stets vorsicht, mäßigung, u. etwas ver-
schwiegenheit. Sein kranck werden vor dem jahre, hat er gar artig
einzuwickeln gewust; jeder leser fühlt die Ursache[3])!* Voici quelques
empreintes d'une copie de la migniature que le bon Althan m'a
envoyé l'année passée, cela n'est pas bien parfait mais cela n'est
pas tout a fait mauvais pourtant; je compte me [2] tenir en Boheme
jusqu'a ce qu'on m'enchasse, de maniere que Votre Exellence pourra
bien m'y trouver encore, ou en personne ou par ecrit, choisissez une
de ces voies.

Je m'en vais ecrire une lettre a Cheval au Pr. de Ligne qui
me traite comme un chiffon.

Je vous demande pardon Madame, Vous avez mise là date a
Votre lettre que je viens de relire, elle est du 14 Juin, mais je
croyais que Vous l'aviez oublié.

Eh que de montagnes Vous faut-il pour Vous rendre Bon Coeur?!
l'amabilité seule est ce qu'il y a destable chez Vous! nous autres
comme moi, nous sommes pas morte et pas plaine, remplis, lardis,

---

1) Laxenburg, das bekannte kaiserliche Lustschloss bei Wien.

2) Über der Zeile nachgetragen.

3) Diese Stelle habe ich S. 57 drucken lassen. Die Schwierigkeiten,
welche sie bietet, lassen sich am besten durch die Annahme lösen, dass
der Herzog die Gräfin O'Donell hier mit Goethe neckt, wie er sie im
9. Briefe mit dem Engländer neckte. Freilich bleibt auch dann noch
räthselhaft, warum der Herzog das „kranck werden vor dem jahre" in so
charakteristischer Weise hervorhebt. Vielleicht ergibt sich auch hier
noch die Lösung.

ballancé, farçis de calume, de condem et d'amour bannal pour le prochaine, nous n'aimons point les Idilles, mais les bons romans Anglais et Tudesques. Ma femme ne verra point cette fois ci Votre lettre mon aimable Exellence, car elle n'est point ici, et je ne suis point la. Pour me desennuyer ici, je file le parfait amour avec Mlle. la Cᵉ *Soltikof*[1]), dame d'honeure et dechiffre actuelle de feu L. M. J. lés Autocratrices Elizabeth et Catharine de tous les Russes. Fritz de Homburg, qui n'est pas si beau que son frere Philipp[2]), le quel Vous voit souvent, loge chez moi Vous salue avec ses enormes moustaches, et se pame de rire en faisant la lecture des Votre trés aimable lettre. Je reviens d'un tête a tête que j'ai eu avec ma belle fille dans le temple du *geschloßenen Garten* chez Clary. Comme, selon toute apparance je ne les verray par cette année ci, je Vous prie de leur faire insinuer que j'ai trouvé du Sucre et du Caffé dans le Cabinet du Prince, ou j'ai [3] eté avec le D. Capp, pour lui montrer les raretés du Chateau, les decouppures, et le Cadeau du M. Clary, qui ne flairait pas beaume[3]).

C'est je crois, le nom du Gaisruck qui Vous est inné qui donne a Votre Exellence le gout des monts, cela effleure l'instinc des Chamois[4]).

Dite je Vous prie quelque chose de facheux a Titine de ma part, qui m'a totalement jettée dans le rebut.

Mes respects et tendresses aux bons Althans.

Kiss die Hand Exellenz.

Ambrosi[5]) sort de chez moi, et me dit qu'on lui a envoyé trois malades, envoyez a lui, parce qu'ils Vous ont vus a Cheval; l'un a une estropiene a la jambe, qu'il a pris au cherchant Votre *Riechbüchschen* dans la fente d'un rocher. je ne nomme pas les masques,

---

1) So ist geschrieben, es muss aber heissen Soltikoff. Der Herzog bezieht sich wol auf ein Buch?

2) Vermuthlich sind die Brüder Friedrich VI (geb. 1769, gest. 1829) und Philipp (geb. 1779, gest. 1846) von Hessen-Homburg gemeint.

3) l. natürlich baume.

4) Gräfin Josephine O'Donell war eine geborene Gräfin Gaisruck; der Witz mit diesem Namen liegt ziemlich nahe.

5) Vgl. Werner S. 87.

mais devinez qui c'est, il parle parfaitement la langue.Grand Bret-
tone, et dit souvement Goddam [1]).

12.

Exellenz!

Combien des montagnes Vous font-il grimper par jour avant
que Vous[2]) mettiez une plume taillée entre Vos beaux doits, que
Vous l'enfonçiez dans l'encrier, et que Vous tourniez dans figures
noires sur le papier qui me fait tant de plaisir? Vous me laisserez
sortir de Boheme sans me faire savoir si Vous avez reçue mes
impertinences que j'avois composé ici, absolument pour Votre
Exellence. Je Vous annonce que je pars d'ici le jour de la *Ver-
klärung* Christi[3]) pour me rendre a Franzensbrunn, ou Vous m'y
trouverez dans la societé de ma belle fille[4]) quelques jours apres la
fete du Napoleon[5])! je veux absolument me rajeunir, et l'on dit
que la source d'Eger est celle de Jauvence. Göthe[6]) Vous a ecrit
a ce qu'il m'a dit; il va m'accompagner aujourd'hui chez la Pr.
Leopoldine a Bilin[7]); entre nous soie dit, il ne Vous est pas fidele.
Mais qui le seroit dans ce monde ci? nous en aurons tout le Tems
dans la bien heureuse eternité. Töpliz n'est non plus stable dans
ses agrements; il outrepasse cette année ci toute mesure d'ennuy, de
mauvais tems, et de maussadité.

---

1) Dieser Brief muss zwischen dem 10. und 28. Juli 1813 geschrieben
sein; wann die Erbprinzess verreiste, kann ich leider nicht constatieren.

2) Ueber der Zeile nachgetragen.

3) Das ist der 6. August, dadurch wird das Ende des diesmaligen
Aufenthaltes in Töplitz festgestellt (vgl. Werner S. 128); nach dem Carl-
August-Büchlein S. 130 wäre der Herzog von Ende Juni bis Anfang
Juli in Töplitz gewesen.

4) Ueber der Zeile nachgetragen.

5) Den 15. August.

6) Goethe hatte von der günstigen Wirkung des Töplitzer Bades
auf den Herzog berichtet (S. 113).

7) Liechtenstein, geb. Esterhazy: vgl. Werner S. 126 f.

Adieu mon Exellence, Göthe et moi Vous quittent pour
deux yeux bleus!

a 28 Jullien
1813
Tepliz [1]).

13.

Exellenz

*Ein junger Prinz von Sachsen Hildburghausen sagte hier, er
werde nach Wien geschickt, u. da gab ich dieser zarten pflanze ein
kleines Briefchen an Ew. Exellenz mit, Schreiben Sie mir doch meine
geliebteste Staats u.* Palast *dame ob Sie mein Zettelchen bekommen
haben* [2]); *mein* Mercur *ist so jung, daß er leicht mit samt dem Briefe,
von einen* Cosaquen *hat können gefreßen werden.* Dans ce billet
j'ai mis les expressions de ma vive reconnaissance a Vos pieds pour
la superbe bourse que Vos belles mains [3]) ont daignez broder pour
moi; je Vous en porterai toujours une eternelle reconnaissance; elle
est uniquement belle, et l'Imperatrice des toutes les bourses: je ne
me lasse point de la regarder et de la baiser tous le jours.   Quels
beaux et mauvais jours avons nous vecus depuis trois semaines! au
point d'etre saccagés pas les Français, deux fois les Cosaques nous
sauverent; nous avons eu un Combat assez vif dans la [4]) Ville même.
Le lendemain l'Emp. Alex. entra en Ville [5]) et le lendemain Votre
Monarque: celui ci a logé dans mes appartements, et j'ai posé sur
son Secretaire, *den Schreibtisch* le portrait de l'Imp. dont je Vous
envoi ci joint les empreintes commandées. En attendant les trouppes
russes et Autrich. s'amusoient dans les villages de e ‿‿‿‿‿ [6])
ils ont diablemen de l'appetit! et detruisent plus qu'ils ne mangent.
Ces Sacré Payens nous ont mis bien a mal et nos filles; il n'y
manquoit que le Pr. de Ligne.   Demain on bombarde Erfurth.
Göthe a eu dans [2] sa maison Jerome Colloredo, qui en quadrait
point avec Votre Enfant gaté par rapport au Poetique: toute sa
garde et sa Suite y logoit aussi. Tous les Lichtenstein, &.c. mes
anciennes Connaissances ont eté chez moi; Mr. Votre Prince heredi-

---

1) Ein Theil dieses Briefes ist schon Werner S. 119 gedruckt.
2) Es hat sich nicht erhalten.
3) Ueber der Zeile nachgetragen.
4) Desgleichen.
5) Kaiser Alexander von Russland.
6) Ein e mit angehängter Zackenlinie statt eines Gedankenstriches.

taire Titin[1]) a aussi eté chez moi. Il avoit eu des mauvaises
nouvelles de sa femme et Enfant, surtout de Mad. Sa belle mere,
qui a ce que l'on dit ne parler que l'Anglois et cela trés coulement[2]).
Nous avons eu aussi des Anglois ici, Lord Catqard, Vilson, — &.c.

*Nun meine Exellenz leben Sie wohl: ich muß noch einen Un-
geheuren Großen Brief an Mays. die Kajserin schreiben u. den
Courir abfertigen. Empfehlen Sie mich Althans u. der unge-
treuen Titine die mich wie weg geworfne Schwarze Wäsche behandelt, dann Ligne, Clary. Schreiben Sie mir balde. Kis die Händ[3]).*

Mit diesem Brief endet für viele Jahre die Correspondenz
des Herzogs mit der Gräfin; die Aufregungen der nächsten
Zeit gestatteten dem Herzoge jedesfalls nicht, einen doch mehr
freundschaftlichen Briefwechsel fortzusetzen. Bekanntlich wurde
Carl August russischer General und Befehlshaber eines deutschen Bundescorps; er verlässt Weimar am 7. Januar 1814
und zieht an den Rhein, die nächste Zeit ist er bemüht, den
Franzosen Unannehmlichkeiten in den Niederlanden zu bereiten
und die Vereinigung der einzelnen Truppenkörper zu verhindern; die Einnahme von Paris durch die verbündeten bringt
einen Waffenstillstand und führt den Herzog nach Paris; dort
verweilt er längere Zeit, begibt sich dann nach England,
kehrt erst am 1. September nach Weimar zurück und wird
in der festlich geschmückten Stadt mit dem von Goethe zusammengestellten „Willkommen" begrüsst; Goethe selbst rief
ihm darin zu:

---

1) Der Herzog nennt den Grafen Moriz O'Donell Titin, weil seine
Gemahlin Titine hiess.

2) Diese Stelle ist bereits Werner S. 138 gedruckt. Alle Besuche
kamen nach der Schlacht bei Leipzig vom 24. October 1813 an. Die
beiden Engländer waren Lord Cathcart und Wilson, vgl. Gentz'
Tagebücher S. 280.

3) Dieser Brief ist am Tage vor dem Bombardement von Erfurt,
also am 5. November 1813 geschrieben.

Der Du frühe schon das Grosse wolltest,
Wie ich Dich so jung und kühn gesehn,
Hast es nun gethan, so wie Du solltest,
Und für uns, für Alle war's geschehn.
Gebe das Geschick
Erst- und letztes Glück:
Dich Dir selbst des Friedens zu ergehn[1])!

Der Friedenswunsch sollte rasch Erfüllung finden, denn schon am 10. September verliess der Herzog Weimar wieder und begab sich zum Congresse nach Wien[2]). Die Verbindung mit der Gräfin wurde dadurch wieder persönlich erneut, die Hofdame stand im Mittelpuncte des geselligen Lebens, und wie freundschaftlich der Herzog mit ihr und ihrem Hause verkehrte, beweist der Umstand, dass er ihr oder ihrem Sohne Moriz einen interessanten Brief Goethes zum Geschenke machte[3]). Als Grossherzog schied Carl August von Wien, da Napoleon wieder in Paris erschienen war. Briefe scheint er mit der Gräfin nicht gewechselt zu haben, erst im Jahre 1819 regte ihn ein Brief der Gräfin zu einem Schreiben an.

14.

Madame

C'est avec la plus vive reconnoissance, que j'ai reçu les charmantes etrennes que Vous avez eu la bonté de me faire donner par la C^e. Fritsch; Vous etes bien aimable et bonne ma trés chere Comtesse, d'avoir rappellée dans Votre Souvenir les mains d'un ancien et fidele Serviteur et ami, qui quoique vivottant encore, en a tout son voul de ce monde ci. Comme on devient isolé en vivant trop longtems[4])! Que le Ciel Vous conserve et Vous fasse jouir d'une, et de beaucoup d'heureuses années encore, conservez moi

---

1) Hempel III, 321.
2) Carl-August-Büchlein S. 131—134.
3) Werner S. 151—161.
4) Das ist eine echt Goethische Wendung, vgl. z. B. an Zelter 26. 3. 16 (2, 223): „leider bleibt das immer die alte Leyer, dass lange leben soviel heisst als viele überleben". Vgl. Sprüche in Prosa 19, 91 f.

Votre ancienne amitié et croyez moi toujours avec les sentiments
d'un très respectueux et inviolable attachement
                         Madame
                              Votre très humble très obeissant
                              serviteur et ami
          Weimar   Charles Auguste
          a 26. 12. 19.

C'est charmant comme ce *Wiener Witz* va toujours son train,
et se renouvelle chaque année, gardant toujours son innocente
fraicheur[1]).

Mit diesen Zeilen schliesst der Grossherzog seine Mittheilungen an die Gräfin. Andere Interessen, die Sorgen um
die Neugestaltung seines Staates zogen ihn ab. Die Kaiserin
war längst gestorben und so wol auch der Anlass zu weiterer
Correspondenz geschwunden. Die Gräfin hat dem „ancien et
fidèle Serviteur et ami" ihre Anhänglichkeit gewahrt und die
Verehrung für denselben in ihrer Familie lebendig erhalten.
Pietätvoll wahren ihre Enkel die Erinnerungen an diesen vornehmen und dabei so menschlich schönen Freundschaftsbund;
mit sorglicher Hand sind die Briefe des liebenswürdigen Correspondenten den kostbarsten Familiendocumenten angereiht
und zeugen dafür, dass die Nachkommen ihrer Ahnen würdig
sind.

          Wol dem, der seiner Väter gern gedenkt,
          Der froh von ihren Thaten, ihrer Grösse
          Den Hörer unterhält und still sich freuend
          Ans Ende dieser schönen Reihe sich
          Geschlossen sieht!

Lemberg am 10. Juli 1885.

_____

1) Wahrscheinlich wieder Neujahrgratulationen, vgl. Werner S. 85.
Hermann Rollett vermuthet, es seien „die damals in Wien in allgemeine
Aufnahme gekommenen sehr fein und mannigfaltig ausgeführten figuralen
Zugbillete mit Devisen" gemeint (Neue Freie Presse. Literatur-Blatt
31. Januar 1885 Nr. 7337).

Neue Mittheilungen über Hölderlin.

Von

CARL C. T. LITZMANN.

Ich war fast noch ein Knabe, als ich in einer Zeitschrift
— ich meine, es war das Morgenblatt — zum ersten Mal
etwas über Hölderlin las. Unter den mitgetheilten Gedichten
befand sich ein in der Zeit des Irrsinns entstandenes, welches
einen besonders tiefen Eindruck auf mich machte, dass ich es
nicht vergessen konnte.

> „Mit gelben Blumen hänget
> Und voll mit wilden Rosen
> Das Land in den See,
> Ihr holden Schwäne,
> Und trunken von Küssen
> Tunkt ihr das Haupt
> In's heilig nüchterne Wasser."

> „Weh mir, wo nehm' ich, wenn
> Es Winter ist, die Blumen und wo
> Den Sonnenschein
> Und Schatten der Erde?
> Die Mauern stehen
> Sprachlos und kalt, im Winde
> Klirren die Fahnen."

Meine Phantasie dachte sich den unglücklichen Dichter in
einem einsamen, in den See hinausgebauten Thurme, traurigen
Blickes hinstarrend auf die öde Wasserfläche zu seinen Füssen.
Erst später lernte ich die Gedichte aus seinen gesunden
Tagen kennen, deren Gedankeninhalt verwandte Saiten in mir
berührte. In ihrer Form, deren strenge Schönheit sie griechischen Marmorbildern vergleichen lässt, verbunden mit dem

ganzen Zauber musicalischen Wollauts, dessen unsere Sprache
fähig ist, schienen und scheinen sie noch heute mir das voll-
endetste zu sein, was auf diesem begrenzten Gebiete geschaffen
ist. Zugleich erfuhr ich einiges nähere über sein tragisches
Schicksal. Und nie ist seine Gestalt ganz wieder meinem
Sinn entschwunden, in kürzeren oder längeren Zwischen-
räumen kehrten meine Gedanken immer wieder zu ihr zurück.

Als ich dann durch meinen ärztlichen Beruf mit den
Nachtseiten des menschlichen Geistes- und Gemüthslebens vertrauter wurde, gewann Hölderlins trauriges Los ein neues
Interesse für mich, und ich fieng an, mich mit der Entstehung
seiner Krankheit und den Ursachen, welche den frühen Untergang dieser reichbegabten Natur verschuldet hatten, zu beschäftigen. Doch reifte erst spät in mir der Plan, von diesem
Standpuncte aus das Leben des Dichters zu schildern.

Auf herbstlichen Ferienreisen begann ich das nöthige
Material zu sammeln. Christoph Schwab, den ich im September 1881 in Stuttgart besuchte, gewährte mir in liebenswürdigster Weise Einsicht in alles, was er von und über
Hölderlin besass, und überliess mir selbst manches, um Abschrift davon zu nehmen.

In dem sechsten Bande des von Dohm und Rodenberg
herausgegebenen Salons für Litteratur, Kunst und Gesellschaft
(1870) hatte Wilhelm Rullmann einen Aufsatz über Hölderlins Diotima veröffentlicht, der, an die von Carl Jügel im
„Puppenhaus“[1]) gegebene Darstellung sich anlehnend, „durch
Mittheilungen eines noch lebenden ehrwürdigen Sprosses der
Gontardschen Familie wesentlich ergänzt“ war. In diesem
Aufsatze war auch gesagt, dass nach einer mündlichen Mittheilung des Bibliothecars Hamel in Homburg Hölderlins
dortige Freunde die Absicht hätten, ihm an seinem Todestage
(7. Juni) auf seinem „Lieblingsplatze“ ein Denkmal zu errichten, sowie dass Hamel „nächstens interessante Schriftstücke, die sich auf Hölderlin beziehen, auch Briefe Hölderlins

---

1) Das Puppenhaus, ein Erbstück in der Gontardschen Familie.
Bruchstücke aus den Erinnerungen und Familien-Papieren eines Sieben-
zigers, zusammengestellt von Carl Jügel. Frankfurt a/M. 1857. Für den
Verfasser als Manuscript gedruckt. 8. 385 ff.

veröffentlichen werde". Hamel war inzwischen gestorben, ohne
dass die angekündigte Veröffentlichung erfolgt war. Das Denkmal ist erst im Sommer 1883 und, abweichend von dem ursprünglichen Plane, in den Curanlagen Homburgs aufgestellt.
Meine Bemühuugen, die von Rullmann bezeichnete Spur
weiter zu verfolgen, wurden vom Glück begünstigt. Ich hatte
gehofft, den Faden in Frankfurt zu finden. Und in der ersten
Persönlichkeit, an welche ich mich hier um Auskunft wandte,
dem Bibliothecar der Stadtbibliothek, Herrn Dr. Kelchner,
begegnete ich dem damals noch ungenannten Verfasser der
Schrift: „Friedrich Hölderlin in seinen Beziehungen zu Homburg v. d. Höhe. Nach den hinterlassenen Vorarbeiten des
Bibliothekars J. G. Hamel bearbeitet von Dr. Ernst Kelchner".
Diese Schrift, welche erst im Jahre 1883 erschienen ist, war
bereits seit einer Reihe von Jahren gedruckt, um bei der Ein-
weihung des schon früher fertig gestellten Hölderlin-Denk-
males in Homburg veröffentlicht zu werden. Ueber die Entstehung dieser Festschrift, so wie über die Gründe, welche
die Errichtung des Denkmales und damit die Herausgabe derselben so lang verzögerten, geben die vom Juli 1883 datierten
Vorworte Aufschluss. Jetzt lagerte die ganze Auflage in der
Bodenkammer eines Homburger Buchbinders. Herr Dr. Kelchner
hatte mir gütigst erlaubt, ihr ein Exemplar zu entnehmen.
    Eine zweite Persönlichkeit, von der ich in Frankfurt Auf-
schluss zu erhalten hoffte, war der Buchhändler Herr Franz
Jügel, der Sohn Carl Jügels. Letzterer hatte sich im „Puppenhaus" auf das Archiv seines Schwiegervaters Schönemann
(eines Bruders von Goethes Lilli) bezogen, „das sich häufig
mit Hölderlin beschäftige und selbst Auszüge aus dessen
Schriften enthalte". Leider war der Sohn darüber nicht unterrichtet, und auch eine auf meine Bitte später vorgenommene
Durchsicht der von seinem Vater hinterlassenen Papiere hat
nichts auf Hölderlin bezügliches zu Tage gefördert. Dagegen
verdankte ich seiner gütigen Vermittlung im folgenden Jahre
(1882) die persönliche Bekanntschaft der einzigen noch lebenden
Zeugin jener für Hölderlin so verhängnissvollen Frankfurter
Tage, der vierundneunzigjährigen Frau Belli-Gontard (geb.
1. Mai 1788), derselben, von welcher Rullmann seine Mit-

theilungen empfangen hatte. Einst, wie Herr Jügel mir sagte,
von grossem, stattlichem Wuchs, war sie jetzt klein und in
sich zusammengesunken, hörte etwas schwer, sah aber noch
scharf und konnte ohne Brille lesen. In ihrer Unterhaltung
zeigte sie noch eine grosse Lebhaftigkeit und erzählte ganz
wie aus frischer Erinnerung. Sie sei, sagte sie, der Liebling
ihrer Tante Susette gewesen, und schilderte deren reizende
Erscheinung auf einem Feste im Hause ihrer Eltern in ähnlicher Weise, wie in ihren „Lebenserinnerungen"[1]), die sie
mir zur Durchsicht mitgab. Auch von dem letzten Besuche,
den ihre Tante ihr wenige Tage nach jenem Feste, als sie
selbst krank war, gemacht, erzählte sie mir; beim Abschied
habe sie ihr gesagt: „Sei nur recht geduldig, mein Kind, es
wird alles wieder gut". Bald darauf sei die Tante erkrankt
und nach kurzer Krankheit gestorben. Sie liess sich ihr
„Todten-Album" bringen und zeigte mir darin eine Photographie ihrer Todtenmaske. Die Maske selbst habe sie verschenkt, wisse aber nicht mehr, an wen. Auch Hölderlins
erinnerte sie sich recht gut; keiner unter den verschiedenen
Hofmeistern der Familie sei so freundlich gegen sie Kinder
gewesen als er. Ueber Heribert Raus culturhistorisch-
biographischen Roman „Hölderlin" äusserte sie sich sehr unzufrieden und gab mir die „Kurze Berichtigung einiger Irrthümer" in demselben, welche sie im Jahre 1862 hatte drucken
lassen. Die Katastrophe im Hause des Hamburgischen Consuls in Bordeaux schilderte sie fast mit denselben Worten wie
Rullmann in dem genannten Aufsatze, so dass ich vermuthe,
dass des letzteren Darstellung sich auf ihre Mittheilungen
gründet. „An der Mittagstafel desselben", so erzählt Rullmann, „erschien eines Tages ein Frankfurter Kaufmann als
Gast. »Nun, was gibt's neues in der alten Mainstadt?« fragte
der Hausherr in gleichgiltigem Tone. Und in demselben gleich-
giltigen Tone wird die Antwort gegeben: »Nichts besonderes;
doch etwas, was Sie vielleicht interessieren wird. Da ist vor
vierzehn Tagen die schöne Frau Gontard-Borkenstein, die ja

---

1) Lebenserinnerungen von M. Belli-Gontard. Frankfurt a/M. 1872.
S. 61.

aus Ihrem Hamburg gebürtig ist, an den Rötheln gestorben.‹
Kaum sind diese Worte gesprochen, so wenden sich aller
Blicke nach dem Hauslehrer. Mit todtenbleichem Gesicht,
verstörten Mienen springt dieser von seinem Stuhle, eilt er
zur Thür hinaus, niemand sah ihn wieder. So wie er war,
ohne Mütze und Wanderstab hatte sich Hölderlin auf die
Strasse hinausgestürzt, durcheilte in glühender Sonnenhitze
Frankreich und die Schweiz und kam er endlich in die schwäbische Heimat, in das Haus seiner Mutter zurück als ein —
wahnsinniger Bettler.‟

Ich kann jedoch nachweisen, dass diese ganze Erzählung
von dem Eindruck der Todesnachricht auf Hölderlin unwahr
ist, vielmehr eine blosse Mythe, offenbar später, und vermuthlich in Frankfurt, dadurch entstanden, dass man glaubte,
der scheinbar plötzlich bei ihm ausgebrochene Wahnsinn müsse
nothwendig mit jenem ungefähr gleichzeitigen Ereigniss zu-
sammenhängen. Aber schon als Hölderlin im Sommer 1800
nach dem scheitern aller seiner Hoffnungen auf eine gesicherte,
ihn befriedigende Thätigkeit Homburg verliess und nach Nürtingen zurückkehrte, war sein Gemüth so leidend, dass es keiner
gewaltsamen Erschütterung mehr bedurfte, um es unheilbar zu
verletzen. Sein Jugendfreund Schelling, der ihn im Sommer
1803 in seiner Heimat wiedersah, sucht die Ursache seines
plötzlichen Aufbruchs von Bordeaux auch in anderen Dingen.
Er schreibt darüber am 11. Juli 1803 von Cannstadt aus an
Hegel: „Der traurigste Anblick, den ich während meines hiesigen Aufenthalts gehabt habe, war der von Hölderlin. Seit
einer Reise nach Frankreich, wohin er auf eine Empfehlung
von Professor Ströhlin mit ganz falschen Vorstellungen von
dem, was er bei seiner Stelle zu thun hatte, gegangen war
und woher er sogleich wieder zurückkehrte, da man Forderungen an ihn gemacht zu haben scheint, die er zu erfüllen
theils unfähig war, theils mit seiner Empfindlichkeit nicht
vereinen konnte — seit dieser fatalen Reise ist er am Geist
ganz zerrüttet"[1]).

---

1) Schellings Leben in Briefen. Herausgegeben von Plitt. Leipzig
1869—1870. Bd. I S. 468—69.

Seit Ostern 1802 hatte Hölderlins Familie keine Nachricht mehr von ihm erhalten. Frau Gontard starb am 22. Juni 1802 nach kurzem Krankenlager „an den Rötheln", wie es im Kirchenbuche heisst, wenige Wochen nach jenem Feste, von dem Frau Belli-Gontard mir erzählt. Schwab sagt nun allerdings in „Hölderlins Leben" (Gesammelte Werke. 1846. Bd. II S. 309): „Es ist nicht unwahrscheinlich, dass Hölderlin noch in Bordeaux die Nachricht von ihrer Krankheit und auf der Reise, wenn nicht früher, die Nachricht von ihrem Tode vernommen hat. Der Einfluss eines solchen Ereignisses auf seinen schon vorher so bedenklichen Zustand — Schiller hatte denselben schon vor fünf Jahren gefährlich genannt — lässt sich leicht ermessen; seine Natur brach zusammen zur gleichen Zeit, da jenes Wesen, in dem er die sonst vergebens gesuchte Idealwelt gefunden hatte, von der Erde schied." Aber · die Zeitangaben, auf welche Schwab diese Vermuthung gründet, lassen sich als irrig erweisen. Schwab lässt Hölderlin „unerwartet schnell im Juni seine Stelle in Bordeaux verlassen, Frankreich mit Inbegriff von Paris in den heissesten Sommertagen von einer Grenze zur anderen zu Fuss durchreisen, sich flüchtig seinen Freunden in Stuttgart, unter anderen auch dem damals dort befindlichen Matthisson zeigen und im Anfang Julis bei seiner Mutter in Nürtingen eintreffen". Aber Hölderlin war bereits im Mai von Bordeaux aufgebrochen, hatte am 6. Juni Strassburg passiert und wahrscheinlich also kurze Zeit danach — jedesfalls wol vor Diotimas Tode — seine Heimat Nürtingen erreicht. Schwab selbst zeigte mir, als ich bei ihm war, den von Hölderlin für diese Reise benutzten Pass, den er, allerdings erst vor nicht langer Zeit, nebst sonstigem Nachlass von einer in Italien verheirateten Grossnichte des Dichters, einer Tochter des 1880 in Weissenau verstorbenen Finanzraths a. D. Bräunlin, käuflich erworben hatte. Dieser Pass, welcher sich jetzt auf der Königl. Bibliothek in Stuttgart befindet und von welchem Herr Bibliothecar Professor Dr. Hermann Fischer gütigst eine genaue Abschrift für mich genommen hat, ist ausgefertigt vom Commissariat Général de Police de Bordeaux „le vingt du mois de Floréal, an dix de la république Française une et indivisible", also am 9. Mai 1802 und „Vu p̄ le Mre de Strasbourg pr. passer le pont de Kehl le 18 P^{al} (6. Juni) XI"[1]).

1) Die Jahreszahl XI. (1803) kann nur auf einem Schreibfehler beruhen, da es zweifellos feststeht, dass Hölderlin sich im Sommer 1802 bereits wieder in seiner Heimat befand. Vor mir liegt mit Hölderlins Unterschrift der vom Herzogl. Würtembergischen Oberamt in Nürtingen für ihn zu einer Reise von Nürtingen durch Blaubeuren — Ulm nach Regensburg am 28. September 1802 ausgestellte Pass; ferner ein Schreiben von Sinclair an Hölderlins Mutter vom 17. Juni 1803, als Antwort auf einen Brief derselben vom 6. Juni 1803, aus dem hervorgeht, dass Hölderlin an eben diesem Tage — also, dem Wortlaute nach, dem Tage des Strassburger Pass-Visa — sich bei ihr in Nürtingen in demselben traurigen Zustande befand, in welchem etwas später Schelling ihn sah. Meine Bemühungen auf Grund der Strassburger Polizeiacten vom Jahre 1802 den Irrthum in der Jahreszahl des Visa amtlich feststellen zu lassen, sind erfolglos geblieben, da nach einem Schreiben der Strassburger Polizeidirection vom 22. Januar 1886 „sämmtliche, aus der Zeit vor dem Jahre 1870 herrührende Passvisa-Register, und namentlich auch jene aus dem Anfange dieses Jahrhunderts, bei der Beschiessung von Strassburg verloren gegangen oder vernichtet worden sind". Dagegen findet sich im Archiv des dortigen Bürgermeisteramts in dem Jahrgange An X der régistres de présentation folgende, die Reise Hölderlins nach Bordeaux betreffende Notiz:

No.		Date de présentation
„ No. 4117.	Lettre de ce jour autorisant le maire à admettre en surveillance le nommé Jean Fréderic Chrétien Hoelderlin, en attendant une décision ultérieure.	24. Frimaire (15. December 1801)

und im Régistre général des Praefecten von demselben Jahre:

Noms et demeures des parties	Objets des demandes	Date de la présentation	Judications du bureau chargé du rapport	Mesures préparatoires	Décisions
Hoelderlin Chrétien Fréderic de Lauffen	Demande l'autorisation de continuer sa route	24. Frimaire an X (15. December 1801)	accordé	le 24. Frimaire accordé le 9. Nivose écrit au maire de Strasbourg (30. December 1801)	

Ueber die Gründe, welche diesen unfreiwilligen Aufenthalt Hölderlins in Strassburg veranlassten, ob etwa schon Absonderlichkeiten in seinem

5*

Frau Belli-Gontard starb zu Anf. d. J. 1883, fast 95 Jahre alt.

Herr Jügel hatte auch die Güte, mich zu einer Enkelin Diotimas, der Frau Nicolas Manskopf, in Frankfurt zu führen. Bei ihr sah ich eine kleine Gipsbüste ihrer Grossmutter, welche seiner Zeit durch Vererbung in ihren Besitz übergegangen war. Sie meinte, dass es das einzige Exemplar sei, hatte aber nie gehört, welcher Bildhauer sie angefertigt habe. Als Andenken ihrer Grossmutter trug sie eine Uhrkette von Gold mit blauer Emaille, welche jene aus Hamburg mitgebracht und getragen hatte. Beim Abschied schenkte sie mir eine Photographie der Todtenmaske.

Der Wunsch, über den Verbleib der von Hamel gesammelten, auf Hölderlin bezüglichen Papiere näheres zu erfahren, führte mich ein zweites Mal nach Homburg. Ich ermittelte bald den gegenwärtigen Besitzer und fand bei ihm, nachdem ich ihn mit meinen Bestrebungen und Wünschen bekannt gemacht hatte, das bereitwilligste Entgegenkommen. Er war so gütig, das ganze werthvolle, von Hamel gesammelte und jetzt in seinen Händen befindliche Material mir zur freien Benutzung zu überlassen, wofür ich ihm zum wärmsten Danke verpflichtet bin. Dieses Material besteht einmal, ausser einigen Briefen Sinclairs und Zimmers, in dessen Familie in Tübingen der kranke Dichter bis zu seinem Tode gepflegt wurde, an Hölderlins Mutter, aus einer Anzahl (18) von Briefen Hölderlins selbst an seine Mutter und Schwester aus der für die Beurtheilung seines Seelenzustandes besonders wichtigen Homburger Zeit (1798 bis 1800), von welchen nur ein Theil in der Kelchnerschen Schrift abgedruckt ist; zweitens aus einer Sammlung zum Theil noch ungedruckter Manuscripte Hölderlins, nicht sehr viel kleiner als die der Königl. Bibliothek in Stuttgart jetzt ein-

---

Benehmen die Aufmerksamkeit auf ihn gelenkt hatten, ist heute nichts sicheres mehr zu ermitteln. In einem (noch ungedruckten) Briefe an seine Mutter aus Lyon vom 9. Januar 1802 schreibt er nur, dass er wegen seines Reisepasses länger, als er vermuthet, in Strassburg zu bleiben genöthigt gewesen und dass ihm die Reise über Lyon, als einem fremden, von der Obrigkeit in Strassburg angerathen sei, er also Paris nicht sehen werde. Es ist mir daher nicht wahrscheinlich, dass er auf der Rückreise Paris berührt habe, um so weniger, als der Pass keine Andeutung über die Absicht eines solchen Besuches enthält.

verleibte Schwabsche Sammlung. Briefe und Manuscripte hatte, wie der gegenwärtige Besitzer mir mittheilte, Hamel nach seiner Aussage um die Mitte der fünfziger Jahre von dem Neffen des Dichters, dem Finanzrath Bräunlin in Weissenau, käuflich erworben. Auch befinden sich die Briefe in einem Umschlage von blauer Pappe, dessen Bezeichnung ihn als einen ehemals der Königl. Bleich- und Appretur-Anstalt Weissenau gehörigen Actendeckel erkennen lässt.

Schwab antwortete mir auf meine Anfrage, dass er weder diese Briefe noch die Manuscripte kenne. Für die Herausgabe von Hölderlins sämmtlichen Werken hatte er von dessen Halbbruder Hofrath von Gock, wie des letzteren Tochter in einem Briefe an Hamel schreibt, „alle vorhandenen Manuscripte, Fragmente, Correspondenzen etc. zur freien Verfügung erhalten" und, wie er selbst mir sagte, nichts davon zurückgegeben. Was er sonst noch von der Schwester des Dichters, Frau Bräunlin, bez. deren Sohne bekommen habe, dessen wusste er sich nicht mehr genau zu erinnern; von Hölderlins Bruder, meinte er, rührten die Oden her. Nach Schwabs Tode fand ich auf der Königl. Bibliothek in Stuttgart bei der Durchsicht der lyrischen Abtheilung des Hölderlinschen Nachlasses (Fascikel I) zwischen den Blättern Nr. 13 und Nr. 14 ein Blatt, auf welchem, von Schwabs Hand geschrieben, stand: „Papiere aus Hölderlins Nachlass, wovon der grössere Theil abgedruckt wird und die ich mit Herrn Bräunlins Erlaubniss (von dem ich sie erhalten) behalte". Hienach scheint also Bräunlin ihm nicht alles, was er von Hölderlin besass, ausgehändigt zu haben. Jedesfalls aber muss ich annehmen, dass wenigstens ein Theil der in der Schwabschen und in der Hamelschen Sammlung vorhandenen Manuscripte einmal in Einer Hand vereinigt war. Denn in beiden begegnet man wiederholt neben den Ueberschriften der Gedichte in völlig gleicher Weise und zweifellos von derselben — anscheinend nicht Hölderlins — Hand mit rother Tinte, meist in Bruchform geschriebenen Zahlen, deren Bedeutung zu entziffern mir bis jetzt nicht gelungen ist; daneben, auch von derselben Hand und ebenfalls mit rother Tinte geschriebenen — nicht immer genauen — Angaben über den Ort der Veröffent-

lichung, Aufnahme oder Nicht-Aufnahme in die Sammlung.
Auch sonst zeigen die Manuscripte des Hamelschen wie des
Schwabschen Nachlasses in ihrer äusseren Form eine grosse
Uebereinstimmung, die sich, so weit ich ohne directe Ver-
gleichung aus der Erinnerung urtheilen kann, bis auf die be-
nutzten Papiersorten erstreckt. Man kann sie füglich in drei
Gruppen sondern:

1. Reinschriften, auf einzelnen Bogen oder Blättern, meist
schön mit gleichmässig fester Hand geschrieben, manche ohne
oder mit nur geringen, bisweilen mit Bleistift notierten Aenderungen, andere mit mehr oder weniger zahlreichen Correcturen
und Varianten, die, offenbar später entstanden, flüchtig hingeworfen und stellenweise schwer zu entziffern sind.

2. Dickere Hefte, in Folio- oder Quart-Format. Sie enthalten theils ebenfalls Reinschriften, meist mit späteren Correcturen, theils erste, vielfach geänderte Entwürfe, theils, durch
leere Seiten unterbrochen, abgerissene Verse, Strophen ohne
Ueberschrift, mit Prosa untermischt, stellenweise nur einzelne
Worte, blosse Ueberschriften.

3. Einzelne Blätter oder lose in einander gelegte Bogen
von verschiedenem Format, darunter auch Couverts von Briefen,
mit vielfach durchcorrigierten Entwürfen, abgebrochenen Strophen ohne Ueberschrift, untermischt mit Prosa, Uebersetzungen
aus den griechischen Tragikern u. a.; die Blätter öfter in
verschiedenen Richtungen beschrieben; die Handschrift stellenweise, wenn auch flüchtig, doch deutlich, stellenweise ver-
wildert, schwer zu entziffern, oder völlig unleserlich.

Die Manuscripte, welche sich im Hamelschen Nachlass
gefunden, sind folgende:

I. Ein Heft in Folio, 92 Seiten. Es enthält:

1. Heimkunft. An die Verwandten.

Schöne Reinschrift; Strophe 1 bis 3 ohne Aenderungen; Strophe 4
bis 6 mit mehrfachen Correcturen, bez. Varianten aus späterer Zeit.

Das Gedicht erschien zuerst in:

Flora, Deutschlands Töchtern geweiht von Freunden und
Freundinnen des schönen Geschlechts. Viertes Vierteljahr. Tübingen
1802. S. 21—27.

Es fehlt in den Schwabschen Ausgaben. Auf der Königl. Bibliothek in Stuttgart befinden sich aus dem Schwabschen Nachlass

a) eine Reinschrift; mit der Bemerkung von Schwab: „Abzuschreiben um Fragmente daraus zu bilden. Steht noch nicht in der
Sammlung."

b) eine Abschrift von Schwabs Hand.

2. Brod und Wein. An Heinze.

Schöne Reinschrift mit vielen, in den letzten Strophen sich
häufenden Correcturen, bez. Varianten aus späterer Zeit.

Das Gedicht, als ganzes, ist nicht gedruckt. Die erste
Strophe erschien unter der Ueberschrift „Die Nacht" zuerst in
von Seckendorfs Musenalmanach 1807. S. 90—91
ohne den Zusatz „Fragment", welcher sich in den Schwabschen Ausgaben findet. Auf der Königl. Bibliothek in Stuttgart befinden sich:

a) eine Abschrift des vollständigen Gedichts von Schwabs Hand,
nebst Bemerkungen. Er sagt darin, dass bei der ersten Ausgabe
der Gedichte im J. 1826 Uhland, Kerner und sein Vater eine vollständige Handschrift des ganzen Gedichts, wie sie ohne Zweifel auch
Seckendorf gekannt, vor sich gehabt, sich aber überzeugt hätten,
dass dasselbe im weiteren Verlaufe matter, dunkler, zum Theil
nahezu unverständlich werde; deshalb hätten sie es bei dem Fragment gelassen und sich auf einige unbedeutende Aenderungen nach
der ihnen vorliegenden Handschrift beschränkt. Dieser Standpunct
sei auch bei den folgenden Ausgaben, wie er glaube, mit Recht,
festgehalten. Schwab irrt sich aber, wenn er meint, Brentanos Bewunderung (Gesammelte Briefe I S. 204 ff., 216 ff.) gelte dem
ganzen Gedichte. Brentano kannte und citiert nur das Fragment
„Die Nacht" in der Fassung des von Seckendorfschen Musenalma-
nachs.

b) ein Entwurf von Hölderlins Hand mit der Ueberschrift:
„Der Weingott. An Heinze".

3. Stuttgard. An Siegfried Schmidt.

Schöne Reinschrift; Strophe 1, 2 und 6 mit unbedeutenden
Aenderungen, die übrigen mit zahlreichen Correcturen, bez. Varianten
aus späterer Zeit.

Das Gedicht erschien zuerst unter dem Titel „Die Herbst-
feier" in
von Seckendorfs Musenalmanach 1807. S. 3—12.

4. Der Einzige.

Gedicht, in reimlosen Jamben von ungleicher Länge, offenbar
aus der Zeit des Irrsinns. Ungedruckt.

Reinschrift, aber weniger schön, flüchtiger, mit vielfachen Correcturen aus späterer Zeit, stellenweise schwer zu entziffern bis zur
gänzlichen Unleserlichkeit.

Dasselbe Gedicht findet sich auch auf einem einzelnen Bogen,
flüchtig, offenbar später niedergeschrieben, fast ohne Aenderungen,
unvollendet abbrechend.

5. Patmos.

Reinschrift, ebenfalls flüchtig hingeworfen, hie und da durch
Lücken unterbrochen und mit zahlreichen Varianten und Zusätzen,
theils zwischen den Zeilen theils am Rande, aus einer späteren Zeit.

Ausserdem finden sich auf einzelnen Bogen von demselben
Gedicht:

a) eine schöne vollständige Reinschrift mit der Ueberschrift:
Patmos. Dem Landgrafen von Homburg; stellenweise mit
Correcturen, bez. Varianten aus späterer Zeit.

b) mit gleicher Ueberschrift eine schöne Reinschrift der ersten
anderthalb Strophen, ohne Aenderungen.

c) mit gleicher Ueberschrift, hinter den Schlussversen eines
ungedruckten Gedichts, ein schön geschriebener Entwurf in theilweise abweichender Fassung, mit zahlreichen Correcturen und Varianten, unvollendet abbrechend.

d) ohne Ueberschrift einzelne Verse des Gedichts, durch Prosa
unterbrochen, die Schlussstrophe vollständig.

Das Gedicht erschien zuerst vollständig in

von Seckendorfs Musenalmanach 1808. S. 79—87.
Einzelne Stellen desselben finden sich, ohne Angabe der Quelle, nur
mit der Unterschrift: „Hölderlin" in

von Arnims Trösteinsamkeit. Heidelberg 1808,
nämlich in Nr. 10 die Schlussstrophe mit der Ueberschrift: „Entstehung der deutschen Poesie"
und in Nr. 12 die beiden ersten Verse der ersten Strophe verbunden
mit der zwölften Strophe.

6. Die Titanen.

Entwurf eines Gedichts in reimlosen Jamben von ungleicher
Länge; aus der Zeit des Irrsinns. Ungedruckt.

Die letzten Strophen unvollendet abbrechend; zum Schluss einzelne abgerissene Verse. Stellenweise mit Varianten aus späterer Zeit.

7. Germanien.

Sieben sechzehnzeilige Strophen in meist fünffüssigen reimlosen Jamben, aus der Zeit des Irrsinns. Ungedruckt.

Reinschrift, flüchtig geschrieben, mit sehr wenigen Aenderungen
aus einer späteren Zeit.

Dasselbe Gedicht findet sich noch auf einem einzelnen Bogen,
mit dem ersten Verse der Schlussstrophe endend.

8. Eine Anzahl theils kürzerer theils längerer zusammenhangs-
loser Strophen, ohne Ueberschriften, untermischt mit einzelnen ab-
gerissenen Versen, blossen Ueberschriften, durch unbeschriebene
Seiten unterbrochen.

II. Ein Heft in Quart, 32 Seiten. Es enthält:

1. Der Wanderer.
Entwurf, vielfach geändert.

Zuerst erschienen in

Schillers Horen 1797. St. 6. S. 69—74.

Auf der Königl. Bibliothek in Stuttgart befinden sich ein Concept und eine Reinschrift des Gedichts.

2. An Diotima.

Entwurf, in doppelter Fassung, einer kürzeren, verschieden von der folgenden weiteren Ausführung.

Zuerst gedruckt in der Ausgabe der Hölderlinschen Gedichte vom Jahre 1826 S. 125.

Die Angabe von Köstlin, dass das Gedicht zuerst 1799 erschienen sei, beruht wol auf einer Verwechselung mit der Ode „An Diotima", welche in Neuffers Taschenbuch für das Jahr 1799 enthalten ist.

3. An Neuffer.

Entwurf in Distichen, unvollendet, dem Inhalt nach aus der glücklichen Zeit in Frankfurt. Ungedruckt.

4. An den Aether.

Entwurf, ohne Ueberschrift, vielfach geändert.

Zuerst erschienen in

Schillers Musenalmanach 1798. S. 131—136.

Auf der Königl. Bibliothek in Stuttgart befindet sich eine Reinschrift von V. 23 an, ohne Ueberschrift.

5. Gebet für die Unheilbaren.

Entwurf in Distichen, unvollendet. Ungedruckt.

6. Die Eichbäume.

Entwurf, unvollendet abbrechend.

Zuerst erschienen in

Schillers Horen 1797. St. 10. S. 101.

Auf der Königl. Bibliothek in Stuttgart befindet sich gleichfalls ein Concept.

7. Die Musse.

Entwurf in Hexametern. Ungedruckt.

8. Bruchstücke.

Ohne Ueberschrift, in Jamben, verschiedenen Gedichten angehörig. Ungedruckt.

9. Entwurf eines Hyperion-Briefes.

Aeltere Fassung.

Ausserdem ist noch vorhanden

ein Convolut Hyperion-Briefe aus verschiedenen Zeiten, theils Entwürfe theils Reinschriften, darunter eine längere Reinschrift mit Eintheilung in Capitel.

III. Einzelne Bogen und Blätter.

1. Der Archipelagus.

Schöne Reinschrift mit sehr wenigen Aenderungen.

Nach Köstlin zuerst erschienen 1804, ohne Angabe der Quelle.
Mir ist kein Druck vor der Ausgabe der Gedichte vom J. 1826
bekannt.

2. Elegie. (Menons Klage um Diotima.)

Schöne Reinschrift, aber offenbar in einer älteren Fassung, mit
mehrfachen, gegen den Schluss sich häufenden Aenderungen und
Zusätzen aus späterer Zeit. Die Eintheilung in Strophen fehlt.

Zuerst erschienen in

Vermehrens Musenalmanach. Der Jahrgang 1802 enthält
S. 33—38 die ersten vier Strophen, der Jahrgang 1803 S. 93—100
die fünfte bis neunte Strophe. Ausserdem findet sich in dem Jahrgang 1802 S. 163—164 unter dem besonderen Titel „Elegie" die
sechste Strophe mit Weglassung des 9. und 10. Verses abgedruckt.

3. Die Wanderung.

Schöne Reinschrift mit sehr wenigen, zum Theil mit Bleistift
gemachten Aenderungen aus späterer Zeit.

Zuerst erschienen in

Flora 1802. Viertes Vierteljahr S. 21—27,
demnächst in

von Seckendorfs Musenalmanach 1807. S. 55—60.

4. Der Rhein. An Vater Heinze.

Schöne Reinschrift mit sehr wenigen, zum Theil mit Bleistift
geschriebenen Aenderungen. Vollständig.

Ausserdem finden sich noch auf einem halben Bogen die beiden
ersten und die siebente Strophe, mit vielen Correcturen.

Das Gedicht erschien zuerst und zwar vollständig in

von Seckendorfs Musenalmanach 1808. S. 94—102, ist
aber hier an Isaak Sinclair gerichtet, dessen Name übrigens auch in
der Schlussstrophe des Manuscripts als Variante über dem Namen
Heinze steht.

In von Arnims Trösteinsamkeit 1808 findet sich in Nr. 6
unter Hölderlins Namen ein Theil der vorletzten Strophe ohne Ueberschrift und ohne Angabe der Quelle abgedruckt.

Die späteren Herausgeber scheinen den ursprünglichen Druck
nicht gekannt zu haben, denn in sämmtlichen Ausgaben ist das Gedicht als „Fragment" bezeichnet, und es fehlen die letzten beiden
Strophen.

5. Die Heimath.

Schöne Reinschrift mit einer einzigen Aenderung im letzten
Verse der letzten Strophe.

Die beiden ersten Strophen erschienen zuerst unter dem Namen
Hillmar in

Neuffers Taschenbuch für Frauenzimmer 1799. S. 304;
das vollständige Gedicht zuerst im

Würtembergischen Taschenbuch 1806. S. 72—73.

Auf der Königl. Bibliothek in Stuttgart befinden sich ein Concept und eine Reinschrift des Gedichts (ohne Ueberschrift); ferner eine Correspondenz von Schwab mit dem Bibliothecar Wintterlin in Stuttgart über die Fassung der letzten Strophe.

6. Die Liebe.

Schöne Reinschrift mit wenigen mit Bleistift geschriebenen Varianten.

Die erste Strophe erschien zuerst unter dem Namen Hillmar und mit der Ueberschrift „Das Unverzeihliche" in

Neuffers Taschenbuch für Frauenzimmer 1799. S. 5; das vollständige Gedicht zuerst in der

Ausgabe der Gedichte vom J. 1826 S. 73—74.

Auf der Königl. Bibliothek in Stuttgart befinden sich Concept und Reinschrift des vollständigen Gedichts unter dem Titel „Die Liebe".

7. Lebenslauf.

Schöne Reinschrift in der späteren Fassung mit einzelnen Varianten.

Das Gedicht erschien zuerst in kürzerer Gestalt in

Neuffers Taschenbuch für Frauenzimmer 1799. S. 158; in erweiterter Form zuerst in der

Ausgabe der Gedichte vom J. 1826 S. 75.

Auf der Königl. Bibliothek in Stuttgart befinden sich Concept und Reinschrift des Gedichts in der späteren Fassung.

8. Der Abschied.

Schöne Reinschrift mit zwei Varianten, deren eine mit Bleistift geschrieben.

Die erste Strophe des Gedichts erschien zuerst unter der Ueberschrift „Die Liebenden" in

Neuffers Taschenbuch für Frauenzimmer 1799. S. 67; das vollständige Gedicht zuerst in der

Ausgabe der Gedichte vom J. 1826 S. 76—77.

Auf der Königl. Bibliothek in Stuttgart befinden sich Concept und Reinschrift des vollständigen Gedichts.

9. Diotima.

Schöne Reinschrift in der späteren Fassung mit mehrfachen mit Bleistift geschriebenen Varianten.

Das Gedicht erschien zuerst in einer kürzeren, nur aus zwei Strophen bestehenden Fassung in

Neuffers Taschenbuch für Frauenzimmer 1799. S. 274; in der erweiterten Form zuerst in der

Ausgabe der Gedichte vom J. 1826 S. 78—79.

Auf der Königl. Bibliothek in Stuttgart befindet sich ein Manuscript in dieser späteren Fassung.

10. An die Parzen.

Schöne Reinschrift ohne Aenderungen.

Zuerst erschienen in

Neuffers Taschenbuch für Frauenzimmer 1799. S. 166.

Auf der Königl. Bibliothek in Stuttgart befindet sich ein Concept des Gedichts ohne Ueberschrift.

11. Der gute Glaube.

Schöne Reinschrift ohne Aenderungen.

Zuerst erschienen unter dem Namen Hillmar in

Neuffers Taschenbuch für Frauenzimmer 1799. S. 175.

12. Rückkehr in die Heimath.

Schöne Reinschrift mit einigen mit Bleistift geschriebenen Varianten, am Ende der letzten Seite des Bogens mit der vierten Strophe abbrechend.

Nach Köstlin zuerst erschienen 1801, ohne Angabe der Quelle.

13. An die Hoffnung.

Reinschrift, flüchtig geschrieben, ohne Aenderungen.

Zuerst erschienen im

Taschenbuch, der Liebe und Freundschaft gewidmet 1805. S. 80.

Auf der Königl. Bibliothek in Stuttgart befinden sich: ohne Ueberschrift, hinter Prosa, ein Bruchstück des Gedichts; ebenfalls ohne Ueberschrift ein Entwurf des ganzen Gedichts; und eine Reinschrift mit der Ueberschrift: „Bitte. An die Hoffnung".

14. Der Winter.

Reinschrift, flüchtig geschrieben, mit wenigen Aenderungen.

Zuerst erschienen in der

Ausgabe der Gedichte vom J. 1826 S. 50—51.

Auf der Königl. Bibliothek in Stuttgart befindet sich ein Concept des Gedichts.

15. Der gefesselte Strom.

Flüchtig geschrieben, mit vielen Correcturen, bez. Varianten, welche der späteren, unter dem Titel „Ganymed" veröffentlichten Umarbeitung aus der Zeit des Irrsinns entsprechen, die letzte Strophe allein in dieser Fassung.

„Der gefesselte Strom" erschien zuerst in der

Ausgabe der Gedichte vom J. 1826 S. 37—38.

Auf der Königl. Bibliothek in Stuttgart befinden sich ein Concept und eine Reinschrift dieses Gedichts.

Die Umarbeitung „Ganymed" wurde zuerst veröffentlicht in der

Ausgabe der sämmtlichen Werke vom J. 1846. Band II S. 340—341.

16. Die Dioskuren.

Unter dieser Ueberschrift finden sich auf der letzten Seite des Bogens die ersten vier Strophen des Gedichts „An Eduard".

Flüchtige Reinschrift mit mehrfachen Varianten aus späterer Zeit.
Das Gedicht „An Eduard" erschien zuerst in der
Ausgabe der Gedichte vom J. 1826 S. 34—36.
Ueber die Zeit der Entstehung vgl. die
Ausgabe der sämmtlichen Werke vom J. 1846 Band II
S. 306 und Anm.

Auf der Königl. Bibliothek in Stuttgart befinden sich: ohne
Ueberschrift Bruchstücke, ferner ein Concept und eine Reinschrift
des ganzen Gedichts.

17. Empedokles.
Flüchtige Reinschrift ohne Aenderungen.
Zuerst erschienen in
Aglaia 1801. S. 353.

18. Heidelberg.
Reinschrift, flüchtig geschrieben, mit einigen Varianten aus
späterer Zeit.
Zuerst erschienen in
Aglaia 1801. S. 320—322.

19. Die Götter.
Reinschrift, flüchtig geschrieben, ohne Aenderungen.
Zuerst erschienen in
Aglaia 1801. S. 302.

20. Der Nekar.
Reinschrift, flüchtig geschrieben, ohne Aenderungen.
Zuerst erschienen in
Aglaia 1801. S. 331—333.

21. Der Main.
Die ursprüngliche Ueberschrift: „Der Nekar" ist geändert in:
„Der Main".
Entwurf, mehrfach geändert.
Zuerst erschienen im
Brittischen Damenkalender und Taschenbuch 1800.
(Es ist die einzige der von Schwab angegebenen Quellen, welche
ich mir bisher nicht habe verschaffen können.)

22. Unter den Alpen gesungen.
Ein Blatt, enthaltend auf der einen Seite den Entwurf, auf der
anderen die Reinschrift des Gedichts, flüchtig geschrieben, mit Aende-
rungen in den beiden letzten Strophen.
Auf dem Entwurf über obiger Ueberschrift als Variante: „Am
Fusse der Alpen".
Zuerst erschienen in
Vermehrens Musenalmanach 1802. S. 209—210.

23. Ermunterung.
a) Eine Reinschrift, schön geschrieben, ohne Aenderungen.

b) Eine gleichfalls schöne, grösstentheils der vorigen entsprechende Reinschrift mit zahlreichen Varianten aus späterer Zeit.
Zuerst erschienen in der

Ausgabe der Gedichte vom J. 1826 S. 69—70.

Auf der Königl. Bibliothek in Stuttgart findet sich ohne Ueberschrift der Anfang des Gedichts, vor einem Chor aus der Antigone.

24. Andenken.

Auf der ersten Seite eines Bogens findet sich ohne Ueberschrift
der Entwurf der letzten Strophe des Gedichts. Die übrigen drei
Seiten so wie ein eingelegter halber Bogen enthalten ohne Ueberschrift den Entwurf oder vielmehr Bruchstücke eines ungedruckten
Gedichts in reimlosen Jamben, vielfach durchcorrigiert, mit mehrfachen Wiederholungen, welche die Zusammengehörigkeit der Blätter
erweisen. Verwirrt.

Das Gedicht „Andenken" erschien zuerst in
von Seckendorfs Musenalmanach 1808. S. 128—130.

25. Griechenland.

Doppelter Entwurf eines ungedruckten Gedichts in reimlosen Jamben. Völlig verwirrt.

26. Phaeton.

Stanzen, ohne Ueberschrift, wahrscheinlich ein Theil der von
Schiller gewünschten Uebersetzung von Ovids Erzählung vom Phaeton im 2. Buch der Metamorphosen, welche Schiller jedoch nicht aufnahm.

Reinschrift mit wenigen Aenderungen.

Vergl. die Ausgabe der sämmtlichen Werke vom J. 1846 Band II
S. 111—112, S. 115 und S. 285.

27. Hymne an die Menschheit.

Flüchtig geschrieben, mit wenigen Aenderungen, vielfach abweichend von der Fassung in der

Ausgabe der sämmtlichen Werke vom J. 1846 Band II
S. 195—198.

Zuerst erschienen in
Stäudlins poetischer Blumenlese 1793. S. 1—5.

28. Der Mutter Ende.
Gesang der Brüder
von Ottmar, Horn und Tello.

Unvollendeter Entwurf. Ungedruckt.

29. Der rasende Ajax. (Sophokles.)
Entwurf einer Uebersetzung (V. 375—406. V. 574—611.
V. 659—682).

30. Oedipus in Colonos. (Sophokles.)
Entwurf einer Uebersetzung (V. 14—19. V. 38—58).

31. Ueber die verschiedenen Arten zu dichten.
Entwurf in Prosa, unvollendet. Dazwischen reimlose Verse.

32. Die Aussicht.
In den letzten Lebenstagen geschrieben, unterzeichnet
   d. 24. Mai 1749.   Scardanelli.

33. Eine Anzahl loser Bogen und Blätter mit Bruchstücken von
Gedichten in reimlosen Versen ohne Ueberschrift, einzelnen Versen.

Meine Bemühungen, durch Vergleichung der Wasserzeichen
des von Hölderlin für die Gedichte benutzten Papiers mit denjenigen des Papiers seiner Briefe sichere Anhaltspuncte zu
gewinnen, um die Zeit, in welcher die Gedichte von ihm
niedergeschrieben wurden, festzustellen, haben zu keinem Resultate geführt. Das Papier der Gedichte stammt zum grössten
Theil aus der Honigschen Papierfabrik in Zaandijk. Diese Fabrik
wurde nach einer bei dem Herrn G. J. Honig, vordem Papier-
fabricanten in Zaandijk, eingezogenen Erkundigung, im Jahre
1668 durch Cornelis Jansz. Honigh in Zaandijk gegründet.
Von 1727 an findet man zwei Marken von weissem Papier:
C. & J. Honig und J. Honig; von 1781 an die Marke J. Honig
& Zoonen. Nun zeigt das Papier der meisten Gedichte, so
Heft I und III Nr. 3 bis 16, 29 und 30, die Marke C. & J.
Honig; dieselbe findet sich in dem Papier eines Briefes von
Hölderlin aus dem Jahre 1787, ferner in Briefen aus den
Jahren 1796 bis 1797 und 1800 bis 1801. Die Marke J. Honig
kommt in dem Papier der Gedichte nicht vor, sondern nur in
einem Briefe Hölderlins vom Jahre 1797. Die Marke J. Honig
& Zoonen ist nur in dem Papier eines einzigen Gedichts
(III Nr. 25) sichtbar; dagegen in dem Papier mehrerer Briefe
aus den Jahren 1787, 1794 und 1798 bis 1799.

Von sonstigen erkennbaren Wasserzeichen findet sich die
Marke Van der Ley in dem Papier der Gedichte III Nr. 2
und 23, so wie in Briefen aus den Jahren 1794 und 1798;
die Marke Johannes Krezinger(?) in dem Papier des Gedichts
III Nr. 1 (1. Bogen), so wie in einem Briefe aus dem Jahre
1800 oder 1801; die Marke Brenner & Co. Basel in dem
Papier des Gedichts III Nr. 1 (2. Bogen), so wie in Briefen
aus den Jahren 1796 bis 1798 und 1800.

Dass der Text der Hölderlinschen Gedichte, wie er in
den Schwabschen Ausgaben niedergelegt ist, mehrfach einer
Berichtigung bedarf, kann nicht zweifelhaft sein. Die ersten

Schritte nach dieser Richtung hin hat bereits Köstlin in seiner
neuen Ausgabe der Hölderlinschen Gedichte (1884) gethan.
Werthvolle „Vorarbeiten und Beiträge zu einer kritischen
Ausgabe Hölderlins" sind später in einem Gymnasialprogramm
(Plauen i. V. 1885) von Dr. Robert Wirth veröffentlicht. Sie sind
fortgesetzt in den „Beiträgen zur Kritik und Erklärung Hölderlins" (Archiv f. Litteraturgeschichte Bd. XIV 1886 S. 299—306
[und S. 429—436]). Der Verfasser hat in diesen beiden Abhandlungen einen Theil der auf der Königl. Bibliothek in Stuttgart aufbewahrten Manuscripte Hölderlins, so wie einige ältere
Drucke mit dem Text der Schwabschen Ausgaben verglichen
und daran seine Verbesserungsvorschläge geknüpft. Ich behalte mir vor, an einem anderen Orte auch die in meinen
Händen befindlichen Manuscripte, so weit sie gedrucktes enthalten, unter Berücksichtigung der entsprechenden älteren, vor
der ersten Schwabschen Ausgabe von 1826 erschienenen Drucke
zu dem gleichen Zwecke zu verwerthen. Die in dieser Manu-
scriptsammlung enthaltenen Gedichtentwürfe, zum Theil auch
die in den Reinschriften später vorgenommenen Aenderungen
lassen überdies einen Einblick in die Art von Hölderlins dich-
terischem schaffen thun. Von den Manuscripten ungedruckter
Gedichte, die grösstentheils aus einer Zeit stammen, in der
sein Geist bereits umdüstert war, eignet sich nichts zu einer
vollständigen Veröffentlichung; wol aber sind sie für die psycho-
logische Beurtheilung des Dichters in hohem Grade interessant. Bruchstücke derselben, so wie einiges aus besserer
Zeit gedenke ich später mitzutheilen.

Anzeigen aus der Goethe-Litteratur.

Von

WOLDEMAR Freiherrn VON BIEDERMANN.

1. Goethe-Jahrbuch. Herausgegeben von Ludwig Geiger. Siebenter Band. Mit dem ersten Jahresbericht der Goethe-Gesellschaft. Frankfurt a. M. Literarische Anstalt Rütten & Loening. 1886.

Dieser Band des Goethe-Jahrbuchs ist der erste, der als Organ der Goethe-Gesellschaft erscheint. Ist dies die Ursache seiner Verspätung? Bisher war als Tag der Ausgabe des Jahrbuchs ein bedeutsamer Tag, Goethes Todestag, bestimmt gewesen; diesmal wurde derselbe auf den 1. April festgesetzt. Die Wahl des unglücklichen Tags hat sich gerächt: die auf das Buch harrenden wurden gründlich in den April geschickt und verbrachten vier Wochen in Langen und Bangen. Es ist zu hoffen, dass künftig der frühere Erscheinungstag wieder zu seinem Rechte kommt und der durch Mitwirkung des Vorstandes der Goethe-Gesellschaft compliciert gewordene Editionsapparat besser fungieren lernt.

Bei Besprechung des Buches wird man sich — da dasselbe sich in den Händen aller befindet, welche überhaupt Goethe-Kunde eingehend treiben — auf einzelne Erinnerungen und Anmerkungen beschränken können.

In die Augen springend ist diesmal das Uebergewicht der „Neuen Mittheilungen". Der Herausgeber hat es dadurch etwas herabzudrücken gesucht, dass er den schwach besetzten Abschnitt der „Abhandlungen" durch Aufnahme von Stickels „Meine Berührungen mit Goethe" vermehrte, obwol dieser Aufsatz unbestreitbar unter die „Neuen Mittheilungen" gehörte.

Die den Band eröffnenden Briefe des Studenten Goethe aus Leipzig an seine Schwester und an Behrisch sind vom Herausgeber mit solcher Sorgfalt erläutert worden, dass ich nicht viel weiter darüber zu sagen weiss als zunächst, dass die Briefe 4 bis 6 an Cornelie denn doch in der Ordnung 6 — 4 — 5 eingereiht werden möchten. Hinzufügen können wir folgendes. Die „Geschichte des

Grafen P." (S. 17) war von Pfeil. — Der S. 30 geschilderte Garten
kann nur der Winklersche, zwischen dem Apelschen und Richter-
schen, gewesen sein, nicht der Apelsche, wie angenommen ist. —
Der Studiengenosse Avenarius war aus Gotha gebürtig, wurde
einen Monat nach Goethe — am 19. November 1765 — an der Universität Leipzig inscribiert, erhielt die Stelle eines Stadtschultheissen
zu Hameln 1773, bekleidete sie bis 1821, wo er in Ruhestand trat,
und verliess im letzteren Jahre Hameln. — Born war niemals
Consul, wie der Herausgeber S. 133 sagt; sein Vater war seit 1759
Bürgermeister in Leipzig. Jak. Heinr. Born, geb. am 2. Juli 1750,
starb am 20. März 1782 als Hof- und Justizrath in Dresden. Der
Vater wurde 1768 geadelt. — Adam Friedrich August v. Watz-
dorf, geb. am 8. Juni 1753, gest. am 14. Aug. 1809, war in Wittenberg Hofrichter und adlicher Kreissteuereinnehmer, aber nicht Kreis-
hauptmann, wie ich in diesem Archiv schon einmal berichtigt habe.

Noch ergreife ich die Gelegenheit, um einiges über die Bühnenstücke, die während Goethes Aufenthalt in Leipzig zur Darstellung
gelangten, anzuführen. G. Wustmann hatte 1882 in den „Grenzboten" (vgl. desselben „Aus Leipzigs Vergangenheit" 1885 S. 275
bis 288) ein aus actenmässigen Unterlagen von ihm bereichertes
Verzeichniss dieser Stücke aufgestellt. Dieses Verzeichniss lässt sich
nunmehr dadurch vervollständigen oder doch den Zeitangaben nach
genauer fassen, dass Goethe im Brief vom 6. December 1765 die Stücke
namhaft macht, die er in den zwei ersten Monaten in Leipzig gesehen
hatte. Hierdurch sowie durch andere Zusätze vermehrt, die besonders reichlich Freiherr von Maltzahn aus der seltenen Hamburger Zeitschrift „Unterhaltungen" nachgewiesen und mit dankens-
werthester Güte zur Verfügung gestellt hat, lässt sich nunmehr
folgende Uebersicht über die während Goethes Studienzeit auf der
Leipziger Bühne aufgeführten Stücke zusammensetzen.

1765.

	Kaufmann von London, von Lillo.
	Miss Sara Sampson, von Lessing.
Von Mitte	Zaïre, von Voltaire.
October	Cenie oder Die Grossmuth im Unglücke, von Frau v.
bis Mitte	Graffigny, übers. von Frau Gottsched.
December	Die Poeten nach der Mode, von Weisse.
	Die Verschwörung wider Venedig, von Othway.
	Tartuffe, von Molière.

1766.

24. Jan. Die Mütterschule, von Nivelle de la Chaussee, übers. von
Ekhof.

26. Apr. Der Derwisch, Lustspiel nach dem Französischen.

28. Mai   Der lustige Schuster oder Zweiter Theil von Der Teufel ist los, nach Coffeys The Merry Cobler, übers. von Weisse, comp. von Standfuss (und Hiller?).

9. Juni   Das Herrenrecht, von Voltaire.

6. Aug.   Der gelehrte Ignorant, von du Vaure.

28. Aug.   Die verliebte Unschuld, von Marin.

?   Der poetische Dorfjunker, nach La fausse Agnèse ou le poète campagnard von Destouches, bearb. von Frau Gottsched. (Da Goethe durch die lächerliche Tracht des Masuren in diesem Lustspiel bewogen wurde, seine altväterischen Kleidungsstücke abzuschaffen, Horn aber noch am 12. August 1766 an Moors schrieb: „alle seine [Goethes] Kleider, so schön sie auch sind, sind von einem so närrischen Gout, der ihn auf der ganzen Akademie auszeichnet" —, so kann das Stück nicht früher, als um diese Zeit aufgeführt worden sein.)

8. Spt.   Amalie, von Weisse.

5. Oct.   — — — Rede beim Schluss des alten Schauspielhauses, von Clodius.

10. Oct.   Prolog bei Eröffnung des neuen Schauspielhauses, von Clodius. — Hermann, von J. E. Schlegel. — Die unvermuthete Rückkehr, von Regnard, mit einem Schäferballet.

11. Oct.   Die Aufführungen vom 10. October wiederholt.

24. Nov.   Lisuart und Dariolette, Singspiel von Schiebeler, comp. von Hiller.

26. Nov.   Voriges wiederholt.

4. Dec.   Der Naturaliensammler, von Weisse.

?   Der Hausvater, von Diderot (nicht in der Uebersetzung von Lessing).

1767.

2. Jan.   Le curieux impertinent, von Destouches. (Wol das Lustspiel, in welchem Goethe den Schauspieldirector Koch als Crispin sah.)

7. Jan.   Lisuart und Dariolette, vom Verfasser mit Verbesserungen und Zusätzen versehen und in drei Acte getheilt.

28. Jan.   Atreus und Thyest, von Weisse.

30. Jan.   Lisuart und Dariolette.

11. Fbr.   Der Misstrauische gegen sich selbst, von Weisse. Einigemal wiederholt bis zum 6. März.

3. März   Die Schule der Jünglinge, Nachspiel von Schiebeler.

5. März   Rede zum Friedrichstage, von Clodius. — Polyeuct, von Corneille.

6. März   Wiederholung des vorigen. (Schluss der Bühne.)

6*

22. Apr.   Cenie. — Das Leben der Bauern, Ballet von Karl Schulze.
           (Wiedereröffnung der Bühne. Erstes auftreten der
           Caroline Schulze im Schauspiel und im Ballet.)
23. Apr.   Die dreifache Heirat, von Destouches.
24. Apr.   Richard III. von Weisse, mit Aenderungen zum ersten Mal.
25. oder 26. Apr. Lottchen am Hofe, von Weisse.
27. Apr.   Romeo und Julie, von Weisse. (Julie: C. Schulze. Das
           Trauerspiel wurde bis zum Abgang der Schulze neun-
           mal wiederholt.)
29. Apr.   Die neue Weiberschule, von Moissy.
30. Apr.   Miss Fanny oder Der Schiffbruch, Trauersp. von Brandes.
           (Wol nicht schon am 28. April.)
 4. Mai   Die wahre Liebe, Nachspiel.
 6. Mai   Romeo und Julie.
 7. Mai   Lottchen am Hofe.
10. Mai   Romeo und Julie.
12. Mai   Miss Fanny.
13. Mai   Lottchen am Hofe.
17. Mai   Lottchen am Hofe.
18. Mai   Romeo und Julie.
24. Mai   Die neue Weiberschule.

Mehrmals   ⎧ Richard III.
           ⎪ Der Misstrauische gegen sich selbst.
wieder-   ⎨ Lisuart und Dariolette.
holt   ⎪ Amalie.
           ⎩ Die Schule der Jünglinge.

29. Juni   Romeo und Julie. (Mit Abänderungen; Schluss mit
           Juliens Tod.)
10. Juli   Lottchen am Hofe.
17. Aug.   Der seltsame Zufall, von Goldoni.
21. Aug.   Wiederholt.
24. Aug.   Medon oder Die Rache des Weisen, von Clodius.
28. Aug.   Wiederholt.
 3. Spt.   Die zärtliche Tochter. (Ausgepocht.)
22. Spt.   Der Liebesteufel, Lustspiel nach le Grand, mit Gesängen,
           componiert von Hiller.
24. Spt.   Wiederholt (wie noch mehrmals).
30. Spt.   Das neugierige Frauenzimmer, von Goldoni. (Oft wieder-
           holt.)
 3. Oct.   Die Muse, Nachspiel von Schiebeler, componiert von
           Hiller.
 5. Oct.   Lottchen am Hofe.
 6. Oct.   Wiederholt.
    ?   Romeo und Julie.
    ?   Das neugierige Frauenzimmer.

?   Der wahre Freund, von Goldoni.

10. Oct.   Miss Sara Sampson. (Miss Sara: C. Schulze.)

19. Oct.   Rosemunde, von Weisse. (Albissvinth: C. Schulze.)

18. Nov.   Minna von Barnhelm, von Lessing. (Minna: C. Schulze.)

20. Nov. ⎫

22. Nov. ⎬ Wiederholt.

25. Nov. ⎭

1. Dec.   Die junge Indianerin, Nachspiel nach Champfort von Brandes.

2. Dec.   Minna von Barnhelm.

3. Dec.   Die junge Indianerin.

?   Kindliche Zärtlichkeit und Liebe.

?   Der Krieg, von Goldoni.

? ✱   Der verstellte Kranke oder Der taube Apotheker, von Goldoni.

28. Dec.   Die Freundschaft auf der Probe, von Weisse.

1768.

4. Jan.   Der Zweikampf, von J. L. Schlosser.

14. Jan.   Der Krieg.

15. Jan.   Wiederholt.

22. Jan.   Der Zweikampf.

25. Jan.   Der Schein betrügt, von Brandes.

26. Jan.   Der Krieg.

5. Fbr.   Der Zweikampf.

9. Fbr.   Miss Fanny.

10. Fbr.   Der Schein betrügt.

12. Fbr.   Der verstellte Kranke.

15. Fbr.   Der Krieg.

17. Fbr.   Miss Sara Sampson. (Letztes auftreten der C. Schulze im Schauspiel.)

19. Fbr.   Polyeuct. — Der bezauberte Wald, Ballet von K. Schulze. (Letztes auftreten der C. Schulze in Leipzig.)

3. März   Zur Vorfeier des Friedrichstages Prolog, von Clodius. — Kanut, von Schlegel.

4. März   Wiederholt. (Schluss der Bühne.)

6. Apr.   Eugenie, von Beaumarchais, übers. von Schwan. (Wieder-eröffnung der Bühne.)

11. Apr.   Wiederholt.

18. Apr.   Der Vormund, von Goldoni.

26. Apr.   Der Zweikampf.

29. Apr.   Eugenie.

2. Mai   Der Schein betrügt.

9. Mai   Der Vormund.

13. Mai   Der Galeerensklave, von Fenouillot de Falbaire.

16. Mai   Wiederholt.
18. Mai   Die Liebe auf dem Lande, von Weisse, componiert von Hiller.
20. Mai   Wiederholt.
21. Mai   Der Lügner, von Goldoni.
25. Mai   Der Vormund (oder: Der Lügner?).
?   Der Triumph der guten Frauen, von Schlegel.
15. Juni   Der Weise in der That, von Sedaine.
18. Juni   Der Hausvater.
25. Juni   Der Galeerensklave.
29. Juni   Die Liebe auf dem Lande.
23. Juli   Der ehrliche Avanturier, von Goldoni.
?   Wiederholt.
20. Aug.   Der Graf von Olsbach, von Brandes.
23. Aug.   Der Philosoph ohne es zu wissen. (Geänderter Titel von
           Sedaines Le philosophe sans le savoir, zuerst: Der
           Weise in der That.)

Die von mir im Archiv XII, 629 ausgesprochene Vermuthung, dass Goethe unter dem in seinem Tagebuche am 12. Mai 1778 genannten „Lange" den Hofmeister des Grafen Lindenau Ernst Theodor Langer gemeint habe, muss ich wol zurücknehmen, da wir jetzt aus Goethes Briefen an seine Schwester erfahren, dass er mit dem Hofrath Lange in Leipzig bekannt gewesen sei; dieser Lange wird also wol auch der im Tagebuch erwähnte sein.

Die verschiedenen dichterischen Arbeiten Goethes, über welche man aus den hier abgedruckten Leipziger Briefen zum ersten Male etwas erfährt, werden aus verschiedenen Gesichtspuncten eingehend zu betrachten und ausführlich zu besprechen sein; überhaupt aber liefern diese Briefe für Goethes Beziehungen zu Leipzig so reichhaltigen Stoff, dass dagegen meine vorgemerkten gegen dritthalbhundert Berichtigungen und Nachträge zu „Goethe und Leipzig" fast unbedeutend erscheinen.

Der Ruhm sorgfältiger Herausgabe kann der zweiten Gruppe, „Zwölf Briefe Goethes an Friedr. Sigmund Voigt", nicht zugesprochen werden. Zwar theilt der Herausgeber einige hübsche Geschichten über persönliche Begegnisse Goethes mit Voigt mit, aber in der Goethischen Brieflitteratur hat er sich nur oberflächlich umgesehen; was nicht in „Goethes Briefen . . . von F. Strehlke" steht, kennt er nicht, so dass er nur derjenigen Briefe gedenkt, die er darin gefunden, ohne jedoch sich die Nachträge anzusehen. Den ersten Brief Goethes an Voigt vom 12. December 1806 hat er nicht ermittelt, weil Strehlke ihn als in No. 7 von „Im neuen Reich" des Jahrganges 1876 anführt, während er in No. 7 der „Gegenwart" desselben Jahres steht. Von dem Brief vom 10. März 1823 führt der Herausgeber Stengel nur den Anfang nach Strehlke an, während der ganze Brief bereits im V. Bande des „Goethe-Jahr-

buchs" zu lesen ist, worauf zu verweisen gewesen wäre. Die Briefe
vom 20. December 1806 — der 1880 in der „Deutschen Revue"
abgedruckt war — und vom 9. Januar 1831 — dessen Schluss
Voigt dem Engländer Henry Crabb Robinson unterm 19. April 1832
mittheilte — erwähnt Stengel gar nicht.

Zu den folgenden „Zweiunddreissig Briefen Goethes nebst zwei
Briefen an Goethe" mögen ein par kleine Bemerkungen erlaubt sein.
Ueber die Lebensverhältnisse der Frau Bohl (S. 168 f.) hat Frei-
herr von Maltzahn Forschungen in den Urkunden angestellt. Da-
nach ist Johanna Susanna Bohl, geb. Eberhardt, am 2. Jan. 1738 in
Lobeda geboren, hat am 10. Nov. 1755 den dortigen Bürgermeister
Johann Justinus Bohl geheiratet, ist am 24. Sept. 1795 Witwe
geworden und am 29. Aug. 1806 in Lobeda verstorben. — Der 2. Brief
S. 170 f. stand schon 1877 in den „Hamburger Nachrichten". —
Der 11. Brief S. 178 f. ist keinesfalls an Knebel, vielleicht an
v. Einsiedel oder Bertuch gerichtet. — In der Note S. 183 f. soll
ich berichtigt werden; wie so, ist unerfindlich, da ich das richtige
Datum angegeben habe. — S. 184 hätte der Badeinspector (Schütz)
genannt werden sollen. — Die Note zum 20. Briefe S. 187 ist mehrfach
unverständlich; der Brief ist wahrscheinlich vom 13. Mai. — Ferner ist
die Frage aufzuwerfen, von welchem Tage der 22. Brief ist: am Kopfe
desselben steht der 21. September, am Fusse der 23. Sept.

Der Aufsatz „Zwei Besuche eines Polen in Weimar" stand wol
schon deutsch 1882 in der Wiener „Presse", jedesfalls der zweite
Theil desselben. — S. 274 Z. 18 ist für „Germos" „Germar" zu lesen.
Mit dem S. 198 abgedruckten Briefe Schillers vom 6. Juni 1804
ist der zweite Nachtrag zur vierten Ausgabe des „Briefwechsels
zwischen Schiller und Goethe" geliefert worden; der erste Nachtrag
war Goethes Brief, der 1884 im Catalogue Bovet veröffentlicht wurde.

Sehr werthvoll ist Hermann Brunnhofers Aufsatz über
„Giordano Brunos Einfluss auf Goethe". Es gibt Leute, die das
aufsuchen von Parallelen in Dichtungen durchaus abweisen; dies ist
aber ebenso oberflächlich als solches aufsuchen, wenn dieses nicht
zugleich durch den Nachweis ergänzt wird, dass die ermittelten
Parallelismen nicht auf Zufall beruhen können. Dieser Nachweis
ist hier durch die Menge der Anklänge an Giordano Bruno, die sich
bei Goethe finden, geführt, und in solchem Falle ist die Ermittlung
für die Geistes- und Dichtungsgeschichte von unleugbarer Wichtigkeit. — Aehnlich verhält es sich mit dem folgenden Aufsatze von
G. Dehio: „Altitalienische Gemälde als Quelle zum Faust"; er ist
eine bedeutungsvolle Ergänzung der von mir und anderen vorgebrachten Hinweise auf die mehrfachen Anlehnungen an bildliche
Darstellungen, die im „Faust" vorkommen.[1])

---

1) Bei dieser Gelegenheit berichtige ich ein Versehen, welches ich
in den „Goethe-Forschungen. Neue Folge" begangen habe, indem ich

Von den in der „Bibliographie" aufgeführten Schriften und
Aufsätzen verdienen manche die Erwähnung nicht. Mittheilungen
über Dinge, die jedem litterarisch gebildeten bekannt sind und nur
ein Zeitungsschreiber in Mangel andern Stoffs seinen Lesern auf-
tischt, oder die nur Auszüge aus eben erschienenen Schriften geben,
oder die bestenfalls ein Neuling in der Goethe-Kunde als neue Entdeckung ausruft, gehören nicht ins Goethe-Jahrbuch.

2. **Faust von Goethe. Mit Einleitung und fortlaufender Erklärung herausgegeben von K. J. Schröer.
Erster Theil. Zweite durchaus revidirte Auflage.
Heilbronn, Verlag von Gebr. Henninger. 1886. (XCII
u. 305 S.)**

Die erste Auflage dieses Werkes haben wir im Archiv X, 557 ff.
besprochen, und da die Aenderungen und Zusätze dieser Neuauflage
keine wesentlichen sind, so könnten wir uns eigentlich jetzt auf
kurze Anzeige beschränken. Indessen müssen wir uns über ein
Werk, das nach kurzer Frist trotz manchen Concurrenten neu aufgelegt wird und dem noch weitere Auflagen zu wünschen sind,
denn doch eingehender äussern und einiges noch besprechen, was
beim durchlesen aufgefallen ist, zunächst namentlich was in den
Erläuterungen nach unserer Ansicht künftig anders zu sagen wäre.
Selbstverständlich wollen wir nicht jede einzelne Anmerkung prüfen;
das hiesse unserseits einen Faust-Commentar schreiben: es gilt
mehr darauf hinzuweisen, dass der Herausgeber einer anderweiten
Auflage vielleicht doch noch wiederholt seine Sorgfalt zuwenden
könne, um sein Werk auf die Stelle zu heben, die es mit Glück
anstrebt.

Beginnen wir mit der Erklärung des „Schreiber" in Vers 14
der Tragoedie. Die von Schröer beliebte haben wir schon bei Besprechung der ersten Auflage (X, 561) bestritten. Schröer erwähnt
zwar diesen Widerspruch nicht, es geschieht aber offenbar in Berücksichtigung desselben, dass er seine eigene Ansicht jetzt einigermassen besser begründet. Zwar lassen sich die neuerlichen Ausführungen leicht widerlegen, allein es sind über diese Frage der
Worte schon genug gewechselt, daher bewende es bei Betonung
dieser Meinungsverschiedenheit umsomehr, als Rec. sich in den
„Goethe-Forschungen — Neue Folge" S. 89 darüber ausgesprochen
hat. Das durchschlagende ist der Umstand, dass Faust in dem

S. 86 bemerkte, ein Gemälde von Wyck, das früher in Winklers Galerie
zu Leipzig sich befunden hat, besitze gegenwärtig Schubart-Czermak
in Dresden; das Gemälde in des letztern Kunstsammlung ist nämlich
nur eine verkleinerte Copie jenes Gemäldes von Oeser.

Eingangsmonolog seine Kenntnisse mit denen der Spitzen der mittelalterlichen Gelehrsamkeit vergleichen will und darunter nicht einen Schreiber untergeordneter Bedeutung nennen kann, wie Schröer annimmt.

V. 282 erklärt Schröer „immer fremd und fremder Stoff" durch: fremder und immer fremderer. Dass aber Ehrlich, der das „fremd" als Adverbium auffasst, Recht hat, ergibt sich aus den mehrfachen Beispielen gleichen Gebrauchs, die Lehmann in „Goethes Sprache und ihr Geist" S. 335 f. beibringt.

V. 700 ist „Gift" offenbar als tödlicher Stoff zu verstehen; nur so hat das Wort einen Sinn in Zusammenhang mit den vorhergehenden und den nachfolgenden Versen. Schröer scheint zu glauben, dass „Gift" männlich nur in der Bedeutung von Gabe vorkomme; gegen diese Ansicht ist zu vergleichen: „Vollständigstes Wörterbuch der deutschen Sprache von W. Hoffmann" I, 615.

V. 1070 ist „gute Mär zu sagen" im Sinne des französischen *dire la bonne aventure*, d. h. wahrsagen.

V. 1325—1334 glauben wir richtiger erklärt zu haben (XII, 164 f.) als Schröer; vergl. auch: „Goethe-Forsch. N. F." S. 91 ff.

V. 2264 ist „Kurz angebunden" nicht gleichbedeutend mit schnippisch; die Erklärung von W. Hoffmann im „Vollst. Wörterb. d. deutsch. Spr." I, 138 entspricht vollkommen dem wenigstens in Mitteldeutschland zweifellosen Sprachgebrauche.

S. 164 erwähnt Schröer, dass in Goethes Adelsbrief die Formel vorkomme, er dürfe das Wappen in Schimpf und Ernst führen. Hierzu ist zu bemerken, dass ersteres Wort sich bezieht auf den Gebrauch der Wappen in Schimpfturnieren, d. h. Turnieren, bei denen es nicht ums Leben gieng.

V. 2386 ist Mephistos Frage: „Meint Ihr vielleicht den Schatz zu wahren?" keine Verkennung von Fausts Meinung, sondern Spott über seine Bedenklichkeit, dadurch ausgedrückt, dass Mephistopheles den wahren Grund dieser Bedenklichkeit gar nicht zu verstehen vorgibt.

V. 2864 ff. nimmt Schröer an, dass Faust den Erdgeist als „Erhabner Geist" anrede. Auch hier trägt Schröer seine Ansicht vor, ohne, wie nöthig war, zu erwähnen, dass es noch andere Ansichten darüber gibt, die unter dem angeredeten Geiste Gott verstehen. Diese entgegengesetzte Ansicht haben wir durch gute Gründe unterstützt früher (XI, 162 f.) vorgetragen, und sie findet sich jetzt auch „Goethe-Forschungen — Neue Folge" S. 93 ff. gerechtfertigt. Schröer vermeint, dass sich der Geist, der Fausten sein „Angesicht im Feuer zugewendet", mit der „Flammenbildung" des V. 146 decke; allein es ist doch etwas ganz andres, ob ein Wesen im Feuer wie in einem Glorienscheine sich offenbart, oder ob es eine aus flüchtigen Flammen gebildete Erscheinung ist. Und nur

auf jene rein äusserliche Aehnlichkeit hin wird die innerliche Bedeutung des Monologs von Schröer für nichts geachtet! Es ist dagegen
einleuchtend, dass Fausts Klage gegen den „Erhabnen Geist" —

> Du gabst . . . .
> Mir den Gefährten,

der

> . . . . kalt und frech
> Mich vor mir selbst erniedrigt und zu Nichts
> Mit einem Worthauch deine Gaben wandelt,
> Er facht in meiner Brust ein wildes Feuer
> . . . . geschäftig an —

unverkennbar sich rückbezieht auf die Worte des Herrn in V. 100 f.

> Drum geb' ich gern ihm den Gesellen zu,
> Der reizt und wirkt und muss als Teufel schaffen.

Schröer glaubt zwar S. 203, Faust nehme den Geist der Erde
einfach für Gott; dies ist aber ein Ding der Unmöglichkeit nach
Fausts Ausruf V. 163 f.

> Ich, Ebenbild der Gottheit!
> Und nicht einmal dir

gleiche ich!

Man muss eben einzelne Stellen des Faust sich gegenseitig erklären lassen.

Zu V. 3612 erklärt Schröer „Baubo" als Amme der Demeter.
Ich habe mich vergeblich umgethan zu ergründen, aus welcher zuverlässigen Quelle die Angabe entnommen ist, dass die überfidele
Frau, welche der, nach der verschwundenen Tochter suchenden,
verdurstenden Demeter einen Trank reichte, der letzteren Amme
gewesen sei; ich habe nur ermittelt, dass Düntzer in seinem Faust-
Commentar diese Eigenschaft der Baubo beigelegt hat, und wenn
sich in v. Loepers Commentar dieselbe Bezeichnung findet, so hat
er dies wahrscheinlich auch nur Düntzern nachgeschrieben, und
Schröer scheint sich durch diese Vorgänger auch haben verleiten
lassen, das Ammendiplom zu beglaubigen. Der ganz selbständig
arbeitende Marbach hat diesen Missgriff nicht begangen. Ueberdies
ist auch das Düntzer-Loeper-Schröersche Epitheton der Baubo,
„schamlos", sofern es letztere im allgemeinen kennzeichnen soll, in
der hier allein massgebenden Mythe nicht begründet.

V. 3850 müssen wir Harzyks Vorschlag, nach „Wie sonderbar"
ein Ausrufungszeichen zu setzen, billigen; keinesfalls ist Schröers
Komma zu rechtfertigen.

Bei Feststellung der Entstehungszeit der einzelnen Stücke des
„Faust" darf auf ähnliche Aeusserungen in Briefen Goethes kein
zu grosses Gewicht gelegt werden, wie ich in den „Goethe-
Forschungen — Neue Folge" mehrmals hervorgehoben habe, auch

Schröer selbst mit Bezug auf einen solchen Schluss v. Loepers bei
V. 3234 ff. (S. 225) zu tadeln scheint. Er selbst aber verweist auf
ähnliche Briefstellen bei V. 416 ff., 439 ff. und 1773 ff., wogegen
nichts einzuwenden wäre, wenn sie nur als Parallelstellen angezogen
worden sein wollten.

Schon bei Anzeige der ersten Auflage des Buches haben wir ausgestellt, dass sich Anmerkungen finden, die nur auf Leute berechnet
sein können, die „Faust" überhaupt nicht lesen; das ist auch in
der neuen Auflage nicht geändert. Beispielsweise erwähnen wir die
Anmerkungen zu V. 297 f., 1472, 1489, 3723 f. Das „gleich" in
V. 1489 im Sinne von „sofort" ist besonders schon durch Schlegels
Uebersetzung von Shakespeares Heinrich IV. (1. Theil, 2. Aufzug,
4. Scene) geradezu berühmt geworden und bedurfte also keineswegs
der Erklärung. Bemerkungen wie die S. 77: „Studierzimmer.
Sollte heissen gothisches Zimmer" — oder S. 191: „Der Todten-
schein ist auf das Zeugniss Fausts und Mephistos erfolgt und überbracht" sind überflüssig, letztere sogar jedesfalls in Widerspruch
mit Goethes Absicht hervorgehoben, da der Dichter feinsinnig über
die heikliche Frage hinweggeht, ob Faust in der That das von
Mephistopheles verlangte falsche Zeugniss abgelegt habe.

Im Gegensatz zu diesen überflüssigen Anmerkungen sind sehr
viele Hinweise und Erläuterungen unterblieben, die man erwarten
musste, da ganz ähnliche an anderen Stellen gegeben sind. Der Anlage des Schröerschen Commentars nach müsste derselbe mindestens
alle von der Forschung ermittelten wichtigeren Auslegungsergeb-
nisse vorführen, jetzt aber fehlt nach dem gebotenen die Rechtfertigung des übergangenen. Als Beispiele von Stellen, in denen
selbst die Erwähnung des von anderen Erklärern schon besprochenen
zu vermissen ist, gedenken wir nur des V. 794 ff., wobei wegen des
Glaubens an die Erscheinung des Teufels in Hundsgestalt auf Luthers
„Tischreden" Cap. IX — des V. 871 ff., wobei auf die Veranlassung
zur Uebersetzung des Anfangs des Evangeliums Johannis durch
Bahrdts „Neueste Offenbarungen Gottes" — des V. 2187 ff., wobei
auf die ansprechende Vermuthung Meyer v. Waldecks über die Veranlassung zum Hexeneinmaleins im gegenwärtigen Archiv (XIII,
239 ff.) — endlich des V. 3862 ff., wobei der Deutung des „Servibilis" auf Böttiger zu verweisen gewesen sein möchte. Diese Deutung ist wahrscheinlich richtig. Böttiger war in Besitz von vielen
Kenntnissen und glaubte deshalb auch sich als Kunstkritiker vor-
drängen zu können, obwol er ohne Kunstverständniss war. Wie
Goethe und Schiller darüber dachten, ersieht man z. B. aus ihren
Briefen vom 13. und 14. November 1796. Der Kunstkenner Ober-
hofmarschall Freiherr v. Friesen erzählte, dass wenn Böttiger
Fremde in der Dresdner Galerie herumgeführt, er sie nicht etwa auf
die Kunstbedeutung einzelner Gemälde aufmerksam gemacht, sondern

sich darauf beschränkt habe, Anekdoten über dieselben zu erzählen. Solches Gebahren entspricht aber den Versen des Servibilis.

Dürfen wir bei dieser Gelegenheit eine Vermuthung aussprechen, so ist es eine über den Vornamen Heinrich des Goethischen Faust, da der Magiker doch Johannes hiess. Dieser Vorname kommt nur in den Gretchen-Scenen in Marthas Garten und im Kerker vor. Sollten nicht die Gespräche Goethes über den Entwurf seines „Faust" mit Heinrich Leopold Wagner und die Erinnerung an die Entwendung des Stoffes der Kindesmörderin durch den falschen Freund den veränderten Namen eingegeben haben?

Aufgefallen ist uns, dass Schröer S. XXIV angibt, Weisses „Richard III." sei 1768 in Leipzig aufgeführt worden, wobei er sich in der Fussnote auf R. Genées „Geschichte der Shakespeareschen Dramen in Deutschland" bezieht. Dort ist jedoch das Jahr der Aufführung nicht genannt. Nach obiger Zusammenstellung der Bühnenstücke, welche während Goethes Studienzeit in Leipzig aufgeführt wurden, kam „Richard" 1767 mit Abänderungen auf die Bühne. Davon, dass er 1768 zur Aufführung gekommen sei, weiss man nichts. Weisse selbst berichtet 1765, dass das Stück damals schon auf die Bühne gebracht worden war, wahrscheinlich mehrere Jahre vorher. Es wäre verdienstlich, wenn Schröer seinen Gewährsmann für die Leipziger Vorstellung von 1768 namhaft machen wollte.

Als Druckfehler ist uns aufgefallen, dass V. 1777 weggeblieben ist. Die böse Sieben! — Wiederholungen finden sich S. XV und XVII; dann S. LVI und 173; ferner S. 246 und 247.

Das gute neue, das Schröers Erläuterungen darbieten, festzustellen, würde einen unverhältnissmässigen Arbeitsaufwand erfordern; denn da Schröer von Faust-Commentaren nur den Loeperschen citiert, ältere aber auch benutzt hat oder doch wenigstens mit ihnen übereinstimmt, so müsste Recensent bei jeder wichtigeren Erläuterung, deren er sich nicht sogleich als einer früheren erinnert, sämmtliche Commentare nachschlagen, um die Priorität zu ermitteln. Indessen dürfte diese u. a. Schröern zuzuerkennen sein bezüglich des Hinweises S. 145, dass die Schilderungen der Hexenküche mit Bildern von Teniers zusammentreffen, wobei aber hinzuzufügen ist, dass Goethe weder in der Dresdner Galerie noch in Winklers Sammlung entsprechende Gemälde von Teniers gesehen haben konnte. — Schön ist sodann die Erörterung über Goethes Gebrauch von „mein Tag" und der S. LVI und 173 darauf gegründete Schluss über Entstehungszeit von Stücken der Tragoedie; ferner S. 242 die Vermuthung, dass die „Walpurgisnacht" durch Löwens Dichtung angeregt sei; endlich S. 284 die Darlegung der Unmöglichkeit, dass die letzten Scenen der Tragoedie so in der Zeit auf einander folgen können, wie in den Reden der handelnden angedeutet wird.

Wenn also Herr Professor Schröer durch die in gegenwärtiger Besprechung gegebenen Winke sich bewogen finden wollte, seinen Faust-Commentar für ferriere Auflagen nochmals durchzuarbeiten, so wird dies für weite Kreise sehr erfreulich sein.

3. **Goethes Weissagungen des Bakis und die Novelle, zwei symbolische Bekenntnisse des Dichters. Von Dr. Hermann Baumgart, Professor an der Universität Königsberg i. Pr. Halle a. S. Verlag der Buchhandlung des Waisenhauses. 1886.**

Die Herausgeber von Goethes Werken mit Erklärungen, namentlich soweit sie die kleineren Gedichte umfassen, müssen sich in der Hauptsache darauf beschränken, die Ergebnisse der diesbezüglichen Forschung wiederzugeben, und wenn sie auch selbständige Erklärungen liefern, so wird es doch gewissermassen Zufall sein, wenn sie einzelne Gedichte zum Gegenstande eingehender Forschung gemacht haben. Es durchgängig von ihnen verlangen, hiesse einen Commentar zu allen Gedichten unmöglich machen, wie denn auch z. B. in den Erläuterungen zu Goethes Gedichten früher die Spruchpoesie nur summarisch behandelt worden ist, bis v. Loeper dieselbe in seiner Ausgabe von Goethes Gedichten mit Erläuterungen eigens bearbeitet hat. Stellen sie sich die Aufgabe, alles selbständig zu deuten, und treten nach jahrelanger Arbeit mit einem Commentar hervor, so können zahlreiche Missgriffe dabei nicht ausbleiben, die dem Einzelbearbeiter erspart bleiben.

Dies beweist recht schlagend das Heft des Professor Baumgart. Die „Weissagungen des Bakis" sind bisher meistens nur in allgemeinen Erläuterungen behandelt worden und jeder einzelne Erklärer hat sich mit der schwierigen Lösung dieser dunkeln Räthsel abgequält, wollte aber seinen Commentar nicht liegen lassen, bis er mit denselben aufs reine war. So kam es, dass jeder Unternehmer etwas anderes und — wie Baumgart überzeugend dargethan hat — fast allenthalben unzutreffendes fand.

Die Grundsätze, von denen Baumgart bei seiner Deutung ausgeht, sind eigentlich das Ei des Columbus. Zunächst nimmt er an, dass die „Weissagungen des Bakis" als eine Gesammtheit zu betrachten sind, und nachdem dies ausgesprochen ist, leuchtet ein, dass Goethe nur dann Verständniss dieser geheimnissvollen Dichtungen beanspruchen konnte, wenn sie sich gegenseitig erklären. Einzeln betrachtet sind viele, wol die meisten, entweder gar oder aber ins unendliche deutbar.

Ein zweiter Grundsatz, dem Baumgart bei der Auslegung zu folgen für geboten ansieht, ist, dass diese Gedichte symbolisch zu fassen seien; wir möchten dies durch „oder einfach prophetisch" ergänzen, wie dies Baumgart auch thatsächlich übt. Der Ueberschrift nach könnte man glauben, dass es sich vorzugsweise um Prophezeiungen handele; allein „Weissagungen" ist hier nach der Abstammung des Wortes zu verstehen, also als: Weises sagendes. Bisher sind aber einzelne Weissagungen in einem auf der Oberfläche des Wortlautes der Sprüche liegenden Sinne gedeutet worden, so dass sie in jeder Hinsicht aufhörten, Weissagungen zu sein, und es — wie Baumgart sich treffend ausdrückt — nicht der Mühe gelohnt haben würde, für das gesagte erst den Geist des boeotischen Sehers zu beschwören.

Baumgart hat nun auf Grund dieser Voraussetzungen gefunden, dass die, aus 32 Sprüchen in Doppeldistichen bestehenden „Weissagungen" in fünf Gruppen zerfallen, von denen die erste, dritte und letzte je vier Sprüche, die zweite und vierte aber deren je zehn umfassen.

In den vier einleitenden Sprüchen gibt nach Baumgart der Dichter das Grundthema des ganzen an: die wahre Prophetie ist die echte Poesie. In den folgenden zehn ist das Bekenntniss Goethes über seine persönliche Stellung zu den gewaltigen, aus der französischen Revolution hervorgehenden Zeitereignissen niedergelegt. Die Sprüche 15 bis 18 weisen dann darauf hin, dass im Verständniss der Tageszustände die Lösung der Räthsel der Geschichte liege. Die nachfolgenden zehn Sprüche bekunden Goethes Stellung als Dichter zu den politischen und nationalen Bewegungen seiner Zeit. In den vier letzten Doppeldistichen spricht Goethe nach Baumgart als Anfang und Ende der Kunst aus: die Einheit der Idee in der Mannigfaltigkeit der Erscheinungen zu sehen.

Die Probe auf diese Auffassung kann nur so gemacht werden, dass daraus ungezwungen die Deutung aller einzelnen Sprüche herzuleiten wäre. Das möchte aber doch wol von Baumgarts Auslegungen nicht durchaus zu sagen sein, obschon ich nach wiederholtem prüfen der Einzeldeutungen mit Rücksicht auf die Gruppendeutungen zu der Ueberzeugung gelangt bin, der grossen Mehrzahl derselben theils unbedingt, theils wenigstens eher beistimmen zu können als den von anderen vorgebrachten Erklärungen. Die mir zu den entschiedensten Bedenken Anlass gebenden Deutungen Baumgarts sind folgende.

Spruch 6.

Diesen bezieht Baumgart auf den Nationalitätsgedanken. Es werden indessen hierdurch dem Dichter Anschauungen über den Einfluss der Nationalität auf die Politik beigelegt, wie er wenigstens zu Anfang unsres Jahrhunderts nicht bestand, und auch dann noch wäre die Auslegung eine gezwungene. Hier dürften einmal andere Erklärer mit der Deutung auf Ludwig XVIII. im Rechte sein. Das

Kommt ein wandernder Fürst, auf kalter Schwelle zu schlafen

verstehe ich so, dass dieser König nicht erwarten könnte, mit der früheren, den Königen von Frankreich gewidmeten warmen Verehrung bei der Rückkehr begrüsst zu werden, dass er vielmehr von denen, welche nach Ordnung, Sicherheit und Frieden verlangten, namentlich von der Landbevölkerung, aus kalter Ueberzeugung, nur er könne der ersehnte Retter aus dem Wirrsal sein, werde empfangen werden; als Symbol der ländlichen Bevölkerung schlingt

— Ceres den Kranz, stille verflechtend, um ihn.

Spruch 7.

Die sieben verhüllt und die sieben mit offnem Gesichte gehenden sollen Nächte und Tage sein. Man begreift nicht, wie Baumgart auf den Gedanken gerathen ist; denn dass die Woche sieben Tage und Nächte hat, ist doch nichts charakteristisches für letztere! Aber wollte man auch diese Deutung durchlassen, so entspricht doch noch immer die dem ganzen Spruche von Baumgart gegebene Auslegung nicht dem Inhalte, den er selbst für die Gruppe der Sprüche 5—14 bestimmt hat, und überdies wäre es keine Weissagung, um derenwillen Bakis zu bemühen noth gethan hätte, dass man sich vor dem, was am Tage vorgeht, mehr in Acht zu nehmen habe als vor nächtlichen Ereignissen.

Meinerseits finde ich in diesem 7. Doppeldistichon den Ausspruch, dass nicht die, ihre Bosheit zwar verhüllenden, aber demungeachtet leicht erkennbaren lasterhaften, sondern diejenigen die gefährlichsten seien, die sich als tugendhafte brüsten und als solche gelten. Bot doch hiezu die französische Revolution schreckliche Beispiele, indem die grässlichsten Verruchtheiten unter dem Aushängeschild republicanischer Tugenden verübt wurden! — Die Sieben bezieht sich hienach auf die sieben Todsünden und die sieben Cardinaltugenden, wie denn die Sieben zugleich eine böse und eine heilige Zahl ist.

Die Erklärung der

Sprüche 8 bis 10

wird von Baumgart sehr gut durch den Hinweis gestützt, dass sie der Reihe nach auf die revolutionäre Dreiheit fraternité, égalité und liberté sich beziehen. Daran anschliessend finde ich — nicht vollständig in Uebereinstimmung mit Baumgart — in

Spruch 11

Pöbelherrschaft, in

Spruch 12

Gewaltherrschaft und in

Spruch 13

die Abwägung zwischen beiden behandelt.

Spruch 14

ist mir noch immer dunkel. Die Erklärung von

Spruch 29

ist geistvoll, aber doch noch sehr fraglich.

Fernere Arbeiten über die „Weissagungen des Bakis" werden auf Baumgarts Schrift und nur auf sie sich gründen, nur von ihr ausgehen müssen.

Auch die „Novelle" hat Baumgart gründlich durchgearbeitet, um der Dichtung völlig Herr zu werden. So sehr, wie er meint, hat aber Goethe wol nicht unsere neusten Zeitereignisse sich vorgestellt; Baumgart deutet die Symbolik der „Novelle" fast so, als ob Goethe bei der Kaiserproclamation in Versailles gegenwärtig gewesen wäre. Es möchte überhaupt nicht Aufgabe symbolischer Dichtung sein, die Symbolik so in Einzelheiten zu tragen, wie Baumgart hier annimmt.

4. Goetz von Berlichingen mit der eisernen Hand. Ein Schauspiel. Édition nouvelle avec introduction et commentaire par A. Chuquet, Ancien élève de l'École normale supérieure, Agrégé de l'Université, Lauréat de l'Académie française. Paris. Librairie Léopold Cerf. 1885.

Fast gleichzeitig mit der von uns XIV S. 191 ff. angezeigten, zunächst nur für Franzosen, welche deutsche Sprache und Litteratur studieren, bestimmten Ausgabe des „Götz von Berlichingen" von Lichtenberger erschien zu demselben Zwecke obige Ausgabe von Chuquet, einem ebenfalls mit deutscher Sprache und Litteratur nach allen Richtungen hin gründlich vertrauten Gelehrten. Die Einleitung umfasst auf 95 Seiten dreizehn Abschnitte: I. Geschichtliche Uebersicht über das Leben Gottfrieds von Berlichingen; II. Damalige Reichszustände und Anschauung derselben seiten des jungen Goethe; III. Uebersicht von Goethes Schauspiel; IV. Verhältniss desselben zu Berlichingens eigner Lebensbeschreibung; V. Anklänge an Shakespeare im Schauspiel; VI. Nachahmung von Shakespeares Stil, ohne ihn zu erreichen, und Gebrechen des Schauspiels als dramatisches Kunstwerk; VII. Wirkung des Stückes auf die Zeitgenossen und Ursachen derselben; VIII. Vortrefflichkeit der Charakterzeichnung der Personen des Schauspiels; IX. Sprache des Stücks; X. Vergleichung der ersten Fassung mit der des ersten Drucks, wobei die Vorzüge der letzteren dargelegt werden; XI. Spätere Bühnenbearbeitungen Goethes; XII. Die Nachahmungen in der deutschen Litte-

ratur hinsichtlich des Inhalts wie der Form; XIII (in Folge eines
Druckfehlers XII). Bedeutung der Dichtung.

Dieselbe hat, wie man sieht, Chuquet von allen Seiten beleuchtet. Die Gründlichkeit der Behandlung beeinträchtigt nicht den
Genuss des lesens, da die Einleitung mit geistvoller, die Sache sicher
beherrschender Lebendigkeit geschrieben und an feinen Bemerkungen
reich ist, denen man nur selten einen Widerspruch entgegenzusetzen
sich versucht fühlt. Die Einleitung darf niemand ungelesen lassen,
der sich mit „Götz von Berlichingen" eingehend beschäftigt.

5. Aus den Tagebüchern Riemers, des vertrauten
Freundes von Goethe. Mitgetheilt von Robert Keil.
[Enthalten in der „Deutschen Revue. ... Hrsgg. von R. Flei-
scher. 1886. Januar."]¹)

Eigentlich betrachten wir es nicht als unsere Aufgabe, Aufsätze aus Zeitschriften anzuzeigen, und wenn wir bezüglich des vor-
genannten eine Ausnahme machen, so geschieht es, um einen Wunsch
daran zu knüpfen, der ein darin angekündigtes wichtiges Buch zum
Gegenstande hat. Der Verfasser und beziehentlich Herausgeber des
Aufsatzes berichtet nämlich, dass er Riemers auf der Grossherzoglichen Bibliothek zu Weimar verwahrte Tagebücher zur Herausgabe
anvertraut erhalten habe, wovon er gegenwärtig eine Probe aus dem
Jahre 1807 vorlege. Diese Urkunden werden zwar voraussichtlich
einen Theil ihres Werthes nach der sehnlich erhofften Veröffentlichung von Goethes Tagebüchern verlieren, da wir aus diesen
mangelnde Daten über Goethes Leben und Dichten noch vollstän-
diger erfahren werden; aber nicht bloss als Abschlagszahlung werden
Riemers Tagebücher willkommen sein, sondern werden auch ihren
selbständigen Werth insbesondre durch Aufbewahrung zahlreicher
denkwürdiger Aussprüche Goethes bewahren. Zwar sind deren schon
von Riemer in den „Mittheilungen über Goethe" sowie in den „Briefen
von und an Goethe. Desgleichen Aphorismen und Brocardica" veröffentlicht, andere in diejenigen Betrachtungen, Maximen u. s. w.
übergegangen, welche seit der vierzigbändigen Classikerausgabe von
Goethes Werken unter dem Gesammttitel „Sprüche in Prosa" zu-
sammengefasst sind; allein — wie aus dem jetzt von Keil gegebenen
Auszug ersichtlich ist — hat Riemer noch weit mehr frisch, wie sie
gethan wurden, aufgezeichnet. Ueberdies bestätigt auch der vorliegende Auszug wieder Riemers bekannte Leichtfertigkeit, in Folge
deren er sich in willkürlichen Abänderungen, falschen Datierungen,
Vermengung verschiedner Thatsachen gefiel, indem in den Tage-

---

1) Eine Besprechung der Fortsetzungen dieser Veröffentlichung,
welche die im Mai und October erschienenen Hefte der „Deutschen
Revue" gebracht haben, bleibt vorbehalten.

büchern nothwendiger Weise die meisten Unrichtigkeiten als solche
sich erweisen und das richtige an den Tag kommen muss. So
steht z. B. Goethes Aeusserung über Schlegels Calderon-Uebersetzung,
die Riemer nach dem Ausspruche desselben über Fraueneigenschaften
zusammen unterm 13. August 1807 hatte drucken lassen, im Tagebuch vor diesem Ausspruch unterm 3. August. Kurz, darüber, dass
die Herausgabe von Riemers Tagebüchern nicht nur gerechtfertigt,
sondern sogar nothwendig ist, besteht kein Zweifel; aber ob der Herausgeber des Auszugs der geeignete Mann dazu sei, ist eine andre Frage,
die nach dem vorliegenden Probestück entschieden zu verneinen ist, wie
ja schon Keil bei Herausgabe des Briefwechsels der Frau Rath seine
Unbekanntschaft mit der Goethe-Litteratur zur Genüge bekundet hat.

Um aber die Ueberzeugung von Keils Unfähigkeit zur Herausgabe von Riemers Tagebüchern zu begründen, muss man sich vorerst darüber verständigen, wem diese Tagebücher dienen werden
und was danach ihrem Herausgeber obliegt.

Ein Lesebuch für jedermann werden dieselben nicht werden,
vielmehr ausser litteraturkundigen von Beruf nur solchen Personen
in die Hände kommen, welche mit der Litteratur, insbesondre mit
der Goethe Kunde vertraut sind. Demzufolge werden die Anmerkungen zwar zu erläutern haben, was auch sachkundigen benutzenden
manches nachschlagen erspart, hauptsächlich aber das, was man in
leicht zugänglichen Schriften nicht findet und daher der Herausgeber zu ermitteln die Pflicht hat. Dagegen wird dieser sich zu
enthalten haben, über Dinge sich auszulassen, die jeder litteratur-
kundige kennt. Selbstverständlich wird er überdies den Text, wo
er entstellt ist, zu berichtigen haben.

Gegen alle diese Grundsätze, welche die Wissenschaft kaum anders
aufzustellen gestattet, hat nun der Herausgeber des vorliegenden
Tagebuchauszugs gefehlt. Ist schon in der Ueberschrift des Aufsatzes der „vertraute Freund Goethes" entsetzlich dilettantenhaft, so
muss man es geradezu spasshaft finden, wenn Keil in den Anmerkungen belehrt, dass „Der standhafte Prinz" von Calderon, dass
unter dem „Herrn Major" in Jena Knebel und unter „August"
Goethes Sohn zu verstehen oder dass Gall „Erfinder der Schädel-
lehre" sei. — Wollte man aber auch diese völlig überflüssigen Anmerkungen mit ihrer Unschädlichkeit entschuldigen, so ist es anderseits schlimmer, dass der Herausgeber das, was er erläutern musste,
selbst nicht versteht. So ist z. B. am 19. Januar den meisten Lesern
der vom Herausgeber nicht genannte Verfasser des „Amerikaner"
— Wilhelm Vogel — weniger geläufig als Calderon. Sodann hätte
man erwartet darauf aufmerksam gemacht zu werden, dass der an
demselben Tage abgefertigte Brief an Voss derjenige an Heinrich
Voss gerichtete sei, dessen vorhandensein im „Arch. f. Litt.-Gesch."
(XIII, 281) behauptet und der als Mitte Januars geschrieben vermuthet

wurde. — Ferner, dass aus dem Eintrage vom 11. Sept. das Datum
von Goethes Brief 289 des „Briefwechsels zwischen Goethe und
Knebel" auf den 10. Sept. 1807 festzustellen ist. (Düntzer vermuthete: gegen den 12. Sept.) — Weiter hätte bemerkt werden
sollen, dass der am 13. Oct. Goethe besuchende Dr. Stieglitz nebst
Gattin der Rathsherr Christian Ludwig Stieglitz aus Leipzig und seine
Gattin Louise Amalie, ein Weimarer Landeskind, die Tochter des
Pfarrers Reinhard in Stedtfeld, waren. — Endlich wäre es Obliegen-
heit des Herausgebers gewesen, darauf aufmerksam zu machen, dass
mehrere der im Tagebuche verzeichneten Bemerkungen Goethes unter
den „Sprüchen in Prosa" Aufnahme gefunden haben; so Aeusserungen
vom 11. Februar, 17. Mai, 26. September und 21. October, die in
den Sprüchen 278, 241, 272 und 67 nach der Zählung in v. Loepers
Ausgabe sich wiederfinden. Und dergleichen mehr.

Richtig zu stellen wäre der Herausgeber verpflichtet gewesen,
— abgesehen von der wol nur als Druckfehler anzusehenden „grossen
Frage" unterm 21. Oct. anstatt „g. Fuge" —, dass unterm 10. Aug.
anstatt „Briefe für G. geschrieben an Geh. Räthin Frommann" zu
lesen ist: „Briefe f. G. g. an Geh. Räthin, Frommann", sowie unterm
13. Juni anstatt „v. Braun" vielmehr: „v. Born". Ueber letzteren
wäre sodann einige, bisher mangelnde Nachricht zu ermitteln und
mitzutheilen gewesen, wie wir sie oben S. 82 gegeben haben.

Nach diesen Erfahrungen über Keils Unfähigkeit zu Herausgabe
von Riemers Tagebüchern ist nun der im Eingange angekündigte
Wunsch, den wir auszusprechen haben, der, dass Keil, wenn er
nicht lieber ganz darauf verzichten will, sich als Herausgeber in der
Goethe-Litteratur aufzuspielen, sich doch aller Anmerkungen enthalte, um das Buch nicht unnützer Weise dickleibig zu machen; den
Commentar wird schon nachträglich Düntzer besorgen.

6. Das Goethesche Gleichniss. Von Prof. Dr. Hermann Henkel, Direktor des Gymnasiums zu See-
hausen i. A. Halle a. S. Verlag der Buchhandlung
des Waisenhauses. 1886. (8°. 147 S.)

Diese Schrift behandelt einen Gegenstand, den zu behandeln
sich der Mühe lohnt. Eine Fülle von Stoff gibt es da zu verarbeiten:
waren ja Bilder und Gleichnisse die Sprache des innersten Goethe!
Henkel bespricht im I. Abschnitte nach einigen einleitenden Bemerkungen „Die Goetheschen Ansichten vom Wesen des Gleichnisses",
kennzeichnet sodann „Die Gleichnisse Homers" und „Shakespeares
Gleichnisse", um hierauf „Das Goethesche Gleichniss" im allgemeinen
eingehender Betrachtung zu unterziehen. Unter den besonders entwickelten, auf Goethe Einfluss übenden Gleichnissgestaltungen hätte
man ausser denen bei Homer und Shakespeare die Darlegung noch

7*

anderer, namentlich des alttestamentlichen Gleichnisses erwartet,
das aber nur beiläufig berührt ist; das übergehen des neueren orientalischen Gleichnisses, namentlich des persischen, fällt weniger auf,
da Goethe dasselbe im Diwan mehr nur übersetzt als nachgebildet hat.

Im II. Abschnitt gibt der Verfasser eine grosse Anzahl von
Beispielen Goethischer Gleichnisse, die er nach folgenden Vergleichs-
gegenständen aufführt: Weltkörper, Seite 59 f. — Licht, Farben,
Schatten, 61 f. — Glas, Spiegel, 62 f. — Feuer, 64 ff. — Wasser,
67 ff. — Schiffahrt, 72 f. — Wind, Luft, Luftschiffahrt, 74 ff. —
Landschaft, 76 f. — Metalle, 77 f. — Pflanzen, 79 ff. — Landbau,
82 f. — Thiere, 83 ff. — Anatomie, 88 ff. — Schlaf, 90 — Patho-
logie, 90 ff. — Kindheit, 92 ff. — Grab, 94 — Speisen, Gewürze,
94 f. — Uebelstände, 98 f. — Stoffe, Kleidung, 99 — Spiele, 100 f.
— Vergnügungen, 104 f. — Weibliche Arbeiten, 106 ff. — Gärt-
nerei, 109 — Küche, 109 f. — Mechanik, 110 ff. — Schenke, 114 f.
— Handel, 115 ff. — Waffen, Krieg, 118 ff. — Münzen, 122 —
Gerichtswesen, 122 f. — Kirchliches, 123 — Mathematik, 123 f. —
Bauwesen, 124 f. — Bildnerei, 126 f. — Malerei, 127 f. — Musik,
128 ff. — Masken, 131 f. — Bühne, 132 f. — Schrift, 133 f. —
Biblisches, 134 f. — Griechische Mythen, 140 f. — Zauberei, 143 f.
— Dichtung, 145 f.

Bei der Unmasse der von Goethe gebrauchten Gleichnisse, und
da Henkel sich nicht die Aufgabe gestellt hatte, sie vollständig auf-
zuzählen, ist es kein Vorwurf, wenn sich noch manche andere Gesichtspuncte auffinden lassen, unter denen weitere Gleichnisse Goethes
gebracht werden können; z. B. Bauten vergangener Zeiten, wie
Mumiengräber (an Schultz, 24. Nov. 1817), Pompeji und Herculanum (an Bernhard v. Cotta, 15. März 1832), Ritterburgen (an Frau
v. Stein, 8. März 1781, von Henkel unter anderer Rubrik erwähnt);
oder: Geschichtliches, wie Karls V. Leichenbegängniss (an Seidel,
15. Mai 1787), Cincinnatus (an Graf Brühl, 30. April 1821).

Es wird sich wol einmal jemand darüber machen, Goethes
Gleichnisse insgesammt auszuziehen und zusammenzustellen, so wie
Goethe selbst die in der Ilias vorkommenden Gleichnisse in seinem
Auszuge dieses Epos durch Bezeichnung mit Sternchen hervorgehoben
und zusammengestellt hat; es würde dies sachgemäss einen Theil des
zu erwartenden Werkes über Goethes Sprache bilden.

7. **Bilberatlas zur Geschichte der Deutschen Nationallitteratur. Eine Ergänzung zu jeder Deutschen Litteraturgeschichte. Nach den Quellen bearbeitet von Dr. Gustav
Könnecke, Königlichem Archivrathe. Marburg. N. G.
Elwert'sche Verlagsbuchhandlung. 1886.**

Allerdings ist es nur ein Theil dieses Werkes, welches berechtigt, es unter den Anzeigen aus der Goethe-Litteratur zu besprechen, aber dieser Theil ist nicht nur mit verhältnissmässig grösserer Ausführlichkeit behandelt, sondern ist auch besonders ausgegeben unter dem Titel:

Zum 28. August 1886 sind für die Herren [folgen 38 Namen] die Seiten 194—215 aus dem Werke: Bilderatlas zur Geschichte der Deutschen Nationallitteratur von Dr. Gustav Könnecke besonders abgedruckt und mit einem Anhange vermehrt u. s. w.

Der Leser von Dichtungen vergangener Zeiten wird sich schwer zu reinem Genusse derselben erheben, weil das Gefühl des fremdartigen ihn immer befangen hält. Dieses Gefühl kann nur verdrängt oder doch abgeschwächt werden, wenn der Leser in Dichters Lande geht. Diesen Zweck fördern bildliche Darstellungen und andere zu Papier gebrachte Vergegenwärtigungen aus der entsprechenden Vorzeit ganz wesentlich. Wenn man die Urheber von Dichtungen und sonstigen Litteraturproducten mit ihren Gesichtszügen, ihrer Haltung, ihrer Tracht und ihrer Handschrift, sowie die Druckschriften, die Buchtitel und den bildlichen Schmuck, mit denen ihre Werke erschienen, vor sich sieht, so fühlt man sich schon ein gutes Theil in die Welt versetzt, in welche sich die Dichtungen ohne Widerspruch einfügen. Zwar sind schon illustrierte Litteraturgeschichten erschienen, in ihnen sind indessen die Illustrationen nicht viel mehr als Spielerei, da sie denn doch nur vereinzelt eingestreut und ins enge gezogen sind; nur die durchgeführten massenhaften Illustrationen, wie sie das vorliegende Werk bietet, können dem Zwecke wirklich gerecht werden. Es gewährt überdies einen eigenen Genuss, die Art der verschiedenen Jahrhunderte, wie sie im Schriftthum zur Erscheinung gekommen ist, bei Durchsicht dieses Werkes an sich vorüberziehen zu lassen. Die Zahl der Illustrationen ist auf mehr als 1600 angegeben. Zur Zeit der Niederschrift gegenwärtiger Zeilen fehlen noch drei Lieferungen, darin der Anfang.

Zu erinnern ist, dass S. 185 nach Stahrs „Johann Heinrich Merck" das Bildniss von Meyer von Knonau anstatt des Merckschen gegeben ist. Ein wirkliches Bild Mercks steht in Lavaters „Physiognomischen Fragmenten" IV, 379; ein anderes befindet sich in der bei Brockhaus erschienenen Goethe-Galerie. (Da letztere mir nicht zur Hand ist, kann ich sie nicht genau citieren, noch aus ihr angeben, woher das Bildniss entnommen.) Wegwünschen möchten wir S. 195 das angebliche Bildniss Gretchens aus Frankfurt, auch wenn es, was es nicht ist, beglaubigt wäre: es verdirbt die Phantasie.

Die vermehrte Sonderausgabe enthält im Anhange ausser Versen Lavaters ein noch nicht veröffentlichtes Bildniss Goethes nach dem Gemälde der Caroline Bardua und Briefe Goethes an Leo v. Seckendorf, an Factor Reichel und an das kurhessische Ministerium.

Miscellen.

1.

Die Schauspieler des Hôtel de Bourgogne in Basel (1604).

Eine bisher wenig beachtete Erscheinung[1]) auf dem Gebiete
unserer heimischen Theatergeschichte ist das auftreten französischer
Schauspieler in Deutschland um die Wende des 16. Jahrhunderts,
unbeachtet wol aus dem Grunde, weil dieselben neben den damals
die deutsche Bühne beherrschenden englischen Komoedianten eine
mehr untergeordnete Rolle spielen. Und doch haben diese Anfänge
ihre Bedeutung, sie bilden die ersten Anzeichen jener französischen
Einwirkung auf das deutsche Schauspielleben der neueren Zeit, welche
nach dem Dreissigjährigen Kriege, Hand in Hand mit dem überwiegen der französischen Cultureinflüsse[2]), die englischen Komoedianten durch zahlreich erscheinende Wandertruppen[3]) immer mehr

---

1) Vgl. auch R. Prölss, Geschichte des neueren Dramas. Band III, t.
Leipzig 1883. S. 190 f.

2) Ueber die Beziehungen Frankreichs zu Deutschland für den hier
in Frage kommenden Zeitraum geben u. a. Aufschluss: S. Sugenheim,
Frankreichs Einfluss auf, und Beziehungen zu Deutschland, seit der Reformation bis zur ersten französischen Staatsumwälzung (1517 — 1789).
2 Bde. Stuttgart 1845—1856, des nämlichen Autors Aufsätze und biographische Skizzen zur französischen Geschichte. Berlin 1872, J. J.
Honegger, Kritische Geschichte der französischen Cultureinflüsse in den
letzten Jahrhunderten. Berlin 1875. Dazu die Werke von A. Sayous,
Histoire de la Littérature française à l'étranger. Paris 1853, Le dix-
huitième Siècle à l'étranger. 2 Bde. Paris 1861 und Alb. Babeau, Les
Voyageurs en France. Paris 1885.

3) Als Beleg nur einige Städte. Zu Frankfurt zeigen sich französische Wandertruppen in den Jahren 1583 (vielleicht Italiener), 1586, 1593,
1595, 1602, 1671, 1741—1742, 1759—1763, 1764, 1768—1769, 1771 (E. Mentzel,
Geschichte der Schauspielkunst in Frankfurt a. M., Frankfurt 1882); zu
Köln in den Jahren 1627 (Mondor, vielleicht der bekannte Charlatan

verdrängt[1]) und allerorten im Reiche zur Gründung französischer
Hofbühnen führt, vorerst in Celle-Osnabrück-Hannover[2]) (1665?)

---

dieses Namens. Vgl. A. Jal, Dictionnaire critique etc. 2. Auflage, Paris
1872. S. 878 und die Einleitung von G. Aventin zu den Oeuvres com-
plètes de Tabarin, Bibliothèque elzevirienne, Band I, Paris 1858. S. VII u. ff.),
1698, 1716, 1762 (Ennen, Theatralische Vorstellungen in der Reichsstadt
Köln, in der Zeitschrift für Preussische Geschichte und Landeskunde.
Sechster Jahrgang, Berlin 1869. S. 5 ff.); zu Strassburg in den
Jahren 1697, 1700, 1701, 1702, 1708, von welcher Zeit an ein vollständiges
französisches Theater dortselbst sich zu behaupten sucht (J. F. Lobstein,
Beiträge zur Geschichte der Musik im Elsass und besonders in Strassburg
etc., Strassburg 1840. S. 128 ff.); zu Hamburg in den Jahren 1741, 1747,
1753 (F. Schütze, Hamburgische Theatergeschichte, Hamburg 1794. S. 68,
69, 279); zu Bern in den Jahren 1734, 1740, 1751, 1752, 1753, 1761,
1765, 1767 und 1768, 1773—1776, 1779, 1789 etc. (Armand Streit, Geschichte des Bernischen Bühnenwesens vom 15. Jahrhundert bis auf
unsere Zeit. 2 Bde. Bern 1873—1874. Bd. I S. 7 ff. S. 163 ff.); zu Prag
in den Jahren 1718, 1727, 1767, 1769 (O. Teuber, Geschichte des Prager
Theaters. Erster Theil, Prag 1883. S. 106, 147, 283, 299).

1) Ein gedruckter Beweis hiefür: 1620 erscheint die bekannte Sammlung „Englische Comedien und Tragedien", an ihre Stelle tritt bereits
1670 die „Schau-Bühne Englischer vnd französischer Comödianten". Vgl.
Goedeke, Grundriss, 2. Auflage, Band II S. 543 ff.

2) Ueber dieses von den drei Höfen anfangs gemeinschaftlich unter-
haltene Theater vergleiche man ausser den Notizen bei H. Müller, Chronik
des Königlichen Hoftheaters zu Hannover, Hannover 1876. S. 10 ff. und
dem Aufsatze „Theater in Hannover 1680" in Malorties Beiträgen zur Geschichte des Braunschweigisch-Lüneburgischen Hauses und Hofes. Viertes
Heft. Hannover 1864. S. 115 ff. die interessanten Berichte des bekannten französischen Schriftstellers und Touristen Chappuzeau in den
Werken „L'Allemagne Protestante" (Genf 1671) S. 348 ff. u. S. 381
und „Le Theatre François" (Lyon 1674, Neudruck von G. Monval, Paris
1876. S. 138 u. 139), ferner V. Fournel, Curiosités théâtrales, Paris 1878.
8. 118 und G. Desnoiresterres, Les Cours galantes. Band II, Paris 1862.
S. 286 u. 287. Dazu über die Beziehungen des Hofes in Celle zu Frankreich: Desnoiresterres a. a. O. II S. 277 ff. und Beaucaire, Une Mésalliance
dans la maison de Brunswick (El. d'Olbreuze), Paris 1884. Auch Gast-
spiele dieser Hoftruppe werden erwähnt, so z. B. in Hamburg (Februar
1668 während der Anwesenheit der Königin Christine von Schweden,
vgl. Mémoires de Gourville. Band II, Paris 1724. S. 38 u. 39), in Dresden
(Januar bis März 1695, vgl. Fürstenau, Zur Geschichte der Musik und
des Theaters am Hofe zu Dresden. Zweiter Theil, Dresden 1862. S. 9),
in Warschau (1699, vgl. Fürstenau a. a. O. Zweiter Theil, S. 22).

und München[1]) (1671), in der Folge dann in Dresden[2]) (1699), Berlin[3]) (1706), Schwerin[4]) (um 1708), Kassel[5]) (um 1720), Stuttgart[6]) (unter Eberhard Ludwig 1677—1733), Mannheim[7]) (um 1724), Wien[8]) (1752) etc. Länger als ein Jahrhundert wird die so gewonnene Stellung gegenüber dem emporstreben der nationalen Schauspielkunst behauptet.

Am frühesten in Deutschland[9]) zeigen sich diese Gesellschaften französischer Schauspieler in den Rheinlanden[10]), sonderlich in Frankfurt[11]) (seit 1583 oder 1586), wohin sie die auch in Frankreich anerkannte Bedeutung der Jahresmessen[12]) des alten Handelsempo-

---

1) Für das französische Schauspiel am bayerischen Hofe, der ja im 17. und 18. Jahrhundert den Mittelpunct der französischen Bestrebungen in Deutschland bildete, haben wir bereits seit 1881 das archivalische Material vollständig gesammelt und gesichtet. Dasselbe wird in unsern Beiträgen zur ältern Bühnengeschichte Münchens, zweiter Theil (1651—1778) zur Veröffentlichung gelangen.

2) Fürstenau a. a. O. I, 270. II, 23 ff.

3) A. E. Brachvogel, Geschichte des Königlichen Theaters zu Berlin. Erster Band. Berlin 1877. S. 63 ff. Vgl. auch C. M. Plümicke, Entwurf einer Theatergeschichte von Berlin, 1781, S. 84 ff.

4) W. H. Bärensprung, Versuch einer Geschichte des Theaters in Meklenburg-Schwerin, Schwerin 1837. S. IV, V, 35, 54.

5) W. Lynker, Geschichte des Theaters und der Musik in Kassel, Kassel 1865. S. 274 ff.

6) Beschreibung des Stadtdirections-Bezirkes Stuttgart, Stuttg. 1856. S. 421 ff.

7) A. Pichler, Chronik des Grossherzoglichen Hof- und National-Theaters in Mannheim, Mannheim 1879. S. 2 u. 6.

8) E. Wlassack, Chronik des K. K. Hof-Burgtheaters, Wien 1876. S. 9 ff.

9) Einige Jahrzehnte später (1629, 1635) treffen wir französische Schauspieler auch in London, wo besonders der berühmte Floridor am Hofe Karls des Ersten sich reichen Beifall erwirbt. Unter den von Floridors Gesellschaft zur Darstellung gebrachten Stücken finden wir den Trompeur puni (von Scudéry), Melisse (von Du Rocher) und Alcimedor (von Du Ryer). Vgl. Payne Collier, The History of English Dramatic Poetry to the time of Shakespeare: and annals of the stage to the Restoration. Band II. London 1831. S. 22 ff., S. 65 ff.

10) E. Mentzel a. a. O. S. 17 u. 40.

11) E. Mentzel a. a. O. S. 17, 19, 40, 41, 49.

12) Ein beredtes Zeugniss hiefür ist uns erhalten in des bekannten Buchdruckers und Philologen Henri Estienne (Henricus Stephanus) Schrift „Francofordiense emporium, sive Francofordienses nundinae etc." (Paris 1574). Einen Neudruck dieses culturgeschichtlich interessanten Werkchens mit gegenüberstehender französischer Uebersetzung hat Isidore

riums lockte. Später begegnen wir ihnen in Regensburg[1]) (1613), in Augsburg[2]) (1613), in Stuttgart[3]) (1613), in Dresden[4]) (1630).

In Basel erscheinen französische Komoedianten zum ersten Male im Jahre 1604, wie wir aus L. A. Burckhardts Geschichte der dramatischen Kunst zu Basel (Beiträge zur Geschichte Basels, herausgegeben von der historischen Gesellschaft zu Basel. Basel 1839. S. 203) erfahren. Dort heisst es: „In ebendemselben Jahre (1604) scheint hingegen das wandernde Theater in Basel mehr Aufsehen erregt zu haben, als David Florice und seine Gespanen, Königl. Majestät in Frankreich Comödie- und Tragödiespieler, indem sie von Paris aus Deutschland perlustrirten und in den vornehmsten Städten auf ihrem Wege Vorstellungen gaben, um, wie sie selbst sagten, ihre Zehrung zuwege zu bringen, auch in Basel ihre Comödien und Tragödien aufführten. Diese waren theils aus der h. Schrift, theils aus der Historie genommen, und die Schauspieler legten zu nicht geringer Verwunderung der Zuschauer eine bedeutende Uebung in solchen Dingen an den Tag. Auch von ihren Stücken ist keines mehr bekannt."

Burckhardt hat diese Notizen einer undatierten Supplication entnommen, welche sich gegenwärtig im Staatsarchive Basel-Stadt befindet und deren Wortlaut nach einer uns freundlichst zur Verfügung gestellten amtlich beglaubigten Abschrift hier mitgetheilt werden soll:

„Gestreng, Edel, Ehrenvest, Froṁ, Fürnem, Fürsichtig, Ersam, und Weiß. E. g. Strg. und E. Wht. seyen unser underthenig willig dienst, bereit zuvor, gnedige Herren.

Wir zu endernante Supplicantes der Koniglichen Mst: zu Franckhreich Comödi, und Tragödispiler, haben von ihr Koniglich Mst: unserem gnedigsten Herrn Teutschland zu perlustrirn, und zu besehen, ettliche monat lang gnedigste erlaübnus ußgebracht; Weil wir dann unser rechnung dahin gemacht, daß wir namlichen, in dem wir durch Fürneṁe Stätt reisen werden, Comoedias und Tragoedias halten, und also dahero uns die Zehrung zu weegen bringen werden können, haben wir von Paris uß underweegen vast in allen Stätten, und das letste mahl zu Mümpelgart[5]), was für ein Uebung wir in

Liseux herausgegeben (Paris 1875). Ueber Henri Estienne vergleiche man Léon Feugère, Caractères et portraits littéraires du XVIᵉ siècle. Band II. Paris 1859. S. 1 ff.

1) Joh. Meissner, Die englischen Comoedianten zur Zeit Shakespeares in Oesterreich, Wien 1884. S. 52.

2) Archiv für Litteraturgeschichte XIV, 442.

3) Beschreibung des Stadtdirections-Bezirkes Stuttgart S. 414.

4) Fürstenau a. a. O. I S. 79.

5) Damals Besitz einer Seitenlinie des Hauses Württemberg.

solchen sachen haben (ohne rhum zu melden) nit zu Kleiner deß
Volckhs verwunderung an tag geben und Kundbar gemacht. Deß-
halben wir auch zu unserer alhieigen ankunft unns erkundiget, ob
nit ebenmesig alhie unns daßelbige zugelassen werden möchte. Sitte-
mahlen nun wir verstendiget worden, daß solches bißdahero von
E. g. Strg. und E. Wht. auch anderen gnedig vergont worden, und
dann die gemelten Comoediae und Tragoediae (so theils, wie in bei-
ligender Designation[1]) zu sehen, uß der heiligen schrift, theils aber
uß den Historicis gezogen sind) Zu der Spectatorn und Zusehern
underweisung dienen und also ohne großen nutz nit abgehn werden,
Wir auch uns (wie E. g. Strg. und E. Wht. usser des Herren Cant-
lers und der Räthen zu Mümpelgart attestation zu sehen) dergestalten
verhalten, daß wir an denen Orten, da wir solche agirt haben, eher
lang ufgehalten dann baldt fortgeschickt worden, So haben E. g.
Strg. und E. Wht. wir hiemit underthenig ersuechen wöllen, unns
gnedig zu vergonnen und zuzulassen, daß wir dero burgerschaft zu
ehren und nutzen, die in beiliegender Designation begriffene Tragoedias und Comoedias agirn und spilen mögen; Wöllen wir uns mit
der Hülf Gottes also verhalten, daß E. g. Str. und E. Wht. solches
unns bewilliget zu haben nimmermehr gerewen würdt, Auch daßelbige umb E. g. Strg. und E. Wht. in Underthenigkeit zuverdienen
uns iederzeit befleißen E. g. Strg. und Wht. unns zu gnaden underthenig befehlendt

E. g. Strg. und E. Wht.

Underthenige dienstwillige

David Florice unnd seine gespanen.

Der „Raths-Beschluß" auf die Eingabe erfolgt unterm 30. Juni
1604:

„Davidt Florice undt seine mit Consorten alß Kö: Mt: uß
Franckhreich Comedispieler, begeren In underthenigkeit Jnen etlich
lustige Tragediaß zu spilen, uß heilig. gschrift zu spielen g. ver-
günstigen wolle. Seindt fürgwisen worden."

Da diese Schauspieler sich die Bezeichnung „der Koniglichen

---

1) Diese Designation mit dem Verzeichnisse der zu spielenden
Stücke hat sich nicht mehr vorgefunden. Als Fingerzeig für das damalige
Repertoire der französischen Komoedianten in Deutschland diene, daß
Valeran le Comte 1593 in Frankfurt ausser biblischen Komoedien und
Tragoedien auch die Werke Jodelles (Mentzel a. a. O. S. 40) und die
Gesellschaft C. Chautrons ebendort 1595 Gabriel Bonnins Trauer-
spiel La Soltane zur Aufführung bringt (Mentzel a. a. O. S. 41). Ueber
das französische Drama dieses Zeitraumes vergleiche man A. Ebert,
Entwicklungs-Geschichte der französischen Tragödie vornehmlich im
XVI. Jahrhundert, Gotha 1856, und das Werk von E. Faguet, La Tra-
gédie française au XVIe siècle (1550—1600), Paris 1888.

Mst: zu Franckhreich Comödi, und Tragödispieler" beilegen, so dürften sie der Truppe des Hôtel de Bourgogne[1]) angehören, der einzigen französischen Gesellschaft, welche — soweit aus der archivalisch noch nicht genügend erforschten Geschichte jener Bühne hervorzugehen scheint — damals das Recht hatte, den Titel „Comédiens françois ordinaires du Roi"[2]) zu führen.

Ueber die Persönlichkeit des David Florice fehlt, wie uns auch der Archivar der Comédie-Française, Herr George Monval, der unsere Nachforschungen auf diesem Gebiete in liebenswürdigster Weise unterstützte, mitzutheilen die Güte hatte, jeglicher Anhaltspunct; sein Name wird in dem vorliegenden Actenstücke zum ersten Male genannt. Gewiss aber treten uns in diesen Schauspielern nicht, wie dies zumeist bei den englischen Komoedianten der Fall, minderwerthige Bühnenelemente entgegen, sondern Künstler von hervorragender Bedeutung, eine Thatsache, auf die wir gleich hier aufmerksam machen möchten. Gehört doch bereits Valeran le Comte[3]), der erste in Deutschland (1593) mit Namen auftretende Franzose, zu den bekanntesten Komoedianten seiner Zeit.

Wohin sich David Florice mit seiner Gesellschaft von Basel aus gewendet, ist uns festzustellen nicht gelungen. Wir haben vergebens seine Spur in den Archiven von Ulm, Augsburg und München gesucht, was die Annahme wahrscheinlich macht, dass er

---

1) Ueber die Geschichte des Hôtel de Bourgogne vergleiche man besonders V. Fournel, Les Contemporains de Molière. Band I. Paris 1863. S. XVII ff., wo die Resultate älterer Forschung übersichtlich zusammengestellt sind, und das „Inventaire des titres et papiers de l'Hôtel de Bourgogne" bei E. Soulié, Recherches sur Molière, Paris 1863. S. 151 ff. Dazu E. Despois, Le Théâtre français sous Louis XIV, Paris 1874. S. 3 ff.; Faguet a. a. O. S. 176 ff., S. 356 ff. Biographische Nachträge zu Fournel enthält E. Campardons archivalische Veröffentlichung, Les Comédiens du Roi de la troupe française pendant les deux derniers siècles, Paris 1879.

2) Soulié a. a. O. S. 154 (1599, 1er mai) und J. Bonnassies, La Comédie-Française. Histoire administrative 1658—1757. Paris 1874. S. 6.

3) Valeran le Comte, aus Montdidier, einem Städtchen in der Picardie (in der Nähe von Amiens), gebürtig, daher sein Beiname le Picard (L. Moland, Molière et la comédie italienne, Paris 1867. S. 120) erscheint bereits 1599 unter den „Comédiens françois ordinaires du Roi" (E. Soulié a. a. O. S. 154). Es ist demnach nicht ausgeschlossen, dass die 1593 unter seiner Leitung in Frankfurt (Mentzel a. a. O. S. 40) auftretenden Schauspieler ebenfalls Mitglieder des Hôtel de Bourgogne gewesen. Wir hoffen demnächst durch die freundliche Beihilfe E. Mentzels in der Lage zu sein, die Eingabe Valerans an den Frankfurter Rath ihrem Wortlaute nach zum Abdrucke zu bringen.

rheinaufwärts gezogen. Eine von uns geplante Durchforschung der rheinischen Archive, in erster Linie jener von Strassburg, Speyer und Mainz, wird hoffentlich auf diesem Gebiete neues Material zu Tage fördern.

München. Karl Trautmann.

————

2.
Vom leichtsinnigen Weibe.

In Bezug auf die im Archiv veröffentlichten Lieder von der leichtsinnigen Gattin theile ich das nachstehende macedo-romänische Lied mit, das eine Nachahmung der bisher veröffentlichten zu sein scheint. Es ist dem Buche Vangeliu Petrescus: Mostre de dialectul macedo-roman, Bucuresci 1881—82, entnommen. Die Orthographie ist phonetisch. Wenn die Uebersetzung etwas frei ist, möge man entschuldigen; solche Liedchen lassen sich überhaupt sehr schwer in eine andere Sprache übertragen. Frascha ist eine Provinz in Albanien. Das im Original cor lautende Wort, das ich mit „Tanz" übersetzt habe, ist nichts anderes als das romänische hora (vom lat. chorus abzuleiten), d. i. der bei allen Romänen übliche Reigentanz.

Cântic de Frascha.

,Haĭde, more, haĭde,
Că-tzĭ vinne bărbatlu!'
„Cara vinne, gine vinne,
Jĕu din cor nu-m̃ĭ mĕ despartu!"
,Haĭde, more, haĭde,
Caftă sĕ s'alăxească!'
„Cara caftă sĕ s'alăxească,
Strañile sunt tu sunduke;
Jĕu din cor nu-m̃ĭ mĕ despartu
Că-m̃ĭ ieaste venit bărbatlu!"
,Haĭde, more, haĭde,
Caftă sĕ măcă pâne!'
„Cara caftă sĕ măcă pâne,
Pânea 'schĭ ieaste'n căpistere;
Jĕu din cor nu-m̃ĭ mĕ despartu
Că-m̃ĭ ieaste venit bărbatlu!"
,Haĭde, more, haĭde,
Caftă sĕ bagă sĕ doarmă!'
„Cara caftă sĕ bagă sĕ doarmă,
Aschternutlu li ieaste'n dreptu;
Jĕu din cor nu-m̃ĭ mĕ despartu
Că-m̃ĭ ieaste venit bărbatlu!"

Lied aus Frascha.

,Liebe! sollst nach Hause gehn,
Gekommen ist dein Mann!'
„Ist er gekommen, so ist es gut,
Vom Tanz ich nicht lassen kann!"
,Liebe! sollst nach Hause gehn,
Umkleiden will sich dein Mann!'
„Will umkleiden sich mein Mann,
Die Kleider sind in der Truh';
Vom Tanz ich nicht lassen kann!"
,Liebe! sollst nach Hause gehn,
Brod will essen dein Mann!'
„Will Brod denn essen mein Mann,
Das Brod, es liegt im Schrank;
Vom Tanz ich nicht lassen kann!"
,Liebe! sollst nach Hause gehn,
Schlafen gehn will dein Mann!'
„Will schlafen gehn mein Mann,
Gemacht ist ihm das Bett;
Vom Tanz ich nicht lassen kann!"

Berlin.   M. Hârsu.

————

3.

Zu Goethes „Braut von Korinth".

Ausser den bei Düntzer, Viehoff, Strehlke u. s. w. erwähnten
muthmasslichen Quellen zu Goethes Braut von Korinth ist noch anzuführen „Der Persianische Robinson oder die Reisen und gantz
sonderbahre Begebenheiten dreyer Printzen von Sarendip, wegen
ihrer Anmuthigkeit, aus dem Persianischen in die Frantzösische und
aus dieser in die Teutsche Sprache übersetzet. Mit Kupffern. Leipzig,
bey Moritz Georg Weidmannen. Anno 1723"[1]). Da Goethe das Motiv
seiner Dichtung unter denjenigen anführt — und zwar an erster
Stelle —, die er 40 bis 50 Jahre lebendig und wirksam im Innern
erhalten hat, so ergibt sich für ihn eine Kenntniss des Stoffes schon
vor 1757, als er also 8 Jahre alt war. — Unmöglich ist dies nicht,
wenn man berücksichtigt, eine wie beliebte und weitverbreitete Lectüre die Robinsonaden ihrer Zeit gewesen sind. Goethe selbst sagt

————

[1]) Die Quelle dieser Robinsonade ist: Peregrinaggio di tre giovanni
figlivoli del Re de Serendippo per opra di M. Christoforo Armeno della
Persiana nell Italiana lingua trapportato. Vergl. K. Goedeke, Grundriss, 2. Aufl. Bd. II § 160, 7. — Der Name Serendippe, Serendib u. s. w.
kommt sonst noch vor, z. B. Voltaire: Zadig, Diderot: Bijoux indiscrets.

in Dichtung und Wahrheit, indem er über seine kindlichen Studien berichtet: „dass Robinson Crusoe sich zeitig angeschlossen, liegt wol in der Natur der Sache; dass die Insel Felsenburg nicht gefehlt habe, lässt sich denken"; wir können hinzufügen, dass auch andere Robinsonaden nicht gefehlt haben werden, ist selbstverständlich. — So braucht man nicht mit Düntzer als fest hinzustellen, dass von allen im Aufsatze: „Bedeutende Förderniss durch ein einziges geistreiches Wort" genannten Balladen nur bei den beiden Balladen vom Grafen und dem Paria eine vierzigjährige Kenntniss des Stoffes zugegeben werden kann; im Gegentheil lässt sich die Möglichkeit nicht abstreiten, dass Goethe aus der oben angeführten Quelle den Stoff zur Braut von Korinth geschöpft hat. Riemer weist auf die Erzählung des Philostratus im Leben des Apollonius von Tyana; interessant ist es, dass unmittelbar der Erzählung des Phlegon die Erzählung des Philostratus im Persianischen Robinson vorangeht, wie noch eine andere Notiz aus dem Pausanias, die vielleicht den Schluss des Gedichtes, die Bitte, auf einem Scheiterhaufen verbrannt zu werden, hervorgerufen hat.

In der vierten Novelle des Persianischen Robinsons sind mehrere Geschichten eingefügt, die zeigen sollen, dass „die Geister, Gespenster, Daemones, wie sie alle mit einander heissen, nicht ein blosses Blendwerk und eitele Erfindungen, sondern in der That etwas reelles und wahrhafftiges sind". — Unter anderem lesen wir S. 136 ff.

„So schreibet auch Pausanias, dass die Einwohner in der Insul Candien von denen Schatten derer Todten, oder vielmehr von denen Geistern, welche aus denen Gräbern hervorkämen, und sich gerne mit ihren zurückgelassenen Weibern wieder fleischlich einlassen möchten, dergestallt eingenommen und bezaubert waren, dass sie auch deswegen die Anstallt gemacht, dass man die Leichnam derer Männer nach ihrem Tode verbrennen sollte.

Philostratus in dem Leben des Apollonii von Tyaneé bringet vor, dass, als einst ein junger Mensch, mit Nahmen Menippus, ein Discipul des besagten Apollonii, von Corintho nach der Stadt Cenchrée gehen wollen, so wäre ihme eine Hexe oder ein Gespenste in Gestallt einer sehr schönen Frau begegnet, hatte sich immer näher und näher an ihn gemacht, ihn gar bey der Hand genommen und endlich mit grosser Freundligkeit zu ihm gesagt, dass sie von Geburth aus Phoenicia und gantz unaussprechlich in ihn verliebet wäre; Wenn er also ihr seine Gegen-Lieben erweissen wolte, so würden sie mit einander recht glückselig zusammen leben, und da er ein schöner Mann, sie aber ein schönes Weibes-Bild wäre, so würden sie auch die schönsten Kinder von der Welt mit einander zeigen; Sie fügte noch mit hinbey, dass sie ein vortreffliches schönes Hauss in der Vorstadt zu Corintho hätte, welches sie ihme mit Fingern zeigen wolte, und dass sie ihme verspräche, darinne eine Haupt-schöne Music

aufzustellen, guthen Wein vor zu setzen, das aller delicateste zu
essen zu geben und ihme uberhaupt alle ersinnliche Lust von der
Welt zu machen. Menippus, der von der Schönheit dieses vermeinten
Weibes und von denen gemachten Hoffnungen gantz eingenommen
war, ginge des Abends mit ihr hin in dieses Hauss; Er wurde daselbst so wohl empfangen, dass er alle Tage sich wieder einstellete,
weil er darinne alle Lust und Freude genosse; Als ihn darauf Apollonius an einem gewissen Tage zu Gesichte bekahm und an seinen
Augen und Aufführung abnahm, was sich mit ihme zugetragen hatte
und wie er ein grosser Philosophus, oder vielmehr ein Hexer und
Zauberer worden sey, sagte er ihm: O Menippe! Ich sehe wohl, dass
du eine Schlange unterhälst, und dass eine Schlange auch wieder
dich unterhält und unterrichtet; und als er merckete, dass Menippus
über diese Worte zu lächeln anfing, so erklährete er sich dissfals
noch deutlicher und sprach: Ach! ich sehe wohl, dass du mit einer
Frau umgehest, die doch keine Frau ist; Aber wie? Meinestu denn
in der Tath, dass sie dich liebet? Ja! antwortete Menippus, und
zwar sehr starck, und ich will sie des wegen morgenden Tages hey-
rathen. — Wohlan! erwiederte Apollonius, so will ich mich denn
beym Hochzeit-Feste einfinden und dir klar zeigen, wie du betrogen
bist. Da nun also Apollonius in das Hauss, darinne die Hochzeit
gehalten werden sollte, ankahme, und darinne eine grosse Menge
von Gold- und Silber-Geschirre, von reichen und kostbahren Meublen,
eine grosse Anzahl von Köchen und vielen Speisen, die da schienen
aufs aller niedlichste zugerichtet zu seyn, antraffe; O! sagte er, was
sind das vor wunderschöne Sachen! Und wo ist denn deine Frau
Menippe? Hier ist sie, antwortete er; darauf wendete sich Apollonius gegen die eingeladenen Gäste und sprach zu ihnen: Sehet! Ihr
findet hier die Gärten des Tantali, wie Homerus sagt, welche nichts
als nur den blosen Schein haben, eben als wie hier diese kostbahre
Meublen und die grosse Menge derer Gold- und Silber-Geschirre von
eben dergleichen Gattung sind; Es ist in der That und Wahrheit nichts
dahinter und nur bloss eitel Bilder- und Blendwerck; und diese
schöne Braut ist eine von denenjenigen Missgeburthen, so man
Hexen und Zauberinnen nennet, die da alle diejenigen auffressen, so
sie durch ihre Reitzungen an sich gezogen haben. Dieses Gespenste
oder Frau, bathe den Apollonius alsbald, er möchte doch den Discours abbrechen und einen andern anfangen, und als sie sahe, dass
er sich daran nicht kehrete, so funge sie lästerlich an auf die Philo-
sophos zu schmehlen, und als er endlich sahe, dass alle ihre da
stehende Meublen verschwanden und zergingen, so stellete sie sich
gantz weinend an und bathe den Apollonium, dass er sie doch nicht
weiter betrüben noch zwingen möchte, zu sagen, wer sie eigentlich
wäre? Alleine Apollonius liesse nicht ab, sondern triebe und peinigte
sie so lange, bis sie endlich deutlich heraus bekennen und gestehen muste,

dass sie eine Hexe wäre, welche den Menippus durch ihre Reitzungen
betrogen hätte, in der Meinung, ihn, zuletzt gar zu verschlingen
und zu verderben.   Menippus wurde hierüber gewaltig bestürtzet,
danckete tausendmahl dem Appollonio, dass er ihme sein Leben gerettet hätte und versprache, dass er nimmermehr dergleichen Liebe
mehr suchen und annehmen wolte. —

Phlegon Trallianus erzehlet, dass sich eine gewisse Tochter
ihres Vaters Wirthe gantz zu eigen gegeben habe und weil sie sich
mit Gewalt genöthigt gesehen, ihre unkeusche Liebe zu unterlassen,
ist sie darüber so rasend geworden, dass sie vor Kummer gestorben
und öffentlich begraben worden. Sechs Tage nach ihrem Ableben,
da dieser Wirth wieder zu ihrem Vater kommet, kommet die Tochter
auch und besuchet ihn in seiner Kammer und schläfet auch bey
ihme und geben einander unterschiedene Geschencke. Als dieses
eine Amme gewahr wird, saget sie es denen andern Leuthen, die
im Hausse wohnen. Alle diese laufen hinein in die Cammer, und
ohngeachtet die Tochter samt dem Wirthe darüber erschracken, so
redete doch die Tochter ihre Eltern folgender gestallt an: Ihr, mein
Vater und meine Mutter! habet mir in meinem Leben die Glückseligkeit entzogen, dass ich nicht habe drey Tage dürffen bey diesem
meinem guthen Freunde bleiben; aber ihr werdet es nun beweinen
und bedauern, und ich will nunmehro wieder dahin gehen, wo ich
her gekommen bin; dabey denn, als sie diese letzten Worte sprach,
ihr Cörper gantz ausgestreckt hin auf die Erde fiele und wieder hin
in sein Grab gebracht wurde, welches leer war, ausser dass die Geschencke darinne lagen, welche ihr ihr Freund bey ihrer letzten
Zusammenkunfft gegeben hatte. Als man darüber die Zeichen-
Deuter und Wahrsager befraget hat, so sind sie der Meinung gewesen, man solle dieses Aass hinaus vor die Stadt tragen lassen
und denen Göttern Opffer bringen, damit ihr deshalben entstandener
Zorn wieder gestillet werden möchte. —"

Ist dies die Quelle Goethes gewesen, so haben sich „die Bilder
in seiner Einbildungskraft oft erneut, immer umgestaltet und sind
einer reineren Form, einer entschiednern Darstellung entgegen
gereift".

Fellin.   Th. von Riekhoff.

Englische Komoedianten in Strassburg im Elsass.

Von

Johannes Crüger.

Seitdem das Elsass wieder deutsch ist, hat eine rühmliche
gelehrte Thätigkeit es unternommen, jene Zeiten zu erforschen
und darzustellen, da es noch ganz deutsch und der französische
Einfluss ein verschwindend geringer war. Von dem gleichen
Gedanken ist der Einsender dieser Zeilen ausgegangen, als er
begann die Nachrichten über ältere Theateraufführungen im
Elsass zu sammeln. Er hebt aus seinem grösseren Vorrath
diesen Theil vorzeitig heraus, einmal weil in einer umfänglicheren Arbeit nicht jede kleine Nachricht dieser wichtigen
Documente gänzlich zu ihrem Rechte kommen kann, dann
aber weil gerade jetzt, wo die Nachsuchung nach englischen
Komoedianten besonders lebhaft geworden ist, diese Blätter
recht fördernd wirken können, während es für den Nicht-
Strassburger nahezu unmöglich ist, sie zusammen zu bringen.
Denn ganz gut 20 000 Seiten der Strassburger Rathsprotokolle
(Protokolle der XXI) muss das Auge durchstreift haben, um
dieses immerhin wenige herauszufinden. Da weiss man nicht,
ob man froh oder traurig sein soll, wenn man bei weiterem
nachspüren erfährt, dass die Strassburger Stadtrechnungen
und Eingaben der Truppenführer an den Magistrat verloren
sind, dass also das mitgetheilte alles ist, was man über englische Komoedianten in Strassburg wissen kann.

Noch zwei Worte im voraus. Die ersten fahrenden Leute,
die aus England nach Deutschland herüberkamen, waren keine
Komoedianten, sondern Messgaukler anderer Art. Nun wird

der Verlauf der Dinge, so wenig man noch durch urkundliche
Zeugnisse bis jetzt von ihm feststellen kann, doch der gewesen sein, dass erst einzelne andre kamen, dann einzelne
Schauspieler, schliesslich ganze Truppen. Darum muss man
auch diese einzeln kommenden, was sie auch getrieben haben
mögen, und ihre Namen in der ersten Zeit nicht übersehen.
Für Strassburg notiere ich hier, dass für die Johannis-Messe
1585 sich anmeldeten und Zulass erhielten „Hannß Brosem
von Eystett, Martin Bronner und Lienhart Nollus von
Hull auß Engelland", sie „begeren mit springen, danzen vnnd
einem hülzernen Roß, so nie hie gesehen worden, ein spiel zu
machen" [1585, Bl. 242ª]. Und vier Jahre später kommt in
derselben Messe Melchior Rab von Nürnberg, ein Springer,
mit 11 Personen, „sonderlich einem Engellander, deßgleichen
In Theutschland nie gesehen worden" [1589, Bl. 325ᵇ]. Die
späteren Vertreter dieser niedrigen Gattungen der Belustigung
ist natürlich nicht werth kennen zu lernen.

Man konnte in den nachfolgenden Nachrichten die Scheidung des Materials nach Jahren vornehmen; dabei ist freilich
die Schwierigkeit, dass dieselbe Truppe, die sowol December
1599 wie Januar 1600 anwesend war, unter zwei Rubriken
kommt. So habe ich vorgezogen, jeden Aufenthalt jeder einzelnen Truppe durch Sternchen von jedem anderen Aufenthalt derselben oder einer anderen Truppe zu trennen. Noch
ist zu sagen, dass die Interpunction von mir herrührt.

I. Die Komoedianten vor dem Dreissigjährigen Kriege und während desselben.

Samstag, den 7. August 1596. Bl. 238ª.

Philipp Konigsman [Kingman] sambt noch eilff personen
aus Engellandt Comoedispieler vbergeben per Bittelb[ron] ein supplication, dorin sie bitten, m[eine] H[erre]n[1]) wollen Ihnen zulassen,
dz sie hie auch gleich in andern Stätten wie auch bei Fürsten vnnd
H[erre]n Ire Comoedias Tragoedias spielen mögen vnnd von den
zusehern 1 batzen oder 4 dolchen nehmen mögen. Den sie wegen
der zehrung Irer selbs vnnd Roß vnd Fuhrman vil vncosten an-

---

1) Gemeint ist der aus 31 Mitgliedern, 10 adelichen, 20 bürgerlichen und dem Ammeister, bestehende Rath.

wenden müssen. Erkant: Sollen Ihnen die 14 tag hie zu spielen erlaubt sein, doch dz sie nuhr 3 dolchen von der person nehmen sollen.

∗ ∗ ∗

Samstag, den 23. Juli 1597. Bl. 354ᵇ.

J o h a n n B u s s e t et cons. Englische Commoedianten vbergeben suppl[icati]on, [Bl. 355ᵃ] dorin sie begeren, dz m. Hn. Ihnnen wollen zulassen Ire Commoedias, deren sie auf 14 haben, so wol weltliche alß geistliche zu agiren vnnd gleich andern 1 batzen nehmen lassen. Erkant: Man soll Ihnnen 8 tag erlauben zu spielen, d[iewei]l sie weit hergezogen, doch dz sie allein trei kr. von der person nehmen.

Samstag, den 23. Juli 1597. Bl. 355ᵃ unten.

H. Schatz H. Kniebs[1] refer[iren], dz die Engellander sich erbotten m. Hn. zu spielen, wan u. wo sie wollen, fur die Zulaß-[Bl. 355ᵇ] ung vnnd begunstigung, welches sie haben anzeugen sollen. Erkant: Soll Ihnnen angezeugt werden, dz sie morgen vmb 1 vhr an dem ort, so Ihnnen erwehlt, spielen sollen, do m. Hn. erscheinen wollen, doch dz sie niemandt anders die stell einnehmen lassen.

Samstag, den 30. Juli 1597. Bl. 365ᵇ.

Joann Busset der Comoedienspieler [*verbessert aus* Comoediant] halt abermal an, dz m. Hn. noch 6 tag, dz ist biß heut vber 8 tag, erlauben wollen, erbeitten abermal Iren dienst an m. Hn. ein Comoediam zu spielen. Erkant: Ist Ihnnen zugelassen u. sollen sie m. Hn. biß Montag ein Comoediam spielen[2]).

Samstag, den 13. August 1597. Bl. 395ᵇ.

Jakob Behel [Pedel] wegen Joann Busset des Engellandischen Commoedianten erscheint vnd bitt, dz m. Hn. Ihnnen noch 3 Tag zu spielen erlauben wollen, versprechen sie newe Commoedias vnd sonderlich eine, so sie gelehret, zu agiren. Erkant: soll Ihnnen abgelehnt werden.

∗

Samstag, den 22. December 1599. Bl. 457ᵇ.

R o b e r t u s B r a u n der Englische Commoediant sambt noch 12 personen haltet ahn, dz m. Hn. Jme 12 Commoedien hie zu spielen,

---

1) d. h. die Commission, in deren Amtsbereich das Theater fiel.

2) Bezüglich des Zulaufs der Engländer in diesem Jahre vgl. die Eingabe eines sonst sehr beliebten Fechters Hans Bartolme Gressmann an den Rath vom 3. Aug. 1597 Bl. 378ᵃ, worin er bittet „vmb die vor dißem [nämlich am 16. Juli] Im erlaubte, aber wegen Englischen Commoedianten selbs eingestellte Fechtschul den nechsten Montag nach Irem abreisen zuhalten zuerlauben".

dissen weilen biß die strenge kälte ein end habe, wie auch 1 batzen von der person zu nehmen u. sich selbs auf der stuben, die sie bestellen wollen, zubecöstigen erlauben wollen. Erkant: Ist Innen von Donnerstag ahn 14 tag zu spielen erlaubt wie auch dz sie sich selbs becöstigen, aber nuhr 3 kr. von der person empfangen.

Freitag, den 11. Januar 1600. Bl. 2ᵇ.

. Engellandische Commoedianten vbergeben suppl[icati]on, dorin sie vmb fernere 14 tag Ire co[mo]edi- u. tragoedias zu spielen anhalten mit erbiettung m. Hn. und den Irigen abgesondert anderer leutt zu spielen, welches sie wegen vilfeltiger geschefft m. Hn. davon bericht[1]) bißher vnderlassen. Würdt geclagt, wie sie von etlichen 2[2]) gelt empfangen u. die session sonderlichen muß bezalt sein; Item Mag[istrat?] us in keim respect gehalten. Erkant: Man soll Innen noch 8 tag erlauben, was sie agiren sollen, freystellen vnnd den Zinstag benennen[3]).

*

Samstag, den 13. December 1600. Bl. 341ᵃ.

Engellandische Commoedianten, die vor einem Jar auch hie gewessen, bitten abermal alhie disse weinachtmeß vmb erlaubnus zu spielen, wie auch zuvergohnnen vor derselben 3 oder 4 mal zu agiren u. wie fernigen von den zusehern einzusambeln, vnd den in Irem costen auf der Maurerstuben zu leben, wollen sie den Wein beim fulen Würth holen. Erkant: Ist Innen wilfahrt, doch dz sie vnder den predigten still seyen bei straff 30 s., welchem m. Hn. niemand widerred.

*

Mittwoch, den 24. Juni 1601. Bl. 172ᵇ.

Engellandische Commoedianten halten vmb erlaubnus ahn comoedias hie zu spielen u. von den zusehenten die gepuer zu nehmen. Erkant: Es soll mit vorigen Conditionen, die gleichen Personen angezeugt[4]), erlaubt sein, doch dz er 3 kr. vom man nehme.

* * *

Samstag, den 11. Mai 1605. Bl. 127ᵃ.

Richardus Mechinus von Londra alß Englischer Comoediant, der sey mit 16 personen angelangt, die hetten 24 schoner

---

1) „m. H. d. b." ist unsicher.

2) Die 2 steht über der Zeile, bedeutet also wol nicht „zweimal", sondern, dass diese Klage hinter die zweite zu stehen kommen solle.

3) d. h. Dienstag als Tag der Magistratsvorstellung festsetzen.

4) d. h. mit der Bedingung, während der Predigten still zu sein und am Sonntag gar nicht zu spielen.

Comedien tragoedien vnd pastoral, die sie gantz zuchtig in andern Stetten vermög Irer vrkunden gespielt, auch 4 Jar lang bey landgraff Moritzen gehalten, furnemblich der vrsachen dz sie ein solche Musicam haben, dergleichen nit baldt zu finden. Bitten also alhie auch zu erlauben. Erkant: Man soll Innen Ir begeren abschlagen.

[Um den 26. Mai war Landgraf Moritz selbst in Strassburg.]

Mittwoch, den 19. Juni 1605. Bl. 159ª.

Rudolphus Riuius sampt 15 Personen Englischer Comoedianten bringt .... für, dz sie vff 24 Comoedien, seyen 4 Jar lang bey dem Landtgraffen gewesen, u. d[iewei]l der Comoedien vil, begerten sie morgen anzufahen. bitten Ihnen ein solches zu bewilligen. hetten ein Instrumental Music von siben personen. Erkandt: Man soll Ihnen willfaren ausserhalb des Sontags. von einer Person 3 cretzer.

Samstag, den 29. Juni 1605. Bl. 168ᵇ.

Robertus Riuius wegen Englisch Commoedianten bitt Innen morgen nach der Mittagpredig zu spielen erlauben. wollen weder trommen noch trompeten brauchen u. still verhalten. den sie sonst wenig losung. Erk: Ist erlaubt auf Ir erbietten, doch dz sie vor der abendt predig fertig seyen.

Samstag, den 6. Juli 1605. Bl. 173ª.

Rudolph Riuius wegen Engelländer bitt Ime nach der Meß 14 tag vnd am Sontag auch zu spielen zu erlauben. Inmassen vor 8 tagen [Bl. 173ᵇ] auch zugelassen, deßwegen er sich bedancken thut. Erk: Des Sontags wegen abgeschlagen, aber biß Donnerstag zu spielen erlaubt.

Samstag, den 13. Juli 1605. Bl. 180ª.

Rudolph Riuius wegen Engellandischen Commoetianten dancken wegen verspurter [?] gunsten, u. d[iewei]l sie Ire pferdt nit alle vertriben konnen, betten sie Innen kunfftige wochen wie auch morgen zu spielen zu erlauben. wollen sie schone geistliche spiel agiren. Erk: Man soll Innen anzeugen, dz sie heut aller dings feurabent machen u. Irer gelegenheit nach vortziehen.

* * *

Samstag, den 21. Juni 1606. Bl. 134ª.

[R]Obertus Braun der Englischen Commedianten einer lest .... furbringen, dz Iren 14 personen hie seyen, die kunstliche Commedien spielen konnen. Bitten derwegen hie zu spielen u. morgen anzufangen zu erlauben, soll es ohn ergernus zugehen. H. Amr. meldt, dz Kirchen Convent H. Nesser H. Lippen zu Ime geschickt und begert, dz den Gaucklern Commoedianten verbotten werde in Sontagen vnd den einfallenten bethtagen nit zu spielen

oder zu agiren. hetten auch begert, dz [man] sie im wercktag vnder
den predigten nit solt lassen spielen, welches er Innen aber abgelehnt.
Erk: Ist den Englischen Commoedianten erlaubt zu spielen, jedoch
dz sie am Sontag den gantzen tag vnd Bethtag vor mittag nit
spielen, sonder gentzlich inhalten, auch von der person nuhr 6 ß
nehmen, deßgleichen am wercktag vnder der predig mit den tram-
men sich vmb dz munster nit finden lassen.

Montag, den 14. Juli 1606. Bl. 159^b.

Joann Grien wegen der Engellander dancket der erlaubnus
wegen hie zu spielen. d[iewei]l sie aber weiters entstandener brunst
wie auch tragoed[iae] Acad[emicae] verhindert worden, dz sie nit
stettig spielen konnen, vnd aber doch grossen zinß geben müssen,
Bitten sie disse wochen noch zu erlauben. wollen m. Hn. auch eine
agirn, welche u. wen sie wollen.   Erk: Ist Ir begeren abgeschlagen.

*　*　*

Montag, den 23. Mai 1614. Bl. 146^b.

Joann Spenser von Londen der Engellander der Commoediant,
der hab sich beim Churf[ürsten] zu Brandenburg aufgehalten, etliche junge leutt instituirt, dz sie zierlich agiren konnen vnnd auf
den Instrumentis spielen, vnnd solches vor der Rom. Keis. Mait. auf
dem Reichstag auch andern Chur vnnd Fursten sehen lassen.

Wie er den auch zugleich ein keyss. offen promemorial furlegt.
Bitt zu erlauben alhie auch sehen zu lassen. Erk: Man soll Ime
14 tag erlauben vnnd von 1 person 1 s., dz er dz erste mal herumb-
ziehen mag, aber hernach nit, soll auch vnder der predig u. am
Sontag gar nit spielen.

Mittwoch, den 8. Juni 1614. Bl. 166^a.

Jo. Spesser der Engellandisch Commoediant ladet m. Hrn. nachmittag ad act.[ionem] von einnehmung der Statt Constantinopel. Erk: Man soll Innen dancken vnd bestellen, dz m. Hn. u. Ir
frawenzimmer auf dem gang platz haben.

Montag, den 20. Juni 1614. Bl. 184^a.

Joann Spesser der Engellandisch Commoediant bitt Ime disse
Mees noch spielen zu lassen, mit dem spiel in der Statt vmbzugeben
v. am Sontag auch zu agiren. Ladet m. Hn. auf heut wider zu
einem Spiel, so von der obrigkeit ist. Erk: Ist erlaubt u. dz er
mit dem Spiel vmbziehen mag, am Sontag aber gar nit spielen soll.

Samstag, den 2. Juli 1614. Bl. 195^b.

Der Englandisch Commediant Johann Spensler erscheint und
lest . . . . furtragen, weiln bei dieser Messzeyt gar viel spiel Leuth
alhie, also dz sie vnderweilen vber 8 fl. nicht auffheben, so aber
den kosten bei so vielen Personen nicht außtragen moege, Bitt er

ihme die kunfftige beede Sontag zu vergoennen, dz sie auch agiren moegen, wolle er dazu richten, dz es zwüschen der Imbis vnnd der Abend Predig geschehe, vnd woelle gleich vmb 1. Uhr ahnfahen. Erkanndt: Weilen demnach Ihren viel, vnnd sie vnnserer Religion bei den Predigern selbst favorizirt, darumb dz sie sich mit Ihrer Music alle Sontag, weiln sie hie, In den Kirchen vff den orgeln brauchen laßen vnnd gute disciplin halten, soll man ihn willfahren, doch dz sie geistliche spiel machen vnnd die Trummel vnd Trommp[et] der gaßen nicht ziehen laßen, sondern es dahien richten, dz sie vor der Abend Predig fertig seien.

Montag, den 18. Juli 1614. Bl. 210^b.

Reg[ierender] H. Amr. ladet im Namen der Engellander m. Hrn. morgenten tags zu Irer wunderschonen action, sollens gratis sehen.

Montag, den 25. Juli 1614. Bl. 214^b.

H. Amr. mahnt an, dz man den Engellandern solte vrlaub geben, d[iewei]l sie ein teil wochen hie gewessen. Es ist aber kein vmbfrag gehalten, sonder angezeugt worden, dz sie heut dz letste mal spielen werden, doher nit vmbgefragt.

Am Rand:

Pfarrer habens gestern gar ernstlich getriben per concionem matutinam, dz man auch die kirch doruber versaumet vnd dofur gehalten, wir hetten itzo mal anders zu gedencken.

Montag, den 24. October 1614. Bl. 301^b.

B. wegen der Engellander, so diß Jar hie lang genug super multorum opinionem gewessen, halten an, dz man Innen noch 6 oder 8 wochen alhie aufzunehmen [?] erlauben wolt u. wochentlich nuhr 2 commoedias zu halten oder doch nuhr 8 commoedias in den 8 wochen mit erbietten^1). Erk: Man soll Innen Ir begeren rundt abschlagen.

＊

Montag, den 19. Juni 1615. Bl. 159^b.

Wegen Joann Spensers des Engellisch Comoedianten erscheint Christoph Apileutter [? ?], so vor dissem auch [hie] gewessen, der wolte gern seine Commoedias vnnd Trag. wie auch andere newe [spiel] alhie spielen. Bitt Ime zu erlauben. will er sich aller gepuer verhalten vnd von den sehenten wie vor dissem einzufordern. Erk: Ist Ime erlaubt, aber allererst in der Mees zu spielen vnd dz er weder Son noch Freitag oder sonst vnder der predig agiren soll.

Samstag, den 14. Juli 1615. Bl. 185^b.

Wegen Spensers Engellanders erscheint Christoph Apileger [??], u. demnach er gleich anfang an einem hitzigen Fiber kranck ge-

---

1) Ergänze: dem Rath ein Stück zu spielen.

legen, hett er nit spielen konnen. Bitt zu erlauben noch 14 Commoedien, dorunder ein gantz newe, die er m. Hn. exhibiren will, zu
agiren. Erk: Ist Ime noch 8 tag erlaubt, jedoch dz er mit der
trummel nit in der Statt gehen soll.

Samstag, den 22. Juli 1615. Bl. 191ᵃ.

Joann Spenser Commoediant selbs erscheint per Gulden
vnnd danckt für gnedige Bewilligung disser Wochen, d[iewei]l er
aber kranck gewessen u. vil vncosten gelitten u. nichts verdient,
bitt Ime zuerlauben 3 Com. u. tragoedias zu spielen. wolt er morgen ein Geistliche u. m. Hn. disser Tagen eine, so nie gespielt,
agiren. Erk: Man soll Ime sein begeren ablehnen vnd anzeugen,
dz er mit der beschehnen Bewilligung zufriden sein woll.

Montag, den 24. Juli 1615. Bl. 194ᵇ.

Joann Spesser der Engellander bitt noch vmb zwen spiel zu
agiren. Erk: Ist sein begeren nochmalen abgeschlagen.

* * *

Montag, den 22. Juni 1618. Bl. 171ᵇ.

Robert Braun, Robert Reinoldt auß Engellandt hetten
Robert Konigsman¹) hieigem Handelsman zugesch[rie]ben[,] dz sie
hie agiren wolten, auch 4 kisten mit kleidern zugefertigt. seyen
ausserhalb 2 jungen, so bey den vorigen gewessen, nie hie gewessen. bitten vmb erlaubnus u. dz sie was brauchig einziehen
mögen. Erk: erlaubt vnd soll 3 kr. von der person nehmen.

Mittwoch, den 24. Juni 1618. Bl. 172ᵃ.

Wegen Robert Braunen et cons. bedancken sich der Bewilligung;
d[iewei]l Iren aber 17 personen, auch fuhrm[ann oder -änner?] bey sich
haben vnd ein ansehenlichs aufgehet, auch andern orten 1 batzen
gehabt, Bitten auch ein [Bl. 172ᵇ] batzen zu bewilligen. Würdt
angezeugt, dz sie der zunfft 2 Reichsthaler des tags geben u. alles
aufheben behalten. Erk: Ist Innen mit dem batzen willfahrt, Jedoch
dz sie die leutt auf den gangen desto leidenlicher halten.

Mittwoch, den 1. Juli 1618. Bl. 179ᵃ.

Robert Reinoldt wegen Engell. Commoedianten bitt Innen zu
erlauben zwen Sontag spielen zu lassen. wollen nach der Mittagpredig anfangen u. vor der [Bl. 179ᵇ] Abendpredig aufhören, auch
Geistliche Sachen tractiren. Erk: Man soll Innen Ir begeren abschlagen.

---

1) Bruder des ersterwähnten Philipp Königsmann [Kingman]? Auf
Bl. 204 (27. Juli 1618) liest man, dass Robert Königsmann zu Strassburg
Bürger geworden war.

Samstag, den 11. Juli 1618. Bl. 185^b.

Robert Reinoldt wegen Engelland. Commoedianten per ... dancken wegen beschehner Bewilligung, u. weil sie wegen Regenwetters nit alzeit spielen konnen, bitten sie noch vmb 8 tag u. erbietten sich m. Hn. ein spiel zu machen, wan sie nuhr wissen mögen, wozu sie Lust hetten. Erk: Ist Innen biß heut vber 8 tag erlaubt u. sollen m. Hn. auf Donnerstag spielen.

Montag, den 20 Juli 1618. Bl. 198^b.

Robertus Reinhardt [sic!] wegen Engellandischer Commoedianten, vnnd demnach etlich vnder Innen kranck seindt, dz sie nit [Bl. 199^a] vortziehen können, bitt er vmb erlaubnus 3 oder 4 tag noch zu spielen. wollen sich des trommen schlagens gern enthalten. Erk: Ist Innen 3 tag erlaubt, jedoch ohn trummel schlagen auf den gassen.

* * *

Mittwoch, den 12. April 1626. Bl. 70^a.

Rg. H. Amr. meldt, dz Robert Konigsmann der Engellander ein sch[rei]ben von einer Englischen Compagnny der Commoedianten zu Franckfurt gesch[rie]ben zugestelt vnd gebetten Innen zuerlauben alhie zu spielen. wolten sie herauf kommen; d[iewei]l es aber in seiner macht nit gestanden, hab er dz sch[rei]ben wollen ablesen lassen. Dorin sie Inne betten vmb erlaubnus anzusuchen. Erk: Ist unanimiter fur diß mal abgeschlagen. Wollen sie auf Johannis ansuchen, stehe es besser.

* * *

Mittwoch, den 18. Juni 1628. Bl. 113^a.

Eduardus Pudsey Churfürstlich Sächsischer Englischer Comoediant nomine der gantzen Compagnie von 16 Personen producirt Kayß[erlichen] Paßbrieff vnd bitt vmb Erlaubnuß dieße Meß vber alhie offentlich zue agiren. Erkhand: Rund abgeschlagen.

Samstag, den 21. Juni 1628. Bl. 117^a.

Eduardus Pudsey Churf. Sächsischer Comoediant producirt supplicationem. bitt nochmahlen ihme vnd seinen gesellen nuhr etliche dag alhie zue agieren, domitt Sie nuhr die großen vncosten wider erheben möchten, so ihnen auff die Reiß gangen. Erkhand: daß begehren nochmahlen simpliciter abgeschlagen.

II. Nach dem Dreissigjährigen Kriege.

Mittwoch, den 2. April 1651. Bl. 59^a.

Englische Comoedienten produciren per Bull. Vnd[erthäni]ge supplication. bitten M. H. wollen Ihnen gonnen, daß Sie mögen Eine Zeit lang alhier agiren. Wollen von der persohn mehr nicht alß 1 β nemen. Erk: Soll Ihnen abgelehnet werden.

Samstag, den 5. April 1651. Bl. 60ᵇ.

Die Englische Commoedianten produciren per Bull. Vnd[erthäni]ge supplication vm erlaubnuß, daß sie moge Commoedien alhier agiren. Erk: Wilfarth worden auff acht Tag.

Mittwoch, den 9. April 1651. Bl. 63ᵃ.

Die Englische Commoedianten bitten, M. H. wollen geschehen laßen, dz sie Ihre Actiones auff der Metzig anstellen mögen. Erk: Quod sit. Es soll aber durch die Obern KauffH[erren] Ein augen-schein Eingenommen werden.

Samstag, den 26. April 1651. Bl. 71ᵇ.

Die Englische Commoedianten vberreichen per Bull. vndge Sup-plication, dancken daß M. H. Ihnen gegönt, dz sie acht tag haben agiren mögen. Bitten, M. H. wollen Ihnen annoch acht tag gestatten. Erk: Soll Ihnen abgelehnet werden.

* * *

Montag, den 14. April 1651. Bl. 66ᵃ.

Die alten Englische Commoedianten berichten per Bull., dz sie auff nechstkünfftigen Johan. Baptistam hieher zukommen vnnd zu agiren vorhabenß. Bitten vm erlaubnuß. Erk: Wilfarth worden.

Samstag, den 14. Juni 1651. Bl. 100ᵃ.

Die alten Englischen Commoedianten bitten, M. H. wollen Ihnen gonnen, daß sie nachstkünfftigen Donnerstag Einen anfang mitt Ihren Actionen machen mogen. wollen ein mehrerß nicht nemmen alß 1 β. Erk: Sollen einen anfang machen, wann die meß eingelitten, vnnd Ein mehrerß nicht nemmen von der persohn alß 1 β.

Montag, den 16. Juni 1651. Bl. 101ᵇ.

Die Englische Commoedianten produciren per Bull. fernere vndge supplication, dancken, dz m. H. Ihnen zu spiehlen erlaubt. Imgleichen auch, dz 1 β von der persohn nemmen mögen; dieweil aber der gang halben nichts exprimirt worden, Alß bitten sie, M. H. wollen ge-statten, daß auff dieselbige sie annoch ferner 8 ♃ nemmen mögen. Erk: Sollen 4 ♃ von Einer Jedweden persohn auff die gäng ge-fordert werden.

Mittwoch, den 9. Juli 1651. Bl. 118ᵃ.

Die Englische Commoedianten bitten per Bull., M. H. wollen Ihnen einen tag ernennen, auff welchen sie Ihnen eine Musique vnnd Commoedi konnen praesentiren, vnnd das gonnen, daß sie diße Wo-chen vber annoch spiehlen mögen. Erk: Ist Ihnen Wilfarth vnd der morgende tag ernennet.

Montag, den 24. Mai 1652. Bl. 80ᵇ.

Die alt Englische Commoedianten bitten, M. H. wollen Ihnen gonnen, dz sie nechstkünfftige Meß Ihre actiones vm die vorige gebuhr halten möge. Erk: Ist Ihnen wilfarth worden, sollen sich aber wider anmelden bey Ihrer ankunfft.

Samstag, den 19. Juni 1652. Bl. 95ᵃ.

Die alten Englische Commoedianten bitten per Bull., M. H. wollen Ihnen gonnen, dz nechstkünfftigen Dinstag sie einen anfang mitt Ihren actionibus machen mögen. Erk: Wilfarth worden.

Samstag, den 10. Juli 1652. Bl. 110ᵃ.

Die alt Englische Comoedianten Bitten, M. H. wollen Ihnen annoch acht tag gönnen zu agiren. Ingleichen auch einen tag tenomiren, auff welchen M. H. sie eine Commoedi praesentiren konnen. Erk: Ist Ihnen wilfarth worden vnnd soll Ihnen nechstkünfftiger Dinstag vorgeschlagen werden.

Montag, den 19. Juli 1652. Bl. 115ᵇ.

Alt Englische Comoedianten bitten per Bull. vnderthänig Ihnen zu vergönnen noch morgenden tags zu spielen, weilen Sie vorige woch etlich tag regenwetter gehabt. Erk: Ist Ihnen zu erlauben, aber darbey anzudeuten, daß es darmit ein end haben solle.

* * *

Mittwoch, den 21. December 1653. Bl. 189ᵃ. -

Die Englische Comoedianten Bitten, M. H. wollen Ihnen gonnen, daß sie die Bevorstehende Meß vber alhier Ihre actiones halten mögen. Erk: Sol Ihnen wilfarth werden, aber mehr nicht alß 1 β von der persohn nemmen.

Freitag, den 13. Januar 1654. Bl. 1ᵇ.

Joris Jolifaß Englischer Commoediant Bericht, dz Er M. H. eine Commoedi zu halten vorhabenß Seye: Johannis Ristij Fridtwünschendes Teutschlandt[1]). Bitt vm Benambßung tag vnd stundt. Erk: Ist künfftigen Dinstag Ihme zubenamßen.

Montag, den 23. Januar 1654. Bl. 7ᵇ.

Joriß Jolifaß Englischer Commoediant Bitt, M. H. wollen Ihme gonnen, dz er annoch eine gewiße Zeit allhier verbleiben vnd wochentlich zweymahl spiehlen möge. Erk: Soll Ihme deß Montag vnd Mittwochß auff vier wochen lang erlaubt sein, hiengegen Er von der persohn mehr nicht nemmen alß 1 β.

* * *

---

1) Vergl. E. Mentzel, Geschichte der Schauspielkunst in Frankfurt am Main 1882. S. 69 unten.

Samstag, den 17. Juni 1654. Bl. 89ᵃ.

Englische Commoedianten bitten per ...., M. H. wollen Ihnen
gonnen, daß sie die Meß vber an dißem orth spiehlen mögen. Erk:
Wilfarth worden, sollen aber von der persohn mehr nicht nemmen
alß 1 β.

Samstag, den 24. Juni 1654. Bl. 92ᵇ.

Johan Stein Schneider Bericht per Wilden, dz Sechß von den
Englischen Commoedianten Ihr losament bey Ihme zu nemmen vorhabenß, wollen sich selbst verköstigen. Bitt vm permission. Erk:
Ist Ihme so weith willfarth worden, dz Er sie mag auffnemmen,
sollen aber bey Ihme zu kost gehen.

Samstag, den 8. Juli 1654. Bl. 99ᵇ.

Die Commoedianten bedancken sich pro gratificatione, Bitten
per .... vm annoch 8 tag vnd Benambßung eines gewißen tagß,
wollen M. H. eine Commoedi präsentiren. Erk: Wilfarth vnd der
Dinstag erwöhlt worden.

Mittwoch, den 19. Juli 1654. Bl. 105ᵇ.

Die Englische Commoedianten bitten per ...., M. H. wollen
Ihnen gönnen, daß sie annoch zwo Commoedien an dißem orth halten
mögen. Wollen die letstere M. H. präsentiren. Erk: Ist Ihnen wilfarth worden.

⁎ ⁎ ⁎

Im Jahre 1656 spielen die früheren Mitglieder der Jollifous-
schen Schauspielgesellschaft, Hans Ernst Hoffmann und Peter
Schwartz, unter dem Namen „Hochteutsche Comoedianten" in
Strassburg.

⁎ ⁎ ⁎

Mittwoch, den 20. Mai 1657. Bl. 106ᵇ.

Regierendt Herr Ammeister proponirt, es were Herr Dr. Kieffer
bey Ihm geweßen vnd vorgebracht, welcher gestalten ein Englischer
Comoediant an Ihnen geschrieben vnd begehrt hette, Er wolte ohn
beschwerdt an gehörigen orthen sondirn, ob Ihme vff die Bevorstehendte Johannis Meß erlaubt werden möchte alhier zu spielen; er
wolte, auff den Fall daß keinen andern Comoedianten solches ver-
gönt wirdt, sich befleißen wackere Leüt zusammen zu bringen vnd
den Spectatoribus satisfaction zu geben.

Erkandt: Dieweiln es noch eine geraume Zeit biß vff die
Johannis Meß ist, alß bleibt das werck biß dorthin verschoben, vnd
mag Er sich alßdann wiederumb anmelden.

Obzwahr Bevorstehendte Erkandtnuß vff dieße weiß von dem
Herrn Stättmeister Voltzen außgesprochen worden, so ist doch durch
den Regierenden Herrn Ammeister (dieweiln theils der Herren, daß
Ihme in seinem petito willfart werden möchte, expresse votirt,

theils aber dem Herrn Stättmaister Voltzen, in dießer meinung, alß [Bl. 107ᵃ] ob sein votum auch dahin gienge, gefolgt, vnd also die mehrere Stimmen für die willfahrung gefallen) dem Herrn Dr. Kieffer angezeigt worden, daß auff die benambste Zeit dem Comoedianten allein nach seinem begehren alhier zu spielen erlaubt sein solle.

Samstag, den 20. Juni 1657. Bl. 127ᵇ.

Im nammen der Englischen Commoedianten erscheint Joris Jolifaß, Bitt M. H. wollen Ihme gonnen, dz Er diße Meß vber an dißem orth agiren moge. Erk: Ist Ihme wilfarth worden, Soll aber von der persohn mehr nicht alß 1 β nemmen.

. . . .

Johan Stein der Schneider Bittet per Wilden, M. H. wollen Ihme gonnen, dz er von den ankommenden Commoedianten etliche persohnen logiren möge. Erk: Ist dem Supplicanten Willfarth worden, soll sich aber bey dem vngeldt anmelden.

* * *

Damit brechen die Nachrichten über Joris Jollifous und seine Truppe jäh ab. Schon im December des Jahres 1657 erscheint wieder Hans Ernst Hoffmann, der eine Anzahl von Jahren hindurch regelmässig wiederkehrt.

Neue kleine Beiträge zur Kenntniss Chr. F. D. Schubarts.

Von

ADOLF WOHLWILL.

II.

Ueber den Antheil Oesterreichs an der Gefangensetzung Schubarts.

Die Untersuchung über diese Frage hat zu keinem defini-
tiven Resultat geführt, und wird ein solches auf Grund des
bisher bekannt gewordenen Materials überhaupt schwerlich zu
erzielen sein. Die Mittheilung der folgenden Erörterungen hat
daher nur den Zweck, einen kleinen Beitrag zur Kritik der
Ueberlieferung zu bieten und künftigen Forschern einige Finger-
zeige zu geben.

Den Ausgangspunct unserer Betrachtung bildet die eigene
Darstellung Schubarts in seiner Selbstbiographie (Gesammelte
Schriften, Bd. 1 S. 295): „Der Kaiserliche Minister in Ulm,
General Ried, ein stolzer, hochtrotzender Mann, war äusserst
aufgebracht, weil ich einmal vor ihm den Flügel spielen sollte
und es aus Mangel eines tauglichen Flügels nicht that. Seine
Religionsverwandte bliessen in diess Feuer; und er lauerte nur
noch auf Gelegenheit, mich unter einem bessern Vorwande
packen zu können. Als ich aus einem Wiener Briefe die Nachricht in die Chronik setzte: ›Die Kaiserin sey plötzlich vom
Schlage gerührt worden‹, so glaubte er Anlass genug zu haben,
mich aufheben und nach Ungarn in ewige Gefangenschaft
führen lassen zu können. Aber Gott, der schon seinen Plan
mit mir gemacht hatte, missbilligte diesen. Der Minister offenbarte seinen Entschluss dem Herzog von Würtemberg, der
sogleich dem Gesandten versprach, mich in Verwahrung zu
nehmen, weil er selbst nicht wenig an mir auszusetzen fände.“

Der umschreibenden Wiedergabe dieser Notiz fügt Strauss (Schubart Bd. I S. 339) die Bemerkung hinzu: „Man würde es unglaublich finden, wenn es nicht in Schubarts Leben zu lesen wäre." Dabei ist zu beachten, dass Strauss, offenbar in der Absicht, den Schubartschen Bericht von vornherein einleuchtender erscheinen zu lassen, an die Stelle des Satzes: „Seine Religionsverwandte bliessen in diess Feuer" die erläuternde Ausführung gesetzt hat: „Diesem einflussreichen Manne schilderten daher die Pfaffen — und er hinwiederum der frommen Kaiserin und ihrem Ministerium — Schubart als einen Religionsverächter, überdiess als einen gegen Oestreich feindseligen Zeitungsschreiber, der auf dessen Kosten Preussen zu erheben suche. So war die Hand über Schubart aufgehoben."

Die ergänzenden Zusätze von Strauss beruhen offenbar auf den Angaben von Ludwig Schubart in der Vorrede zum 2. Theil der Selbstbiographie seines Vaters (Ges. Schriften I 212 f.). Letztere stimmen wiederum wenigstens theilweise mit einer autobiographischen Skizze Chr. F. D. Schubarts überein, welche sich unter dem Titel: „Meine Gefangenschaft. Eine Szene aus meinem Leben" in Ludwig Schubarts Werk: „Literarische Fragmente. Erste Sammlung. Nürnberg 1790"[1]) abgedruckt findet. Hier lesen wir (S. 184 f.) die folgende ausführlichere Darlegung des Sachverhalts: „Eigentlich waren es die Jesuiten, welche die Wolken sammelten; aber der kaiserliche Minister in Ulm General Ried war zum Zevs ersehen, der den Donnerkeil auf mich schleudern s´ lte. — Dieser Mann hatte viel Geist, grose Weltkenntniss, au. ι Kriegesmuth, wie er gegen die Preussen erprobte; allein sein hochfliegender Stolz und seine unbändige Habsucht hielt all seinem Guten die Wage. Ich beleidigte seinen Stolz sehr unklug, weil ich einmal vor ihm den Flügel spielen sollte, und es aus Künstlerkaprise nicht that. Er schwur sich zu rächen, und hielt Wort. Gleich waren Pfaffen da, die in diess Rachefeuer bliessen; und nun war es nur noch um einen Vorwand zu thun, mich in die Fessel zu schlagen. Ried schilderte mich der Kaiserin

---

1) Ich verdanke die Kenntniss dieser Publication dem Herrn Dr. K. Geiger in Tübingen.

Maria Theresia als einen Abgesandten der Hölle, der mit
dem Pesthauche des frechsten Religionsspottes alles weit herum
verderbe. Die in solchen Fällen gar leichtgläubige Theresia
ertheilte den für eine so fromme Frau sehr unchristlichen Befehl, mich heimlich aufzuheben, nach Ungarn zu führen, und
dort in einem unterirdischen Felsengeklüfte auf ewig zu verbergen: Wäre Diss geschehen, so wär' ich längst an feuchter
Wand zerfallen. Aber Gottes Finger zerstörte das finstere Gewebe. Ried offenbarte seinen erhaltenen Befehl dem Herzog
von Wirtemberg, der aber sogleich dem Gesandten versprach,
die Sorge meiner Verwahrung selbst über sich zu nehmen,
weil er gar viel an mir auszusezen fände" u. s. w.

Obwol nun hiernach alles im besten Zusammenhang zu
stehen scheint, so ergeben sich doch nicht geringfügige Bedenken. Zunächst darf nicht übersehen werden, dass Schubart
die erwähnte Skizze in der ausgesprochenen Absicht[1] mitgetheilt hat, „um gewisse falsche Gerüchte von seiner Gefangenschaft zu zerstreuen". Auf S. 185 betont er, dass er in seiner
deutschen Chronik den Herzog wiederholt feurig gelobt habe;
„und doch" — fügt er hinzu, „hiess es in ganz Deutschland,
ich hätte durch einige kühne Ausdrücke in meiner Chronik
den Herzog beleidigt." Offenbar verfolgte Schubart, der bekanntlich zur Zeit der Veröffentlichung jener Skizze herzog-
licher Hof- und Theaterdichter war, die zwiefache Tendenz,
sein eigenes Verhalten gegen den Herzog auch vor seiner Gefangenschaft als ein durchaus ehrerbietiges hinzustellen, und
anderseits das von dem gesammten gebildeten Deutschland
missbilligte Verfahren Karl Eugens wider ihn dadurch in
einem milderen Licht erscheinen zu lassen, dass er die Haupt-
verantwortlichkeit für dasselbe auf die Jesuiten, Ried und
Maria Theresia abwälzte. Die auf anderweitige Ursachen hin-
weisenden Worte der vollständigen Selbstbiographie: „Ge-
heimere Ursachen brauche ich und der Leser nicht zu wissen.
Der Tag der Entscheidung wird alles offenbaren!" finden sich in
der Skizze von 1790 nicht[2]. Man wird daher zugeben müssen,

---

1) Vgl. seine Anmerkung auf S. 183.

2) Wenn Schubart den 17. April 1790 (Strauss II S. 408) an seinen
Sohn schrieb, er habe ihm jene Skizze „aus gewissen Ursachen sehr un-

dass durch letztere — selbst wenn alle Einzelheiten Glauben verdienten — der Sachverhalt keineswegs vollständig aufgeklärt wird.

Fassen wir nun die Erzählung Schubarts selbst etwas
näher ins Auge, so ist zunächst die Angabe, dass er sich den
Zorn des Gesandten durch eine Virtuosencaprice zugezogen,
durchaus nicht unglaubwürdig[1]). Auch dass diejenigen, welche
er durch seine Angriffe auf die Jesuiten und auf Gassner erbittert hatte, den General Ried noch weiter gegen ihn aufzubringen suchten, erscheint nach allem, was wir von dem
leidenschaftlichen Hass dieser Partei wissen, durchaus einleuchtend. Ueber beide Thatsachen konnte Schubart sehr wol
unterrichtet sein. Woher aber — diese Frage wird sich uns
nothwendig aufdrängen — konnte Schubart erfahren haben,
dass er von Ried der Kaiserin als ein abgesandter der Hölle
geschildert worden sei? woher wusste er, dass Maria Theresia
den Befehl gegeben, ihn heimlich aufzuheben? Wenn ihm
dieser Umstand schon in Ulm bekannt geworden, so erscheint
es unfassbar, dass er der drohenden Gefahr nicht zu entrinnen
suchte[2]). Stammte seine Kunde aber erst aus der Zeit nach

gerne“ zur Verfügung gestellt, so liegt es nahe, die Abweichungen,
welche das Fragment von dem betreffenden Abschnitt der vollständigen
Selbstbiographie unterscheiden, auf eben diese Ursachen zurückzuführen.

1) Der Vorfall hat sich schwerlich vor dem 24. April 1776 zugetragen; denn die Mittheilung Schubarts in einem von diesem Tage
datierten Brief an Kayser (Grenzboten 1870, IV S. 459): „Ich hab Hoffnung künftigen Kreisstag 4 Bardengesänge aus Hermannschlacht von
Gluk gesetzt durch den kaiserlichen Minister zu bekommen“ lässt vermuthen, dass damals der Dichter noch mit Ried auf gutem Fusse stand.
Dass die Worte „durch den kaiserlichen Minister“ in dem für den Abdruck benutzten Manuscript durchstrichen sind, ist für uns bedeutungslos, da in den an Kayser adressierten Briefen zahlreiche, zum Theil
durchaus harmlose Stellen, wahrscheinlich durch Kayser, jedesfalls lang
nach Abfassung der Briefe, in ähnlicher Weise behandelt worden sind.
Vgl. Grenzboten 1870, IV S. 422 und unten die Anmerkung zu dem
Briefe Schubarts an Kayser vom 6. Oct. 1776.

2) Für die Annahme, dass Schubart, obschon durch allerlei
Ahnungen und Warnungen im allgemeinen beunruhigt, doch von den
angeblichen Machinationen Rieds vor seiner Gefangenschaft keine Kunde
erhalten, spricht auch der Umstand, dass sein Herzensfreund Miller am
5. Februar 1777 (so ist offenbar statt 1776 zu lesen) an Kayser schrieb,
niemand wisse die Ursache von Schubarts Gefangennehmung (Grenzboten

seiner Gefangensetzung, so haben wir gewiss Grund, in die
Zuverlässigkeit der ihm zu Theil gewordenen Informierung
Zweifel zu setzen. Jedesfalls ist es sehr begreiflich, dass der
erregten Phantasie des heimtückisch vergewaltigten Dichters
die leidenschaftlichen Pamphlete der Ex-Jesuiten, die Ungunst
des Residenten — der in seiner „hochtrotzenden" Art vielleicht
einmal gedroht hatte, Schubart in ein ungarisches Gefängniss
schleppen zu lassen —, ferner die fälschliche Notiz über den
Tod der Maria Theresia und die bald darauf erfolgte Gefangensetzung in inniger Beziehung zu einander erschienen, — auch
ohne dass er über einen solchen Zusammenhang genauer unterrichtet gewesen wäre; und aller Wahrscheinlichkeit nach haben
Rieger oder andere dem Herzog von Württemberg nahestehende
Persönlichkeiten dazu beigetragen, den Dichter in dieser Auffassung zu bestärken.

Als Bestätigung der soeben erwähnten autobiographischen Mittheilungen Schubarts pflegen allerdings auch einige
Stellen der von Strauss herausgegebenen Briefe hervorgehoben
zu werden. Im Sommer 1782 schrieb Schubart an seine Gattin:
„Zwar sind sie alle todt, von denen ich vermuthen konte, dass
sie meine Freiheit verzögerten. Maria Theresia ist nicht mehr,
der General Ried liegt in der Verwesung, das Ansehen der
Pfaffen ist gefallen und der General Rieger ist plözlich dahin-
gegangen".[1]) Dazu kommt die Aeusserung der Gattin Schubarts
in einem Briefe vom 16. Dec. 1779: „— ich weiss nun gans
gewiss, dass wo dieser (Ried) nicht der einzige Ursächer unsers
Unglüks war, Er doch vieles darzu beigetragen hat", und die
Bemerkung des Hauptzoller Bühler in einem Schreiben an den
Bruder des Dichters vom 16. Aug. 1777: „In Stuttgard und
Ulm ist man durchgehends der Meynung, Herr Baron vom
Riedt seye durch Veranlassung einiger Catholiken Hrn. Bruders

---

1870, IV S. 504). — Auch bei Schubarts Gattin scheint der Verdacht
wider Ried erst einige Zeit nach der Gefangensetzung des Dichters
Wurzel gefasst zu haben. Dass sie den Residenten um seine Verwendung
ersuchte, dürfte mehr gegen als für einen solchen Argwohn zeugen.

1) Strauss II S. 46. Es bedarf anderseits für Kenner der von
Strauss herausgegebenen Briefe kaum des Hinweises, dass Schubart wieder-
holt auch des Herzoges allein als des verantwortlichen Urhebers seines
Unglücks gedenkt. (Vgl. z. B. Strauss II S. 78 und 133.)

Ankläger." Dem gegenüber wird freilich von einem neueren Litterarhistoriker nicht mit Unrecht geltend gemacht, dass eine solche Meinung in protestantischen Kreisen auch ohne Beweis entstehen konnte [1]).

Noch weniger dürfte der Angabe Fr. Nicolais, es sei ihm in Stuttgart mitgetheilt, „dass Schubart eigentlich nicht auf eigenes Verlangen des Herzogs ins Gefängniss gesetzt war", eine entscheidende Bedeutung beigemessen werden; denn aller Wahrscheinlichkeit nach vertraute man dem berühmten Berliner Reisenden als grosses Geheimniss an, was man zur Ehre des Herzogs in möglichst weite Kreise getragen zu sehen wünschte [2]). Bemerkenswerther ist, dass in der Lebensskizze Schubarts, welche in Archenholz' Litteratur und Völkerkunde, Band II (Dessau 1783), abgedruckt worden, des Gerüchtes von dem Antheil Rieds an der Verhaftung des Dichters in einer etwas anderen Version und ohne einen Zusatz, welcher höfische oder confessionelle Tendenz oder Voreingenommenheit vermuthen liesse, gedacht wird [3]). Auch verdient es Beachtung, dass sich Ried kurz vor Schubarts Verhaftung vom 9. bis 13. Januar 1777 in Stuttgart aufhielt [4]). Dazu kommt, was Schubart in dem erwähnten autobiographischen Bruchstück vom J. 1790

---

1) M. Rieger, Klinger in der Sturm- und Drangperiode S. 267 f. Anm.

2) Vgl. Fr. Nicolais Beschreibung einer Reise durch Deutschland und die Schweiz im J. 1781, X S. 164. Es heisst an jener Stelle weiter, „dass der Herzog schon Willens gewesen ihn (Schubart) loss zu geben, dass es aber von dem kaiserlichen Hofe, auf dessen Verlangen die Gefangennehmung geschehen, noch nicht wäre genehmigt worden. Der Herzog bemühte sich selbst damals seine Befreyung zu erhalten." Die Tendenz der Nicolai zu Theil gewordenen Eröffnung tritt in diesen Worten deutlich zu Tage.

3) Es heisst da S. 644: „Man versichert, dass der Herzog diesen Schritt auf wiederholtes Anrathen des Kaiserlichen Generals Baron von R*** gethan habe, der als ein alter Hofmann, und an die ehmals Spanische Etiquette des Wiener Hofs gewöhnt, verschiedenes in bemeldten Journal missbilligen musste. Z. B. man fand darinn nicht Ausdrükke von dieser Art: Sr. . . haben allergnädigst geruhet, sich in die . . . Kirche zu begeben, u. s. w. Die man zur Schande unsrer Nation noch heut zu Tage liest."

4) Dies ergibt sich aus den Berichten des preussischen Residenten Madeweiss.

(S. 188) über seine letzten Eindrücke in Ulm unmittelbar vor
seiner Entführung in folgender Weise berichtet: „Ich hielt
mich nur Augenblike im Baumstark auf, fand aber, dass der
dasige Wirth sowohl — ein bekannter Kundschafter des General
Rieds, als der Reisemarschall des eben anwesenden Gesandten
ganz von meinem Schiksale unterrichtet seyn mussten. Daher
war ihr Gesicht finster, und es dämmerte etwas Mitleid auf
diesen ehernen Stirnen." Im „Baumstark", dem vornehmsten
damaligen Ulmer Gasthof, war vermuthlich der vom Herzog von
Württemberg zur Ergreifung des Dichters entsandte Klosteramtmann Scholl abgestiegen, dort hatte Schubart mit letzterem
am Mittage des 22. Januar gespeist, dort war auch das gewöhnliche Quartier des kaiserlichen Residenten[1]). Nun sind freilich
diese Umstände ebensowenig, wie die nachträgliche Deutung,
welche Schubart den Mienen der angeblich eingeweihten zu Theil
werden liess, von entscheidender Beweiskraft. Immerhin dürfte
die Annahme, dass Ried von der beabsichtigten Entführung des
Dichters Kenntniss besessen und dabei eine gewisse Connivenz
geübt habe, nicht ganz unberechtigt erscheinen und zugleich
ausreichend sein, um die darüber hinausgehenden Gerüchte zu
erklären.

Eine solche Connivenz des Residenten wäre denkbar auch
ohne vorgängige Ermächtigung von Seiten der österreichischen
Regierung, ja ohne dass letztere bei dem Verfahren wider den
Dichter auch nur im geringsten betheiligt gewesen wäre. Sehr
viel grössere Bedenken ergeben sich dagegen, wenn man an der
Erzählung Schubarts festhält, dass Ried von Maria Theresia
angewiesen worden, den Dichter aufzuheben, und dass er die
ihm ertheilte Vollmacht gewissermassen auf den Herzog übertragen habe. Schenkt man dieser Angabe vollkommenen Glauben,
so drängt sich die Frage auf, ob nicht das tadelnswerthe Verhalten Schubarts und seine Bestrafung einen Gegenstand der
Correspondenz zwischen Ried und dem österreichischen Hofe
gebildet habe. Um hierüber näheres in Erfahrung zu bringen,
wandte ich mich vor einiger Zeit an das k. k. Haus-, Hof- und
Staatsarchiv in Wien und erhielt die nachstehende von dem
Herrn Archivdirector von Arneth gezeichnete Antwort:

1) Vgl. Deutsche Chronik, Jahrg. 1776, S. 436.

„Das kais. und kön. Haus-, Hof- und Staatsarchiv verwahrt eine sehr lange Reihe von Berichten, welche Joseph Freiherr von Ried, »beyder K. und K. K. Majest. wirklicher geheimer Rath, Feldzeugmeister und Inhaber eines Regiments zu Fuss, bevollmächtigter Minister bey den Löbl. Schwäbischen und Fränkischen Kreisen«, sowohl an den Reichsvicekanzler Fürsten Colloredo als an den Staatskanzler Fürsten Kaunitz erstattete. Die bei weitem grössere Zahl dieser Berichte betrifft Angelegenheiten des schwäbischen, die viel geringere aber solche des fränkischen Kreises. Dennoch ist, wie ich mit vollster Bestimmtheit versichern kann, in keinem einzigen dieser Berichte auch nur mit einem Worte von Schubart, dessen Name nirgends genannt wird, und daher auch nicht von seiner Entführung oder einem anderen auf ihn bezüglichen Ereignisse u. s. w. die Rede.“

Zur Ergänzung dieser Angaben erhielt ich von Herrn Archivdirector von Arneth die fernere Versicherung, dass auch in den Ministerialerlassen des Reichsvicekanzlers und des Staatskanzlers an Ried aus den Jahren 1775—1777 des Dichters Schubart nicht gedacht werde, dass eine directe Correspondenz zwischen der Kaiserin und Ried nicht vorliege, dass aus den Jahren 1775—1777 weder ein Schreiben der Kaiserin an den Herzog von Württemberg, noch ein solches des Herzogs an die Kaiserin im k. k. Archiv vorhanden sei, dass endlich auch die Correspondenz des Wiener Hofs mit den bei ihm beglaubigten Vertretern des schwäbischen Kreises, des Herzogs von Württemberg und der württembergischen Landschaft nichts über die Schubartsche Angelegenheit enthalte. Ueberdies wurde mir in Veranlassung weiterer Nachfragen mitgetheilt, dass aus der im allgemeinen nur lückenhaft erhaltenen Correspondenz Rieds für die uns besonders interessierende Periode vom Ende 1776 bis Anfang 1777 zwar ein Bericht an den Reichsvicekanzler aus der Zeit zwischen dem 20. Jan. und 13. Febr. fehle, die Briefe an Kaunitz aber insgesammt vorhanden seien, und dass als Motiv für den erwähnten Aufenthalt Rieds in Stuttgart während des Januars 1777 in der officiellen Correspondenz nur eine beabsichtigte Reise des Kaisers durch das Württembergische nach Frankreich angegeben werde. Nicht minder zu beachten ist, dass auch im Stuttgarter Archiv keinerlei Document gefunden worden, welches von einer österreichischen Einwirkung

auf die Entschliessung des Herzogs Zeugniss ablegte[1]). Es ist
somit zu constatieren, dass es für die Annahme einer Betheiligung der Maria Theresia an der Gefangensetzung des
Dichters an jeglichem urkundlichem Anhaltspuncte gebricht.

Ist eine solche Betheiligung unerwiesen, so fragt sich
ferner, ob sie auch nur wahrscheinlich sei. In Anbetracht der
Kärglichkeit des sonstigen Materials wird man bei der Unter-
suchung über die Ursachen und Veranlassungen von Schubarts
Gefangensetzung stets auch auf die deutsche Chronik sein
Augenmerk richten müssen. Mit Recht hat Strauss darauf hingewiesen, dass neben den zahlreichen Huldigungen, welche
Schubart in der Chronik dem württembergischen Herzog dar-
brachte, sich auch verschiedene Aeusserungen finden, welche
von dem letzteren als Beleidigungen aufgefasst werden konnten.
Ganz abgesehen davon aber musste die Gesammthaltung der
Zeitschrift, welche, ungeachtet des gelegentlich auch unwürdigen
Fürsten gestreuten Weihrauchs, an hundert Stellen von der
glühenden Freiheitsliebe des Verfassers Zeugniss gab, bei einem
autokratischen Karl Eugen das äusserste Missfallen hervorrufen.
Es dürfte nun von Interesse sein, zu untersuchen, ob und wie-
weit die journalistische Thätigkeit Schubarts dazu angethan
war, auch am Wiener Hofe Anstoss zu erregen.

Schubart selbst legt, wie bekannt, ein besonderes Gewicht
auf den Artikel vom 6. Januar 1777, welcher die irrige Nachricht von dem plötzlichen Tode der Kaiserin mittheilte. Indessen vermögen wir uns schwer vorzustellen, dass derselbe
auch nur als Vorwand zu gewaltsamen Massregeln gegen den
Dichter dienen konnte. Maria Theresia wird hier als die
„grosse Kaiserin“, die Kunde von ihrem Tode als eine „traurige“ bezeichnet und überdies der Wunsch hinzugefügt: „Dürfte
ich doch diese Nachricht in meinem nächsten Blatt wider-
rufen!“ Dass in demselben Artikel des Kaisers Joseph mit
höchster Ehrerbietung gedacht wird, konnte offenbar ebenfalls
weder dem Wiener Hofe, noch dem Vertreter desselben missfällig sein. G. Hauff freilich bemerkt (Schubart u. s. w. S. 157):

---

1) Nach gefälliger Mittheilung des Herrn Geh. Legationsrath von
Schlossberger.

„Ohne Zweifel lag das verletzende in der vermeintlichen
Freude des freisinnigen Chronisten über den Tod der ortho-
dox-frommen Kaiserin, an deren Stelle nun ihr aufgeklärter
Sohn das Regiment führen werde." Doch erscheint dieser
Erklärungsversuch durch den Wortlaut des angezogenen Artikels nicht hinreichend gerechtfertigt. Auch ist mir bei
genauerer Durchsicht der gesammten deutschen Chronik nur
eine einzige Stelle aufgestossen, welche allenfalls zu Gunsten
der eben erwähnten Hauffschen Auffassung gedeutet werden
könnte, und in der ein argwöhnischer Ehrenwächter des Hauses Oesterreich möglicher Weise einen Mangel pflichtschuldiger
Ehrerbietung oder Discretion gefunden haben mochte[1]. Im
übrigen aber ergibt sich, dass fast überall, wo Schubart der
Kaiserin und ihrer Regierung gedenkt, dies in Ausdrücken
der Bewunderung und der Ehrfurcht geschieht. Er nennt sie
wiederholt die „grosse Theresia" oder die „erhabene Mutter"
(des Kaisers oder des Grossherzogs von Toscana); in einem
Artikel vom 10. April 1775 nennt er sie zugleich die weise
und die unsterbliche Maria Theresia, ein andres Mal zählt
er sie unter die grossen Wolthäter des menschlichen Geschlechts[2]. Einer Reihe von Massregeln, welche sie im Interesse der Aufklärung, der Menschenliebe und Duldsamkeit
verfügte, wird mit grösster Anerkennung gedacht[3]; und die

---

1) Jahrgang 1776, 22. April, S. 259: „Mündlich und gedruckt geht
jezt das Gerücht herum, als würde die Kaiserinn sich gänzlich aller
Regierungsgeschäfte entschlagen, sie ihrem grossen Sohn überlassen, und
den Rest ihrer Tage der Ruh und Andacht heiligen. Selbst Wiener-
briefe von Leuten, die eben nicht gerne nach Luft haschen, bestätigen
diese grosse Neuigkeit, und ich finde noch immer sehr viel unwahr-
scheinliches drinn. Die feste, durch die strengste Diät erhaltne Gesundheit dieser erhabnen Frau, ihr schon zum Herrschen gewöhnter
Geist, und noch verschiedene Ursachen, die sich nicht sagen lassen,
machen diese Nachricht äusserst zweifelhaft. Indessen, was ist nicht
schon geschehen, das man anfangs nicht begreifen konnte!"
2) 12. Sept. 1774, S. 379.
3) Es kann hier nicht in Betracht kommen, dass Schubart in seiner
Vaterlandschronik, d. h. also nach seiner Entlassung vom Asperg, die
Aera der Alleinherrschaft Josephs, als eine Periode der Aufklärung,
gelegentlich in einen gewissen Gegensatz zu der Regierung Maria
Theresias stellt. Schubart schrieb damals unter dem Einfluss der Vor-

Beseitigung der Folter gibt zu den enthusiastischen Zeilen
Veranlassung: „Wer singt mir ein Lied im höhern Chor auf
Kaiserin Maria Theresia und ihren Danischmende Sonnenfels?
— Die Tortur ist nun in allen Kaiserlichen Landen abge-
schafft. — Im Heiligthum der Menschheit wird deine Bildsäule in Göttergestalt dastehen, erhabene Maria Theresia und
Sonnenfels und Beccaria um dich her"[1]). Wie an dieser
Stelle Sonnenfels, so werden auch andere bedeutende Männer,
welche der Kaiserin zur Seite standen, gelegentlich mit Aus-
zeichnung genannt. So heisst z. B. Kaunitz „einer der grössten
Minister, die je gelebt haben", und „der grosse Beschützer
der Künste". Nicht minder liess Schubart sich angelegen
sein, Ton und Sitte am österreichischen Hofe, sowie das Leben
und die Einrichtungen der österreichischen Hauptstadt zu
rühmen. Vergegenwärtigt man sich ferner, mit welcher
Begeisterung in der deutschen Chronik von deren erster
Numer an bei jeder sich darbietenden Gelegenheit das Lob
Josephs II. verkündet wird, so muss man zu dem Resultat
gelangen, dass Schubart ungeachtet seiner Preussenfreundlich-
keit[2]) durch sein publicistisches wirken nach Kräften dazu

---

stellung, dass er selbst ein Opfer der „zu Kutten herabneigenden" Kaiserin
geworden. In der deutschen Chronik begegnet uns jene Unterscheidung
noch nicht. Es werden in derselben Maria Theresia und Joseph mehrfach in einem Athem gepriesen (Jahrgang 1775, S. 804; Jahrg. 1776,
S. 861 u. 893); und es ist nicht abzusehen, warum das der Kaiserin
gespendete Lob minder aufrichtig gewesen sein soll als dasjenige, welches
Schubart dem Kaiser widmete. — In dem von Schubart herausgegebenen
Werk „Neueste Geschichte der Welt oder das Denkwürdigste aus allen
vier Welttheilen auf das Jahr 1775" (Augsburg 1776) werden die
Charaktereigenschaften und Verdienste der Maria Theresia ebenfalls
aufs lebhafteste anerkannt. Vgl. daselbst S. 21 u. 34.

    1) 4. März 1776, S. 147 f.

    2) Gegenüber der von Strauss, wie von Hauff verwertheten Angabe
Ludwig Schubarts, Ried habe seinen Vater als einen „leidenschaftlichen
Novellisten" denunciert, „der Preussen auf Kosten Oesterreichs zu erheben und zu lobpreisen suche", mag hier ausdrücklich hervorgehoben
werden, dass des Dichters warme Sympathie für Preussen jener Zeit
keineswegs Feindseligkeit gegen Oesterreich involvirte. Mehrfach gibt
er vielmehr seiner Freude über die erstarkte Militärmacht des letzteren
Ausdruck (Jahrg. 1775, S. 418; Jahrg. 1776, S. 609 f.). Offenbar wünschte
er im Interesse Deutschlands das zusammenstehen beider wehrkräftigen

beitrug, das Ansehen des Hauses Oesterreich zu erhöhen, und
dass daher sicher kein Grund vorhanden war, im österreichischen Interesse wider ihn einzuschreiten.

Auch dass die Angriffe, welche Schubart in der Chronik
gegen die Jesuiten und den von diesen begünstigten Gassner
gerichtet, in Wien besonders missfällig gewesen, dürfte wenig
glaubwürdig erscheinen, wenn man sich vergegenwärtigt, dass
die Bulle, welche den Jesuitenorden aufhob, von der österreichischen Regierung bereits im Sept. 1773 (also über $2\frac{1}{2}$
Jahre früher als abseiten der Reichsstadt Augsburg) verkündet worden, und dass gerade Joseph II. es war, welcher
dem treiben Gassners ein Ende setzte[1]).

Ebensowenig bieten die übrigen Bestandtheile der deutschen
Chronik einen Anhalt, um es wahrscheinlich zu machen, dass
eine hochherzige Kaiserin Maria Theresia einen Gewaltact un-
erhörtester Art gegen den in einer entfernten Reichsstadt weilenden Dichter veranlasst oder auch nur gutgeheissen habe.

Selbstverständlich wird auch durch diese letzten Er-
wägungen die vorliegende Frage nicht endgiltig entschieden;
denn es ist ja nicht ausgeschlossen, dass Ried in seiner feindseligen Gesinnung versucht habe, durch entstellte Wiedergabe
des einen oder andern Artikels, sowie durch wahre und ver-
läumderische Mittheilungen über den Lebenswandel, die Gesinnungen und gelegentlichen mündlichen Aeusserungen des Dichters denselben bei seiner Regierung anzuschwärzen. Wer
möchte die verderblichen Folgen systematisch betriebener Verläumdung ermessen! Die Möglichkeit ist nicht zu bestreiten,
dass zum Verderben Schubarts von Ried und von Maria Theresia Mittel und Wege eingeschlagen seien, deren Spuren sich
der Nachforschung bisher völlig entzogen haben.

Immerhin ergibt sich aus obigen Erörterungen, dass die
herkömmliche Darstellung des Sachverhalts aus mehr als einem

Staaten (vgl. Jahrg. 1774, S. 10 f.), während er über die Eventualität
eines erneuten Zerwürfnisses zwischen diesen sich nur in Ausdrücken
banger Besorgniss äusserte (vgl. Jahrg. 1776, S. 212, 777 u. 798).

1) Vgl. Deutsche Chronik, Jahrg. 1775, S. 801 f. und E. Sierke,
Schwärmer und Schwindler zu Ende des 18. Jahrhunderts (Lpz. 1874),
S. 283 ff.

Grunde zu Zweifeln Anlass gibt; und dürfte es sich daher
empfehlen, die Angaben Schubarts über den Antheil der österreichischen Regierung an seiner Gefangensetzung bis zur Her-
beibringung neuen Materials nur unter Hinzufügung eines
Fragezeichens zu wiederholen.

III.

Actenstücke betr. die preussische Verwendung zu Gunsten der Befreiung Schubarts.

Aus dem k. geheimen Staats-Archiv in Berlin.

1) Legationsrath v. Madeweiss an Friedrich Wilhelm II.[1]).

à Stouccard le 5 Novembre
1786.

Sire,

Il est glorieux en tout temps d'être honoré des ordres de Son
Maître, mais si ces ordres émanent d'un coeur magnanime, compatis-
sant et généreux, comme ceux que je viens de recevoir de la part
de Votre Majesté, en se sentant transporté de zèle pour leur exécution, on bénit Celui qui les donne, et on remplit son devoir en
Lui fournissant les moyens d'exercer Sa générosité avec un redouble-
ment de plaisir, qui récompense avec usure les soins qu'ils peuvent
couter. C'est ce qui vient de m'arriver.

J'ose supplier très humblement Votre Majesté de vouloir bien
Se persuader, que le récit succinct, que je vais avoir l'honneur de
Lui faire des causes, qui paroissent avoir occasionné la détention
du malheureux Schubart, sont le résultat des recherches les plus
exactes[2]).

Schubart il y a vingt ans à peu près, quoique né à Augsbourg,
ne trouvant pas s'y placer convenablement, vint s'établir à Stouccard.

---

1) Der Cabinetsbefehl, welcher dieses Schreiben hervorrief, ist bisher im geh. Staats-Archiv nicht gefunden worden.

2) Es erscheint unnöthig, die zahlreichen Irrthümer in den folgenden
Angaben von Madeweiss zu berichtigen. Obwol aber der preussische
Diplomat, seiner vieljährigen Beziehungen zu Schubart und dessen Familie ungeachtet, über den Lebenslauf desselben nur unzureichend unterrichtet war, verdient es immerhin Beachtung, dass er, von seinem König
aufgefordert, über die Ursachen der Gefangensetzung des Dichters zu
berichten, einer Betheiligung der österreichischen Regierung oder des
kaiserlichen Residenten in Ulm mit keinem Worte gedenkt.

Comme il est rempli de talens, et qu'outre la poésie, qu'il cultive
avec succès, il touche parfaitement bien le clavecin, il se fit recevoir en qualité d'organiste à Louisbourg, seconde résidence du Duc
de Wurtemberg. Occupant ce poste pendant quelque temps, et ne
le trouvant pas assez lucratif pour entretenir une famille, qui com-
mençoit à s'accroître, il donna sa démission, et fut s'établir à Ulm,
où il vecut doucement du produit de ses écrits, entre autres d'une
feuille périodique, qui faisoit l'admiration de la plus grande partie
de l'Allemagne. Ce fut vers ce temps là que le Duc de Wurtemberg établit à la Solitude l'Ecole Militaire, qui a fait tant de bruit
depuis. Ne s'occupant qu'à surveiller les Professeurs de cette nouvelle académie, et y donnant pour ainsi dire tout son temps, ce
Prince fut frappé d'étonnement, en lisant dans un certain journal,
qui parut en ce temps, l'épigramme suivante, qui sembloit avoir été
faite pour lui donner des ridicules.

Als Dionys aufhören must Tyrann zu seyn,
    ward er ein Schulmeisterlein.

            Das Original ist in St — — —

Indigné qu'on eut osé se permettre une pareille gaieté à ses
dépens, il s'enquit du nom de l'auteur du journal en question, des
gens officieux et mal intentionnés contre Schubart firent tomber ses
soupçons sur lui, sur quoi prenant parti sur le champ, il donna
ordre d'enlever Schubart, après l'avoir engagé par trahison à quitter
son asile, et sans écouter ce qu'il pouvoit avoir à dire pour sa justi-
fication, même sans lui faire la moindre question là dessus, il fut
mis dans un cachot sous terre, où il gémit pendant un an. Ce n'est
qu'en faveur des fréquentes sollicitations du feu Général de Rieger,
Commandant de la fortresse d'Asperg, mon ami et celui dont je
tiens ce détail, que le Duc consentit à adoucir la captivité du malheureux opprimé. Il a la permission d'écrire, depuis plusieurs
années celle de se promener, et depuis peu la douceur de voir sa
famille, qui consiste dans sa femme, dans un fils de beaucoup d'espé-
rance, et dans une fille, qui n'en donne pas moins. Voilà Sire,
toutes les notions, que j'ai pû me procurer quant aux causes qui
décidèrent le Duc à une sévérité rigoureuse pour un coupable, et
cruelle pour un innocent, tel que je crois Schubart. Quant à ses
talens, ils sont nombreux, il est bon littérateur, excellent Poète et
très bon musicien. Sans être exempt de petites extravagances, qui
caractérisent d'ordinaire les hommes d'un génie pareil au sien, il
mérite par ses malheurs d'intéresser le Roi magnanime, au Quel j'ai
l'honneur d'écrire et Qui compte Ses jours par des bienfaits con-
sacrés à l'humanité. Quant aux moyens à employer pour l'élargisse-
ment de Schubart, celui qui me paroit le plus efficace, et le seul
qui ne trouveroit pas d'obstacle, seroit deux mots tracés par la

Main de Votre Majesté et adressés au Duc, qui assurément ne pourroit
se refuser à une demande pareille. J'en suis si convaincu, que si
je n'avois craint d'outrepasser les ordres de Votre Majesté, et de
m'attirer du blâme par trop d'empressement à prévenir Ses intentions, je me serois adressé directement au Duc pour les lui faire
connoître, ne doutant nullement de celui qu'il auroit mis à y répondre.

Le Duc est parti aujourd'hui pour aller assister aux fêtes, qui
se donneront à Heidelberg à l'occasion du Jubilé de l'Université de
cette ville* etc. etc.

2) Cabinetsbefehl an den Legations-Rath Madeweiss in Stuttgart. Berlin, 13. Nov. 1786.

Je vous sais gré des détails que vous me mandez touchant
l'infortuné Schubart par votre rapport du 5 de ce mois. Avant que
de faire aucune démarche en sa faveur je souhaite de savoir de vous,
si elle ne me compromettrait pas en aucune façon. Vous me direz
donc votre sentiment là-dessus et en attendant je prie Dieu etc.

3) Madeweiss an Friedrich Wilhelm II.

à Stouccard le 12 Novembre
    1786.

Sire,

Le Duc de Wurtemberg m'ayant fait l'honneur de me prier
hier à Hohenheim avec d'autres étrangers, et le hazard ayant voulu
que la conversation tombât sur le S. Schubart, le Duc fit paroître
des intentions favorables pour lui, au point de dire, qu'il étoit inten-
tionné de lui rendre bientôt la liberté. J'ai crû Sire, que c'étoit là
l'instant, où il me seroit permis de faire éclater mon zèle pour le
service de Votre Majesté. Sans perdre de vue les ménagemens à
observer, j'ai trouvé le moyen d'insinuer à ce Prince une partie des
intentions de Votre Majesté pour l'infortuné, dont les malheurs ont
sû L'intéresser. Le Duc, enchanté de pouvoir donner à Votre Majesté
une preuve de dévouement à Sa volonté, promit sur le champ de La
prévenir, en accordant la liberté à son prisonnier plutôt, qu'il n'auroit
fait sans être informé des intentions de Votre Majesté. Il fit même
plus; il me déclara, qu'il alloit lui donner une place de Professeur
à son Académie de Stouccard, et lui confier la direction de son
théatre.

Il ne m'est pas permis de former des doutes sur la sincérité
de cette promesse, mais il seroit naturel de supposer, qu'une intér-
cession directe de la part du Roi Magnanime, à Qui j'ai le bonheur
d'appartenir, en hâteroit l'exécution, si j'osois pousser la témérité
assez loin pour la solliciter. L'exemple d'humanité et de bienfaisance,

donné par Votre Majesté, brille d'un éclat trop pur, pour ne pas
enflammer le coeur le plus froid, et le plus inaccessible au sentiment
de la pitié, celui du Duc ne pourra jamais y resister.

J'ai l'honneur etc. etc.

4) Madeweiss an Friedrich Wilhelm II.

à Stouccard le 25 Novembre
1786.

Sire,

Votre Majesté aura vû par mon très humble rapport du 12 de
ce mois les démarches, que j'ai pris la liberté de faire auprès du
Duc de Wurtemberg par rapport à l'infortuné Schubart, et ce que
ce Prince y a répondu. Comme j'ai prévenu par là en quelque façon
les ordres, dont Votre Majesté vient de m'honorer par Sa très gracieuse Dépêche du 13 du courant, je me borne à Lui en accuser
très humblement la réception, en attendant avec soumission et respect,
si Elle daignera soutenir cette démarche auprès de Son Altesse par
quelques mots de Sa main, qui me paroissent l'unique moyen d'accé-
lérer l'exécution de la promesse du Duc.

J'ai l'honneur etc. etc.

5) Madeweiss an Friedrich Wilhelm II.

à Stouccard le 3 Janvier
1787.

Sire,

Connoissant le caractère inconséquent du Duc de Wurtemberg,
et voyant, qu'il tardoit à satisfaire à sa promesse de mettre en
liberté le Sieur Schubart, j'ai crû agir selon les intentions bien-
faisantes de Votre Majesté de l'en faire souvenir, en la Lui rap-
pellant telle, qu'il me l'avoit faite à Hohenheim, où il s'étoit engagé
trop positivement pour pouvoir reculer.

La lettre, que je lui ai écrite à ce sujet, a porté coup Sire,
et Votre Majesté verra par sa réponse ci-jointe, qu'il veut réaliser
sa promesse en peu de temps. J'ai lieu de croire, que le retard,
allegué dans celle-ci, provient du désir, qu'il a de faire cet acte de
justice le jour de la naissance de son Epouse, qu'il compte célébrer
avec beaucoup de pompe le 10 de ce mois[1]). Si à cette époque

---

1) Am 20. Januar 1787 berichtete Madeweiss jedoch nach Berlin,
Herzog Karl sei am 16. von einer Reise zurückgekehrt, „die er blos
unternommen, um an dem Geburtstage seiner Gemahlin hier nicht
gegenwärtig zu seyn".

les intentions de Votre Majesté ne sont point remplies, il est à craindre qu'il ne mette de la mauvaise foi dans sa promesse.

J'ai l'honneur etc. etc.

6) Madeweiss an Herzog Karl.

Monseigneur,

Je n'ai pas manqué Monseigneur, de rendre un compte exact au Roi, mon Maître, des sentimens favorables de Votre Altesse Sérénissime envers le Sieur Schubart, et de la déférence, qu'Elle m'a témoigné vouloir avoir pour l'intercession de Sa Majesté, en me disant en termes formels, de vouloir moins répondre à Ses voeux qu'à Sa volonté. Ne pouvant me permettre des doutes Monseigneur, sur Votre empressement de satisfaire aux désirs du Roi dans une affaire, où j'ai la parole de Votre Altesse Sérénissime pour garant, je présume que le retard, qu'Elle met dans son exécution, ne provient que de Ses occupations multipliées. Agréés donc Monseigneur, que je la Lui rappelle, étant bien persuadé, que Votre Altesse Sérénissime suivra en faveur du Sieur Schubart le sentiment, que l'intérêt, que le Roi prend à son sort, doit Lui inspirer.

J'ai l'honneur d'être avec le plus profond respect etc. etc.

à Stouccard
le 28 Decembre 1786.

7) Herzog Karl an Madeweiss.

de Hohenheim le 30 Xbre 1786.

Monsieur,

Votre Lettre en date du 28. de ce mois m'est parvenue. Je suis trop esclave de ma Parole, et trop flatté de trouver des occasions de plaire au Roi Votre Maitre, pour ne pas mettre en exécution la Promesse que je Vous ai faite. Des circonstances ont retardé mon projet, et un court delai encore me mettra en Etat de réaliser mes Promesses.

Je suis avec une Considération distinguée,

Monsieur,

Votre très devoué et affectioné

Charles.

à M. de Madeweiss.

8) Immediatbericht des Grafen Hertzberg an Friedrich Wilhelm II.[1]).

Le malheureux Savant Schubart ne peut pas obtenir sa liberté malgré les intercessions réiterées de Votre Majesté et les promesses que le Duc de Würtemberg lui a faites. Il a un fils, qui promet beaucoup, et paroit avoir hérité les talens de son père, écrivant surtout fort bien en Allemand pour la prose et en vers, selon que je pourrois prouver par plusieurs lettres. Comme ce jeune homme manque de toute fortune et de toute esperance, le père sollicite souvent par des lettres touchantes, que Votre Majesté veuille le prendre en son service. Nous pourrions l'employer dans la Chancellerie et avec le tems dans le cas d'une vacance comme Secretaire de legation, si Votre Majesté vouloit lui accorder une pension de 3. à 400. écus, que je pourrois mettre à la Trinité sur le nouvel état de la Caisse de légation. Ce seroit un oeuvre de charité, qui confondroit le Duc de Würtemberg, l'engageroit peutêtre à accorder à la fin la liberté au père, et assureroit à Votre Majesté un applaudissement général, surtout des Savans. J'espère, que Votre Majesté prendra en bonne part la liberté que je prends de soumettre cette idée à Ses hautes volontés.

Berlin le 25. Fevrier 1787.

(gez.) Hertzberg.

Au roi.

Diesem Berichte ist am Rande ein eigenhändiges „acordé" vom König mit Bleistift hinzugefügt worden.

9) Madeweiss an Friedrich Wilhelm II.

à Stouccard le 16 Mai
1787.

     Sire,

Votre Majesté vient enfin d'obtenir l'effet de Ses sollicitations généreuses, en faveur du malheureux Schubart, auprès du Duc de Würtemberg. Ce Prince, visitant, il y a une couple de jours, la fortresse d'Asperg accompagné de Madame son Epouse, cette dernière fit venir en sa présence l'infortuné captif, pour lui annoncer la fin de sa détention, en l'assurant, que le Duc, son Epoux, se chargeroit de lui donner une place, analogue à ses talens, et suffisante pour le faire vivre.

Madeweiss übersendet zugleich ein Dankschreiben Schubarts an den König.

---

1) Aus den Acten betr. die Anstellung Ludwig Albrecht Schubarts.

IV.

Zu Schubart als Dichter.

Mit Recht ist stets das improvisatorische in Schubarts
poetischem Charakter hervorgehoben worden. Im Interesse
vollkommener Würdigung desselben aber dürfte es beachtenswerth erscheinen, dass es auch an Anzeichen bewusster künstlerischer Thätigkeit bei ihm nicht fehlt. Als ein Zeugniss
dafür erscheint mir die Umgestaltung, welcher er sein Lied
eines Schwabenmädchens unterzogen hat. Zuerst erschien
dasselbe im Ulmer Intelligenzblatt vom 13. April 1775 in
13 Strophen, ohne Bezeichnung des Verfassers[1]). Bald darauf
wurde es mit unerheblichen Modificationen in die vom Dichter
nicht legitimierte Sammlung „Schubartiana" (Augsburg und
Ulm 1775) aufgenommen. Vielleicht hat der Umstand, dass
das Lied aus seiner anspruchslosen Existenz in einem Local-
blatt heraus in weitere Kreise getragen worden, Schubart veranlasst, dasselbe in der deutschen Chronik vom 5. October 1775
in verkürzter und geläuterter Gestalt vorzuführen. Des be-
quemeren Vergleichs wegen mögen hier beide Fassungen neben
einander gestellt werden.

Ulmisches Intelligenzblatt 13. April 1775.	Deutsche Chronik 5. October 1775[2]).
Lied eines Schwaben- mädgen.	(Ohne Titel.)
Ich Mädgen bin aus Schwaben Und schön ist mein Gesicht; Der Sachsenmädgen Gaben Die hab ich freylich nicht.	Ich Mädgen, bin aus Schwaben, Und braun ist mein Gesicht: Der Sachsenmädgen Gaben Besitz ich freylich nicht.

---

1) In dem Exemplare der Ulmer Stadtbibliothek ist der Name
„Schubart" handschriftlich hinzugefügt, nach gefälliger Mittheilung des
Herrn Prof. Dr. Veesenmeyer: von der Hand des Ulmer Buchhändlers
Köhler.

2) Der hier gegebene Text ist genau derjenige der deutschen
Chronik, während Hauff in seiner histor.-krit. Ausgabe der Gedichte
Schubarts S. 450 den Text der Frankfurter Ausgabe wiederholt. In
letzterer ist das Lied als aus dem J. 1760 stammend bezeichnet. Dieses

Ulmisches Intelligenzblatt.   Deutsche Chronik.

Die Mädgen an der Pleisse
  Und Elbe prahlen mir
So viel von ihrer Weisse
  Und Rosenröthe für.

Sie können Bücher lesen,   Die können Bücher lesen,
  Den Gellert und den Gleim,   Den Wieland und den Gleim;
Und ihr Gezier und Wesen   Und ihr Gezier und Wesen
  Ist süss, wie Honigseim.   Ist süss, wie Honigseim.

Romanen, Feenmärchen,
  Gebunden in Drap d'or,
Liest dort das süsse Herrchen
  Den jungen Mädgen vor.

Seht, wie an ihren Wangen
  Lyoner Purpur hängt,
Und lüsternes Verlangen
  Der Unschuld Reiz verdrängt.

Der Ton, mit dem sie sprechen,   Der Spott, mit dem sie stechen,
  Verblendet nur wie Blitz,   Ist scharf, wie Nadelspitz;
Der Witz, womit sie stechen,   Der Witz, mit dem sie sprechen,
  Ist nur Romanenwitz.   Ist nur Romanenwitz.

Mir fehlt zwar diese Gabe,   Mir fehlt zwar diese Gabe,
  Fein bin ich nicht und schlau: Fein bin ich nicht und schlau;
Doch kriegt ein braver Schwabe   Doch kriegt ein braver Schwabe
  An mir 'ne brave Frau.   An mir 'ne brave Frau.

Den Schatz, den ich besitze,
  Besitz ich von Natur,
Mit meinem Mutterwitze
  Und Unschuld prang ich nur.

Das Tändeln, Lesen, Gaffen,   Das Tändeln, Schreiben, Lesen
  Macht Mädgen liederlich;   Macht Mädgen widerlich;
Mein Mann, für mich geschaffen,   Der Mann, vor mich erlesen,
  Der liest einmal für mich.   Der liest einmal vor mich.

Ich neck ihn auf dem Schoose,
  Wenn keusche Lieb entbrennt,
Und er mich dann die lose
  Und kleine Schwäbin nennt.

---

ist sicher unzutreffend, wenn man es auf die dort abgedruckte Fassung bezieht; sehr wol möglich aber ist es, dass die Fassung des Intelligenzblattes oder irgend eine andere ältere Version des Gedichtes bereits vor dem Jahre 1775 existierte.

Ulmisches Intelligenzblatt.	Deutsche Chronik.
Du lieber Mann aus Schwaben	Hör[1]), Jüngling, bist aus
Liebst du dein Vaterland?	Schwaben?
Komm her, du sollst mich haben;	Liebst du dein Vaterland?
Schau, hier ist meine Hand!	So komm, du sollst mich haben.
	Schau, hier ist meine Hand!

. Das folgende Gedicht Schubarts, welches bisher meines Wissens nicht bekannt geworden, dürfte, wenn auch ohne besonderen poetischen Werth, doch für die Biographie des Dichters von Interesse sein[2]).

Der Berggeist

an

Herrn General und Kommandanten
von Hügel

Im Aprill 1784

von

Schubart.

Serus in coelum redeas, diuque
Laetus intersis populo —
Neve Te nostris vitiis iniquum
Ocior aura
Tollat — — —

Horatius

Als Scheler starb, da bebten
Des Aschbergs Pfeiler tief.
Und alle, die auf seinem Rüken wohnen,
Erschraken ob dem Donnerfalle.

Der harte Krieger frug mit gramdurchfurchter Stirne:
wer führt nun unsere Haufen an?
Wer lenkt uns mit dem Stab der Liebe,
wie Vater Scheler that?

---

1) In der Frankfurter Ausgabe und bei Hauff: Ha, Jüngling.

2) Es ist offenbar das von Schubart in seinem Brief v. 29. April 1784 erwähnte Gratulationsgedicht, welches ihm 2 ℔ Knaster eintrug. — Der hier abgedruckte Text wurde mir vor längerer Zeit von dem verstorbenen Herrn Director v. Halm aus der Münchener Autographensammlung mitgetheilt.

Im Lazarethe wälzte sich der Kranke
und winselt': ach wer träufelt nun
In unsre Wunden Balsam?
Wer kühlt uns in der Qual?? —

Mit gelbem Antliz blikte der Gefangne
durchs Eisengitter himmelauf.
Er röchelte: Wer wischt mit sanften Händen
Nun von der Wange Kerkerstaub?

Es schüttelte mit fürchterlichem Rasseln
Die Fessellast der Galiot.
Ha, brüllt' er auf vom Stroh: Wer leichtert
Nun unsre Ketten? und der Kugeln Druk?

Da stieg der Berggeist aus des Aschbergs Bauche,
Stand hoch im Mondenlicht:
Strekt seine Rechte auf gen Himel
und sprach: was traurt ihr so?

Ich bin der Erde Hüter Einer.
In Gottes ewgem Rath
Ists längst beschlossen: Hügel
Soll euer Vater seyn.

Der Mann, dem Wodan um die Hüften
Das Schwerd geschnallt; dem deutscher Muth
Die grose Seele längst beflamte,
Soll, Krieger, euer Führer seyn.

Der Christ, voll Samaritermitleid
Geusst in des Kranken Wunden Oel.
Mit Menschensorg' und Christenpflege
Labt er die Müden in der Qual.

Auch schwimt ihm Engeltröstung auf den Lippen
Für Dich, gefangner Mann.
Schon strekt Er seine Rechte, troknet
Die Zähre Dir vom Angesicht.

Auch dir, du kettenwunder
bleicher Galiot
Lüpft Er der Eisenschellen Schwere
und leichtert Deine Last.

Denn Hügel will die Frevler bessern
Durch linde Strafen, doch durch Höllenqual
Sie zur Verzweiflung bringen,
Das will mein Hügel nicht.

D(r)um traurt nicht so, Bewohner meines Berges,
  In Gottes ewgem Rath
Ists ia beschlossen: Hügel
  Soll euer Vater seyn.   ·

So sprach der Geist des Berges
  dähnt sich und schwand im Mondgewölk.
Ich hörts — und eine Wonneträne
  Trof in mein Lied.

V.

Briefe Schubarts[1]).

1) Schubart an Balthasar Haug.

Geisslingen den 13ten Maj 1767.

Mein theurester Freund,

Ich schreibe schon den dritten Brief an Sie, der vielleicht so
wenig als der erstere Sie aus Ihrer phlegmatischen und unfreund-
schafftlichen Ruhe herauszuschreken vermag. Wie bin ich so missvergnügt! Wie Pandions Tochter size ich in Rosengebüschen und
singe in Elegien dem ganzen Frühling meinen Gram vor. Und Sie
sind der Mörder meiner Ruhe. Sie schlagen sich zu meinen Feinden,
indem Sie auf alle meine freundschaftlichen Klagen nicht antworten.
Doch vielleicht, dass ich Ihnen mit gegenwärtigem Schreiben
wenigstens 2. Zeilen Trost abzürne.

---

1) Der grösste Theil der hier zum Abdruck gelangten Briefe war
mir bereits vor Veröffentlichung meiner Beiträge zur Kenntniss Schubarts im 6. Band dieses Archivs bekannt. Von der Ansicht ausgehend,
dass Schubart nicht zu denjenigen Autoren gehöre, von denen jeder
ungedruckte Buchstabe publiciert zu werden verdient, habe ich damals
nur weniges aus meiner kleinen Collection mitgetheilt. Da ich jedoch im
Verlauf meiner weiteren Schubart-Studien zu der Ueberzeugung gelangt
bin, dass kaum ein Schriftstück von Schubart existiert, welches nicht
den einen oder anderen charakteristischen Zug enthält, oder doch für
die Biographie des Dichters oder für die Culturgeschichte seines Zeitalters verwerthet werden könnte; und da ich anderseits meine frühere
Absicht, ein umfassenderes Werk über Schubart zu publicieren, mittlerweile aufgegeben: so erschien es mir als Pflicht, die von mir gesammelten Briefe — wenn auch zum Theil nur auszugsweise — anderen
Forschern zugänglich zu machen. Wo ein anderer Ursprung nicht angegeben ist, entstammen die Briefe Privat-Autographensammlungen.

Noch biss iezo habe ich einen so unbestimmten Begrif von
Ihrem neuen Carakter, von den Beschäftigungen Ihres Ammtes und
Ihrer Muse, dass mich eben diese Ungewissheit martert.

Aber, warum sind Sie dann so eigensinnig und schreiben nichts
mehr? Haben Sie sich auch zu der Bande Ihrer Landsleute geschlagen, die Alles schreiben können und Nichts schreiben wollen?

Gemmingen, der so geizige Züge aus der Hippokrene gethan
hat, izt aber den Faden in den Labirinthen seines Vaterlandes sucht
und — vor die Welt schweigt; der freimüthige Huber, der ein
paar Juvenalische Geisselschläge auf den fetten Rüken der Narren
that und schwieg; Duttenhofer, der alles wagen könnte und nichts
wagt und nun auch Haug, dessen Muse im Magister keimte, im
Pfarrer Blüthen trieb und im Professor die Blüthen abfallen
lässt, ohne sie zu Früchten zu treiben! — Nein, theurester Freund,
das ist nicht auszustehen. Ihr Ruhm, die Ehre Ihres muthwillig
verarmten Vaterlandes und die Ungeduld Ihrer Freunde erwarten
mit Recht die Palingenesie Ihres Geistes, dessen Ruhe vielleicht
nur ein Löwenschlummer war, um mit Gelegenheit, stärker an
Kräfften hervorzubrechen. Ich arbeite auch; aber Gott weiss es,
mit welchem Erfolge. Ich weiss nicht, ob Sie meine Todesgesänge
gelesen haben; aber das weiss ich:

Flebilis, ut noster status est, ita flebile carmen —

Indessen wäre ich doch begierig, Ihre und anderer Verständigen
Meynung über diese Gesänge zu wissen. Ich wäre schuldig mit
einem Exemplar aufzuwarten; aber mein Buchhändler war so geizig,
dass er nur mich und meinen Vater damit versah. Jezt arbeite ich
an einer besondern Gattung von Gedichten, die, wann sie sonst kein
Verdienst haben, wenigstens den edlen Ehrgeiz verrathen sollen —
original zu seyn! — Wann mich nicht mein Ammt und Hauss und
Nahrungssorgen so sehr zur Erden beugten; so getraute ich mir noch
manche Arbeit zu liefern, deren ich mich wenigstens nicht schämen
dürfte. Aber mein Geist ist unter der Presse und alle meine Arbeiten sind Blutstropfen. Neid und Verfolgung ist aufs höchste
gestiegen. Ich habe mich neulich um das Ulmische Conrektorat
gemeldet und man hat mir einen Stümper von einem Magister
vorgezogen. Man klaubt an meinen Schrifften, um Gifft zu finden,
und mich damit zu vergeben. Bei elendem Brod, schaalem Bier und
ohne den Trost eines Freundes (ich weine, indem' ich dieses schreibe.)
muss ich die niedrigsten Geschäfte verrichten.

> Von Clerisei und Hass umgeben
>   sing' ich von Zärtlichkeit und Ruh;
> ich singe von dem Safft der Reben
>   und Wasser trink' ich offt darzu.

Mein Körper leidet gewaltig und mein Trost ist das, was andere
fürchten — der Tod! — Bestrafen Sie mein Vertrauen nicht wieder

mit Stillschweigen; eilen Sie mir mit Freundschafft und Trost entgegen und seyn Sie mit dem Lohne zufrieden — einen Unglüklichen beruhigt zu haben.

In dem Unterlande zeiget sich in einigen Gelegenheitsgedichten ein iunges Genie, das Aufmunterung verdient. Vermuthlich in Tübingen. — Wann Sie einmal des Hⁿ v. Gemmingen Schrifften auftreiben, so ersuche ich Sie, mir selbige zu communiciren.

Ich falle an Ihren Busen und nenne mich in der Ekstase einer erwärmten Freundschafft

Ihren

Diener und Freund

Schubart

N. S. Empfehlen Sie mich allen, die nach mir fragen und zum Mitleiden nicht verwahrlosst sind.

2) Schubart an Johann Martial Greiner[1]).

Ulm den 23ten Febr. 1775.

Liebster alter Freund Martial,

Ich höre dass du noch frisch Odem hohlest, und du als Patriarch in der Musik ganz Stuttgardt durch die geschmakvolle Einrichtung deiner Konzerte bezauberst. Nun das ist mir lieb. Gott gebe dir dafür ein reiches Weib, gute Laune, und wenn du noch ein halbes Seculum gegeigt hast; so fahre meinetwegen ins Paradies, und nimm mich in deinem Geigenfutral mit. O lieber Martial, wie viel hat sich nicht seit diesem geändert, als ich das leztemal bey dir war, und aus deinem Weisheitskolben ein paar Gläschen Poetengeist hinabstürzte! Unsere Freunde und Bekannte sind aus einander gestäubt, wie Spreuen in die der Sturm bläst. Sämanns Tod hat mich ausserordentlich gerührt[2]). Schreib mir doch einige Partikularien davon. Wo ist doch Steinhardt und seine liebe Frau? Empfiehl mich ihnen, wenn du an sie schreibst.

In München bin ich etliche mal vor Dellers Grab gewandelt und habe mich da genug ausgeweint. Ein frommer Bruder, der ihn bis in Tod verpflegte, hat mir es gewiesen. Mein Gott! welch ein Schiksal haben oft die grösten Genie's! O! wie glüklich ist der Mann, der sein Landgut, sein Weib im Arm, Pferde im Stall, Wein im Keller und Geld im Beutel hat, und wie der weisse pauci[s] contentus in einem christlichen Räuschchen ins Grab hinab schlum-

---

1) Talentvoller Geiger, Schüler Tartinis, längere Zeit bei der „herzoglichen Musik" in Stuttgart angestellt.

2) Vgl. deutsche Chronik vom 20. Febr. 1775.

mert. Und nun hab ich eine herzliche Bitte an dich, Liebster
Bruder. Wenn du mir die gewährst; so will ich gern dein Cal-
foniumbub werden. Die Musik ist noch immer ein Hauptstudium
von mir. Ich möchte also zu meinem Privatvergnügen das Requiem
vom unsterblichen Jomelli haben. Lass es mir doch in Partitur
abschreiben und schik es mir bey der nächsten Gelegenheit. Die
Schreibgebühr will ich dir noch vorher übersenden, wenn du mir
mit der nächsten Post schreiben magst: Wie viel.

Ich verlasse mich auf deine Billigkeit, dass du mit einem armen
Gelehrten, der wie der Esel im Tagelohn arbeitet, säuberlich verfahren werdest. Wenn du mir meine Bitte nicht gewährst; so geb
ich dich nächstens in meiner Chronik für tod aus und mache dir
die Grabschrift:

> Hier liegt der Geiger Martial
> Er hatt' in diesem Jammerthal
> Den deutschen Namen Greiner
> Doch Martial klang feiner,
> Drum er sich diesen Namen gab.
> Nun sch ... der Hund ihm auf das Grab.

Und nun lebe wohl, und grüss mir deine 6000 Menscher.
Weisst du musikalische Neuigkeiten, so schreib sie mir, flugs wirsts
in der Chronik lesen.

Gute Nacht, guten Morgen, guten Tag. Prosit die Mahlzeit,
glükliche Aderlässe — azi! Gott helf dir! Bringe dirs Bruder! Ey
so sauf du und der Teufel. Pfr! ...... — leb wohl, schlaf wohl,
ede, bibe, lude, geig und steig.

Ich bin

Dein alter Schubart.

3) Brief Schubarts, datiert:

Ulm am Osterfeste 1776[1]).

(Vielleicht an Haug.)
[Auszug.]

Euer Wohlgebohrn empfehl ich .... Herrn Müller aus Gotha,
einen sehr gründlichen Klavieristen ......

Und was macht dann das närrische Mensch, Literatura? —
Kalender, oder Merkure, oder Musäa, oder Magazine, oder Chroniken? — Leider Gott erbarms! alles durcheinander, zum Verderb
der gründlichen Gelehrsamkeit und des ächten unverdorbnen Natur-
geschmaks. ....

---

1) Aus der Autographensammlung der Münchener Hof- und Staatsbibliothek.

N. S.

ich befinde mich, Gott sei dank, wohl; hab Brod, Bier Tobak
und ein krankes Weib. Könnten Sie nicht einmal einige Krüge Wein
entbehren? der fehlt mir leider! —

4) Schubart an Ph. Christoph Kayser[1]).

Ulm den 6ten Oktober 1776.

Ein duzend Briefe, lieber *Kaiser*, schrieb ich schon an dich,
halb aus, ganz aus — und alle zeriss' ich. Wenn ich an Leute
schreibe, die ich hochschäze; so mach' ich mir selber meine Sachen
niemals recht. Da kommt dir immer die üble Laune dazwischen und
schneidet mit Atropos Scheere das ganze Geweb' entzwei. Indess
dacht' ich doch mit Millern sehr oft an dich und wir feirten gemeiniglich da dein Andenken, wenn wir die Donau 'nuntergiengen
und uns im Steinhäule in Schatten lagerten. — Geh' also wieder
hin, Brief, und grüss mir zuförderst den brafen, lieben *Kaiser* und
— seinen Schreibteufel. Jaia! seinen Schreibteufel. Denn das ist ja
ein so lieber, gutherziger, redseeliger Teufel, dass man ihn gleich
beim ersten Anblik so lieb gewinnt, als den wiederkehrenden Abba-
donna. Geschwäz! Also was anders! — ......[2]). Ewiges Jagen
nach Philosophei, Belesenheitswust, tükische Ausfälle, sklavische
Nachgiebigkeit gegen diesen und jenen, nachgeäfte Laune, zehnmal
gesagte und schon von Anbeginn her kühle Waidsprüche, kindische,
elende, verwahrlosste Reimereien und in der Prose nicht selten eine
Periodologie, mit Fleiss bewölkt und benachtet, dass die schlimmsten
Gedanken und Sentiments, wie Höllengeister drinn hausen können
— *das scheint mir Wielands Charakter zu seyn u. desshalb sch—*
ich ihn an mit Freuden.

Von ...[3]) gehen hier allerlei Gerüchte — er ist auf der Jagd
erschossen — im Duell erstochen worden — und was noch Scheuss-
licher ist — er habe sich durch einen äusserst schlechten Lebenswandel bei aller Welt verhasst gemacht. Ich weiss, dass alles er-

---

1) Offenbar in höherem Masse, als bei den in den Grenzboten 1870,
IV S. 421 ff. veröffentlichten Briefen an Kayser, ist hier der letztere selbst
oder ein späterer Besitzer bemüht gewesen, eine Reihe von Sätzen durch
mehrfache Ueberstreichung oder Ueberklecksung unleserlich zu machen.
Die von mir trotzdem entzifferten Stellen sind durch cursive Lettern angedeutet. Bei den (jedesfalls auch nachträglich) durch einfache Quer-
linien durchstrichenen Sätzen, welche für niemand unlesbar sind, schien
eine besondere Bezeichnung nicht erforderlich.

2) Eine längere Stelle ist hier völlig unleserlich gemacht.

3) Vermuthlich Goethe.

logen ist; aber bersten möcht' ich vor Zorn, dass es solche niederträchtige Schurken gibt, die, wenn sie dem grossen Mann nicht anderst beikommen können, ihm . . . .[1]) ins Gesicht sprizen.

Hast recht wegen André und Junker[2]), *aber du kennst* nicht alle meine Verhältnisse. André nekt mich schon Jahr und Tag, sein Tagwerk zu loben; denn es faulte beinah' im Buchladen. — Ich thats und nun fragt man wieder darnach. Auf'm Klavier thuts immer keine üble Würkung.

*Junker liegt an der Poli*graphie sehr schwer darnieder. Ich habs ihm derb geschrieben; aber öfentlich mocht' ichs ihm nicht sagen. Er lallt *Lavaters* Kraftworte nach, ohne seinen tiefen Blik zu haben. Daher stehen seine Worte oft am unrechten Orte — wie ein Purpurflek auf Zwilchhosen. Auch sein Feuer ist affektirtes Feuer — ein Pulverteufel, der aufpuft und stinkt — nicht Feuer von Gottes Altar. — Das weiss ich nun gar wohl, lieber *Kaiser;* aber ich mags dem guten Manne zu lieb (denn er kann doch der Welt noch manchen Dienst leisten) nicht laut sagen. Ins Ohr geraunt sei es den wenig Edlen, die dich und mich verstehn. — Aber, Bruder, du bist doch auch ungerecht. Forderst lauter Lavater, Herder, Göthe, Klopstok, Gluk, Stollberge — Blize Gottes! — wohin aber mit der Mittelklasse der Menschen? Sollen sie am Markte der Welt müssig stehn und Elephanten und Riesen angaffen? — Für dich und deines Gleichen schreiben wenige; wer soll aber für die weit grösere Zahl schreiben, wenns ia geschrieben seyn soll? — Ich habe zum Schriftsteller sehr wenig Geschik — nicht Genie genug, nicht Gelehrsamkeit genug, nicht Fleiss genug; aber so lang' ich Leute finde, die mich doch lesen; so schreib' ich und bitte nur Gott, dass er mich in Gnaden bewahre — nichts Böses zu schreiben. Soll ich Holz haken? kanns nicht! Linsen klauben? kanns nicht! — wieder an Hof gehn . . . . . . Also schreib' ich und mein Weib und Kinder freuen sich der kleinen Gabe ihres Vaters. In diesem Falle sind tausende: lass sie also schreiben und unter Kässpappier und Häringsumschlag ihr Grab finden.

Gluk — in meinen Augen so göttlich, wie in den deinigen — ist noch immer, *wie mir Beeke*[3]) *aus Wien schreibt, untröstlich wegen seiner Nichte* . . . . . . und wird nun nächstens seine Hermannsschlacht herausgeben. Seine Iphigenie hab' ich leider! noch nicht

1) Hier ist eine Zeile unleserlich.

2) Dies bezieht sich wahrscheinlich auf Aeusserungen Kaysers über die beiden Artikel: „Erwin und Elmire von Göthe und André" und „Christus Köpfe von Junker" in der deutschen Chronik vom 19. September 1776.

3) Ignaz von Beecke. Vgl. über denselben Schubarts Ideen zu einer Aesthetik der Tonkunst (Ges. Schriften Bd. 5) S. 173 f.

gesehn. Wie wärs, wenn du einen teutschen Text drunter sezen würdest? du kannst's, weil du Gluken nachempfindst; also thus!

Hör, lieber *Kaiser!* Ich möcht gern Lavaters Phisiognomik eigen besizen. Möchtest du nicht an Stainern[1]) nach Winterthurn schreiben und ihm vorschlagen: ob er nicht einige von mir in Musik gesezte Lieder verlegen wolle? oder ob ich ihm Jomelli's Requiem mit einem teutschen Text von mir in Verlag geben, oder sonst was schreiben soll? — die Phisiognomik abzuverdienen! — So viel baares Geld bring ich doch in meinem Leben nicht zusammen.

Nach Manheim hab' ich schon sehr oft um Schattenrisse von musikalischen Genies geschrieben; ich hoffe sie aber nun durch Mahler Müller gewiss zu erhalten — und dann gleich Lavatern zu[2]) — aber ohne die lächerliche Prätension, mich öfentlich desswegen lobpreissen zu lassen, dass ich auch — einen Tropfen in Ocean trug.

Nicht Schattenriss, sondern Porträt erhälst du von Augspurg aus von mir. Häng' es auf unter deinen Freunden, wenn ich's werth bin.

Noch eine Bitte, Bester! Schik mir doch mit nächstem Postwagen Shakespears Werke — ich sende Musikalien an Ott (die Bravourarie der Mara von Reichardt[3])) der wird dir dann's Geld davor geben.

Du! — warum schreibst mir dann nichts von der Höllenthat in Zürich?[4]) Alle Welt schreibt und spricht iezt nur davon. Schik mir doch Wahrheit in meine Chronik!

Möchtest mir nicht manchmal auch deine musikalischen Phantasien, Grillen, Einfälle, Paradoxa, Gefühle, Flüge — für die Chronik mittheilen? — Thu's, Lieber!

Dem Gottesmann, Lavater, meine grose, grose Empfehlung. Ich schrieb ihm gern; aber Sünde wärs ihm mit meinem Geschmier Eine Himmelsminute zu rauben. Ich kann also nur an ihn denken und ihn bewundern.

Gelt, *Kaiser,* ich hab heut auch 'en Schreibteufel? — Nun so fahre dann aus du unsauberer Geist!! — Fort ist er — doch wohl nicht mit Gestank. —

Ewig dein Schubart.

Mein Weib empfiehlt sich dir herzl.

---

1) Gemeint ist Heinrich Steiner, der Verleger der „Physiognomischen Fragmente" in Winterthur.

2) Das Verbum fehlt im Manuscript.

3) Eine Arie, welche J. F. Reichardt zu einer Hasseschen Oper für die Sängerin Mara componiert hatte; vgl. Schletterer, J. F. Reichardt I, 276.

4) Gemeint ist das vorgebliche Verbrechen der Vergiftung des Abendmahlweins in Zürich (12. Sept. 1776).

Vor einigen Wochen wär' ich schier gestorben — der Todenvogel heulte schon; das macht mich sehr behutsam.

5) Schubart an seine Frau[1]).

Hohenasperg den 15ten Juni
1783.

Beste,

Dein Brief hat mich am Anfang erfreuet u. am Ende herzlich betrübt. So ist also deine liebe Schwester Catharine nicht mehr? — So ist sie dir also vorangegangen und hat dich Einsame im Thal der Thränen zurückgelassen? — Ich verhülle mich, Beste, weine mit dir u. deinem grauen Vater und bete Gott an. Sie war ein gutes Weib, Muter, Tochter, Haushälterin und immer für die Menschheit zum traulichen Umgang u. fürs Mitgefühl geöffnet. Gott gab ihr der Freuden viel u. nur wenige Tropfen Gram wölkten diesen Becher der Freude. Sie überlebte ihre Eltern nicht, hatte immer gute, friedliche Männer, die ausser dem häusslichen Spinnengewebe nicht weitere Kraise suchten, um sich drinn zu tummeln; hatte Kinder; Hauss, Güter und Geld und so viel Ehre als ihre eingeschränkte Seele verlangte. Was ihr an höherer Erkänntniss abgieng, wird nun Gott in einer besseren Welt nachzuhohlen wissen.

Drum, Beste weine nicht!
die Schwester ist vorange[gan]gen
wo keine Zähren auf den Wangen
mehr trüben unser Angesicht;
o Beste, weine nicht.

O Gattinn, würdest du
An Edens Wasserbächen
Jezt deine liebe Schwester sprächen;
Sie lächelte dir zu:
Missgönnst du mir die Ruh?

Wir eilen all wie sie
Der Ewigkeit entgegen,
auf sanftem u. auf rauhen Wegen;
Nur dorten täuscht uns nie
der Herzen Simpathie.

---

1) Ob das Original dieses Briefes noch vorhanden ist, habe ich nicht in Erfahrung bringen können. Der Abdruck erfolgt auf Grund einer im Besitz des Herrn Keller zu Geislingen befindlichen Copie, welche mir durch die Güte des Herrn Professor Nägele in Geislingen zugänglich wurde.

Wann wir in Christus Licht
einst alle auferstehen,
u. unsere Lieben wiedersehen
o Weib, dann trüben nicht
die Thränen das Gesicht.

Einst wirst du mit schaudernder Wehmuth unter den Gräbern
des Geisslinger Todenbergs wandeln und hier die Ruhstätte deiner
Kinder — dort das Grabmal deiner Schwester und da den erhöhten
Hügel betrachten, wo dein Vater und deine Muter schlummert; und
wenn ich denn auch schon eingegangen bin in meine Ruhe; so wirst
du mit stiller Sehnsucht durch die Wolken des Todes gen Himmel
schauen und Gott bitten, dass er dich bald auf ewig mit deinen
lieben vereine. Die Religion Jesu wandelt die heidnische Traurigkeit in den himmelnahen Wunsch: aufgelösst und bey Jesu Christ
zu seyn.

Sag dieses auch deinem lieben Vater, nebst meinem kindl:n
Gruss und ermuntre ihn, wieder Mann und Christ zu seyn. Auch
er hat seine Kinder dem Tode gezeuget; und Jesus unser Herr
hat sie zur Auferstehung geweiht. Wir wollen an der Leichen der
unsrigen stehen u. Gott über ihnen preisen lernen. — Eben war der
liebe Elsässer bey mir und traf mich über diesem Briefe an. Ach
Gott, wie ich mich da freute u. ihn fest an mein Herz drükte —
der Freund meiner mir so unausssprechl. lieben Gattin, den brafen
teutschen Mann — und den erleuchteten Christen!! — Wir sprachen
von dir, unsern Kindern, meist aber von der Religion, und wir sind
hierinnen so Eins, wie zwo Verschwisterten Seelen es nur immer
seyn können. Du bist glüklich, einen solchen Führer zu haben, da
es dein Mann nicht seyn konnte, Ach, Freundinn, wie gross, wie
Himmelerhebend ist die Religion Jesu! — Und du klagest noch, wenn
eine Blume der Sturm des Todes knikt, um als Zeder im Garten
Gottes wieder aufzublühen? —

Mein Herz seegnet dich, Beste! Küsse meine Kinder! — Vertraue Gott in Christo Jesu, der Fülle der Gottheit und liebe so herzlich, wie dich liebet

deinen
treuen Mann
u. Freund
Schubart.

6) Schubart an seine Tochter. Asperg, d. 2. Sept. 1783.

(Ergänzung des Band VI S. 391 abgedruckten Bruchstücks.)

Lass dich nur, ich bitte dich, mit keinem vom Theater ein; das
Theater ist ein Eisboden, drauf schon manche Tugend ausglitschte

und fiel. Wenn ich nur meine Freiheit hätte, dann nähm' ich mein
Julchen zu mir und ich wollte dir dann gewiess einen Jüngling aussuchen, der deiner Liebe würdig wäre. Doch, der Zeit darfst du
noch nicht ans heirathen denken. Bewahre also dein Herz.

Ich hoffe, du habest mich noch immer lieb und betest fleissig
für mich. Ach, dein armer Vater liegt noch immer gleich einem
Missethäter gefangen und hoft keine Erlösung — als durch den
Tod. Gewiess mein Schiksal ist hart. Schreib doch einmal an die
Fr. Reichsgräfin und bitte für mich. Wer weiss, ob Gott nicht die
Bitte der Unschuld und kindlichen Frömmigkeit seegnet! —

Lektür, Musik und Zeichnen empfel ich dir sehr. Vor allen
Dingen aber — die Bibel. Ach, mit diesem himlischen Buche richtete ich mich in meinem eisernen Jammer empor. —

Ich wollte dir gerne Lieder von mir schiken, wenn ich dächte,
dass dir solche Tändeleien willkommen wären. Eidenbenz[1]) sezt
sehr schön und leicht fürs Klavier und die Singstimme. Ich em-
pfele dir seine Stüke.

Schreib mir bald, liebe Tochter, so warm, als dein Herz ist und
tröste damit

deinen

armen gefangenen

Vater

Schubart.

Hör Julchen, ich bitte dich, vertraue mir dein Herz an. Ich
glaube, dein bester Rathgeber zu seyn, weil ich denk' ich empfinde,
wie du. Lebe recht wohl.

7) Schubart an seine Frau.

Hohenasperg den 25ten Febr. 84.

Erste Freundinn!

Die Jgfr. Freiin, meine Schülerin, wird das Vergnügen haben,
dir gegenwärtiges Briefchen zu überreichen. Es ist blos ein Kuss,
den ich dir im Geist auf deine Lippen drüke.

Du must es mir nicht übel deuten, dass ich dir so lange nicht
schrieb. Wäre ieder Gedank' an dich ein Brief geworden; — Himmel,
wie Schneefloken wären meine Briefe geflogen. —

Auch habe ich immer so viel Arbeit, als ich nie in meinem
Leben hatte. Ich informire 9. biss 10. Stunden des Tages — und
arbeite noch viel dazwischen. Von Stuttgardt hab ich schon wieder
eine Bestellung für das Orchester. Man könnte dir wohl einmal aus
der Theatral Casse ein Präsent machen, da ich schon so manches
dahin arbeitete.

---

1) Joh. Chr. Gottlob Eidenbenz, seit 1776 Zögling der Karls-
Akademie, später (seit April 1784) Hofmusicus.

Meine Gesundheit ist gegenwärtig nicht die beste. Ich habe
Schlagflüssige Anfälle, die mir kein langes Leben weissagen. Wenn
ich nur aufs Frühiahr ein Baad gebrauchen könnte; so wäre mir auf
viele Jahre geholfen. Aber — —

Pflege also deine Gesundheit für die meinige; geh aufs Frühiahr ins Baad u. reiss alsdann nach Augspurg. Ich kann dir bis
dahin die Kosten dazu liefern. —

Ludwig ist ein ganzer Kerl. Er hat mir wieder schöne Sachen
geschikt. Nur zittr' ich für seine Gesundheit. Ich schreib ihm
nächstens.

Gruss und Kuss an Julchen. Nächstens schreib ich dir viel.
Heut ärgert mich meine blasse Dinte.

An Elsässers meinen Respekt.

      Ewig

           Dein

                  Schubart.

8) Schubart an Miller[1]).   Hohenasperg am Thomastage 1784.

[Auszug.]

Schubart wünscht zu erfahren, ob Miller die durch den Leutnant
von Scharfenstein übersandten 18 Porträts erhalten habe.

„Gott gebe dir und deiner Gefährtin seelige Feiertage. Ach
wär ich auch bei euch, ihr Lieben, im Schoose der Freundschaft und
reichsstädischen Einfalt."

9) Schubart an Miller.   Hohenasperg den 2. Okt. 1786.

[Auszug.]

Empfehlungsbrief für den Leutnant Kapf, der „den Verfasser
des Siegwarts — und so mancher gemeinnützigen Schrift" persönlich
kennen zu lernen wünscht.

„Ich höre nur wenig von Ulm und diss Wenige handelt meist
von Feuersbrünsten und Auswandrungen, worüber ich weinen möchte.
Aus Reussen's Staatskanzlei bin ich vollends vom sichtbaren Ver-
falle deines Vaterlands überzeugt worden."

„Von meinen Angelegenheiten soll Kapf mit dir sprechen. Er
weiss alles."

---

1) Es sei nachträglich bemerkt, dass der Brief Schubarts an Miller,
aus welchem Archiv VI S. 371 f. eine Stelle citiert wurde, bereits bei
Strauss (II S. 233 f.) abgedruckt ist. Es wurde dies seiner Zeit übersehen, weil an letzterer Stelle das Schreiben ein unrichtiges Datum führt.
Das Original ist nicht vom 5ten November 1785, sondern vom 5ten September (7ber) datiert.

10) Schubart an den Universitätssekretär
Vischer[1]).

[Auszug.]

den 14ten Merz 1789.

Das Schreiben bezieht sich auf Schuldforderungen der Inhaberin der Ludwigsburger Hof- und Stadtapotheke[2]).

... „Was die Schuldfordrung selbst betrift, so hat Regierungsrath Kerner in Ludwigsburg, als mich 1773 der Bannstrahl des Pabst Zillings aus seinem Bezirke weg blizte, meine noch restirende Besoldung zurükbehalten, um meine wenigen Schulden zu bezahlen. Da nun seit 16. Jahren sich kein Mensch gemeldet hat; so konnt' ich glauben, dass all meine Gläubiger befriediget seien — folglich auch die Bischoffin. Doch weil sie eine arme Wittfrau ist, so will ich sie sogleich bezahlen, wenn sie erweist, dass sie damals nichts vom Ludwigsburger Oberamt erhalten.

Auch ist es eine infame Lüge, dass ich Arzneien von ihr auf den Asperg habe hohlen lassen; indem es ia landkundig ist, dass ich dort in allen Stüken auf Kosten des Herzogs unterhalten wurde."

11) Schubart (wahrscheinlich) an den Buchhändler Wenner
in Frankfurt[3]).

Stuttgardt den 5ten August 1790.

Verehrungswürdigster Mann,

Verzeihen Sie mir, dass ich auf Ihre schäzbare Briefe nicht frühere Antwort ertheilte. Es gibt gar viele Dinge, die mich vom Schreibtische abrufen, wenn ich schon die Feder zukte, die Briefe meiner Freunde zu beantworten. — Ihre freundschaftliche Einladung hat mich ausnehmend gerührt; ich würde auch Ihr Hauss allen übrigen Wohnungen in Frankfurt vorziehen, wenn es meine Lage vor dissmal nicht ganz unmöglich machte. Vielleicht kommt aber mein Sohn dahin, der Sie bald aufsuchen und die Freundschaft zu geniessen streben wird, die Sie so grossmüthig seinem Vater zugedacht haben. Da er sehr schöne Talente und wahrhaftig schriftstellerischen Beruf hat; so soll er eiumal eine Schrift für Ihren Verlag aus-

---

1) Aus dem k. geh. Hof- und Staatsarchiv in Stuttgart. Vgl. oben S. 29.

2) Dieselbe hatte sich in einem Schreiben vom 11. März 1789 bei dem Obersten v. Seeger wegen Nichtbeachtung ihrer Mahnungen beschwert.

3) Dieser Brief wurde mir vor längerer Zeit von dem verstorbenen Herrn Dir. v. Halm aus seiner Privat-Autographensammlung mitgetheilt; der gegenwärtige Besitzer desselben, Herr Rudolf Brockhaus in Leipzig, hat die Güte gehabt, meine Abschrift nochmals zu collationieren.

arbeiten, die dem Autor und Verleger Ehre bringen soll. Für die
mir überschikten Bücher und Broschüren bitte ich Sie, den Preiss
zu bestimmen, wo sodann die Bezahlung gleich folgen soll. Da ich
meinen Lebenslauf würklich hier druken lasse; so wünscht ich wohl
zu wissen, ob Sie eine Quantität Exemplare davon, um die höchst
billigsten Bedingungen, übernehmen möchten? In den nächsten Beilagen meiner Chronik sollen Ihre Verlagsartikel mit derjenigen
Achtung angezeigt werden, die sie verdienen. Es ist wahre Freude
für mich, Ihre Vortheile befördern zu helfen, denn ich ehre und liebe
die Männer, die, wie Sie, die Ehre des Vaterlandes durch gute Verlagsartikel befördern, die Verstand und Geschmak besizen, und allen
Schurkereien von offenbaren Spizbuben an, bis auf die maskirten
Schmieders[1]), todfeind sind. Bleiben Sie gesund im schwindlichten
Wirbel der Kaiserwahl, und wenn Leopold der Deutschen Oberhaupt
wird; so trinken Sie in ächtem Hochheimer oder Niereinsteiner auf
die Gesundheit des weisen Kaisers! Auf Deutschlands Heil! Auf
Frankfurts Wohlfarth! Auf Ihres Hausses Glük! Und — wenn der
Himmel um Sie mit all seinen Planeten und Sonnen nach Pytha-
goras Pfeife zu tanzen scheint; so erinnern Sie sich beim duftenden
Glase voll Rheinwein

> Ihres
>> deutschen Freundes und
>> Dieners
>>> · Schubart.

1) Nach gefälliger Notiz des Herrn Dir. Redlich in Hamburg: eine
Anspielung auf den Karlsruher Nachdrucker Chr. Gottlieb Schmieder.
Vgl. auch Strauss II, 246.

Der Apostel der Geniezeit.

Nachträge zu H. Düntzers „Christoph Kaufmann".

Von

JAKOB BAECHTOLD.

Durch eine beträchtliche Anzahl ungedruckter, aus dem Nachlasse von Johann Georg Müller in Schaffhausen stammender Briefe von Christoph Kaufmann bin ich in den Stand gesetzt, einige Nachträge zu Düntzers verdienstlichem Buche zu geben. Diese verändern zwar im wesentlichen an dem Bild, welches Düntzer vom „Gottesspürhund" entworfen, nichts, mögen dasselbe aber in einigen Zügen ergänzen und namentlich das Verhältniss Kaufmanns zu Haugwitz klarer stellen.

Benutzt wurden im folgenden 79 Briefe aus den Jahren 1777—1793 von Kaufmann und dessen Gattin an Eberhard Gaupp in Schaffhausen, sowie einige Briefe von Graf Haugwitz an Gaupp, den Schwiegervater J. G. Müllers. Dazu kommen noch 7 Briefe Lavaters an Kaufmann[1]). Gaupp[2]) (1734—1796) stand einem bedeutenden Handelshause vor und war als Freund der Wissenschaft und Litteratur namentlich mit Lavater, sodann einer Menge hervorragender Persönlichkeiten des Auslandes verbunden. Der Herrnhutischen Richtung zugethan, lernte er 1780 den gleichgesinnten Freiherrn Curt von Haugwitz kennen und blieb mit ihm lange Zeit in vertrautem Briefwechsel.

---

1) Aus dem Züricher Lavater-Archive durch gütige Vermittlung des Herrn Antistes Dr. Finsler.

2) Ueber Gaupp vgl. die jüngst erschienene, freilich ungenügende Biographie J. G. Müllers von Stokar (Basel 1885).

Ueber den Vater Kaufmanns gibt das Winterthurer
Bürgerbuch von Küenzli einige zuverlässige Nachrichten[1]).
Dieser Christoph Kaufmann, der ältere, wurde geboren den
25. Februar 1707 und starb am 10. April 1785[2]). Ueber ihn
berichtet die angeführte Quelle: „Gerber, Spitalschreiber 1736,
Grossrath 1740, Kleinrath 1757, Bauherr 1758, Statthalter
1771[3]). Er baut die steinerne Bruck am untern Thor anno
1759, ebenso die Strass nach Töss anno 1763. Er verschüttete
den Holder-Weiher und verebnet die Schanz vor dem Steig-
thor." Seine Frau war Anna Barbara Weinmann, geboren
5. October 1708, gestorben 7. Januar 1776[4]). Aus der Ehe
giengen 13 Kinder hervor, von denen die meisten in zartem
Alter starben. Der nachmalige Kraftapostel, geb. 14. August
1753, war das jüngste Kind des Hauses.

Wenn Düntzer S. 3, wo er von dem Mathematiklehrer Kaufmanns Sulzer spricht, auf den Aesthetiker dieses Namens geräth, ist dies ein Irrthum. Gemeint ist Sulzer „zur Tanne", über
den Troll in seiner Schulgeschichte Winterthurs S. 124 handelt,
und welcher, bevor er an die öffentlichen Schulen berufen
wurde, was 1767 geschah, Privatunterricht in den mathema-
tischen Fächern ertheilte.

Kaufmanns Gattin war Anna Elisabeth Ziegler, geb. 1750,
gest. 1826. Uebereinstimmend melden das Winterthurer Bürger-

----

1) Ich verdanke sie der Güte des Herrn Rector Dr. Geilfus in
Winterthur.

2) Düntzer S. 199 gibt den 1. April an.

3) Dies bedeutet aber keineswegs „Oberzunftmeister", wie Düntzer
S. 104 annimmt. Die Winterthurer Handwerkerzünfte hatten nicht politische Bedeutung, wie diejenigen Zürichs; so kann von einem Oberzunftmeister nicht die Rede sein. Der Stellvertreter des Schultheissen führte
in Winterthur den Titel Statthalter.

4) Wenn der Bericht von Kaufmanns (des jüngern) Gattin als Mutter
ihres Mannes Anna Barbara Weidemann nennt (Düntzer S. 1. Anm.), beruht dies auf einer Verwechslung zweier verschiedener Daten des
Winterthurer Kirchenbuchs. Daselbst ist sub dato „9. Majus" eingetragen
die Vermählung von Christoff Kauffmann und Jgfr. Anna Barbara Weinmann, und sub dato „12. Februarius" 1780 die von Christoffel Kauffmann und Anna Barbara Weydemann. Diese beiden Kaufmann aber sind
zwei verschiedene Persönlichkeiten. — Auf den Tod der Mutter Kaufmanns ist ein Trostbrief Lavaters vom 9. Jan. 1776 vorhanden.

buch, sowie Düntzer S. 125 und Ehrmann in dem Brief an
Hamann[1]), dass die Vermählung Kaufmanns 1778 stattgefunden.
Am 2. Februar habe Lavater in einem Dorfe bei Baden das Par
eingesegnet. Schon am 1. Sept. desselben Jahres genoss Kaufmann etwas voreilige Vaterfreuden und Hamann wurde zum
Gevatter gebeten, ebenso vertrat Kaufmann Pathenstelle bei
einer Tochter Hamanns. Die Jahrzahl der Vermählung scheint
mir nicht ganz in der Ordnung zu sein, denn schon in dem
ersten unten mitgetheilten Briefe vom 29. Nov. 1777 unterzeichnet sich Elisabeth Ziegler als Kaufmanns Gattin[2]), ebenso
in einem Briefe vom 11. Jenner 1778. Dieser Zweifel wird
unterstützt durch eine Stelle in einem Briefe Ehrmanns an
Hamann vom 13. Juli 1777, wo von dem Kaufmannschen Pro-
jecte, nach Amerika auszuwandern, die Rede ist. Dann heisst
es: „Bloss wegen Kaufmanns Freunde und in specie wegen
seines Weibes bangt es mir vor der Seefahrt"[3]). Und nun
sagt vollends Düntzer S. 270: „Am 1. Februar (1795) feierte
Kaufmann den Tag, wo er vor dreiundzwanzig Jahren seine
Ehe geschlossen." Das würde ja gar das Jahr 1772 ergeben.
Die Falschheit dieser letzten Angabe liegt auf der Hand.
Immerhin könnte die Jahrzahl 1778 doch richtig sein und
Kaufmanns verlobte, die vor der Hochzeit thatsächlich seine
Gattin war, würde sich schon 1777 als seine Frau bekennen.

Die Porträte der beiden Eheleute, von Graff gemalt, befinden sich in Winterthurer Privatbesitz[4]). Düntzer gibt die Reproduction eines Graffschen Porträts, welches in Herrnhut aufbewahrt wird.

Im Jahre 1776 war von Kaufmann und Ehrmann das
1. Bändchen „Allerley, gesammelt aus Reden und Handschriften grosser und kleiner Männer" erschienen. Es sind mehr
oder minder geistreichelnde, oft recht öde Aphorismen über
Moral, Religion, Philosophie und Schriftsteller. Die littera-

---

1) Gildemeister, J. G. Hamanns Leben und Schr. II S. 253 f.
2) Immerhin könnte auf die Bezeichnung „mein Geliebter" im Eingang auch Gewicht gelegt werden.
3) Gildemeister II, 236.
4) Vgl. Geilfus, Aus dem Jahre 1830. Neujahrsblatt von der Stadtbibliothek in Winterthur 1884, S. 8.

rischen Freunde werden rechts und links becomplimentiert, so
Klopstock, Herder, Wieland, Goethe. Z. B.: „Vor funfzehn
Jahren hiessen die Dunsen, die sich über Klopstocks Unver-
ständlichkeit in der Messiade beklagten. Izt heissen die Dunsen,
die sich über die Dunkelheit in desselben Klopstocks Republik
nicht beklagen? So weit sind wir in 15 Jahren gekommen!
Schämst du dich nicht, Deutschland und Schweiz? Pfuy!“
(S. 34). Oder: „Herders Schriften machen entweder den Leser
rasend und toll — oder himmlisch entzückt.“ „Wenn ich etwas
über die Bibel lesen mag, so behagt mir Herder am besten“
(S. 100). „Der Verfasser von »Menschen, Thier und Goethe«[1]),
sey er, wer er wolle, ist ein schaamloser Gotteslästerer und ein
elender Skribent oben drein. Gessner kann das Ding nicht
gemacht haben, denn Gessner ist kein Tropf. Gewisse Lotter-
buben schöben gern ihre Eseleyen auf berühmte Namen“
(S. 117). — „»Wer Bodmern gesehen und seine Briefe an
Freunde gelesen hat — und ihn nicht für einen der origi-
nellsten, ausgezeichnetsten, liebenswürdigsten Menschen hält
— — schäme sich seines Nichtgefühles der Menschheit« —
schrieb mir neuerlich Lavater — und da ich Bodmern sahe
.... wie wohl ward mir! Ist das der Mann, den Deutschlands
Knaben anbrunzen?“ (S. 105). Hier erhalten wir auch die
Bibliothek des damaligen Genies. Dieselbe enthält: „Homer,
Sophocles, Messias, Klopstocks Oden, Shakespear, Ossian,
Noachide, Sterns Reisen, Antipope, Asmus, Epiktet, Werther,
Götz v. Berlichingen, Bonnets Betrachtungen der Natur, Pfenningers Vorlesungen, Patriks Gebetbuch, Herders auch eine
Philosophie, Zend-Avesta, Toblers Erbauungsschriften, Lavaters
Abraham und Isaak“ (S. 112). — „Wenn ich einen Dichter
zum erstenmale lese, so tret' ich anfangs in eine Düsternheit,
wo mich tausend Gestalten umschweben, ohne bestimmten Umriss. Aber ich ahnde näher hin — Heller! und du wirst sie
umarmen“ u. s. f. (S. 46). Ungefähr das gleiche hatte schon
Asmus gesagt, nur ein wenig anders: „Wenn man 'n Stück
zum erstenmal lieset, kömmt man aus dem hellen Tag in eine
dämmernde Kammer voll Schildereien; anfangs kann man wenig

---

[1]) J. J. Hottinger.

oder nichts sehen, wenn man aber drin weilt, fangen die Schildereien nach und nach an, sichtbar zu werden" etc.[1]). — „Bruder Jung! bist ein herrlicher Mensch und Gott gab dir viel Wahrheit und Einfalt, aber zum Schriftsteller unsrer Zeit scheinest du mir nicht geboren zu sein. Dass du dich an Nikolai machtest!" (S. 106). — „Deutsche Chronik — wie oft treffende Diktion — unterm Harlekinsstyl — aber wie selten tief aus der Seele quillend ohne Phraseologie, ohne Schaum der Modescribenten. Schade, dass der Mann sich nicht auf die höchste Spitze des Geschmacks hinaufschwingt und sich auf niedrigern Regionen begnügt" (S. 108). — „Ich nehme den Merkur, das deutsche Musäum, die Iris, die Musenallmanache zur Hand und suche, und finde so selten, was in irgend einer so oft vorkommenden Situation, wo man gern sänge, zu brauchen wäre. So in den Liedersammlungen! So in den Melodien! Lieber Göthe, du könntest anfangen und du hast würklich was abzubüssen auf einem im Grunde doch etwas impertinenten Liedchen im IV. Monate des Merkurs dieses Jahrs[2]); bis du diess vergütest, grosser Mann, bleibst du etwas klein in meinen Augen."

Das zweite Bändchen des „Allerley" mit dem Haupttitel „Vermischte Betrachtungen auf alle Tage im Jahr" (1777) ist theilweise eine Schutzschrift für Lavater, der, obschon er Kaufmann vor der Herausgabe desselben gewarnt hatte[3]), in den Verdacht gekommen war, der Verfasser des ersten Theils zu sein. Manches dort mag freilich von ihm herrühren. Diese Fortsetzung aber, „herausgegeben von keinem Reisenden K. U. E.", hat — was man bis jetzt übersah — die Lavater-Schüler J. C. Häfeli und J. J. Stolz zu Verfassern[4]).

---

1) Wandsb. Bote I. Thl. 55 gelegentlich Klopstocks Oden.

2) „Hab' oft einen dumpfen düstern Sinn."

3) Brief vom 18. Febr. 1776.

4) Auf S. 105 fällt auch ein Hieb gegen die dramatischen Genies: „Einige feurige, junge Köpfe, die aber allzumal noch nicht recht wissen, wohin sie Christus stellen müssen, und was das dann ist, Christenthum, (Euch mein ich, Klinger, Wagner et vous autres) haben durch und in ihren dramatischen Stücken ein gewisses Ausknirschen und Wuthaustoben seiner Leiden, wobey aber Imagination und Mode mehr thut als

Wir kommen auf unsern Briefwechsel.

Die frühesten der oft undatierten Schriftstücke Kaufmanns gehen auf das Spätjahr 1777 zurück und führen uns nach dem bei seiner Heimatstadt Winterthur gelegenen Schlossgut Hegi, wo Kaufmanns Schwiegervater, der Obervogt Adrian Ziegler, wohnte. Der Kraftapostel der Sturm- und Drangzeit — bekanntlich geht die Bezeichnung „Sturm und Drang" auf Kaufmann zurück, der dem Klingerschen „Wirrwarr" diesen Titel aufgedrängt hatte — war von der grossartigen Inspection des Dessauer Philanthropins[1]), sowie von seinem abenteuerlichen Zug durch Deutschland und Russland zurückgekehrt; bereits hatten Goethe u. a. den hohlen Grosssprecher und windigen Kraftcolossen, der eine Weile erfolgreich mit seinem „man kann, was man will" um sich geschlagen, durchschaut. In Lossow hatte er die Bekanntschaft mit Haugwitz und dessen

---

Empfindung, zum durchgängigen Ton einer gewissen Sekte gemacht, die ziemlich um sich zu greifen scheint. Ihrer Phraseologie trau ich aber so wie jeder andern wenig Wahrheit zu, und neben dem ist mir ein Leidender, den Leiden nur zum Knirschen und Wüthen bringt, kein so rührender Anblick, als er einigen, des lieben Modetons wegen, scheint." S. 161: „Welche Schaamlosigkeit, dem Publickum mit einer Eseley aufzuwarten, wie »Werthers Freude« sind! Weh dem, der spassen mag, wenn er Werthern gelesen hat." —

1) Lavater hatte dringend von der Dessauer Reise abgerathen in einem Schreiben vom 20. Januar 1776: „Je mehr ich der Sache nachdenke, desto entschlossener bin ich, Kaufmann Dessau zu missrathen. Meine Stimm ist positif: Er soll nicht gehen. a) Er ist sich erst seinem Vaterlande schuldig, dem er, ich stehe dafür, wenn er seine Ideale fahren lässt, gewiss nüslich seyn kann. b) Er und Basedow zusammen können, so gut jeder für sich ist, meines Bedünkens nicht lange coexistiren oder cooperiren. Ich sage das mit einer Zuversicht, die gross — vielleicht nur physiognomisch, aber bey mir unaustilgbar ist. c) Die Reise ist kostbar, die Maassregeln Basedows wegen Titel und Aufzug äussert kindisch. d) Basedow indess soll und muss unterstützt werden. Er verdient's in allen Absichten. Vor Einmahl rath ich ihm Mocheln wenigstens. — Es scheint hart, was ich sage; aber ich muss es sagen; Gott unterstütze Basedow. Aber ich kann ihm keine Stütze rathen, die sich nicht zu seinem Arm passt." Vgl. auch Düntzer S. 32. — Dagegen betrieb er dann Kaufmann, als er einmal auf der Reise war, in Lavaters Auftrag die Herbeischaffung fürstlicher Porträte für den IV. Theil der Physiognomik.

Gattin Trinette Tauenzien gemacht und jenem vorläufig einen Jahresgehalt abgeschwindelt.

Seine Heimkehr fällt in den Herbst 1777. In einem Briefe von Lenz, der im Frühjahr schiffbrüchig nach der Schweiz gekommen war, heisst es: „Kaufmann muss allem Vermuthen nach hieher [nach Zürich] unterwegs sein, es sind schon Briefe für ihn da." Der Brief bei Dorer-Egloff S. 225 ist offenbar falsch datiert: statt 10. Dec. 1777 muss es 10. Oct. heissen. Mitte Septembers befindet sich Lenz, wol auf Lavaters Empfehlung hin, bereits auf Schloss Hegi[1]) und dann begab er sich nach Kaufmanns Ankunft auf eine „kleine Streiferei" nach St. Gallen und Appenzell; im December war er wieder in Winterthur[2]), wo sich die ersten Spuren seines Wahnsinns zeigten, von dem Pfeffel schon vor dem 24. November weiss. Hier setzt nun der erste Brief unsrer Sammlung ein. Derselbe ist von Kaufmanns junger Frau Elisabeth (Lisette) geschrieben. Es handelte sich darum, dem äusserlich sehr reducierten Dichter wieder etwas auf die Beine zu helfen, und darauf bezieht sich eine Briefstelle Lavaters, welcher zu diesem Zwecke auch seinen Freund Jakob Sarasin in Basel in Contribution setzte, vom December 1777: „Lenzen müssen wir nun Ruhe schaffen, es ist das einzige Mittel ihn zu retten, ihm alle Schulden abzunehmen und ihn zu kleiden"[3]). Elisabeth Kaufmann schreibt an Gaupp:

Lieber Herr Gaupp!

Mein Geliebter ist heüt nach Luxenburg[4]) in's Thurgäu gereist — Lenz gestern nach St. Gallen — ⌐un sahen wir seine Sachen durch — sezten diese Leiste [!] auf — und dachten sie einigen unserer nächsten, still handelnden und wandelnden Freünden zu senden, was wir nicht ganz thun können, sie bestmöglich dazu verhelfen — Wer den Edlen, guten Jüngling kennt und liebt, trägt gewiss gern etwas zu seiner Ruhe bey — so ist er noch immer gedrükt, dass in die läng' auch sein Moralischer Character sehr darunter litte — und sie werden sehen, wie Ruhe und stille Befreiung von sorgen Herrliche Wirkungen in ihm hervorbringen.

---

1) Dorer-Egloff, Lenz und seine Schriften S. 228.
2) A. a. O. S. 238.
3) Hagenbach, Jakob Sarasin und s. Freunde (in den Basler Beiträgen zur vaterländischen Geschichte IV, 41).
4) Luxburg bei Romanshorn.

Thun sie, lieber Gaupp, in stillster stille, was sie können —
für sich für einen Edeln bekannten — bey andern für einen Edeln
unbekannten — Gott ist und Dank und Lohn. Lenz soll nicht das
Mindeste Erfahren — um aller Liebe willen still. Adieu. Lieber
Gaupp —

den 29. November 77.   E. K.

In einer Beilage folgt, von Kaufmanns Hand geschrieben,
das Inventar der defecten Lenzischen Garderobe. Man lege dasselbe zu anderem litterarischem Krimskrams.

„Für sehr Wenige in der Nähe.

1½ Duzz. Hemden, alte und neue	(fehlt die Hälfte)
1 Duzz. Cravaten	(„ „ „)
½ Duzz. Halstücher	(„ „ „)
½ Duzz. leinene Strümpfe	(„ „ „)
½ Duzz. wollene und baumw. Str.	(mangelt fast ganz)
4 paar weiss seidene Strümpfe	(sind da)
2 paar schwarz seidene Str.	(mangeln)
1 Garnitur messingne oder stählerne Schnallen und Handknöpfe	(mangelt)
2 paar Handschuhe	(sind da)
1 schwarzer Hut	(ist da)
1 gefärbter Hut	(wird angeschafft)
1 Duzz. Schnupftücher	(mangelt ganz)
4 Waschtücher	(mangeln)
2 paar Schuhe	(fehlt 1 paar)
1 paar Stiefel	(mangelt)
1 paar Pantoffel	(mangelt)
½ Duzz. Kappen für Tag und Nacht	(fehlt ganz)
1 Schlafrock und Schlafwams	(mangelt)
3 Kleider (2 alte verbessert, 1 neues mangelt)	
1 Ueberrock	(mangelt)

Beiläufig 300 fl. Geld zu Tilgung alter Schulden, welche aus
Noth und mehr für andere als für sich gemacht worden.
    Sowie fast alles hier verzeichnete mangelbar ist: so mangelt
alles übrige, was ein ehrlicher poetischer Kerl sonst noch bedarf.
Auch ist nichts von einer Uhr, silbernen Schnallen, Degen oder
Hirschfänger etc. vorhanden.
    Wer Lenz kennt, muss ihn lieben und wer das sieht, muss mit
mir fühlen, dass es für ihn beständige Folter, nagender und zer-
störender Gram ist, den er ohne stille Hülfe nicht heben kann. Zuletzt
kann's gänzliche Zernichtung des edeln Jünglings werden.

Wer den Verlust fühlt, der helfe, viel oder wenig, so viel und wie er kann: mir selbst, Lenzen für immer vollkommen unbekannt. Wer helfen will, der helfe bald mit edler Stille."

Mit Kaufmanns Landwirthschaft in Hegi schiens unterdessen nicht recht vorwärtsgehen zu wollen; im Hause seiner Schwiegereltern hatte er, wie überall, Verwirrung angerichtet und wünschte zu ändern. Er liess seine Blicke über die umliegenden Schlossgüter schweifen — „hohe Eichenwaldungen und ehrwürdige Felsen" sollten dabei sein — und fasste u. a. den Plan, das Schloss Herblingen bei Schaffhausen zu erwerben. Der gute Gaupp sollte dazu helfen. Ein aus Wien gekommener Banquier Gestenfeld war seit 1733 im Besitz von Herblingen, hatte aber zu Ende der siebziger Jahre bereits abgewirthschaftet[1]), und Kaufmann trat nun mit ihm in Unterhandlungen, die sich freilich zerschlugen. Hierauf bezieht sich zunächst ein Theil der Kaufmannschen Correspondenz mit Gaupp. Wir heben einen Brief heraus:

„Für all dein treues Thun und Würken für mich kann ich dich, lieber Bruder! nicht lohnen: aber der Herr wird's thun — ich weis es: er thue es nach seinem Wolgefallen — Er gebe dir den Glauben, dass auch unser Thun und Lassen mit Herblingen noch nicht umsonst seye, wenn gleich Gestenfeld nicht andern Sinnes worden. Dass ich von einem Mann, der krumm mit mir wandlen wollte, mit reinem Herzen und geradem Sinn weggekommen — danke ich meinem Vatter in der Höhe kindlich — und glaube festiglich, dass er noch besser für mich sorgen werde — Freilich Lieber! reüt mich das stille hohe feirliche Herblingen — und all das mechanische Arbeiten darfür: denn dass ich phisischer [!] Schaden deswegen habe, wirst du glauben, wenn ich dir sage, dass ich mich in vielen Dingen schon ganz allein für Herblingen eingerichtet u. s. w. und das Verspäthen und Versaumen und das viele vergebne Einpacken — und all das Jammern und ängstliche Sorgen der unsrigen — u. s. w. hemmt mich freilich: aber nur Muth — Gott wird mir sichtbahrlich wiederum zeigen, welchen Weg ich fehrners wandlen soll. Keine Sorge als diese Bruder! kommt in meine Seele — mein einziges gutes Kind wachst auf und bleibt's noch lange im Hegi, so leidet's Schaden an seiner Seelen — doch auch den weiss und kennt Gott besser als ich — und er wird ihn heben — denn ihm ist's wol bekannt, ob ich im Handlen mit Gestenfeld treu war.

---

1) Vgl. Harder, Beiträge zur Schaffhauser Geschichte I S. 23 ff.

Deine persöhnliche Gegenwart im Hegi bedarf ich — bitte
also Lieber! komme doch bis Samstag, ich — oder wenigstens
„Schimmeli" werden dich Samstag Nachmittags auf der Heerstrasse
zwischen Hettlingen und Martelen[1]) suchen und finden. Komm, ich
muss vieles mit dir abreden — nicht gerochen von mir — aber
gestraft durch mich sollte Gestenfeld werden — und doch nicht
nach Verdienen — denn Er ist nicht werth, dass du sein Freund
seist. Die Sachen, wo in Herblingen liegen, besorgst du schon einmal durch gütige Gegenwart — bezalst den Baur, dem ich noch
ein kl. Trinkgeld und Haber für die Kutschen Pferd (da mein Bruder draussen war) schuldig bin. — — —

Mein Vatter und meine Mutter — Bruder und Schwester —
traurten meistens um dich — ich nicht — Der Herr wird uns
schon segnen, wenn wir's bedürfen — Bruder! ich hab's geschworen
— ich lasse dich nicht — bis dich der Herr mit kindlichem Glauben
gesegnet, wie er uns segnen wird, wenn wir treu sind bis an's Ende.

Adio. Mit neuer Treu und Liebe

Dein

Christophor. K.

Dass du wegen Herblingen leidest, freut mich. — Alles Gute
muss erkämpft und erlitten werden."

Das folgende ist echt Kaufmannisch:

„So sanft und still, so fromm und ahndungsvoll bin ich noch
niemals von dir, mein bald neu verbundener Bruder! geschieden,
bin noch niemals so glücklich meine einsahme Strasse gewandlet,
als ehegestern. Das walte Gott —

Ich kam gleich nach 10 Uhr an's Fenster meines besten Weibs,
die meinen Gesang und meine Stimme schon von fehrne vernahm
— und lebe nun seitdem wol sehr beschäftigt, doch glücklich in
seliger Ahndung für dich, mein Bruder! Jetzt muss ich zu meinen
Brüdern in der weiten Fehrne. — Adio. Der Herr sei mit dir!

C. K.

Wegen der Kuh vergiss es nicht — in Bad. Gebiet bitte, bitte
— Auch das Kreutersacktuch u. s. w. Weist du Jemand für's
Rasir-Futteral?"

Der Plan mit dem Herblinger Schloss war gescheitert.
„Gottlob — heisst es in einem Brief an Gaupp — dass ich
einer Verbindung mit einem Schurken loswerde; denn dass er
[Gestenfeld] als Schurk gehandelt, soll und wird er noch am
tiefsten fühlen[2]). Also ist's zerrissen und der Teufel hat sich

---

1) Marthalen, zwischen Schaffhausen und Winterthur.

2) Hierauf ist die Stelle im Briefe Ehrmanns an Hamann bei
Düntzer S. 140 zu beziehen

selbst dazu offerieren müssen. Gottlob, Gottlob! sag ich immer
zu mir selbst, dass ich mein Herz bei einem Saukerl nicht
versaut. Hier der Akord, davon von diesem wie von seinem
Exemplar Er oder du sein Siegel abreissen und mir am Freitag zurückschicken werden. Meine Sachen bitte auf meine
Unkosten aus Herblingen wegnehmmen und bei dir versorgen
zu lassen."

Dafür betrieb nun Kaufmann im Sommer 1779 den Ankauf
des thurgauischen Gutes Glarisegg, unterhalb Steckborn am
Untersee[1]. Gaupp musste wiederum die Einrichtung des Hauses
besorgen, und Kaufmann schreibt unzählige Billette um Taft,
Atlas, Pelz, Biber, seidene Stoffe, Schlafröcke, Flanell, Haar-
nadeln, Wachslichter, Carviol („für mich ist's, glaub' ich, eine
gesunde, gedeihliche Speise"), ferner um „eine sanfte, stille,
empfängliche Köchin" und um Geld. Dabei ist er und sein
Weib stets von einer stillen heiligen Ruhe erfüllt. In diese Zeit
fallen die Enthüllungen Schmohls über Kaufmanns Treiben in
seiner „Urne" (Düntzer S. 149 f.). Darauf geht folgender Brief:

„Nu, nu — sachte, sachte — lieber Herre min! Nit g'richt,
auf dass Ihr auch nicht gerichtet werdet. Ich bin gesund und
sammle Gott sei Dank täglich neue Kräfte, die ich zur Ehre Gottes
und zu der Menschen Heil anwenden werde, so viel ich als sündiger
kann. Wer giebt Euch Recht und Form an das Wind- und Lermen
Blasen eines verloffnen Philantropisten dieser Zeit zu glauben und
darnach zu urtheilen? Oder wer hat Euch zu Richtern gesetzt, dass
Ihr richtet, nicht wie's bei uns gang und gäbe ist? Wie könnt Ihr
den Nutzen berechnen, das ein kleines Bergsteigen verschafft. Kommt
und schaut. Hört an, ob die Freuden vieler unschuldiger (15 bis 20)
Kinder und das kindliche Theilnehmen vieler Alten und Jungen —
nicht Himmelswonne — nicht mehr werth ist, als alles Seufzen,
Kopfhängen und Stillsitzen? Lieber Herre! Legt euere richterliche
Würde bei Seiten und wartet, bis Ihr euer Richteramt im neuen
Jerusalem brauchen könnt. Dazu seidt Ihr bestimmt, nicht zu Zunftmeister und Vogt Richter dieser Zeit u. s. w.

Alles was vom Menschen kommt, ist Menschheit und's wahre
vom Faktösen zu unterscheiden, müssen wir alles prüfen, so gut wir
können. —

Also sind anstatt 500 Sächsischen 500 preussische ankommen,

---

1) Ueber alle Thüren des Hauses liess er Inschriften malen, u. a. die
Mahnung: „Hütet eure Herzen sorgfältiger als eure Thore". Reminis-
cenz an Goethes Götz?

das ist ein jährlicher Unterschied von Belang. Doch ist auch dieses gut[1]).

Jezt Spass schon lange a part. Lieber Bruder! Kannst du bald zu uns kommen, so komme mit Frau und Kind in der Ernde Zeit, denn die Freude und Wonne ist gros, bring den Rest Geldt mit, kommst du aber noch nicht bald so schicke mir das Geld, sobald du kannst.

Hier deinen conto, setze's Register fort und mache dich bezalt für alles, auch für's Papier und Hosenzeüg etc., damit wir reinen Tisch kriegen.

Ach Bruder! Mir ist's so wol, wenn ich dich bei mir in den Kreis meines heüslichen Segens denke. O Lieber! ich liebe dich herzinniglich — warm und treu   Dein   C. K."

In den Sommer 1779 fällt der übrigens sehr unerhebliche Rechtshandel[2]), den Kaufmann in Zürich auszufechten hatte und der ihm einen Arrest von 14 Tagen zuzog. Die Acten des Züricher Staatsarchivs enthalten reichliches Material darüber. Danach hatte Kaufmann seinem Schwager, dem Herrn Quartierhauptmann und Klosterschreiber Hirzel gegenüber, die vertrauliche Aeusserung gethan, „dass das obrigkeitliche Almosenbrot im Kloster Töss geringer sei, als vorhin, an Gewicht fehlerhaft und zu leicht". Dies erfuhr der Klosteramtmann Brunner in Töss durch den genannten Hirzel, ohne dass dieser seinen Schwager preisgegeben hätte. Brunner reichte am 10. Juni 1779 Klage gegen Kaufmann ein. Dieser wollte den Sachverhalt von den zu kleinen Broten von Almosengenössigen und Bettlern erfahren haben, „könne es aber nicht ausstehen, dieselben durch Bekanntmachung ihrer Namen für immer unglücklich zu wissen; er wolle deswegen alle Strafen, die ihm von einem gerechten landesväterlichen Richter zu Theil kommen, lieber allein tragen". Die hohe Obrigkeit ordnete eine gründliche Untersuchung an. „Ohne im geringsten die Anklage zu läugnen — heisst es in dem

---

1) Wol die Haugwitzische Unterstützung. Düntzer S. 140. An Gaupp schreibt Kaufmann an einem Orte: „Wissen Sie mir nicht einen treuen redlichen Kaufmann, der mir alle Ostern- und Michaelismesse von hier nach Schlesien oder Westpreussen, oder von da hieher, Gelder 1—2 oder 300 Dukaten negocirte, aber ich müsste mich für lange auf ihn verlassen können."

2) Düntzer S. 137.

denkwürdigen Rathsprotokoll vom 21. Juni — gesteht Herr
Kaufmann selbige in ihrem ganzen Umfange ein, betheuert
aber zugleich, von dieser ganzen Sache mit Niemandem als
mit seinem Hrrn. Schwager geredt zu haben, deme er es in
dem Verhältnisse der engsten Freundschaft, mit dem innigsten
Zutrauen als Freund und Schwager entdeckt mit Bitte, es bei
Gelegenheit, aus eben dem Gesichtspunkte, seinem Freund,
dem Herrn Amtmann Brunner zu sagen. Den Anlass zu dieser
Entdeckung gaben verschiedene seine gesundheitshalben gemachte Spaziergänge, auf welchen er einesmals von ein paar
Bauern, die ihn um ein Almosen angesprochen und mit denen
er, weil sein menschenliebendes Herz sich gern mit solchen
Leuten zu unterhalten pflege, discussive auf das Almosenbrot
zu Töss zu reden gekommen, vernommen habe, dass selbiges
nicht mehr wie ehemals, sondern auch alle Tage fast kleiner
ausgetheilt werde. Einige Monate hernach seie ihm auf einem
ähnlichen Spaziergang ungesucht ein gleiches begegnet, und
vor ohngefähr dreien Wochen habe er zum dritten mal sich
in eben dem Fall befunden u. s. w. Allein die redlichen Absichten, deren er sich in dieser ganzen Sache bewusst seie,
seine Liebe für seine Mitmenschen, die bedürftigen Umstände
dieses armen Mannes, die unglückliche Lage, in welche er
durch ihn versetzt werden könnte, das Zutrauen, so derselbe
zu ihme gehabt und welches er durch die von ihm verlangte
öffentliche Anzeige beleidigen würde und seine für immer
festgesetzten Grundsätze von Moral und Gewissenhaftigkeit,
erlauben ihme nicht, denselben anzuzeigen und namhaft zu
machen. Er gestehe, politisch aus Unwissenheit gefehlt zu
haben und wolle sich freiwillig an des Schuldigen statt aller
derjenigen Bestrafung unterziehen, welche die mildreiche Huld
seiner gnädigen Landesväter über ihn verhängen würde." Nach
Lavaters Brief an Herder[1]) erregte solche Rede die Bewunderung der Richter. Trotz einer abermaligen Vorladung und
der Drohung, man werde „die bestellten Brötliträger anhero
citiren, um zu untersuchen, ob zwischen einem von ihnen
und Herrn Kaufmann hierüber etwas vorgegangen sei", ver-

---

1) Aus Herders Nachlass II, 181.

harrte Kaufmann tapfer auf seiner Weigerung; auch bezeigten
sich sämmtliche Brötliträger mit dem Almosenbrot „höchst
zufrieden und vergnügt" und bei der Confrontierung wollten
die wenigsten von ihnen den Herrn Kaufmann kennen. Nachdem die gnädigen Herren nochmals vergeblich „auf das lieb-
reichste und rührendste" dem angeklagten vorgestellt, seinen
Entschluss zu ändern, erfolgte am 3. Juli das Urtheil. Kaufmann wurde zu 14 Tagen Arrest auf dem Rathhaus und
einer Busse von 20 Mark Silbers verurtheilt, zudem wurde
ihm das obrigkeitliche Missfallen ausgesprochen. Damit war
der Rechtsfall zu Ende. Aber später musste der klägerische
Amtmann Brunner wegen ungetreuer Geschäftsführung entlassen werden.

Die Freunde, selbst Lavater, zogen sich immer mehr
von dem Schwindler zurück. Lavater schrieb am 23. Januar
1779 demselben als Abwehr gegen allerlei Zudringlichkeiten
folgendes merkwürdige, tief zerknirschte Selbstbekenntniss:

„Lieber Kaufmann! Wenn Christus dich handeln heisst, wie
du handelst, so will ich verstummen; sonst, ich kann's nicht bergen,
scheint's mir künstlich und affektirt. So handelten, glaub ich, nicht
die Apostel. Wenn ich mich rechtfertigte, heilig glaubte, den Pha-
risäer machte, oder so, könnt' ich alles begreifen. So aber nicht.
Ich leide unter meinem Fleisch, das gesteh' ich frey. Ich bin ein
Heuchler, das gesteh' ich frey; aber ich muss es seyn — sag' ich,
nicht zu einer Memme, sondern zu einem Manne. Dass ich in mir
unruhig seyn muss, ist natürlich, weil ausser Christus keine Ruhe
ist. Ob ich aber, alles zusammengenohmen, nicht jeden Abend, wo
ich doch auch zuletzt als ein armer Taglöhner meine Berufspflicht
(so geistlos es sey) ziemlich trettlich gethan, innerlich ruhiger sey
und mich nicht mit harmloser Einfalt an eines Freündes, oder allenfalls, welches jedoch höchst selten ist, an einer Freündin Arm lehne
— als vielleicht unter tausend Menschen keiner, steht dahin. Damit
aber nehm' ich keine Sylbe zurück. Ich bin der verwerflichste
Sünder. Ein Grettel in Gottes und meinen Augen. Aber ich kann
mir nicht helfen. Darum ruf' ich nicht nur Menschen, alle Steine
mögt' ich anrufen: Erbarmt Eüch meiner! Nun bleib ich bey dem;
man mag mir mein Verderben und mein Leben ausser Gott und
mein Fliehen von Christus vorwerfen, so scharf und wahr als man
will — das hilft mir nicht, macht mich nur heücheln, ängstlen,
lästen — wenn man mir nicht was giebt, giebt, woran ich mich
halten kann. Nur etwas greifbares kann Greifbarkeiten überwinden.
Ich höre nicht auf, dir zuzurufen: Bist du erlöst, so kannst du mich

erlösen! Bist du nicht erlöst, so mache nicht den Richter, sondern den sich selbst und mit sich dann mich mitrichtenden Sünder.

Ich halte dich, Gott weiss, für zehnmal weiser und stärker als mich, aber das alles hilft mir nichts, bis du mir sagst oder schreibst: So war ich, so bin ich, Lavater, so bist du, so musst du werden, und so kannst du's werden! So ward ich's. Alles andre Schweigen und Reden scheint mir in Gottes Namen Ausflucht und — Spiel und Weisserey und Buchruckerey. So wie's mich, Gott verzeihe mir, wenn ich dir unrecht thue, höchst künstliche Ausflucht dünkt, mir desswegen nicht zu antworten, »damit du deinem Weib und Kinde keine Viertelstunde entziehest«.

Ich weiss, dass jeder deiner Briefe Knutpeitsche für meinen alten Menschen ist. Ich will sie aber leiden, wenn du mir evangelischen Balsam zugleich mitbringst, wie Christus und die Apostel, die nicht kamen, zu richten, sondern selig zu machen — Christus, der doch kein Sünder war, wie du bist. So ist mir jeder Tag meines Lebens Last und Quaal. Eine Sünde weniger, eine Sünde mehr, thut da nichts. So wie's, wenn ich banquerott machen muss, auf zween Louisd'or mehr oder weniger nicht ankommt. Die Sündenwurzel muss heraus. Es muss ein neues Lebensprinzipium in mich kommen, sonst bin ich des Teüfels. Ich fasse nochmals zusammen: Bist du erlöset, so erlöse mich! Bist du Prophet, so prophetisiere! Bist du weder erlöst, noch Prophet, so lasst uns bitten, dass uns Gott einen Propheten und Erlöser sende, sonst sind wir beyde gleich elend!"

Mit der Glarisegger Herrlichkeit war es wieder schnell zu Ende. Die Noth wurde immer grösser: Kaufmann suchte seiner Last ledig zu werden. Der Schaffhauser Freund wurde dabei ungebührlich in Anspruch genommen und bezeigte oft Ungeduld. „Habe du nur Geduld, — schreibt er ihm — mündlich will ich dir Licht geben, wo du Licht forderst. Wenn du wiederum bestimmt bist, mir zum 2ten mal einen festen und sicheren Ort meines harrenden Lebens und Vorbereitens zu zeigen — so thut's mir für dich und mich wol — Möge es bald durch den Willen des Herrn geschehen. Aber alles, was wir jezt thun, wollen wir im Stillen vor dem Herrn thun — du sagst Niemand nichts — ich auch meinem Weibe nichts: es ist nothwendig — Die Meinen sind halb verzagt und sorgsahm — fürchten sich, ich werde weit von ihnen hinweggerissen werden."

Am 26. April 1780 wurde ihm eine Tochter Marie geboren, sein Knabe war das Jahr zuvor gestorben. An Ganpp

schreibt er: — — „Bruder! was der Herr giebt, ist Segen,
sei's Bub oder Maidel — und wenn ich vor Ihm stehe, so
nehme ich alles von Ihm an als Vaters Güte und Liebe."

Der Knoten zog sich immer enger um Kaufmann, und
nun erfolgte seine Umkehr zu seinem Heiland, von der Düntzer
S. 145 ff. handelt. Hierauf beziehen sich die folgenden Briefstellen:

„Ich fühle mich gar oft in der Gefahr des Ueberschnappens,
aber das drängt mich alles zu dem unaussprechlich guten und treuen
Hirten seiner Schäflein." — „Ich weiss, dass mich der Herr von
Glarisegg gewis befreien wird — wie? — weiss ich nicht; aber
thun muss ich dabei, was mir obliegt, suchen und der Herr wird
mir dann gewis zeigen, was ich thun oder lassen soll. — — Die
Bücher, die du nicht brauchen kannst, schicke mir wieder, denn
was willst du mit dieser Schleppung deine Unruhe vergrössern?
Kannst du was mit Ruhe thun dann ist's was anders. Meine Pflicht
ist's, dir nicht mehr aufzuladen. Bitten werde ich den Herrn, dass
er mich erhöre und dir die Last hebe, die ich dir aufgelegt habe
und er wird's thun, wenn's gut für uns ist. Ja Amen. Gros ist
seine Liebe. Seine Gnade und Liebe mehre sich in uns und unter
uns, reinige uns, immer mehr zu thun seinen heiligen selig-
machenden Willen. Amen Amen. — Das Päcklein an Claudius
pitschirst du doch und besorgst's so gut du kannst."

Unter den Briefen befindet sich auch einer, den Kaufmann
von Schaffhausen aus am 22. Juni 1781 an Prof. Gülden-
städt, Mitglied der kaiserl. russischen Akademie der Wissenschaften in Petersburg, schrieb. Er beginnt mit den Worten:
„Oft erinnere ich mich, mein lieber schäzbarer Herr Professor!
mit vieler Dankbahrkeit und wahrer Beschämung an all das
Gute und an die viele Freundschaft, die Sie mich bey meinem
Aufenthalt in Petersburg haben geniessen lassen und das ich
im Grunde durch mein luftigstes Betragen so wenig meri-
tirte" u. s. w. Er übersendet ihm einige Kupferstiche von
Schweizer Meistern und fügt bei: „Morgen reise ich mit meiner
theuren Lisette und unserer lieben theuren kleinen Marie ab
von hier nach Ober-Schlesien auf die Güter meines Freunds
Haugwiz und ich kann zuversichtlich glauben, dass es uns
wol gehen wird."

Der schweizerische Boden brannte ihm unter den Füssen.
Schon 1779 war er zu Haugwitz gereist und hatte ihm seine

innere und äussere Nothlage eröffnet. Dieser sagte neue Unterstützung zu und erschien 1780 selbst wiederholt in Glarisegg, und da giengen auch ihm die Augen auf über seinen unwürdigen Schützling. Im Sommer des nämlichen Jahres verliess der schmählich gestrandete Kaufmann seinen Landsitz und begab sich mit dem Rest seiner Habe nach Schaffhausen, wo er nun mit der Brüdergemeine in Verbindung trat. Haugwitz bot zum letzten Mal die hilfreiche Hand, freilich unter Bedingungen, die Kaufmann „sehr hart und streng vorkamen und wider allen Sinn der Menschen zu gehen schienen"[1]). Nichtsdestoweniger griff der Lump mit beiden Händen zu. Aus dem folgenden Vertrag, der Düntzer unbekannt blieb, ist ersichtlich, dass „das arme schlesische Schaf" seine Massnahmen traf. Das interessante Actenstück, welches nur zu des Freiherrn Gunsten spricht, wurde im Juli 1780 zu Schaffhausen in Lavaters und Gaupps Beisein aufgesetzt.

„Aeusserung und Vorschlag des Herrn Freyherrn Curt von Haugwiz an Herrn Christoph Kaufmann.

Ich Curt Haugwiz kenne Christ. Kaufmann seit 3 Jahren und drüber. Er kam in mein Vaterland, verlangte mich zu sehen, ich sah ihn. Er kam in mein Hauss und ich freute mich dessen. In Schlesien sah ich allein den räsonierenden K. ich konnte und sah ihn nie handeln. Ich liess mein Urtheil über ihn schlafen, weil ich ihn nicht richten wollte und nicht urtheilen konnte, ohne ihn handeln zu sehen. Ich erwiess ihm Liebe und Freundschaft, so wie er mir. Er kam vorigen Herbst in mein Hauss, ohne dass ich's wusste; er kam, da ich gedrängt war über meine Reise, deren Nothwendigkeit mir eben so gewiss war, als ich wenig wusste über die Mittel, sie möglich zu machen. Dadurch, dass K. meine Frau voran nahm, wurde es mir um ein grosses erleichtert. Ich kam nach und wir lebten einige Monath in nachbarlicher Freundschaft und Liebe. Nun sah ich K. handeln und erkannte:

Dass, gereizt durch seine leicht zu entflammende Imagination er in dem schädlichsten Selbstbetrug lebt, er seinen eigenen Willen für göttlichen Aufschluss hielt u. s. w. Ich sezte meine Reise weiter fort und komme nun zurück, entferne mich auf lange Zeit, vielleicht auf immer von der Schweiz und finde K. durch eine Reihe von misslungenen durch seine gereizte Imagination formirte Aussichten in seinem Wahn irre gemacht, in einer auffallend traurigen Situation,

---

1) Düntzer S. 156.

ohne Freunde, ohne Mittel in seinem Vaterlande, wo seine schiefe
Seiten so starken Eindruck gemacht, dass auch, wie es dann
zu gehen pflegt, seine gute Seite verkannt worden — finde überall
an ihm den Getäuschten und den Teüscher — und wie er durch
beyde viel Unheil gestiftt an sich und an andern. Nun würde
es meinem Herzen innig weh thun, sollt' ich aus der Schweiz gehen
und K. in dieser Situation zurück lassen, wehe, um Kaufmanns
willen und um aller derer, die künftig mit ihm, wenn er länger in
seinem Wahn fortwürkte, getäuscht werden sollten.

Hier halt ich also meinen Stab hin, findet K., dass ihn die
Flut nicht mehr tragen mag, nun wohlan, so halt er sich daran, ich
will ihm redlich heraushelfen; aber er muss mir nicht den Stab aus
der Hand reissen, sich nur daran halten, mir es überlassen, ihn zu
führen, er folgen.

Nun mein Vorschlag, über dessen Innhalt sich K. als ein freyer
Mann erklären, meine Bedingungen annehmen und ihre genaue Befolgung versprechen muss, ehe ich mich dazu verstehe. Daher verlange ich, dass er diese meine Aüsserung abschreibe und sie mir
unterschrieben und mit der Bestimmung, dass er sich ihnen unter-
werfe, zurückschicke, sie auch seiner Frau vorzeige, damit auch
diese genau wisse, wozu sich ihr Mann verbunden.

Ich werde und muss um Meinet und K. willen bey jedem Punkt
meine Beweggründe hinzusezen.

1) Sobald ich mich in meinem Vaterlande wieder zurück befinde, rufe ich K. mit seinem Weib und Kind nach Krappiz, gebe
ihm (ich meine es wird in Straduna seyn können) auf einem von
meinen Gütern Wohnung, ein monathliches ausgesextes an Lebens-
mitteln und dem ihm benöthigten Gelde, eine Person zur Bedienung,
dabey ein Stük Aker, um sich den Unterhalt für seine Familie zum
Theil selbst anbauen zu können und besonders um ein eigenes Geschäft zu haben. Ich nehme K. nicht in mein Haus, denn ich ruffe
ihm nicht als Freund, sondern als Curt Haugwiz, der gern helfen
und K. helfen will.

2) Kommt K. und ich weise ihm seinen Ort der Wohnung an.
Er lebt dort mit seiner Frau und Kind ein ehrbar stilles Leben,
hütet sich vor allem, was ihn von dem gemeinen Lauf anderer
Menschen auszeichnen mögte, damit er keinen Anstoss gebe, kein
Ärgerniss, damit aber auch ihm dadurch alle Gelegenheit abge-
schnitten werde, seiner Neigung zum Sonderbahren zu folgen.

3) Nehme ich K. nicht zu mir als Freund in inneren Zirkel
des Herzens-Intresse, ich nehme ihn, wie Curt von Haugwiz Chr. K.
nimmt, dem er helfen, ihn soulagieren will, in weitern Zirkel aller
derer, die sich in meinem Gebiet befinden und von mir Liebe und
Gerechtigkeit zu erwarten haben.

4) Enthält sich K. alles moralischen Wirkens direkt oder indirekt, auf wen es auch seyn wolle. Beschäftiget sich mit seinem Akerbau und äussert schlechterdings weder gegen mich, noch irgend gegen einen andern Menschen nichts, was nur irgend einen Bezug auf Moralität, höheres Würken u. s. w. hat. Kaufmann ist hierdurch am meisten auf Abwege verleitet worden, hat auch andere abgeführt. Es bleibt ihm von dieser Seite immer der meiste Reiz; ich muss ihm also hier diese strenge Verbindlichkeit auflegen.

5) Sollte ich spühren, dass auch ohne K.s Zuthun irgend einer in schädlicher Hinsicht Vertrauen auf K. werfen sollte oder ihn irgend aus einem andern Blick betrachten, als der aus seinem natürlich bürgerlichen Verhältniss genommen und ich davon üble Folgen vermuthen könnte, so behalte mir vor, einen solchen nicht allein zu warnen, allenfalls durch diesen Aufsaz selbst, oder wenn diess nicht helfen sollte, es zu hemmen.

Endtlich behalte ich mir allein vor, K. über diese Punkte zu richten und in dem Fall, dass er sich dagegen vergehen sollte, auch nur gegen einen dieser Punkte, so hört sein Unterhalt auf und er scheidet von meinen Gütern.

Ich habe diese meine Äusserung und Verbindung Ch. K. in Gegenwart des Herrn J. Casp. Lavater und Hrrn E. G. [Gaupp] mündlich vorgelegt, diese beyde Männer zu Zeugen und Rath erbethen, auch von ihnen die Versicherung erhalten, dass sie mir mit Überzeugung, dass es zu Kaufmanns Bestem und zu keiner Belästigung für mich gereichen möchte, rathen wollen. Und gehe sie von meiner Seite allein auf ihren Rath und Garantie ein.

Ich sage nichts über das, was in diesem Aufsaz undelikat oder hart scheinen mögte. Die, so die Verhältnisse kennen, mögen mich richten.

Gegeben Schaffhausen den 9. Juli 1780."

Aus dieser Zeit stammt auch der (undatierte) Absagebrief J. Georg Schlossers, der folgendermassen lautet:

„Mein lieber Kaufmann! Ich bin sonst nie verlegen gewesen, an dich zu schreiben; aber der andächtelnde Ton der in deinen zwey letzten Briefen herrscht ist mein Ton nicht. Wenn du Ruhe für deine Seele fühlst, wenn du weisst was du glauben sollst, wann deine itzige Prätention an Frömmigkeit nicht eben so Prätention ist, als deine vorige Eitelkeit gewesen ist; so ist mirs herzlich lieb. Ich verstehe aber das Ding nicht recht. Ihr Leute fangt die Religion an zu tractiren wie eine Profession, das ist sie nicht, wie ich sie verstehe. Mir ist die Religion nichts als Stimmung des Geists, und das ganze andere Menschenleben geht seinen Gang nebenher, wie's die Natur verlangt. Auch schwatzt die Religion nicht so viel von sich selbst — kurz das Ding ist anders, als es bey dir zu seyn

scheint; und wenn ich dich so ansehe wie ich muss nach deinen
Briefen, so können wir wenig mehr mit einander gemein haben. Du
weisst ich bin ziemlich ungekünstelt und wahr, und was nicht so
ist, ist mir herzlich zu wieder! Urtheile ob wir noch viel gemein
mit einander haben können. Du hast mir vor einiger Zeit geschrieben, dass du dich des natürlichen Menschen zu entäussern
suchtest, ich aber habe den natürlichen Menschen noch so ziemlich
lieb — Lass uns also nicht hadern, sondern zieh du links, ich will
rechts ziehen! — Und Gott behüt uns auf unsern Wegen.

Schlosser."

Noch ein ganzes Jahr musste Kaufmann warten, bis er
die demüthigende Versorgung in Schlesien erhielt. Er sollte
sich nach Haugwitzens Meinung erst gründlich bessern. Am
23. Juni 1781[1]) verliess er Schaffhausen und schied hiemit
auf immer aus seinem Vaterlande. Am 26. schreibt er bereits von Ulm aus an Gaupp über den Anfang der Fahrt. In
Ulm nahmen die reisenden am 27. Juni das Schiff nach Wien
und am 17. Juli hatten sie das Haugwitzische Gut Steinau
erreicht und begaben sich von da auf 14 Tage nach Straduna,
sodann nach Gnadenfrei, wo Lisette Kaufmann am 3. Sept. von
einem Sohne Paulus entbunden wurde. Die Briefe an Gaupp
werden immer redseliger, sie handeln von der Sünderliebe
Jesu und der menschlichen Schlechtigkeit im allgemeinen.
„Dass wir durchaus verdorbene Kreaturen sind, glaube ich
und weiss es aus tiefbeugender Erfahrung, die immer noch
tiefer geht, dass in uns das Urbild des Gottesmenschen durch
Sünde verloren und verdorben ist." Zugleich bittet Kaufmann
um Entschuldigung, wenn er künftig hin von seinem äussern
Leben schweige; seine einzige Sorge sei jetzt, sich in die Tiefe
der Jesusliebe zu versenken. „Ach verzeiht mir, ihr Lieben,
— schreibt er am 19. Juli 1781 von Steinau aus — wenn ich
jetzt und inskünftige immer weniger von mir und den Meinen,
besonders von unserm äussern Leben sage: es ist doch immer
ein gefährlich Ding darum, besonders für solch arme Leute,
die auf einer so gefährlichen Höhe gestanden wie wir, etwas
von sich selbst zu sagen. Wie leicht und wie bald mischt
sich in Alles, auch wol in den seligsten Genuss göttlichen

---

1) Danach sind die Daten bei Düntzer S. 169 ff. zu ändern.

Erbarmens der höllische Eigendünkel! und wir haben ja doch
nur darfür zu sorgen, wie wir dem Herrn gefallen" u. s. w.

Sofort fasste Kaufmann seinen künftigen Beruf ins Auge,
er entschloss sich, in Breslau schnell die Medicin zu studieren
und in der Brüdergemeine als Arzt zu wirken. In diese Zeit
fallen die folgenden Briefe:

„Gnadenfrei den 3. 9bre 1781.

Gerne Ihr lieben Theuren! mögte ich Euch alle von hier noch
herzlich grüssen. Hatte schon lange schreiben wollen, aber ich
konnte nicht, bis ich auch wüsste und Euch sagen könnte, wie's
weiter mit Uns gehen wird. Wir werden nun nächstens von hier
abreisen und nach Breslau ziehen, wo ich mich zu meinem künftigen
Beruf noch mehr tüchtig machen lassen soll. Wie sich das alles
gegeben, mögte ich gern kürzlich sagen. Bald nach unserer Ankunft allhier, ward's uns so wol; wir genossen den Frieden des
Herrn und die Liebe seiner Kinder, dass es uns ziemlich gewis
war, der Herr werde uns nach seiner Liebe und Erbarmung auf's
innigste nach und nach mit diesem seinem Volke verbinden. Aber
bald vergassen wir schlechte Wesen! seiner Barmherzigkeit, über-
hebten uns, wurden wieder troken, öde und wüste, so dass ich besonders in grosse Ungewisheit kame. Die lieben Brüder, besonders
der liebe theure Leiriz[1]) erinnerte mich Anfangs auch oft, dass,
wenn ich in meinem Herzen meines Gangs gewis wäre, ich mich
noch vorher, ehe ich nach Barbi[2]) um Erlaubnis schreibe, zu einem
bestimmten Beruf dekliren müsse und da hielte Er dafür, der
medicinische wäre der beste für mich. Ich machte dann allerlei im
Grunde untaugliche Einwendungen, mein eignes Wollen und Würken
mengte sich stark darein, und da konnte ich zu keinem Entschluss
kommen, bis sich der Herr auf's neue meiner wieder erinnerte und
mir durch väterliche Demütigungen klar machen konnte, wo's noch
fehlte und wie viel Eignes, zum Grosseyn lüsternes sich mit ein-
mischte. Ich frug auch den Haugwiz, der mich denn freilich glücklich priese, wenn ich dieser Gnade gewürdiget werde, mit und bey
seinem Volk zu leben. Ich entschlosse mich denn zuerst, mich von
nun an diesem Beruf zu widmen und da ich durch eigene und anderer Ueberzeugung fühlte, dass mir zum besseren Fortkommen
eine ganze Rekapitulation der wichtigsten Theile der Arzneiwissen-
schaft nöthig, auch dazu in der Anatomie, Akouschement, Lazaret
durch die Bemühungen Herrn Professor Morgenbessers[3]) sich

---

1) Layritz, seit 1775 Bischof der schlesischen Brüdergemeinden.
2) An die Unitätsältestenconferenz.
3) Düntzer S. 165.

sehr schöne neu angelegte Anstalten in Breslau befinden, so reiste deswegen mit Bruder Wole[1]) (einem sehr gesegneten Wundarzt) zu Haugwiz und dann nach Breslau, um das nöthige dazu zu veranstalten. Auf dieser Reise machte mir denn unser liebe Herr immer mehr gewisser, dass ich mich nicht auf Menschen verlassen soll und dass es besser, wenn mir alles das genohmmen, was mich an völliger kindlicher Ueberlassung und Hingabe in seine treue Pflege und Leitung hindert. Ich habe nun auch diesen Beruf als das einzige Mittel anzusehen, wodurch ich mir und den Meinen unter Gottes Segen mein täglich Brod erwerben soll. Den lieben theüren Haugwiz segne der Herr für alles Gute, so Er mir und den Meinen erwiesen. Mir that's wol, dass Er auch mir Segen wünschte auf meine Hoffnung und Anwartschaft, doch auch bald als ein armer Kranker in die völlige Brüder-Pflege aufgenohmmen zu werden. Jezt kann ich mich noch nicht melden, ich hoffe aber doch, der Herr werde es so leiten, dass es bald von Breslau aus geschehen kann. Gottlob, Ihr lieben Theuren! dass unser Heiland die Sünder annihmmt und dass auch dieser sein Sinn (so tröstlich für mich) auch unter seinem Volk herrscht. Ach Er mache mich durch seinen Geist immer mehr dazu, so wird auch der süsse Jesusfrieden, der damit verbunden, nie ferne seyn. Ich grüsse Euch Alle mit wahrer Liebe und wünsche von Herzen, dass wir darin Alle Eines Sinnes werden."

Nachschrift von Frau Kaufmann. „Ich grüsse euch auch von ganzem Herzen, meine theüren inniggeliebten! Nun hört Ihr auch wieder etwas von uns, ach ja! Der Herr führt uns wunderbar — will's Gott auch bald wieder in seine Gemeine, es ist schwer wieder heraus zu gehen — aber wir müssen erst noch recht reif werden.

Unsere l. Mari hatte einen starken Anfang von der Englischen Krankheit was noch Ueberbleibsel von der Ruhr und Reise sein mochte, aber dem Herrn sey Dank! izt erholt sich's wieder, ist froh und freüdig und lehrnet nun gehen — wie's uns beyde erquickt! — auch der l. Paulus ist sehr gesund und wol und mir schenkt der Herr auch viel Kräfte und lehrnet sie mich üben und gebrauchen.

Es freüt uns so herzlich was wir von den lieben Unsrigen vernehmen."

Schon vorher hatte Kaufmann von Gnadenfrei aus am 14. Augstmonat 1781 an Gaupp geschrieben:

„Ich klage mich selbst an — denn ich bin der, der die Gemeine des Herrn lästerte und gering achtete — ich armer Wurm, der schlechteste unter Allen. Aber Er hatt's mir vergeben und wer

---

[1]) Bei Düntzer S. 163 Bruder Molle. Das Datum 22. Oct. ist unrichtig

wollte mir nicht vergeben, wenn Er vergiebt und alle Schäden heilt.
— — Ich muss dieses sagen, damit ich armer Elender bey denen,
die nach Wahrheit dürsten, nicht durch meine Schuld neuen Verdacht erweckte, als wenn ich mich selbst hieher geführt und nun
in der Trunkenheit meiner armen Phantasie so redete und auf diese
Weise zu unnöthiger Sorge und Bekümmernis Anlass gäbe. Nun,
ihr Lieben! Ich bin jezt gewis nüchtern und ich weiss, was ich
rede, denn wie dürfte ich es sonst wagen, so frei zu reden, ich der
Gottloseste unter Allen?"

Dieser Erguss schliesst mit den Worten:

„Gedenket meiner vor dem Herrn, des armen ohne Ihn so
entsetzlich elenden, nun gewis oft so seligen Christoph Kaufmanns.
An meinem 29ten Geburtstag, dem ersten für's Neue Leben der
zweiten Schöpfung."

Die Frau fügt folgende drastische Schilderung ihres vormaligen Aufenthaltes in Straduna[1]) hinzu:

„Wir sind hier. in dem gemeinen Logis einquartiert und für
alle nöthigsten Bedürfnisse sehr gut besorget. Es ist ein seltener
Fall und geschiehet nicht leicht bey den Ordnungen und Einrichtungen der Gemeine, dass ein Mann so mit Weib und Kind, in dieser
Lage des baldigen Niederkommens aufgenommen werde, aber unser
liebe Herr hat die Thüren aufgethan. In Straduna hätte ich es
nicht aushalten mögen bey der damaligen Einrichtung unserer
Wohnung, denn Haugwiz hatte noch gar nichts machen lassen, als
etwas Hauss- und Bethgeräth hinstellen lassen; es war auch Liebe
von Haugwiz, er wollt' warten, bis wir da wären, um dann, wie
wir's wünschten, zu machen, freilich wär's vor meiner Niederkunft
fast nicht mehr möglich gewesen, denn es war noch keine Küche,
keine Mägdenkammer, kein Sekret, kein Ofen in der Stuben, so
schlechte schmuzige wüste Böden, die geweisselten Wände so un-
weiss und alle Fenster versprenset, weil's gleich auf'n ersten Boden
war; da kamen uns die Kühe fast in die Stuben herein, die Schwein
mit ihren Jungen, Hunde, Hüner und Katzen gar oft, das userm
lieben Kind zu manchem kleinen Schreken war; wir mussten immer
einige Fenster offen halten bey der Tiefe und Feüchte der Zimmer
und der grossen Hize; da bekamen wir so eine entsezliche Menge
Fliegen, sie sassen einem beim Essen auf den Löffel und auf die
Gabel und um's Kindlein's Schüssel. Wenn ich ihm zu essen gab,
war ein ganzer Kranz, die Wände und Tillen waren fast ganz be-
dekt; am Morgen vor 4 Uhr störrten sie schon unsere Ruhe und
so waren der Unbequemlichkeiten sehr viele; auch war kein frisches

---

1) Düntzer S. 161.

Fleisch, fast gar kein Gemüs und noch kein Obst zu bekommen.
Ausser dem Amtmann und seiner Frau, die uns die 14 Tage be-
wirthen mussten, nichts als Pollnische Menschen um uns. Der Hin-
blik auf meine Njederkunft war schwer und die Sehnsucht nach
liebenden Menschen wurde auch stark. Das ist gewiss wahr, wenn
ich inniger und ganz an dem Herrn hieng, so hätte ich auch ruhiger
das Ende dieser Prüfungen ausgewartet; ich sehnte immer nach
Gnadenfrey und mein theürer Mann, der alles dieses Ungemach mit-
fühlte und noch mehr für mich fühlte, sah immer auf die Liebe unsers
Herren, der alle Haare auf unserm Haupte gezället und uns in allen
Leiden vorangegangen. Er konnte meinem Wunsche, meinem Anliegen, auf's Ungewisse nach Gnadenfrey zu reisen nicht folgen, bis
er's gewiss ward, dass er's im Vertrauen auf den Herrn wagen
dürfe, dass Er uns Weg bahnen werde — und nun hat Er's gethan.
Ihm sey ewig Lob und Dank! Haugwiz war einige male bey uns
in Straduna, hatte im Sinn, gleich einige Tage nach unserer Abreis
mit der lieben Trinette und ihrer theüren Pauline nach Bresslau zu
ihren beidseithigen Eltern zu reisen, die sie seit vor Ihrer Reise
nach der Schweiz nicht mehr gesehen. Sie werden einige Wochen
dort bleiben und Haugwiz hat Hofnung, bey der Rükkunft über
Sweigniz und Gnadenfrey zu reisen. Es war mir eben auch schwer
in Straduna, die l. Trinette so wenig zu sehen — es ist immer
mehr als 2 Stunden nach Krappiz und vielleicht nach Rogau über 3
und von ihrem l. Kinde kann und mag sie nicht weg gehn, es ist
auch bei der Treüe wol zu fühlen.

Unsere liebe theüre Mari ist nun wieder so gesund, uns wieder
wie neü geschenkt vom Herren, so sanft und mild, das auf der Reise
so sehr verrauht war unter den vielerley Menschen auf'm Schiff
und sonst; es hat auch seine verlohrnen Kräfte zum Gehenlehrnen
bald wieder gefunden.

Izt scheide ich von eüch, meine Inniglieben, in der frohen Hofnung, eüch bald die freüdige Nachricht von meiner glücklichen Entbindung geben zu können durch meinen theürsten Mann. Gedenket
meiner vor dem Herrn, da sind wir uns doch am nächsten — besonders meiner theürsten Mutter und lieben Geschwister. Eüer
aller treü ergebene   · L. K."

Die Uebersiedelung nach dem· nahe gelegenen Breslau
war inzwischen bereits erfolgt[1]). Am 31. October 1781 meldet
Kaufmann aus Gnadenfrei, wohin er aus Breslau zwei Tage
vorher auf Besuch gekommen war:

„Uns, ihr lieben Theuren! geht's nach Wahrheit zu sagen
immer besser. Wir lernen immer mehr die unaussprechliche Liebe

---

1) Also nicht erst am 6. Nov. 1781, wie Düntzer S. 164 angibt.

Jesu kennen; nur mit dieser Erkenntnis geht und wächst denn auch das Gefühl unserer unbeschreiblichen Verdorbenheit, die den seligsten Genus seiner Gemeinschaft nicht hindert, sondern vermehrt. Amen — — Auch unser Aufenthalt in Breslau, so sehr er dem äusserlichen Anschein nach schwer und mühsam sein oder scheinen mag, ist uns zum wahren Segen. Vom Morgen an bis in die Nacht habe ich mich meistens auf der Anatomie, Akouschements, Hospital und mit einer kleinen Privat-Praxis zu beschäftigen und so die liebe Mutter mit unsern 2 lieben theuren Kindern, davon der gebohrne Gnadenfreier an Stärke, Gesundheit und Freudigkeit sein zärtliches liebhabendes Schwesterchen überwiegt: die liebe Lisette lernt durch die Gnade des Herrn immermehr die Pflichten einer Mutter erkennen und den Segen des Herrn, der auf ihrer Erfüllung ruht, auch schmecken und fühlen und so von Grad zu Grad auch kräftig spürbahr geniessen."

Wie sich Haugwitz zu Kaufmann stellte, ergibt sich aus einem Schreiben vom 27. August 1781 von Krappiz aus an Gaupp:

„Sie wissen, lieber Gaupp, unter welcher Verbindung ich mit Ihrem und Lavaters Gutbefinden, Kaufmann auf mein Gut Straduna berufen habe. Ich kann nach meinem Gewissen noch heut von all diesem nicht ein Jota abändern. Kaufmann ist mir, oder doch deucht mir, noch immer derselbe zu sein, der er sonst war. Sie wissen, lieber G., ich bin niemals zufrieden gewesen mit der Art, in der Sie und Lavater Kaufmann genommen haben und bin es auch jezt noch nicht. Er ist sich selbst immer noch der ausserordentliche Mann, wo ich doch nur allein eigen gewählte Abweichung von Ordnung und Recht finden kann. Kaufmann ringet darnach, in Verhältnisse innerer Vertraulichkeit bey mir einzudringen; schrieb mir darüber schon aus der Schweiz in dem lezten Briefe, den ich ihm nicht mehr vor seiner Abreise beantworten konnte. Es thut mir weh, wenn sich Kaufmann hierüber irgend eine Hoffnung gemacht hat, weil ich sie schlechterdings brechen muss. Ihr lieben gutherzigen Leute lasst Euch immer von Euerm Herzen hin und her leiten und wisset nicht, dass dies der gefährlichste Geleitsmann ist, wenn er nicht von oben her durch die Kraft des alles durchdringenden erleuchtenden Geistes bewährt wird. Bleibt Kaufmann in der Verbindung der Brüder Gemeine, so hoffe ich zum Herrn, dass es zu seinem Segen sein wird.

Ich habe aus Ihrem Briefe an Kaufmann gesehen, dass Kaufmanns Vater einige Schwierigkeiten der Bezahlung der 50 Ldor wegen macht. Bezahlt er sie, so ist's gut; denn eigentlich ist's billig, dass er sie bezahlt. Bezahlt er sie aber nicht, so ist's auch äusserst unbillig, dass Sie das Geld länger darben sollen. Dann

schicken Sie mir nur kurz die Summe dessen ein, so ich ihm bezahlen soll mit Dazurechnung dess, so ich Ihnen auf eigne Rechnung
schuldig worden."

Haugwitz zog seine Hand immer mehr von Kaufmann ab,
und als dieser die Bedingungen jenes Vertrages förmlich ver-
letzt hatte, war der gräfliche Protector auf dem Punct, Kaufmann zu entlassen. Nur aus Barmherzigkeit für die Familie
und aus Rücksicht für die schweizerischen Freunde gewährte
er ihm fernerhin Unterstützung. An Lavater aber und Gaupp
gieng folgender Brief ab:

„Copia des Schreibens von Baron v. Haugwiz an J. C. Lavater
und mich.

d. 25. April 1782.

Nach der Herzens Verbindung zwischen Euch mag ich, Lieber,
deinen und des l. Pfenningers[1]) Brief nur an dich beantworten,
auch werdet ihr beyde gleiches Intresse daran nehmen. Dass ich
es aber einige Zeit anstehen liess, dir, lieber Lavater, zu schreiben,
that ich nur, um Euch guten Bescheid geben zu können.

Wenn ich diess aber mit aller Treue und Wahrheit thun soll,
so muss ich's von Weitem hernehmen, wenn auch diess eben nicht
zu deiner Ehre gereicht, lieber Lavater. Du weisst, unter welchen
Bedingungen ich Kaufmann in Schaffhausen anbot, bey mir auf
meinen Gütern Wohnung und Nahrung nach seinen Bedürfnissen
darzureichen, dass mein Sinn war, Kaufmann zu beugen und ihn erkennen zu lernen, dass er nichts bessers sey als ein anderer Erdenwurm.
Ich will hier die Bedingungen nicht wiederholen, unter denen ich ihm
Handreichung versprach. Du hast davon Abschrift und erhielt dagegen
dein und Gauppens Wort: auf Euer Gewissen mir Kaufmann nicht
eher zuzusenden, bis Ihr aus seiner wahren Sinnes Aenderung, aus
seiner herzlichen Dehmuth würdet anerkannt haben, dass sein Kommen
zu seinem Besten und nicht zu einer Last vor mich gereichen möge.
Das habt ihr nun beyde nicht gethan. Gaupp nicht, nach seiner
Herzensschwäche; du, lieber Lavater, nicht, nach deines Herzens
Härtigkeit. Ihr schicktet mir Kaufmann, so wie er immer war, der
alte Kaufmann. Ob ich ihm gleich, ehe ihn nun wirklich kommen
hiess, zu zweyen malen wiederholt hatte, dass ich ihm allein unter
der Versicherung der genausten und strengsten Befolgung aller
meiner gemachten Bedingungen sein Kommen zugeben könne, so war
doch deutlich zu sehen, dass er seiner vermeinten Obermacht über
andere Menschen in Rücksicht meiner zu viel zugetraut hatte. Er

---

1) Kaufmanns Schwager Joh. Konrad Pfenninger, der Apologet.

konnte bald seine Verfassung nicht mehr ertragen, er fand mich
fester in meinem Entschluss, als er gewohnt u. s. w.

In Schaffhausen war er in freundschaftlicher Verbindung mit
verschiedenen von der Evangelischen Brüder Gemeine gekommen.
Wenn ich in meinem Urtheil nicht irre, so war diess besonders vor
seine Frau von vielem Segen gewesen. Auf ihr Andringen, wie er
sagt, bat er mich, dass seine Frau ihr Kindbett in Gnadenfrey halten
möchte; ich war das gerne zufrieden; nur so lange, als er mit mir
auch nur in der geringsten Verbindung stünde, müsse er sich alles
Würkens auf andere, alles Apostolierens u. s. w. enthalten. Kaufmann gieng nach Gnadenfrey, that aber nicht nach seiner Pflicht
gegen mich. Es war wieder das alte Wesen. Er gab sich den Leuten
als einen armen Sünder, der nun aber die Gnade und Barmherzigkeit des Herrn erkannt hätte, davon zeugen müsse u. drgl. Ich sah
ihn nicht, den ganzen Sommer durch. Im späten Herbst kam er auf
wenige Stunden zu mir. Da schien er verlegen zu seyn, was er
wählen solle. Bey der Gemeine war er nicht angenomen, so wie
auch heut noch nicht und schwebte fast sehr in dem Sinn, wieder
nach Straduna zurückzukehren. Ich sagte ihm aber ganz klar, dass
er sich darauf keine Hofnung mehr machen mögte. Der Faden sey
zerrissen und nun könne er nimmermehr bey mir wohnen. Der
grosse Artikul des stillen unbemerkten Lebens[1]) sey für ihn verloren; denn nach dem Aufsehen, so er von neuem gemacht, stehe
diess selbst nicht mehr in seiner Gewalt. Also keine Verbindung
mehr zwischen uns. Aus Mitleiden für ihn und seine Frau, aus Liebe
für seine Freunde und aus herzlicher Achtung für die fromme Gemeinschaft der evangelischen Brüder, unter denen er tolerirt würde,
wolle ich ihm jährlich eine Handreichung von fl. 200 leisten; aber
ohne mich im geringsten dazu zu verbinden. Auch wolle ich hierinnen nichts mit ihm zu schaffen haben, sondern diess einem bekannten Bruder der Gemeine zuschicken und könne er hoffen, es so
lange zu geniessen, als ich meine Gabe gut anzuwenden vermeinte.
Das war im Herbst vorigen Jahrs und was ich nun weiter von ihm
weiss, ist sehr unbestimmt und reduzirt sich allein dahin, dass er
noch nicht in die Gemeine aufgenommen, aber auch nicht von ihr abgewiesen ist. Neuerlich hab' ich erfahren, dass er zum wenigsten sobald
noch nicht nach der Schweiz abgehen will. Wenn ihr lieben Seelen von
mir verlangt, dass er als ein Mann eines anderen Sinnes mit wahrer
Erkenntnuss seiner Armuth zu Euch kommen und ich ihn Euch als einen
solchen zusenden solle, so fordert Ihr einmal in jeder Betracht zu
viel von mir und habt ihr mich in der That, Ihr lieben Lavater und
Gaupp, durch die untreue Bewahrung des Pfundes, so ich Euch zurückgelassen hatte, aller Mittel beraubet, irgend auf eine Art das

---

1) S. oben S. 178.

meine dazu beyzutragen. Endlich, sollte Kaufmann in die Gemeine
der Evangelischen Brüder aufgenohmen werden, welches nicht von
dem Willen eines Menschen abhängt, so segnet alle, die Ihr Theil
an ihm nehmt, diese Stunde. Das bitt ich Euch um Eurer selbst
willen. Unter ihnen wird er gebeugt und in der Zucht erhalten
werden, damit sich die Flügel seines stolzen Willens nicht erheben
wider ihn und andere.

Mit treuer Liebe umarm ich Euch alle, Ihr Lieben! Lasset
mein Andenken nicht unter Euch erlöschen. Ich geniesse mit meinem
Weibe, die stündlich ihre Entbindung erwartet und meinem Kinde
reichen Segen des Herrn. Wir grüssen Euch alle von ganzem Herzen.

Meine Frau bittet um 1 Ex. der franz. Physiognomik. Wie
ist's zu haben? Und an wen die Bezahlung zu richten? Wir leben
oft mit dir, du l. Lavater, und gehen wir wieder jenseits der Alpen,
so bin ich bey dir mit Weib und Kind. Ich umarme dich.

C. Haugwiz.
Rogau."

Kaufmann selbst spricht sich Gaupp gegenüber über sein
Verhältniss zu Haugwitz sehr vorsichtig aus.

„Als ich letzthin bey Haugwiz war — heisst es in einem Brief
aus dieser Zeit — und an seinem, seines Weibs (die der Herr mit
einer Leibesfrucht gesegnet) und an seines Kinds Wolbefinden herzlichen Antheil nahme, Ihnen auch deinen Gruss meldete, sagte Er
mir, du habest Ihm erst geschrieben und Ihm das Uebelbefinden
deines Vaters gemeldet. Bruder Leiriz, der in Neusalz und dem
ich einen Auszug aus deinem Brief übermacht, schreibt mir: Schreiben
Sie wieder an Gaupp, so versichern Sie Ihn, dass das Gefühl seines
Elends und sonderlich des Unglaubens eine Wirkung des Geistes ist,
der die Welt überzeugt von der Sünde, dass sie nicht glauben will,
auch wirklich nicht kann, bis sie sich die Augen aufthun lässet, um
sich von der Finsternis zum Licht und vor der Gewalt des Satans
zu Gott bekehren zu lassen, zu empfahen Vergebung der Sünde.

Dass ich von Haugwizen gar nichts schrieb, ist, Lieber! wol die
Haubtursache, weil ich meinem Herzen nicht traute. Leiriz sagte
einmal, wie sollte ich einen fremden Knecht richten? Nun wie viel
weniger ich. Ich danke dem Herrn für die Gnade, dass ich erkennen
kann, dass mir durch Haugwizen viel Gutes wiederfahren und was
mir daneben nicht klar ist, das mögte ich ruhn lassen, bis mir's klar
wird. Ich habe nichts anders, als viele Ursache, mich über Haug-
wizens Liebe zu freuen und über sein Dulden zu schämen. Segne
Ihn unser liebe Herr für alles, was Er mir Gutes erwiesen. Seit
$1\frac{1}{2}$ Jahren hat Haugwiz über Christo und Christi Sinn mit mir nicht
geredt und s'Vorige ist mir wie ein Traum und über die Bemerkung,

die mir erst vor ein Paar Tagen ein Prediger vom Lande, der durch den Dienst der Brüder zur Erkenntnis der Wahrheit gekommen, gesagt, kann ich auch nicht urtheilen. Er sagte, Er habe Ursach zu glauben, dass einige aus der Freimaurerloge den Herrn Jesum lieb haben, ob aber das theure Kleinod der Sünderschaft und die damit verbundene Gemeinschaft des Sünderfreunds von Golgatha so erkant und getrieben werde, wie in der Brüder Gemeine?"

An seinen ehemaligen Famulus Johannes Ehrmann in Strassburg schreibt Kaufmann um die nämliche Zeit:

„Hamann verlangte was zu wissen von mir, ich schrieb meinen Namen in die Idea und schickte sie Ihm durch den Grafen Kaiserling[1]); darauf Er sehr lieblich und weitläufig hieher schrieb und sich auch nach dir erkundigte; ich antwortete Ihm und meldete, dass du bey deiner l. Mutter und Geschwistern fleissig arbeitest und dich auch als ein armer Sünder zu dem haltest, der kommen seye, alle Sünder selig zu machen."

Im Juli 1782 siedelte Kaufmann mit seiner Familie als Arzt der Brüdergemeine nach dem Städtchen Neusalz an der Oder über.

Haugwitz meldet von Rogau unterm 15. Nov. 1782 an Gaupp:

„Kaufmann ist nun in Neusalz, praktisirt dort als Arzt und hat Erlaubniss, sich an die Gemeine zu halten. Auch soll er schon anfangen gute Praxis zu bekommen. Ich trage noch (doch sey das Ihnen allein gesagt) thätige Sorge vor seinen Unterhalt, bis er selbst im Stande sein wird sich ihn gänzlich zu erwerben. Gebe ihm bis dahin jährlich 200 Gulden. Doch hab' ich weiter keine Gemeinschaft mit ihm, als dass ich dieses Geld an einen ehrbaren Bruder der Brüder Gemeine sende, der es denn Kaufmann zukommen lässt."

1786 erhielt Kaufmann die Stelle des Arztes der Unitäts-ältestenconferenz zu Herrnhut, wo er nun in die Gemeinschaft der Brüder aufgenommen wurde. Sein erster Herrnhuter Brief an Gaupp ist vom 21. März 1786 datiert. Seine Tochter Marie habe er in der Mädchenanstalt in Kleinwelka versorgt und

---

1) Gildemeister, J. G. Hamanns Leben und Schriften II, 426: „Am 2. Sonntage nach Epiphan. — so schreibt Hamann an Herder — erhielt ich ein dickes Pack mit Spangenbergs Idea fidei Fratrum, mir von Kaufmann dedicirt, mit einem Briefe des jungen Grafen Kayserlingk."

sein Sohn Paulus sei beim Herrn daheim und ruhe in Jesu
Armen[1]). „Ich hatte — schreibt er am 21. Juni 1786 an
Johannes Ehrmann nach Strassburg — eine Destination und
Vocation nach Gnadenfeld, wohin ich gerne gezogen; aber der
l. Heiland wollte mich hier haben. Er leitete die Umstände
so, dass ich zur Besorgung unsers l. kranken Bruder Köbers[2])
hieher kommen musste und dann wiese der l. Heiland die
Brüder der Unit. Aeltesten Conferenz an, mich als ihr Medikus
oder vielmehr als der arme schwache Krankenwärter seiner
Diener hier zu behalten und den Plaz in Gnadenfeld durch
jemand anders zu besetzen, wozu ich auch nichts sagen kann,
als, was der Heiland thut, ist Gnade. Er lasse mich nur in
dieser Erkenntnis wachsen und immer ärmer an allem werden,
nur reicher in seiner blutigen Erbarmung. Amen.“

Als Arzt legt Kaufmann ab und zu dem Freunde Gaupp
schwierige Krankheitsfälle vor und bittet ihn, darüber einen
Somnambulisten in Lavaters Nähe zu consultieren. Aus der
Zeit von 1782—93, also bis zwei Jahre vor Kaufmanns Tod,
liegen etwa 20 Briefe an Gaupp vor. Ich hebe nur noch einen
heraus, der für Kaufmanns Verhältniss zur Revolution[3]) von
Belang ist. Haugwitz war inzwischen preussischer Minister
geworden.

Juni 1793.

— — „Ob Graf Haugwiz bei seiner Ministerwürde den bessern
Theil in den jetzigen kritischen Zeiten in den Preussischen Staaten
erwehlt habe, zweifle ich. Ich liebe Ihn zärtlich und bete in meiner
Armuth viel für Ihn und priese Ihn im Genuss des Friedens Gottes
und der Sünderliebe Jesu in Wagenhausen viel glücklicher und näher
dem Ziel unsrer eigentlichen Bestimmung und Vorbereitung. —

Du hast ganz recht: wir leben jezt in phisikalisch, moralisch,
politisch und oekonomisch kritischen Zeiten, aber immer noch in
Gnadenzeiten nicht zum Verderben, sondern zur Besserung. Die
Welt ist Gottes Drama, darein auch die Hanswursten, die Henkers und
die Teufels ihre Rolle haben, — mögen Sie! So lange Jesus bleibt
der Herr, muss es doch immer wieder besser werden. — O, Frankreich predigt mehr als alle Orthodoxen und Heterodoxen allen Ländern,

---

1) Düntzer S. 204.
2) Düntzer S. 212.
8) Düntzer S. 257.

allen Ständen und allen Altern unserer Zeit! Hätte ich und könnte
ich nicht wichtigere und wesentlichere Berufsgeschäfte und Bestimmung und könnten es nicht 1000 andere besser deuten als ich, so
möchte ich wol durch verschiedene Winke die Menschen auf ihren
Gott, von dem sie gekommen und von dem sie gefallen, in Frankreichs Zustand aufmerksam machen. Ware Frankreich nicht das
schönste blühendste gesegnetste Reich — wie ist's geworden? Antwort: durch den Segen des hellen Lichtes des Evangelii, das aus dem
Morgen verdrängt und mit Macht in diesen mittäglichen Provinzen
einbrache und einen lebendigen fruchtbringenden Samen fortwürken
liesse, der sich in den Waldensern und Hugenotten immer segnend
und in Künsten, Wissenschaften und Manufakturen fortwuchernd
zeigte, Frankreich mächtig emporhob, sodass es Diktator von Europa
wurde und sich so erhielte, bis es offentlich Gott die Ehre raubte,
sein Volk schändete und den Saamen der Gerechten erstickte und
tödtete. Aber bald nach Aufhebung des Edikts von Nantes fieng's
an, im Innern zu sinken. Gott gabe die Schänder seines heiligen
Namens, die politischen und moralischen Götter auf Erden, den Hof,
den hohen Adel und die hohe Geistlichkeit in verkehrtem Sinn dahin
und züchtigte sie unter den Peitschen der Pächter und Finanziers und
liesse sie sinken, steigen und fallen immer zur Warnung, aber nicht
zu ihrer und anderer Besserung. Anstatt dass Deutschland und
andere Mächte darauf merken sollten, schliefen sie, träumten und
liessen sich von der pestilenzialischen französischen Politik immer
wieder einschläfern und blieben Affen im Grossen und im Kleinen,
unterdessen dass Frankreichs Gift ihren eignen Staatskörper in krebs-
artigen unheilbahren Zustand setzte. Da ware keine Rettung als
Zerstörung möglich: die Scharfrichter und Executoren des göttlichen
Vergeltungsrechts kamen und übten Rache aus an den Grossen des
Hofs und der Kirche; allein anstatt dass sich die andern zur Besserung warnen lassen und Gott in göttlicher Subordination doch noch
ehren und fürchten sollten, spotteten sie seiner und seines Gesalbten,
traten sein Wort mit Füssen und sprachen laut: es ist kein Gott und
rissen sich ganz von ihm ab und leben sie und sterben sie wie die
Bestien, die sich endlich nach und nach selbst aufreiben und zuletzt
ermüden, nüchtern und wieder abgehärtet, und von ihrer Schwelgerei
und Weichlichkeit zurückkommen werden und dann erst wieder die
Stimme der Wahrheit von oben vernehmen. Lässt sich die Schweiz,
Deutschland und andere Länder durch Frankreichs Beispiel und
Exempel belehren und bekehren so wird der Verfall nie so gross
werden; geschieht aber dieses nicht in einem gründlichen Grad, so
werden ähnliche Schicksale kommen und wol zuerst an den Preussischen Staaten, wo der Menschen Bestimmung und Menschheitsrechte
und die Bande menschlicher Ordnungen am meisten zerrissen und
wahrer Glauben in Unglaube und Aberglaube aufgelöst werden.

So weit verirrte ich mich in einen einseitigen, aber mir richtig scheinenden wolthuenden Blick über die jezige Lage der Dinge, an der ich vielen treuen Antheil nehme. Was ist Kultur, Philosophie ohne Religion? Ein Dunstkreis von Brennmaterien zum Verderben.

Ich wünsche dem l. Lavater auf den Tag der Erndte eine richtige Saat, die auf dem Grund des Versöhnungs Tods Jesu stehet und die allein gültig ist. Der liebe Mann ist ja nach Coppenhagen, was macht er da? Gottes Geist, influire du ihn doch!

Der arme Ehrmann![1]) Dass er nicht auf festen Gründen steht, sondern sich hin und her treiben lässt! O, wäre er seiner Erkenntnis treu. geblieben und hätte die Ehre bei den Menschen nicht höher geachtet, als die Ehre bei Gott, so würde er jezt einen besseren, richtigern, klareren, froheren und gewisseren Gang gehen. Der Heiland helfe ihm wieder zurechte und lerne ihn, was er bedarf, durch die Welt kriechen, nicht fliegen, wozu er keine Flügel hat und die entlehnten wächsernen schmelzen, fallen und schmeissen in's Koth.

Es geht mir und den Meinen unaussprechlich gut. Ich armer Wurm lebe in Jesu Liebe und Erbarmen so glücklich und selig, als ich es mir niemals hätte denken können und finde darein alle Schätze eröffnet und durch ihn alle Bedürfnisse befriedigt. Der Heiland würdigt mich oft unter Schmach und Schande, unter Lob und Ehre, durch gute und böse Gerüchte, zu zeugen von seiner Liebe und dass in ihm alles in allem zu suchen und zu finden ist: Wahrheit, Kraft, Licht und Leben und in seinem Opfer allein Gnade und Freiheit von Sünden. Dabei arbeite ich als Arzt mit seinem Segen. Kurz, ich habe gar nichts zu klagen, aber viel, viel zu loben. O, dass ich nur Jesum mehr liebte und in seine Liebe alles reduzirte!"

Auf Gaupps Schwiegersohn, J. G. Müller, geht die folgende Briefstelle:

„Deinen Herrn Schwieger Sohn liebe und schäze ich deswegen von Herzen, weil ich gewis weiss, dass Er Ruhe, Frieden, Liebe und Wahrheit sucht und zwar auf richtigerer Strasse, als ich. Möge Er sie bald in dem Maasse finden, dass seinem Geiste genüget und Er nichts anders aussert sich bedarf, am allerwenigsten Autorslohn. Gott mässige seinen Fleiss und stärke seine Kräfte."

Der letzte Brief Kaufmanns an Gaupp, datiert vom 2. December 1793, endigt mit den Worten:

„Und du, lieber theurer Bruder! lebe denn durch Jesu Kraft und mit seinem Lichte recht vergnügt und melde mir bald einmal,

---

1) Dieser war der begeisterte Lobredner der französischen Revolution geworden. Düntzer S. 257.

wenn du mit Lavater und seinem Schwager, oder allein oder mit
wem du willst, uns besuchen werdest. Es soll dir mit Gottes Segen
recht wol gehen. Wir lieben und verehren dich unveränderlich in
Jesu Liebe und nennen dich öfters mit Angelegenheit, wenn wir gewürdigt sind, in's Heiligthum des Herrn zu treten und vor Ihm unsere
Herzen in Loben und Danken, Bitten und Flehen auszuschütten."

Am 21. März 1795 starb Kaufmann[1]). Die trauernde
Wittwe, welche die harte Behandlung von Seite ihres Gatten
längst vergessen hatte, schrieb an Gaupp am 7. Sept. desselben
Jahres:

„Wüsste ich nicht, liebste Freünde! dass Sie Rüksicht auf meine
Lage und Umstände nehmen würden, wäre ich in grosser Verlegenheit über mein langes Schweigen bei Ihrem treüen zärtlichen Theilnehmen, wodurch das wunde leidende Herz so sehr erquikt wird.
Er wurde mir schnell und ganz unerwartet entrissen, der einzige,
unaussprechlich geliebte Freünd; sein Tagewerk war voll nach meiner
Erkenntnis. Er war nach der Gemein-Sprache zu reden fertig mit
seinem Herrn, oder sein Herr mit ihm. In seinem Sündergefühl
suchte er nur Schächers Gnade und fand sie reichlich in dem unaus-
sprechlichen Erbarmen seines Herrn. Er wird unbeschreiblich vermisst; von mir kann ich nicht reden, die delikatesten Empfindungen
haben keine Sprache, vor dieses Subjekt gar nicht. Er war in seinem
Benehmen gegen seine Lisette einzig. Ich renonsire auch auf allen
materiellen Ersaz in diesem Leben. — Das verwöhnte Weib, das
alles Leichte und Schwere auf seines Christophors Achseln legte und
von ihnen wieder nahm, kaum fühlbar, soll nun an der unsichtbaren
Hand seines Gottes und Heilands allein im kindlichen getrosten
Glauben gehen lehrnen. Ich lege die Hand auf den Mund und folge.
Er weiss, was seinem Kind gut ist."

Kaufmanns Wittwe blieb von Herrnhut aus, wo sie das
Amt einer Fremdendienerin versah, bis 1798 mit J. G. Müller
— die Schwiegereltern Gaupp waren beide im Februar 1796
gestorben — in Beziehungen. Sie lebte bis zum 23. Dec. 1826.

---

1) Dieses Datum ist sowol durch das Winterthurer Bürgerbuch als
durch das dortige Kirchenbuch bezeugt. Im letztern findet sich unterm
6. April 1795 folgender Eintrag: „Christoph Kaufmann med. Dr. starb
in Herrenhut den 21. März aet. 41 Jahr 7 Mon." Danach ist die Anmerkung S. 272 bei Düntzer zu berichtigen.

Drei Briefe von Schiller.

Der Herausgeber des „Archivs" hat es der Liberalität des Herrn Albert Cohn in Berlin zu danken, dass er nachstehend drei in dessen Besitz befindliche Briefe von Schiller mittheilen kann, welche bisher noch nicht veröffentlicht waren.

Der erste derselben ist an den Buchhändler Friedrich Wilmans gerichtet, in dessen Verlage das „Taschenbuch der Liebe und Freundschaft gewidmet" erschien. Von diesem Wilmans hatte Schiller schon am 28. October 1799 und nochmals im März des folgenden Jahres Zuschriften erhalten. Die frühere war während einer schweren Krankheit seiner Frau eingelaufen, blieb deshalb unbeantwortet und hat sich auch, wie es scheint, nicht erhalten. Die vom März ist ihrem Wortlaute nach bekannt geworden und in Schillers Geschäftsbriefen, herausgegeben von Goedeke, (S. 221) gedruckt zu finden. Das darin angekündigte Geschenk ist dasjenige, für welches Schiller in dem vorliegenden, vom 16. April 1800 datierten Briefe dankt und dessen Empfang er am Tage zuvor in seinem Kalender, wie folgt, notiert hat: „Kistchen mit 17 Bouteillen Wein aus Bremen. Franco bis Braunschweig. Fracht von da ½ Ctr. 1 Rthlr. 12 Gr." Was Schiller gleichzeitig in seinem Dankbriefe verspricht, erfüllte er, indem er am 30. Juni 1800, wie er in seinem Kalender angemerkt hat, an Wilmans „Gedichte" schickte. Die übersandten Gedichte waren das „Lied der Hexen im Macbeth", das im Taschenbuche auf das Jahr 1802 S. 175— 178 abgedruckt ward, und das Gedicht „An Goethe, als er den Mahomet von Voltaire auf die Bühne brachte", von dessen Abdruck Wilmans abstand, nachdem es mittlerweile in der Sammlung von Schillers Gedichten erschienen war. Das Taschenbuch auf das Jahr 1803 konnte von Schiller die drei

Räthsel liefern: „Von Perlen baut sich eine Brücke", „Ich wohne in einem steinernen Haus" und „Unter allen Schlangen ist eine".

Der zweite Brief vervollständigt die Reihe der zwischen Schiller und Iffland gewechselten Briefe, welche in Joh. Valent. Teichmanns literarischem Nachlass, herausgegeben von Franz Dingelstedt (Stuttgart 1863), S. 199—234 veröffentlicht sind. Schiller schrieb ihn, nachdem er am 20. September 1801 von seiner Dresdener Reise nach Weimar zurückgekommen war und hier am folgenden Tage die Unzelmann in der Rolle der Maria Stuart gesehen hatte. Aehnlich, wie er darin gegen Iffland selbst über ihr Spiel sich ausspricht, urtheilt er über dasselbe auch in einem gleichfalls am 23. September 1801 geschriebenen Briefe an Körner. Nur fügt er in dem letzteren noch hinzu, dass ihr noch etwas mehr Schwung und ein mehr tragischer Stil zu wünschen sei. Das Vorurtheil des beliebten natürlichen beherrsche sie noch zu sehr; ihr Vortrag nähere sich dem Conversationston, und alles sei ihm zu wirklich in ihrem Munde geworden; das sei Ifflands Schule, und es möge in Berlin allgemeiner Ton sein u. s. w. Am 5. October schreibt Schiller an Körner, die Unzelmann habe Weimar vor drei Tagen verlassen, weil sie nach Berlin habe zurückeilen müssen. Am 6. October merkte er den Empfang eines Briefes von Iffland in seinem Kalender an.

Der dritte Brief, Schillers Antwort auf ein am 11. Februar 1802 bei ihm eingegangenes Schreiben des Dresdener Advocaten Christian Gotthold Brannaschk (so lautet der Name in den alten Dresdener Adressbüchern, nicht Brannasch oder Bramaschek), wurde von Schiller zusammen mit einem vom 18. Februar 1802 datierten Briefe an Körner abgesandt und wird in diesem mit den Worten erwähnt: „Ich sende Dir hier einen Brief an unsern Advocaten. . . . Wir sind den Vergleich zufrieden und ich habe den Advocaten bevollmächtigt, unter den 2 Arten, die man vorschlug, diejenige zu ergreifen, welche Richtenfeld erwählen wird". Der Rechtsstreit, in welchem Brannaschk Schillers Sache führte, betraf die Erbschaft des kursächsischen Generals Ludwig Ernst v. Benckendorff, eines nahen Verwandten der Schwiegermutter Schillers, in dessen

13*

letztem Willen der Oberquartiermeister Rittmeister Johann Gottlob von Richtenfeld als Erbe und gleichzeitig als Testaments-
vollstrecker eingesetzt war. Wie wir aus späteren zwischen
Schiller und Körner gewechselten Briefen wissen, fielen das erste
und das zweite, wahrscheinlich auch das dritte Urtheil in
diesem Rechtsstreite nicht zu Gunsten der von Schiller ver-
tretenen Ansprüche aus,. so dass sich dieser endlich im März
1804 entschloss die Angelegenheit gänzlich auf sich beruhen
zu lassen[1]).

1.

Weimar 16. April 1800.

Ihr gütiges Geschenk, das ich dieser Tage erhielt und wofür
ich Ihnen verbindlichst danke, sezt mich in Verlegenheit, da ich
nicht gleich weiss, wie ich mich erkenntlich dafür bezeugen soll.

Das erste Schreiben, worinn Sie mich um Beiträge zu Ihrem
Taschenbuch ersuchten erhielt ich zu einer für mich sehr traurigen
Zeit, wo ich jeden Augenblick fürchtete, meine Frau durch den Tod
zu verlieren, ich konnte also nicht darauf reflektiren. Und Ihr
Zweites vom vorigen Monat erhielt ich kurz nachdem ich selbst aus
einer schweren Krankheit erstanden war. Durch [2] diese unglücklichen Ereignisse habe ich viele Zeit verloren und kann kaum damit fertig werden, ältere *Engagements* gegen meine bissherigen Verleger zu erfüllen.

Ich werde indessen suchen, Ihre Erwartungen wenigstens nicht
ganz unbefriedigt zu lassen, und mich der Schuld, die Sie mir im
Voraus auflegten, zu entledigen. Rechnen Sie also, auf jeden Fall,
wenigstens auf einen kleinen Beitrag, da mir die Zeit zu einem
grössern fehlt und er soll binnen einem Monat oder 6 Wochen
eintreffen.

[3] Ich verharre mit vollkommener Hochachtung
Ew. hochedelgeb.
ganz ergebenster Diener
Schiller.

[4]   An Herrn   .
Buchhändler Wilmans
in
franco   Bremen ·

---

1) Die cursiven Lettern in unserm Abdruck entsprechen lateinisch
geschriebenen Worten der Originale. — Dass der im „Bfw. zw. Schiller
und Körner, hggb. von Goedeke" Bd. 1 S. 402 veröffentlichte Brief
Schillers, dessen Original sich im Körner-Museum zu Dresden befindet,

2.

Weimar 23. Sept. 1801.

Ihrer Güte, mein theurer Freund, danke ich das grosse Vergnügen, das mir die Darstellung der *Maria* Stuart durch *Mad. Unselmann* vorgestern verschafft hat. Ich wurde dadurch um so angenehmer überrascht, da ich den Abend vorher von meiner Reise zurückgekommen, und beinah in Gefahr gewesen wäre, diesen Genuss zu entbehren. Die Darstellung war vortrefflich, voll Charakter, Zartheit und Empfindung; in der sinnvollen feinen Deklamation erkannten wir den Meister von dem sie gelernt hat.

Mad. Unselmann hat einen schnellen Rappell von Ihnen erhalten. Sie möchte Ihnen gar gerne gehorchen, denn sie liebt Sie und fürchtet Ihnen zu missfallen. Aber wir sind hier alle dabei interessirt, dass sie einige Spieltage länger bleiben [2] und uns noch einige Rollen geben möge. Sie wird Sie also um *Prolongation* ihres Urlaubs bitten, und ich vereinige meine Bitte mit der Ihrigen. Sie werden uns allen dadurch Freude machen, und wir haben einiges Recht an diese Gabe, da Sie Selbst unsre Hofnung noch nicht erfüllt haben.

Leben Sie wohl mein theurer Freund und erhalten mir Ihre Liebe.

Schiller.

3.

Wohlgebohrner
hochgeehrtester Herr,

Auf Ihr geehrtes vom 6 Febr thue ich Ihnen von Seite meiner Frau und meiner Schwägerin zu wissen dass wir den Vergleich auf welche Art ihn Herr v Richtenfeld eingehen will, gut heissen und uns darinn gänzlich Ihrer Einsicht und Ihrem Urtheil überlassen. Da wir bei [2] dem günstigsten Ausspruch der Gerichte für unsre Sache gegen die armen und verdienten *Legatarien* uns nicht unbillig würden bewiesen haben und die *Intention* des Erblassers in Rücksicht derselben respektiert haben würden, so fällt es uns um so weniger schwer uns diesem *Arrangement* zu fügen.

Ich verharre hochachtungsvoll

Ew Wohlgebohren
gehorsamer Diener
F Schiller.

Weimar
d. 17. Febr.
1802.

---

vom 3. und nicht vom 5. März 1791 datiert ist, sei hier kurz erwähnt. Ein Theil des Briefes ist unter dem richtigen Datum in Schillers Briefen Bd. 1, Berlin, Allgem. D. Verlags-Anstalt, S. 745 f. abgedruckt.

Anzeigen aus der Goethe-Litteratur.

Von

WOLDEMAR Freiherrn VON BIEDERMANN.

1. Goethes Faust in England und Amerika bibliographisch zusammengestellt von W. Heinemann. Berlin 1886. August Hettler.
2. Faust. A tragedy by Johann Wolfgang von Goethe. The First Part. Translated in the original metres by Frank Claudy. Wm. H. Morrison. Law Bookseller and Publisher. Washington D. C. 1886.

Nachdem Heinemann 1882 im „Bibliographer" eine Zusammenstellung der in englischer Sprache erschienenen Uebersetzungen des „Faust" und Schriften über dieses Drama geliefert hatte, hat er dieselbe nunmehr vervollständigt als selbständiges Büchlein herausgegeben. Er verzeichnet darin 29 Uebersetzungen des ersten Theils, welche theils in Prosa, theils im englischen dramatischen Vers, theils in den Versmassen des Deutschen die Urdichtung wiederzugeben versuchen. Während sich die Uebersetzungen seit 1833 ziemlich gleichmässig vertheilen, ist auffälliger Weise von 1841 bis 1857 eine lange Pause darin eingetreten. Die Uebersetzung von Sir Theodor Martin im Blankvers hat von 1865 bis 1886 acht Auflagen erlebt. — Heinemann führt im ganzen 161 Schriften auf; die letzte ist die oben genannte Uebersetzung des ersten Theils des „Faust" von Claudy, woraus schon 1833 einzelne Stücke veröffentlicht wurden.

Nach Claudys, von Heinemann wiederholter Angabe ist diese Uebersetzung ins Englische die erste eines Deutschen (deutsche Namen tragen auch andere Uebersetzer); jener lebt in Amerika. Ihn hat das Bestreben geleitet, eine sich der Goethischen Dichtung enger anschliessende Uebersetzung vorzulegen, als die anderer Uebersetzer sind; er hat fünfzehn Jahre darauf verwandt und allerdings vortreffliches geleistet. Dem Deutschen kommt bei dieser Arbeit zu statten, dass er die gerade im „Faust" so hervortretenden Feinheiten des Ausdrucks besser erkennt, als es einem Ausländer möglich sein dürfte; der Engländer wird manches in dieser Hinsicht übersehen und in

nicht tief genug gehender Würdigung jener Feinheiten mehr darauf
bedacht sein, die Dichtung seinen Landsleuten gefällig erscheinen
zu lassen, nicht nur im Bau glatt fliessender Verse, sondern auch in
Entfernung dessen, was dem Engländer, der einen Werth auf äusser-
liches sprödethun legt, anstössig sein könnte. So haben sich z. B.
mehrere Uebersetzer nicht getraut, den „Prolog im Himmel" aufzunehmen; einer — Anster — hat einen Mittelweg darin zu finden
geglaubt, dass er Gott den Herrn mit der deutschen, auch mit
deutschen Buchstaben gedruckten Benennung „Der Herr" auftreten lässt.

Für den Uebersetzer liegt eine bedeutende Schwierigkeit darin,
dass er immer auch Commentator sein muss, bei Uebersetzung des
„Faust" also ein grosses Gebiet zu durchforschen ist. Es mögen hier
einige Beispiele aus der Uebersetzung dieser dramatischen Dichtung
von Anster — die, als ausgezeichnet anerkannt, 1886 zum vierten
Male aufgelegt und mir gerade zur Hand ist — angeführt werden,
wo die Kunst des Uebersetzers gescheitert ist, weil er nicht der
richtige Commentator war. Im ersten Selbstgespräch sagt Faust:

> Zwar bin ich gescheiter als alle die Laffen:
> Doctoren, Magister, Schreiber und Pfaffen —

in welcher Stelle auch freilich manche deutsche Erklärer den
„Schreiber" nicht verstanden haben. Anster hat nun zwar eingesehen,
dass es keinen Sinn gäbe, den Faust sich brüsten zu lassen, dass er
gescheiter sei als ein Schreiber in der heute üblichsten Bedeutung
des Wortes, d. h. als ein Abschreiber, er hat aber das Wort in dem
Sinne von „Buchschreiber" genommen und übersetzt es daher, ebenfalls auf Kosten des vernünftigen Zusammenhangs der Stelle, mit
„authors". Claudy hat es wörtlich mit „writers" gegeben — ganz
richtig, da im Englischen dieses Wort vormals ebenso wie im
Deutschen für „Schriftführer", insbesondere für rechtsgelehrte
schriftkundige gebraucht wurde.

An einer andern Stelle hat Anster ohne erkennbaren Grund,
anscheinend nur um einen gefälligeren Vers herauszubringen, den
Sinn einer Stelle völlig verdorben. Indem nämlich Valentin mit
Faust ficht und Mephisto secundiert, ruft er nach einer Parade des
letzteren aus:

> Ich glaub, der Teufel ficht!
> Was ist denn das? Schon wird die Hand mir lahm.

Es ist dabei einleuchtend, dass es Mephistos höllische Kunst
ist, die Valentins Hand gelähmt hat. Das hat aber Anster nicht begriffen und, indem er übersetzt:

> The devil assists him in the fight!
> My hand is wounded —

verkehrt er sogar den Sinn in Unsinn; denn wenn einer im Kampfe verwundet wird, noch dazu wenn dabei ihm zwei gegenüberstehn, so ist gar kein Grund, deshalb die Mithilfe des Teufels zu vermuthen.

Bei allem Fleiss und Geschick, das Claudy an den Tag gelegt hat, kann doch die Uebersetzung nie dem Original gleichkommen. Es ist z. B. keineswegs ohne Bedeutung für die Erklärung des in der Scene „Wald und Höhle" als „Erhabener Geist" angeredeten Wesens, dass im Osterliede auch Christus „der Lebend-Erhabene" heisst; Claudy gibt aber das „Erhabene" an beiden Stellen durch verschiedene Worte, woraus ihm an sich kein Vorwurf gemacht werden kann. Wenn dagegen Anster „Erhabener Geist" durch „Lofty spirit" gibt, so übersetzt er nicht, sondern commentiert, und wenn er dies, noch dazu ohne Noth, thut und dabei das falsche trifft, so gereicht ihm dies stark zum Vorwurf.

3. Deutsche Litteraturdenkmale des 18. und 19. Jahrhunderts in Neudrucken herausgegeben von Bernhard Seuffert. — 25. — Kleine Schriften zur Kunst von Heinrich Meyer. Heilbronn, Verlag von Gebr. Henninger. 1886.

Diesen neuen werthvollen Band der wichtigen Seuffertschen Neudrucke hat Paul Weizsäcker herausgegeben. Er schlägt ganz wesentlich in die Goethe-Litteratur ein, nicht sowol weil Meyer ein innig verbundner Freund Goethes und ein mitwirkender in dessen Kunstleben war, als vielmehr weil es zahlreiche Abhandlungen und Aufsätze gibt, bezüglich deren es theils zweifelhaft ist, ob sie von Goethe oder aber von Meyer verfasst sind, theils feststeht, dass beide daran gearbeitet haben. Indem nun Weizsäcker in sachkundiger Einleitung von 166 Seiten sämmtliche Schriften Meyers vorzuführen in Aussicht nahm, lag es ihm ob, die unsichern Verfasserschaftsfragen zu erörtern.

Die ersten Arbeiten der Goethe-Forschung überhaupt mussten sich darauf richten, Goethes Werke zusammenzubringen, nachdem man sich überzeugt hatte, dass deren manche in die Sammlung derselben von Goethe nicht aufgenommen worden waren. Im Eifer, sich dabei nichts entgehen zu lassen, wurden aber manche Schriften ungenannten Verfassers auf die leiseste Spur hin, die auf Goethe deutete, diesem zugeschrieben. Weil z. B. Goethe unterzeichnet war, hat Hirzel die zweite und dritte Nachricht vom Ilmenauer Bergbau in sein Verzeichniss einer Goethe-Bibliothek aufgenommen, obschon Goethe diese Schriften nicht contrasigniert, ja nicht einmal gelesen haben konnte, weil er während ihrer Abfassung und Veröffentlichung in Italien sich aufhielt; mehrere Aufsätze über Kunst, die ebenfalls theils Goethes Namen, theils die Firma W. K. F. als Unterschrift trugen, hat Boas seinen Nachträgen zu Goethes Werken einverleibt,

in denen sie nach neueren gründlicheren Forschungen nicht belassen
werden können. In der Hempelschen Ausgabe hat noch Strehlke
den 28. Band mit einigen dieser Aufsätze angefüllt. Auch Recensent
hat bei aller Vorsicht Aufsätze als von Goethe herrührend anerkennen
zu sollen geglaubt, die er nunmehr nach Weizsäckers sorgsamen
Untersuchungen preisgibt. In denselben sind nicht nur die Quellen
gehörig benutzt, sondern es hat Weizsäcker auch durch die eingehende Beschäftigung mit Meyers Schriften dessen Stileigenthüm-
lichkeiten genau kennen gelernt und vermag nun sie als Merkmal
der Verfasserschaft in die Wagschale zu legen. Deshalb wagt der
nicht so eingeweihte Recensent dem Herausgeber der „Kleinen
Schriften" nicht entgegenzutreten, wo er abweichender Ansicht war,
und gestattet sich nur wenige Ergänzungen und Einwände.

In dem Aufsatz „Chalkographische Gesellschaft zu Dessau"
(Einleitung S. LIX f.) dürfte der Schluss von Seite 153 des II. Bandes,
2. Hefts der „Propyläen" von Goethe geschrieben sein.

„Weimarer Kunstausstellung von 1801 u. s. w." (Einleitung
S. LXXII ff.) wird im „Journal des Luxus und der Moden" von 1802
S. 113 Goethe allein zugeschrieben, was bei den nahen Berührungen
der Redaction mit Goethe kaum geschehen sein würde, wenn dieselbe
nicht bestimmte Kenntniss davon gehabt hätte.

Als Verfasser des „Berichts über den Zustand des herzogl.
freien Zeicheninstituts zu Weimar u. s. w." (S. C f.) wird im „Morgenblatt" von 1807 S. 1163 Sp. b mit Sicherheit Goethe bezeichnet.

Von der Nachricht über „Ausgrabungen" (S. CXXXIV) schreibt
Goethe an Dorow unterm 30. November 1818; doch lässt das dort
gebrauchte „wir" über den Verfasser des Aufsatzes kein zuverlässiges
Urtheil zu.

Ueber die Bewandtniss, welche es mit „Julius Cäsars Triumph-
zug, gemalt von Mantegna" (S. CXXXXVII) hat, geben Goethes
Briefe an Noehden einigermassen Auskunft. Am 22. September
1820 kündete Goethe die Absicht an, diesen Aufsatz „in Gesellschaft" Meyers auszuarbeiten; am 25. September 1821 meldete er:
„M eine Entwickelung des Triumphzugs nach Mantegna ist genugsam
vorbereitet"; am 9. März 1822 stellt er in Bezug auf das Gemälde
einige Fragen, deren schleunige Beantwortung er, um sie für den
Aufsatz zu benutzen, von Noehden erbittet. Aus alledem scheint
hervorzugehen, dass Meyers Mitwirkung nur eine unterstützende war.

Wenn Boisserée nicht gewusst hätte, dass die „Boisseréeschen
Kunstleistungen" (S. CLII) von Meyer ausgegangen seien, würde er
in seinem Briefe an Goethe vom 22. August 1824 nicht darüber zu
spötteln gewagt haben.

Der „Steindruck — Stuttgart" (S. CLV) ist nicht von Goethe
verfasst, da er diesen Aufsatz im Briefe an Boisserée vom 27. Juni
1826 nur die „von mir ajustirte Recension" nennt.

4. Zu Goethes Gedichten. Mit Rücksicht auf die „historisch-kritische" Ausgabe, welche als Theil der Stuttgarter „Deutschen National-Litteratur" erschienen ist. Von G. v. Loeper. Berlin 1886. Ferd. Dümmler. Gustav Hempel.

Es ist bedauerlich, dass ein Mann, der in der Goethe-Litteratur eine Rolle gespielt hat und noch spielen könnte, wenn er sich auf Arbeiten, in denen er vieles gute geleistet hat, beschränkte, sich muthwillig durch seine seit Jahren geübte Behandlung kritischer Fragen gutentheils um seinen Ruf gebracht hat. Dieser Mann ist Professor Düntzer. Diese Zeitschrift hat schon seit dem II. Bande (S. 544, damals auf Schiller-Litteratur bezüglich), später besonders VII, 101 ff. — XI, 148—152. — XIII, 284 ff. 542 ff. Düntzers unverantwortliches Verfahren zum Gegenstande eingehender Zurückweisungen gemacht, aber nur gelegentlich der Besprechung anzuzeigender neuer Bücher, wie denn auch die vorliegende Schrift nur an ein einzelnes Werk anknüpft und zwar an Düntzers Ausgabe von Goethes Gedichten in der „Deutschen National-Litteratur". Sie füllt mit Ausstellungen an den zu den Gedichten gegebenen Erläuterungen fünfzig Seiten. Der Verfasser jener Schrift ist noch lang mit Düntzer gegangen, als andere Goethe-Schriftsteller sich ihm schon entgegenzustellen gedrungen gefühlt hatten; endlich ist es ihm aber doch auch zu arg geworden.

Was Düntzern hauptsächlich zum Vorwurf gemacht wird, ist im Grunde Mangel an rechtem Verständniss eines Dichters überhaupt und Goethes insbesondre, weshalb er sich damit hilft, unverstandenes bald durch Reimnoth zu entschuldigen, bald durch das Vorgeben, der Dichter habe etwas anderes gesagt, als er hätte sagen sollen, wobei Düntzer dann immer etwas seichtes in Goethes Worte hineininterpretiert, weil ihm der Sinn des bedeutenden nicht zugänglich ist. Hiernächst leidet Düntzer stark an Eigensinn, der ihn bei einmal aufgestellten Behauptungen beharren lässt und ihn dabei verleitet, den klarsten Beweisen von Thatsachen unbegreiflichen Widerspruch entgegenzusetzen. Ferner hat Düntzer eine krankhafte Neigung, in Goethes Mittheilungen thatsächliche Unwahrheiten zu finden, indem er den Worten einen Sinn unterschiebt, der sie mit den Thatsachen in Widerspruch bringt. Aber dies alles könnte man rügen, ohne sich über den Schriftsteller zu ereifern, wenn Düntzer nicht in einer Weise aufträte, durch welche er jeden Anspruch auf Schonung verwirkt hat. Damit ist nicht gemeint, dass er in Angriffen auf Gegner die Anwendung anständiger Widerspruchsformen kaum zu kennen scheint, auch nicht, dass er häufig die Worte des Gegners verdreht und es so sich leicht macht, gegen das erfundene falsche, was er den Gegner sagen lässt, anzukämpfen; das schlimmste ist vielmehr sein Verfahren, nach erscheinen eines Buchs mit werthvollen Mittheilungen sogleich seinerseits eins zu schreiben, in welchem er sich letztere zunutze macht, seine Quelle aber nur ab und zu zu nennen, hauptsächlich nur dann, wenn er sie widerlegen zu können glaubt, wodurch er den Schein erweckt, als ob alles neue und gute von ihm ausgehe und alle anderen, die neben ihm in der Goethe-Litteratur etwas gelten wollen, Züchtigung verdienen. Wenn dieses von Düntzer seit 1872 wiederholt geübte Verfahren nicht auf Absichtlichkeit beruht, so büsst doch Düntzer mit Recht die Folgen seiner Darstellungsweise, die kaum einen Zweifel an der Absichtlichkeit dieses aneignens fremden Gutes aufkommen lässt.

Dem ungeachtet soll nicht verkannt werden und verkennt es auch von Loeper nicht, dass Düntzers Schriften viel werthvolles enthalten; dies herauszufinden und nicht falsches dafür zu nehmen, erfordert aber immer sorgfältige Prüfung.

5. Chronik des Wiener Goethe-Vereins.

Von dieser Zeitschrift liegen im Augenblicke des niederschreibens gegenwärtiger Zeilen drei Numern vor; es scheint, dass an einem Sonntage in der Mitte jedes Monats eine ausgegeben werden soll. Der Wiener Goethe-Verein verdankt sein entstehen dem Eifer des für den Dichter begeisterten Professors Schröer. Der Verein tritt oft zusammen, um Vorträge anzuhören und für die Errichtung eines Goethe-Denkmals in Wien zu wirken. Die bisher erschienenen Numern bringen, ausser Vereinsnachrichten, Mittheilungen über die Goethe-Gesellschaft zu Weimar sowie ein Goethe-Fest zu Venedig und dergleichen, auch zwei noch unbekannte Stammbucheinträge Goethes und zwar ein Gedicht vom 15. Mai 1809 für die Tochter Loders und einige Erinnerungszeilen für den Senator Schübler zu Heilbronn vom 12. April 1776, beide facsimiliert. Das Medaillon mit Goethes Kopf von Melchior, welches in Rolletts Goethe-Bildnissen S. 44 verkleinert abgebildet sich findet, ist in Nr. 2 nach der Kehrseite in der Grösse des Originals vortrefflich wiedergegeben.

In der Note zum Stammbucheintrage für Schübler sind Goethes Beziehungen zu Gliedern der Familie Schübler zusammengestellt; gehörte der Professor Gustav Schübler zu Stuttgart, an den Goethe am 18. Februar 1822 einen Brief richtete, nicht zu derselben? Die Zeit der Erscheinung von Heinses „Ardinghello" ist übrigens für das Verständniss einer Stelle in Goethes Aufsatz „Erste Bekanntschaft mit Schiller" nicht von Bedeutung, wie in einer Notiz in Nr. 3 S. 4 angenommen wird.

Die Wiener Chronik lässt sich danach an, eine für die Goethe-Kunde wichtige Veröffentlichung zu bleiben.

6. Das Goethe-Nationalmuseum in Weimar. Erinnerungen an Goethe und Alt-Weimar von Robert Keil. Weimar, Alexander Huschkes Hofbuchhandlung.

Diese Schrift ist eine recht beachtliche Beschreibung von Goethes Heim. Sie dient als Führer von Zimmer zu Zimmer des Goethe-Hauses und durch dessen Sammlungen. Auch enthält sie das „Repositorium über die Goethesche Repositur“, welches von der Ordnung Zeugniss ablegt, in welcher Goethe sein Archiv hielt (es umfasst 27 Abtheilungen); ferner die Verse, welche Goethe beim Abgang von Frankfurt nach Leipzig seiner Mutter — wie hier gesagt wird, ins Stammbuch, nach einem Aufsatz in der „Sonntags-Beilage der Norddeutschen Allgemeinen Zeitung Nr. 46“ jedoch in Bogatzkys Schatzkästlein — schrieb. Entweder Keil oder der Verfasser des letztgedachten Aufsatzes hat aber schlecht abgeschrieben, da die zweite und die dritte Zeile bei ihnen in verschiedener Reihenfolge stehen. Oder sollte Goethe die sonst ganz gleichen Verse seiner Mutter zweimal zurückgelassen haben?

7. Vom

Bilderatlas zur Deutschen Nationallitteratur von G. Könnecke,

den wir oben S. 100 f. anzeigten, sind nunmehr die 9. und 10. Lieferung erschienen, und es liegt das Werk also jetzt vollständig vor. In der Vorrede gibt der Herausgeber Rechenschaft über die kritische Sorgfalt, mit welcher bei Auswahl und Wiedergabe der Texte und Abbildungen verfahren worden ist. Neben der wissenschaftlichen Bedeutung kommt diesem Werke aber auch die Eigenschaft eines Prachtwerkes in vollem Masse zu; die reiche Einbanddecke und das Titelbild, Walther von der Vogelweide nach der Miniatur der Pariser Liederhandschrift darstellend, künden diese Eigenschaft von vornherein an.

Bei Besprechung des VII. Bandes des Goethe-Jahrbuchs im 1. Hefte dieses Archivbandes ist ein Versehen untergelaufen. Der Seite 86 Z. 6 v. u. erwähnte Brief Goethes an F. S. Voigt, der — jedoch unter Weglassung des Eingangs und des Schlusses — 1876 in der „Gegenwart“ stand, ist nicht vom 12., sondern vom 20. December 1806 und ist derselbe, der auf S. 87 als 1880 vollständig in der „Deutschen Revue“ abgedruckt aufgeführt ist. Sachlich wird dadurch in dem Urtheil über die Herausgabe der Briefe Goethes an F. S. Voigt nichts geändert.

Französische Einflüsse bei Schiller von Prof. Dr. Otto
Schanzenbach. Programm des kgl. Eberhard-Lud-
wigsgymnasiums in Stuttgart für 1884/5. 52 SS. 4⁰.

Selten begegnet dem Schiller-Forscher unter der langen Reihe
von Programmen, welche sein Specialgebiet bebauen, eine wissenschaftlich werthvolle Arbeit, die sich nicht begnügt, oft gesagtes
nochmals zu wiederholen. Um so dankbarer muss die vorliegende
Untersuchung begrüsst werden, dankbar vor allem ihre Tendenz.
Vf. sucht darzulegen, inwieweit Schillers Leistungen trotz einem
tiefeingreifenden Einflusse seiten der französischen Litteratur „vin
de son cru" wären. Seine lebhafte Vertheidigung dieses methodisch
richtigen Standpuncts gilt aber doch wol nicht der jüngsten Generation der Litterarhistoriker?

Einen Versuch nennt Vf. selbst seine Abhandlung. Multum
adhuc restat operis. Die Acten über die glücklich angeregte Frage
werden so bald nicht geschlossen sein.

Der Schwerpunct der Arbeit fällt auf die sprachliche Seite.
Sehr treffend hat Vf. gezeigt, wie sehr Gallicismen Schillers Sprache
beherrschen. Interessant ist insbesondre der Nachweis, Schiller habe
bei längerer Beschäftigung mit französisch geschriebenen Werken
sich ein französisch-deutsches Idiom angewöhnt: die Uebersetzungen
Picards bieten Gallicismen, zu denen das Original keinen Anlass
geboten hatte (S. 44).

Die Darstellung schreitet mit Schillers Kenntniss der französischen Litteratur vor. Künftige Schiller-Biographen werden den
Bemerkungen über den französischen Zuschnitt der Karlsschule
(S. 5) manches zu entnehmen wissen; freilich wird dann weniger
moderne französische Schuleinrichtung als die französische Schule
des 18. Jahrhunderts anzuziehen sein. Immerhin führt Vf. weit
über den neuesten Schiller-Biographen hinaus. — Dann in kürzeren,
immer treffenden Zügen die wichtigsten französischen Schriftsteller,
mit denen Schiller bekannt geworden ist, von Rousseau bis Mme.
de Stael. Auch jetzt im Detail manche dankenswerthe Bemerkung,
manches erlösende Wort.

Hier hat aber die Forschung einzusetzen. Schanzenbachs Arbeit will auf ein unbegangenes Gebiet nur den ersten Lichtstrahl
werfen. Zwei Aufgaben stellen sich: eine erschöpfende Sammlung
von Schillers französischer Lectüre mit Praecisierung der von ihm
benützten Ausgaben und Uebersetzungen, dann eine tiefeindringende
Untersuchung, welche Spuren diese Lectüre in Schillers Geiste
zurückgelassen hat. Ein Plus der in Betracht kommenden Schriftsteller ist sicher; aber auch bei den vom Vf. genannten wird genauere Untersuchung manche heute nur subjective Vermuthung
sicherstellen oder corrigieren, manches auch nachtragen. Unschwer

lässt sich beides lösen, wo Schiller, wie in den historischen Schriften, seine Quellen selbst citiert; theilweise hat man ja auch diese deutlich vorgezeichnete Arbeit auszuführen unternommen. Schwieriger stellt sich das Problem bei Werken Schillerscher Lectüre, bei denen eine Brücke zu seiner Production mangelt.

An einem Beispiele möchte ich eine solche Untersuchung andeuten — zur Ausführung fehlt hier der Raum.

Vf. erwähnt S. 24 Schillers interessante anerkennende Urtheile über P. A. F. Choderlos de Laclos' 1782 in Amsterdam und Paris anonym erschienenen Roman „Les liaisons dangereuses" (vgl. Didots Biographie générale 28, 537 f.). Anzuziehen wäre neben dem citierten Urtheile aus dem Briefe an Körner vom 22. April 1787 — woselbst übrigens statt „des kleinen Volanges", wie Goedeke und seine Nachfolger haben, „der kleinen Volanges" zu schreiben ist — über die Gefahr aesth. Sitten H. 15, 465, über naive und sent. Dichtung ebd. 520 und das später unterdrückte Xenion „Gefährliche Verbindungen" S. Schr. (Goedeke) 11, 155. Wichtig ist ja vor allem, dass Schiller auch in einer Periode abgeklärtester Kunstanschauung wieder auf das Werk zurückkommt.

„Uebrigens wünschte ich von diesem und ähnlichen Büchern die nachlässig schöne und geistvolle Schreibart annehmen zu können, die in unserer Sprache fast nie erreicht wird." Also eine bewusste Aneignung des französischen Novellenstils. S. 21 führt nun Vf. den Geisterseher ebenso wie den Verbrecher aus Infamie auf Diderots stilistischen Einfluss zurück. „Von Diderot hat Schiller erzählen gelernt." Sicher im Verbrecher aus Infamie. — Dies auch Palleskes Ansicht. — Der knappe pointierte Stil Diderots ist hier ebenso gut getroffen, wie in der Uebertragung aus Jacques le fataliste „Merkwürdiges Beispiel einer weiblichen Rache". Eine historische Darstellung der Schillerschen Prosa hätte den stilistischen Einfluss der letzteren Novelle auf Schillers Darstellung des Sonnenwirthle zu erforschen.

Auch im ersten Buche des Geistersehers ist Diderots Stil nicht zu verkennen. Aeusserlich schon erinnert der Dialog, eben in seiner Referierung durch eine den Ereignissen objectiv gegenüberstehende Persönlichkeit, an Diderot. — Kühne Neuheit der Intrigue, unverkennbare Wahrheit, schmucklose Eleganz der Beschreibung rühmt Schiller von Diderots Erzählung (H. 14, 277). Grade dies, besonders das letzte, scheint er mir auf den ersten Blättern des Geistersehers anzustreben, ebenso wie früher im Verbrecher aus Infamie, von dem Kleists Kohlhaas diese Eigenschaften überkommen hat.

Ein weiteres faltigeres Gewand, einen degagierteren Conversationsstil, nicht mehr die epigrammatische Schärfe des ersten zeigt das zweite Buch des Geistersehers. — „Nachlässig schön" ist aber

Laclos' Schreibart. Ferner: Schiller geht plötzlich mit einer herzlich schwachen Motivierung (H. 9, 68) in seiner Darstellung zu
Briefen über. — Briefe bietet wiederum Laclos, nicht Diderots
Jacques le fat. Schliesslich: ein drittes stilistisches Muster gleicher
Bedeutung ist aus den Jahren 1787 und 1788 nicht zu belegen;
denn im August 1787 kann ich Schiller mit Schanzenbach nicht
wieder bei Diderot finden. Von Wieland (nicht von Gotter) lässt
er sich jenen holen, lediglich um ihm Gelegenheit zu geben, ihren
Verkehr fortzusetzen. — Sollte also nicht hier im zweiten Buche
der nothwendige Einfluss Laclos' zu suchen sein?

Die Entstehung des Geistersehers legt einen solchen Wechsel
des Stilmusters nahe. Am 9. October 1786 ist das vierte Thalia-
Heft mit dem Anfange des Geistersehers vollkommen der Druckerei
übermittelt (Geschäftsbriefe Schillers hggb. von Goedeke S. 21).
April 1787 lernt er Laclos kennen. Erst am 6. März 1788 geht
er indess wieder nothgedrungen an die Arbeit, die bis dahin geruht
hatte. Es ·gilt in grösster Eile ein fünftes Heft für Göschen fertig-
zustellen. „In Todesschweiss" hastet er sich ein Stück des Geistersehers ab — das Ende des ersten Buchs (Körner 1, 267. Gesch.-
Br. 39). Eine Stilwandlung jetzt eintreten zu lassen hätte die Zeit
gefehlt. Er selbst ist mit der Arbeit höchlich unzufrieden (K. 1, 271
vom 17. März); Körner findet den Stil nicht so kräftig, wie im ersten
Stück (1, 298 vom 14. Mai).

Vom 17. Mai ab hebt sich plötzlich das Interesse am Geisterseher
(K. 1, 298); auch Lengefelds bringen ihn näher (Schiller und Lotte
1², 35 vom 27. Mai); er soll zu einem Buche von 25—30 Bogen
anlaufen (K. 1, 300, 309, auch 311, dann 347 f., vgl. Gesch.-Br. 44).
Im August geht er an die Arbeit (K. 1, 336, vgl. Sch. und L. 1, 72);
im Spätherbst rechnet er ihn bereits wieder unter die Gegenstände,
die ihn nur flach rühren (Sch. u. L. 1, 126 v. 20. Nov.); er kann
ihm kein Interesse abgewinnen (ebd. 144 v. 27. Nov.) — schliesslich
bleibt er ganz liegen (K. 1, 388 v. 12. Dec.), um erst im Januar 1789
durch das philosophische Gespräch wieder — eine dritte Phase —
an Interesse für Schiller zu gewinnen (K. 2, 14. Sch. u. L. 1, 204).

Woher nun aber das plötzliche aufflackern des Interesses im
Mai 1788? Ich kann als Motiv innerhalb dieser zweiten Arbeits-
periode nur das stilistische Problem, Laclos' vielbewun-
derten Briefstil nachzubilden, ansehen. Bezeichnend auch die
kurze Dauer des lebhafteren Antheils; Schiller konnte im Jahre 1788
ein lediglich formaler Gesichtspunct nicht lang fesseln. —

Eine genauere Untersuchung hätte darzulegen, inwieweit sich
Schiller auch in der Schürzung des Knoten bei seiner dem französischen Muster ähnlichen, den Helden rings umstrickenden Intrige
von Laclos habe leiten lassen. Einen Einfluss der Intrigantin Laclos',
der Marquise de Merteuil, auf die schöne Griechin — neben Fräu-

lein von Arnim und neben den Bemerkungen der Lengefeldischen
Schwestern (Sch. u. L. 1², 204, 219, 222 f., 224 f.) — möchte ich
nicht zu stark betonen. —

Aehnliche Probleme stellen sich bei anderen französischen
Litteraturwerken, die Schanzenbach erwähnt. Noch lang ist der
Einfluss von Barthélemys Anacharsis nicht erschöpfend ausgebeutet, ebensowenig derjenige der französischen Aesthetiker, von
denen Vf. nur Batteux's flüchtig und nicht ganz richtig gedenkt (S. 33).

Eine lange Reihe von Autoren ergäben dann noch die aesthetisch-
kritischen Schriften, die Briefwechsel mit Goethe, dann mit Körner,
Reinwald, Lengefelds, insbesondere Cotta u. s. w., endlich die Biblio-
theksverzeichnisse (besonders A. Meissners Mittheilungen Bl. f. lit.
Unterh. 1870. Nr. 41. S. 654) und der Kalender, ich nenne etwa:
Boufflers, Grimm, Marmontel, Parny, Rabelais, Rapin de Thoyras,
Boucicault, Mirabeau, Rollin, Mmes. de Genlis und de Sevigné, Balzac,
Bossuet, Fléchier, Bourdaloue, Mascaron.

Nicht zu versäumen wäre auch eine Erörterung der persönlichen
Beziehungen Schillers zu Paris, wie sie etwa zur Zeit der Anwesenheit Wolzogens oder W. v. Humboldts sich ergeben . . .

Da Schanzenbach jede Vollständigkeit aus naheliegenden Gründen abweist, sei ihm kein Vorwurf daraus gemacht, dass er manches
nicht geboten, das — heute sichergestellt — seiner Abhandlung fehlt:
so vor allem eine Durchforschung des dramatischen Nachlasses, der
Fragmente Narbonne, die Polizei, dann auch des Warbeck u. s. w.

Einzelne Errata möchte ich Schanzenbachs trefflicher Arbeit
nicht aufmutzen. Aber ein intimer Kenner Rousseaus sollte das
Motto der aesthetischen Briefe „Si c'est la raison qui fait l'homme,
c'est le sentiment qui le conduit" nicht aus dem Emile, sondern
aus der nouvelle Héloise 3, 7 citieren.

Wien, 15. November 1886.

Oskar Walzel.

Miscellen.

1.

Dictamen australis vini proprietates explicans.

In einem der Dresdner Bibliothek gehörigen Exemplar des 1504 zu Leipzig gedruckten „epigrammatum liber tercius" von Hermann Buschius ist die leer gebliebene letzte Druckseite von unbekannter Hand mit folgendem Gedicht beschrieben:

Dictamen pulcherrimum Australis
Vini proprietates Explicans hec Riparius

Prima demonstracio am morgenn frwe yn der tabernn
Hec est huius racio do sindt wir alleczeit gernn
Questio fuit mota vom Elsesser vnd vom Öster wein
Sed non decisa tota welcher der besthe moge seynn
Ad hanc respondere kann ich sicher wol
Gustaui ambo vere sye hant mich offth gmacht voll
Quod ego vix ambulaui wen ich zw vil getranck
Sed statim me prostraui hynn auff die nehste bangk
Est parua differencia inter öster wein vnnd elsesser
Sed magna conueniencia einer volth der ander macht nit ler
Sunt eiusdem qualitatis das ist zw mercken wol
Si bene consideratis einer fulleth der ander macht voll
Suos potatores kann der Edel wein
Quod representantur esse doctores dy kawme Schuller mochten gesein
O vinum australe wye thust du mir so woll
Propter donum tale ich dich billich lobenn soll
Tu es veraciter das mein hercz begerth
Confiteor veraciter von dorst hastu mich vfft ernerth
Et si oportuerit me morj noch habe ich dich gernn
Sicientj ore magk ich dich nicht empernn
Dicit cor meum dw magest mich frewdenn reich
Testem sume deum·das ich von dir nicht weych

Beatus qui intelligit was ynn dem wirtes hawß ist
Et seipsum non negligit zw trinckenn zw aller fristh
Illi ipse iste drinckenn alle gernn
Illj vos et istj sollenn das bewerenn
Ille ipse iste drinckenn alle gernn wein
Teologi et iuriste, Onn ynn magk nyemanth frolich sein
Tu meus et noster lobenn den oster wein
Est nequaquam semper der deme Elsesser mochte fynnth gesein
Breuiter sunt hec dicta von dem öster wein
Sunt enim vera ficta er sol der beste sein

> Hec in profesto ad vincula petri in domo Baccalaurij Bartholomej
> Riparij Novempolensis Anno dominico XV° V. '

Ob der zu Anfang und am Ende genannte, bisher wol noch nicht bekannt gewordene Baccalaureus Bartholomaeus Riparius auch Verfasser und nicht bloss Mittheiler dieses Gedichtes sei, muss vorerst unentschieden gelassen werden.

2.

Wer nicht liebt Wein, Weib und Gesang.

Die anscheinend nur bis in das Jahr 1775 zurückreichende Geschichte dieses angeblichen Luther-Spruches ist in neuerer Zeit so oft besprochen worden[1]), dass es sich verlohnt, zur Vervollständigung des bisher beigebrachten auch noch anzuführen, was der Neue Teutsche Merkur vom April 1805 unter der Ueberschrift „Erinnerung an Spalding" in einem Fragmente aus dem Tagebuche eines reisenden, der im Jahre 1797 Berlin besuchte, mittheilt (S. 284 f.): „Der Konsistorialrath und Hofprediger Sack hat Spaldings einzige Tochter zur Frau... Bei ihm wird gewöhnlich der Geburtstag des alten Spaldings gefeiert. Die letzte Feier war besonders sehr rührend. Man führte eine Art von kleinem Familiendrama auf. Der alte Spalding fuhr sich auf seinem Stuhle überall herum, um alles recht zu hören. Ausser dem Familienkreise war nur Teller noch dabei, der, wie gewöhnlich, die ganze Gesellschaft durch seine Munterkeit und Geschichten belebte. Man sang das Lied, das Zelter komponirt hat: Wer nicht liebt Wein, Weib und Gesang u. s. w. Teller sagte, er könne es nicht mitsingen, denn es sey ketzerisch. Aber es ist ja Luthers eigenes Wort, sagt Spalding. Ich glaube es nicht, erwiedert Teller. Spalding lässt Luthers Werke holen, und schlägt die Stelle auf. Teller stellt sich ganz verwundert

----

1) Ich begnüge mich auf L. Schulzes Aufsatz in der „Zeitschrift für kirchliche Wissenschaft" 1886 Heft 5 S. 258 ff. zu verweisen.

und ruft: nun so verlasse sich noch jemand auf die Hamburger. Die haben noch vor kurzem einen Kandidaten nicht befördern wollen, weil er dies Lied zu singen sich erfrecht hatte [Herbst, J. H. Voss 1, S. 192]."

Vielleicht gewährt dieses Zeugniss die Möglichkeit, die Quelle des Irrthums, welcher Luther den Spruch beilegt, weiter zurück zu verfolgen, als bisher geschehen. Ein von Zelter componiertes Lied mit dem Anfang „Wer nicht liebt Wein, Weib und Gesang" weiss ich, auch mit Hilfe von Carl v. Ledeburs Tonkünstler-Lexicon Berlins (Berlin 1861, S. 671 ff. und 668) nicht nachzuweisen.

3.
Englische Komoedianten in Stuttgart (1600, 1609, 1613—1614) und Tübingen (1597).

Karl Pfaff schreibt in seiner Geschichte des Fürstenhauses und Landes Wirtemberg etc. Dritten Theils erste Abtheilung. Stuttgart 1839 (S. 282): „Bisweilen erschienen auch fremde Schauspieler, 1597 im Mai war eine solche Gesellschaft aus Engländern bestehend, zu Stuttgart, wo sie vor dem Hofe spielten, freie Kost und für ihre Vorstellungen während 7 Tagen 300 Gulden erhielten. Sie fanden viel Beifall bei Hohen und Niedrigen ›theils wegen artiger Invention, theils wegen Anmuthigkeit ihrer Geberden, auch Zierlichkeit im Reden‹ und gaben dem Johann Valentin Andreä Veranlassung zur Verfertigung seiner ›englischen Komödien und Tragödien‹." Die Quelle, aus welcher diese Angabe entnommen sein soll, wird nicht angegeben.

In der ebenfalls von Karl Pfaff verfassten Geschichte der Stadt Stuttgart. Erster Theil. Stuttgart 1845 heisst es (S. 116): „Eine regelmässige Schauspielergesellschaft kam im Mai 1597 zum erstenmal nach Stuttgart, es waren Engländer, welche 7 Tage lang vor dem Hof spielten und dafür von Herzog Friedrich I. nebst freier Kost noch 300 fl. erhielten." In einer Anmerkung hiezu werden als Quellen erwähnt: Schwäbisches Magazin 1719 (soll heissen 1779), S. 549. — Crusii Annales III, p. 144, Crusii Diarium manuscriptum III, p. 443. Die beiden ersten Werke kommen für unsere Frage nicht in Betracht. Sie enthalten an der betreffenden Stelle nur Nachricht von Aufführungen, welche durch Bürger Stuttgarts und Waiblingens veranstaltet wurden, und beziehen sich auf die von Pfaff unmittelbar vorher erwähnten dramatischen Ereignisse in Stuttgart. Es bleibt also nur des Crusius[1]) Tagebuch als Beleg

---

1) Ueber Martin Crusius und seine Aufzeichnungen vergleiche man den Artikel in der Allgemeinen Deutschen Biographie Bd. IV (1876) S. 633 und 634 und D. F. Strauss, Leben und Schriften des Dichters und Philologen Nicodemus Frischlin, Frankfurt 1855. S. 53 ff.

übrig für die Anwesenheit der Engländer in Stuttgart. Dass des Crusius handschriftliches Diarium wirklich Pfaffs Quelle gewesen, wird in einem Aufsatze des nämlichen Verfassers in den Württembergischen Jahrbüchern für vaterländische Geschichte, Geographie, Statistik und Topographie. Herausgegeben von dem statistisch-topographischen Bureau. Jahrgang 1841. Stuttgart: Cotta 1843 ausgesprochen (S. 342): „Im Mai 1597 war eine Gesellschaft englischer Schauspieler in Stuttgart, welche vor dem Hofe ihre Stücke aufführten und hiefür neben freier Kost in 7 Tagen 300 fl. erhielten (Cr[usius]. D[iarium].“ Das handschriftliche Diarium des Crusius befindet sich gegenwärtig in Tübingen. Herr Oberbibliothekar Professor Dr. R. v. Roth hatte die Freundlichkeit, mir den Wortlaut jener auf die englischen Komoedianten bezüglichen Stelle mitzutheilen (Band VI S. 448 [5. Mai 1597] und nicht, wie Pfaff meldet, Band III S. 443): „Es sind wol X Comoedianten hie gewesen: qui 5 aut 6 dies comoedias egerunt in domo frumentaria[1]). Dicuntur Angli esse et miri artifices. Sunt illi quibus Dux noster 300 fl donasse dicitur. Ego non spectaui. Quid ad hominem ista septuagenario maiorem? fuerunt illa dramata amatoria. Hodie Susannam[2]) egerunt. Ego sum scriptoribus homericis occupatus.“ Es handelt sich hier um Aufführungen der Engländer in Tübingen und nicht in Stuttgart, da, wie mir Herr Prof. v. Roth schreibt, Herzog Friedrich vom 27. April bis 6. Mai mit seinem Gaste dem Landgrafen Ludwig in Tübingen weilte. Diese Quelle ist also von Pfaff unrichtig ausgelegt worden.

Woher aber hat Pfaff den Zusatz: Sie fanden viel Beifall bei Hohen und Niedrigen „theils wegen artiger Invention, theils wegen Anmuthigkeit ihrer Geberden, auch Zierlichkeit im Reden“ und gaben dem Johann Valentin Andreae Veranlassung zur Verfertigung seiner „englischen Komoedien und Tragoedien“? Dass englische Komoedianten dem Valentin Andreae Anregung zu dramatischen Versuchen gaben, gesteht er selbst ein[3]): „Jam a secundo

---

1) Das jetzt noch in Tübingen stehende Kornhaus.

2) Bei den Beziehungen Thomas Sackvilles, des Führers dieser Truppe, zum Braunschweigischen Hofe (vgl. Johannes Meissner, Die englischen Comoedianten zur Zeit Shakespeares in Oesterreich, Wien 1884. S. 30 ff.) ist es wol möglich, dass wir es hier mit des Herzogs Heinrich Julius von Braunschweig „Tragica Comoedia“ von der Susanna zu thun haben.

3) „Joannis Valentini Andreae etc. Vita, ab ipso conscripta“ ed. F. H. Rheinwald, Berolini 1849. S. 10. Ueber Johann Valentin Andreae (1586—1654) geben Aufschluss der Artikel von Henke in der Allgemeinen Deutschen Biographie Band I S. 441 ff.; die Einleitung zur Uebersetzung seiner Gedichte, Leipzig 1786 (über Esther und Hyacinthus vgl. S. XXXII);

et tertio post millesimum sexcentesimum coeperam aliquid exercendi
ingenii ergo pangere, cujus facile prima fuere Esther et Hyacinthus,
comoediae ad aemulationem Anglicorum histrionum juvenili ausu
factae, e quibus posterior, quae mihi reliqua est, pro aetate non
displicet." Dieser Theil der Notiz Pfaffs ist also richtig, fraglich
ist dabei jedoch, ob gerade die 1597 in Württemberg auftretenden
Komoedianten es gewesen, welche den damals zehnjährigen Andreae
beeinflussten, umsomehr, als Andreae um diese Zeit noch gar nicht
in Tübingen gewesen zu sein scheint. Jetzt bleibt von Pfaffs Notiz
nur noch die in Anführungszeichen stehende Stelle übrig, dass die
Schauspieler viel Beifall fanden etc. Auch dies beruht, wie ich glaube,
auf einer Verwechslung.

Bekanntlich suchte im Jahre 1603 Lord Spencer[1]) Stuttgart
auf, um Herzog Friedrich die Insignien des ihm verliehenen Hosen-
bandordens zu überbringen. Die Festlichkeiten, welche damals stattfanden, hat der Tübinger Professor Erhard Cellius in einem
eigenen Werke beschrieben[2]). Englische Musiker und Schauspieler
(„4 excellentes Musici, vnā cum decem Ministris alijs" Cellius S. 120)
befanden sich im Gefolge Spencers und brachten bei dieser Gelegenheit eine Komoedie von der Susanna zur Aufführung. Cellius schreibt
hierüber (S. 243): „Histriones enim Anglicani quos aliquot et suprà
leuiter attigimus, maturè prodibant, et sacram Susannae Historiam
tanta actionis histrionicae arte, tanta dexteritate representabant, vt
et laudem inde et praemium amplißimum reportarent." Hier wie
in Tübingen bestand die Gesellschaft aus 10 Komoedianten, in
beiden Städten spielte man die Susanna.. Sollten diese Aehnlich-
keiten Pfaff veranlasst haben, aus den zwei vollständig verschiedenen

---

Dav. Chr. Seybolds Verdeutschung der Selbstbiographie 1799. Dazu Johann Jacob Mosers Wirtembergische Bibliothec. Vierte Auflage. Stuttgart 1796. S. 445. Von „englischen Komödien und Tragödien" übrigens,
wie Pfaff schreibt, ist in diesen Quellen nichts zu lesen.

1) Ueber Herzog Friedrich I. (1593—1608) und Spencers Sendung
an den württembergischen Hof vergleiche man W. B. Reye, England as
seen by foreigners, London 1865. S. LV ff.; Cohn, Shakespeare in Germany S. LXXVI und Schlossberger, Württembergische Gesandtschaften
in den Jahren 1598, 1604 und 1605. Zumeist nach Urkunden des Geheimen K. Haus- und Staatsarchives in Stuttgart, in der Besondern Beilage des Staatsanzeigers für Württemberg 1885 (über Spencers Aufenthalt in Stuttgart 1603 vgl. S. 241 ff.). Über die an Spencers Besuch
sich knüpfende Hypothese von der Anwesenheit Shakespeares in Stuttgart (vgl. auch Cohn a. a. O. S. XXII) können wir füglich hinweggehen.

2) Eques auratus Anglo-Wirtembergicus etc. Descriptus libris VIII.
ab Erhardo Cellio academiae Tvbingensis professore poët. et histor.
Tvbingae: typis auctoris. Anno MDCV. 4°.

Truppen eine einzige in Stuttgart auftretende Gesellschaft zu machen?
Der Wortlaut der Stelle bei Pfaff stimmt so ziemlich mit jener im
Eques auratus überein. Moser in seiner Notiz in der Beschreibung
des Stadtdirections-Bezirkes Stuttgart. Stuttgart 1856 (S. 414)
folgt den Angaben Pfaffs. Aus allem aber, was wir vorgebracht
haben, geht hervor, dass sich für den Aufenthalt englischer Komoedianten zu Stuttgart im Jahre 1597 ein Anhaltspunct nicht finden
lässt. Auch meine eigenen Nachforschungen nach einem solchen in
den Archiven von Stuttgart und Ludwigsburg sind ohne Erfolg
geblieben: die noch vorhandenen Stadtkammer-Rechnungen[1]) enthalten für den Zeitraum von 1590—1660 überhaupt keine Bemerkungen, welche auf dramatische Aufführungen Bezug nähmen,
und ebensowenig wissen für 1597 die württembergischen Landschreiberei-Rechnungen (im Finanzarchive zu Ludwigsburg) und
Gabelkhovers „Chronica der Fürstlichen Wirtembergischen Haupt-
Stadt Stuttgart"[2]) darüber zu berichten.

Was nun das bisher unbekannte auftreten der Engländer —
es war jedesfalls Thomas Sackvilles Truppe[3]) — in Tübingen
betrifft, so wird man sich wol mit des Crusius Notiz begnügen
müssen, da nach einer Mittheilung des dortigen Stadtschultheissen-
amts im städtischen Archive weder Acten noch Rathsprotokolle aus
dieser Zeit mehr vorhanden sind.

Zum Schlusse noch einige bisher unbekannte archivalische Nachrichten über die Anwesenheit englischer Komoedianten in Stuttgart.

1600: (Landschreiberei-Rechnung, Jahrgang 1600—1601[4]),
Bl. 357[b]) „Item l. f. denn Engellendischen comedianten, so ain comedi zu hof gehaltenn, verehrt laut zettels . . . . . L fl."

Nach den mir von Herrn Dr. Julius Hartmann, Professor
am Königlichen statistischen Landesamte in Stuttgart, freundlichst
zur Verfügung gestellten handschriftlichen Collectaneen des verstorbenen Finanzrathes Moser (Verfassers der Beschreibung des
Stadtdirections-Bezirkes Stuttgart), welchem die inzwischen macu-
lierten Belege zu den Landschreiberei-Rechnungen noch zugänglich
waren, fand die Auszahlung dieser Summe am 21. October 1600
statt. Am 15. October dieses Jahres erhalten englische Komoedianten
in Ulm auf 14 Tage die Erlaubniss, „jre comoedias vnd tragoedias"
spielen zu dürfen[5]). Es ist demnach nicht unwahrscheinlich, dass

---

1) Im städtischen Archive zu Stuttgart, wo Herr Registrator L i e b
meine Nachforschungen in zuvorkommendster Weise erleichterte.

2) Ueber diese Handschrift vergleiche man Johann Jacob Mosers
Wirtembergische Bibliothec S. 349 ff.

3) Vgl. Archiv für Litteraturgeschichte Band XIV S. 118.

4) Die Landschreiberei-Rechnungen laufen von Georgi zu Georgi.

5) Archiv für Litteraturgeschichte Band XIII S. 817.

ein Theil dieser Truppe sich zu einem Gastspiel nach Stuttgart begeben hatte.

1609: (Landschreiberei-Rechnung, Jahrgang 1608 — 1609, Bl. 358ª) „Item iᵒ xx fl. den Hessischen musikanten vnnd comoediant(en) zu verehrung zugestellt, laut zedels . . . . . iᵒ xx fl."

Moser erwähnt die Anwesenheit dieser Gesellschaft (a. a. O. S. 414: „1609 spielten hessische Musikanten und Comödianten"). Aus seinen handschriftlichen Collectaneen geht hervor, dass am 10. Mai 1609 „Rodulphus Remius" diese Summe Namens der anwesenden quittierte. Dieser Remius ist natürlich Rudolphus Riveus[1]) (Ralph Reeve), der schon 1603 auf der Frankfurter Ostermesse neben Richard Mackum (Machin) und Georg Webster als Führer der fürstlich hessischen Komoedianten genannt wird[2]). Von Stuttgart aus scheint Riveus nach Ulm gezogen zu sein, wo man am 19. Mai englischen Komoedianten die Spielerlaubniss verweigert[3]), von dort nach Nördlingen auf die Messe[4]), von Nördlingen nach Nürnberg. In Nürnberg dürfen etliche Engländer, „welche ein comendationsschreiben von herren Moritzen landgrauen zu Heßen gebracht", am 8. Juli 1609 acht Tage lang spielen, wozu unterm 19. Juli noch eine weitere Woche hinzukommt[5]). Zur Herbstmesse 1609 endlich taucht Riveus mit seiner Gesellschaft wieder in Frankfurt[6]) auf.

Diese Truppe dürfte demnach wol mit jener identisch sein, welche, nachdem sie „hievor auch zu Stuetgardt gespielt", in Jägerndorf am 6. Juli 1610 „ein Comoedi aus dem Amadis agiret"[7]).

1613—1614: (Landschreiberei-Rechnung, Jahrgang 1613— 1614, Bl. 349ᵇ) „Item iᵒ xl fl. etlichen Engellendisch(en) commedianten, so zu hof etliche comedia gehalten, zu verehrung laut zedels zugestelt . . . . . iᵒ xl fl."

Diese Auszahlung scheint sich auf John Spencer zu beziehen, der in der Zeit von Georgi 1613 bis Georgi 1614 in süddeutschen Städten mehrmals genannt wird[8]).

---

1) Ueber Riveus gibt Aufschluss J. Meissner a. a. O. S. 73.

2) E. Mentzel, Geschichte der Schauspielkunst in Frankfurt a. M., Frankfurt 1882. S. 50.

3) Archiv für Litteraturgeschichte Band XIII S. 321.

4) Archiv für Litteraturgeschichte Band XIII S. 71.

5) Archiv für Litteraturgeschichte Band XIV S. 125.

6) Mentzel a. a. O. S. 54.

7) Cohn a. a. O. S. LXXXIII und Goedeke, Grundriss zur Geschichte der deutschen Dichtung, zweite Auflage, Band II S. 533 No. 93.

8) A. Cohn, Englische Komoedianten in Köln (1592—1656), im Jahrbuch der deutschen Shakespeare-Gesellschaft. 21. Jahrgang. Weimar 1886. S. 259.

Als Curiosum möge noch ein schottischer Kraftmensch Erwähnung finden: (Landschreiberei-Rechnung, Jahrgang 1616—1617,
Bl. 356ᵇ) „Item XXIII fl. einem Schottlender, so einen stein auff
jme verschlagen lass(en), bezalt laut zedels . . . . . XXIII fl."

Aus welcher Quelle Mosers Notiz stammt (a. a. O. S. 416), dass
Rudolph Weckherlins[1] „den Uebergang zur Oper bildende sce-
nische Aufführungen" unter Mitwirkung von Hofangehörigen durch
eine „engelländische Compagnie" dargestellt wurden, welche noch
1625 aus 6 Männern bestand, „worunter der schon 1609 genannte
»Engelländer Johann Price«, der neben Hofkost, Kleidung und anderen Emolumenten 270 fl. Gehalt bezog, Johann Morell, David
Morell und Johann Dixon genannt werden"[2], ist mir bis jetzt
aufzufinden nicht gelungen. Möchte doch die württembergische
Localforschung sich dieses interessanten Gebietes in höherem Masse
annehmen, als es bisher geschehen.

München.   Karl Trautmann.

4.

Englische Komoedianten in Ulm (1602).

Alvensleben berichtet in seiner Allgemeinen Theaterchronik[3]
(1832, No. 158), dass im Jahre 1602 von den englischen Komoedianten in Ulm ein Drama „vom Propheten Daniel, der keuschen
Susanna und den zwei Richtern in Israel" zur Aufführung gebracht
wurde; das genaue Datum jedoch und die Quelle, aus welcher diese
Notiz entnommen, werden nicht angegeben.

Beides findet sich in einer dem Barth. Gundelfinger zugeschriebenen „Chronik von Ulm bis 1699" (Cod. germ. 3090 der
k. Hof- und Staatsbibliothek zu München). Dort heisst es unter
den Ereignissen des Jahres 1602: „Anno Christi 1602, den 8. 9.
vnnd 10. november, haben die Engelländer allhier im Binderhoff

----

1) Ueber Georg Rudolph Weckherlin vergleiche man Hermann
Fischers Abhandlung in der Besondern Beilage des Staatsanzeigers für
Württemberg 1882 No. 12 und 13. Genaueres über die Beziehungen des
Dichters zu den englischen Komoedianten ist, wie auch Herr Professor
H. Fischer mir versicherte, bis jetzt nicht bekannt geworden.

2) Vgl. auch Cohn a. a. O. Addenda. Die betreffenden Jahrgänge
der Landschreiberei-Rechnungen enthalten keine hierauf bezüglichen
Einträge.

3) Ich citiere nach Cohn, Shakespeare in Germany S. XLII, da es
mir nicht möglich gewesen ist, Alvenslebens Zeitschrift selbst aufzutreiben, weder in München, noch in Berlin, Dresden und Leipzig.

eine comoedi gehalten vom propheten Daniel, von der kettschen
Susanna vnd denn zweien richtern in Israel: war trefflich zu sehen
geweßen."

Die gleiche Notiz, in Bezug auf den Tag aber abweichend,
steht in der Ulmer Chronik des Pfarrers Geiger (Ulm, Stadtbibliothek, S. 72): „(1602) Commedi, d(en) 2. 9bris haben die Engelländer eine comedi gehalten alhier, vom pro(pheten) Daniel, von
der keuschen Susanna und von d(en) richtern in Israel." Das Datum,
2. November, ist jedesfalls unrichtig, da aus den Ulmer Rathsprotokollen erhellt, dass die hier in Frage kommenden englischen Komoedianten erst in der Sitzung vom 5. November 1602 Spieler-
erlaubniss erhielten[1]). Diese Komoedianten standen unter Robert
Brownes Leitung. Und so dürfen wir die Susanna[2]) unter die
„vielen schönen, herrlichen, freudigen, vnd trostreichen Comedia aus
denn Historys"[3]) rechnen, welche das Repertoire des bekannten
Schauspielerführers bildeten.

München.   Karl Trautmann.

5.

Karl Christoph Beyer, ein verschollener Dramatiker des 16. Jahrhunderts.

Karl Christoph Beyer[4]) aus Speyer, Rector des Paedagogiums
in Oehringen, ist bisher hauptsächlich durch seine im Jahre 1578
erschienene Uebersetzung von Nicodemus Frischlins lateinischer
Beschreibung der Hochzeit Herzog Ludwigs von Württemberg bekannt geworden. Als Dramatiker nennt ihn ein Eintrag in der
Nördlinger Stadtkammerrechnung des Jahres 1585 (unter der Rubrik „Verehrt den frembden"):

„Carl Christoffen Baier von Speir, jüngst zu Oeringen schuol-
preceptor gewesen, so aim E. Rath ein commedia vonn der histori

---

1) Archiv für Litteraturgeschichte Band XIII S. 817.
2) Vielleicht das gleichnamige Stück des Herzogs Heinrich
Julius von Braunschweig. Vgl. E. Mentzel, Geschichte der Schauspielkunst in Frankfurt am Main, Frankfurt 1882. S. 47.
3) Mentzel a. a. O. S. 46.
4) Ueber K. Ch. Beyer vergleiche man D. F. Strauss, Leben und
Schriften des Dichters und Philologen Nicodemus Frischlin, Frankfurt
1855. S. 91. Weller (Annalen II S. 186 No. 260) erwähnt ihn noch als
Dichter einer „Leyen Postill aller Euangelien, durchs ganze Jahr, sampt
kurzer Außlegung vnd Christlichen Gebetlein, mit Figuren vnd in teutsche
Reimen gefasset". Frankfurt 1571. 8.

hertzog Conrads jnn Schwaben etc. vbergeben neben widerzustellung derselben verehrt 2 fl. gr(ob), in m(intz) . . . . . 2 fl. 6 d."

Gleichviel ob Original oder Uebersetzung, das Drama wie der Dramatiker ist jetzt verschollen.

München.   Karl Trautmann.

6.

Französische Komoedianten in Stuttgart. Stuttgarter Ausgaben von Dramen P. Corneilles (1698 und 1706). Eine deutsche Polyeucte-Uebersetzung vom Jahre 1698.

Französische Komoedianten erscheinen zum ersten Male in Stuttgart im Jahre 1613[1]), später demnach als in den Städten des Rheingebietes[2]), sonderlich in Strassburg[3]) und Frankfurt, wo sie schon in den letzten Decennien des 16. Jahrhunderts wolbekannte Gäste geworden waren. Die gegenwärtig im k. Finanzarchive zu Ludwigsburg aufbewahrte württembergische Landschreiberei-Rech-

---

1) Vgl. auch (Moser) Beschreibung des Stadtdirections-Bezirkes Stuttgart. Herausgegeben von dem Königlichen statistisch-topographischen Bureau. Stuttgart 1856. S. 414.

2) Archiv für Litteraturgeschichte Band XV S. 104.

8) In Strassburg scheinen französische Komoedianten nicht so häufig aufgetreten zu sein, als man bei der Bedeutung der Stadt anzunehmen berechtigt wäre. Einer freundlichen Mittheilung des Herrn Dr. Johannes Crüger in Strassburg zufolge, welcher an einer Geschichte der Schauspielkunst in Strassburg arbeitet — einem Werke, dessen Veröffentlichung mit grossem Interesse entgegenzusehen ist — und der zu diesem Zwecke bereits die dortigen Rathsprotokolle durchforscht hat, zeigen sich französische Schauspieler vor dem Jahre 1648 nur dreimal in der Reichsstadt und zwar meist ohne die Spielerlaubnis erlangen zu können:

Den 21. Juni 1598: Der bekannte „Valeran le Comt von Amiens auß Franckreich", der „ettliche schone Comoetias, geistliche vnd weltliche," aufführen will. Abgewiesen.

Den 20. Mai 1615: „Joann Floran v(on) Lieon ain Frantsose vnd Comoediant so mit 8 personen alher kommen". Er hat „gatte Musicam" bei sich und will „Geist- vnnd weldtliche Comoedias" spielen. Abgewiesen.

Den 1. Juli 1615: „Florian (wol identisch mit Floran) der Konig. Frantzisch Comoediant samb 10 personen" will „etwas geistlichs" aufführen. Bewilligt.

nung dieses Jahres (Jahrgang 1613—1614, Bl. 347ª) schreibt hierüber: „Item l. f. etlichen Französischen commedianten, so zu hof
gespielt, zu ihrer abfertigung laut zedels zugestelt . . . . L fl.“
Diese Schauspieler gehörten wahrscheinlich zur Gesellschaft Pierre
Gillets[1]), welche im nämlichen Jahre Vorstellungen in Augsburg
und Regensburg veranstaltete.

Auch in der Folge treffen wir französische Schauspieler am
württembergischen Hofe, wie uns Moser (Beschreibung des Stadtdirections-Bezirkes Stuttgart S. 421) berichtet: „1713—1716,
1727 etc. hatte Herzog Eberhard Ludwig französische Comödianten
an seinem Hof. Es sind Stuttgarter Ausgaben von Corneilles Cid
und Polyeucte (1698) und les Horaces (1706) vorhanden, woraus
folgen dürfte, dass diese Tragoedien damals hier gegeben wurden.
Auch unter Herzog Carl Alexander war einige Jahre lang eine
Schauspieler-Gesellschaft am Hofe, die gleichfalls aus Franzosen
bestand. Unter der Direction eines le Berger zählte sie 13 Männer und 4 Frauen und bezog im Ganzen jährlich 8500 fl.[2]). Nach
dem Tode des Herzogs wurden aber auf den 1. April 1737 sowohl
diese Schauspieler als »die Operisten mit Allem, was von ihnen
dependiret« mit einem dreimonatlichen Gehalt entlassen“, und S. 424:
„Im October 1748 wurde im grossen Orangeriehause die französische
Comödie »le Babillard«[3]) gegeben, und 1761—1766 wird eine
»Comedie française«, aus 21 Personen bestehend, unter den Direc-
toren Uriot und Fierville im Neuenbau erwähnt.“

---

1) Archiv für Litteraturgeschichte Band XIV S. 442.

2) Den handschriftlichen Collectaneen des verstorbenen Finanzrathes Moser (Verfassers der hier erwähnten Beschreibung des Stadtdirections-Bezirkes Stuttgart), welche mir von ihrem nunmehrigen Besitzer, Herrn Dr. Julius Hartmann, Professor am Königlichen
statistischen Landesamte in Stuttgart, in liebenswürdigster Weise zur
Verfügung gestellt wurden, entnehme ich folgende Notiz über diese
Gesellschaft: „Aus einem Decrete vom 21. Merz 1735 ist ersichtlich,
dass bis dahin seit einigen Jahren eine »Comödianten Trouppe« jährlich
8500 fl. erhielt, unter obigem Tage aber folgende Besoldungen erhielt
und bis auf weiteres beibehalten wurde und zwar: le Berger nebst
Frau und Tochter jährlich 2250 fl. — le Bonnier 600 fl. — la Forrot
600 fl. — le Remon 600 fl. — dessen Frau 600 fl. — le du Cormier
600 fl. — le Dieu 420 fl. — le Daloy 400 fl. — le Labbat 600 fl.
— ein zu engagirender premier acteur 600 fl. — 2 Tanzmeister 720 fl. —
2 Bedienten 100 fl. — 1 Peruquier 100 fl. — 8190 fl.; im folgenden Jahre
sind noch einige, gleichfalls Franzosen dabei, ein Komiker und 4 Vir-
tuosinn-Singerinnen.“

3) Vielleicht das gleichnamige Stück von Boissy, aufgeführt zu
Paris am 16. Juni 1725. Vgl. H. Lucas, Histoire philosophique et littéraire du théâtre français. 2e édition. Bd. III S. 328.

Dass auch im Jahre 1699 französische Komoedianten am
württembergischen Hofe spielten, ist aus einem weiteren Eintrage
in den Landschreiberei-Rechnungen ersichtlich: Jahrgang 1699—
1700 (Bl. 356): „Jean Claude du Pont[1]) commoedianten haben
wir vermög decreti de dato 1. july 1699 zu bezahlung des Becher-
würths alhier für deßen zöhrungen besag quitung abgefolgt . . . . .
15 fl. Ferner demselben besag decreti de dato 4. july 1699 über
bereits bezahlte 15 fl. noch ferner zu seiner gäntzlichen abfertigung
entrichtet . . . . . 14 fl.“

Als Frucht dieses Aufenthaltes französischer Schauspieler
haben wir jedesfalls jene von Moser angeführten Ausgaben von
Dramen P. Corneilles zu betrachten, welche in den Jahren 1698 und
1706 in Stuttgart erschienen sind und wovon sich je ein Exemplar
auf der k. öffentlichen Bibliothek dortselbst erhalten hat. In der
Bibliographie Cornélienne von E. Picot (Paris, A. Fontaine) werden
sie nicht erwähnt.

Der älteste dieser Einzeldrucke hat folgenden Titel:
LE CID | TRAGEDIE, | PAR | Le S. CORNEILLE. | (Holzschnitt:
das württembergische Wappen) à STOUTTGART, | M.DC.XCVIII. |
8⁰. 72 gezählte Bl.

Die Ausgabe enthält nur den Text und zwar nach der Ausgabe des Théatre von 1660 (Rouen et Paris, Augustin Courbé, et
Guillaume de Luyne, in-8⁰). Die Beilagen sind weggelassen. An
Druckfehlern ist kein Mangel, zudem hat man auf S. 33 eine Vers-
zeile übersprungen (Vers 390 in der Corneille-Ausgabe von Ch.
Marty-Laveaux, in der Sammlung der Grands écrivains de la France,
Band III, Paris, Hachette 1862, S. 127). Ein Drucker wird nicht
genannt, doch stammt das Bändchen, wie ein Vergleich mit der
jetzt zu besprechenden Horace-Ausgabe beweist, aus der Presse des
Hof- und Kanzleibuchdruckers Paul Treu, des nämlichen, der im
Jahre 1710 eine französische Zeitung herausgab[2]).

Im Jahre 1706 folgte Horace:
HORACE | TRAGEDIE. | Imprimé à Stougard | Par Paul Treuen
Imprimeur de la Cour | et de la Chancelerie. | Anno 1706. | 8⁰.
76 gezählte Bl.

Der Text des Stuttgarter Horace ist der letzten von Corneille
durchgesehenen Ausgabe des Théâtre (1682, Paris, Guillaume de
Luyne, in-12⁰) entnommen; einige Druckfehler dieser Ausgabe sind
verbessert, einige Bühnenanweisungen in der letzten grossen Rede
des alten Horace (V, 3) weggelassen.

Gleichzeitig mit der ersten dieser Ausgaben trat in der schwä-

---

1) Eine Persönlichkeit dieses Namens befindet sich nicht unter den
bisher bekannten französischen Schauspielern.

2) Moser a. a. O. S. 241.

bischen Hauptstadt eine, in Picots Bibliographie Cornélienne ebenfalls unbeachtet gebliebene deutsche Uebersetzung von P. Corneilles
Polyeucte hervor:

POLIEYT. | TRAGŒDIA, | Aus dem Frantzösischen in das | Teutsche
übersetzt. | (Holzschnitt: das württembergische Wappen.) Stuttgart,
gedruckt durch Paul Treuen, Hochfürstl. | Hoff- und Cantzley-Buch-
drucker. | ANNO M.DC.XCVIII. | 4⁰. 46 gezählte Bl.

Der Autor der Uebersetzung ist unbekannt, doch dürfte er
vielleicht in dem Kreise der Augustin-Fromm schen Schauspielgesellschaft zu suchen sein, welche allem Anscheine nach das Stück
in Stuttgart zur Aufführung brachte. Auf dem Personenverzeichnisse (S. 2) ist die Rollenbesetzung mit Tinte eingetragen:

Die Schau-Spieler.

Felix, Ein Römischer Rahts-Herr, Vor-Furst in Armenien. Sammen-
hammer.
Polieyt, Ein Herr von Armenien, des Felix Schwiger-Sohn. Fromm.
Sever, Ein Römischer Ritter und Liebling des Käisers. Schneiden-
wein.
Nearch, Ein Herr von Armenien, und Freund des Polieyts. Blümel.
Paulina, Eine Tochter des Felix, und Gemahl des Polieyts. Fr.
Augustinin.
Stratonice, Eine vertrauliche Dienerin der Paulinen. Jgfr. Clara.
Albin, Ein vertraulicher Aufwarter des Felix. Roß.
Fabian, Ein Hauß-Genoß und Diener des Severen. Augustin.
Cleon, Ein Hauß-Genoß und Diener des Felix. Junge Kuhlmann.
Die Wacht von drey Personen.

Augustin und Fromm führten, wie aus den Landschreiberei-
Rechnungen hervorgeht, den Titel „Hofcomödianten" (Jahrgang
1699—1700): „. . . . Jacob Wilh. Augustin vnd Johann Fromm,
beden hofcomoedianten ist vermög f. decreti 21. märz 1699 zu
einem jähr. wartgeld jedem 100 thlr. dergestalt bestimmt worden,
dass sie darfür obligirt sein sollen, jederzeit auf erfordern anhero
zukommen."

Ueber diesen Stuttgarter Polieyt und sein Verhältniss zum
Originale und die im Jahre 1669 von Christoph Kormart ver-
anstaltete Uebersetzung des Corneilleschen Dramas soll seinerzeit
Bericht erstattet werden.

München. Karl Trautmann.

7.

Der Papinianus des Andreas Gryphius als Schul-
komoedie in Speyer (1738).

Das Stadtarchiv in Speyer enthält unter seinen spärlichen
Theateracten aus dem 18. Jahrhundert eine Bittschrift des Rectors
Johann Christian Feistkohl an Bürgermeister und Rath der
Reichsstadt, aus welcher hervorgeht, dass der Papinianus[1]) des
Andreas Gryphius am dortigen Gymnasium als Schulkomoedie zur
Aufführung gebracht werden sollte:

Hoch-Edelgebohrne, Fürsichtige, Hoch- und Wohlweiße Herrn,
Hochgebiethende Herren.

Weilen wiederum die zeit herannahet, da hiesigen gymnasien
der löblichen gewohnheit nach, ein actus theatralis dictiret worden,
welche übung billig in allen wohlbestallten gymnasiis beybehalten
wird, indem dadurch alle subiecta exerciret werden können und
auch zu einer anständigen [zerstört] ... hesie ein großes beyträget,
so habe E. Hoch-Edel Weißheiten aus unterthäniger pflicht den
künftigen actum theatralem notificiren und dero resolution erwarten
wollen. Angeschlossner kurtzer entwurff[2]) zeigt den jnnhalt dieses
actus und ist in gebundener rede meistentheils vom Gryphio
entworffen, das nachspiel aber ist in ungebundener rede von der
Pedanterie in Schulen. Es sind darin(n)en alle mißbräuche und
abgeschmackte methoden der lehrer fürgestellet, doch ohne ärger-
liche und nachtheilige expressionen.

Meine absichten sind das utile und jucundum, damit die jugend
daraus ersehen möge, wie glücklich sie sey, daß sie ohne pedanterie
erzogen werde und folglich anlaß zu mehren fleiß und liebe zum

---

1) Vgl. Andreas Gryphius Trauerspiele herausgegeben von Hermann
Palm. Bibliothek des Litterarischen Vereins in Stuttgart. Tübingen
1882. S. 495 ff.

2) Dieser „kurtze Entwurff", Inhaltsangabe, Scenarium und Personenverzeichniss enthaltend, stimmt mit dem „Inhalt des trauer-spiels",
dem „Kurtzen begriff der abhandlungen" und dem Personenverzeichnisse
überein, welche Gryphius seiner Tragoedie Papinianus vorangehen läst
(Palm a. a. O. S. 506 ff.). Wie aus dem Personenverzeichnisse Feistkohls
zu ersehen, hat dieser es für gut befunden, den von Gryphius als redend
eingeführten Personen auch eine komische Figur — den lustigen
Rath Harpax — beizugeben. .

studiren erwecken kan. Inzwischen empfehle mich zu dero ferneren
hohen gewogenheit und verbleibe in allen respect

Hoch-Edelgebohrne, Fürsichtige, Hoch- u(nd) Wohlweiße, meiner
Hochgebiethend(en) Herrn unterthänig-gehorsamster

Joh. Christian Feistkohl. Rect. Gymn.

Speyer d(en) 17. Maii 1738.

Ob wol das Nachspiel von der Pedanterie in Schulen die erwünschte paedagogische Wirkung hervorgebracht hat? Wir möchten
eher das Gegentheil annehmen.

Uebrigens scheint das Gesuch abgewiesen worden zu sein.

München.   Karl Trautmann.

_____

8.

Notiz zu Herder.

Herders erste Recension in der Allg. Dtsch. Bibliothek VI, 37
über Willamovs Dithyramben schliesst mit den Worten: *Wenn
der Verfasser sagt: „ich erkläre mich, dass dies die erste und letzte
Veränderung ist, die ich mit meinen Gedichten vornehme!" so müssen
wir gestehen, dass uns diese Worte ganz fremde und unverständlich
sind, ob wir sie hier gleich schon vom dritten neuern Dichter in
Deutschland lesen.*

Wie versteht man dieses hier, und wer sind die beiden andern
neuern Dichter?

Den damaligen Lesern der A. D. B. war an diesen Worten
nichts unklar, für uns aber wird diese Stelle nur verständlich, wenn
man sich entschliesst, die A. D. B. hinter einander „durchzuackern",
wie Nicolai IV 1, 217 sagt, oder wie Herder sich ausdrückt (Suphan
I, 145), „auf gut alt βουστροφηδον zurückpflügt". Dann findet man
nämlich im dritten Bande eine Recension Nicolais über Joh. Fr.
Löwens Schriften und in derselben die Worte (III 2, 246): *In
der Vorrede lesen wir mit Erstaunen, dass Herr L. seinen Lesern
verspricht, bey einer künftigen neuen Auflage keine Veränderungen zu
machen.* Und im vierten Bande findet man ebenfalls von Nicolai
eine Recension über Fr. W. Zachariäs Poetische Schriften, und
darin die Worte (IV 1, 217): *so eben sehen wir, dass Herr Z. wirklich in der Vorrede verspricht, er wolle keine fernern Veränderungen
machen.*

Nun ist alles klar; und es bleibt nur die Frage, ob Herder
die Vorreden der beiden „Unveränderlichen" selber gelesen hat.
Wir wissens nicht; die A. D. B. aber hat er fleissig gelesen, denn
hier in seiner Recension verräth ihn sein hier.

Steglitz, December 1886.   Otto Hoffmann.

9.

Notiz zu E. M. Arndts „Des Deutschen Vaterland".

Von P. v. Hofmann-Wellenhof.

Schon lang, bevor E. M. Arndt zu Anfang des Jahres 1813 in seinem berühmten Liede „Des Deutschen Vaterland" die Frage „Was ist des Deutschen Vaterland?" aufgeworfen und mit „So weit die deutsche Zunge klingt" beantwortet, hatte F. D. Gräter, der bekannte Germanist und Herausgeber der ersten germanistischen Zeitschriften, dieselbe Frage gestellt und in gleichem Sinne beantwortet. — In der bis jetzt wol zu wenig beachteten Sammlung „Lyrische Gedichte nebst einigen vermischten" (Heidelberg 1809), welche u. a. recht gelungene Nachbildungen mhd. Minnelieder sowie einzelner Abschnitte der Edda enthält, steht S. 181 das Gedicht „Das Teutsche[1]) Vaterland 1797":

> „Wo ist das Teutsche Vaterland?"
> Weisst du das, Thor von Frager, nicht?
> Wo man die Sprache Hermanns spricht,
> Da ist das Teutsche Vaterland! . . .

Die Frage, ob Arndt die Anregung zu seinem Liede durch Gräter empfangen, erscheint mir weniger bedeutsam als die Thatsache, dass schon im Jahre 1797, unter dem Eindrucke des dahinschwindens von Deutschlands politischer Einheit, ein patriotisch und national fühlender Dichter in ähnlichen Worten auf die ideelle Einheit aller Deutschen hingewiesen wie der Sänger der Befreiungskriege.

---

1) In „Deutsch und Teutsch" ebd. S. 182 entscheidet sich Gräter für die letztere Schreibung.

Ein Lied auf die Bernauer Wolfsjagd (1609).

Mitgetheilt

von

Johannes Bolte.

In diesem Archive XIV, 366 f. erwähnte ich ein Spottlied auf eine misslungene Jagd der Bürger von Bernau, welches sich einst grosser Verbreitung erfreut haben muss, da
auch der Kurfürst Georg Wilhelm 1621 in einem officiellen
Schreiben dieses zu manchen Neckereien Anlass gebenden Vor-
falls gedenkt. Dasselbe schien verloren zu sein, da in keinem
bibliographischen Hilfsmittel ein Druckexemplar verzeichnet
ist und auch der sorgsame Archidiaconus Tobias Seiler
(geb. 1681), welcher 1736 in seiner handschriftlich vorhandenen Beschreibung der Stadt Bernau[1]) von jener Wolfsjagd
berichtet, es unter seiner Würde hält, das seine Landsleute
in so wenig schmeichelhafter Weise behandelnde Lied selber
mitzutheilen. Ein günstiger Zufall jedoch führte mir vor
kurzem das gesuchte Stück in die Hände, als ich die aus
dem Besitze des Professors Oelrichs (1722—1799) stam-
menden Handschriften des Joachimsthalschen Gymnasiums zu
Berlin durchmusterte. Es steht auf einem von einer Hand
des 17. Jahrhunderts beschriebenen Doppelfolioblatte, welches
an das Mscr. Oct. 7 (Collectanea Berolinensia) angehängt ist;
vielleicht ist es dieselbe Abschrift, welche 1718 mit der Biblio-

---

1) Ich benutze eine Abschrift a. d. J. 1839, welche auf der königlichen Bibliothek zu Berlin (Ms. boruss. fol. 718) liegt, und citiere nach
den am Rande angemerkten Seitenzahlen des Originals. Die Wolfsjagd
ist S. 506 besprochen.

thek des Andreas Erasmus von Seidel zu Berlin versteigert
wurde. Die im Auctionskataloge angegebene Jahreszahl 1602
erweist sich jetzt als ein Druckfehler, da das im Titel enthaltene Chronogramm, wenn man U als V liest, vielmehr
1609 ergibt; hiermit stimmt auch Seilers Angabe „1609 oder
1610" überein.

Dem Gedichte gehen mehrere macaronische Hexameter
vorauf, welche als ihr Vorbild die bekannte 1593 zu Rostock
erschienene Floia erkennen lassen; hier wie dort sind die
deutschen Worte meist in der niederdeutschen Form angeführt[1]). Die nach bekannter Melodie gereimte Schilderung
der Jagd ist leider nicht vollständig erhalten, nur die Meldung
des Büttels an den Bürgermeister, der Befehl zur Versammlung der Bürger und die Rüstung derselben zum Auszuge
wird mit gutem Humor und volksmässiger Frische ausgemalt.
Aus Seilers Chronik erfahren wir, dass Matthäus Kröcher vor
der Stadt den Wolf erschiesst, der dann im Triumphzuge in
die Stadt getragen, dort aber bei näherer Besichtigung als ein
Hund erkannt wird.

Es läge nahe, hier eine Vergleichung mit gleichartigen
Dichtungen anzustellen, doch sind mir die von Tobler, Schweizerische Volkslieder I S. CXII, angeführten Spottlieder auf
misslungene Jagden nicht zugänglich, und ein auf der Stral-
sunder Rathsbibliothek aufbewahrtes „Rügensches Wolfslied",
in welchem nach einer freundlichen Mittheilung des Herrn
Bibliothecars Dr. R. Baier ebenfalls der von einigen Edel-
leuten verfolgte Wolf sich schliesslich als ein Hund entpuppt,
soll erst nächstens in den Baltischen Studien veröffentlicht
werden.

Der Dichter unsres Liedes hat sich unter dem Pseudonym
Wolffgangus Canisius verborgen; nach Seilers Angabe
hätten zwei Bernauer, der Conrector Matthäus Bracht[2])

---

1) z. B. absettere, Duflo, grote, Husis, Kerkibus, kortwilium, oldi,
pipere, riki, schetere, seggite, uthdrinckere.

2) Im Verzeichniss der Conrectoren führt Seiler (S. 282) dagegen
nur einen Albert Bracht (1623—25) an; sein Vater war nach S. 63
der Rathskämmerer (1617—21) Andreas Bracht.

und der „lustige Organist" Jeremias Berend[1]), welcher im Gedichte selbst Str. 30, 1 Brandt heisst, dasselbe verfasst. Diese Angabe erscheint auch glaublich, wenn man bedenkt, dass hier nicht etwa die Bernauer insgesamt wegen eines Narrenstreiches, wie sie oft einzelnen Ortschaften nachgesagt werden, dem Spotte anheimfallen, sondern dass vielmehr einzelne angesehene Leute wie der Bürgermeister Piper und der Junker v. Götze ausdrücklich ausgenommen werden. Ferner spricht dafür die intime Kenntniss der einzelnen Persönlichkeiten und des Stadtklatsches, die eben nur ein einheimischer haben konnte. In den Fällen, wo es noch möglich ist, die im Gedichte namhaft gemachten Bürger mit Hilfe von Seilers Chronik nachzuweisen, ist dies in den Anmerkungen geschehen.

[S. 1] **Lupercalia Bernaviana.**

Warhafftiger Bericht von der jüngst gehaltenen Wulffes-jagd in Bernow, wie Sie daselbst einen Hund für einen Wulff in manglung der Brillen erschoßen.

Durch Wolffgangum Canisium gedrucket zu Wolffen-Büttel in Hunds-Tagen
Anno
CanIbUs rIgIDo et oMInoso.

Omnibus Bürgermeisteribus, Rahtmannis et Bürgeribus Bernaviensibus in primis Mazio Kröchero, Wulffschetero, prinso et primario in urbis cella, Schenkio bonissimo.

O Vos Landsmanni, vos Zuckermundige Fründi,
   O scöni puppi, vobis ego bringo gesangum,
Hybskum, kortwilium, frölium Schmuckumque [Gesangum].
   Nemite vos saltem, sed lesite, singite vestris
5 Cum kleinis Kindris in Kerkibus atque Capellis
   Inque scholis et Stad Kelleris et in omnibus husis.
Seggite piperibus vestris, ut pipere discant
   Hunc psalmum, ut possint ex hogis pipere Tonnis;

---

1) Er war 1577 geboren, wurde 1598 Organist und blieb es bis 1640. Ein gleichnamiger Bürger, welcher 1632 als Rathsverwandter und 1645 als Rathskämmerer erscheint, mag ein Sohn von ihm sein.

V. 3 Gesangum fehlt in der Hs.

Nam sic de Feldo poteritis jagere Wulffum.
10   In Gassis etiam singant die grote Scholares,
Non quatuor singant Stimmis, sed vocibus octo;
        Octo nam stimmis vult singere iste Gesangus.
Nunc Organista veni, debes absettere nobis
        Hunc Psalmum nostris et semper schlagere in orglis
15   Inque positivo, quod dragere sepe jubetis
        In Stad-Kelleris und in das Kleine Stübychen.
Vos pariter singt auch omnes, Ihr stinkenden Schu Knecht,
        Singite vos etiam magni Lusique Knapiste,
Vos Kazen Schindri, vos Igli et Liniweberi,
20   Vos Zigenbocki, vos Lami atque hinkende Schndri,
[S. 2] Vosque Schmidi, Schwarto quae est Turba simillima Duflo.
        Kortibus abwordis ut denique multa begripsam
Consimutamque [?], vos versus vos singite jungi,
        Vos oldi, simul vos armi, vos quoque Riki,
25   Vos groti et kleini, vos omnes gude bekandi:
        Incipe tu nostrum primus, Kröchere, Gesangum.
Incipe, nam grawum poteras tu schetere primus
        Hundum pro Wulfo, schemeas te, quaeso, sed audi!
Pro Wulfo grotum posthac tu schetere debes
30   Cum naso Dreckum, mihi vero inschenkere dato
Magnum Kanbirum, quem non uthdrinckere possim,
        Quin tecum singam: Sic, sic sied Gade bevalen!
            Vester Landesmannus Wolffgangus Canisius.

Liedt

Im Thon, wie man singt: „Solte meine Braud noch Jungfer seyn"
    oder „Sturtzebecher und Gödiche Michael".

1.

        Wolt Ihr Hören ein neu Gedicht,
        Waß die Bernauer haben außgericht

V. 13 Nunc oder Huc ist statt des hsl. Hunc zu lesen, wenn
man das Wort nicht ganz streichen will.

V. 15 Positiv, eine kleine tragbare Zimmerorgel, entsprechend
dem heutigen Harmonium.

V. 18 Knapiste, die Knapphänse, d. h. Krämer; lusi (oder
lusii), lausig.

V. 19 Kazenschindri, Spottname der Kürschner wie Igli der
Leinweber und Zigenbocki der Schneider. Vgl. Archiv XIV, 366.

V. 21 quae statt des hsl. qui. Duflo, Teufel.

V. 30 dato statt des hsl. nato.

Eine Melodie des niederdeutschen, im 15. Jahrh. entstandenen Liedes: „Störzenbecher und Gödeke Michael, die raubten beide so

In so gar wenig Tagen?
- Sie zogen woll auf die Wolffes Jagt,
Einen Hundt haben Sie erschlagen.

2.

Der Scharenman der Kam gerandt
Zum Bürger Meister dahr zur Handt,
Thett Ihm mit ernst ansagen,
Wie zwene Wölffe wehren für dem Thor,
Denen solte man nachjagen.

3.

Der Burge-Meister seumbte sich nicht lang,
Es wahr Ihm warlich Hertzlich bang,
Fürchte sich für solchen Thieren:
Der Stadt Knecht must herümmer gehn
Und die Bürger Citiren.

4.

Hans Dulitz solte er auch ansagen,
Daß er bald ließ die Trommel schlagen,
Die Quer Pfeiffe blasen darneben,
Damit diß gethön der Bürgerschafft
Ein Hertz und Muth möchte geben.

5.

Junker Götze der Lachte zu diesen sachen
Und sprach: Ihr Narren, was wolt Ihr machen
Mit Eurem Trommelschlagen?

---

gleichem teil" steht bei Böhme, Altdeutsches Liederbuch (1877) Nr. 366,
der Text z. B. auch bei J. P. de Memel, Lustige Gesellschaft 1656
Nr. 499. Angeführt wird es 1602 (Weimar. Jahrbuch 2, 345 Nr. 48)
und 1640 von Wencel Scherffer, Der Grobianer S. 145: „Weistu sonst
nichts zu thun, so sing ein Meisterlied, den Göde Michael, den Alten
Stille Friedt."

Str. 2, 1 S c h a r m a n n, Stadtknecht, Polizist.

Str. 3, 1 Bürgermeister war 1602—1624 S t e p h a n Stralow.

Str. 4, 1 Von dem Spielmann. Hans Dulitz erzählt Seiler S. 508,
dass er sich 1592 als Knabe in einer Schiebkarre auf einem vom Kirch-
thurme bis zum Markte gespannten Seil habe fahren lassen. Er starb
1638 an der Pest.

Str. 5, 1 B a r t h e l v o n G ö t z e, dessen Bruder Heinrich sich 1606
im Trübsinn erschoss. Seiler S. 449.

Ihr werdet die Wölffe, wieviel Ihr sein,
Ja gantz und gahr verjagen.

6.

Hanß Piper war gereiset aus
Und eben damahls nicht zu Hauß,
Daß sach man hier gahr balde,
Da er pflegt in der Bürgerschafft
Noch gute Ordnung zu halten.

[S. 3]   ### 7.

Sie zogen aus mit gerüster Wehr,
Gleichwie sonst zeucht ein Krieger Her
Mit Spießen, Büchsen und Stangen;
Die Wölff zu fangen wahren sie gerüst,
Darnach stund Ihr Verlangen.

8.

Da daß der Mahler wardt gewahr,
Meint Er, der Türk wehr für dem Thor,
Zum Harnisch thet er lauffen:
Potz Midel, Potz Madel, ich muß hinauß
Und mich laßen gebrauchen.

9.

Barthol Bolze der hat Kein Büchse gahr,
Doch Kam Er mit einer Mistforken dahr,
Bahrfuß Thett Er sich stellen,
Den Wolff zu fangen wahr er gesinnet,
Er meintt, Er wolte Ihn fellen.

10.

Hieronimuß Feßel Kam auch gegangen
Und hatte ein lang Hopf-stangen
Gefast für einen spießen;
Daß er darmit ward ausgelacht,
Thett Ihm hefftig verdrießen.

11.

Dem Apothecker Churt Lehnhausen
Thett seine Haut gewaltig grausen,

- - - - - - -

Str. 6, 1 Johannes Pieper aus Spandau (1547—1617), kaiserl.
Notar, 1582 Stadtrichter, seit 1600 Bürgermeister.

Wolt gahr nicht mit zu felde,
Er sprach: Wer für mich zeucht hinauß,
Geb ich zehen Thaler an Gelde.

12.

Nicolauß Berlin schrack auch der Mehr,
Er sprach: Frau, bring die Büchse her!
Darauf Kam sie bald gegangen
Und Thett Ihm da in großer Eyl
Die Butter Büchse langen.

13.

Martin Köller saß bey der Wiegen
Und wehete seim Kind die Fliegen,
Sang auch das Susaninne,
Er sprach, da Er den Lermen hört:
Fürwahr, ich bleib nicht drinnen.

14.

Seiner Frauen gab er gute Nacht,
Ob er nicht Kehm wieder aus der Jagt,
That sie woll Dreymahl Küßen;
Den Fliegen Wedel nam Er mit,
Dem Wolff damit zu grüßen.

15.

Michael Kögge, ein Bürger Meisters Sohn,
Ein fauler Schluntz, der nichts will thun
Den nur freßen und sauffen,
Der lag diesmal in federn noch,
Drůmb Kund er nicht mit lauffen.

Str. 13, 1 Martin Köhler, 1599 Rathsverwandter, 1609 Rathskämmerer.

Str. 13, 3 Susaninne, Wiegenlied. Vgl. Hoffmann von Fallersleben, Geschichte des deutschen Kirchenliedes⁵ S. 420 f. Piderit,
Weihnachtsspiel 1869 S. 52. Arnim und Brentano, Des Knaben Wunderhorn 2, 726 ed. Birlinger und Crecelius.

Str. 15, 1 Michael Kögge, ein Sohn des 1598 verstorbenen gleichnamigen Bürgermeisters, wurde 1627 Rathsverwandter, 1632 Bürgermeister.

Str. 15, 2 Schluntz, Lappe, Lump.

16.

Nebst ihm lag auch der Cyterist
Rahtstock, der sonst ein Schu Knecht ist,
ˌDaß Pech Thatt Ihm zu stinken;
Ehe Er ein par Schue abneht,
Thutt Er Zehen quart außtrincken.

17.

Es lagen die beyden faulen Hund
Im Bette biß üm die Eilfte stund,
Sie riefen: Bringt Aqua vitae!
Die Hackin sprach: Den hab ich nich,
Supet gy watt dünner Sch[iete]!

18.

Das sauffe der Teuffel, sprach der Schu Knecht,
Macht uns lieber das Eßen zurecht,
Daß wir was können anbeißen!
Ja ja, sprach Sie, zur Kalten schal
Will ich Euch aufs Waßer sch[eißen].

[S. 4]   ### 19.

Cämmerer Joachim Tieffensehe
Der sprach: Was ist für ein Clamare?
Do Er Kund etwas Lateine,
Beim Element, es gilt meins mit,
Ich bleib hier nicht alleine.

20.

Mitt großem Grimm Kam Er gerandt,
Hett ein Bund schlüßel in der Hand
Und macht ein groß geklinge,
Er sprach: Den Lupum will ich so
Ex struckibus baldt bringen.

21.

Hierauff thett Er einen großen sprunk,
Der Ihm den nicht woll gelunk;

Str. 16, 1 Cyterist. Die Zither des 16.—17. Jahrhunderts war
eine Abart der Laute, welche mit Drahtsaiten bezogen war und mit
einem Plectrum gespielt wurde.

Str. 19, 1 Joachim Tieffensee, 1604 Cantor, 1609—11 Rathskämmerer.

Str. 20, 5 Ex struckibus, aus den Sträuchern.

Zu seinem Ungelücke
Wart Ihm sein schönes Triepe Kleidt
Voller Modder und voll Klicke.

22.

Diß wardt vor seinen Vater bracht,
Wie sein Kind auch wehr auf die Jagt,
Er erschrak gar hefftig sehre:
Aa Anne, sprach Er zu seiner Frau,
Hör wunderselzamer Mehre.

23.

Unser Kindt, daß ist mit auf der Jagd;
Wenn uns daßelb würd umgebracht,
Für Leidt müßten wir sterben.
Wer wolt doch unser großes guth
Nach unserm Tode Erben?

24.

Es Kahm damahls auch auf der Fahrt
Thomaß Westpfahl mit halbem Bahrt
Visierlich aufgezogen,
Die andre Helfte hatt Ihm seine Magdt
Verzwackt, ist nicht erlogen.

25.

Gleichwie ein doppelt Söldener
Kam Peter Müller der Raths Herr
Mit Harnisch und Pantzer behangen,
Den Wolff vermeint er gahr alleine
Mit seim Schlacht-Schwerdt zu fangen.

Str. 21, 3 seim Hs.

Str. 21, 4 Tripp, samtähnliches Gewebe von Wolle.

Str. 21, 5 Klicke, breiartige Masse, Schlamm.

Str. 24, 2 Thomas Westphal (1585—1637), Sohn des Bäckers Erasmus W., studierte in Frankfurt a. O., wurde 1609 Cantor, 1614 Rathskämmerer, 1618 Rathsverwandter, 1630 Bürgermeister. Vielleicht aber ist der gleichnamige Bäcker gemeint, dessen Frau 1620 in einen Hexenprocess verwickelt wurde.

Str. 25, 1 Doppelsöldner, schwer gerüsteter Soldat, der doppelte Löhnung erhält.

26.

Nebst Ihm tratt auch in diesem Glied
Hanß Behling, selbiger brachte mit
Ein Arm Brust steiff gespannen,
Er schrie: Ihr Herren, nur immer fortt,
Last uns nur gehen von dannen!

27.

Ein Bürger, Daniel Jürgen genant,
Kam mit dem Teuffel von Bözo gerandt
Mit seim langen Rohre,
Sie lieffen eylendt und geschwindt
Wohl zum Berlinischen Thore.

28.

Indeß so wartt die Bürgerschafft
Ohn Ordnung auß der Stadt gebracht,
Sie lieffen wie die Kühe,
Daß Thor war Ihnen viel zu enge,
Deß hatten sie große Mühe.

29.

Wie Sie nun Kahmen in das Feldt,
Da sahe man manchen Kühnen Heldt,
Ihr viele Jauchzeten mit schallen,
Den meisten aber wolt dagegen
Daß Hertz in die Hosen fallen.

30.

Jeremiaß Brandt der Organist,
Der sonst ein guter Jäger ist,
Da man inß Sau-Horn bläset,
Den verdroß dieß Wesen hefftig sehr,
Daß jedermann so rasendt wer.

31.

Str. 26, 2 Johannes Beling (1577—1637), Sohn des Bürgermeisters
Thomas B., trieb Handel mit Seide und Backwaaren, 1611 Rathskämmerer, 1619 Hof- und Bauherr, 1623 Stadtrichter, 1627 Bürgermeister.
Seine Tochter Maria heiratete 1628 den aus der Geschichte der evangelischen Kirchenmusik bekannten Cantor Joh. Crüger zu Berlin (1598—1662).
Str. 27, 2 Teufel von Bözo, mir unklar. Bötzow, seit 1650 Oranienburg genannt, liegt 3½ Meile westlich von Bernau.

Ein Brief Klopstocks an Meta.

Mitgetheilt

von

CARL SCHÜDDEKOPF.

Der Fund eines der Briefe, welche Klopstock während seiner Quedlinburger Reise im Sommer 1752 „an jedem Posttage" an sein Clärchen schrieb, wird der Forschung kaum neue Aufschlüsse bieten. Wir kennen seit Klamer Schmidt den Ton dieser ebenso excentrischen, wie inhaltsleeren Liebesbriefe zur Genüge, und der Biograph Klopstocks bedarf keines weiteren Materiales zu ihrer Charakterisierung. Dennoch wird ein im British Museum (Ms. Egert. 2407 fol. 43 f.) aufbewahrter Brief aus dieser Reihe unser Interesse erregen und für die bei Klamer Schmidt (II, 8 ff.) und darnach bei Schmidlin (I, 166 ff.) gedruckte Antwort Metas vom 8. Aug. 1752 einiges zur Erklärung beibringen.

Quedlinburg den 30ten *Jul.* 1752.

Meine Mutter, Clärchen, meine Mutter, die mir nun noch liebenswürdiger ist, weil Du Sie liebst, brachte wieder Deine beiden lezten Briefe aufs Bette. Du sollst Sie noch einmal selbst fragen, wie freudig, wie ungestüm ich auffuhr, da ich die blauen Briefe sah. Nun tritt mir alles mein Blut so sehr ins Herz herauf, dass ich kaum weiter schreiben kann, und meine ganze tiefe Wunde „dass ich nicht bey Dir bin" blutet von neuem auf. — Hör einmal, Clärchen, sagmir in Deinem Leben so kein Wort wieder „dass ich die Entzückung entbehren müsse, dass ich die nicht haben könne", sonst werde ich ordentlich böse mit Dir. Wäre ich denn, durch irgend eine Sache in der Welt, würdig, dass Du mit Entzückungen der Liebe an mich dächtest, wenn ich nicht eben diese Entzückungen für Dich empfände? — — — Dass ich Dich hierinn noch weit weit übertreffe, das ist etwas, das ich für mich allein habe, das mir ganz besonders angehet, und das Du so gar nachahmen kannst, ob Du gleich sonst in keiner einzigen Sache zur Nachahmung gebohren bist. — Ich kann wieder nicht schreiben. — — — Ich habe gemerkt, dass es nur einige sanftere Stunden der Liebe giebt, wo man eigentlich schreiben kann. Jezt; jezt aber sind nichts weniger, als diese sanfteren Stunden. Gleichwohl wird die Post bald gehen, und ich kann sie ohnmöglich, ohne einen Brief an Dich, verreisen lassen, daher habe ich ein Mittel für die nicht sanften Stunden erfunden, 2 das darinn besteht, dass ich | mich an einige Stellen Deiner Briefe halte, und sie beantworte; aber ganz kurz beantworte, denn sonst würde ich ja auch mein Herz schreiben können. In diesem Tone also. — Warum schreibst Du denn nichts von der   [1]), wie Du versprachst? — Du befindest Dich so wohl. Ach, Cl. Cl. Hier kann ich so gar auch nichts kurzes schreiben. Hier müste ich Dich umarmen. — Du kannst es gar nicht aushalten, wenn Du allein zu Hause bist. Wenn Du mich doch nur hättest, Du wolltest Deine Arme um meinen Hals schlingen. — — — Cl. Cl. mein Cl. schreib mir so was nicht wieder. Ich kann das nicht aushalten. Diese Nacht hatte ich Deine lezten beiden Briefe mit zu Bette genommen. Und diesem [!] Morgen fand ich sie warm, warm und las sie wieder. Dazu hatte ich meine zwo kleinen Locken von Dir bey mir. Was denkst bey dem allen? Ich schlief vor Entzückung ein. Es mag Dir diess so wunderbar ankommen, als es will, genug, ich schlief vor Entzückung ein, und träumte von Dir. — Du erlaubst mir doch einmal ohne alle Verbindung zu schreiben? So bald ich diesen Brief geschrieben habe, gehe ich hin, Cramers[2]) kleinen Jungen mit Küssen zu ersticken. — Ich habe nichts dawieder, dass Du mir Kleinigkeiten schreibst, (wenn ich es anders so genannt habe) meine Empfindung warum ich irgend so etwas gesagt habe, ist nur gewesen, dass mir es nah gieng, dass Du durch Erzählung solcher Sachen von neuem unruhig werden könntest; und das wollte ich nicht. Sonst sind mir Deine Erzählungen unaussprechlich süss. Denn Du liebst mich ja darinn so sehr. Schreib mir also, was Du nur immer willst. — Meine Aeltern sind ganz voll Freude über Dich. Sie haben mir so viel von Dir gesagt, dass ich nicht weis, was ich wählen soll, Dir es zu schreiben. Meine Mutter sieht mich mit ihren denkenden frohen Augen an, und fragt mich, wem Du denn ähnlich sähst? und wem Du ähnlich wärst? Ich sage Niemand. Denn Du 3 wärst *vnique*, so wie ichs auch | ein bischen wäre. Wenn Du ein Junge wärst, so würdest Du ich seyn; und wenn ich ein Mädchen wäre, so würde ich Du seyn. — Mein Vater will gern alle die Freude, die er über Dich hat, in Einen Punkt zusammen fassen,

---

1) Ein unleserlicher Eigenname (Hellken?).

2) Johann Andreas Cramer, von 1750 bis 1754 Oberhofprediger in Quedlinburg.

und fragt daher: Ob die Religion Deine erste, Deine Hauptglük-seligkeit sey? Ich antworte ihm: Du empfändest den Mess.[ias], wie ich ihn empfinde. Und dann will er nichts mehr wissen. Meine Schwestern fragen mich mit Mädchenneugierigkeit tausend Sachen von Dir. Und ich mögte Dich dann todt in meinen Armen drücken, und antworte ihnen nur diess und jenes. — — — — O komm wieder! Komm wieder! sagst Du. Ich war recht ungeduldig darauf, dass Du dieses sagen solltest. Ja, Clärchen, ja! ich komme, ich eile schon, zu kommen! Es ist recht gut, dass izt nicht der Augenblik ist, da ich wieder komme. Denn Du wärst recht im Ernste in der Gefahr, dass ich Dich todt drükte. — — Wieder etwas ohne Verbindung — — „Was macht denn das kleine Mädchen?“ Du sollst mir es umständlich sagen, was es macht? — Ich soll, wenn ich kann (Du kleiner Affe!) unserm ganzen Tage nach denken, und ihn mit Dir fühlen — Weist Du noch wohl, was Du den Abend, da die Königinn gekommen war, nicht lange vor meinem Weggehen, zu mir sagtest? Weist Du das noch wohl? Mein M. Mein M! sagtest Du. Und ich, was empfand ich dabey! Doch dazu hast Du keine Empfindung, mir das nachzuempfinden. — Wenn noch Rosen wären, wollte ich die Buchstaben Deiner Ode[1]) mit Rosenblättern auf Papier kleben, und Dir sie so bringen. Noch Eine, mein kleiner Abgott, noch Eine! [so!] — — — „Das Schlummern in Gis.[ekes] Lehnstuhle hättest Du gar zu gern gesehen.“ Aber Du hättest mich doch auch aufgewekt? Grüss unsre liebe liebe Schmidten von mir. Mit meinem halben Mädchenherzen bin ich Ihr gut und das ist entsezlich viel. Sie soll Hr. Schmidt von mir grüssen. Grüss Du auch die D ... von mir. Mit der nächsten Post schreibe ich gewiss an diese. Du weist es wohl! Dein, Dein, Dein

Clärchen Klopstock.

Höre, Mädchen, unterschreib Dich Cl. Kl.

[Ein Quartbogen.]

---

1) „An Meta“, zuerst gedruckt in den Züricher Freymüth. Nachr. 1760 S. 210 ff.

Herder als Mitarbeiter an der Allgem. Deutschen Bibliothek.

Von

OTTO HOFFMANN.

I. In Riga.

Als Nicolai am 26. December 1766 vom „Verfasser der Fragmente", den er vier Wochen vorher um Recensionen für die Allgemeine Deutsche Bibliothek gebeten hatte, eine Zusage „als das angenehmste Weihnachtsgeschenk" erhielt, war des 4. Bandes 2. Stück der A. D. B. bereits in den Händen des Druckers. Herder hatte die bis dahin erschienenen Stücke fleissig gelesen[1]) und mochte sich nicht wenig geschmeichelt fühlen, in einen Kreis von Mitarbeitern einzutreten, von denen ihm der hinter dem Zeichen 𝕭 versteckte Resewitz besonders gefiel. Hatte doch dieser 𝕭-Recensent Abbts Buch vom Verdienste ausführlich besprochen in der A. D. B. II 1, 41, über welches er selber ein halbes Jahr früher in den Königsb. Gel. u. Polit. Zeitungen eine Recension veröffentlicht hatte (abgedruckt bei Suphan 1, 79).

Nicolais Hoffnung, von Herdern „jährlich 6 oder 8 Recensionen" zu erhalten, gieng freilich, so lang dieser in Riga weilte, nicht in Erfüllung. Erst in Bückeburg entwickelte Herder eine regere Theilnahme für Nicolai, dem er dann im Sommer 1774 fast plötzlich einen Absagebrief zu schicken sich gezwungen sah, durch welchen die allmählich zunehmende Entfremdung beider Männer besiegelt wurde. Zwar hat Herder innerhalb zweier Perioden, aus Riga 1767—69 und aus Bückeburg 1771—74, ungefähr 30 Recensionen an Nicolai eingeschickt, aber er hat dem vielgeplagten Manne fast ebenso

---

1) Vgl. die „Notiz zu Herder" oben S. 223, in deren erster Zeile statt VI, 37 zu lesen ist: V 1, 37.

viele abgeschlagen. Ja, wenn man die langen Fristen sieht, die sich Herder vom Empfange der Bücher bis zur Ablieferung der Recensionen gestattet, so weiss man nicht, ob Nicolais Ausdauer im abwarten, das er von Zeit zu Zeit durch „flehentliches bitten" unterbricht, oder Herders Langmuth, mit der er die wiederholten Bemängelungen seines Stils hinnimmt, grösser war. Die beiden Männer „umarmen sich" bisweilen, wie das damals üblich war, am Schlusse ihrer Briefe, aber ein wahres Freundschaftsverhältniss hat nie zwischen ihnen bestanden.

Dreissig Jahre nach diesem Bruch erhielt Nicolai folgenden schwarzgesiegelten Brief:

Hochachtungswürdiger.

Ich darf den vieljährigen treuen Freund meines seel. Mannes und der meinige, Herr Johannes Müller, mit einer angelegendsten Bitte an Sie senden, in dem vollen Vertrauen, dass Sie die erneuerten guten Gesinnungen gegen den Seeligen, von Ihrem letzten Besuche an, bei welchem auch ich die Ehre hatte gegenwärtig zu seyn, bis jetzt werden erhalten haben.

Unser Freund Müller wird Sie um des Seligen Briefe an Sie, von deren Anwendung er Ihnen Rechenschaft geben wird, und um die gefällige Anzeige der Recensionen, die er in frühern Zeit für die allgemeine Deutsche Bibliothek für Sie geliefert hat, ergebenst bitten. O versagen Sie ihm und mir unsre Bitte nicht. Unendlich werden Sie mich und meine Kinder durch gütige Erfüllung derselben verbinden, so wie Sie zu der Vervollkommung der Herausgabe der Herderschen Schriften dadurch beitragen, welches Ihnen nicht gleichgültig seyn wird, da Sie selbst an Verbreitung von Licht und Wahrheit im Reich der Wissenschaften so thätig Theil nehmen.

Nehmen Sie Theil an meinem und meiner Kinder unersetzlichen Verlust, und gedenken des Mannes freundlich, dessen Freund Sie einst waren, der Ihre Verdienste nicht verkannte, sondern mit Hochachtung an Sie dachte.

Ich empfehle mich Ihrer Güte angelegendlich.

Weimar den 5. Febr. 1804.   Carolina Herder.

Fünf Wochen später hatte Carolina das gewünschte in Händen: ihres Gatten Originalbriefe, wie sie Nicolai „schon früher hatte einheften lassen", und ein „beigelegtes Blatt, welche Recensionen von dem Seligen sind".

Vierzig weitere Jahre vergiengen, da zog Herders Sohn
Emil Gottfried in dem „Lebensbilde" seines Vaters (1846)
die erste, in Riga entstandene Serie jener Recensionen, welche
also fast achtzig Jahre lang in der A. D. B. begraben gelegen hatten, ans Licht. Er that dies offenbar mit Hilfe jenes
„beigelegten Blattes", denn das kurz vorher von Nicolais Enkel
Gustav Parthey veröffentlichte „Mitarbeiterverzeichniss" (1842)
scheint Gottfried Herder nicht gekannt zu haben. Er erwähnt
es nicht in der Vorrede zum „Lebensbilde" I, 3; auch hält er
Nicolai für den Recensenten der Kritischen Wälder (A. D. B.
Anhang zu Bd. XII S. 983), während, nach Parthey, Mutzenbecher diese Recension geschrieben hat.

Nachdem nun Bernhard Suphan in uneigennütziger
Weise Herders handschriftlichen Nachlass der Forschung erschlossen hat, und auch Nicolais Originalbriefwechsel seit
kurzem für jedermann zugänglich gemacht ist, lässt sich die
Frage, welche Recensionen Herder für die A. D. B. wirklich
geliefert hat, ungleich sicherer beantworten, als dies bisher
möglich war. Die im „Lebensbilde" abgedruckten Briefe nämlich sind nicht frei von Fehlern, besonders in den Daten; und
Düntzers Abdruck des Briefwechsels zwischen Herder und
Nicolai ist nicht von den Originalen genommen (vgl. Von u.
an Herder I, 313 Anmerk.). Der Dank, welchen das Lese-
publicum den Herausgebern dieser Briefe schon vor 25 Jahren
schuldete, mag bestehen bleiben; die Forschung aber muss
auf die Originalbriefe zurückgehen, da fünf Briefe bei Düntzer
überhaupt fehlen und in den übrigen ungefähr ein Dutzend
Lücken und etwa 250 Varianten zu verzeichnen sind.

Zunächst soll untersucht werden, ob Herder aus Riga
nur die 13 Recensionen an Nicolai eingeschickt hat, welche
Suphan im vierten Bande seiner Herder-Ausgabe bringt. Es
finden sich nämlich in der A. D. B. mit Herders damaligem
Zeichen Y einige „Kurze Nachrichten" über musicalische Werke
(X 1, 241—246; X 2, 242; XI 2, 259; XII 1, 293) und ebenfalls in den Kurzen Nachrichten „drei schönwissenschaftliche
Werke" recensiert, deren Zeichen auf Herder hinweisen. Es
würde sich, falls diese Sachen „Herderisch" sind, sein Antheil
aus der Rigaer Zeit um ungefähr 22 Druckseiten vermehren.

Innere Wahrscheinlichkeiten und stilistische Gründe bleiben
bei unsrer Untersuchung zunächst unberücksichtigt, da das
sogenannte „erkennen" bekanntlich leicht auf Abwege führt.
Ein Zeugenverhör soll hier vorgenommen werden, nach
dessen Beendigung die Leser gleichsam als Geschworene und
schliesslich als der allein dazu berufene Bernhard Suphan als
Richter entscheiden mögen.

Erster Zeuge: Gustav Partheys „Die Mitarbeiter an
Fr. Nicolais Allg. D. Bibl. nach ihren Namen und Zeichen in
zwei Registern geordnet. Berlin 1842." Es war ein überaus
mühseliger und beschwerlicher Weg, der mich zu dem Ergebniss führte: dieses Nachschlagebüchlein ist mit grosser Vorsicht zu gebrauchen; die zwei Register widersprechen sich
bisweilen selbst, und wenn man die auf jeden Mitarbeiter ent-
fallenden Recensionen übersichtlich zusammenstellt, wie ich
es mit den ersten 24 Bänden gethan habe, so bleibt bei jedem
Bande vielleicht ein Dutzend Recensionen übrig (häufig weit
mehr), deren Verfasser unfindbar bleiben, entweder weil sie
überhaupt kein Zeichen haben (und in diesem Falle ist Parthey
unschuldig); oder sie haben ein Zeichen, über das Parthey
keinen Aufschluss gibt. In letzterem Falle ist er durchaus
nicht zu entschuldigen.

„Die beiden Register", sagt Parthey in seiner Vorrede,
die übrigens allein sein Werk ist[1]), „fanden sich nicht so,
wie sie hier im Drucke vorliegen, in Nicolais Nachlasse."
Glücklicher Weise ist uns auch dieses Manuscript erhalten,
und da will ich denn beispielsweise aus den Bänden X—XII
einige Zeichen deuten, nach denen man im „gedruckten Parthey"
vergeblich sucht. X 1, 283: Bl. bedeutet v. Knobloch; XI
2, 69 u. 105, XII 1, 34 u. Anhang 937: Pr. bedeutet Eschenburg; XI 2, 226 D* u. 227, 239 H* bedeutet Hensler, 364
Sh* Springer, XII 1, 152 Hch ist Heyne, XII 2, 43 Kg ist
Iselin, Anhang zu XII 373 Gb ist Thierbach, 869 Ag ist
wiederum Springer, u. s. w. Wären unter diesen Recensionen
nicht einige sehr interessante, z. B. über Lessings Laokoon

---

1) Herrn Dr. Jonas in Berlin verdanke ich die von Parthey eigenhändig gemachte Notiz, dass ein Lehrer Wetzel die Register zusammengestellt habe.

und antiquar. Briefe, über **Abbts** Verm. Werke, über Klotzii
Tyrtaeus, und die 16 enggedruckte Seiten lange über Nouveaux
Principes de la langue allemande par **Junker** 1768 von
Eschenburg, ich würde mir nicht erlaubt haben, Partheys
Mängel aufzudecken. Aber Parthey hat auch mehr Druckfehler, als er „trotz aller Sorgfalt" zu haben glaubt. Z. B. ist
Seite 2 neben Agrikola das 𝔜 in der Spalte Bd. 7—12 ein Irrthum; es muss 𝔛 heissen, wie durch S. 52 bestätigt wird, wo
neben 𝔛 richtig Agrikola steht, der, wie wir nachher sehen
werden, ein treuer und Jahrelang der einzige Musikrecensent
war. Der S. 52 neben 𝔜 stehende **Hensler**, Leibarzt in Altona,
hat niemals musicalische Recensionen geliefert, wie aus seinen
ungedruckten Briefen an Nicolai hervorgeht. Ferner sind bei
Parthey S. 50 neben dem Zeichen 𝔅𝔟 die Namen **Reichard**
und **Beckmann** umzustellen; denn ersterer war, als die Bände
13—18 erschienen, erst 15 Jahre alt und hat in der That
erst vom 32. Bande ab, nachdem er 21 Jahre alt geworden
war, seine bekannte Zwitterthätigkeit als Componist und Schriftsteller begonnen. So muss denn auch S. 2 neben Beckmann
das Zeichen 𝔅𝔟 in die frühere Spalte (Bd. 13—18) gerückt
werden und S. 22 neben Reichard das Zeichen 𝔅𝔟 in die
spätere Spalte (Bd. 19—36). Ueberhaupt überträgt sich ein
Fehler bei Parthey jedesmal aus einem Register in das andre,
und ich würde die Odysseus-Fahrt zwischen Scylla und Charybdis noch weiter fortsetzen, wenn ich nicht jetzt die Verpflichtung hätte, ein warnendes Beispiel beizubringen, dass man
nun nicht gleich glaube, man sei, nachdem einige Unzuver-
lässigkeiten im „Mitarbeiterverzeichniss" aufgedeckt sind, auf
das sogenannte „erkennen" der Recensionen angewiesen.

Aus dem Briefwechsel Nicolai-Herder geht hervor, dass
Herder **Lessings** antiquarische Briefe und eines ungenannten
„Sammlung romantischer Briefe, 1768" recensieren sollte. Nun
stehen im Anhang zu Bd. XII diese Bücher recensiort S. 364
und S. 865, aber mit Zeichen, über die Parthey keinen Aufschluss gibt. Ueber die „Romantischen Briefe" schreibt Herder
(Lb. I 2, 426): „Ich habe grosse Ideen in ihnen gefunden,
tief aus der menschlichen Seele geschöpft, und zur Erziehung
sein selbst, ungemein bildsam. Der Verfasser muss ein sehr

intuitiver Kopf sein, der Menschenseelen fast bis auf ihr meta-
physisches Gebäude, und noch mit Intuition kennt." Vergleicht
man hiermit eine Stelle aus der Recension: „Der Verf. hat
Kenntniss des menschlichen Herzens, Anlage zu einem philosophischen Kopfe, und vornehmlich viel Empfindung", so liegt
die Versuchung nahe, diese nach Parthey herrenlose Recension
Herdern zuzuschreiben. Mag sie für uns herrenlos bleiben,
vielleicht hätte sie Parthey vor 45 Jahren noch festnageln
können, als das Manuscripten-Volumen an den unteren Rändern noch nicht so abgegriffen war, als es jetzt ist. Das Zeichen
£o z. B., dessen Feststellung wegen der Recensionen X 2, 231,
XI 1, 133 u. 273, XI 2, 301 und Anhang zu XII 173 sehr
wünschenswerth wäre, ist leider fast ganz abgegriffen, der
Recensent also nicht mehr festzustellen; und so mag denn
auch der To-Recensent unter den „Romantischen Briefen" in
Dunkel gehüllt bleiben. Den Gb-Recensenten der „Antiquarischen Briefe" haben wir oben schon festgestellt.

Wenn wir uns jetzt den ersten 36 Bänden der A. D. B.
zuwenden, in denen allein Herdersche Recensionen zu suchen
sind, so ist zunächst die grosse Sorgfalt hervorzuheben, mit
welcher die Druckfehlerverzeichnisse, die oft noch 3—6 Bände
später erscheinen, geführt sind. Nicolai geht darin so weit,
dass er sogar die Zeichen der Recensenten, falls sie verdruckt
waren, gewissenhaft berichtigt, obwol doch seine Leser nichts
davon hatten: ihnen blieben diese Zeichen nach wie vor räthselhaft. So müssen wir uns denn wegen der musicalischen Recensionen durch ein Labyrinth von Druckfehlern hindurch
arbeiten, die Nicolais eigenthümliche Schreibung der Buchstaben X und Y verschuldet hat. Ich bin nun zu der Ueberzeugung gekommen, dass ausser den mit X gezeichneten Musikrecensionen auch die mit Y unterzeichneten von Agrikola
stammen, also die Recensionen VII 2, 119, VIII 1, 272, VIII
2, 284, IX 2, 240—244, X 1, 169, X 2, 189, XI 1, 261, XII
2, 296 und Anhang zu XII S. 678. Dagegen können die in
denselben Bänden VII—XII stehenden Musikrecensionen, welche
mit Y gezeichnet sind, auf keinen Fall von Agrikola geliefert
sein, weil ein und dasselbe Musikstück, nämlich die Bachsche
Cantate „Phillis und Thirsis 1766", innerhalb eines Viertel-

jahres zweimal recensiert ist (IX 2, 241 und X 1, 241). Selbst
wenn man dem Capellmeister Agrikola ein so kurzes Gedächtniss zutrauen wollte, dass er diesen Irrthum begehen konnte,
so müsste noch bewiesen werden, dass er sogar noch das
Zeichen Y geführt hat, das doch in den Druckfehlerverzeich-
nissen sorgfältig von 𝔜 unterschieden wird. Bis zum 12. Bande
ist nun ausser Agrikola durchaus kein Musikrecensent ausfindig
zu machen. Wer hat also diese Y-Musikrecensionen geliefert?
Offenbar derselbe Mitarbeiter, der in diesen Bänden 7—12
überhaupt das Zeichen Y führt, und das ist Herder. Erwähnt
er doch die Bachsche Cantate „Phillis und Thirsis" in seiner
Schlegel-Recension (Suphan 4, 238), also zu einer Zeit, wo
dieses Musikstück eben erst erschienen war. „Sollte Ihr Genie
zur Musik für Riga nicht brauchbarer sein als Ihre archäo-
logische Muse?" schreibt Hamann an ihn (Lb. I 2, 33) im
Mai 1765, und ein Jahr später (Lb. I 2, 137) macht Herder
auf dem „höckerichten Wege zwischen Mietau und Riga in
der Kibitka Triller, Bebungen und Kontrapunkte, Schleifungen
und Sprünge und singt ein Dutzend Gassenlieder kläglich ab".
Das Kukuksliedchen findet er von Hr. Händel allerliebst gesetzt (Lb. III 1, 230), und so lassen sich noch manche Stellen
aus seinen Briefen und Werken anführen, die für seine musicalische Begabung und feines Verständniss für Musik sprechen
(vgl. Lb. I 2, 194, Döring, Herders Leben S. 135 und R. Haym,
Herder I 76: „Hartknoch probirte ihm zu Liebe neue Musikalien auf dem Klavier", und 102 „Die Musik spielte in Riga
eine wichtige Rolle u. s. w.").

Aber wir wollten ja bei unsrer Beweisführung alle sogenannten inneren Wahrscheinlichkeiten beiseite lassen und
wenden uns deshalb zu dem zweiten Zeugen, dem Briefwechsel
zwischen Herder und Nicolai.

Dieser Zeuge (man findet seines gleichen häufig im Ge-
richtssaal) gibt auf direct an ihn gerichtete Fragen überhaupt
keine Antwort: er hüllt sich dann in ein finsteres Schweigen
oder drückt sich zweideutig und doppelsinnig aus. Man muss
ihn also in ein Kreuzverhör nehmen. Da stellt sich denn
heraus, dass der Briefwechsel von dieser Sache überhaupt
nichts zu wissen braucht, ja vielleicht sogar nichts wissen

kann. Die Einsendung der musicalischen Recensionen von
Seiten Herders, wenn er sie überhaupt geliefert hat, beginnt
frühestens im December 1768 oder sie fällt, was viel wahrscheinlicher ist, in den Sommer 1769, d. h. in die Zeit seiner
Flucht aus Riga, so dass die Recensionen sammt den Büchern
und Scripturen, die er sonst noch an Nicolai abzuliefern verpflichtet war, durch den Buchhändler Hartknoch nach Berlin
gelangten. Herders letzter Brief aus Riga kam am 10. April
1769 in Berlin an, durch Hartknochs Diener Steidel überbracht;
den weiteren Verkehr mit Nicolai sollte vorläufig Hartknoch
übernehmen (vgl. Herders Brief an Hartknoch Lb. II 13).
Will man Herders Worte in dem Briefe vom 21. Nov. 1768:
„Sie bekommen hier wieder einen kahlen Beitrag zu Ihrer
Bibl., der Ihnen nicht helfen, und wie ich hoffe, auch nicht
schaden kann, indessen wird er mit unterlaufen" (Lb. I 2, 373),
auch schon auf die Musicalien beziehen, so habe ich nichts
dagegen; ich selbst deute sie anders.

Abgesehen von Herders Y sind also die äusseren Zeugnisse für die Echtheit dieser Musikrecensionen sehr dürftig[1]);
dagegen sprechen triftige innere Gründe dafür, dass sie von
Herder stammen; über stilistisches wage ich nicht zu entscheiden, das mögen berufene Herder-Kenner thun. Mir lag
nur die Pflicht ob, meinen Fund ans Licht zu ziehen. Ist's
schliesslich ein Wechselbalg, so mag er in den Schoss der
Allgemeinen Deutschen Bibliothek zurückwandern.

Die drei schönwissenschaftlichen Recensionen, deren Zeichen auf Herder hinweisen, sind folgende:

A. D. B. XI 2, 333 Petri Lambecii ... de augustissima biblio-
    theca ... 1766 mit dem Zeichen Y.

XII 2, 282 Poetische Werke von Dusch. 3. Thl. 1767
    mit den Zeichen Y. G.

Anhang zu I—XII S. 331 Demosthenes für die Krone und
    Lysias Trauerlobrede 1768 mit den Zeichen A. Y.

---

1) Die Vermuthung, ob nicht vielleicht ein und dasselbe Zeichen,
je nach dem Fache der Recensenten, dennoch zweierlei Personen bezeichnen könne, bleibt bei den ersten 24 Bänden entschieden ausgeschlossen. Ich urtheile nur, soweit meine gründliche Erfahrung reicht.

Was zunächst die Doppelzeichen unter den beiden letzten Recensionen anbetrifft, so finden sich solche gleichsam Zwillingsrecensenten in den ersten zwölf Bänden nebst Anhang 22 mal, nämlich

II 1, 210 O. L. Grillo-Heyne.

III 2, 82 u. V 1, 64 S. T. v. Moser-Zimmermann.

V 2, 256 u. VI 1, 272 L. R. Heyne-Schröckh.

VI 1, 103 J. B. Kästner-Resewitz.

VII 2, 99 A. D. Wehrmann-Ehlers.

IX 2, 88 T. B. Ebeling-Lichtenberg in Gotha.

X 2, 8 Fr. R. Teller-Eschenburg.

X 2, 66 St. B. Richter-v. Wöllner.

XI 1, 59 H. D. Musäus-Buschmann.

XI 1, 253 D. H. Buschmann-Musäus in Weimar.

XI 1, 112 D. S. Buschmann-Nicolai.

XI 1, 318 A. G. Wehrmann-Nicolai.

XI 2, 22 Q. S. Mendelssohn-Nicolai.

XII 1, 403 H. Sch. Musäus-Feder.

XII 2, 276 L. F. * Murray-Nicolai.

XII 2, 284 Y. G. Herder-Nicolai.

Anhang S. 337 A. Y. Wehrmann-Herder.

Anhang S. 411 Dl. E.* Gatterer-Hensler.

Anhang S. 901 Bl. H.* Schmid-Nicolai.

Anhang S. 902 D. H. Buschmann-Musäus.

Auffallend ist zunächst das häufigerwerden solcher „Kritischer Picknicks" (an Herder Lb. I 2, 224) gegen das Jahr 1770 hin, d. h. also in der Zeit, wo, wie wir gleich sehen werden, Nicolai auf einen gewissen Abschluss hindrängte.

Sie finden sich dann vereinzelt auch in den späteren Bänden und werfen auf Nicolais Thätigkeit als Chefredacteur ein eigenthümliches Licht, worüber man v. Göckingk,. Fr. Nicolais Leben und liter. Nachlass, 1820, S. 36 ff. vergleichen mag.

Haben wir nun ausser dem „Mitarbeiterverzeichniss" noch einen Zeugen, dass die genannten drei Recensionen ganz oder theilweise Herderisch sind? Allerdings, wenn auch seine Zeugenaussage höchst lakonisch, ja sogar räthselhaft klingt.

Die Sache liegt so. Nicolai machte sich auf Herders Briefen Notizen über das Datum, wann er sie empfangen und beantwortet hatte. Ausserdem aber schrieb er sofort beim lesen an den Rändern oben, unten und zur Seite kurze Bemerkungen hin, die ihm nachher bei der Beantwortung zu Hilfe kamen. Da steht denn nun auf Herders undatiertem Brief (es ist sein letzter aus Riga), der im „Lebensbild" I 2, 424 abgedruckt ist, an drei Rändern folgendes notiert, das ich der Uebersichtlichkeit wegen numerieren will: „1. Romant. Briefe recens. 2. Gesang Rhingulphs von dem Moses nicht viel hält. 3. Der Tacitus Magdeburg [durchstrichen]. 4. Dusch ist böse geworden über s. Recens. 5. Demosthenes und Lambec. waren ihm nicht zuge— [unleserlich]." Herder hatte seinem Briefe, den übrigens Steidel nach Berlin mitbrachte, die drei Recensionen beigelegt, welche bei Suphan 4, 320—336 abgedruckt sind. Einem aufmerksamen Leser der beiden Antworten Nicolais (es sind die Nrn. 124 und 127 im Lb. I 2) wird nicht entgehen, wie die Randbemerkungen 1—3 verwerthet sind und weshalb die Randbemerkung Nr. 4 unberücksichtigt blieb. Nicolai nämlich hatte allen Grund, in dieser Zeit der Klotzischen Händel Herdern nicht noch mehr zu reizen durch die Mittheilung, dass auch Dusch böse geworden sei. Man lese Herders erste Dusch-Recension, die eben erschienen war (Suphan 4, 278—291), und man wird Nicolais Klugheit billigen, dass er vorläufig schwieg. Als dann Herder vor seinem Abgange aus Riga die noch restierende Recension von Dusch' poetischen Werken einsandte und nun auf einige Jahre in der Fremde war, da stutzte Nicolai Herders Recension so zurecht, dass sich Dusch, der seine Thätigkeit für die Allg. D. Bibl. sofort abbrach, wieder geschmeichelt fühlen konnte. Diese Y. G.-Recension ist ein curioses Gemisch von Lob und Tadel, und es wird sehr schwer sein, denselben Versuch, welchen Suphan mit der Ramler-Recension gemacht hat (Suphan 4, Vorrede XII und S. 261—271), hier zu wiederholen.

Nicolais Randbemerkung Nr. 5 erledigt sich folgendermassen. „Der gegründetste Vorwurf", sagt er selbst (Lb. I 2, 442), „den man bisher der A. D. Bibl. gemacht hat, ist der, dass die Bücher allzu spät recensiert werden; zu diesem Behufe suche ich alle Kräfte anzuspannen, dass die allzu alten Bücher,

die noch fehlen, bald recensiert werden." So legt er denn
seinem Briefe einen Zettel mit neun Titeln von Büchern bei, auf
„deren Recension er sich verlässt". Es ist mir nun ganz unzweifelhaft, dass auf diesem Zettel auch „Lambec. und Demosthenes" gestanden haben. Man höre den Anfang der Lambecius-
Recension: „Wir holen in diesem Buche einen beträchtlichen
Beitrag zur gelehrten Geschichte Deutschlands nach u. s. w.",
und nun folgt zwei Seiten lang eine Besprechung, wie sie ein
Bibliothecar (denn auch solche Stelle bekleidete Herder in Riga,
Lb. I 2, 486) nur zu leisten vermag.

Dass die Demosthenes-Recension zwei Verfasser gefunden
hat, ist darum sehr natürlich, weil diese Seilersche Übersetzung
zwei Reden enthält. Die „Für die Krone" wäre dann von
Wehrmann und „Lysias Trauerlobrede" von Herder recensiert.
Oder aber Herder hat bei seiner plötzlichen Abfahrt über
beide Reden einen Recensionsentwurf zurückgelassen (s. die
Briefe Nr. 134. 138 im Lb. II), der dann von Wehrmann über-
arbeitet worden ist. Ich hebe noch einmal hervor, dass diese
Recension im Anhange zu den ersten zwölf Bänden steht,
dessen Vorrede also beginnt: „Endlich kann ich den Lesern
den Anhang vorlegen, der die noch fehlenden Anzeigen von
1764 bis 1768 enthält. Ich hoffe, dass nunmehr kein wichtiges, in diesen Zeitraum fallendes Buch werde ausgelassen
seyn, obgleich freylich manche minder wichtige Schriften noch
fehlen könnten; u. s. w. Berlin den 4. Januar 1771."

Wo war denn Herder, dass sich Nicolai solche Bearbeitungen seiner Recensionen erlauben durfte? Seit Juni 1769
auf Reisen zu Wasser und zu Lande! Bis zum Mai 1771, also
volle zwei Jahre hindurch, wechseln die beiden Männer, die
sich bisher 19 Briefe geschrieben hatten, deren nur vier, Herder
schreibt ein Mal aus Nantes, ein zweites Mal aus Paris, Nicolai
die Briefe S. 98 und S. 144 im Lb. II. „Schaamroth bis in das
Innerste meiner Seele", so beginnt der Brief aus Nantes, „nehme
ich jetzt und hier die Feder, um an Sie zu schreiben, und um
mich über tausenderlei Sachen zu entschuldigen, die mich
wahrhaftig stumm machen." Was Herdern stumm machte, ist
die hübsche Zahl von Recensionen, die Nicolai noch von ihm
zu erwarten hatte. Als nun die Zeit drängte, wo die ersten

zwölf Bände abgeschlossen werden mussten, da sah er sich
nach anderen Recensenten um. Hier ist das Verzeichniss der
von Herder abgelehnten und auf andere Recensenten übergegangenen Bücher.

1. Willamov, Dialogische Fabeln. Berlin 1765. Den
Auftrag zur Recension erhielt Herder am 30. December 1766.
Noch am 26. April 1767 erhielt Nicolai eine vertröstende
Antwort. Das Büchlein blieb unrecensiert.

2. Neander, Geistliche Lieder. Riga 1766. Herder wollte
„unaufgefordert eine Recension liefern, wozu er ein Recht
hatte“ (Lb. I 2, 229). Sie stehen recensiert XII 1, 205 in zweiter
Ausgabe 1768, von einem Herrn v. Teubern, Geh. Ref. in Dresden, der schon vor Herder Mitarbeiter war.

3. Bodmers Noachide, 12 Gesänge. Den Auftrag erhielt
Herder im Mai 1767; im December verbittet er sie sich, im
Februar 1768 bittet Nicolai „flehentlich um kurze Nachricht
von der Noachide“; im April 1768 „könne sich Nicolai“, schreibt
Herder, „auf die Noachide verlassen“. Ein ganzes Jahr später
bittet Nicolai: „Schlagen Sie mir die Bodmerischen Schriften
nicht ab.“ Wiederum ein ganzes Jahr später, im August aus
Nantes, schreibt Herder: „Die Noachide hat schon so lange
gewartet und kann noch länger warten.“ Ihre zweite Auflage,
Zürich 1772, wird dann von Biester recensiert im Anhang zu
Band 13—24, S. 1161.

4. Calliope von Bodmern. Zürich 1767. Erster Band.
(Inhalt: Die Sündflut. Jakob. Rahel. Joseph. Jakobs Wiederkunft. Dina. Colombona. Zweiter Band: Die geraubte Helena
von Coluthus. Die geraubte Europa von Moschus und desgl.
von Nonnus. Der Parcival von Eschilbach[1]). Zilla. Die sechs
ersten Gesänge der Ilias. Die Rache der Schwester; aus dem
13. Jahrhundert. Inkel und Yariko. Monima. Alles zusammen
508 Seiten in Hexametern, mit einer mhd. Sprachprobe aus
Parcival.) Herder nennt sie die „monströse“, sie theilt das
Schicksal der Noachide, schliesslich „mag sie heirathen, wer
da will“, schreibt er aus Nantes. Es fand sich aber kein Hei-
ratscandidat, sie blieb unrecensiert.

---

[1] So nennt ihn auch Jördens 1806.

5. **Sallust, übs. v. Abbt** 1767. Den Auftrag erhielt
Herder am 2. Mai 1767; im Februar 1769 erklärt er, er habe
die Recension abgelehnt; im Juli 1769 wünscht Nicolai „insbesondere Abbts Sallustius" zu erhalten. Eine Recension steht
im Anhange S. 721 von Wehrmann, dem Mitrecensenten der
Demosthenes-Recension.

6. **Abbts Fragment** der ältesten Begebenheiten des menschlichen Geschlechts. Mit einer Vorrede herausgegeben von
D. Johann Peter Miller. 1767. 264 S. in gr. 8⁰ nebst 3 Bogen
Vorrede. — Im Juli 1767 erhielt Herder den Auftrag; im
Juli 1769 wünscht Nicolai „besonders Abbts Fragmente". Aus
Nantes bittet Herder, „die Fragmente einem andern zu überlassen; im Nothfall könnte man indessen eine Zeit vorübergehen lassen, da alles noch gegen Abbt bellet, um alsdann
zu reden". Die Recension, wahrscheinlich von Gatterer, steht
im Anhang S. 765.

7. Ob unter den **Abbtischen** Schriften, von denen Nicolai wiederholt spricht, auch noch die „Gedanken von der
Einrichtung der ersten Studien eines jungen Herrn von Stande
u. s. w. 1767" zu verstehen seien, mag dahingestellt bleiben.
Recensiert ist dies Buch von Iselin XII 1, 73. Oder sollte
Nicolai „Abbts Vermischte Werke (1. Thl. vom Verdienste)
1768" meinen, so steht eine ausführliche Recension gleichfalls
von Iselin in XII 2, 33.

8. **Lessings Lustspiele** 1767. Den Auftrag erhält Herder im Juli 1767; im December verbittet er sie sich, weil „sie
einen Recensenten wollen, der des Theaters kundiger sey".
Nicolai will sie ihm dann „allenfalls erlassen". Schliesslich
werden sie von Buschmann recensiert XI 1, 247.

9. **Heinze, Ciceros Reden** übs. 1767. Aus Nantes „bittet"
Herder „im Ernste ihn davon zu erlösen". Recens.: Anhang
zu XII S. 734 von Mutzenbecher.

10. **Versuch einer Übersetzung** einiger Deklamationen des
Quintilians von **J. H. Steffens.** 1766. 25 Bogen. 8⁰ hat
dasselbe Schicksal wie Heinze. S. Anhang zu XII S. 728.
Recens.: Mutzenbecher.

11. **Joh. Pet. Miller,** Anweisung zur Wohlredenheit,
nach den auserlesensten Mustern deutscher und französischer

Redner. Leipzig 1767. Aus Nantes schreibt Herder: „es bleibt mir
aufgehoben"; im Juni 1771 aus Bückeburg: „ist es nicht schon
in besseren Händen?" Die dritte Auflage, Lpz. 1776, steht
recensiert XXXIII 1, 156, wahrscheinlich von dem Prediger
Noodt in Wesenberg. Übrigens sagte Sulzer von diesem Buche,
„es sei eines der besten, dieser Art, die wir haben".

12. Sammlung romantischer Briefe. Erster Theil. 1768.
13 Bogen in klein 8°. — Im April 1769 erhielt Herder den
Auftrag; im Mai erwartet Nicolai „sie sonderlich". In Nantes
will Herder „ihre Geschichte geendigt sehen um ihr Gerechtigkeit widerfahren zu lassen u. s. w.". Im Juni 1771 weiss Herder nicht, „ob sie schon in andern bessern Händen seien". Sie
waren allerdings bereits recensiert (s. Anhang zu XII S. 865)
von einem unbekannten Recensenten mit dem Zeichen To.

13. Lyrische Gedichte von J. C. Blum. 2. Aufl. Riga,
Hartknoch 1769. Aus Nantes schreibt Herder, dass „sie ihm
aufgehoben bleiben". Recensiert werden sie dann von Ebeling XIII 1, 333; ihre dritte Auflage ebenfalls von Ebeling
XVII 1, 202.

14. Der Messias. 3. Bd. Halle 1769. Er war eben auf
der Messe herausgekommen, als Nicolai ihn sofort Herdern
zur Recension empfiehlt; im Juli 1769 wünscht er ihn „besonders bald zu haben". Aus Nantes antwortet Herder: „Ein
solches Werk kann spät beurtheilt werden, als ein einziges
Ewiges in seiner Art." Im Juni 1771 weiss er nicht, „ob
nicht der Messias schon in bessern Händen". Im Juni 1772
lässt Nicolai durch seinen Concipienten Herdern melden: „Die
Recension vom Messias 3. Thl., wofern Ew. Hochw. solche
nicht etwa schon fertig haben, wird nicht nöthig sein, weil
ich sie von einem Andern nächstens erhalte." Er wird von
Engel recensiert XVIII 2, 311, und über den ganzen Messias
schreibt dann Biester im Anhang zu Bd. 13—24 S. 1181 eine
30 enggedruckte Seiten lange, vortreffliche Recension.

15. Youngs Nachtgedanken von Ebert. 4. Bd. 1769.
werden ebenfalls Herdern sofort empfohlen. „Kann spät beurtheilt werden", schreibt er aus Nantes, „denn der ist doch nur
über die Anmerkungen zu richten." Dies besorgt dann Ebeling XV 1, 227, der auch den 5. Bd. recensiert XXI 2, 543.

16. Seybold super Od. Homerica, ebenfalls gleich nach dem erscheinen 1769 Herdern empfohlen. Aus Nantes antwortet er: „Von Seyb. bitte mich im Ernste zu erlösen, eine Schrift, die ich bisher noch nicht kenne." In der A. D. B. XX 1, 256 steht dann eine Recension über ein „Schreiben über den Homer u. s. w. von Seybold, Prof. in Jena 1772", die so beginnt: „Diese Schrift enthält im Grunde wenig eigne Bemerkungen, sondern meistens flüchtig gemachte Anmerkungen aus dem Blair, den Herderischen Schriften, Goguet und andern vom Verfasser genannten und nicht genannten kritischen Arbeiten." Recensent ist der Prediger im Haag und spätere Gen.-Superintendent in Oldenburg Mutzenbecher, dessen Recensionen für Herder-Forscher höchst interessant sind; namentlich die über (Klotzens) „Literarische Briefe an das Publikum" verbreitet über den Streit Klotz-Herder ein helles Licht, XIV 265. Diejenigen, welche sich mit Gleim beschäftigen, erfahren mancherlei aus Mutzenbechers Besprechung der „Anmerkungen über den Anakreon" XVI 142.

Als Herder sich eben in Riga einschiffen wollte, trafen als Honorar 8 alte Louisdor von Nicolai ein. Neunzig Druckseiten hatte Herder bis dahin geliefert, und drei Manuscripte (die zweite Dusch-Recension, Ossian und Ugolino) hatte Nicolai schon in Händen. Ob diese letzteren, welche später 27 Druckseiten gaben, in diese (erste?) Abrechnung mit inbegriffen sind, lässt sich nicht feststellen. Man darf aber nicht übersehen, dass die Herren Recensenten diejenigen Bücher bezahlen mussten, welche sie als Eigenthum zurückbehielten. Die Abrechnungen fanden jährlich im Mai nach der Messe statt, und es ist nicht unmöglich, dass Nicolai ' on in den Jahren 1767 und 1768 mit Herdern abgerechnet hat, dem „die Bedingung des Honorars ganz allein überlassen blieb" (Lb. I 2, 206). Nicolais Contobücher, die ich genau durchgesehen habe, enthalten nur zweimal Honorarzahlungen an Herder, nämlich diese 8 alten Louisdor (= 40 ℛ), und im Sommer 1774 kurz vor dem Bruch 38 Thaler. Nur diese beiden Zahlungen werden auch im Briefwechsel erwähnt; Herder scheint also viele Bücher behalten und auch sonst in Abrechnung über Porto und dgl. mit Nicolai gestanden zu haben.

Wir nähern uns der Zeit, wo Herder mit Goethe in Strassburg zusammentrifft. Werke, die Herder für die Allg. D. Bibl. recensierte oder doch recensieren sollte, beschäftigten auch bald den jungen Goethe. Es sind Sulzers Theorie, die Jägerinn, Blums Lyrische Gedichte, Seybold über Homer, Sulzers Schöne Künste, Die Lieder Sineds des Barden (s. Bernays, D. j. G. II).

Die Recensionen, welche Herder von Bückeburg aus nach Berlin sandte, werden wir künftig feststellen auf Grund der siebzehn Briefe, welche à Monsieur Herder, Conseiller du Consistoire très renommé à Buckebourg, oder auch à Monsieur Herder, Chapelain de S. A. Msgr. le Prince-Evêque d'Eutin gerichtet waren, so wie er früher seine Briefe erhalten hatte unter der Adresse: Monsieur Hærder, Ministre de l'Evangile à Riga, oder Monsieur Herder, Professeur très renommé à Riga, und Homme de lettres à Nantes. Herder selbst schrieb 14 Mal aus Bückeburg an Nicolai. Nicht bloss der Inhalt, auch das Aeussere dieser uns erhaltenen Briefe lässt tief blicken.

Steglitz, März 1887.

Briefe Herders und Wielands.

Mitgetheilt

von

Carl Schüddekopf.

Auf die in diesem Archiv XIII, 498 ff. abgedruckten Briefe
Wielands und Herders an einen gemeinsamen Correspondenten
folgen hier je drei weitere Schreiben derselben an verschiedene
Empfänger, darunter noch ein Brief Wielands an Eschenburg, den mir Herr Dr. Fresenius zur Ergänzung der genannten Publication uneigennützigst überlassen hat. Von diesen
sind die Nummern 3, 5 und 6 derselben Hs. des British
Museums entnommen, aus welcher vier Goethe-Briefe in „Ungedrucktes Zum Druck befördert von A. Cohn" (Berlin 1878.
S. 76 ff.)[1]), ein Brief Lachmanns durch Kluge (Zs. f. d. Phil.
XVIII, 380 f.), drei Briefe J. Grimms durch Stengel (Private
und amtliche Beziehungen der Brüder Grimm zu Hessen, Marburg 1886. II, 164 u. ö.), endlich ein Brief Klopstocks (oben
S. 235 ff.) von mir veröffentlicht worden sind. Nr. 1 und 2

---

1) Nicht eben mit der Sorgfalt, die den nur in 60 Exemplaren ab-
gezogenen Druck auszuzeichnen scheint. So ist in dem Briefe an
Schiller (Cohn S. 76, Briefwechsel⁴ Nr. 974) von einer verletzten Stelle
nichts zu sehen, das Datum „am 20. (21., 22., 23.) December 1804" von
jüngerer Hand beigeschrieben. S. 76 Z. 14 lies: hätt ich — heute, 16
Uber; 77, 2 hievon; Cohn S. 80 ff. (seit 1878 ausgestellt) Z. 19 Wohlgebornen, 20 Veranlassung, 21 nochmals; 81, 2 Anfuge. Zu Nr. 6, 7
(S. 85, 86) hätte bemerkt werden können, dass nur die Unterschrift
eigenhändig, und zu 7 bezeugt ist: „Vorstehende Namensunterschrift ist
Goethe's eigenhändige. Solches bezeuget Fr. W. Riemer D. Geh. Hofrath und Oberbibliothekar." S. 85 Z. 10 lies: folgen autorisirt zurück;
86, 5 das Beste. Ms. Add. 28,961 Fol. 6 enthält auf einem Queroctav-
blatt folgende „Handschrift von Göthe": „Beym Auspacken wohl in Acht
zu nehmen | weil Kleinigkeiten drunter sind. | dass nichts verlohren gehe."

stammen aus anderen Sammlungen des Brit. Mus., Nr. 4 und
c, d der gleich zu erwähnenden Collationen aus einer Autographensammlung der herzogl. Bibl. zu Wolfenbüttel, der sie mit
gütiger Erlaubniss des Herrn Oberbibliothecars v. Heinemann
entnommen werden durften.

Ausser diesen bisher unbekannten Urkunden standen mir
die Originale von fünf bereits gedruckten Briefen Wielands zu
Gebote, deren Abweichungen ich hier verzeichne, soweit sie
nicht lediglich Interpunction, Vertauschung grosser und kleiner
Buchstaben, Ausfall des Umlauts oder Wechsel zwischen i und y,
c, k und ck, s und ss, z und tz, einfachem und Doppelnasal
betreffen:

a) an S. Gessner. Auswahl denkwürdiger Briefe (Wien 1815)
I, 11—17. Original Ms. Add. 28,105 Fol. 29 f. Datum am Schluss.
S. 11 Z. 23 *theurester*, 26 Geschenke; 12, 1 seltnen, 4 weitlauffigen,
6 Manns, 11 unsre [*so immer*], 13 unsern beyden, 14 *tentirt*, 17
unsers, 22 Arbeiten zubringen — etliche, 29 f. Unterschied der
Fortsetzung von dem Anfang gar; 13, 3. f. ohngeachtet der *opposition*
meiner heimlichen Gegner unter unsrer eignen, 7 mir seyn [!] in
denen, 10 alles nicht, 12 von 65, 14 Jahr, 24 eröfnen; 14, 1 Vortheil, 3 giengen, 8 unsrer eignen, 10 unserm, 16 i c h, 20 Seyen,
23 Gleichwohlen, 24 diesem, 27 *Shakespear* [*so immer*], 29 andrer
— Zerstreuungen; 15, 4 dabey habe, 5 nichts, 8 Geschmak, 11 Arbeit sind, 12 leichters, 13 Format, 23 Sinn, 25 Geschmack, 30 ff.
[*am unteren Rande*]; 16, 6 anderm Format, 17 mehrern, 18 diesen,
19 Schikanen, 22 [*für*] den [*zuerst*] die 2 — vom, 23 etwan, 25 vor-
anzusetzen; 17, 1 abhangt, 6 1. Jahr, 8 fehlgeschlagnen, 22 besserm,
23 send' ich, 24 so wie.

b) an Klein. Morgenblatt 1820. Nr. 160. S. 641 f. Nr. 161.
S. 646. Original Ms. Egert. 2407 Fol. 48 f. — S. 641 Sp. 2 Z. 22
theurester; 642, 1, 2 Blat, 5 „(der Brand des Schlosses)" *fehlt*,
7 unsern Prinzen, 36 Mund eines ehmaligen, 38 wenn er, 42 Teutschen [*so immer*], 49 an dasigem; 642, 2, 1 componierte [„*ie*" *immer
in Fremdwörtern*], 17 Schattierungen, 23 schwehren, 33 der Alcesten
hier, 44 verlohren, 49 mitarbeiteten; 646, 1, 33 kömmt es hierbey,
34 Costums, 43 Pak LumpenHunde, 49 wär' es; 646, 2, 2 auf-
munternden.

c) an Merck. Briefe an J. H. Merck (Darmstadt 1835) S.
374 f. Datum am Schluss. 374, 19 dass, 22 soviel mit unserm
ErbPrinz, 25 Erfolg *pp* soviel zu, 26 anders, 28 denn, 29 meinem
schnellsten Briefe; 375, 5 f. reiners, sublimers, simplers, 7 f. noch
irgend einer Zunge, 12 unterm ihm, 14 Ihm mein bester Dank fürs,

19 vorwichenen, 20 [*folgt:*] Wer zum Herr Urian! wird sich aber auch schämen seiner ehleiblichen Hausfrau noch in seinen alten Tagen einen Jungen gemacht zu haben?, 22 ausführt.

d) an Merck. Ebenda S. 400—404. Datum am Schluss. 400, 11 anders, 22 würdest mich; 401, 6 Feinden, 9 eignes, 19 Stokk, 25 Theil, 28 Fürsten; 402, 3 andern, 5 beynah, 17 Briefs, 18 horndumme teutsche, 23 unser, 28 *seccieren*, 31 Amelie; 403, 5 hangt, 11. 21 was, 16 Mine, 20 geschüttelten — wiederfahren; 404, 5 darüber, 11 Tröstlichers, 16 [*folgt:*] Dein getreuer | *Wieland.* | Ich fürchte Du hast seit vielen Monaten, durch meine und meines *Domestici* Nachlässigkeit, keinen Merkur bekommen. Sieh doch gelegentl. nach, wie viele Stücke von diesem Jahr Dir fehlen, damit die Lücke gefüllt werden könne. Künftig solls dann wieder in gehöriger Ordnung gehn.

e) an Chr. G. Schütz. Darstellung seines Lebens (Halle 1835) II, S. 533 ff. Original Ms. Add. 21,524 Fol. 331 f. Datum am Schluss („October" *corr. ex:* „Sept"). 533, 13 „(Cicero)" *fehlt*, 16 lang', 20 meiner Briefschulden [*corr. ex:* mich an meine — erinnere], 34 betrift, 35 6ten; 534, 20 gewohnten, 22 ich's, 25 aufhaschte, 31 f. vorbei geflogenen, 40 wie [!] Ihnen; 535, 27 Theurester, 28 Plätzgen.

---

1. Herder an Adelung.

HochzuEhrender Herr,

Schon lange nahm ich mir vor, persönlich die Bekanntschaft eines Mannes zu suchen, den ich wegen seiner umfassenden Känntnisse, praktische [!] Gelehrsamkeit u. vielseitigen Sprachverdienste hochschätzte; die Umstände habens bisher noch nicht zulassen wollen. Ich mache[1]) Ihnen also wenigstens schriftlich meinen Gruss.

In der Jenaischen[2]) Universitätsbibliothek ist ein Codex der sogenannten Minnesinger in gross Folio auf Pergament[3]), meistens sehr wohl geschrieben, mit Noten der Lieder, wie auch einigen Fabeln u. andern Stanzen, die später angekleckt sind. Er rührt von Friedrich dem Weisen her u. ist mit des Churfürsten Joh. Friedrichs Bibliothek nach Jena gekommen; Eins der schätzbarsten Stücke, die Deutschland aus diesen Zeiten besitzet. Viele Stücke in[4]) ihm sind zwar schon in der Bodmerschen Sammlung[5]) abgedruckt; viele u.

---

1) *Zuerst:* gebe.

2) *Davor gestrichen:* hiesigen.

3) Vgl. v. d. Hagen MS IV, 900. Lachmanns (im MF) hs. J. Ueber Herders Beschäftigung mit derselben seit Sommer 1777 vgl. Haym II, 88.

4) *Zuerst:* von.

5) Sammlung von Minnesingern aus dem Schwäbischen Zeitpunkte, 140 Dichter enthaltend, durch Ruedger Manessen, Zürich 1758 f. II. 4°.

ganze Dichter aber auch nicht u. selbst jene bleiben in diesem Codex
dem Sprachforscher immer noch schätzbar, weil sie im Thüringschen
Dialekt sind u. man also die Verschiedenheit der Mundarten damaliger Zeit in sehr bestimmten Proben sehen kann. Bis über die
Hälfte bin ich vor einigen Jahren durchgegangen u. habe für mich
das Wesentlichste ausgezogen; ich wünschte aber, dass er einem
Adelung in die Hände fiele, ihn fürs Publikum zu nützen. Der
ältere Wiedeburg·hat in seiner Nachricht von einigen alten
Deutschen Mscr. 1754.[1]) von seinem Äussern treue Nachricht
gegeben, | auch die Dichter genannt u. einige, nicht eben die ge- 2
wähltesten Proben gegeben: sonst ist er meines Wissens noch un-
gebraucht, ob gleich der Bibliothekar der Universitätsbibliothek H.
Prof. Müller meint, dass ihn Bodmer genutzt habe. Gekannt hat
Bodmer ihn u. führt ihn oft an[2]); aber genutzt? ich wüsste nicht,
wo? — Ein Hauptunterschied dieser von der Manessischen Sammlung ist, dass ich in dieser die Minnelieder sorgfältig übergangen
finde, dagegen ist sie reicher an Lehrstücken, Satyren, geistlichen
Gedichten. Dies macht ·sie[3]) vielleicht einförmiger, hie u. da aber
nutzbarer: denn ich wüste nicht[4]), was einförmiger als die Schwäbischen Liebessänger seyn könnte? Vermuthlich ist der Codex[5])
zum Vergnügen eines Thüringschen Landgrafen, zur Unterhaltung
seines Prinzen oder dergl. zusammengetragen, weil bekanntermaassen
in Wartburg doch ehemals die Sängerzunft blühete.

Ich habe den Codex seit Jahr u. Tag bei mir. Sollten Sie,
H.[ochgeehrter] H.[err], zu ihm Lust haben: so bitte ichs mir zu
melden. Ich hoffe es, vom hiesigen Hofe auswirken zu können, dass
er Ihnen auf eine Zeit gesandt werde. An sicherer Gelegenheit kann
es Ihnen von Leipzig aus auch wohl nicht fehlen: denn sonst ist er
ziemlich schwer.

So gern möchte ich noch von Ihrer Geschichte der menschlichen Cultur[6]) und andern Sachen schwätzen; aber fürs erste mal

---

1) „Ausführliche Nachricht von einigen alten tentschen poetischen
Manuscripten aus dem dreyzebenden und vierzebenden Jahrhunderte,
welche in der Jenaischen akademischen Bibliothek aufbehalten werden“,
hg. v. B. C. B. Wiedeburg. Jena 1754. 4⁰. Darin S. 1—76: *Ein
Aldt Meister Gesang Buch auff Pergamen.*
2) Vgl. auch Wiedeburgs Vorrede Bl. 2ᵃ.
3) *Zuerst:* ihn.
4) *Davor gestrichen* [?]: auch.
5) *Zuerst:* er.
6) Wol Adelungs „Kurzer Begriff menschlicher Fertigkeiten und
Kenntnisse“ etc. In vier Theilen. Leipzig 1778 ff. Zweyte verbesserte
Auflage ebenda 1783 ff.

gnug! — Ich bitte es für kein Compliment anzunehmen, dass ich mit Versichrung meiner wahren Hochachtung sei

Weimar den 27. Jan. 1783.

Euer Wohlgeb.

In Eil   gehorsamster Diener
                    Herder.

An
Hrn. Rath Adelung
in
fr.   Leipzig.

[Ein Quartbogen. Ms. Add. 28,219 Fol. 32 f.]

2. Herder an Schiller [1]).

Der Besuch Ihrer Horen, hochgeschätzter Freund, ist mir sehr angenehm gewesen; sie werden Deutschland viel Gutes bringen, u. wenn mir meine Hora etwas Gutes darreicht, will ich gern zum allgemeinen Opfer das Meinige beitragen.

Auch meine Meinung über Dies u. Jenes von andern dargebrachte, will ich gern äussern, da ich weiss, dass sie bei Ihnen in guter Hand ist u. nicht fürchten darf, compromittirt zu werden.

Mich freuet Ihre bessere Gesundheit, die ich auch aus Ankündigung dieses Werks schliesse. Gebe es sie Ihnen ganz wieder.

Meine Hochachtung an Ihre Gemahlin.

Vale opt. vale.

W. den 9. Jul. 94.   Herder.

HErn HofRath Schiller
        Wohlgeb.
fr.   zu
        Jena.

[Ein Quartbogen. Ms. Add. 28,105 Nr. 24.]

---

1) Antwort auf Schillers Brief vom 4. Juli 1794 (Aus Herders Nachlass I, 185 ff.) mit der Einladung zum Beitritte zu den Horen: „Je grösser der Antheil sein wird, den Sie unserer Schrift schenken wollen, desto mehr werden Sie uns und das Publicum verpflichten; und hat unser Vorschlag das Glück, Ihren Beifall zu erhalten, so verstatten Sie uns vielleicht, über die eingesandten Manuscripte zuweilen Ihr Urtheil einzuholen, wozu Herr Geheimrath von Goethe bereits uns berechtigt hat." Vgl. Haym II, 592.

8. Herder an? [1])

Gnädige Gräfin,

So unerwartet Euer Gnaden dieser Brief kommt, so hochachtungs- und zutrauensvoll schreibe ich ihn: denn die wahre innige Hochachtung zeigt sich nur durch Zutrauen.

Mein vierter Sohn ist ein Oekonom. Er hat die Landwirthschaft in einem Preussischen Oberamt [2]) mit dem besten Zeugniss erlernet, darauf in Holstein sich die dortige Wirthschaft bekannt gemacht u. zu solchem Zweck bei einem Hrn v. Neergard die Aufsicht eines Gutes geführet, der ihn nicht von sich lassen wollte. Die Liebe zum Vaterlande indess u. günstige Anerbietungen zogen ihn zurück, die ihm [!] indess weiter zu Känntnissen der Oekonomie nach Fränkischer Weise in Ober Weimar, sonst aber zu nichts gebracht haben [3]).

Nicht nur sein jugendlicher, der Wirthschaft ganz ergebner und von der Natur dazu eigentlich bestimmter Geist strebt weiter; sondern die ganze Lage der Dinge, verbunden mit elterlicher Pflicht, treibt uns dazu, diesem mit Gaben u. Kenntnissen u. Trieben für die Oekonomie wohl ausgestatteten Jünglinge das zu verschaffen, was zur Entwicklung | sowohl als Ausübung u. Anwendung seiner 2 Kräfte ein rüstiger Jüngling braucht, nämlich einen seinen Kräften angemessenen Platz, auf dem er sich zeige u. weiter fortstrebe.

Chursachsen ist das Land, wornach er aus unsrer Beklommenheit sehr verlanget, u. ich zweifle nach alle dem wie ich ihn von Kindheit auf kenne u. wie seine bisherigen ununterbrochnen Bemühungen, Thathandlungen, Zeugnisse von ihm u. wirkliche Effecte gezeigt haben, daran durchaus nicht, dass diese seine Hoffnung gegründet sei, sobald ihm nur das Glück würde, an einen Ort zu kommen, wo er mit den Vortheilen der dortigen Wirthschaft seine Fähigkeiten übte und seine Kräfte zeigte.

Euer Gnaden sind — eine grosse Landwirthin? beim Himmel! dass [!] weiss ich nicht, u. will es nicht sagen; aber Sie sind, gnädige Gräfinn, im Kreise der Landwirthschafter u. Wirthschafterinnen, mit den besten bekannt, u. gewiss von den eigentlich besten geschätzt

---

1) Die Adressatin dieses Briefes, der einer von den mehrern ist, welche Herder „nach Sachsen um Verwalterstellen" für Adelbert (geb. 25. Aug. 1779) schrieb (vgl. den Brief Jean Pauls an Emanuel Osmund vom 11. Aug. 1799 bei Förster, Denkwürdigkeiten aus dem Leben von Jean Paul Fr. Richter I, 1, 82 ff.), war nicht zu ermitteln. Herr Prof. Haym, dessen Rathes ich mich erfreute, denkt an die Gräfin v. Werther.

2) Hadersleben, durch des Pathen Gleim Vermittlung.

3) Zu allem diesen vgl. Haym II, 798 ff.

u. geachtet. Unter andern ist die Gräfinn Lindenau, Euer Gnaden enge Freundinn, wegen ihrer ökonomischen Känntnisse u. vortreflichen Einrichtungen eben sowohl, als von Ihrer Herzensgüte so bekannt, dass mein Sohn glücklich seyn würde, wenn er gerade von einem solchen Ort aus u. unter solchen Augurien seinen dortigen Wirkungskreis anfangen könnte. Ach u. was kostet es Einer von Ihnen, reichen Göttinnen der Erde, einen unbegüterten aber geübten fleissigen u. fähigen Jüngling aufs Meer seines Metiers zu setzen, indem | Sie ihm auf einem sichern See die Verwaltung eines Boots, eines Ruders (denn nur von einer Verwalterstelle, nicht von einem Pacht ist des Bittenden Rede)[1]) anvertrauen? Nur einen guten Willen kostet es Ihnen, u. der ist edlen schönen Gemüthern so leicht, so natürlich! —

　　Ich darf Sie also nicht um Verzeihung bitten, gnädige Gräfin, dass ich mich in [dieser][2]) einem Vater so dringenden u. drückenden Angelegenheit als an e[ine][2]) Hülfsgöttinn an Sie wende. Ihr Andenken ging mir wie ein schönes Ges[tirn][2]) auf; u. ich mag mich auf keine Weise weder entschuldigen noch rechtfertigen. Ich weiss, Sie werden die Sache überdenken, zurechtlegen, u. dafür thun was Sie können; dies sagt mir mein inniges Bewusstseyn, das mich noch nie hinterging. Welch einen Dank meine ganze Seele Ihnen dafür habe, werde ich mir die Kühnheit nehmen, erst späterhin zu sagen.

　　Ich habe „Lindenau" genannt, ohne doch Euer Gnaden Güte und Vorsorge damit beschränken zu wollen; auf einem offnen Meer nennt man die bekanntesten Ufer. Befehlen E. G. weiter; ich erwarte Ihre Befehle. Nur lassen Sie die Sache nicht fallen, beschämen Sie mein Zutrauen nicht. Ein Blättgen von Ihrer Hand wird mir wie das Oelblatt auf jenem Berge seyn, ein Zeichen, dass dort die Schöpfung blühe u. grüne.

　　Mit Bezeugung meiner Hochachtung an des Hrn. Grafen Excellenz habe ich die Ehre mit ehrerbietigstem Zutrauen zu seyn

Euer Hochgräfl. Gnaden

unterthäniger

Herder.

　　Verlangt den jungen Verwalter Jemand zur persönlichen Bekanntschaft; er stellt sich gleich.

　　Weimar, den 5. Aug. 99.

　　[Ein Quartbogen. Ms. Egert. 2407. Fol. 95 f.]

---

1) *Uebergeschrieben.*
2) *Abgerissen.*

4. Wieland an Eschenburg[1]).

Wohlgebohrner

Hochgeehrtester Herr Professor,

Ew. Wohlgeb. sind allzugütig dass Sie sich mit Beförderung des Verschlusses[2]) meiner sogenannten auserlesenen Gedichte bemühen wollen. Ich bezeuge Ihnen dafür meine lebhafteste Erkentlichkeit, und bitte vor der Hand nur noch um Entschuldigung dass die verlangten 10 *Exemplare* noch zurückbleiben. Weil der 2te Theil längstens in 14 Tagen die Presse verlassen wird, so hielt ichs, zu Verminderung des *porto,* für besser, es noch so lange anstehen zu lassen biss ich die beyden ersten Theile mit einander absenden kann.

Ich empfehle mich indessen Ihrem Wohlwollen, und beharre mit vorzüglichster Hochachtung, Ew. Wohlgeb.

Weimar den 20ten *Jul.* 1784.

ganz ergebenster Fr. und Dr.
Wieland.

5. Wieland an Vieweg.

Hochgeschätzter Herr und Freund

Empfangen Sie meinen warmen wiewohl allzuspät abgestatteten Dank für das schöne Geschenk Ihres Taschenb. für 1802, welches sich sowohl durch die Stücke von Herder[3]) und Huber[4]), als durch die Kupfer, die alles was man in dieser Art noch gesehen hat übertreffen, so hoch über den grossen Haufen seiner Mitbewerber erhebt.

---

1) Nach dem Archiv XIII, 506 f. mitgetheilten Briefe Wielands vom 7. Mai 1784 scheint es sicher, dass Eschenburg der Adressat auch dieses Briefes ist.

2) Hier scheint, wie mich Dr. Fresenius belehrt, eine Verwirrung des Sprachbewusstseins hinsichtlich der Verba „verschleissen" und „verschliessen" zu Grunde zu liegen, über welche die Lexikographen keine klare Auskunft ertheilen. Adelung hat nur das Substantiv „Verschliess" und gibt unter „verschleissen" an, dass im Oberdeutschen auch „verschliessen", Part. „verschlossen" auftrete. Von diesem Gebrauche findet sich ein neueres Beispiel bei R. Roth, Das Büchergewerbe in Tübingen, 1880 S. 33. Sanders (II, 2, 954) springt von „Verschleuss" (bei Zschokke 8, 125) auf „Verschluss" in Schillers Kabale und Liebe II, 6 über, eine Stelle, die nichts beweist, da das Wort dort mit Boxberger im obscoenen Sinne zu deuten ist.

3) „Eloise" daselbst S. 29 ff., jetzt bei Suphan XXVIII, 283 ff.

4) „Eigener Schade macht für andere klug. Ein dramatisches Sprichwort" und „Pauline Dupuis. Eine Erzählung".

Sie laden mich zu einem Beytrag für das Jahr 1803 ein, und wahrlich, wenn es bloss an meinem Willen läge, d. i. wenn ich irgend etwas, das sich für Sie schickte, vorräthig hätte, sollte Ihr Wunsch nicht lange unerhört bleiben. Aber — ich habe nichts; ich habe mich, vor der Zeit, ausgegeben, und ob es mir möglich seyn wird, binnen so kurzer Frist als Sie mir dazu geben, etwas Neues zu Tage zu fördern, ist mehr als ungewiss; ich fürchte es ist ganz unmöglich. Das *non sum qualis eram* ist im 69sten Jahre keine gezierte Bescheidenheit; und zum Unglück habe ich am 8ten d. M. einen Verlust erlitten[1]), der einen wesentlichen Einfluss auf mein ganzes Daseyn hat. Ich bin in dem Zustand eines Menschen, dem in einem schon weit vorgerückten Alter der rechte Arm abgestossen wurde; ich lebe zwar noch, aber den verlornen Arm werd' ich so lang ich lebe fühlen. Indessen ist doch der Umstand, dass Geistes-

2 beschäftigung, selbst der erforderlichen Anstrengung wegen, | ist beynahe das Einzige Mittel ist mich aufrecht zu erhalten, meinem Verlangen, eine Art von Erzählung für Sie auszuarbeiten, noch am meisten förderlich. Das Ding, worüber ich briete, dürfte, wenn es so wie Herders Heloise in Ihrem Taschenb. gedruckt würde (an der unendlich kleinen Schrift, die zu Hubers Paulina gebraucht ist, habe ich mir die Augen stumpf gelesen) etwa 5 bis 6 Bogen einnehmen; und wenn Sie mir etwas mehr Zeit dazu geben können als bis zum Sylvestertag dieses Jahres, so hoffe ich, trotz aller Arten von Abhaltungen, damit zu Stande zu kommen. Nur kann ich Ihnen nicht versprechen, dass aus dem Ey, worüber ich brüte, eine Helena hervorschlüpfen werde, und wenn Sie Sich ja mit mir einlassen wollen, so muss ich die Freyheit behalten, das Ding am Ende doch ins Feuer zu werfen, falls[2]) ich nicht selbst einiges Wohlgefallen daran haben kann. Ich erwarte hierüber Ihre Meinung und beharre indessen mit der vorzüglichsten Hochachtung

Weimar den 20sten Novemb. 1801.

Ihr ergebenster
Wieland.

Hr. Lütkemüller[3]) bittet sich Seiner gütigst zu erinnern und ihm den kleinen Rest des bewilligten Honorars für Aimar und Lucine sobald es seyn kann, zukommen zu lassen. Vermuthlich hat er Ihnen selbst geschrieben.

_____ [Ein Octavblatt. Ms. Egert. 2407 Fol. 50.]

1) Durch den Tod seiner Frau.

2) *Zuerst:* wenn.

3) Sam. Christoph Abrah. Lütkemüller, Wielands Secretär, der die neue Göschensche Ausgabe seiner Werke besorgte, hatte seinen zweibändigen Roman „Aimar und Lucine" (mit einer Vorrede von Wieland) in Viewegs Verlag (Braunschweig 1802) erscheinen lassen.

6. Wieland an Göschen[1]).

Weimar. Den 24[ten 2]) *Febr.* 1803.

Theurester Freund,

Der Ueberbringer dieses Blats, ein Herr von *Kleist,* aus der Familie des berühmten und unsterblichen Dichters dieses Nahmens, wünscht durch Vermittlung eines gemeinschaftlichen Freundes, Ihre Bekanntschaft zu machen. Er gedenkt sich einige Zeit in Leipzig aufzuhalten und bedarf zu diesem Ende eines dasigen Freundes, der ihm wegen einer Wohnung und der übrigen Bedürfnisse dieser Art mit gutem Rath diene, und hat mich daher, da er ohne alle Bekanntschaft in Leipzig ist, um ein Paar Zeilen an Sie gebeten. Hr. v. Kleist ist mit meinem ältesten Sohn in der Schweitz bekannt worden; in verwichnem Herbst war mein Sohn auf der Rückreise sein Gefährte bis Jena. Nach einem kurzen Aufenthalt daselbst kam Hr. v. Kleist nach Weimar; ich lernte ihn näher kennen, fand an ihm einen jungen Mann von seltnem Genie, von Kenntnissen und von schätzbarem Karakter, gewann ihn lieb und liess mich daher leicht bewegen, ihm, da er mir einige Zeit näher zu seyn wünschte, ein Zimmer in meinem Hause zu O.[smannstädt] einzuräumen. So ist er dann seit der 2ten Woche dieses Jahrs sechs Wochen lang mein Hausgenosse und Commensal gewesen, und ich habe mich nicht anders als ungern und mit Schmerz wieder von ihm getrennt. Ich | kann ihn also Ihrem Wohlwollen um so getroster empfehlen, 2 da ich versichert bin dass er Ihnen in keinerley Rücksicht lästig fallen wird. Ich zweifle keinen Augenblick, Er wird Sie und Sie werden Ihn eben sobald lieb gewinnen als dies der Fall zwischen Ihm und mir war. Den besondern Zweck, wesswegen er einige Zeit in Leipzig zu leben wünscht, wird er Ihnen vermuthlich selbst eröfnen[3]).

---

1) *Eine jüngere Hand hat zwischen Anrede und Eingang geschrieben:* Betrift den Hn v *Kleist,* dessen Werke Tieck neulich herausgegeben hat.

2) *Später zwischen geschrieben.*

3) *Vgl. den Brief Kleists an Ulrike, Leipzig* 13. März 1803: „Ich habe Osmannstädt wieder verlassen. — — Ich brachte die ersten folgenden Tage in einem Wirthshause zu Weimar zu und wusste gar nicht, wohin ich mich wenden sollte. — — Endlich entschloss ich mich, nach Leipzig zu gehen. Ich weiss wahrhaftig kaum anzugeben, warum?" *Dagegen weiter:* „Ich nehme hier Unterricht in der Declamation bei einem gewissen Kerndörffer. Ich lerne meine eigne Tragödie [Guiscard] bei ihm declamiren" u. s. w. (Koberstein S. 82.)

In acht Wochen, lieber G. bin ich wieder ein Weimaraner[1]), und als solchen werden Sie, hoffe ich, nicht weniger lieben als bisher

Ihren ergebensten und verbundensten

Freund

Wieland[2]).

[Ein Quartblatt. Ms. Egert. 2407. Fol. 51.]

---

1) Wieland verkaufte und verliess Osmannstädt zum 1. Mai 1803.

2) *Auf der Rückseite von Göschens Hand: Weimar d. 24 Febr.* 1803. | *Wieland.* | empf. d. 26. Febr.

Ein Brief Herders an F. L. Schröder und das Manuscript zu Adrastea IV, 271—309[1]).

Von

ERNST NAUMANN.

„Die Fortsetzung kann zu ihrer Zeit folgen". Mit dieser Form der Ankündigung macht Herder im vierten Bande der Adrastea die Fortführung seines Gesprächs Fama fraternitätis oder Ueber den Zweck der Freimäurei, wie sie von aussen erscheint, abhängig von der Billigung der Leser, oder im Grunde eines einzigen, ganz bestimmten Lesers, für den er das Gespräch recht eigentlich geschrieben hatte. Seit seiner ersten Begegnung mit Friedr. Ludw. Schröder am 29. Juni 1800 hatte ein inniges Freundschaftsband die beiden vortrefflichen Männer umschlungen, nicht zum wenigsten geknüpft und gefestigt durch gemeinschaftliches Interesse für die Geschichte des Freimaurerbundes. Schröder hatten seine Forschungen über diesen Gegenstand in jenem Jahre auf die Reise geführt, sie geben den Stoff seines ersten Gesprächs mit Herder, den ersten Anlass zum Gedankenaustausch. Aus diesem persönlichen Verkehr entwickelt sich ein lebhaft geführter Briefwechsel, der erst neuerdings wieder zum Vorschein gekommen ist; durch einen fast vierjährigen Zeitraum (1800— 1803) ziehen sich die abschriftlich erhaltenen Briefe Schröders an Herder hin, sie streifen nur hie und da persönliches, z. B.

---

1) Das hier benutzte handschriftliche Material hat dem Einsender behufs Bearbeitung des Textes der entsprechenden Partien im 23. und 24. Bande von Suphans Herder-Ausgabe zur Verfügung gestanden, wie denn auch die hier dargebotene weitere Verarbeitung dieses Materials Bd. 24 Einl. S. VIII und S. 597 Anm. zu S. 441 bereits angekündigt ist.

das Fortkommen Wilhelm Herders, ihrem Hauptinhalte nach
führen sie die angeknüpften Untersuchungen fort.

So erhielt Herders nie erloschene Theilnahme für die
Geschicke jenes Bundes — Hayms vorzügliches Werk „Herder nach seinem Leben und seinen Werken“, I, 105. II 158 ff.
789 ff. gibt darüber Auskunft — in den letzten Jahren seines
Lebens neue Nahrung; die Sammlung wichtiger Data über die
Geschichte des Ordens auch aus dem Mittelalter, von der seine
Gattin in den Erinnerungen berichtet (1820 I, 97), fällt jedesfalls in diese Zeit, sie wurde noch, wie Notizen ebenderselben
erweisen, auf seiner letzten Reise in Dresden aus englischen
Werken[1]) fortgeführt. Seine „Papiere“ über Sinn und Grund
der Entstehung des Ordens und seiner Symbole übersandte
Herder dem Freunde zur Prüfung; in einer gleichfalls nur
abschriftlich vorhandenen Abhandlung[2]), die als erste Vorarbeit zu dem später veröffentlichten Gespräche angesehen
werden muss, steht das Bekenntniss: „Warum soll ichs nicht
sagen? Ich habe viele redliche Leer- oder Such- oder Schlau-
köpfe in der Freimaurerei gefunden, trügt mich mein Herz
nicht, so habe ich einen ganz Redlichen angetroffen, an den
ich schreibe. Denn sonst wäre dies alles aus meiner Feder
nicht gegangen, da es aus meinem Munde nie ging.“ Den
„vorigen Papieren“ sendet er dies „Bekenntniss seines Glaubens über die Entstehung oder das Mystery der FrM.“ nach.
„Ich glaube darin alles beweisen zu können“, so schliesst er,
„was sich nicht von selbst beweiset. Eben daher meine Freude,
als ich nach den mühsam-redlichen Untersuchungen meines
Freundes — ich darf sagen Bruders — am Ende, d. i. bei
der Metamorphose der F. M. mich mit ihm zusammenfand.
Gern hätte ich seine Papiere gehabt, da ich dies schrieb; auf
jedem Blatt wären sie mir Winke und Wegweiser gewesen.“

Das Original dieser Abhandlung hatte Schröder am 23. De-

---

1) Caroline von Herder nennt: The History and Antiquities of
Glastonbury by the Publisher Thomas Hearne, M. A. Oxford 1722
und The British History, translated into English from the Latin of
Jeffrey of Monmouth. With a large preface Concerning the Auto-
rity of the History by Aaron Thompson. London 1718.

2) Das Original hat Herders Witwe an Schröder gesandt.

cember 1800 in Händen, als er schrieb: „Ich sage Ihnen nichts
über Ihren Aufsatz, den höchsten Beweis Ihres edlen Wohl-
wollens. Künftigen Sonnabend schicke ich [ihn] Ihnen wieder,
mit meinen schlichten anspruchslosen Bemerkungen." Am
26. Dec. sendet Schröder das Heft aus Rellingen zurück: „Ja
Sie haben meinem Gebäude ein Fundament gegeben, welches
unerschütterlich ist. Wie soll, wie kann ich Ihnen dafür genug danken? Ich trenne mich höchst ungern von diesem wichtigen Papier — ohne Abschrift — aber Ihr Wille ist mir
Gesetz. Ich bin nicht in allem Ihrer Meinung; leiten Sie mich,
wo ich irre — ich suche Wahrheit. Ich habe einige Bemerkungen zu Ihrem tiefdurchdachten Aufsatze gemacht —
hauptsächlich, um Sie auf die alten Documente, das älteste
Constitutionsbuch und das Ritual aufmerksam zu machen."

Schröders Bemerkungen sind von wesentlichem Einfluss
auf die Umarbeitung der Abhandlung geworden (das eben erwähnte Constitutionsbuch bildet zum Beispiel in dem gedruckten Gespräche den Ausgangspunct der Unterredung),
seine Zweifel haben Herder veranlasst, die Grundlagen seiner
Untersuchung auf das gewissenhafteste zu prüfen und zu
sichern.

In dem Briefwechsel finde ich den Aufsatz nur noch einmal erwähnt. Herder hatte behauptet: „Als nämlich das
Christenthum aus Höhlen und Katakomben ans Licht trat,
welche Gebäude konnte es für sich gebrauchen? Nicht die
Götzentempel; und das nicht etwa bloss ihrer Entweihung
durch Götzenbilder und Götzenopfer, sondern ihrer ganzen
Struktur wegen. Weder das Heiligste, wo der Gott stand,
noch der Tempel selbst, noch der Vorhof diente zur Ecclesia,
einer Christenversammlung. Also wählte man die Gerichtshäuser, längliche Vierecke, in ihrer bekannten Abtheilung."
Schröder erinnert sich dieser Stelle nach einem Vierteljahr
wieder, er schreibt am 7. April 1801: „Zufällig sprach ich
kürzlich mit einem Gelehrten über die Erbauung der ersten
christlichen Kirchen. Er bemerkte, dass seit des Kaisers Theo-
dosii Zeiten die Götzentempel dazu wären umgeschaffen worden, und berief sich auf Binyham in Originibus ecclesiasticis
lib. 8 cap. 2. Wenn ich nicht irre, so stand in Ihrem Auf-

satze, man habe sich der Gerichtshäuser bedient und nicht
der heidnischen Tempel. Ich habe es für Pflicht gehalten,
Ihnen diese Bemerkung anzuzeigen." Diese Frage wird in
dem veröffentlichten Gespräche nicht wieder aufgenommen,
Herder hat sie jedoch nicht aus den Augen gelassen: mit ge-
schichtlichen Beweisen ausgerüstet und auf eingehende Forschungen gestützt tritt er wieder an sie heran in dem dritten,
noch ungedruckten Gespräche „Basilika".

    Wer konnte nun, als von Herder ein Gespräch über „Frei-
mäurei" veröffentlicht wurde, über Richtigkeit der vorgetragenen Ansichten, über zweckmässige Auswahl des mitgetheilten,
über die Thulichkeit einer derartigen Behandlung ein berufe-
nerer oder dem Verfasser erwünschterer Beurtheiler sein als
der Freund, dessen Vorgang selbst Herdern angeregt hatte;
seine Deutungen zu Papier zu bringen, der von Anfang an
diesen Aufzeichnungen die höchste Beachtung geschenkt, der
sie durch seine stetige Theilnahme gefördert hatte, zumal da
er auf Grund jener Abhandlung den Gedankenkreis vollständig
kannte, von dem Herder seinen übrigen Lesern nur einen
Bruchtheil enthüllte, also auch im Stande war zu ermessen,
in welchem Sinne etwa nach dieser Probe die übrigen Fragen
behandelt werden sollten?

    Wie sehr dies Herders Meinung war, zeigt die Eile, mit
der er Schrödern das achte Heft der Adrastea übersandte;
Knebel, mit dem sich Herder über die Adrastea unausgesetzt
schrieb, las es erst am 22. April 1803, Schröder erhielt es
bereits am 2. März alsbald nach dem erscheinen (auch dieses
Stück ist auf dem Titelblatt vordatiert „1802"); gerade im
Begriff an Herder zu schreiben, legt er die Feder aus der
Hand, er durchfliegt das Werk und schreibt am 3. März weiter:
„Ich habe mich auch an diesem Heft, wie an dem vorigen
sehr erbaut, und es ist mehr als vortrefflich, was Sie über
den Zweck sagen, den die Freimaurerei bearbeiten soll. Es
will mir aber nicht in den Kopf, dass Sie so vieles aus dem
Rituale anführen, ohne es dahingestellt seyn zu lassen, ob
alles wahr ist, ohne sagen zu lassen: wir können die Gesellschaft nur nach dem beurtheilen, was von ihr gedruckt ist."
Darauf der Vorwurf, dass Herder Dinge zur Sprache gebracht

hat, die nur für den eingeweiheten gehören, den aussenstehenden irre führen könnten, und schliesslich die Antwort auf Herders Ankündigung der Fortsetzung: „Vergeben Sie mir, ehrwürdiger Mann, dass ich aus dem Herzen zu Ihnen rede! Aber ich zittre vor dem, was folgen wird, wenn Linda[1]) nicht gegenwärtig ist."

Herders Antwort auf diesen Brief liegt in folgendem Schreiben vor:

Aeusserst leid thut mirs, Verehrungswürdiger Freund, dass mein Aufsatz über die F.M. in der Adrastea Ihnen, in Stellen wenigstens, missfallen hat. Wenn nach dem Plan und Verfolg des Buchs ich über alle und allerlei Institute, Missionen, Juden, Jesuiten, Methodisten p. p. sprechen wollte, mithin auch über die F.M. sprechen musste, so sahe ich kein andres Mittel, als von ihr

1. Gesprächsweise, wo Einer dies, der andre das meinet,
2. Von Personen, die keine F.M. sind, selbst von einer Frauensperson;
3. Lediglich aus der Fama, diese sei schrift- oder mündlich, oder thätig sprechen zu lassen, und dabei
4. Auf ofne, freie, blos literarische, antiquarische, kritische Untersuchung den Weg zu lenken.

Hiedurch glaubte ich den Dank Jedes, er sei F.M. oder nicht, mir zu erwerben: denn zu lange ist im trüben Wasser gefischt, zu lange hinter dem Vorhange das blinde Spiel gespielt worden. Hiebei stand und stehet mir auch kein Verbot im Wege. Keinem Menschen in der Welt habe ichs weder zugesagt, noch zugeschworen, die F.M. nie zum Gegenstande literarischer Untersuchung zu machen; keinem habe ichs zusagen können und dürfen. Göttliche und menschliche Dinge, die Avtenticität der Bibel p. p. untersucht man; wie? und die F.M. sollte das Einzige Ding in der Welt seyn, das man nicht untersuchen dürfte, da pro et contra so viel darüber geschrieben ist und geschrieben wird? Neulich noch hat Prof. Buhle in Göttingen eine Abhandlung über den Ursprung der F.M. vorgelesen, die in die Schriften der Societät eingerückt wird, und ohne Zweifel besonders gedruckt ist[2]) (ich kenne sie nur aus den Göttinger gelehrten Anzeigen) worinn er sie mit der Rosenkreuzerei p. p. vermengt und unter dem Schein der sorgsamsten Kritik wohlmei-

---

1) Die Unterredner sind: Faust, Horst, Linda.

2) Erst 1804 erschien: J. G. Buhle, Ueber den Ursprung und die vorzüglichsten Schicksale der Orden der Rosenkreuzer und Freimaurer. Göttingen.

nend die Welt irreführet. Was Nikolai, Stark p p p p p[1]) geschrieben haben, andre schreiben und dichten werden, liegt zu Tage und
wird da liegen; wie? und man sollte mit der Fackel historischer
Kritik nicht vorwärts rücken dürfen? Dass über die F.M. dem
Untersuchenden nichts Gewisses vorliegt, dass Bücher, wie das
Constit. Buch, in denen Wahrheit und Lüge so ungeheuer vermischt
sind, bei völligem Stillschweigen der Gesellschaft darüber,
gelten und von Gliedern der Gesellschaft zum Theil selbst ans
Licht gestellt worden, wer hat dies mehr beklagt, als eben der
Sprechende dieses Gespräches? Wenn die Gesellschaft schweigt,
reden die Steine. Dürfen unhistorische Dummheiten, Lügen und
Betrügereien gedruckt werden, warum nicht — dazu aus gedruckten Büchern, die für einige Groschen verkauft werden, andre
unbenutzte Stellen und Winke? Sind diese falsch, Grundlos; so
zeige mans; eben das wünscht der sprechende Faust, Horst, und
wer sollte es nicht wünschen?

Mein drittes Gespräch muss ich schreiben, weil ich das 2te geschrieben habe. Bis in den Koran hinein ist der Apfel geworfen;
er muss herausgeholt werden: denn zu einem Spaas möchte ich
diese Anführung nicht gemacht haben, die es auch nicht seyn sollte.
Fürchten Sie nichts davon, dass Linda nicht dabei ist; statt ihrer
ist eine andre Person da, die die Sprechenden oft gnug erinnern
wird, wie wenig man von der Sache weiss, und wie Alles im Traum
schwimmt, und im Nebel. Wenig sprechen werden die Personen
dieses Gesprächs, sondern nur lesen, vorlesen aus gedruckten
Büchern; das wird doch wohl erlaubt seyn?

Mit meiner ganzen F.M., verehrter Freund, (ich muss es bekennen) ists nicht weit her. Wenig über 20 Jahre war ich, als
ich in Riga die 2. ersten Grade bekam, in der stricten Observanz
und (ich kanns wohl sagen,) mit **gar keinem** Stral des Lichtes.
Seitdem habe ich keine Loge besucht, nie das Zeichen gemacht,
selbst Gespräche über die F.M. wie ich konnte, vermieden. (Mich
dünkt, wir haben darüber geredet.) Die beiden Citate, auf die in
diesen Gesprächen Alles ankommt, S. 288 von Wren und S. 300
aus dem Koran bin ich niemanden als mir schuldig. So wird es
auch mit den Stellen seyn, über welche das 3te Gespräch fortläuft.

---

1) Fr. Nicolai, Letzte Erklärung über einige neue Unbilligkeiten
und Zunöthigungen in dem den Herrn O.-H.-P. Starck betreffenden Streite.
Berlin u. Stettin. 1790.

J. A. Starck [1741—1816, seit 1781 Oberhofprediger in Darm-
stadt], Ueber Krypto Katholicismus .... geheime Gesellschaften und besonders die ihm selbst von den Verfassern der Berliner Monatsschrift
gemachte Beschuldigungen. II. Frankfurt 1787. — An dem Streit betheiligte sich auch Frau Constantia von der Recke.

Fürchten Sie also nichts für das 3te Gespräch, Verehrungswerther. Es spricht gar nicht von Ihrer neuen Maurerei, die aus
jener Alten nur Zeichen und Gebräuche geborgt hat, sondern von
der Alten. Beide verhalten sich zu einander, wie die Syntaxis pura
und figurata; ich bleibe vor der Hand bei der pura. Solche und
andre Abänderungen im **Ritual** der figurata sind meinem Zweck
gleichgültig; das Ritual selbst aber gehört der alten Kirche, den
F.M. mit Kelle, Spitzhammer, Schlägel; das Handwerkszeug lasse
ich mir nicht nehmen. Ihr Testament ist das neue; meins das
Alte. Ob ich je ein 4tes Gespräch, wie aus dem alten das neue
ward? schreibe, stehet dahin: ich schreibe es, sobald ichs erweisen
kann aus gedruckten Büchern.

Nehmen Sie es also auch, Treflicher, Bester, nicht ungut auf,
wenn ich mir die Zusendung Ihrer für die Gesellschaft gedruckten
Bogen, aus wahrer Scheu und Vorsicht, lieber verbitte. Da ich
vermöge meiner wenigen empfangenen Grade, (ausser dass ich in
einer andern Verbindung sie alle empfangen habe)[1] nicht zum
geheimen Ausschuss gehöre, für welche diese Bogen gedruckt sind,
so würde es mich nur scheu und irre machen, wenn ich daraus etwas
unwissentlich gebrauchte oder missbrauchte. Mein Gespräch schreibe
ich ganz als ein Profaner, als ein Stockblinder Heide oder Türke.

Dass Sie mit meiner Arbeit am Ende zufrieden seyn werden,
dess bin ich gewiss. Wenn ich der Gesellschaft den Namen einer
alten Ehrwürdigen, vielverdienten als echte Wahrheit erweise
und sie für die Zukunft von dummen Vermengungen mit Rosen-
kreuzern, Jesuiten, Tempelherrn u. f. auf ewig sondre; mich dünkt,
so hätte ich Dank verdient.

Verzeihen Sie meine offene Wahrheit, edler Mann. Ihnen kann
ich keine Halbwahrheit schreiben. Stärke sich Ihre Gesundheit!
wohl bekomme Ihnen die Reise. Auch ich muss meiner Gesundheit
wegen eine thun; ich habe einen harten Winter durchlebet. Lasst
uns wirken, so lang' es Tag ist, sagt Christus, mein Meister; es
kommt die Nacht, da niemand wirken kann.

Den ergebensten Gruss an Sie und Ihre Gattinn, von meiner
Frauen; wir denken Ihrer mit dankbarer Liebe; darinn soll kein Ritual uns stören.

W.[eimar] 10. Mai 1803.   Ihr
                                    ewig treuverbundenster
                                              Herder.

Dass dieser Brief als der einzige von Herders Hand aus
dem Briefwechsel mit Schröder erhalten und bei den Herderschen Papieren verblieben ist, hat ein glücklicher Unfall be-

---

1) Als Theolog und Prediger.

wirkt. Der Brief, auf drei Quartseiten eines halben Bogens geschrieben, war zusammengelegt und zum absenden bereit, da wurde er mit rother Tinte befleckt, die den unteren und oberen Rand breit bedeckte und sich an den Falten noch tiefer hineinzog; Herder musste ihn umschreiben. So ist dieses wichtige Schriftstück gerettet, während Herders übrige Briefe wahrscheinlich unter den „vielen hunderten", welche Schröder im Jahre 1811 „bei der Davoustischen Geschichte" verbrannt hat, vernichtet worden sind. (Vgl. Friedr. Ludw. Schröder, Beitrag zur Kunde des Menschen und des Künstlers. Von F. L. W. Meyer. Hamburg 1819. II, 1 S. 339 u. S. 321. 335. 337.)

Mögen die Streitfrage zwischen Herder und Schröder diejenigen entscheiden, welche über Gewicht und Berechtigung der von letzterem erhobenen Vorwürfe als eingeweihete urtheilen, wir freuen uns der Klarheit und Sicherheit, mit der Herder hier seine Stellung in einer Frage, die ihn von jeher beschäftigt hat, kennzeichnet. Wenn der Grundsatz unbestreitbar ist, der durchweg die Voraussetzung seiner „Adrastea" bildet: dass das Feld frei sein muss, welches dem menschlichen Geist in Erforschung jeder Wahrheit (es betreffe diese die Gründe und Beschaffenheit oder den Umfang unsrer Erkenntniss in allgemeinen Begriffen oder in Thatsachen der Geschichte) gebühret; dass er also auch in Erforschung der Werkzeuge, die dazu gehören, mithin der Schriften, Traditionen und Einrichtungen jedes Zeitalters frei sein muss —, so ergibt die Anwendung desselben auf „die Unternehmungen zu Beförderung eines geistigen Reiches" mit Nothwendigkeit die im Eingang des Briefes entwickelten Folgen.

Das Schriftstück steht aber noch in engerer Verbindung mit den Gesprächen über „Freimäurei", indem es einen Gedanken ausführt, der bestimmt war, das ungedruckte dritte Gespräch „Basilika" zu eröffnen. Das Schema desselben beginnt:

Eingang, dass v[on] Fr.M. liter[arisch] gesprochen werden
        könne, dürfe und müsse;
      das letzte v[ie]ler schlechten Behauptungen
        wegen;
        z. B. Nikolai, Buhle;
    denen von F.M. niemand antwortet.

In den Gesprächen selbst ist dieser Gedankengang nicht verwerthet worden.

Anderseits setzt der Brief nicht bloss das gedruckte Gespräch, sondern auch die ungedruckten Unterredungen in dem
Bestande, wie sie jetzt in den Siegsfeldschen Papieren (s.
B. Suphan, Herder Bd. 23, Einl. S. VIII) vorliegen, bereits
voraus. Vom dritten Gespräch, das er schreiben muss, berichtet Herder selbst, „dass Linda nicht dabei ist; statt ihrer
ist eine andre Person da", nämlich der wortkarge, nachdenk-
liche Hugo, ein Mitglied der Gesellschaft, dessen Namen Herder wol im Sinne der „Metakritik" I S. III (Bd. 21, 3) gewählt hat[1]). Einzelne Sätze des Briefes enthalten deutliche
Nachklänge zu mehreren Stellen des dritten und vierten Gesprächs (über den Inhalt derselben Haym II, 793); die F.M.
mit Kelle, Spitzhammer und Schlägel erinnern an „die Leute,
die mit dem Spitzhammer, dem Schlägel, Klöpfel und andern
Köpfe oder Steine zermalmenden Werkzeugen umzugehen gewohnt waren" und an „die Gesellschaft, die dergleichen Werkzeuge, Schlägel, Keule, Spitzhammer trug", seine erste Aus-
prägung hat der Gedanke im Zusammenhange der Abhandlung
erhalten. Wenn Herder ferner es als sein Ziel hinstellt, der
Gesellschaft den Namen einer alten ehrwürdigen vielverdienten
als echte Wahrheit zu erweisen, so gedachte er hierbei einer
im „Gespräche" enthaltenen Antwort Fausts auf die Frage:
Und was wollen Sie nun mit dem Allen? „Zuerst dies, dass
Ihrer Gesellschaft der Name alte und ehrwürdige Gesellschaft
vindicirt werde." Hier kam im Brief die Verdeutschung nach
dem Gebrauche des Fremdworts.

Derjenige Theil des Manuscripts, auf welchen diese Beziehungen zurückgehen, bildet auf 17 Blättern Folio (nur die
Vorderseite beschrieben) die ältere von den beiden Schichten,
in welche sich das ganze sondern lässt. Eine jüngere, das

---

1) Der Name Faust erklärt sich durch eine Anspielung auf seinen
„Vorfahren" Adr. 4, 279 und Erwähnung des Buchs „Fausts Höllenzwang"
und der „Clavicula Salomonis" im Mscr.; Linda ist nach Düntzers Vermuthung aus Jean Paul, Horst vom Herausgeber der „Zauberbibliothek"
genommen.

heisst jener gegenüber eine zweite Bearbeitung darstellende,
umfasst 7 Bl. Folio (auf beiden Seiten beschrieben). Diese
enthält unter der Überschrift: „Zweite Unterredung" das dritte
Gespräch mit manchen Abänderungen, aber besonders im Eingange übereinstimmend im Gedankengange mit der ersten Gestalt, stilistisch indessen vollendeter; darauf folgt allgemeine
Gedanken entwickelnd ein „Drittes Gespräch" mit einer kurzen
Fortsetzung; das erste fehlt. Es fehlt offenbar deswegen,
weil es zum Druckmanuscript der Adrastea verwendet worden
ist, wie auch schon das erste erhaltene Blatt die diesem Zweck
entsprechende Ziffer 26 trug, ehe es mit der neuen Bezeichnung a) versehen wurde. Die am Schluss der „zweiten Unterredung" stehende, jetzt durchstrichene Bemerkung: „Das dritte
Gespräch folget" zeigt, in welchem Umfange Herder ursprünglich sein Material zu veröffentlichen gesonnen war; erst im
letzten Augenblick änderte er seinen Plan, sonderte aus der
zweiten Unterredung aus, was sich auf Basilika und mittelalterliche Baugenossenschaften bezog, so dass nur noch übrig
blieb, was jetzt Adrastea 4 S. 293 und S. 305—306 steht,
nahm dagegen grosse Stücke hinzu, die nunmehr durch Zu-
sammenrückung mit jenen und theilweise Umarbeitung für eine
„Fortsetzung des vorigen Gesprächs" unter dem Titel „Salomos
Siegelring" (Adr. 4, 283—309) geeignet wurden. Dadurch ist
unter anderm erst die Stelle aus dem Koran, sowie die Sage
von den Genien Salomonis in den Text gekommen. Aus der
Hast, mit der Herder das wichtigste herausgreifend verschieden-
artiges nur leidlich unter ein Dach brachte, erklärt sich der
theils unklare, theils sprungweis fortschreitende Gedankengang,
besonders in der „Fortsetzung".

Auch in dem Briefe hat Herder mit den zwei bereits geschriebenen Gesprächen etwas ungenau das gedruckte Gespräch
mit seiner Fortsetzung bezeichnet, im dritten, welches er noch
„schreiben" musste, konnte er nur noch auf die ältere Form
zurückgreifen, da die spätere verbraucht war, das vierte, dessen
er gedenkt, hat er nie „geschrieben", d. h. das vierte Gespräch
der älteren Bearbeitung ist über die erste Niederschrift nie
hinausgekommen und auch nicht bis zu dem vorgesetzten Ziele
gelangt.

Das Manuscript in seinem ganzen Umfange ist erst entstanden im Laufe des Jahres 1802; denn im vierten Gespräch
erwühnt Herder die Prospecte des Schlosses Marienburg, die
er mit staunender Freude auf den Kupfertafeln in Fricks Erläuterungen gesehen habe: dieses Werk ist 1802 in Berlin
erschienen. Die Schnelligkeit der Arbeit darf nicht Wunder
nehmen, war doch der Stoff in dem Aufsatz über Mystery,
wie die oben ausgehobene Stelle zeigt, längst vorbereitet und
schrak Herders Arbeitslust doch selbst noch im letzten
Augenblick vor einer Umgestaltung nicht zurück.

18*

Kleine Goetheana.

Von

RICHARD MARIA WERNER.

I. Gretchen Wagner.

Minor hat in einem ausführlichen Aufsatze der Zeitschrift für allgemeine Geschichte etc. 1886 „Goethes Jugendentwicklung nach neuen Quellen" betrachtet. Er kommt dabei S. 660 auch darauf zu sprechen, dass die Deutung Scherers Gretchen Wagner durch die Briefe Goethes an seine Schwester im letzten Goethe Jahrbuche bestätigt würde. Nachdem er das bisher bekannte zusammengestellt hat, fährt er fort: „Und nun schreibt Goethe in unseren Briefen an seine Schwester Cornelia aus Leipzig: »So weit von Mädchen. Aber noch eines. Hier habe ich die Ehre keines zu kennen, dem Himmel sei Dank! Cor pejus .... (es folgt eine Reihe mit Absicht undeutlich gekritzelter Buchstaben) .... Mit jungen schönen W— doch was geht dich das an! Fort! fort! fort!« — Also eine peinliche Erinnerung knüpft sich für Goethe an diesen Buchstaben, und zwar eine Herzensgeschichte. Er will nichts mehr von Mädchen wissen: »Fort! fort! fort!« Kann Goethe auf diese Weise von einer andern Frankfurter Herzenserfahrung reden als von der Gretchengeschichte?" [Vgl. jetzt noch Anz. XIII 174.]

Diese von Minor „so unglaublich missverstandene Stelle" (vgl. S. 666 Anm.) beweist aber auch nicht das geringste für Scherers Annahme, gegen welche bekanntlich Düntzer Abhandlungen I, 32—65 alles nöthige mit ganz unnöthigem Pathos eingewendet hat. Was Goethe meint, kann nicht zweifelhaft sein. Er spricht von verschiedenen Mädchen (Goethe-Jahrbuch, VII, 5 f.): „Schmitelgen und Kundelgen .. die lieben Kinder! denen

3 Madles von Stocküm .... Jfr. Rincklef ... Mademoisel Bre-
villier ... So weit von Mädgen." In Leipzig kennt er keines.
„Mit jungen schönen W— doch was geht dich das an! Fort!
fort! fort! Gnug von Mädgen." Das angeführte in einer ganz
humoristischen Stelle, drollig und lustig mit Ha! ha! ha! und
lache. Und nun soll mitten inne ein ganz tragisches erinnern
ein halbes Bekenntniss seiner Frankfurter Liebe erpressen.
Und warum sagt denn Goethe „Mit jungen schönen W—", das
lässt doch einen Plural erwarten und zwar den Plural Weibern,
er renommiert eben „fast wie ein Franzos". Und wer noch
zweifeln sollte, lese doch folgende Stelle im Briefe vom 14. Mai
1766 (Goethe-Jahrbuch VII, 35): „Often sister I am in good
humor. In a very good humor! Then I go to visit pretty wifes
and pretty maiden. St! Say nothing of it to the father!" Also
wie dort „junge schöne W—" neben den „Mädgen", so hier
pretty wifes neben den pretty maiden; wie dort ein unterbrechen durch Gedankenstrich und „fort! fort! fort!", so hier
das St!; wie dort „doch was geht dich das an", so hier: Say
nothing of it to the father. Man sieht, die beiden Stellen
sind so ähnlich gebaut, dass man sie mit einander vergleichen muss.

Auch was dann in dem englischen Briefe weiter folgt, ist
charakteristisch: „But, why should the father not know it.
It is a very good scool for a young fellow to be in the com-
pany and acquaintance of young virtuos and honest ladies.
The fear to be hated[1]) by them makes us fly many excesses
seducing by his outward side, and therefore periculous to the
Youth." Goethe ist jetzt offener als im October 1765, aber
er sucht einem möglichen Missverständnisse durch eine mora-
lisch-theoretische Erwägung vorzubeugen. Man vergleiche noch
VII, 53 f., wo er von seinen Leipziger Damenbekanntschaften
Mdlle Breitkopf, Mlle Taenert, ihre Freundin, la conseillere
Böhme und ihre Freundin Madame de Ploto, la petite Schoen-
kopf und Mesdames Kustner — mais ce sont des gooses charakterisiert; er liebt alle, ohne sich einer ausschliesslich zu
weihen, und alle sind plus bonnes que belles.

---

1) So muss statt des überliсferten hatred gelesen werden.

Minor that also unrecht, sich für Gretchen Wagner auf
Goethes Brief an Cornelia zu berufen.

27. 10. 86.

II. Brief und Gedicht.

In allen Epochen der Goethischen Entwickelung lassen
sich Parallelen zwischen seiner Dichtung und den momen-
tansten Aeusserungen seines Gefühles, welche uns erhalten sind,
seinen Briefen nämlich, entdecken. Wir dürfen wol annehmen,
dass ihn beim niederschreiben des Briefes ein poetisches Motiv
packt. Er fixiert es flüchtig in Briefform, aber es bleibt in
ihm lebendig, es arbeitet in ihm so lange, bis er es auch
als Dichter gestaltet. Die Beobachtung kann jeder an sich
selbst machen: es blitzt eine poetische Idee vor uns auf,
wir finden plötzlich etwas, das dichterischer Bearbeitung fähig
wäre, doch fehlt uns die Fähigkeit, welche den Dichter ausmacht, die Idealisierung vorzunehmen und die Idee zu gestalten.
Der Dichter wird noch viel häufiger in jenem Falle sein, darum
müssen in ihm lebendig werdende Keime zu Gedichten oftmals
verkümmern. Nur mitunter gelingt es ihm, solche Keime aus-
reifen zu lassen, und dann finden wir einen deutlichen Einklang zwischen Brief und Gedicht. Freilich braucht nicht
alles zu stimmen, auf dem Wege vom erschauen des poetischen
Motivs bis zu seiner künstlerischen Gestaltung wird mancherlei
zuwachsen oder wegfallen, es können auch zwei Motive in einander fliessen. Aber als wesentlich wird immer gelten müssen,
dass die Briefe das frühere, die Verse das spätere sind, dass wir
nicht umgekehrt im Briefe das Citat eines wieder in Prosa auf-
gedröselten Gedichtes vorliegen haben. Unsere grossen Dichter
citieren überhaupt ihre Gedichte sehr selten, Schiller noch häufiger als Goethe. Dieser höchstens zu humoristischen Zwecken.
Z. B. „doch sagt ein groser Dichter: Ein Herz das Einen liebt,
kann keinen Menschen hassen", so citiert selbst der 18jährige
Goethe schon Worte seiner Amine[1]) (Goethe-Jahrbuch VII, 90).

---

1) Doch werden Gedichte eingelegt, Goethe behauptet sogar VII, 38:
je ne fais presque plus de vers qu'en voulant embellir quelques fois
les lettres à mes amis, qui selon leur vieille bonté les croient toujours
admirables.

Vielfach können wir das hervorgehobene Verhältniss zwischen Brief und Gedicht bei Goethe beobachten. Auch die erst jetzt bekannt gewordenen Briefe Goethes aus Leipzig zeigen uns zwei wichtige Fälle.

Am 11. Mai 1766 schreibt er an seine Schwester Cornelia (Goethe-Jahrbuch VII, 33): „Any words[1]) of myself. Sister I am a foolish boy. Thou knowst it; why should I say it[2])? My soul is changed a little. I am no more a thunderer as I was at Francfort. I make no more: J'enrage. I am as meek! as meek! Hah thou believest it not! Many time I become a melancholical one. I know not whence it comes. Then I look on every man with a starring owl like countenance. Then I go in woods, to streams, I look on the pyed daisies on the blue violets, I hear the nightingales, the larks, the rooks and daws, the cukow; And then a darkness comes down my soul; a darkness as thik as fogs in the October are."

Seine Stimmung wechselt (VII, 35): „Often Sister I am in a good humor. In a very good humor"; dann überkommt ihn wieder seine Melancholie, da starrt er die Leute mit eulenähnlichem Gesicht an. Wem fällt dabei nicht das Gedicht aus dem Leipziger Liederbuche: „Der Misanthrop" ein:

A. Erst sitzt er eine Weile
Die Stirn von Wolken frey; (a good humor)
Auf einmal kömmt in Eile
Sein ganz Gesicht der Eule
Verzerrtem Ernste bey.

B. Sie fragen, was das sey? (I know not whence it comes)
Lieb oder lange Weile.

C. Ach sie sinds alle zwey.

Der Schluss mit seiner ironischen Pointe fehlt im Briefe noch, durch ihn wurde das Motiv erst künstlerisch abgerundet. Es erweitert sich also, ganz wie wir früher sahen, das im

---

1) So statt des im Goethe-Jahrbuch gedruckten worlds zu lesen.
2) Es fehlt das not, das wir erwarten, also etwa shan't st. should. Goethe meint doch: ich bin ein närrischer Kerl. Du weisst es, warum sollte ichs daher nicht sagen.

Briefe zuerst angedeutete Motiv auf dem Wege zum Gedicht.
Mit dem Titel können wir einen Ausdruck in der Beilage zu
unserem Briefe: „A Song over the Unconfidence towards my
self. To Dr. Schlosser" vergleichen: a peevish boy. In dem
Gedichte „Liebe wider Willen" (D. j. Goethe I, 107): „Mit misan-
thropischem Gesicht"; später im Briefe vom 2. November 1767
polemisiert er einmal gegen den Misanthropen: „sage der Misan-
trope was er will" (VII, 94).

Ich glaube, wir können unser Gedicht danach auch datieren und zwar anders, als ich im Anzeiger VIII, 261 gethan
habe. Es dürfte in Leipzig zwischen dem 11. Mai und dem
27. September 1766 verfasst sein. Im Briefe vom letzteren
Tage (VII, 39) kommt nämlich Goethe nochmals auf die frühere
Stelle zu sprechen und beruhigt die Schwester mit folgenden
Worten: „Ce que regarde ma melancholie, elle n'est pas si forte,
comme je l'ai depeinte, il y a quelque fois des manieres poe-
tiques dans mes descriptions qui aggrandisent les faits. Pour
mon visage, il ne faut pas, qu'il soit si effroyable, car entre
nous, il y a des belles filles qui se plaisent a me voir." Hier
ist das Motiv vom eulenartigen Aussehen bereits fallen gelassen, es liegt nahe, anzunehmen, dass es schon vorher poetisch fixiert worden sei.

An Behrisch schreibt Goethe den 3. Nov. Morgends (1767)
mit Bezug auf einen eben eintreffenden Brief des Freundes aus
Dessau (Goethe-Jahrbuch VII, 94). Behrisch hat jedesfalls über
seinen Zögling gejammert und die Verhältnisse des anhaltischen
Hofes geschildert. Darauf erwidert Goethe: „Ich möchte nicht
Fürst seyn; er muss sich doch manchmal schämen wenn er
seine Gemahlinn bedächtig ansieht, und sich ein paar Jahre
zurück erinnert." Und nun führt er aus, wie wol der Fürst
noch vor wenigen Jahren in den Armen seiner Geliebten geredet haben dürfte. Wir werden dadurch auf das Gedicht:
„Der wahre Genuss" (D. j. Goethe I, 94 ff.) geführt, das sich in
den ersten Strophen an einen bestimmten Fürsten wendet: „O
Fürst, lass dir die Wollust schenken". Besonders wenn wir die
älteste Fassung dieses Gedichtes (Goethe-Jahrbuch VII, 147 f.)
vergleichen, tritt uns wieder die Ausführung des Motives aus
jenem Briefe entgegen:

So lass dich durch die Liebe binden,
Wenn du es durch die Pflicht nicht willst.

„O wie hasse ich meine zukünftige Gemahlin" — so lässt
Goethe den Fürsten sprechen — „Ich will sie heurathen, ich
muss, aber mein Herz soll sie nicht haben, dir soll nichts
dieses Herz entreissen, niemand und wenn es ein Engel wäre."
Goethe schickt das Gedicht am 4. December 1767 (VII, 111)
als sein letztes Gedicht an Behrisch. Das Gedicht ist also
zwischen dem 3. November und 4. December 1767 entstanden.
Nun wird im Briefe vom 4. December freilich bloss gesagt:
„Hier schicke ich dir mein letztes Gedicht. Ich halte es für gut,
und es soll in den zweyten Theil meiner Wercke kommen."
Aber wir werden auf unser Gedicht durch die nachfolgenden
Stellen geführt. 15. Dec. 1767 (VII, 113): „Hättest du nur immer
einige Erinnerungen über das Gedichte geschrieben (das mit
dem letzten Briefe überschickte natürlich), du weisst ja, dass
sie mir immer lieb sind. Aber die Apostrophe F** muss
stehen bleiben, da kann ich dir nicht helfen. Es ist auch
eine übertriebne Delicatesse von dir dass du sie ausstreichen
willst"; und im Briefe vom Mertz 1768 (VII, 116) heisst es
dann: „Streiche in dem Gedichte der wahre Genuss das strittige Wort aus und setze Freund dafür." Die Apostrophe F**
meint zweifelsohne Fürst in Vers 3, Behrisch nimmt als Prinzen-
erzieher daran Anstoss und will es getilgt sehen. Goethe nennt
das übertriebne Delicatesse, um dann doch nachzugeben. Aber
im Leipziger Liederbuch taucht das strittige Wort wieder auf,
um dann (schon für den geplanten Abdruck in den Werken
1789? der aber unterblieb Hempel 5, 337) völlig zu verschwinden. Also auch hier erstes Motiv im Brief, kurze Zeit
darauf die poetische Gestaltung.

Diese Beobachtungen sind deshalb von Wichtigkeit, weil
sie zeigen, wie Goethes Poesie auch während der Leipziger
Zeit durchaus Gelegenheitsdichtung ist. Die Motive werden
nicht ausgeklügelt, sondern ergeben sich aus seinen Erlebnissen, seinen Erfahrungen. Er unterscheidet sich dadurch gewaltig von den Anakreontikern, welchen er nur die Mittel ab-
borgt (vgl. auch Minor, Zs. f. allg. Gesch. 1886 S. 623).

Wir werden aber versucht, einen Schritt weiter zu gehen:

wir benutzen Uebereinstimmungen zwischen Liedern und Briefen
zu chronologischen Zwecken. Es mag nicht immer angehen,
gewiss müssen Brief und Gedicht nicht gleichzeitig sein, aber
wir dürfen es vermuthen.

Ich erwähne dies deshalb, weil wir für das Gedicht des
Sessenheimer Liederbuches, welches später „Willkomm' und
Abschied“ genannt wurde, gleichfalls den Keim in einem Brief
aufweisen können[1]). Freilich steht es mit der Datierung des
Briefes misslich, das schwanken in den Angaben beträgt ein
volles Jahr. Gemeint ist der Brief aus Saarbrück vom 27. Juni:
„Gestern waren wir den ganzen Tag geritten, die Nacht kam
herbei und wir kamen eben auf's Lothring'sche Gebirg, da die
Saar im lieblichen Thale unten vorbei fliesst. Wie ich so
rechter Hand über die grüne Tiefe hinaussah und der Fluss
in der Dämmerung so graulich und still floss und linker Hand
die schwere Finsterniss des Buchenwaldes vom Berg über mich
herabhing, wie um die dunklen Felsen durch's Gebüsch die
leuchtenden Vögelchen still und geheimnissvoll zogen; da ward's
in meinem Herzen so still wie in der Gegend und die ganze
Beschwerlichkeit des Tags war vergessen wie ein Traum ……
Welch Glück ist's, ein leichtes, ein freies Herz zu haben!“

Das landschaftliche Material des Gedichtes ist hier schon
vorhanden, Ausdrücke wie: „an den Bergen hieng die Nacht“,
das herausblicken aus dem Gebüsche, sind bereits geprägt, ja
sogar der Abschluss „Und doch welch Glück geliebt zu werden“
etc. ist wenigstens im Gegentheile schon vorgebildet. Wir
können hier den Zusammenhang unmöglich leugnen und dürfen
die Unterschiede nicht zu stark hervorheben. Wir haben im
Briefe die Keime für das Gedicht. Der Brief ist aus Saarbrück
von der lothringischen Reise. an eine nicht genannte Adressatin am 27. Juni geschrieben. Wie Goedeke wahrscheinlich
gemacht hat, im Jahre 1770, nicht 1771. Der Brief fiele daher
vor Goethes Bekanntschaft mit Friederike, während das Gedicht ohne Friederike nicht zu denken ist. Freilich kann ich
nicht umhin, den Brief den übrigen Briefen aus dem Jahre

---

1) Ich habe zuerst Anz. VIII, 250 auf diese Aehnlichkeit aufmerksam gemacht. Vgl. Werner, Goethes Willkommen und Abschied, Lemberg 1887.

1770 vor Goethes Besuch in Sessenheim bedeutend überlegen
zu finden; ich glaube einen ganz anderen Ton, eine verhaltene
Glut darin zu entdecken, welche sich ganz anders äussert als
die philiströse Ehrpusslichkeit der Briefe an die Trapp, Hetzler
u. dgl. Halten wir aber an der Jahreszahl 1770 fest, so bleibt
uns nur die Annahme, dass Goethe das auf der lothringischen
Reise aufgefangene und im Briefe vorläufig festgehaltene poetische Motiv längere Zeit mit sich herumtrug, um es endlich
während des Verhältnisses zu Friederike künstlerisch zu gestalten; dabei verschwindet der Zusammenhang mit der ursprünglichen Situation. Es wird also das poetische Motiv ohne
Rücksicht auf den ursprünglichen Anlass verwendet.

Auch das können wir uns theoretisch völlig zurechtlegen.
Es wird das poetische Motiv alles zufälligen entkleidet, idea-
lisiert, wie Schiller das nennt, und voll und rund heraus-
gearbeitet, bewusst oder vielleicht unbewusst. Diesen Grundsatz habe ich bei meiner Analyse des Gedichtes: „Geheimstes“
angewendet (Goethe und Gräfin O'Donell S. 199—203). Goethe
schreibt zuerst an den in Wien weilenden Herzog (a. a. O. S. 156):
„Im Orient, wo ich mich jetzt gewöhnlich aufhalte, wird es
schon für das höchste Glück geachtet, wenn, von irgend einem
demüthigen Knecht, vor dem Angesichte der Herrinn gesprochen wird und Sie es auch nur geschehen lässt. Zu wie
vielen Kniebeugungen würde derjenige hingerissen werden,
dessen Sie selbst erwähnte! Möchte ich doch allerhöchsten
Ortes nur manchmal nahmenweise erscheinen dürfen.“ Wir
wissen, worauf Goethe anspielt (vgl. v. Loepers Anm. bei
Hempel IV, 57). Schehab-ed-din pilgert 628 auf den hl. Berg
Arafat und betet dort vor allem Volk und spricht in seiner
Demuth: „Glaubst du, bei Gott den Rang einzunehmen, den
diese Leute dir zuschreiben? Glaubst du, dass heute nach dir
Nachfrage ist vor dem Gegenstande deiner Liebe?“ Scheich
Faredh erscheint und ruft: „Angenehme Nachricht deinem
Herzen! Lege deine Kleider ab; es ist Nachfrage nach dir
gewesen vor dem Gegenstande deiner Zärtlichkeit, trotz aller
deiner Unvollkommenheit!“ Goethe hat in seinem Citate ge-
ändert; es ist von Gott die Rede, Goethe wendet es auf die
Herrin an, das ist die Kaiserin Maria Ludovica; es ist von

einer Nachfrage die Rede, Goethe schwächt das, erwähnt nur
das nennen des Namens und stellt die andere Möglichkeit als
eine unerhörte Steigerung der Gnade hin. Goethe hat also die
poetische Sage bereits gewendet, um sie auf einen bestimmten
Fall beziehen zu können. Wieder anders hat Goethe das poetische Motiv im Maskenzug von 1818 aufgefasst, wenn er das
Epos sprechen lässt (XI, 1, 329):

> „Wenn vor deines Kaisers Throne
> Oder vor der Vielgeliebten
> Je dein Name wird gesprochen,
> Sei es dir zum höchsten Lohne!
>
> Solchen Augenblick verehre,
> Wenn das Glück dir solchen gönnte!"
> Also klingt vom Oriente
> Her des Dichters weise Lehre.

Hier also wird das Motiv ausgedehnt auf Kaiser und vielgeliebte, dagegen auf das nennen des Namens eingeschränkt,
die Steigerung fehlt. Die Tragoedie bezeichnet die Verse als
ein Citat aus einem orientalischen Dichter. Im West-östlichen
Divan (V, 57) heisst es nun:

> Wisst [l. Wisset?] ihr, wie Schehâb-ed-din
> Sich auf Arafat entmantelt;
> Niemand haltet ihr für thörig,
> Der in seinem Sinne handelt.
>
> Wenn vor deines Kaisers Throne,
> Oder vor der Vielgeliebten,
> Je dein Name wird gesprochen,
> Sei es dir zu höchstem Lohne!
>
> Darum war's der höchste Jammer
> Als einst Medschnun sterben wollte,
> Dass vor Leila seinen Namen
> Man forthin nicht nennen sollte.

Hier kommt ein neues Motiv hinzu, ausdrücklich wird
nun „Vielgeliebte" mit Leila parallelisiert, was nur den Sinn
haben kann, dass neben dem höchsten Herrn der Erde, dem
Kaiser, das für den liebenden höchste, seine vielgeliebte nämlich, aufgeführt werden soll. Es ist also das ursprüngliche
Motiv wieder anders gewendet und die frühere Beziehung

auf die „Herrin", die Kaiserin Maria Ludovica, getilgt. Es ist
das Motiv zu einer Sentenz geworden, man könnte sagen, es
ist damit die Idealisierung auf die Spitze getrieben, denn die
Sentenz ist eben das allgemeingiltige, abgelöst von allem besonderen. Im Briefe finden wir erst den Anfang der Idealisierung: „Herrin" verweist deutlich auf die Kaiserin, welche
dann gleichsam die Exemplificierung des allgemeinen Satzes ist.
Im Maskenzuge dagegen erscheint die Sentenz abgeschlossen:
Kaiser und vielgeliebte bilden das positiv- und das relativ-
höchste der Erde, dann wird die Sentenz durch die auftretenden Dichter Weimars exemplificiert:

> Glücklich preisen wir die Guten
> Die wir jetzt zu nennen wagen,
> Die in kurz vergangnen Tagen
> Weggeführt des Lebens Fluthen.

Endlich im West-östlichen Divan: die Sentenz wird durch
Medschnun und Leila exemplificiert.

Ich möchte vermuthen, dass Goethe das Motiv zu einem
Spruche verdichtet hatte, den er als kleines ganzes festhielt:

> Wenn vor deines Kaisers Throne,
> Oder vor der Vielgeliebten .
> Je dein Name wird gesprochen,
> Sei es dir zum höchsten Lohne!

Wie etwa den Spruch: „Eine Stelle suchte der Liebe Schmerz"
(IV, 54), den er dann ohne nähere Verbindung an das Gedicht
„Ergebung" anschloss. Ich werde auf diese Vermuthung gebracht, da unsere Strophe, was bisher übersehen wurde, metrisch aus dem Zusammenhange fällt. Alle Strophen des Gedichtes „Geheimstes" zeigen den Reim im zweiten und vierten
Verse, unsere Strophe dagegen im ersten und vierten. Goethe
nahm also eine fertige Strophe ins Gedicht auf.

Ich halte daher an der Meinung fest, das Gedicht „Ge-
heimstes" habe trotz der Aehnlichkeit mit dem Briefe keine
Beziehung auf die Kaiserin Maria Ludovica, und werde durch
Düntzers Polemik gegen mich in seinem Schriftchen „Goethes
Verehrung der Kaiserin von Oesterreich" 1885 S. 90—94 in
dieser meiner Ansicht nur bestärkt. Düntzer weiss zwar alles

besser — das ganze genannte Heft zeigt meinem Buche gegenüber das oft kleinliche streben, alles besser zu wissen —, aber
das bessere ist leider des guten Feind. Auch will mich bedünken, dass wir das Verständniss unseres Gedichtes durch die
Deutung auf die Kaiserin nicht im geringsten fördern. Nun
gar bei der Auffassung von „Schwäger", welche Düntzer S. 92
vorträgt: die Neuigkeitskrämer fragen, „wer seine geliebte sei,
um ihm zu beweisen, dass diese auch andere liebe"; traut
jemand Goethe die — gelinde gesagt — Tactlosigkeit zu, so
das auftreten der verehrten Kaiserin einzuleiten; noch dazu
der Kaiserin, welche zur Zeit, als Goethe das Manuscript des
Divan zusammenstellte, bereits todt war? Das leuchtet mir
eben nicht ein. Wir können unser Gedicht von dem andern
desselben Buches: „Genügsam" nicht trennen, dieselbe Bescheidenheit und Demuth des Dichters in beiden: will nun
Düntzer auch das Gedicht „Genügsam" auf die Kaiserin beziehen? Ich glaube nicht, vgl. S. 91 seines Heftes. Ich hoffe
zwar nicht ihn zu überzeugen, bin aber zufrieden, wenn ich
andere überzeugt habe.

1. 11. 86.

III. Goethes Aussehen im Jahre 1832.

Es ist zwar bekannt genug, dass Goethe sich merkwürdig
gut erhalten hatte, trotzdem wird das nachfolgende charakteristische Zeugniss dafür von Interesse sein, schon wegen des
Schreibers und der Adressatin. Grossherzog Karl Friedrich
von Weimar meldet nämlich der Gräfin Titine O'Donell am
29 de Fevrier 1832:

„Ms. de Goethe, que Vôtre Excellence honore de sa — Bien-
veillance, se porte etonnement bien. A le voir Vous le pren-
driez pour un Homme de soixante-Ans bien compté et ....
helas ... c'est un Vieillard plus qu'octogenaire. Il prend plus
que jamais garde a sa santé et l'on préservent a lui menager
toute Impression desagréable. Dans le Monde civilisé il n'existe
guerres de Maison ou l'on parle aussi peu Guerre et Choléra,
que dans celle de Goethe."

Gräfin Titine O'Donell war die Enkelin des Prinzen de
Ligne und die Gemahlin des Grafen Moriz O'Donell von

Tyrconell. Ihr widmete Goethe zu ihrer Hochzeit 1811 die Hammerschen Zeichnungen nach seinen Skizzen, von welchen der im Goethe-Jahrbuch VII, 181 veröffentlichte Brief vom 25. September 1810 handelt.

Der Brief des Grossherzogs ist im Besitze des Grafen Moriz O'Donell zu Lehen nächst Salzburg.

4. 10. 86.

IV. Hasen laufen lassen.

Goethe erzählt in Dichtung und Wahrheit (XX, 149): *„Wir liessen einen Hasen nach dem andern laufen (dies war unsre sprichwörtliche Redensart, wenn ein Gespräch sollte unterbrochen und auf einen andern Gegenstand gelenkt werden)."* Im Deutschen Wörterbuch IV, 2, 530 wird angeführt, dass Hase als Bild für eine Schnurre, einen närrischen lustigen Streich dient, und dazu eine Stelle aus Müllers Siegfried von Lindenberg citiert. Sanders I, 699 erinnert an den Jagdausdruck „Wechselhasen", und von Loeper (XX, 220) stimmt ihm bei.

Der Sinn wird jedoch besser durch eine Geschichte erklärt, welche sich in *„Frag vnd Antwort, Konig Salomonis vnd Marcolphi"* findet (vgl. Goedeke I², 347 f. Die Stelle gedruckt bei H. Merkens, Deutscher Humor alter Zeit. Würzburg 1879 S. 559 f.).

Hie liess Marcolphus einen Hasen lauffen, vnd die Hunde lieffen dem Hasen alle nach.

Vnd Marcolphus gienge hin vnnd kauffet ein lebendigen Hasen vnd verbarg jn heimlich vnder sein kleider vnd gienge wider ghen Hof, vnnd da jhn die Diener sahen, hetzten sie die Hund an jhn vnd meinten, sie sollten jn zerreissen. Da liess Marcolphus den Hasen lauffen, zuhandt · verliessen jhn die Hundt vnd lieffen dem Hasen nach: also kam er vor den König; vnd als jhn der König sahe, sprach er: „Was jagen die Hunde?"

Marcolphus: „Das, das sie fleuhet."

Salomon: „Was ist das, das sie fleuhet?"

Marcolphus: „Das sie jagen."

Hier ist der Ausdruck ganz ähnlich gebraucht, und Goethe kann sehr wol unter den anderen Volksbüchern, welche während der Messe zu haben waren, auch den Salomon und Markolph gelesen haben, da von demselben ein Frankfurter Druck existiert (ihn hat Merkens a. a. O. benutzt). Als Unterstützung dieser Ansicht kann gelten, dass Salomon (Merkens S. 552) sagt: „*Wer stehet, der sehe, dass er nicht falle*". Freilich kann Goethe diesen Vers (Beherzigung) auch aus einer anderen Quelle (vgl. Loeper I 296) kennen gelernt haben.

22. 11. 86.

V. Der Wanderer.

Schon Minor ist in den Studien zur Goethe-Philologie S. 44 ff. dem Motive nachgegangen, welches Goethe in seinem Wanderer (D. j. Goethe II, 7 ff.) behandelt hat. Wir begegnen diesem Motiv auch in einer Idylle Gessners: „Daphnis und Micon" (II, 121 ff.). Es ist ein Gespräch zwischen diesen beiden Hirten; Micon ist fremd in der Gegend. Sie gehen zusammen, plötzlich fragt Micon: *Aber sage mir, Daphnis, was ich da sehe. Marmorsäulen liegen im Sumpfe, und Schilf und Unkraut schlägt sich drüber. Sieh ein zerfallnes Gewölbe von Epheu über und überschlungen, und Dornen wachsen aus jeder Ritze.* Daphnis erwidert: *Ein Grabmal wars.* Nun wird dies weiter ausgeführt: *Sieh da liegt die Urne im Schlamm. Bilder scheinen aus ihren Seiten hervorzuspringen: Fürchterliche Krieger sinds und tobende Pferde; sieh, mit ihren Hufen zertreten sie Männer, die verwundet zu Boden stürzen ...* Der Contrast zwischen Krieger- und Hirtenleben wird in Gessnerscher Weise gestaltet. *Was bleibt nun von seiner fürchterlichen Grösse? ...* Daphnis führt den Fremden dann zu seiner Hütte. *Hier Freund, gehe diesen Fusssteig durch die Wiese, hier an dem mit Hopfen behangenen Gränzgott vorbey ....* sie gehen, *und der Weg führte sie in die stillen Schatten 'fruchtbarer Bäume, in deren Mitte eine bequeme Hütte stund ...* Daphnis bewirthet den Fremden mit Früchten und Wein. Dann erneuern sie das Andenken an den Vater Daphnis', der diese Hütte gebaut und die Gegend fruchtbar gemacht hat.

Die Aehnlichkeit ist ziemlich gross, obwol Goethe das Motiv in der herrlichsten Weise vertieft hat. Ich will auch nicht behaupten, dass ihm bei der Abfassung des Gedichtes

die Idylle Gessners vorschwebte, allein die Anregungen, welche
der Dichter bei der Conception seines Gedichtes empfängt,
setzen sich aus so mancherlei Zufälligkeiten zusammen, dass
wir trachten müssen, alle Einzelheiten zu erforschen.

Für die Scene am Brunnen im Werther (D. j. G. III, 237 ff.)
verweise ich auf Gessners Idylle „Mycon"[1]) (II, 109).

17. 1. 87.

VI. Tom Jones als Goethes muthmassliches Vorbild.

Zu dem Gedichte „Vertrauen" (Loeper II², 200) bemerkt
der Herausgeber S. 465: „Anlass und Zeit der Entstehung sind
unermittelt". Ich möchte nur darauf aufmerksam machen, dass
in Fieldings Tom Jones im 12. Capitel des 7. Buches (Neu
übersetzt. Nürnberg bey J. G. Lochner u. Grattenauer 1780
II, 194 f., mir ist hier leider das Original nicht zugänglich)
eine Scene geschildert ist, welche ganz ähnlich wie der Dialog
in unserem Gedichtchen verläuft. Tom Jones befindet sich
unter den Soldaten an der Mittagstafel; da die Reihe an ihn
kommt, eine Gesundheit auszubringen, nennt er seine theuere
Sophia und nahm umsoweniger Anstand das zu thun, *da er
es für ganz unmöglich hielt, dass einer von der gegenwärtigen Gesellschaft die Person, die er im Sinne hatte, errathen würde.* Der
Lieutenant ist mit dem Vornamen nicht zufrieden, und so sagt
Jones nach einigem Bedenken: *Miss Sophia Western. — „Das
ist eine Gesundheit, die ich mit der meinigen nicht in einer Reihe
trinken werde, erklärte sich Fähndrich Northerton, wenn nicht
jemand für die Schöne gut sagt, der sie gilt. Ich kenne eine
Fieke Western, sagte er, bei der fast alle junge Kerls in Bath
gelegen, und vielleicht ist das eben das Mensch."* Jones versicherte

---

1) Ich beziehe wie Minor a. a. O. das von Goethe am 11. Mai 1767
(Goethe-Jahrbuch VII, 58) charakterisierte Werkchen „Mikon" auf die Erzählung in Dichtung und Wahrheit (XXI, 62) von einer Idylle, die er in
Leipzig verfasste. Mycon erscheint bei Gessner viermal (Schriften, Zürich
1782 II, 12. 92. 107. 121), immer ist damit eine edle Person gemeint,
seine Geliebte heisst Daphne. In der einen Idylle (S. 107 ff.) erscheint
er als besonderer Pfleger von Bäumen. — Das von Goethe in Versen behandelte Motiv begegnet in Gessners Schäferspiel Evander und Alcimna
I, 2 (II 152), vgl. D. j. Goethe I, 64. 270 und Minor-Sauer, Studien S. 39 f.

ihn auf das feierlichste des Gegentheils, und versicherte, dass das
junge Frauenzimmer, das er meinte, eine Person von grossem
Stande und Reichthum wäre. — „Ja, ja, das ist sie auch, hohl
mich der Teufel! 's ist eben das Mensch und keine andere. Sechs
Bouteillen Burgunder will ich verlohren haben, wenn sie Tom
French von unserm Regimente nicht, in was für ein Weinhaus
wir wollen, in Bridgesstreet in unsere Gesellschaft bringen soll."
Er fuhr darauf fort, ihre Gestalt auf das genaueste zu beschreiben,
(denn er hatte sie bei ihrer Muhme gesehen) und endigte damit,
dass er sagte, ihr Vater hätte ein grosses Gut in Sommersetshire.

Fielding fährt fort: Die Zärtlichkeit der Liebenden kann
den geringsten Scherz mit dem Namen ihrer Geliebten übel ver-
dauen. Gleichwohl rächte Jones, so sehr er auch Liebender und
Held oben drein war, diese Beschimpfungen nicht so hastig, als
er vielleicht hätte thun sollen. Die Wahrheit zu sagen, da ihm
nur noch wenig von dieser Art des Wizzes vorgekommen war, so
verstand er ihn auch so bald nicht, und war lange Zeit immer
der Meinung, Northerton verwechselte wirklich seine Gebieterinn
mit einer andern. Er verweist also dem Fähndrich noch einmal seine Bemerkungen, er lasse mit dieser Dame nicht Scherz
treiben. — *„Scherz treiben? sagte der andere, mich soll der Teufel*
hohlen, wenn ich je in meinem Leben mehr im Ernste geredet
habe. Tom French von unserem Regimente hatte sie und ihre
Muhme zu Bath zu seinem Befehle." — „So muss ich Ihnen
denn auch in allem Ernst sagen, rief Jones, dass Sie einer der
unverschämtesten Schurken auf Gottes Erdboden sind." — Diese
Worte haben zur Folge, dass der Fähndrich ihm *mit einer*
ganzen Ladung Flüchen, eine Bouteille an den Kopf schmiess, die
ihn ein wenig über den rechten Schlaf traf, und ihm sogleich zu
Boden stürzte.

Nun betrachte man unser Gedichtchen:

A.   Was krähst du nur[1]) und thust so gross?
B. „Hab' ich doch ein köstlich Liebchen!" —
A. So weis' mir sie doch! Wer ist sie denn?
    Die kennt wohl manches Bübchen!

---

1) Nur für das überlieferte mir schlug ich Goethe-Jahrbuch I, 384
vor, v. Loeper S. 465 spricht sich dafür, Frhr. v. Biedermann Archiv
XII, 617 dagegen aus.

B.   „Kennst du sie denn, du Lumpenhund?" —
A.   Das will ich grad' nicht sagen;
    Doch hat sie wohl auch zu guter Stund'
    Dem und jenem nichts abgeschlagen.
B.   „Wer ist denn der Der und der Jener denn?
    Das sollst du mir bekennen!
    Ich schlage dir gleich den Schädel ein,
    Wenn du sie mir nicht kannst nennen!"

Die Schlussstrophe, welche das Motiv anders als bei Fielding
abrundet, gehört nicht mehr hieher. Das Gedicht erschien
zuerst in der Ausgabe von 1815, vielleicht hat sich Goethe in
der Zeit von 1808 einmal mit Tom Jones beschäftigt, d. h. in
der Zeit, als er seine Selbstbiographie schrieb. Dieser Einfall
kam mir, weil Fielding im ersten Capitel des achten Buchs,
wo er sich über das wunderbare auslässt (II, 248), sagt: *denn,*
wie ein Genie vom ersten Rang im fünften Kapitel vom Erhabenen
bemerkt: „die grosse Kunst aller Poesie ist, Dichtung und Wahr-
heit zu vermischen, um das Glaubliche mit dem Wunderbaren zu
vereinigen." Ich erwähne diese Stelle beiläufig, weil sie den
Belegen für den Titel: Dichtung und Wahrheit einen bisher unbekannten hinzufügt.

    29. 1. 87.

VII. Eine Parallele zu Faust I, 29.

Zu diesen Versen hat D. Jacoby I, 199 die entsprechenden Zeilen aus dem Gedicht an Merck (D. j. G. III, 156 f.) citiert.
Ich mache noch auf das Epigramm „Problem" (Loeper II², 206)
aufmerksam, das wir freilich nur bis 1810 zurückverfolgen
können.

    Warum ist alles so räthselhaft?
    Hier ist das Wollen, hier ist die Kraft;
    Das Wollen will, die Kraft ist bereit
    Und daneben die schöne, lange Zeit.
    So seht doch hin, wo die gute Welt
    Zusammenhält!
    Seht hin, wo sie auseinanderfällt!

Diese Zeilen könnte man geradezu für ein Paralipomenon des
Faust halten; ich möchte sie daher bedeutend früher datieren.

    28. 1. 87.

VIII. Zwei Conjecturen.

a) Zu Loeper II², 187.

In der ersten Palinodie muss der 3. Vers gelesen werden

Du hältst die Nase, Haug

um den Reim auf Opferrauch herzustellen; auch in der zweiten
Palinodie wird Vers 6 Herr Hauch (für Haug) eingeführt.
Dass diese Conjectur erlaubt ist, beweist ausser dem mangeln-
den Reim der Gedankenstrich: du hälst die Nase zu —, was
bei Goethe wiederholt das Zeichen einer unterdrückten Lesart
ist. Freilich verhehle ich mir nicht, dass in Haugs Gedicht,
welches die Palinodie veranlasste, im Vers 5 (Düntzer Erl. 558):
„Und hielt die Nase mit der Linken zu (: du)“ steht.

28. 1. 87.

b) Zu Loeper II², 204.

Im 16. Verse des Gedichtes „Jahrmarkt zu Hünfeld den
26. Juli 1814“ ist überliefert: „Und hatten keine Ehre eingelegt“; nach dem vorangegangenen Verse: „Beutel und Scheuer
war gefegt“ möchte ich die Schreibung Aehre vorziehen. Die
seltenere, aber nicht unerlaubte Verbindung Aehren einlegen
(vgl. Grimm WB. 3, 224 sub 5 Früchte einlegen = in die
Scheuer führen) wurde vom Schreiber in die gewöhnlichere
Ehre einlegen verwandelt. Auch in Vers 18 muss eine Verderbniss stecken, so dass die Conjectur nichts unerhörtes ist.

28. 1. 87.

Goethes Gedicht an Fräulein Casimira Wołowska.

Von

PAUL EMIL RICHTER.

Als Goethe sich im Jahre 1823 in Marienbad befand, bat ihn die schöne und anmuthige, aber zu Schwermuth geneigte und häufig von ihrem Tode redende Casimira Wołowska, die unverheiratete Schwester der Clavierspielerin der Kaiserin von Russland Szymanowska, um einige Zeilen für ihr Stammbuch, und er kam ihrem Wunsche nach, indem er ihr das obengenannte Gedicht widmete. Es lautet:

> „Dein Testament vertheilt die holden Gaben,
> Womit Natur Dich mütterlich vollendet,
> Vermächtniss nach Vermächtniss ausgespendet,
> Zufrieden jeder seinen Theil zu haben.
> Doch wenn Du Glückliche zu machen trachtest,
> So wär' es der, dem Du Dich ganz vermachtest."

Marienbad, den 18. August 1823.   Goethe.

In der zu dem Gedichte gehörigen Anmerkung erklärt Goethe: „Ein geistreicher Freund schrieb in ihr Stammbuch ein Testament, worin sie ihre höchst liebenswürdigen Eigenschaften und Vorzüge einzeln und an verschiedene Personen vermacht. Der Scherz konnte für sehr anmuthig gelten, indem der Bezug der Legate auf die Legatarien theils Mängel, theils gesteigerte Vorzüge derselben andeutete, und ich schrieb dieses Gedicht unmittelbar in jener Voraussetzung."

Wer der geistreiche Freund war, und wie das Testament lautete, darüber gab (und zwar ohne auf den in der „Gegenwart" vom 14. August 1886 abgedruckten Aufsatz Robert Falcks: „Graf Rastopschin [so!] und Goethe" hinzuweisen, der, wie sich erst während der Correctur gegenwärtiger Mittheilung

.herausgestellt hat, offenbar die Quelle des Pariser Blattes gewesen ist) die am 31. October 1886 in Paris erschienene Nr. 20 der Gazette anecdotique Aufschluss.

Der Verfasser jenes Testamentes war kein anderer als der Graf Rostopschin, sonst litterarisch nur bekannt durch seine Schrift über den Brand von Moskau und seine aus 14 Capiteln von je einigen Zeilen bestehenden Memoiren, deren charakteristische „Epitre dédicatoire au public" mit den Worten anhebt: „Chien de public! organe discordant des passions" etc. (Diese Memoiren sollen sich jetzt, nach der „Gegenwart", im Besitze der Familie Galitzin befinden.) Ein Verächter der Menschheit im allgemeinen fand er sich doch durch die Liebenswürdigkeit der Casimira Wołowska bewogen, aus seiner Unzugänglichkeit herauszugehen, und schrieb, wie folgt, in ihr Stammbuch:

Testament, ou les premières et dernières volontés d'une jeune personne à qui l'on a persuadé qu'elle va mourir.

1. Étant réduite à l'extrémité par trop de santé, et sentant approcher Madame la Mort de mon lit, où je dors tranquillement, je dicte mes volontés en nommant pour mon exécuteur testamentaire dans ce monde M. Rossini, et dans l'autre M. Haendel.

2. Je lègue mon esprit à la première jeune personne qui aura perdu le sien.

3. Mon âme aux égoïstes.

4. Mon coeur aux riches.

5. Mon amitié pour ma soeur à ses enfants.

6. Mes yeux aux jeunes filles qui passent inaperçues dans le monde.

7. Mes dents aux femmes laides à faire peur.

8. Mon teint aux Albinos.

9. Ma tournure aux orphelines sans dot.

10. Mon regard aux mères malheureuses qui ont à solliciter des grâces pour leurs enfants.

11. Ma cruche où je bois l'eau de Carlsbad, au premier roi qui y viendra.

Signé: Casimira Wołowska.

Pour copie conforme:

Fédor, comte Rostopchine.

Le 19 Juillet 1823. Au cap de Bonne-Espérance.

———

Nach dem lesen dieses Testamentes schrieb Goethe das obenstehende Gedicht, das die hocherfreute Empfängerin leider wegen Unkenntniss der deutschen Sprache nicht verstand. Als sie dies Goethe mittheilte, versprach er ihr eine Uebersetzung des Gedichtes zu machen, soll aber zu der Schwester Szymanowska geäussert haben: „Ce sera la première fois de ma vie que pareille chose m'arrive." Tags darauf schrieb Goethe unter seine deutschen Verse:

Ton testament distribue les dons précieux
Dont la nature perfectionna ton être,
Legs sur legs généreusement désignés.
Chacun est très content du lot qui lui est échu.
Mais, si c'était l'intention de rendre heureux,
Celui-là le serait à qui tu voudrais léguer l'ensemble.

I. Vier Briefe Schillers. II. Böttigers Briefe an Schiller.

Mitgetheilt

von

ROBERT BOXBERGER.

I.

1. An W. G. Becker in Dresden[1]).

Weimar, 18. März 1802.

Hier, mein verehrter Freund, übersende ich Ihnen einige Kleinigkeiten[2]), die Ihnen bloss meinen guten Willen an den Tag legen sollen. Andre Beschäftigungen haben mich nicht dazu kommen lassen, mich auf dem lyrischen Felde zu ergehen, und das wenige, was diesen Winter entstand, habe ich noch zwischen Ihnen und Cotta teilen müssen.

Es wird gut sein, wenn Sie diese Kleinigkeiten nicht in Einer Folge abdrucken lassen, sondern unter fremden Arbeiten zerstreuen.

· Lassen Sie mich Ihrem freundschaftlichen Andenken bestens empfohlen sein.　　　　　　　　　　　　　　　　　　Schiller.

2. An Böttiger?[3])

Weimar, den 27. Jänner 1803.

Da ich von diesem Jahr an den Merkur in einer Journal-Gesellschaft[4]) zu lesen bekomme, so stelle ich Ihnen dieses erste Stück

---

1) Die Adresse ergibt sich aus Kalender S. 120. Der Brief gieng durch Körners Hände. Ebd. Vgl. Briefwechsel mit Körner IV, S. 276. Das Original ist im Besitz von Fräulein Marie Zervas in Dresden, die mir den Abdruck gütigst gestattet hat. Es stammt aus Krauklings Auction, Katalog S. 50 No. 1500.

2) „Sehnsucht", „Die Gunst des Augenblicks", „Dem Erbprinzen von Weimar", erschienen in Beckers Taschenbuch für 1803.

3) Besser weiss ich den Brief nicht zu adressieren, der im Kalender, wie alle Briefe von Haus zu Haus, nicht verzeichnet ist. Böttiger gab von 1790 bis 1810 mit Reinhold und Wieland den „neuen deutschen Mercur" heraus. Das Original dieses und der beiden folgenden Briefe ist im Besitz des Herrn A. Meyer Cohn, Banquier in Berlin, der mir mit grösster Freundlichkeit Abschriften davon zugeschickt und den Abdruck gestattet hat.

4) Vgl. Briefwechsel mit Goethe, Vollmers Ausgabe II, S. 460.

des neuen Jahrgangs, mit meinem verbindlichsten Dank für Ihre
mir bisher gezeigte Gefälligkeit wieder zu und bitte Sie, von mir
beiliegendes Werk als ein Zeichen meiner achtungsvollen Dankbarkeit anzunehmen[1]).

3. An Buchhändler Frommann in Jena[2]).

Weimar, den 3. April 1803.

Der Druck[3]) ist vortrefflich und das Arrangement ganz nach
meinem Wunsch; nur das einzige hab' ich zu erinnern, dass mir,
nach besserer Ueberlegung, das Personenverzeichnis überhaupt un-
nötig scheint, indem sich alle Personen selbst erklären, wenn sie
vorkommen. Drei leere Seiten zur Einleitung von so wenigem Text
sieht auch nicht recht gut aus, besser hingegen wird sich ein leeres
Blatt bloss mit der Firma des Verlegers (Cotta's Firma kann
übrigens auch auf den Titel kommen) und Druckers am Ende und
hinter dem Text ausnehmen. Mein Rat wäre daher, das Blatt mit
dem Personenverzeichnis zu unterdrücken und es für den Schluss
aufzusparen.

Einen einzigen Vers habe geändert, weil ich vergessen hatte,
es hier im Mskrpt. noch zu thun. Es ist wegen einer Stelle, die
den Russen hätte anstössig werden können[4]).

In 2 oder 3 Tagen geht eine Gelegenheit nach Italien von hier
ab, die sich vielleicht in Monaten nicht wieder findet. Ich wünschte
einem dortigen Freund[5]) einen Abdruck dieses Gedichts mitsenden

---

1) Vielleicht der 4. Theil seiner „Kleineren prosaischen Schriften",
Leipzig, Crusius, 1802.

2) Kalender S. 189. Vgl. Briefwechsel mit Cotta S. 554. In dem
„Katalog der Autographen-Sammlung M. Cohns", Berlin 1886, S. 47
No. 8, ist als Adressat irrthümlich Cotta angegeben.

3) Der „Huldigung der Künste".

4) Jedenfalls der Vers 176, Goedekes kritische Ausgabe XV, 1,
S. 10: „Er macht den Sklaven frei und menschlich selbst den Wilden."
So findet sich der Vers im ersten Druck und in dem Petersburger Exemplar
(Hempels Ausg. VI, S. 152); in den übrigen Ausgaben und auch in
Schillers Mscr. im Staatsarchiv zu Weimar lautet der Vers: „Er schafft
sich ein gesittet Volk aus Wilden", der also später wiederhergestellt,
resp. dessen Veränderung bei den erneuten Drucken unberücksichtigt
geblieben ist.

5) Wilhelm von Humboldt, preussischem Gesandten in Rom;
vgl. Schillers Brief an diesen vom 2. April 1805. Die Gelegenheit war
die Reise der Herrn von Herda nach Rom. Vgl. Caroline von Humboldt an Frau von Schiller, Rom, den 8. Juli 1805 (Urlichs, Ch. v.
Schiller und ihre Freunde II, S. 201): „Die Briefe, die ihr Lieben den

zu können, und wäre sehr erfreut, wenn Sie mir ein solches Exemplar
wie diesen Revisionsbogen wollten abziehen und auf den Sonnabend
zukommen lassen.

Mit aller Achtung verharre

E. Wohlgeb.

ergebenster Diener

Schiller.

4. An Fritz von Stein in Breslau[1]).

Weimar, den 13. April 1805.

Der Schauspieler Cordemann, der vom hiesigen Theater nach
Breslau abgeht und mich um ein Empfehlungsschreiben dahin bittet,
giebt mir eine zu angenehme Gelegenheit an die Hand, mein Andenken bei Ihnen zu erneuern, als dass ich sie nicht mit Freuden
ergreifen sollte. Also nicht deswegen, weil ich Sie als einen Patron
der Schauspieler kenne, sondern weil er von Weimar und von uns
kommt, glaube ich ihm eine gütige Aufnahme bei Ihnen versprechen
zu können.

Meines herzlichen Anteils an dem Glücke, das Sie im Besitz Ihrer liebenswürdigen Helene[2]) gefunden, sind Sie ohne meine

---

Herrn von Herda mitgegeben habt, sind erst jetzt in unsre Hände gekommen, weil sie durch einen Zufall länger von Rom abgehalten worden
sind, als es ihr Plan war." Mit derselben Gelegenheit schrieb Schiller
an den Maler Reinhart nach Rom (O. Baisch, Johann Christian Reinhart, Leipzig 1882, S. 181): „Es wäre recht hübsch, wenn Er dem Herrn
von Herda aus Weimar, der diesen Brief mitnimmt und im Sommer
wieder zurückreisen wird, eine schöne Landschaft mitgeben könnte."
Frau von Stein schreibt an ihren Sohn Fritz (Fielitz, Briefe Goethes an
Frau von Stein II, S. 386) den 2. September 1796: „Er (Goethe) sagte,
er habe gar keinen Einfluss auf den Herzog, sondern ich sollte doch der
Herzogin erzählen, er (Goethe) hielte es für gut, dass der Herzog Dir die
Kammerpräsidentenstelle in Eisenach, im Fall Herda stürbe, verspräche."
Da der Brief der Frau von Humboldt von mehr als einem Herda spricht,
so wird der andere der Gemahl jener Frau von Herda sein, die in
Goethes Briefen an Frau von Stein (ed. Fielitz II, S. 188) erwähnt wird,
und der, nach Mittheilung des Herrn Majors O. Seidel in Erfurt, wahrscheinlich Director vom Salzwerk Wilhelm-Glücksbrunn zu Kreuzburg
an der Werra war.

1) Kalender S. 190. Danach wurde der Brief den 15. abgesandt.
Vgl. Meyer Cohns Katalog S. 48 No. 9. Hier vollständig.

2) Er hatte sich 1804 mit Helene Freiin von Stosch auf
Gustau in Schlesien vermählt.

Versicherung gewiss. Nur dieses eine hatte Ihnen noch gefehlt, um Sie zu einem ganz glücklichen Sterblichen zu machen, alles andere, was man sich vom Himmel sonst erbitten mag, besassen Sie schon längst. Ich möchte wohl wünschen, Sie in Ihrer häusslichen Würde und Herrlichkeit zu sehen. Es freut mich nicht wenig, dass ich bei Ihrer lieben Freundin doch auch ein weniges gelte und also hoffen darf, in Ihrem Andenken fortzuleben. Das Ihrige ist immer lebendig unter uns, und ich würde es unter die Glückseligkeiten meines Lebens gerechnet haben, wenn uns der Himmel an Einem Ort und für die ganze Zukunft hätte vereinigen wollen.

Leben Sie wohl, mein teurer Freund. Weimarische Neuigkeiten werden Sie von meiner Frau erfahren, und die angenehmste darunter ist, dass Ihre Mutter sich wohl befindet. Leider war Göthe diesen Winter einigemal sehr hart krank, und es ist zu fürchten, dass gefährliche Rückfälle kommen. Auch ich habe viel gelitten, aber ich bin es schon gewohnt und habe mich längst darauf eingerichtet, auch beim Kranksein leidlich zu existieren.

Von ganzem Herzen der Ihrige

Schiller.

II.

Böttigers Briefe an Schiller.

Nach den Originalen der Dresdner Bibliothek mitgetheilt.

1[1]).

Weimar, den 31. August 97.

Gestern erst kam ich

vom staubumwölkten Sparta an der Spree,

in mein Häuschen zurück, und fand in einem Briefe von Göthe[2]) beifolgende Inlage[3]).

Aus einem Briefe von Meier, den ich zu gleicher Zeit vorfand, schliesse ich, dass die transalpinische Wanderung doch noch vor sich geht. Meier ist völlig wieder hergestellt. Auch findet, wie mir der einsichtsvolle französische Minister in Berlin, Caillard

---

1) Erhalten den 1. September 1797. Kalender S. 49. Schillers Antwort vom 6. Sept. zuerst gedruckt in Hasses Zeitgenossen III, 6, 3/4, S. 100 — K. W. Böttiger, K. A. Böttiger. Eine biographische Skizze, S. 136.

2) Der noch nicht bekannt geworden. Er wird vom 17. August datiert sein.

3) Den Brief an Schiller aus Frankfurt vom 16./17. August. Briefwechsel mit Schiller' I, S. 286, vgl. mit ebd. S. 301.

genau bewiesen hat, für einen Mann, wie Göthe, durchaus kein Bedenken bei einer Italienischen Reise statt. Glück auf also. Denn die Ausbeute wird sehr ergiebig seyn.

Hirt hat noch schöne Sachen für die Horen liegen. Er empfielt sich Ihnen, so wie alles, was in Berlin unter dem grossen Hutdeckel auch einen Kopf verbirgt.

Die Erwartung auf den neuen Musenalmanach ist gespannter, als je. Man sagte in Berlin in den gelehrten Judenzirkeln, den einzigen, die dort eigentlich von Literatur sprechen, Sie und Göthe träten darin mit einer nagelneuen Dichtungsart auf, die Engel und selbst Eschenburg noch nicht protokollirt haben. Hüten Sie sich also ja vor dem altfränkischen Namen Balladen. Das würde die ganze Freude verderben.

Mit innigster Verehrung und Dienstverpflichtung

Ew. Wohlgeboren

gehorsamer Diener

Böttiger.

Voss macht noch 2 Idyllen? zu seiner Luise.

Eben brennen 2 Scheuern in der Gegend von Bertuchs Haus. Aber es hat keine Gefahr. Der Blitz zündete sie.

2.

Weimar, den 11. Oktober 1797[1]).

Jede Hore, sagt der Grieche, hat ihre eigene Gabe! Glücklich ist der, der sie alle zu empfangen und mit Danksagung zu geniessen versteht.

Hatte die Hore Ihres vorjährigen Almanachs neben den Rosen in ihrem Kranze auch einige Stachelblumen eingeflochten; so war es nicht die Schuld der Geber, sondern der Empfänger, dass nicht diese Gabe allen gleich wilkommen war. Den diessjährigen Almanach wird Momus selbst nicht tadeln können. Mnemosynens Töchter haben selten etwas köstlicheres gespendet.

Ich werde ihre Gabe dankbar geniessen! Hoffentlich wird ausser dem in Teutschland unvermeidlichen Nachtrab von Nachahmertross doch auch mancher forschende Geniesser jetzt genauer das Wesen und die Bedingungen dessen, was man bis jetzt Romanze und Ballade nannte, untersuchen. Sie nannten Ihre Erzählungen Balladen, Göthe nannte die seinigen Romanzen. Ich kan diess nicht für bloss zufällig halten, und doch ist mir der Unterschied, den Sie dabey gedacht haben könnten, noch nicht ganz klar. Vieleicht

---

1) Kalender S. 51.

wird mir bald die Freude zu Theil, Ihnen persönlich meine Zweifel und Fragen vorlegen zu dürfen.

Darf ich die mit R.[1]) unterschriebenen Gedichte nicht unter Ihren Namen setzen? Und wer ist Luise ***?[2]) Dass K... Herr Keller in Rom sey, vermuthe ich durch einige Angaben. Die Erzählung: Der Handschuh hatte ich schon einmal in Dresden gelesen, wo Sie aber beym Ausgang den Ritter noch etwas stärker seinen Unwillen äussern liessen.

Der ehrliche Knebel, der jetzt in Nürnberg ist, hat seit seiner Abreise das Exemplar der Horen, das Ihre Güte ihm bestimmte, nicht mehr erhalten, und fragt mich darum. Ist es etwa bei Göthe liegen geblieben?

Mit unwandelbarer Hochachtung und Dankverpflichtung

der Ihrigste

Böttiger.

3.

Weimar, den 17. Oktober 1797[3]).

Endlich kann ich Ihnen, mein verehrungswürdiger Freund, dem Auftrage des Hrn. Geh. R. Göthe gemäss, Dorotheen, die Schnellvermählte und Längsterwartete zusenden. Das Exemplar in Seide ist der Frau Hofräthin bestimmt, der ich Hochachtungsvoll die Hand küsse und wohl die Frage vorlegen möchte, welche von den neun Musen, die hier erscheinen, ihr die liebste sey?[4])

Schon als mir Göthe das Gedicht zum erstenmale vorlass, wurde der Wunsch sehr lebendig in mir, dem Publikum ein Wort darüber ins Ohr zu sagen, dass Gedichte der Art, aus welchen der Geist der Homerischen Rhapsoden athmet, nicht gelesen, sondern gehört seyn wollen, und bei dieser Gelegenheit auf die nur hörbaren Schönheiten desselben aufmerksam zu machen. Unglücklicherweise zerstört die auf morgen angekündigte Ankunft der Frau von der Recke meinen Plan, Ihnen morgen selbst auf ein Stündchen aufzuwarten, und meine Ideen, für welche ich mir vieleicht ein Plätzchen in den Horen ausgebeten hätte, Ihrem berichtigenden Urtheile vorzulegen.

Noch muss ich wegen einiger vorschnellen Mutmassungen in

---

1) Von Brinckmann. Redlich, Versuch eines Chiffernlexikons u. s. w. S. 41.

2) Brachmann. Ebenda. Vgl. Goedeke, Geschäftsbriefe Schillers S. 226 f.

3) Kalender S. 52. Schillers Antwort vom 18. October 1797 bei K. W. Böttiger, Literarische Zustände und Zeitgenossen II, S. 204 f.

4) Bis hieher abgedruckt bei Hoffmeister, Schillers Leben IV, S. 287.

meinem letzten Briefe um Verzeihung bitten. In einigen der mit R.
unterzeichneten Gedichte erkenne ich nun den Hr. v. Brinkmann
in Berlin, vulgo Selmar genannt.

Gönnen Sie mir Ihre fernere freundschaftliche Gewogenheit.
Mit wahrer Verehrung und Dienstverpflichtung

Ihr
ganz eigener
Böttiger.

4.

Weimar, den 12. November 1797[1]).

Der brave Hirt in Berlin, der vieleicht noch die Freude erlebt,
dass sein in jeder Rücksicht klassisches Monument auf Friedrich II.
trotz aller Cabale aufgeführt, und dadurch in Deutschland das erste
Denkmal errichtet wird, das ganz im reinen Sinne des Alterthums
empfangen und geboren ist — schickt mir für Sie zum beliebigen,
und wo möglich baldigen Gebrauch für die Horen seine in der Berliner Academie gehaltene Vorlesung über den Laocoon[2]) und empfielt sich Ihrem freundlichen Andenken.

Göthe ist, wie er mir schreibt[3]), binnen 14 Tagen gewiss hier.
Meier bringt grosse Kunstschätze aus Italien mit. Die Aldobran-
dinische Hochzeit begleitet die Reisenden sogar im Reisewagen. Da
wird denn hoffentlich wieder ein neuer Mittelpunct freundlicher
Zusammenkunft für uns arme, isolirte Weimaraner gegeben seyn.
Und da hoffe ich mit Zuversicht auch Ihnen mündlich meine auf-
richtige Verehrung bezeugen zu können.

Ganz der Ihrige
Böttiger.

5.

Weimar, den 23. December 1797[4]).

Die süsse Hoffnung, Sie auf einige Wochen bey uns zu besitzen,
ist leider verschwunden. Ich hatte manches schöne Plänchen darauf
berechnet, das nun seinen Platz bey den Spanischen Schlössern bekommt.

---

1) Kalender S. 53, wo der Eintrag unterm 11. November also auf
einem Versehen Schillers beruht, wenn nicht Böttigers Datum danach
zu ändern ist.

2) Vgl. ebenda zum 15. November: „An Cotta (Hirts Laocoon)."
Der Aufsatz erschien in den Horen 1797, Stück 10 No. 1.

3) Dieser Brief von Goéthe (vom 8. November?) ist noch nicht zum
Vorschein gekommen.

4) Kalender S. 55. Schillers Antwort in: K. W. Böttiger, Literarische Zustände und Zeitgenossen II, S. 206.

Bei einer neulichen Unterredung äusserten Sie Ihre Gedanken über Schröder, und da ich wusste, wie schmeichelhaft ihm Ihr Zutrauen, dass er vieleicht die Rolle Wallensteins ausfüllen könne, seyn müsste, so sagte ich ihm etwas davon in einem meiner Briefe. Hier die Antwort, die ich Ihnen in der Absicht mittheile, um zu hören, ob er wohl vor Ostern das Stück noch bekommen könne. Hätte er es erst in Hamburg gespielt: so käme er vieleicht im Sommer selbst zu uns. Denn er hat schon in mehreren Briefen von einer Reise gesprochen. Und so etwas wäre doch der Rede noch einmal werth. Der höchste tragische Character, den unser grösster Dichter vom unbedingten Schicksal beherrschen, und doch selbstthätig auftreten lässt, vom ersten Schauspieler dargestellt.

Mit gefühltester Verehrung und Verpflichtung

Böttiger.

6.

Weimar, den 31. Januar 1798[1]).

Ich werde morgen Schrödern das ehrenvolle Zeugniss schreiben, dass Sie seinem Meisterthum auf eine so schmeichelhafte Weise ertheilen, und ich weiss es, wie sehr ihn das anfeuern und begeistern wird. Das Urtheil eines Schillers wiegt ihm das Geschrei des ganzen sogenannten Publicums auf.

Ich lege Ihnen hier seine neuesten Briefe bey. Die Stelle von den unübertreffbaren Schauspielern lässt sich mit Fingern deuten und sichert uns die Hoffnung ihn Ihren Wallenstein hier in Weimar spielen zu sehen.

Meyer hat mir Ihre gütige Aufforderung bekannt gemacht, etwas über die saubern Kunstausleerungen der vulgo grossen Nation für die Horen niederzuschreiben. Ich erwarte von meinem Freund Millin aus Paris zuverlässige Nachrichten über die Ankunft und Aufstellung des italischen Kunstraubes. Diess sei für die Horen bestimmt[2]).

Die aufrichtigsten Wünsche für Ihre uns allen kostbare Gesundheit!

Ganz der Ihrige

Böttiger.

Schröders Brief schicken Sie nur an die Frau v. Wolzogen zurück, damit ich auch darauf antworten kann, damit Sie nicht mit Briefschreiben belästigt werden.

---

1) Kalender S. 57.
2) Vgl. Schiller an Goethe, den 23. Januar 1798.

7.

Weimar, den 22. Februar 1799[1]).

Ich beobachte nur meine Schuldigkeit, indem ich Ihnen hier, mein verehrungswürdiger Herr Hofrath, ein Blatt des Modejournals übersende, das so eben abgedruckt worden ist. Der Strohm der in die See ausfliesst ist doch nur ein Sohn dieser See und hier ist gar nur von einem kleinen, kleinen Bächelchen die Rede.

Es schien mir gewagt und anmassend über das Kunstwerk selbst ein tiefeindringendes motivirtes Urtheil zu fällen, da man vom Theile nicht sprechen soll, ohne das Ganze zu kennen. Diess werden zu seiner Zeit schon die Meister selbst thun, die auch nur über Meister urtheilen können. So höre ich mit ausserordentlichem Vergnügen, dass Hr. v. Humboldt den zweiten Theil seiner ästhetischen Versuche diesem dramatischen Cyclus widmen wird. Wie viel wird da zu lernen seyn!

Ich habe hier nur dem Stimme gegeben, was mich bei der Aufführung selbst unwiderstehlich ergriff und zur Bewunderung hinriss, und es übrigens am meisten mit unsern gewiss braven Schauspielern zu thun gehabt. Etwas musste in diesem Journal gesagt werden. Ganz Deutschland blickt jetzt auch darum auf Weimar, weil hier unter dem belebenden Hauch der Meister ein neuer Medeischer Verjüngungsprocess mit der vor Alter, vor Gespenster- und Gewissensangst faselnden Melpomene vorgenommen wurde.

Man kann aber bei dem besten Willen und der besten Absicht sehr fehlgreifen. Darum verdiente ich doch um der Absicht willen Belehrung und Zurechtweisung.

Wir beten jetzt: Wallenstein, dein Ende komme! Möge unsere Inbrunst und Ungeduld Erhörung finden. Mit Graff habe ich vor

---

1) Kalender S. 73. „25. Februar. Von Böttiger, Modejournal." Vgl. Hoffmeister, Supplemente IV, S. 593. Schillers Antwort vom 1. März 1799 wurde zuerst gedruckt in Cottas Taschenbuch für Damen 1808, S. XIV. In der Berliner Sammlung steht sie an falscher Stelle II, 2, S. 307. Vgl. Böttiger in der Minerva 1811, S. 34. Schiller an Goethe, den 1. März 1799: „Ich kann Ihnen heute nichts mehr sagen, die Post drängt mich, und ich muss auch den Ubique [Böttiger] abfertigen." Die Nachricht, die Schiller an demselben Tage aus Kopenhagen erhalten hatte, dass man dort auf dem Graf Schimmelmannschen Privattheater „Wallensteins Lager" aufgeführt habe, und die, später bestätigte, Vermuthung, dass Böttiger das Manuscript des „Lagers" dorthin veruntreut hätte, erklären den ärgerlichen Ton in Schillers Antwort an „Ubique". Vgl. über den ganzen Handel „Archiv" IX, S. 339 ff.

einiger Zeit eine Unterredung gehabt, die mir aufs neue beweisst, dass er erst durch die zweite Vorstellung den Geist der Rolle ganz zu fassen anfing, und den hohen Forderungen, die sie ihm auflegt, immer kräftiger entsprechen wird.

Mit der lebhaftesten Dankverpflichtung für die hohen, seltenen Genüsse, die auch ich Ihnen verdanke, und der gefühltesten Verehrung

Ew. Wohlgeb.

gehorsamer Diener

C. A. Böttiger.

Weimar, den 22. Febr. 99.

Hat Cotta eine Nachricht für die Alg. Z. bekommen?

8.

Weimar, den 3. März 1799[1]).

Erschrecken Sie nicht, dass ich Sie noch mit einem Briefe heimsuche. Aber auch hier mag der Zweck das Mittel, die gute Absicht meine Zudringlichkeit entschuldigen.

Haben die jetzt herrschenden Pentarchen des Hamburger Theaters das Msct. Ihres Wallensteins verlangt und — erhalten? Vor einigen Wochen wusste Schröder noch nichts davon, dass es dahin gekommen wäre. Ich habe Ursache zu glauben, dass Schröder, der in der That von den Fünfherren sehr schnöde behandelt wird — sie wollen ein eigenes Theater ihm zum Trotze bauen — es nicht ungern sehen würde, wenn sie das Stück, was schon mit Ungestüm vom dortigen Publikum gefordert wird, geben müssten. Schröder würde nach seinen jetzigen Verhältnissen zuverlässig nicht in Hamburg darin spielen. Aber unter dieser Combination wäre es vielleicht allein möglich, ihn als Wallenstein noch einmal in Weimar zu erblicken. Noch eine Frage, die mit allem obigen in Beziehung steht: würden Sie wohl Schrödern allein und bloss zu seinem persönlichen Gebrauch eine Abschrift der ganzen Trilogie, wenn sie vollendet ist, anvertrauen? Schreiben Sie mir hierüber ganz aufrichtig und versichern Sie sich, dass der Scheitelpunkt meiner Wünsche und Bemühungen kein

---

1) Kalender S. 73. Schiller an Goethe, den 5. März 1799: „Hier wieder ein Brief von Ubique [Böttiger]. Der Mensch kann doch nicht ruhen sich in andere Affairen zu mischen. Und seine schreckliche Saalbaderei über Wallenstein und die Weiber des Stücks! Ich werde mein Stück dazu nicht hergeben, Schröder's Müthlein an den Hamburger Schauspielern zu kühlen."

anderer seyn kann, als dass diese Sonne, die warlich noch nicht so
nahe am Eintauchen im Ozean ist, als viele wähnen, noch einmal
vor ihrem Untergang unser Theater vergulde und den höchsten
Kampf mit den oberen Mächten, den, seit die Griechen verblüheten,
kein Theater so sah, in Ihrem Wallenstein uns versinnliche oder
idealisire. Und dass uns dieser seltene Genuss zu Theil werde, halte
ich auch heute noch für möglich.

Von Berlin erhalte ich durch einen ganz unbefangenen Mann
gewiss einige Nachrichten über die schon den 18. Februar erfolgte
Aufführung. Da Iffland, wie ich höre, nach der Messe in Leipzig
spielen wird, so sähen wir ihn ja vielleicht auch noch als ä.[lteren]
Piccolomini. Dass er die Rolle ausserordentlich hoch hält, weiss ich
schon aus seinem eigenen Geständnisse.

Diesem ältern Piccolomini habe ich auf jeden Fall eine amende
honorable abzulegen, und werde es zu seiner Zeit gern thun. Wie
danke ich Ihnen für Ihre gütige Belehrung! Da ich das Stück bis
jetzt nicht im Zusammenhange lesen und übersehen konnte: so
musste ich freilich diese Rolle durch ein sehr unreines Nebelmedium
sehen. Indess gebe ich Ihnen doch anheim, ob nicht der Umstand,
dass er nach dem Kaiserl. Brief an Wallensteins Stelle tritt, es selbst
der gehaltenen Kunst eines Ifflands schwer machen wird, uns in
ihm nur den loyalen Pflichtmann des Kaisers erblicken zu lassen.
Und es fodert sogar die Einheit des Interesse, die uns ja wohl über
alle aristotelischen Einheiten gehn muss, dass wir ihm die Falschheit gegen den ihm sich auch vor dem Verrath so ganz hingebenden
Wallenstein sehr hoch anrechnen. Aber darum hätt' ich ihn doch
noch keinen Buben schelten sollen[1]). In diese Injurie konnte mich
nur der fehlgreifende Schauspieler verwickeln. Auch der Gräfin
Terzky habe ich offenbar zu viel gethan. Hierbei aber muss ich
mich auch selbst wieder loben. Ich habe noch vor kurzem bei einer
sehr hitzigen Debatte, wo man mit vielen Scheingründen schier alle
überredet hatte, dass Sie besser gethan hätten, die Weiber alle aus
dem Spiele zu lassen, weil alle Motifen, die durch sie hineinkommen,
entweder vorausgesetzt oder bei gehöriger Andeutung der Phantasie
der Zuhörer zugetraut werden könnten, nicht durch die Thekla,
wohl aber durch die Terzky gesiegt. Sie kann gar nicht umgangen
werden.

Wohl möchte ich von Ihnen selbst die Gründe hören, warum
Wallenstein nicht früher als entschlossener, planvoller Verräther
auftritt, da wir dann bei seinem Falle der Nemesis noch lieber einen
Altar erbaut hätten? Der Kampf in ihm, der so herrliche Situationen veranlasst, konnte durch Hindernisse und Ahnungen hervorgebracht werden. Jemand antwortete, als diese Frage aufgeworfen

---

1) Vgl. Archiv IX, S. 344.

wurde: dann wäre das Stück eine Revolutionspredigt geworden, und jetzt unaufführbar gewesen. Freilich klingt das sehr lächerlich, und wurde auch, wie billig, ausgelacht. Aber gedenkbar ist mir doch auch der Wallenstein, der seiner warnenden und abrathenden Schwester die eiserne Nothwendigkeit entgegensetzt. — Doch Verzeihung wegen dieses Geschwätzes, das um so unzeitiger ist, weil unsere Neugier den Vorhang, der vor den letzten drei Acten hängt, noch nicht zerreissen kann.

Mit gefühltester Hochachtung und Verpflichtung

Ihr

ganz gehorsamer

Böttiger.

Sie nehmen gewiss auch Theil an den frohen Aussichten, die sich durch die neu aufgegangene Sonne am Bayrischen Firmament für unsern H. Major von Kalb geöffnet haben!

9.

Der H. Hofrath Wieland hat mir aufgetragen, Ihnen beifolgende Bettlerhochzeit zu schicken, die Composition seines ältesten Sohnes[1]. Ich wage es nicht Ihrem entscheidenden Kennerurtheil vorzugreifen, kann aber doch den Wunsch nicht unterdrücken, dass der Aufführung des Stücks auf dem hiesigen Theater sich nicht zu grosse Schwierigkeiten entgegen stellen möchten. Durch einige Vertilgungsstriche würden gewisse Unschicklichkeiten wegfallen, die man freilich unserm Publicum in den obersten Regionen kaum bieten könnte. Trotz aller Reminiscenzen und falschen Motiven im Sentimentalen sind doch einzelne Szenen z. B. gleich die erste Unterredung, die Kitty unter vier Augen mit Harry hat, sehr fein gedacht und ausgedrückt. Wenn nur der dritte Act nicht so schwach wäre! Sollte sich aber da nicht etwas nachhelfen lassen?

Falls Sie Bedenklichkeiten haben sollten, unserm verehrten Wieland das Todesurtheil, wenn diess gesprochen werden müsste, selbst zu sagen, so haben Sie nur die Güte, die Handschrift an mich zu schicken, und mir mit zwei Worten zu sagen, was etwa zu sagen ist.

Mit wahrer Verehrung und Verpflichtung

Der Ihrige

Böttiger.

Den 25. Februar 1804.

---

1) Ludwig Fr. Aug. Wieland, „Die Bettlershochzeit, Lustspiel in drei Aufzügen", erschien in den „Lustspielen", Braunschweig 1805, S. 145 ff.

20*

10.

Ein Engländer, der sich aber seit mehreren Jahren in Paris aufhält, Herr Goldschmidt ist an mich empfolen und setzt mich dadurch in die unangenehme Nothwendigkeit, bei Ew. Hochwohlgeboren anzufragen, ob Sie ihn heute oder morgen Vormittags auf einige Augenblicke sprechen können. Ich weiss, wie belästigend diese Besuche für Sie sind, und darum ist mirs unangenehm. Indess bringt er Ihnen, wie er sagt, Anträge vom Director des Coventgarden-Theaters in London, Mr. Harris. Er selbst hat die Welt viel gesehen und spricht auch unsere Sprache mit Geläufigkeit. Haben Sie nur die Güte, mir durch den Überbringer mündlich eine Antwort sagen zu lassen.

Mit unwandelbarer Hochachtung

der Ihrige
Böttiger.

Montags Mittags.

(Adr.:) Herrn Hofrath von Schiller Hochwohlgeboren.

11 [1]).

An Schiller.

Deutschlands Chorag, dich entheben mit goldenen Schnäbeln dem Zeitstrom
  Schwäne, wie dein Gesang über uns selbst uns erhebt.
Deutsche Geschlechter, sie kommen und gehn. Du allein bleibst fest stehn
  Singt dich die Ahnfrau, lehrt Enkel dem Enkel dein Lied.
Auch ich hört' an den Pappeln der Ilm, wie dein Saitenspiel rauschte,
  Sah im Wallenstein dich halten die Zügel des Spiels.
Hörte die Braut von Messina dich lesen[2]), den Chortact bemessend,
  Half — so war dein Gebot — ordnen im Bazar den Schmuck[3]).
Ach, da sprachst du das Wort: „Dies alles sind nur Versuche!
  Ist doch der Köcher noch voll, stralt mir ein höheres Ziel.“

---

1) Ein von Böttiger selbst geschriebenes, aus Krauklings Autographensammlung stammendes Schriftstück, welches sich jetzt ebenfalls im Besitz der Dresdner Bibliothek befindet.
2) Vgl. Kalender S. 140. Sievers, Akademische Blätter S. 358. Briefwechsel mit Körner IV, S. 312, mit Goethe [3] II, S. 398.
3) Vgl. Goedekes kritische Ausgabe XIV, S. 46.

Aber da raubten sie dich, die neidischen Uranionen,
    Dass bei ihnen du sängst, dort wo die Hebe kredenzt.
Hört es, ihr Spätgeborenen, hört's, euch selbstisch beäugelnd,
    Was zur Unsterblichkeit führt, nannte der Heros Versuch.

Carl August Böttiger,

geb. den 8. Juni 1760 in Reichenbach im sächsischen Voigtlande, in den Jahren 1791—1804 Director des Gymnasiums und Ober-consistorialrath in Weimar, jetzt K. Sächsischer Hofrath und Ober-aufseher der Antiken - Museen in Dresden.

Den 6. Dec. 1834.

Beiträge zur Kritik und Erklärung Hölderlins.

Von

ROBERT WIRTH.

IV.

Griechenland.

(Werke I S. 6; Gedichte 1878 S. 5; Köstlin, Dichtungen Hölderlins 1884 S. 166.)

Unter den „Quellen, woraus die schon zur guten Zeit Hölderlius gedruckten Gedichte geschöpft sind", gibt Chr. Schwab in der Vorrede zu den Werken des Dichters S. VII für das Gedicht Griechenland Schillers Thalia von 1793 an. In der That steht dieses Gedicht auf Seite 331 des vierten Bandes der Neuen Thalia vom genannten Jahre; vergleichen wir jedoch den Text der Thalia mit dem hergebrachten Texte in den Ausgaben der Gedichte seit 1826, so müssen wir wegen der Abweichungen dieses Textes von dem Texte der Thalia, der also die Quelle des Gedichtes sein soll, gerechter Weise erstaunen. Die ganze fünfte Strophe der Vulgata ist überhaupt in der Thalia nicht aufzufinden. Es musste demnach für die Vulgata eine andere Quelle neben der Thalia angenommen werden. Diese Quelle war sicherlich den ersten Herausgebern der Gedichte, Uhland und G. Schwab, bekannt, aber schon der Sohn des letzteren, Chr. Schwab, scheint nicht um sie gewusst zu haben, sonst hätte er in der erwähnten Vorrede ohne Zweifel auf dieselbe aufmerksam gemacht, da ja auch er nicht den Text der Thalia, sondern den dieser zweiten Quelle abdruckt. Ich selbst vermuthete (in meinem Programm), die genannten ersten Herausgeber hätten wol ein Manuscript und zwar ein verbessertes zur Einsicht gehabt und sich danach gerichtet;

indessen, da in den nachgelassenen Manuscripten des Dichters
sich zwar ein bis jetzt ungedrucktes Jugendgedicht ohne Reim
unter dem Titel Hymne an den Genius Griechenlands,
nicht aber irgend eine handschriftliche Spur unserer Hymne
vorfand, so fragte ich mich zugleich: wo mag denn ein solches
Manuscript geblieben sein? Köstlin billigt die Vulgata, jedoch
nicht in allen Stücken — an fünf Stellen geht er auf die
Thalia zurück, so dass wir jetzt drei Texte hätten: Thalia,
Vulgata und den Text Köstlins als Vermischung von beiden.
Welcher Text nun soll in Zukunft gelten? Ich habe die
Quelle der Vulgata wieder aufgefunden und zwar im 4. Stück
des 3. Bandes der Urania von J. L. Ewald, Leipzig, Voss
1795 S. 314 (der Titel des 1. Bandes lautet: Urania für Kopf
und Herz. Hannover, Helwing 1794). Da dieser Text wie der
der Thalia noch von Hölderlin selbst herrührt und zugleich
eine Verbesserung des früheren Textes bedeutet, so muss derselbe wie bisher so auch in Zukunft in den Ausgaben des
Dichters festgehalten werden. Der Text der Thalia ist somit
historisch geworden, und man hat kein Recht, auf ihn, wie
Köstlin thut, zur Constituierung eines veränderten dritten Textes
zurückzugehen. Abgesehen also davon, dass die Urania unser
Gedicht genau in der Form (auszunehmen sind zwei Druckfehler, die sich jedoch sofort als solche kennzeichnen) enthält,
wie wir es in sämmtlichen Ausgaben der Gedichte Hölderlins
bis auf Köstlin lesen, so ist in ihr auch die Widmung des
Gedichts vollständig, obschon ebenfalls mit einem Druckfehler,
enthalten: An Gotthold Ständlin (für Stäudlin). Warum
die genannten ersten Herausgeber der Gedichte diese Widmung
in „An St." verkürzten oder in dieser abgekürzten Form aus der
Thalia, nach der sie sich ja im übrigen nicht richteten, her-
übernahmen, ist nicht ersichtlich: diese Widmung ist vielmehr
in Zukunft vollständig abzudrucken. Bei der Bemerkung
über die Druckfehler der Urania (auch die Thalia hat deren,
die sich jedoch ebenfalls leicht erkennen lassen) habe ich nicht
als solchen betrachtet das nun im 5. Verse der 6. Strophe.
Schon die Thalia hatte dieses nun, doch haben es alle Herausgeber Hölderlins und auch Köstlin in nur verwandelt, ich
selbst hatte diese Aenderung (Programm) gebilligt und nun

als Druckfehler angesehen. Muss in der That nicht dieses
nun sehr bedenklich erscheinen, da Uhland und der ältere
Schwab, die, wie gesagt, sicherlich wol. beide Texte, die
Thalia und die Urania, einsahen, als erste Herausgeber der
Gedichte trotz diesen beiden Zeugnissen in nur änderten?
Sollte aber auf der anderen Seite, wenn der Dichter wirklich
nach Annahme dieser Herausgeber nur geschrieben, der Zufall
es gefügt haben, dass diese Partikel in zwei Drucken das
Unglück hatte, in nun verdruckt zu werden? Nach nochmaliger
Erwägung des Inhaltes unseres Gedichts will es mir scheinen,
als ob nun festgehalten werden müsse. Die Partikel ist nämlich als Gegensatz zu den vorhergehenden antirealen Be-
dingungssätzen genau so wie die entsprechende Partikel νῦν
im Griechischen und nunc im Lateinischen dem Sinne nach
vollständig gerechtfertigt, durch sie wird nicht rein zeitlich,
sondern mehr gegensätzlich die Wirklichkeit den vom Dichter
in der Phantasie bloss vorgestellten Verhältnissen entgegen-
gestellt. Auch die Interpunction in der Urania am Ende des
vorhergehenden Verses (; —), die offenbar vom Dichter selbst
herrührt, weist auf eine solche Erklärung hin, die Periode
darf nicht durch ein Ausrufezeichen mit folgendem Gedankenstrich, wie es jetzt in allen Ausgaben geschieht, gleichsam gestaut werden.

Die Abfassung unseres Gedichtes fällt wol in das Ende
der Tübinger Studienzeit des Dichters, welche mit dem Sommer-
semester 1793 abgeschlossen wurde. Mit dem zwölf Jahre
älteren Stäudlin, dem er es widmet, war er durch Neuffer
bekannt geworden, aber nicht erst in seinen letzten Universitäts-
jahren, wie Schwab meint (Werke II S. 275 — dagegen spricht
schon in unserem Gedichte der Schlussvers der 2. Strophe:
Wie vor Jahren dieses Herz dich fand), sondern wol bereits
im Jahre 1789, seinem ersten Universitätsjahre (ebenda). Das
Gedicht gehört in die Zeit, da der Dichter am Hyperion arbeitete, von dem er ebenfalls an Stäudlin 1793 ein Fragment
schickt (II S. 94)[1]. Die Thalia, die die erste Fassung des

---

1) Beiläufig bemerke ich, dass wir das erste Zeugniss, dass Hölderlin einen Roman habe schreiben wollen, aus dem Jahre 1792 besitzen,

Gedichtes enthält, trägt zwar die Jahreszahl 1793, erschien
aber erst im folgenden Jahre. Dass diese Jahreszahl der
Thalia nicht hindern würde, die Abfassung unseres Gedichtes
in dasselbe Jahr zu verlegen, geht aus einer brieflichen Bemerkung des Dichters an Neuffer hervor über das Gedicht
Das Schicksal, welches in derselben Thalia S. 222 steht.
Der Brief ist aus Waltershausen bei Meiningen, wo der Dichter
bekanntlich Hofmeister bei dem Major von Kalb war (er war
nach einer anderen ebenfalls ungedruckten brieflichen Bemerkung am Freitag vor dem 30. December 1793 daselbst eingetroffen), geschrieben (als Datum ist mit Bleistift beigefügt
Merz 1794), die betreffende Stelle lautet: „Mein Gedicht an
das Schiksaal wird warscheinlich diesen Sommer in der
Thalia erscheinen." Unser Gedicht ferner verräth deutlich bis
auf den Rhythmus, wenn man will (darauf hat W. Windel-
band in seinen Präludien S. 150 aufmerksam gemacht), den
Einfluss Schillers. Mit dem Anfange desselben berührt sich
eine Briefstelle an Neuffer ebenfalls aus dem Jahre 1793
(II 93), wo der Dichter von Götterstunden spricht, wann
er aus dem Platanenhaine am Ilissus zurückkehre u. s. w.;
aus dieser Stelle ersehen wir auch, dass der Dichter den Ausdruck in der 1. Strophe: Wo mein Plato Paradiese schuf
wol von den himmlischen Speculationen des Philosophen verstanden wissen will, besonders von denen des Symposiums,
das er überhaupt vor allen Dialogen Platos am meisten liebte
— man denke nur an Diotima! Die Urania von Ewald
erwähnt der Dichter in einem Briefe vom 21. März 1794
ebenfalls aus Waltershausen an seinen Stiefbruder (II 10 —
vgl. oben die Stelle über das Schicksal mit dem später hin-
zugefügten [richtig?] Datum): „Kannst Du die neusten Stücke
von Schillers Thalia oder Ewalds Urania oder auch der
schwäbischen Flora auffinden, so siehe nach meinem Namen
und denke meiner! Es sind aber meist Kleinigkeiten, die Du

in welchem Jahre Magenau am 3. Juni von Markgröningen aus (wo er
Pfarrgehilfe war) dem Dichter schreibt (ungedruckt): „Du willst Romanist
(d. h. Romanschreiber) werden. Thalia leite Dich sicher zwischen den
Abgründen hin, die dem unerfarenen Waller da drohen. Lass auch mich
ein Wörtlein reden, voran, dass ich Deinen Entschluss billige."

dort finden wirst." An Neuffer richtet er sodann aus demselben Orte in einem Briefe ohne Datum (II 101) die Frage: „Weisst Du nicht, ob Stäudlin mein Gedicht an die Kühnheit in die Urania geschickt hat? Ich wünschte es zu wissen, um vielleicht anderen Gebrauch davon zu machen." Stäudlin hatte dies, beiläufig bemerkt, wol nicht gethan, denn die erwähnte Hymne ist vielmehr auch in der oft angeführten Thalia (S. 334) erschienen. Die dritte Stelle endlich, die hieher gehört, findet sich in einem ebenfalls von Waltershausen aus an seinen schon oben (im 3. Aufsatze) erwähnten Schwager Bräunlin Pfingsten 1794 gerichteten Briefe (ungedruckt): „Durch günstige Zufälle", heisst es dort, „ist mirs möglich gemacht worden, meine Kleinigkeiten in Herders Briefen für die Humanität, Schillers Thalia, auch Ewalds Urania aufzustellen. Gute Gesellschaft hab' ich da grösstentheils." Ich füge ausdrücklich hinzu, dass die Urania in den 4 Bänden aus den Jahren 1794—96 (mehr ist nicht erschienen) nur einen einzigen Beitrag Hölderlins aufweist — unser in Rede stehendes Gedicht in gegenüber dem Thalia-Texte verbesserter Form. Befremdlich klingt in der letzten brieflichen Stelle die Bemerkung, der Dichter habe seine Kleinigkeiten in Herders Briefen für die Humanität angebracht. Gehörte etwa Hölderlin, obwol er damals persönlich noch nicht mit Herder bekannt war, zu dessen „correspondierenden Freunden", die in den genannten Briefen unter Abkürzungen — einzelnen Buchstaben — angeführt werden? Nein, denn der Inhalt der Briefe ist ganz von Herder selbst verfasst und die Correspondenz ist eine Fiction. Da aber Herder die in ihnen niedergelegten Ansichten bekanntlich nicht offen als die seinigen wissen lassen wollte, weshalb er eben zu ihrer Darstellung die Form des brieflichen Verkehrs zwischen Freunden wählte, so dürfen wir einen Schritt weiter gehen und vermuthen, dass in der damaligen litterarischen Welt die Meinung einer Mitarbeiterschaft an diesen Briefen, von denen in der genannten Zeit schon einige Sammlungen erschienen waren, verbreitet gewesen sei und dass Herder selbst ausser gegenüber denen, welche er das Manuscript einsehen liess, dieser Meinung Vorschub leistete, falls man nicht gar noch mehr vermuthen darf. Hölderlin wenigstens muss von irgend einer Seite her über diese Briefe als ein Repertorium von moralischen Aufsätzen mehrerer berichtet worden sein. Weiter in den Conjecturen zu gehen, dazu fehlt jeder Anhalt der Ueberlieferung[1]). So viel im Anschluss an die Hymne Griechenland.

---

1) Wir haben es hier mit einer jedesfalls unabsichtlich dem Dichter geschehenen Täuschung zu thun, die er selbst bald als solche erkannt haben mag; denn während er brieflich wiederholt von seinen schriftstellerischen Aussichten und Arbeiten berichtet, erwähnt er fortan die Humanitätsbriefe Herders überhaupt mit keiner Silbe, selbst da nicht, wo er über seine sonstigen Beziehungen zu Herder spricht. Letztere bestehen, nebenbei erwähnt, darin, dass ihm, wie er aus Waltershausen an seine Mutter schreibt (Werke II S. 14, der Brief, ohne Datum, ist falsch gestellt, siehe Werke I S. IX), in den ersten Monaten seiner erzieherischen Thätigkeit wol durch die Mutter seines Zöglings in Aussicht gestellt wurde, später auch einen Sohn Herders gemeinschaftlich mit dem ihrigen und zwar in Weimar erziehen zu sollen (vielleicht hängt mit dieser dem Dichter gestellten günstigen Aussicht, von der freilich auch nie wieder die Rede ist, die obige auffallende Bemerkung aus derselben Zeit über seine Theilnahme an den Humanitätsbriefen zusammen), und darin, dass der Dichter später Herdern in Weimar einen Besuch abstattete. Darüber berichtet er ebenfalls an seine Mutter von Jena aus den 16. Jän. 1795 (ungedr., die Stelle lautet: „Auch Herder, den ich einmal in Weimar besuchte, interessirt sich ser für mich, wie mir soeben die Majorin [aus Weimar] schreibt und lässt mir sagen, ich möchte ihn doch so oft ich nach Weimar käme, besuchen. Diss wird auch ziemlich oft geschehen [doch verlautet von einem ferneren Besuche nichts], ich musst es der Majorin versprechen beim Abschiede"), ferner an Neuffer d. 19. Jan. (II S. 108) und endlich an Hegel d. 26. Jan. (Brief abgedruckt in Westermanns Monatsheften September 1871 S. 654).

Zu Ludwig Tiecks Nachlass.

Von

ADOLF HAUFFEN.

Rudolf Köpke hat in seinem Buche: Ludwig Tiecks Nach-
gelassene Schriften. Auswahl und Nachlese. Leipzig 1855 im
ersten Bande S. 21 „das Reh, ein Feenmärchen in vier Aufzügen" abgedruckt. Er sagt über dieses Drama in der Einleitung S. XII: „Das Reh ist eine Schulübung aus dem Jahre
1790— — eine Probe von Tieck's komischer Kraft" und ferner
in seinem Buche: Ludwig Tieck. Erinnerungen aus dem Leben
des Dichters. Leipzig 1855. I S. 113: „Der Sturm Shakespeare's mochte ihm (Tieck) bei einem dramatischen Feenmärchen: das Reh vorgeschwebt haben, welches er 1790 für
seinen wenig zuverlässigen und begabten Schulgefährten Schmohl
mit gewohnter Gutmüthigkeit in kurzer Zeit geschrieben hatte."
Hier liegt ein Irrthum vor. Tieck mag sich im Alter an diese
Angelegenheit nicht mehr genau erinnert und dieselbe eben
darum seinem Freunde Köpke unrichtig erzählt haben. Denn
das „Reh" ist wirklich von Schmohl gedichtet worden. Das
handschriftliche Exemplar desselben befindet sich in Tiecks
Nachlass (in der königl. Bibliothek zu Berlin) von Schmohl
selbst geschrieben, und auf zweien mit dem Manuscripte ver-
bundenen Blättern stehen folgende noch ungedruckte Zeilen
Schmohls, die an Tieck gerichtet sind:

„Liebster Freund!

Mit grosser Freude habe ich Deinen Brief gelesen und mit
noch grösserer Dein Trauerspiel. Welch ein schönes Stück hast Du
aus der Fabel der Ino zusammengesetzt? Neue Charaktere, schöne
Situationen, eine vortreffliche Verbindung der Scenen, kurz — alles
was man nur von einem guten Stücke fordern kann. Doch mit Erstaunen und mit Lachen las ich die Stelle Deines Briefes, in der Du
mich aufforderst, auch ein Stück aus der nämlichen Fabel zu machen.

Ich ein Dichter? Der ich bis jetzo nur noch wenige Gedichte gelesen, noch kein einziges selbst geschrieben habe, ich sollte mich sogleich an die schwerste aller Dichtungsarten wagen? Doch gewöhnte ich mich nach und nach an den Gedanken, ich überlegte hin und her und so entstand in zweien Abenden dies Werkchen. Aber Freund wirst Du mich nicht für einen der grössten Betrüger unter der Sonne halten? Du schickst mir eine kostbare Waare und erwartest dafür eine ähnliche; Du schickst mir einen belvederischen Apoll und ich schicke Dir dagegen einen elenden Umriss von der grotesken Figur eines Sphinxes; denn Du triffst in diesem Spiel der Phantasie (— erlaube mir für dies' Geschmiere diesen noch zu edlen Namen) weder Charaktere, weder Einleitung, Ausführung noch Verbindung der Scene. Seichte, fade witzige Einfälle, crasse ungehobelte Ideen müssen bei mir Deine schönen Schilderungen, Deine vortrefflichen empfindungsvollen Scenen ersetzen. Du hast Gozzi's Feenmärchen gelesen. Sein schlechtestes ist gegen dies gehalten noch ein Meisterstück. Ich schicke Dir das Ungeheuer blos in der Absicht, um Dich auch beständig abzuschrecken, mir etwas ähnliches irgend einmal wieder zuzumuthen, und zugleich um Dich zu überzeugen, wie falsch Deine Behauptung sei, dass jeder Mensch wenn er nur wolle, ein Dichter sein könne. Denn wenn Du nur die ersten Seiten von diesem (ich weiss wirklich nicht, wie ich es nennen soll) wirst durchgelesen haben, wirst Du sogleich zugeben müssen, dass ich der elendeste Dichter bin, der jemals eine Feder angesetzt hat. — Das Feen-Märchen ist elend genug, denn ich habe es selbet erfunden, und es ist weit leichter ein selbst erfundenes Märchen in Handlung zu setzen, als aus mehreren, wie Gozzi gethan hat, ein dramatisches Stück zu machen.

Zwei Charactere der italiänischen Komödie habe ich beibehalten. Tartaglia und Trüffaldin, um mich völlig zu prostituieren, da ich sie auftreten lasse, ohne die komische Kunst zu haben, sie angenehm zu machen.

Bei der ganzen Sache wirst Du blos meine Aufrichtigkeit bewundern, dass ich meine Schwäche so sehr blosgebe und Dir ein Ding zuschicke, das nicht einmal des Papieres und des Postgeldes werth ist.

Ich erwarte künftig, wie Du mir versprochen hast, mehrere Deiner poetischen Arbeiten, aber zugleich Dein unwiederrufliches Urtheil, nie wieder die Feder anzusetzen und mich an der Muse der göttlichen Dichtkunst zu verständigen.

In höchster Eile

Lebe wohl
ich bleibe
Dein Freund
Schmohl."

Nach diesem Briefe können wir doch nicht daran zwei-
feln, dass Schmohl das „Reh" gedichtet habe; nicht` so sehr
durch Shakespeares „Sturm", als vielmehr durch Gozzis
Märchenkomoedien dazu angeregt. Ausser den Figuren des
Tartaglia und des Truffaldin hat er dem Italiener auch den
Zauberer, die Fee, den König und dessen treulose Gattin, das
Liebespaar u. a. entlehnt. Auch die Verwandlung von Thieren
und Menschen auf der Bühne, Stürme, die Pest im ganzen
Reiche und andere Momente erinnern besonders an das „blaue
Ungeheuer" Gozzis. Der Tadel, den Schmohl über sein eigenes
Werk ausspricht, ist nur zu berechtigt. Es hat weit grössere
Mängel als Tiecks Jugendarbeiten, und Köpke hat Recht,
wenn er Schmohl einen „phantasielosen Gesellen" nennt.

In dem eben citierten Briefe erwähnt Schmohl auch ein
Drama Tiecks von derselben Fabel, der Fabel der Ino. Augenscheinlich. hat den beiden Freunden ihr Lehrer Rambach
dieses Thema angegeben, und Tieck regte nun, wie es seine
Gewohnheit war (siehe Köpke, Erinnerungen S. 114), Schmohl
an, zur Lösung dieser Aufgabe eine Dichtung zu versuchen.
Ino ist bekanntlich die zweite Gattin des Königs Athamas,
welche einen Orakelspruch vorbrachte, dem zufolge ihr Stiefsohn Phrixus geschlachtet werden sollte zur Abwendung einer
Unfruchtbarkeit des Landes. Phrixus wird gerettet. Ino stürzt
sich ins Meer. Dies ist auch im wesentlichen die Fabel des „Rehs"
und einer ungedruckten Jugenddichtung Tiecks, „Roxane"
betitelt, auf die Schmohl im obigen Briefe anspielt (und die
ich im Nachlasse Tiecks aufgefunden habe). Der Anfang dieses
ältesten Dramas Tiecks fehlt; trotzdem ist der Gang der Handlung deutlich zu erkennen. Roxane, die zweite Gattin des
Sultans Soliman, will ihren Stiefsohn, den Thronerben Mustapha, bei Seite schaffen zu Gunsten ihres eigenen Kindes.
Ihr Vertrauter ist Achmet. Da nun Solimans Reich durch
Krieg und Hungersnoth arg heimgesucht wird, versteht sie es
so einzurichten, dass Achmet zum Propheten Ali gesandt wird,
um von diesem einen Orakelspruch über die Möglichkeit einer
Rettung zu erlangen. Achmet tödtet Ali und überbringt nun
dem Sultan einen falschen, von Roxane verfassten Spruch,
wonach sich Mustapha von einem Felsen stürzen muss, um

das Vaterland zu retten. Mustapha erklärt sich hiezu bereit, doch ehe er es ausführt, erscheint der Geist des getödteten Ali und nöthigt Achmet zur Bekenntniss seiner Schuld. Roxane vergiftet sich.

Die überschwenglichen Lobeserhebungen in Schmohls Brief verdient dieses Jugendproduct natürlich nicht. Die auftretenden Personen sind nicht genügend charakterisiert, die Motivierung im einzelnen ist mangelhaft, die Verse sind holprig. Doch verrathen die consequente Durchführung des Hauptgedankens, glücklich gewählte dramatische Effecte und eine poetische Ausdrucksweise bereits die dichterische Begabung des siebzehnjährigen Knaben.

Die nachfolgenden Verse des Dramas sind besonders interessant. Sie gehören zum langen Monologe Alis, den dieser kurz vor der Ankunft Achmets hält.

Die Höhle des alten Derwisch Ali. Es ist Nacht; eine kleine Lampe erhellt die Finsterniss. Man hört den Sturm brausen.

Ali

(Ein Greis von neunzig Jahren sitzt in seiner Höhle, sein Bart reicht fast bis auf die Knie.)

> Wie furchtbar saust der Sturmwind durch den Wald
> Ein Donner rollt ihm nach, als wollt' er ihn ereilen.
> Die Zeit schliesst heute schon mein neunzigstes
> Jahr, morgen fängt ein neues Lebensjahr,
> Das hundertste schon an. Wie schnell bin ich
> Die Zeit durchlaufen; wie flog mir
> Die gold'ne Knabenzeit vorüber, wie .... u. s. w.
> — — Mir ist als spräche eine inn're Stimme
> Der heut'ge Tag ist Deines Lebens Grenze. —
> Wie? Waren nun die Freuden dieses Lebens,
> Die wie ein Rauch verschwanden, meines Daseins Zweck?
> Hätt' ich mein Leben an die Zeit verspielt?
> Empfänd' ich heut' zum letztenmale den
> Gedanken, dass ich bin? — Wozu der hohen Kräfte,
> Wozu der heissen, unbegränzten Wünsche?
> Warum gab er, aus dessen Hand wir giengen
> Nur unserm Geiste so viel Federkraft
> Die Räthsel zu bemerken, die
> Er mit allmächt'gem Finger in seine
> Werke schrieb? Warum nicht auch die Macht

Sie zu errathen? Wir stehen da und brennen
Den tiefen Sinn zu erforschen, der in ihnen liegt
Und ewig bleibt doch Alles nur ein Räthsel.
Wozu den Funken dieser Göttlichkeit,
Wenn er verlöschen soll und nicht zur Flamme werden?
Freundschaft und Liebe ist das Band der Welt ....

Dann spricht der Greis über die Allgewalt der Liebe und
zieht aus der Liebe, die auch der Schöpfer zu den Menschen
fühlen muss, den Schluss, dass es ein Jenseits gibt:

Wohl mir! ich daure fort! Entzückender Gedanke,
Dahin zu wandeln über tausend Welten,
Den Einklang dieser grossen Harmonie zu fühlen.
Die Räthsel werden sich vor meinen Augen lösen
Die hier mir unerrathbar scheinen. — —

Hier finden wir dieselben Fragen nach dem Welträthsel,
denselben raschen Wechsel der Stimmung von der Verzweiflung zum freudigen Entzücken, wie in den beiden andern im
Orient spielenden Jugenddichtungen Tiecks, im „Abdallah" und
im „Almansur". Und noch weitere Beziehungen. Auch im „Almansur" tritt ein greiser Einsiedler auf, der einen Rath hei-
schenden Jüngling in seiner Höhle gastlich empfängt, der auf
sein langes Leben ruhig zurückblickt und mit seinem Geiste
in die ferne Zukunft schwebt über die Erde hinaus. Im „Abdallah" wird wie in der „Roxane" von vornehmen Männern eine
Verschwörung gegen den Sultan versucht, doch von diesem
rasch unterdrückt; hier wie dort Verläumdung, Verrath, Mord,
die Entfesselung der furchtbarsten Leidenschaften und zum
Schlusse die Reue, Zerknirschung und Verzweiflung der Hauptperson, hier wie dort eine Roxane, ein Abubekr, Raschid,
Achmet und Ali. — Da der „Almansur" sowie Plan und Anfang
des „Abdallah" noch der Gymnasialzeit Tiecks, dem Jahre 1790
angehören, so spricht die Verwandtschaft beider zu der „Roxane" wol dafür, dass dieses, Weisses „Mustapha und Zeangir"
(gedruckt 1763) als Vorbild benutzende Drama als poetische
Schularbeit zu gleicher Zeit mit Schmohls „Reh" entstanden ist.
Im Jahre 1798 dichtete Tieck ein musicalisches Märchen:
Das Ungeheuer und der verzauberte Wald. Es ist falsch, dieses
Drama für eine Umarbeitung des „Rehs" zu halten und daraus

den Schluss zu ziehen, Tieck habe auch das „Reh" gedichtet. Er erklärt vielmehr selbst in der Vorrede zum „Ungeheuer" (Schriften 11 S. 150), dass er sich hier an Gozzi angelehnt habe. Und in der That hat das „blaue Ungeheuer" Gozzis nicht nur einen ähnlichen Titel, sondern im grossen und ganzen auch dieselben Personen und den gleichen Inhalt mit Tiecks Drama. — Auch hier wird der Königssohn in ein Ungeheuer verwandelt und erst am Ende des Stückes gerettet, auch hier wird das Land von mehreren Plagen zugleich heimgesucht, an denen des Königs zweite Gemahlin allein die Schuld trägt.

Ausser dem eben besprochenen Drama „Roxane" enthält Tiecks handschriftlicher Nachlass in der königl. Bibliothek zu Berlin noch folgendes:

2) Die Entführung. Ein Lustspiel. Aus dem Jahre 1789. Zwei Acte sind erhalten. Die bekannten Bedientenscenen werden uns hier vorgeführt mit den zweifelhaften Witzen und den unzweifelhaften Ohrfeigen. Eine ahnenstolze Aristokratin, deren Mann ein Pantoffelheld ist und deren Tochter sich einen unebenbürtigen Geliebten auserwählt hat.

3) Karl von Berneck. Ein Trauerspiel. Die erste Bearbeitung aus dem Jahre 1793.

4) Der neue Don Carlos. Posse. Vollständig. Aus dem Jahre 1807.

5) Iwona, eine ossianische Skizze. 1791.

6) Gesang des Barden Longal. Ebenfalls Ossian nachgebildet.

7) Das Märchen vom Rosstrapp. Der Gesang eines Minnesingers. Der Dichter versetzt sich hier in das goldene Zeitalter der alten Germanen und versucht in einer Liebesgeschichte die Erklärung des Namens Rosstrapp. 1792. (Vgl. Holtei, Briefe an Tieck 4 S. 249 ff.)

8) Uebersetzungsfragmente aus den Nibelungen und dem deutschen Heldenbuche.

9) Uebersetzungsfragmente aus Beaumont, Fletcher und Sheridan.

10) Notizen zur spanischen und altdeutschen Litteratur.

11) Notizen über englische Ausdrücke. Alphabetisch geordnet.

12) Zerstreute Tagebuchblätter und Gelegenheitsgedichte.

Endlich die bereits von Köpke in den Nachgelassenen Schriften veröffentlichten Dichtungen, die Briefe an Tieck (hggb. v. Holtei. 4 Bde. Breslau, 1864), der Briefwechsel zwischen Solger und Tieck (hggb. von Tieck und Raumer in Solgers Nachgelassenen Schriften. 2 Bde. 1825), Abschriften von etwa zwanzig Briefen Tiecks an Uechtritz, Devrient, Riemer, Freytag, Justinus Kerner, seinen Bruder u. a., und Notizen, die sich Köpke für seine Editionen gemacht hat.

Die Anfänge der ernsten bürgerlichen Dichtung des achtzehnten Jahrhunderts. Das rührende Drama und bürgerliche Trauerspiel bis zu Diderot, der Familienroman des Marivaux und Richardson und die dramatische Theorie Diderots. Von W. Wetz. I. Band. Allgemeiner Theil. Das rührende Drama der Franzosen. Erste Abtheilung Worms. Verlag von P. Reiss. 1885. 4 Bll. u. 206 SS. gr. 8⁰.

Dieses Werk ist auf drei Bände zu je zwei Abtheilungen angelegt, jede vom Umfange der jetzt vorliegenden ersten Abtheilung des ersten Bandes. Das gibt beiläufig zwölfhundert eng bedruckte Seiten (unser Buch ist wahres Augengift mit seinen weit gestreckten, eng zusammengerückten Zeilen, zum Glücke sind die Lettern scharf). Herr Wetz beabsichtigt auf diesem grossen Raume nur wenige Jahre der litterarischen Entwickelung eingehend zu betrachten, freilich Jahre wichtiger Umwälzungen. Ueber den Plan kommen wir nicht ganz ins klare, doch scheint es auf ein Capitel vergleichender Litteraturgeschichte abgesehen zu sein. Worauf Herr Wetz hinzuzielen scheint, das ist das losringen der realistischen Dichtung aus dem französischen idealisierenden Classicismus; er will (S. 25) zeigen, „wie sich aus einzelnen Keimen in den früheren ständischen Dichtgattungen neue Dichtgattungen ohne ständischen Charakter entwickeln" und wie diese „mit Richardson und Diderot bei einem so entschiedenen Gegensatz zu dem Classicismus ankommen". Dabei fällt uns zweierlei auf: erstens dass Herr Wetz die Begrenzung ziemlich willkürlich trifft, denn die Bewegung, welche er im Auge hat, endet doch nicht mit Diderot, sondern höchstens mit Lessing, und zweitens, dass der principielle Standpunct, welchen der Herr Verfasser einnimmt, keineswegs der richtige ist, wenn wir nicht die Worte „ständisch" und „bürgerlich" ganz anders fassen, als bisher immer geschehen ist und auch von unserm Verfasser geschieht, vgl. nur S. 46. Herr Wetz ist ein Schüler Erich Schmidts, wie wir aus seiner „Vorbemerkung" erfahren; schon die Worte seines Lehrers im „Lessing" I 284 und 286, in dem prächtigen Abschnitt über Diderot, hätten ihn abhalten sollen, das „bürgerliche" so sehr in den

21*

Vordergrund zu rücken; denn er reicht damit durchaus nicht aus.
Er will den Kampf der individualisierenden Richtung des Realismus
gegen die schematisierende und nivellierende Kunst des Idealismus
darstellen und verschiebt mit dem unglücklichen Ausdruck „bürgerlich" die ganze Betrachtung. Das wird uns gleich in der Einleitung
klar, welche die allgemeinen Gesichtspuncte darlegt. Wetz lässt die
Lyrik ausser Acht, weil sie in Frankreich völlig unberührt von der
allgemeinen Umwälzung geblieben sei. Ob man diese Behauptung
einem Béranger gegenüber wol aufrecht erhalten kann? Es wird
aber auch die reinkomische Dichtung ausgeschlossen (S. 11), weil
sich auch in ihr „der Unterschied gegen früher nicht nach allen
Seiten hin in seiner ganzen Schärfe ausspricht"; auch dies kann nicht
uneingeschränkt zugegeben werden, da gerade von hier das fortschreiten des Realismus zu erkennen wäre. Nun bleibt bloss Tragoedie und Epos, und auch hier wird wieder unterschieden, es wird
vom heroischen und religiösen Epos abgesehen, weil sie wenig Interesse hätten; wegen des verfehlten Principes beseitigt Herr Wetz
jenes Gebiet, auf welches in Deutschland die streitenden Parteien
anfangs am meisten Rücksicht nahmen; können wir uns eine Geschichte der Umwälzungen in der Litteratur denken, ohne dass
von Klopstock die Rede ist? Herr Wetz ahnt selbst S. 16 das
verfehlte seines Standpunctes, kommt aber nicht darüber hinaus.
Sein Feld bleibt also das ernste Drama und der Roman; dabei über-
lässt Herr Wetz der Culturgeschichte — wir müssen hinzufügen:
der Zukunft, denn wir haben noch keine — die Ursachen der Um-
wandlung zu erforschen, er will den Verlauf darstellen (S. 12); und
noch weiter, unberücksichtigt bleibt auch die Umbildung des Ge-
dankengehaltes, der wol das grösste Interesse beanspruchen darf.
Es bleibt also als Gegenstand der Betrachtung von Herrn Wetz
praepariert: die Veränderung des ernsten Dramas und des Romans,
insofern sie sich im Stoff, der Behandlung und der Form äussert;
die Scheidung von Behandlung und Form wird wol im Verlaufe
klarer werden als durch die Auseinandersetzung S. 11 f. Herr Wetz
ist aber noch nicht zu Ende, er schränkt sein Thema noch weiter
ein; er sieht nämlich, dass sich im 18. Jahrhundert das Verhältniss
zum Classicismus in drei Perioden gliedert, „deren jede ziemlich genau ein Drittel des ganzen Zeitraumes umfasst". Im ersten Drittel:
festhalten an der Tradition, Ansätze zum weiterbilden; von den
dreissiger bis in die Mitte der sechziger Jahre: einführen der modernen Geschichte, aufheben des Unterschiedes zwischen Tragoedie
und Komoedie, was das auftreten der fürstlichen Persönlichkeiten
betrifft, brechen mit der classischen Manier der Behandlung, Einfluss einzelner Persönlichkeiten; letzter Abschnitt: die nichtfranzö-
sischen Litteraturen werden völlig anticlassisch, neue Auffassung
der Litteratur, sich kreuzende Einflüsse. Herr Wetz betrachtet, und

ich lasse jetzt alle Einwendungen gegen das eben gesagte ganz
ausser Spiel, bloss den zweiten Abschnitt, in welchem nach ihm
(S. 23) zu betrachten sind 1) die Leistungen der Schweizer, 2) Voltaire und seine Nachfolger und 3) die Behandlung „bürgerlich-
ernster Verhältnisse in Drama und Roman" mit den beiden Höhe-
puncten Richardson und Diderot; und jetzt endlich wären wir so
weit: Herr Wetz wird in seinem dreibändigen Werke nur die dritte
Richtung betrachten und auf eine Aristeia Richardsons und Diderots
(S. 25) hinarbeiten.

Herr Wetz beschränkt sich auf dieses Capitel, weil seiner Ansicht nach die übrigen durch Danzel und Erich Schmidt schon zur
Genüge beleuchtet seien. Das ist aber nach meiner Ueberzeugung
nicht richtig; der Kampf zwischen Gottsched und den Schweizern
ist noch lang nicht ausreichend klar behandelt, Voltaires Einfluss
so gut wie gar nicht, dagegen Richardsons Bedeutung durch Erich
Schmidt und die bürgerliche Richtung durch Kawczyński, wie übrigens Herr Wetz selbst angibt, wenigstens in der Hauptsache; auch
Sauers hätte S. 25 gedacht werden sollen.

Kann ich so die Grundlagen und Principien seiner Arbeit nicht
völlig billigen, so erfordert doch die Gerechtigkeit, das Buch im
einzelnen nachhaltig zu loben. Herr Wetz·hat mit grosser Sorg-
samkeit, regem Eifer geforscht und den Blick aufs ganze nicht verloren; er ist zudem von einer rührenden Bescheidenheit, welche jeden
Tadel von Anfang an entwaffnet, er spricht immer von seinem
„Werkchen", was einem solchen Plane gegenüber fast komisch klingt.
Seine Darstellung ist ruhig, aber schwunglos, es fehlen die starken
Accente, wodurch alles etwas verschwimmt; zudem beklagen wir
den Mangel eines Inhaltsverzeichnisses, was bei der verworrenen
Composition des Buches doppelt empfindlich ist. Wir haben es mit
einem Anfänger zu thun, der sich mit seinen Ansichten noch nicht
recht hervortraut, aber voll glühenden Eifers ist; sein „grösster
Ehrgeiz" war das Andenken zweier braver Männer zu retten, „die
ihr Jahrhundert möglicher Weise überschätzte, das gegenwärtige jedoch sicher zu niedrig stellt", eben Richardsons und Diderots; ich bin
nicht überzeugt, dass eine solche Rettung nöthig ist: in den gelehrten Kreisen haben die beiden Männer die ihnen gebührende
Schätzung und das grosse Publicum scheint wenigstens Richardson
auch noch zu lesen, wenigstens kann man dies aus Tauchnitz' Collection of british Authors schliessen. Und dann glaube ich, ohne den
Herrn Verfasser kränken zu wollen, dass sein Buch nur zu jenen
dringen wird, welche die richtige Meinung schon haben; es hiesse
sich selbst täuschen, wenn man beim grösseren gebildeten Publicum
Interesse an der gelehrten Litteraturgeschichte voraussetzte.

Noch einen etwas allgemeineren Gedanken möchte ich betonen,
der sich mir gerade bei der Lectüre des vorliegenden Buches wieder

mächtig aufdrängte. Die Litteraturgeschichte, welche die Verdienste
Opitzens vielleicht über Gebühr schätzt, wird nicht müde, begeistert
das ankämpfen gegen den französischen Classicismus zu preisen; es
werden die neuen Errungenschaften lebhaft herausgestrichen als
ebenso viel erlösende Thaten. Aber die Litteratur bleibt nicht
stehen, wir bekommen den deutschen Classicismus und die Litteraturgeschichte preist nun ebenso laut bei Goethe und Schiller das zurückkehren zu dem geschmähten französischen Classicismus. Scherer
spricht sehr vorsichtig darüber, aber auch er kommt über diesen
Widerspruch nicht ganz hinaus. Da eifert man gegen die Monologe,
gegen die Vertrautenpaare, gegen das binden der Scenen und muss
doch bei Goethes Iphigenie gerade diese „Dramatik des Racine"
auf einer höheren Stufe wiederfinden. Lessing, welcher das französische Theater so energisch bekämpft hatte, verwarf den „Sturm
und Drang", und wie bald steht Goethe dem „studentisch aufge-
knöpften" Wesen seiner Jugenddramen fremd gegenüber, wie unangenehm sind ihm die ersten Werke Schillers! Und Schiller selbst,
wie hart urtheilt er ab! Unsere Litteraturgeschichten übertreiben
alles, sowol Lob als Tadel, sie leben vom Contraste, um die Perioden scharf von einander abzugrenzen. Realismus und Idealismus
kämpfen einen ewigen Kampf, einmal siegt jener, einmal dieser, wenige Momente sehen wir, welche wie Tag- und Nachtgleiche dastehen,
es gibt aber keinen Stillstand und kaum erlangt, wird das Gleich-
gewicht wieder gestört. Die Lobredner des starken Realismus in
der Genieperiode verwerfen gewiss den modernen Realismus mit
längst bekannten Gründen. Man fühlt sich versucht, zum Anwalt der
classischen französischen Tragoedie zu werden, wenn man immer nur
das verwerfliche derselben vorgehalten bekommt. Etwas conven-
tionelles findet sich in jeder entwickelten Dramatik; es bildet sich
eine gewisse Formelhaftigkeit aus, welche Vorzüge und Nachtheile
in sich birgt, und eigentlich doch „Unnatur" ist. Man nehme doch
einmal Schillers dramatische Sprache vor, welche bis zum heutigen
Tage von allen unsern Dramatikern mit dem fünffüssigen Iambus
herübergenommen wird; wie viel stereotypes, unnatürliches wird
man finden; es wäre sehr interessant, dieser Erscheinung einmal
gründlich nachzugehen; auch unser Blankvers, so viel Freiheit er
dem Dichter gibt, bringt etwas schematisches in die Sprache und
Form, etwas unschönes. Und wer kann sich dem Reize schön ge-
bauter Alexandriner verschliessen? Sie ermüden endlich, bringen zum
Schluss etwas starres mit sich. Aber ist es denn mit dem deutschen
Blankvers anders? Wir zerreissen ihn zur Prosa, um ihn auf die
Dauer ertragen zu können, und von Schiller angefangen — ich lasse
Lessing absichtlich unberücksichtigt — bis auf Wildenbruch herunter
ist der fünffüssige Iambus oft gar kein Vers mehr, sondern nur ge-
hobene Prosa; die unendlichen Freiheiten, schwebende, versetzte Be-

tonung, zweisilbige Senkungen, überzählige und mangelnde Füsse
sind dem Metriker ein Greuel und zerstören den Charakter des
Verses vollständig. Man schlage Schillers Dramen auf, wo man
will, man sieht entweder völliges durchbrechen des Verses oder Unnatur, auferlegt durch den Zwang des Verses[1]), z. B. in der Jungfrau 13, 301. Johanna sagt:

> Ich bins,
> Da ich euch wieder sehe, eure Stimmen
> Vernehme, den geliebten Ton, mich heim
> Erinnre an die väterliche Flur.

Oder Wildenbruchs Harold IV. Act ([2] S. 139):

> Sprecht mir von Vorsicht nicht in dieser Stunde,
> Rache heisst das Gesetz, dem sie gehorcht!
> Komm, Schicksal, blase Sturmwind und Verderben,
> Wirf Schiff und Mannschaft in ein einzig Wrack.
> Du schreckst nur den, der an den Ausgang denkt!

Freiheit und Starrheit der Form treten in diesen ganz zufällig
herausgegriffenen Beispielen deutlich genug hervor. Das ist doch
das Resultat des ganzen Kampfes gegen die classische dramatische
Form, und da declamiert man gegen die Unnatur des Alexandriners!
und nun gar des französischen, der nicht im geringsten so eintönig
ist, wie der deutsche[2]).

Auch die Geschlossenheit des französischen classischen Dramas
war ein grosser Vorzug und wird auch als solcher anerkannt; die
Strenge der Form war wichtig für eine Zeit der Formlosigkeit, der
englische Einfluss, welchen das 17. Jahrhundert nur zu deutlich zeigt,
rief bloss Verirrungen hervor, erst die strenge Schule des französischen

---

1) Charakteristisch für den Zwang, welchen der fünffüssige Iambus
mit sich bringen kann, erscheint mir eine Stelle im Don Carlos. Es
heisst sowol in der ersten Thalia-Fassung (5, 1, 174 V. 3638 ff.) als in
den weiteren iambischen Redactionen von 1787 angefangen, auch noch
1801 (5, 2, 278 V. 2522 ff.):

> Euer Haar
> ist silbergrau und ihr erröthet nicht
> an eures Weibes Redlichkeit zu glauben?

Redlichkeit aber ist nicht das, was wir erwarten, der praegnante Ausdruck
wäre: Treue und wirklich heisst es in der Prosafassung (5, 2, 59 Z. 17 ff.):
„Euer Haar ist silbergrau und Ihr seyd eitel genug, an die Treue eures
Weibes zu glauben"; hier scheint der Blankvers an dem unentschiedenen
Ausdrucke schuld zu sein. Vgl. Schlegels Shakespeare-Uebersetzung.

2) Dass es auch der deutsche Alexandriner nicht zu sein brauchte,
sehen wir aus Goethes Faust, 2. Theil, wo der Schluss des 4. Actes ganz
im Alexandriner gedichtet ist.

Classicismus machte die richtige Wirkung des englischen Dramas
möglich. Hat nicht auch Schiller durch das Studium der französischen Classiker ein heilsames Gegengewicht gegen Shakespeare zu
finden geglaubt (an Dalberg 24. August 1784)? Wozu also das
ganze Pathos bei der litterarhistorischen Betrachtung; wird unsere
Wissenschaft nie dahin kommen, das gesetzmässige der Weiter-
bildung als Verstandessache, nicht als Gefühlssache darzustellen?
Jede Zeit, jede Richtung trägt die Berechtigung in sich; das scheinbare zurückgehen ist ein ebenso sicheres vorwärtsbilden, wie das
scheinbare weitertreiben; Atavismus in der Litteratur ist selten, fast
unmöglich. Es wäre nun schon an der Zeit, dass die Litteratur-
historie einmal den umgekehrten Weg einschlüge und einmal das
conservative der Litteratur ins Auge fasste, nicht was die neue Periode neues hinzubringt, sondern was sie altes herübernimmt: also
die Kehrseite der Medaille; dann würde das neue nicht so bedeutend
erscheinen und vielleicht hinter dem alten verschwinden. Man fasse
einmal Lessing so auf; ist es nicht charakteristisch, dass auch der
Gegner des classischen französischen Dramas als Dramatiker fast
ganz französisch bleibt? wie gering sind seine praktischen Neuerungen!
von seinen theoretischen Auseinandersetzungen nutzt er selbst sehr
wenig.

Noch ein Gebiet wird immer gestreift, das „ständische", um
dieses Wort beizubehalten. Wo steckt denn nur die Grundverschie-
denheit zwischen früher und später? Das hohe Drama hat nach
wie vor die Helden der Welt zu Helden des Dramas[1]) gemacht; die
eigentlichen bürgerlichen Tragoedien sind verschwindend gering an
Zahl, an Bedeutung und Ansehen. Auch Lessing, der Dichter der
Miss Sara, wird nach seinen theoretischen Ausführungen der Dichter
der Emilia, welche keine bürgerliche, sondern eine moderne
Virginia ist, endlich des Nathan, wo wir schon wieder fast auf dem
alten Boden sind. Und Schiller steigt von den Räubern zu Fiesco,
zu Carlos und so weiter. Goethe setzt bei dem Götz ein, sinkt zum
Clavigo und der Stella, steigt zu Egmont, Iphigenie und Tasso.
Bei Grillparzer, bei Kleist, wo steckt das bürgerliche? Erst das
junge Deutschland wird wieder consequenter, aber ein Hebbel wächst
von Maria Magdalena zu den Nibelungen. Man wird sagen, das all-

---

1) Auch hiefür ist eine Aeusserung Schillers über seinen Don Carlos wichtig, er schreibt am 27. März 1783 an Reinwald: „Dazu kommt, dass
man einen Mangel an solchen deutschen Stücken hat, die grosse Staats-
personen behandeln . ." Schiller betont also ganz ausdrücklich, dass
die Rückkehr zum alten „ständischen" Charakter, um diesen Ausdruck zu
brauchen, eine vollständig bewusste Hinwendung zu einer neuen Schönheit sei, denn er hat in der Briefstelle die Vorzüge seines neuen Stoffes
Don Carlos im Auge.

gemein menschliche tritt in den Vordergrund, der Mensch, nicht das,
was er in der Gesellschaft vorstellt, wird vom Dramatiker behandelt.
Als ob das im classischen französischen Drama etwa nicht ebenso
gewesen wäre; als ob nicht auch hier die allgemein menschlichen
Empfindungen den Dichter allein gereizt hätten; man nenne mir ein
classisches französisches Drama, wo nur das „ständische" als solches anders als etwa bei Schiller im Don Carlos, in der Maria Stuart,
der Braut von Messina u. dgl. verwerthet würde. Der Ideengehalt
hat zugenommen, allerdings, das ist aber kein specieller Fortschritt
des Dramas, sondern der ganzen Geistesrichtung, welcher sich das
Drama fügen muss. Die neuen Errungenschaften gehören nicht dem
Drama, sondern der Bildung überhaupt an, den Dramatikern und
Theoretikern gebührt bloss das Verdienst, das Drama dem Charakter
ihrer Zeit angepasst zu haben.

Noch bleibt das eine: die ideale Ferne. Doch auch hier sehen
wir gar keine grosse Neuerung bleibend durchgeführt; neben dem
modernen Drama verharrt die höhere Tragoedie auf ihrem Rechte,
Zustände der abgelegenen Zeiten dramatisch zu behandeln, und wenn
wir unser Gefühl prüfen, machen wir einen genauen Unterschied
zwischen dem modernen und dem höheren [1]) Drama (auch Herr Wetz
S. 40): so wie wir für jenes die Prosa, für dieses den Vers als das
natürliche ansehen, verlangen wir für dieses die ideale Ferne. Charakteristisch ist wieder Grillparzer: ihm schwebt ein Napoleon vor,
und er schreibt einen Ottokar, indem er sehr deutlich die modernen

---

1) Diesem Gefühle gibt auch Schiller Ausdruck, wenn er über den
Don Carlos am 24. August 1784 an Dalberg schreibt: „Ich kann mir es
jetzt nicht verbergen, dass ich so eigensinnig, vielleicht so eitel war, um
in einer entgegengesetzten Sphäre zu glänzen, meine Phantasie in die
Schranken des bürgerlichen Kothurns einzäumen zu wollen, da die hohe
Tragödie ein so fruchtbares Feld und für mich . . . da ist; da ich in
diesem Fache grösser und glänzender erscheine, und mehr Dank und
Erstaunen wirken kann, als in keinem andern, da ich hier vielleicht nicht
erreicht, in andern übertroffen werden konnte." Also Schiller gesteht
der hohen Tragoedie im Gegensatze zur bürgerlichen einen höheren Rang
zu.   Nach seiner Aeusserung im Briefe vom 7. Juni 1784 an Dalberg
hätte dies noch zweifelhaft erscheinen können; er sagt auch hier: „Woher ich nur Briefe bekomme, dringt man darauf, ich möchte ein grosses
historisches Stück, vorzüglich meinen Carlos zur Hand nehmen, davon
Gotter den Plan zu Gesicht bekommen, und gross befunden hat. Freilich
ist ein gewöhnliches bürgerliches Sujet, wenn es noch so herrlich ausgeführt wird, in den Augen der grossen, nach ausserordentlichen Gemälden verlangenden Welt niemalen von der Bedeutung, wie ein kühneres
Tableau, und ein Stück, wie dieses, erwirbt dem Dichter und auch dem
Theater, dem er angehört, schnellern und grössern Ruhm als drei Stücke
wie jenes!"

Zustände, Charaktergegensätze wie Napoleon und Kaiser Franz in ideale Ferne rückt und sie Ottokar und Rudolf nennt, gewissermassen die Geschichte völlig verlassend.

Was wir in dem ganzen Kampfe gegen den französischen Classicismus als Gewinn betrachten können, ist das starke betonen solcher Ausnahmen, oder besser gesagt, jetzt wird die Gleichberechtigung dessen durchgeführt, was man früher als Ausnahme gestattete, man bricht die Schranken, ohne jedoch die Consequenzen zu ziehen, man begnügt sich, den Herrn gezeigt zu haben, ohne die Herrschaft zu verlangen. Also nicht die Verwerfung, sondern die Erweiterung der classischen Begriffe ist das Ziel und Resultat. Dass diese zwei Dinge ganz verschieden sind, leuchtet wol auf den ersten Blick ein; es war aber meiner Ueberzeugung nach einmal an der Zeit, diese selbstverständlichen Dinge zu erwähnen und auszusprechen, weil sie überall, von allen Darstellern vergessen werden. Darum verzeiht man vielleicht auch die Ausführlichkeit meiner Polemik.

Auf ganz anderem Wege und auf ganz andere Weise vollzieht sich die Umgestaltung im Gebiete des Romans. Man sieht den Unterschied am meisten, wenn man sich mit dem picarischen Roman beschäftigt; hier war in Deutschland mit Grimmelshausen der Realismus vollständig zum Siege gelangt; wir haben es durchaus mit einer Schilderung des bürgerlichen Lebens zu thun, welches mit allen seinen Ausschreitungen in den Roman aufgenommen wird. Den Gegensatz bildet einerseits der heroische Roman vom Schlage des Lohensteinschen Arminius, anderseits das seltenere Heldengedicht nach der Weise des „Habspurgischen Ottobert". Dem Schäferromane war längst das analysieren der Gefühle, das auswässern der Empfindungen eigen. Das bürgerliche Element bleibt auch im Weiseschen Romane. Unmöglich kann also darin die Neuerung Richardsons bestehen. Man darf daher Tragoedie und Roman durchaus nicht aus demselben Gesichtspuncte betrachten, im Gegentheil: der Roman wird zu einem Abzugscanale für manches von dem, was in der Tragoedie befehdet wurde. Damit fällt das ganze Gebäude, welches Herr Wetz aufrichten will, meiner Ansicht nach in sich zusammen.

Herr Wetz verfolgt die Scheidung der komischen und ernsten Dichtungen nach Ständen von den ältesten Zeiten bis herauf; bei den Griechen können wir diese Scheidung wol aus dem besonderen Charakter des Dramas erklären; dass sie dann von den Römern wie so vieles herübergenommen wurde, kann man völlig begreifen. Nicht zugeben kann ich die Behauptung, dass auch im Mittelalter zwischen den ernsten Heldengedichten, „die sich in Hof- und Ritterkreisen bewegten", und Schwänken, scherzhaften Erzählungen, Fabliaus unterschieden worden sei, „zahllosen heitern Darstellungen aus dem bürgerlichen, bäuerlichen und mönchischen Leben"; es bedarf wol nicht der Titel etwa der „Gesammtabenteuer", um diese Behauptung zu widerlegen, man denke nur an Gedichte, wie „die halbe Birne", „der Borte" etc. etc. Widersprechen muss ich auch der Ansicht, dass die französischen Tragiker die alten „bis zu den unbedeutendsten Aeusserlichkeiten" nachgeahmt hätten, während sie doch den Chor ganz ausser Acht liessen. Was die Verwerthung moderner Stoffe nach dem Muster des Bajazet betrifft, so hätte vielleicht mit einem Worte gesagt werden können, dass auch in Deutschland während des 17. Jahrhunderts dergleichen nicht selten vorkam, wie Gryphius, Haugwitz u. a. beweisen.

Herr Wetz hat im Laufe seiner Darstellung mit Recht einen andern Plan verfolgt, als man nach seinen ersten Auseinandersetzungen hätte glauben können: er beginnt mit der Komoedie und vertritt, wenn er sich auch nicht darüber klar wird, doch den Standpunct, dass wir in den Neuerungen nicht ein ändern der Tragoedie, sondern ein erweitern der Komoedie zu bemerken haben. Man vertreibt nicht die Heroen aus ihrer Domäne, sondern man fügt in das Lustspiel mehr und mehr ernste Scenen ein, man gelangt nicht von der tragédie zur tragédie bourgeoise, sondern von der comédie zur comédie touchante oder, wie die Spötter sagen, larmoyante, zur comoedia commovens. Das ist sehr wichtig, denn der umgekehrte Weg war versuchsweise wol auch eingeschlagen worden, indem man die komische Figur in die Tragoedie einschmuggelte; er musste natürlich aufgegeben werden. Die Erweiterung des Lustspiels aber blieb bestehen. Herr Wetz hat auch die Gründe dafür erwogen, indem er die paedagogischen Tendenzen des Zeitalters betont, aber er richtet eine olla putrida her, indem er Aufklärung, gesunden Menschenverstand, Gefühlsseligkeit, Zweckmässigkeit, moralische Absichten, Gläubigkeit zusammenmengt; nach S. 46 stünden Johann Martin Miller, der Verfasser des „Sigwart", und Nicolai wegen seines Sebaldus Nothanker auf derselben Stufe, und S. 40 kommt sogar Fielding, Goldsmith, Dickens und George Eliot auf eine Linie mit Richardson; das heisst doch sein eigenes Gebäude selbst zerstören, zuerst scheidet er den komischen Roman aus, dann zieht er den humoristischen Roman wieder herbei. Man sieht daraus, wie bei Herrn Wetz noch alles gährt, wie wenig geübt er in allgemeinen Deductionen ist, aber es gilt von ihm Goethes Wort: „Wenn sich der Most auch ganz absurd geberdet, Es giebt zuletzt doch noch 'n Wein". Das beweist der „zweite Abschnitt" unseres Buches: „Das rührende Drama der Franzosen" (S. 63ff.). Ganz besonders mache ich auf die sehr gelungenen Bemerkungen über das tragische und komische, über die Aehnlichkeit zwischen Shakespeare und Molière aufmerksam, ich vermisse nur ein Wort darüber, dass bei diesem der Humor, nicht die Komik das wichtigste ist. Sehr gut sind von Wetz auch die ernsten Seiten Molières, also die Ansätze zum Schauspiel, hervorgehoben.

Der übrige Theil des Buches (S. 83—206) ist eine grosse

Monographie über Destouches, welche mit genauester Ausführlichkeit jedes einzelne Werk betrachtet und zergliedert, auch eine Biographie an die Spitze stellt. Ueber diesen Theil genügt es, zu referieren, da nur die allgemeinen Thatsachen die vergleichende Litteraturgeschichte angehen; dem Plane des ganzen nach nimmt dieses Capitel eigentlich einen zu breiten Raum ein, denn Herr Wetz sagt selbst, dass Destouches noch ganz auf dem älteren Lustspiele fusst und nur wenige Zuthaten aus dem Rührdrama schon einfügt. Aber als Exemplification können wir uns dieses zergliedern jedes einzelnen Lustspiels wol gefallen lassen, umsomehr da eine Zusammenfassung erfolgt; ich bedaure nur, dass die Methode, welche Sauer und Brahm angewendet haben, nicht beibehalten wurde, sie ist übersichtlicher und schärfer. In dieser Beziehung ist das Buch ein Rückschritt unserer Wissenschaft. Und dann noch eines: Herr Wetz lässt auch hier seinen ethischen Gefühlen so die Zügel schiessen, dass er die Aesthetik völlig vergisst; statt ruhig als Litterarhistoriker zu untersuchen, declamiert er als Moralist. S. 108 f. z. B. wird er fast komisch, da er sich gegen Oront in der „dreifachen Heirat" ereifert, als ob er selbst Valer wäre. Das kommt weiter nicht in Betracht, man darf die Personen eines Lustspiels bei litterarhistorischer Darstellung nicht abkanzeln, sondern den Dichter vor Augen haben, vgl. auch S. 112. 113. 114. 115. 122 f. 129. 136 (hier bes. ergötzlich) u. s. f. Es hätte sich empfohlen, das typische der Lustspiele, was Personen, Scenen, Einführungen, Verknüpfung, Intrigue anbetrifft, gleich zu constatieren und so recht übersichtlich herauszuarbeiten, die Arbeit hätte dadurch an Klarheit bedeutend gewonnen. Und dann hätte noch etwas geschehen können, da sich Herr Wetz schon so eingehend mit Destouches beschäftigte: es hätte der Einfluss, welchen das Théatre italien und das Théatre de la foire auf ihn ausübten, aufgezeigt werden sollen. Herr Wetz sagt S. 103 in der ersten Anmerkung: „Der abgeschmackte Spuk, mit dem sie als Zauberin die Nerine dem Pasquin erscheinen lässt, hätte Destouches wol besser seinen Collegen vom italienischen Theater oder dem Theater de la foire überlassen sollen"; er scheint also nicht zu bemerken, dass noch viel mehr aus dieser Quelle stammt, man vergleiche nur die Javotte in der dreifachen Heirat (S. 109), Leandre im unvermutheten Hinderniss (S. 113 f.), die im Théatre italien vorgebildet sind (ich kann auf meine Einleitung zu Stranitzkys Ollapatrida, Wiener Neudrucke Heft 10, s. auch S. 237 verweisen); und dann verkennt er, dass gerade die Anbequemung an diese Dichtung bei Destouches sehr charakteristisch ist. Besonders S. 118 ff. hätte ich eine Rücksichtnahme auf das Théatre italien gewünscht.

Wir dürfen hoffen, dass im weiteren Verlaufe des Werkes vielleicht noch Gelegenheit ist, auf manches zurückzukommen, und Herr Wetz wird gewiss alle Consequenzen ziehen, welche man jetzt schon aus seinen Analysen herauslesen kann. Meine Bedenken würden vielleicht zerstreut worden sein, wenn uns Herr Wetz deutlicher den Plan seiner Arbeit charakterisiert und gleich in dem Capitel über Destouches gezeigt hätte, wie er weiterhin darstellen will. Man wird ihm nicht gerecht, weil man über seine Absichten nicht klar wird, wir wünschen ihm aber die Kraft, sein Werk bald zu vollenden und alle Zweifel zu zerstreuen.

Lemberg 30. März 1886. R. M. Werner.

Miscellen.

1.

Zwei Grabschriften auf Eulenspiegel.

EPITA: Nobilis parasiti Oulenspigel.

Hoc ego præduro moriens sub marmore condor
   Non iaceo: neque sto: mortuus ipse cubo
Vt fato mores maneant: mirabilis omni
   Luce fui: Protheus cærulus alter ego
Nocturnæ volucris nomen speculiq; parentes
   Qum dederant: iam tunc notus utroq; polo
Qum me vix pleno lactasset in vbere mater
   Iam petit attonitos fama stupenda viros
Vita liquet nostra: totis mirabilis annis
   Nomen habent pueri: foemina: virq; meum
Vt faciles vitae mores communis haberem
   Non volui busto morte iacere meo.

Aliud.

Videte viatores optumi: bini
Siue adcedatis trini: siue singuli:
Vel sturnatim conuoletis: pedes: aut eques
Mas sies: uel foemina — aut pupus: uel senes:
Qui fui gnarus parasitus: & helluo.
Quem cinefactum cludit hoc saxum:
Non bapiro non atramento: sed duro
Malleo tornatum: fui dies omneis
Festiuusq; dicaculus popa: planus:
Iuuat: ut prudens viuus & sagax plureis:
Mortuum sic fallere: facere & salse.

Nolui humatus hac humo iacere:
Supinus aut stare: sed cubans sedere.
Mendax quod esset: meum si quis cadauer
Iacere dicat sepulchro: dat rectum stare.
Sic ludo functus quod viuus saepe feci.

In: Batrachomiomachia Homeri | Philymno interprete | et Ev-
logia fvne|bria. 4⁰. Bl. C 5ᵇ u. C 6ᵃ (gedruckt Wittenberg 1513).
Vf. ist der Erfurter Poeta Tilemann Conradi (Tiloninus).

Wilhelm Crecelius.

2.

Caspar Cunradus und seine Prosopographia melica.

Ueber das stocken der Prosopographia, von der nur drei Millenarii, der erste und zweite zu Frankfurt 1615, der dritte zu Hanau
1621, erschienen, geben die folgenden Auszüge von Briefen des C.
Cunradus an Gruter, dem mit anderen gemeinschaftlich der zweite
Millenarius gewidmet ist, Aufschluss (aus Cod. Pal. 1907, Bl. 64 f.):

1. Vratisl. Non. VIIbr. A. 1617. Pro complendo quarto Proso-
pographiae meae millenario desidero natalem Dn. Mel. Adami,
quem ut ipsemet mihi significet, amanter peto. Habet et heic ad-
fines literas, sororis ipsius nuptias significantes. Meas adicere non
potui ob temporis brevitatem: sed et ipse proximis meis responsum
debet. Mihi et meis sic bene convenit. Septimum conjugis mei
fructum nunc spero, & septimum fortassis filium.

2. III. Eid. Martias A. C. ∞DCXIIX. Sub exitum anni
28. Decembr. mea Conjux puerpera septimò facta septimum peperit
filium, quem Godofredum diximus. — Mei millenarii cancrino gressu
procedunt, dolo, credo, nostri Bibliopolae Davidis Molleri, qui
sumtus Tampachio refrendere [?] haut dubiè non potest: interim ego
in tertium annum differor & de exemplaris restitutione dubitare
incipio. Loquere, quaeso, cum Tampachio, & morae istius veram
caussam mihi explora. Quartus millenarius jam posset sequi, imò
et quintus, ac longè˙ perfectiores quàm duo priores, modò iste me
non ita fefellisset. De alio qui sumtus suppeditet, cogitabo: Tu in
medium si consulere heic quid potes, facito, quaeso. Multis labor
iste non improbatur ob temporis inprimis consignationem, quo hi,
illi, vixere.

Wilhelm Crecelius.

3.

Aus den Stammbüchern der Berliner Bibliothek.

1. „Qui fert malis auxilia, post tempus dolet.
            Bonae MEM. ergo L. M. Q.[1]) scripsi
            Mart. Opitius a Boberfeldt
            S. R. Mtis Pol. Suec.que Secretarius
            et Historiographus, Consiliarius
            Ligio-Bregensis. Gedani, III.
            Kalend. Maias. A. M·IƆ·CXXXVIIII.“

Stammbuch des Breslauers Thomas Lerch (aus den Jahren 1636—1652) auf der königl. Bibliothek zu Berlin, Ms. Diez. C. Oct. 5.

2. „Pignus amicitiae, facilemque in sidera dextram
      Verbaque non dubius qualia noscit AMOR
   Qvisque dabit: trepidâ sed rerum urgente ruinâ
      Posce manum: plures nil nisi VERBA DABUNT.
  Symb.
  Non Confundit.
         — — punctum coit omnis in Unum
    Fatorum series — — —
           Exiguum Hocce
           Eximii verè Amoris
           monumentum
           Doctiss. Praestantiss.que
           Dno THOMÆ LERCH
              L. M. R. [?]
             reliqui
           Lugduni Batavor.
           XIII. Calend. Julii
           A. CIƆIƆ CXLIII.
           Andreas Gryphius.
    Es muß fürs Vaterlandt auch was gelibten sein.“

Ebenda. — Von bekannteren Namen findet sich in Lerchs Album noch Elias Schedius Cada-Bojus (Rostock, 27. Nov. 1640) und Petrus Lauremberg (Rostock, Dec. 1638).

3. Ein Gedicht Logaus v. J. 1639 steht in dem Stammbuche Ludwigs von Logau (Ms. Diez. C. Oct. 9. aus den Jahren 1634 —1698); abgedruckt ist es im Weimarischen Jahrbuch 2, 212 und bei Hoffmann von Fallersleben, Findlinge 1, 485 (1860).

4. Das Stammbuch (Alba amic. 29) des Malers und Dichters Matthaeus Merian des jüngeren (1621—1687; vgl. Allg. D. Biographie 21, 424) enthält viele Eintragungen fürstlicher Personen

---

1) — Lubens Meritoque

aus Deutschland, Holland und England. Litterarische Berühmtheiten finden sich: Bl. 55 „Anthon Ulrich HZBUL[1]). Crescit sub pondere palma. 1665", Bl. 160 Hanß Georg Pellicer o. J. und Bl. 161 Deütrich Haacke, London 23. Herbstmonat 1640.

5. Der Danziger Heinrich Nicolai hat bei seinem Besuche verschiedener Universitäten sein Album (1585—1593. Alba amic. 6) vielen Professoren praesentiert. Eingetragen haben sich: Bl. 236 Josephus Scaliger (Leyden 5. April 1585?), Bl. 176 Johannes Sturmius (Northeim 9. Oct. 1587), 31b David Chytraeus, 65b Conradus Dasypodius (Strassburg 9. Jan. 1589), 71b Paulus Melissus (Heidelberg 1. Febr. 1589), 72b Nicolaus Reusner 1588, 143a Melchior Junius (Strassburg 5. Jan. 1589).

Berlin. J. Bolte.

4.

Charlotte Buff.

In seiner Abhandlung über Charlotte Buff und ihre Familie (Morgenblatt 1863 S. 1054) hat Düntzer unter den Pathinnen von Charlotte aufgeführt „Catharina Henriette Felicitas Wetzel, geborene Buff, Gattin des Kaplans zu Reichelsheim, die Halbschwester des Vaters". Diese (nach dem Taufregister der Pfarrei Steinbach geboren am 14. December 1717, Dienstag Morgen zwischen 7—8 Uhr, getauft am 17. December) war meine Urgrossmutter, die Gattin meines Urgrossvaters, des Kaplans Johannes Crecelius zu Reichelsheim, einem damals und bis 1866 nassauischen Dorfe in der Nähe von Friedberg in der Wetterau. Ich denke mir, in dem Taufbuch ist sie als Ehegattin des Kaplans Cretzelii bezeichnet (wie der Name manchmal nach der Aussprache geschrieben wurde), für Cr aber konnte leicht W verlesen werden. Der Fehler ist auch in den neuesten Abdruck des Aufsatzes in Düntzers Abhandlungen zu Goethes Leben und Werken Bd. 1 S. 68 übergegangen. Das richtige steht in der Genealogie der Buff, welche H. K. Eggers in der Vierteljahrsschrift für Heraldik, Sphragistik und Genealogie IX (1881) S. 431 ff. gibt: dort wird die genannte Katharina Henriette Felicitas als Gattin vom Pfarrer Crecelius zu Odenhausen angegeben. Mein Urgrossvater war nämlich von Reichelsheim, wo er als Kaplan seinem Vater zur Seite gestanden hatte, nach Odenhausen versetzt worden, einem damals gleichfalls nassauischen Dorfe, 1 Stunde oberhalb Giessen am rechten Ufer der Lahn gelegen, welches seit 1815 zum preussischen Kreise Wetzlar gehört.

Wilhelm Crecelius.

---

1) — Herzog zu Braunschweig und Lüneburg.

Ein Stück aus Klopstocks Messias in ursprünglicher Fassung.

Von

HEINRICH FUNCK.

In der Abhandlung von den Schönheiten der Bodmerischen Noachide hatte Wieland die Vermuthung ausgesprochen, dass der Dichter des Messias „den reuigen Teufel Abbadona" selig machen werde, worauf ein anderer Kunstrichter in den Greifswalder Kritischen Nachrichten unter dem 14. November 1753 die Bemerkung machte: „ich weiss, dass diese Muthmassung erfüllt werden wird, da ich schon ein Fragment eines der künftigen Gesänge des Messias gesehen habe, worin Abbadona wirklich Gnade erhält."

Von dieser handschriftlichen Fassung „des begnadigten Abbadona", welche rund zwanzig Jahre früher fällt als der erste Druck des entsprechenden Abschnittes aus dem 19. Gesange des Klopstockschen Heldengedichts, ist eine am 6. Februar 1754 angefertigte, in Privatbesitz befindliche Copie von mir aufgefunden worden, deren Publication mir um so wünschenswerther erscheint, je seltener dem Klopstock-Forscher Gelegenheit geboten wird, in die dem Druck vorhergegangene Gestaltung der Messiade einen willkommenen Einblick zu erhalten. Das wenige, was wir bis jetzt vom Messias in ursprünglicher Fassung kennen, besteht aus kleinen Bruchstücken, welche vom Dichter selbst aus der noch unedierten Epopoee in seinen Briefen und Abhandlungen mitgetheilt werden. Ein grösseres Fragment aus der Messias-Handschrift, wie wir ein solches den Lesern dieser Blätter nunmehr vorführen möchten, ist bisher noch nicht veröffentlicht worden.

Die Verse der von mir entdeckten Abschrift a. d. J. 1754
lauten:

91 Und die Sünder standen allein. Vom Throne des Richters
92 Stiegen die Todesengel herab, die Verworfnen zu führen
   In die Wohnung der ewigen Nacht. Sie trugen die Schrecken
   Des auf dem Thron im richtenden Blick. Zu tausenden welzten,
95 Da sie giengen, die Donnerwolken des hohen Gerichtsstuls
96 Ihrem eilenden Fusse sich nach. In einsamer Stille
   Und mit sterbendem Blick, starr in die Tiefe gesenkt, stand
98 Abbadona, und einer der Todesengel kam nahe
99 Gegen sein Antliz herab. Er sah den Seraph und kannt' ihn
100 Und ergab sich zu sterben. Er schaute mit bebendem Auge
   Auf den Richter und rief aus allen Tiefen der Seele.
102 Gegen ihn wandte das ganze Geschlecht der Menschen ihr Antliz
103 Und der Richter vom Thron. So sprach der anbetende Seraph:
   Weil nun alles geschehn ist und auf den lezten der Tage
   Diese Nacht der Ewigkeit folgt, so lass nur noch einmal,
106 Der Du stehst auf dem Throne, mit diesen Thränen Dich
                                                 anschaun,
   Die seit der Erde Geburt mein brechendes Auge geweint hat.
108 Schau von dem Thron, wo Du stehst, Du hast ja selber
                                                 gelitten!
109 Schau ins Elend herab, wo Deine Gerichteten stehen,
   Auf den verlassensten aller Erschaffnen! Ich bitte nicht Gnade,
   Aber lass um den Tod, Gottmensch! Erbarmer! Dich bitten.
112 Siehe, diesen Fels umfass ich, hier will ich mich halten,
113 Wenn der Todesengel von Gott die Gerichteten wegführt.

Die vom Wortlaut des Manuscriptes abweichende Lesart des gedruckten Textes (1773):

91 Graunvoll stand das Heer zu des Richters Linke. Vom Throne
92 Schwebten — Verworfene
95 schwebten, Donnerwolken — Gerichtstuhls (Die Ausgabe von 1800
                                 stellt „Gerichtsstuhls“ wieder her.)
96 Fluge
98 Abbadona. Ihm kam der Engel einer des Todes
99 Immer näher und näher. — Cherub
100 erhub — trüberem
102 sein
103 anbetend der
106 Du, der sitzt
108 Schaue vom Thron — ruhst
109 in das — herunter — wir
112 Felsen
113 die — führen

114 Tausend Donner sind um Dich her, nimm der Tausenden einen,
115 Waffne ihn mit Allmacht und tödte mich, Sohn, um Deiner Liebe,
116 Um Deiner Erbarmungen willen, mit denen Du heute beseligst!
117 Ach ich bin ja von Dir auch mit den Gerechten geschaffen!
Lass mich sterben, vertilg aus Deiner Schöpfung den Anblick
Meines Jammers, und Abbadona sei ewig vergessen!
Meine Schöpfung sei aus und leer die Stätte des bängsten
121 Und des elendesten aller Erschaffnen! Es schweigt Dein
Donner,
122 Und Du antwortest mir nicht! Ach muss ich leben, so
lass mich,
123 Von den Verworfnen gesondert, auf diesem dunkeln Gerichtsplatz
Einsam bleiben, dass mirs in meinen Qualen ein Trost sei,
125 Tief nachdenkend mich umzuschaun: dort stand auf dem Throne
Mit hellglänzenden Wunden der Sohn! Da huben die Frommen
127 Sich auf schimmernden Wolken empor! Hier ward ich gerichtet!
128   Abbadona blieb sinnlos stehen, im eilenden Fluge
Standen die Todesengel und wandten ihr Antliz zum Richter.
130 Feyrlich schwieg das Menschengeschlecht, die Donner ver-
(131)   stummten,
132 Abbadona erwacht und fühlt die Ewigkeit wieder.
Gegen ihn kam durch die wartenden Himmel die Stimme des
Richters:
Abbadona! ich schuf Dich, ich kenne meine Geschöpfe,
Sehe den Wurm, eh er kriecht, den Seraph, eh er empfindet;
136 Kenn' im Labyrinthe des Herzens den tiefsten Gedanken:
Aber Du hast mich verlassen, und jene Gerichteten zeugen
138 Wider Dich auch, Du verführtest sie mit, auch sie sind un-
sterblich.
Abbadona erhub sich und rang die Hände gen Himmel,

---

114 einen der tausend
115 Waffn'
116 Deiner — begnadigst
117 ward — erschaffen
121 verlassensten — Dein Donner säumet
122 hörest mich
123 dunklen
125 sass
127 wurd'
128 sank an den Felsen. In eilendem
130 Feyerlich
(131) Die unaufhörlich vorher von dem Throne des Richters erschollen.
132 erwacht' — fühlte
136 in allen Tiefen des Herzens alle
138 Sie sind unsterblich

140 Also sagt er: Ach! wann Du mich kennst und wenn Du den
                                                    bängsten
     Aller Engel gewürdiget hast, sein Elend zu sehen,
     Wenn Dein göttliches Auge die Ewigkeiten durchschaut hat,
     Die ich leide, so würdige mich, dass Dein Donner mich fasse
144 Und Dein Arm sich meiner erbarme, mich endlich zu tödten!
145 Gottmensch! ich sinke betäubt in des Abgrunds furchtbarste
                                                    Tiefen,
146 Und mein bebender Geist fliegt über der Ewigkeit Schauplatz
147 Grenzenlos hin und ruft dem Tod, so oft ich dran denke,
     Dass Du mich schufst und ich es nicht werth war, geschaffen
                                                    zu werden.
     Schau, wo Du richtest, herab und sieh, o Erbarmer, mein Elend,
150 Lass den Gedanken nur einmal noch meine Seele ge-
                                                    denken,
     Dass Du mich schufst, dass auch ich von dem besten der Wesen
                                                    gemacht ward!
152 Und dann tilg auf ewig sie weg vom Antliz der Schöpfung!
153 Sei gegrüsst, Gedanke, vom nahen Abschied von allen,
154 Welche Gott schuf, und dem Unerschaffnen der letzte Ge-
                                                    danken!
     Da der vollendete Himmel in seinen Kreisen heraufkam
     Und der erste Jubelgesang die Unendlichkeit füllte,
157 Da mit einer grosen Empfindung, die von dem Erschaffer
158 Alle auf einmal empfanden, die werdenden Engel sich fühlten,
159 Da der Einsame sich vor Myriaden enthüllte,
160 Wie er von Ewigkeit war und zugleich der höchste Gedanke
161 Nicht allein von Gott mehr gedacht war, da schuf mich mein
                                                    Richter.
     Damals kannt ich kein Elend, kein Schmerz entweihte die Hoheit

---

140 sagt' — wenn
144 erbarm, vor dir mich (Die Ausgaben von 1780 und 1800 stellen
                                         „erbarme" wieder her.)
145 Mittler! — Tiefe
146 entflieht
147 Stürzt sich hinab, — Tode — es
150 mich Einmal nur noch den grossen Gedanken denken
152 mich
153 mir, Gedanke, gegrüsst, vor dem
154 Die — Gedanke
157 Schöpfer
158 All' — ergriff
159 Tausendmal tausend
160 zuerst
161 mehr von Gott — ward

163 Meiner Seele; von allen, die ich zu lieben mir wehlte,
164 Ward mir der liebenswürdigste, Gott; mit schattenden
Flügeln
165 Deckte mich ewiges Heil! In jeder Aussicht erblick ich
166 Seligkeit um mich herum! Mir jauchzt ich in meiner Entzückung,
167 Dass ich geschaffen war, von Dir geliebet zu werden,
Von dem besten der Wesen; ich mass mein daurendes Leben
169 Nach der Ewigkeit ab und meine selige Tage
Nach der Zahl der Erbarmungen Gottes. Nun muss ich vergehen,
171 Nicht mehr seyn, nicht mehr mit tiefer Bewunderung Gott sehn
Und am Throne des Sohns kein Halleluja mehr singen!
173 Werde dann aufgelösst, ewiger Geist, Dein Zweck ist
(174)   vollendet;
175 Sei nun zum letztenmal angebetet, o Du, der zum
(176)   Zeugen
177 Seiner Huld mich, zum Zeugen der ernsten Gerechtig-
(178)   keit machte.
179   Also sagt er und sank vor dem Thron des Richters aufs
Antliz
Und erwartet den Tod, und tiefe feyrliche Stille
Breitet noch über den Himmel sich aus und über die Erde.
182 Damals hub' ich mein Angesicht auf und sah durch die
Himmel,
Und ich sah auf den goldenen Stülen die Heiligen beben
Vor Erwarten der Dinge, die kommen solten, ich sah auch
185 Die Schar der Verworfnen vor Abbadona erwartend
186 Umherstehen, es lagen um sie die nächtlichen Wolken

---

163 Meines Geistes. Vor — sie zu — auskohr
164 War — schattendem Flügel
165 sah
166 Seligkeiten um mich
167 zu. Ich war, — werden
169 zählte die seligen
171 schaun
173 denn, ewiger Geist, werd' aufgelöset! Vollendet
(174) Ist der Zweck, zu dem du geschaffen wurdest! Hier steh' ich,
175 Bete zum letztenmale dich an, o, der auf des Schicksals
(176) Nächtlichste furchtbarste Höh mich stellte, mich dort zum Zeugen
177 Erst der Huld; der Rache, der unerbittlichen, dann mich
(178) Auserkohr, dass Aeonen es sähn, und ihr Antlitz verhüllten!
179 sinkt — Richter aufs Angesicht nieder,
182 erhub — Aug' — die Himmel herunter
185 Vor dem Heer —, um
186 Glühender Stirn

Unbeweglich, so sah ich die Todesengel, sie wandten
188 Starr von Abbadona ihr Antliz zum Throne des Richters.
Hier verstumte der Vater der Menschen, die Heiligen sahn ihn,
190 Als wann er noch einmal unter ihnen vom Tod erwachte,
191 Da er fortfuhr zu erzehlen; wie die liebende Stimme
des Vaters
192 Zu dem Sohn, wie der Nachhall der Jubel erhob sich vom
Throne
Diese Stimme: Komm, Abbadona, zu Deinem Erbarmer!
Adam verstumte von neuem. Da ihm die Sprache zurückkam,
Da er mit feurig geflügelten Worten zu reden vermochte,
Sagt er: Schnell, wie Gedanken der himmelsteigenden Andacht,
197 Wie der Sturmwinde Flügel, in denen der Ewige wandelt,
Schwung sich Abbadona empor und eilte zum Throne.
199 Als er durch die Himmel daher gieng, erwachte die Schönheit
Seiner heiligen Jugend im betenden Auge, das Gott sah,
201 Und die Ruh der Unsterblichen kam in des Seraph Geberde.
202 So ist keiner von uns an der Auferstehungen Tage
203 Ueber dem Staub der Erden gestanden, wie Abbadona daher
gieng.
204 Abdiel konnte nicht mehr des Kommenden Anblick erwarten,
Schwung sich durch die Gerechten hervor, mit verbreiteten Armen
206 Jauchzt er durch die Himmel, die Wange glüht ihm; die
Krone
207 Klang um sein Haupt; er zittert auf Abbadona herunter
208 Und umarmt ihn. Der Liebende riss sich aus seiner Umarmung
209 Und sank izt zu den Füssen des Richters aufs Antliz nieder.
Nun erhub sich in allen Himmeln des lauten Weinens
211 Stimme, die Stimme des sanften Jubels, der betenden Harfen

---

188 ihr Antlitz von Abbadona
190 wenn — unter ihnen noch einmal — Tod'
191 wieder begann: Zuletzt, wie die
192 Jubel Nachhall, scholl von dem
197 auf Flügeln des Sturms — dem
199 daher durch die Himmel
201 des
202 hat
203 Staube
204 ertragen
206 Jauchzt' — laut durch — glüht'
207 zittert'
208 umarmt'
209 jetzt — Angesicht
211 der sanfteren Wonne — leiseren

212 Silberton kam von den Stülen der vier und zwanzig Gerechten
213 Zu dem Stule des Sohns und sang von dem Todten, der lebte.
     Wie kan ich reden die Worte, die Abbadona gesagt hat,
215 Da er kam vor den Thron und zu dem auf dem Throne sich
                               wandte?
216 Also sagt er und hatte die Zeichen des Lebens:
     O! mit welchen festlichen Nahmen, mit welchen Gebeten
218 Soll ich zuerst Dich nennen, der Du Dich meiner erbarmt hast?
     Kinder des Lichts, die ich liebte, zu Euch bin ich wieder ge-
                                   kommen,
     Erstgebohrne der Schöpfung, und Ihr durch die Wunden des Sohnes
     Erben des ewigen Lebens! wohin bin ich wieder gekommen?
222 Sagt mir, ach sagt mir, wer rief mir, wes war die Stimme
                               vom Throne,
223 Die beim Nahmen mich nennte? Du bist die Quelle des
(224)   Lebens!
225 Heil ist Dein Name! Du bist Jehova, der Erstling vom Vater!
226 Licht vom Licht, der Bundesmittler, das Lamm, das er-
                               würgt war!
     König heissest Du auch! ich will die Liebe Dich nennen!
228 Siehe, Gott hat an des Weltgerichts Abend noch einmal
                               erschaffen;
229 Dann ich ward einer der ewig Todten; den letzten der Tage
230 Schuf er mich neu und riss mich aus meiner Todesumschattung
     Wieder zum ewigen Heil, das unaussprechlich wie Gott ist!
232 Halleluia, ein feyrndes Halleluia, o Erster!
233 Sei Dir von mir nun ewig gesungen! Zur Todesangst
                             sprachst Du:
234 Sei nicht mehr! und zu den Thränen: ich hab Euch alle gezehlet!
     Freudenthränen, und Dank und Anbetung sei dem auf dem Throne.

---

  212 Jubel entglitt
  213 Kam zu dem
  215 am Thron' anstand
  216 lächelte Wonne des ewigen
  218 also sich — hat
  222 o — wer rief mich
  (224) Fülle der Herrlichkeit! ewige Quelle des ewigen Lebens!
  225 der Eingeborne des Vaters
  226 Lichte! des Bundes Mittler! — ward
  228 Gott hat am Abend des Weltgerichts
  229 Denn — war
  230 rief
  232 feyrendes
  233 auf — Du sprachest zum Elend
  234 zu

So weit war also Klopstocks „begnadigter Abbadona" schon zwei Decennien vor seinem erscheinen vollendet. Aus vielerlei Gründen neigte man schon bisher zu der Ansicht, dass dieses Stück aus dem 19. Gesange des Messias sehr früh, möglicher Weise schon vor Klopstocks Reise in die Schweiz, gedichtet worden sei. Wenn wir nun auch vor einem gründlichen Studium des ursprünglichen Wortlautes unserer Stelle nicht näher auf die Frage eingehen möchten, mit welchem Rechte die Abfassung derselben bis vor die Mitte von 1750 zurückdatiert wird, so wollen wir doch einen von den Gründen, die man bisher für eine so frühzeitige Abfassung unseres Fragments geltend machte, an der Hand des im Manuscript sich findenden Textes schon jetzt für hinfällig erklären. Es betrifft dieser Grund die Aehnlichkeit des Verses 150: „Lass mich Einmal nur noch den grossen Gedanken denken" mit der Anfangsstrophe der Zürichersee-Ode: „... Das den grossen Gedanken Deiner Schöpfung noch einmal denkt." Nun lautete aber unserm Funde zufolge der betreffende Vers ursprünglich: „Lass den Gedanken nur einmal noch meine Seele gedenken", es wurde also die Stelle vom Dichter offenkundig erst später nach den Eingangsworten der unterdessen berühmt gewordenen Ode auf den Züricher See abgeändert.

Endlich möchte ich nicht unerwähnt lassen, dass unser Gewährsmann, der nachmalige badische Hofrath Fr. D. Ring, dem Fräulein von Muralt, eine gelehrte Züricherin, Klopstocks „begnadigten Abbadona" zum abschreiben übergeben, vor seine Abschrift u. a. die Worte setzte: „Sie gab mir ein Stück aus dem noch künftigen eilften Gesang des Messias, darinn Abbadona begnadiget wird .... Adam erzehlt den mit ihm auferstandenen Erzvätern ein Stück von seinem Gesichte vom allgemeinen Weltgerichte." Wenn Rings Angabe vom 11. Gesang nicht auf einem Irrthum beruht, müsste eine Versetzung unserer Stelle angenommen werden. Es ist jedoch in Betracht zu ziehen, dass der Messias schon 1750 auf zwanzig Gesänge angelegt war.

Ein ungedrucktes Jugendgedicht Karl Wilhelm Ramlers.

Dasselbe Archiv, in welchem H. A. Daniel im Jahre 1856 Ramlers „Erste Ode auf Friedrich den Grossen"[1]) auffand, hat auch den nachstehenden Versuch des genannten jugendlichen Dichters uns erhalten. — Unterzeichneter hat im Jahre 1878 durch die Gefälligkeit des Herrn Geheimen Regierungs-Raths Professor Dr. Cramer, als des damaligen Directors der Franckischen Stiftungen zu Halle, auf kurze Zeit jenes Quartheft anvertraut erhalten, in welchem die von den Schülern der Lateinischen Schule und des Königlichen Paedagogiums vorgetragenen Reden und Gedichte aus der Zeit von 1737—1742 niedergeschrieben sind.

Ramler declamierte sein Gedicht: „Das Geisterreich" als civis primi ordinis am 2. October 1742 bei Gelegenheit eines öffentlichen Examens und bei der Entlassung der im Semester vor ihm die Anstalt verlassenden vier Abiturienten. Im ganzen traten damals zehn Schüler mit Vorträgen auf, von denen nur einer, Johann Theodor Fri(t)ze aus Halle, bestimmt als Abiturient bezeichnet werden kann, da ihm ausser einer Vergleichung zwischen Malerei und Erziehung in lateinischer Sprache noch Abschiedsworte an die Schule zugeschrieben werden. Ausserdem sprachen noch: Josias Lorck aus Flensburg „Ueber die hauptsächlichsten Missbräuche im Gottesdienste", in hebräischer Sprache; Georg Conrad Winckelmann aus Neu-Gatersleben (bei

---

1) Ramlers Erste Ode auf Friedrich den Grossen. Zum erstenmale gedruckt und zur Feier der fünfundzwanzigjährigen Amtsthätigkeit des Herrn Dr. Fr. A. Eckstein, Condirectors etc, am 1. Januar 1856 überreicht von dem Lehrer-Collegium des Kgl. Pädagogiums. Halle. Druck der Waisenhaus-Buchdruckerei. 4°; — auch abgedruckt in H. A. Daniels Zerstreuten Blättern (Abhandlungen und Reden vermischten Inhalts). Halle. 1866. 8°. S. 84—94.

Magdeburg) hatte sich vorgenommen, in lateinischer Sprache den Nachweis zu führen, dass die Gehässigkeit mit Fug und Recht aus dem Staate der Gelehrten verbannt werden müsse; Johann Friedrich Körbin aus Halle behandelte in deutschen Versen das Thema, dass die der Weisheit beflissenen oft sich selbst und der gelehrten Welt schaden; Johann Andreas Mori(t)z aus Magdeburg verspottete in einem lateinischen Gedichte den Kitzel berühmt zu werden (pruritum inclarescendi), der sich so oft bei Gelehrten finde; Georg Friedrich Martini aus London untersuchte in griechischer Sprache, welchen Werth das Wort des Kallimachus hätte: „Ein grosses Buch ein grosses Unglück"; Johann Samuel Ernst aus Rawitsch hielt eine lateinische Rede, um den Sokrates von dem Vorwurfe, er sei ein attischer Possenreisser (Scurra Atticus) gewesen, frei zu machen; Friedrich Maximilian Moritz aus Baden-Durlach verbreitete sich über die Beredsamkeit der Philosophen gegenüber ihren eigenen Fehlern, in heimischer Sprache; Paul Gottfried Vogel aus Halle endlich hielt eine lateinische Rede „Ueber die herrliche und bewundernswerthe Gabe des Gedächtnisses".

Ausser diesen neun Schülern hatte, wie schon erwähnt, Karl Wilhelm Ramler aus Colberg in deutschen Versen zu sprechen, und zwar an dritter Stelle. Sein Thema war: „Ueber das Geisterreich als einen Spiegel göttlicher Macht und Weisheit"; sodann hatte er es übernommen, den vier scheidenden Mitschülern bei ihrem Abgange Glück zu wünschen (Carolus Guilelmus Ramler, Colberga-Pomeranus, nonnulla de regno spirituum, potentiae ac sapientiae divinae speculo, praefatus, abeuntibus quatuor commilitonibus discessum gratulabitur carmine germanico).

Das Gedicht zerfällt in zwei inhaltlich und formell ganz ungleiche Theile: Str. 1—30 Das Geisterreich, in jambischem Versmasse, Str. 31—36 Abschiedsgruss, in trochaeischem Versmasse, wobei jede dieser 36 Strophen auf acht Zeilen angelegt ist.

Näher haben wir in jeder der dreissig ersten Strophen 2 Dim. iamb. hypercatal., 2 Dim. iamb. acatal., 1 Dim. iamb. hypercatal., 1 Dim. iamb. acatal., 1 Dim. iamb. hypercatal.

und 1 Alexandriner. Das Reimschema ist in ihnen: aa bb
cd cd. — Von den Strophen 31—36 besteht jede aus folgenden Versen: 1 Dim. troch. acatal., 1 Dim. troch. catal., 1 Dim.
troch. acatal., 1 Dim. troch. catal., 2 Dim. troch. acatal., 2 Dim.
troch. catal., mit dem Reimschema ab ab cc dd.

Leider sind zwei Lücken vorhanden. In Str. 9 fehlen
2 Zeilen, in Str. 23 fehlt 1 Zeile. Wir haben den Ursprung
dieser Auslassungen wol in dem Umstande zu suchen, dass
der Schreiber des Manuscriptes die einzelnen Strophen nicht
von einander getrennt hat. Während es dem Herausgeber von
Ramlers „Erster Ode auf Friedrich den Grossen" geglückt ist,
für diese ein Vorbild in Joh. Chr. Günthers „Ode auf den
Frieden von Passarowitz" zu entdecken (vgl. Daniel, Zerstreute Blätter S. 87), war es dem unterzeichneten nicht möglich, ein Muster zu ermitteln, an welches sich der erste grössere
Theil des vorliegenden Gedichtes genau anlehnte. Unter Günthers
Gedichten findet sich zwar ein in achtzeiligen Strophen ge-
dichtetes und aus jambischen Dimetern bestehendes („Er erinnert sich der vorigen Zeiten" u. s. w., in der Fuldaschen
Ausgabe = Kürschners Deutsche Nat.-Litt. Bd. XI S. 141 bis
145); doch weicht dasselbe im Reimschema ab (gekreuzte
Reime statt pariger in den ersten vier Zeilen), und wir vermissen den für unser Gedicht so charakteristischen, die Strophe
schliessenden Alexandriner. Dagegen haben Str. 31—36 des
Ramlerschen Gedichtes ihr genaues metrisches Urbild in dem
bekannten Kirchenliede des Joh. Georg Albinus „Alle
Menschen müssen sterben".

Betrachten wir nunmehr den Inhalt der vorliegenden
Dichtung. Derselbe ist, entsprechend der pietistischen Richtung,
welche damals auf dem Hallischen Waisenhause herrschte, ein
religiöser. Deshalb geben auch von altclassischer Gelehrsamkeit, mit welcher ja Ramlers spätere Dichtungen ganz durch-
tränkt sind, nur zwei Stellen Zeugniss: Str. 17, 7/8 Erinnerung
an die Reue Alexanders des Grossen über die Ermordung des
Klitus und Str. 20, 6 7 der schwefelreiche Schlund des Avernus.
Dagegen sind verschiedene Bibelsprüche verwendet worden.
Die hauptsächlichsten derselben dürften folgende sein: Jes. 6,
2/3 und Offenb. 4, 8 sind benutzt in Str. 4/5 („die Seraphim,

die vor der grossen Majestät bald auf, bald wieder nieder-
fahren"; die Worte „reine, reine, reine Willen" weisen auf das
„Dreimalheilig" hin); Dan. 8, 15/17 und 9, 21, sowie Luk. 1,
26—30 schwebten dem Dichter bei Abfassung der Str. 6 vor
(Gabriel, der dort mit Daniel, hier mit Maria spricht); der in
Str. 8—12 besprochene Sturz der Engel dürfte auf Jud. 1, 6
gehen, wo er aber nur sehr kurz erwähnt ist. Ob hier eine
Bekanntschaft, wenn auch nur eine indirecte, mit Miltons
„Verlorenem Paradies" anzunehmen ist, in dessen fünftem und
sechstem Gesange der Abfall der Engel von Gott und ihr
Sturz in die Tiefe erzählt wird, soll dahin gestellt bleiben;
nur sei an die Thatsache erinnert, dass 1732, also zehn Jahre
vor Abfassung des vorliegenden Gedichtes, die Bodmersche
Uebersetzung von Miltons Epos erschienen war. Zu Str. 20
(„Bey Zehen tausend um ihn stehn, Bey hundert tausend von
ihm gehn") ist vielleicht an Dan. 7, 10, bei den Worten derselben Strophe „O welche grosse Legionen" an Matth. 26, 53
zu denken. Die „Feuerflammen" endlich in Str. 25 gehen auf
Ps. 104, 4 zurück.

Das von Daniel a. a. O. erwähnte dritte Jugendgedicht
Ramlers (welches am 10. Juli 1741 vorgetragen wurde), „Vom
Anfang der christlichen Religion unter den Malabaren" ist
nicht erhalten; nur die lateinische Ankündigung desselben steht
in dem erwähnten Hefte: Carolus Guilelmus Ramler, Colberga-
Pomeranus, initia Christianae inter Tamulos[1] civitatis(?) carmine germanico exponet.

Erfurt.   ALBERT PICK.

---

1) Die Tamulen sind ein Stamm der Dravidas in Vorderindien; ihr
Name dient hier zur lat. Bezeichnung der Bewohner der Küste Malabar,
welche Ramler Malabaren nennt.

d. 2. Octbr. 1742.

Das Geister Reich, als ein Spiegel Göttlicher Allmacht und Weisheit

vorgestellet

von

Karl Wilhelm Ramler aus Colberg.

(1) Ihr Himmel ihr, wo Millionen
Und Millionen Sonnen wohnen!
Ihr Sonnen, deren grause Last
Kein Mass kein Sinn, kein Dencken fast.
Ihr ungezehlten Welten Heere,
Die ihr den Bau der Dunckelheit
Um jene grosse Feuer Meere
In steter Ruhe wältzt und nimmer ruhig seyd!

(2) Ein andermal mögt ihr mir zeigen,
Wie hoch die Trefflichkeiten steigen,
Womit euch der Monarch geschmückt.
Jetzt aber wird mein Geist entrückt,
Jetzt reisset sich mein denckend Wesen
Weit über alle Himmel hin,
Und will sich höhern Stoff erlesen.
Ach welch ein Schauer kühlt den angeflamten Sinn!

(3) Entwölckt euch nur ihr ewgen Höhen.
Lasst mich in eure Tiefe(n) sehen!
Durchdringt dis stoltze Lust-Revier
Ihr meines Geistes Augen ihr!
Verlasset nur die ird'schen Sterne,
Und das beflamte Himmels Zelt,
Und dringet in die höchste Ferne,
Und dringet bis ins Hertz der regen Geister Welt!

(4) Mein Blick wird scharf, Ihr Seraphinen
Solt mir zum hohen Vorwurf dienen
Solt mir der erste Wunder Schein
Von Gottes weiser Allmacht seyn.
Ihr solt es seyn beflamte Schaaren,
Die Vor der grossen Majestät
Bald auf, bald wieder niederfahren
Ihr solt es seyn, worauf mein Sinn, mein Dencken geht.

(5) O diese Geistigkeit erfüllen
Nur reine, reine, reine Willen,
Hier wohnt Vollkommener Verstand
Dem Fehl und Mangel unbekant;
Hier wohnt: (mich überläuft ein Schauer):
Hier wohnet die Geschwindigkeit
Hier wohnet eine ewge Dauer,
Hier wohnt und lebt und herscht die Dienstbeflissenheit.

(6) Wie Könt ihr doch so schnell erscheinen,
Und eure Geistigkeit Vereinen
Mit einem etwas, welches man
Auch unverklährt entdecken Kan?
Wie kan ein Gabriel sich Zeigen
In einem Menschlichen Gesicht,
Und einen Glieder-Bau besteigen,
Der dort mit Daniel, hie mit Maria spricht?

(7) O grosses All! o grosser Meister!
Was schufstu doch Vor grosse Geister!
Ihr Wesen ist genung für mich,
Dass meine gantze Seele sich
Darin Verlier(e)t, es nicht ergründet
Und endlich tief und hoch entzückt
Sich selbst nicht weiss und wiederfindet;
Da sie die Engel sieht und dennoch nicht erblickt.

(8) So hoch ich mich zu euch gewaget,
Und euer Wesen ausgefraget,
Ihr unbefleckten Chöre ihr!
So tief und tiefer scheinet mir
Der Abgrund der sich aufgegrüftet,
Wo sich die unglückselge Schaar
Ein Haus der Finsterniss gestiftet,
Da ihr umstrahltes Schloss Verschertzt Verlohren war.

(9) Ach warum habt ihr euch bethöret,
Dass ihr des Höchsten Thron entehret?
Ach warum habt ihr euch vergaft
In eures Wesens Eigenschaft?
Jetzt seyd ihr ja so tief gestürzet,
— — — — — — — — — — —

— — — — — — — — — — —

Das Leben aber nicht; ihr lebt, und seyd Verflucht.

(10) Wie Kam es auch: (o lasst mich fragen
Der Welt die Antwort anzusagen):
Wie Kam es euch ihr Cherubim,
Ihr wundervollen Seraphim,
Wie kam es euch so selgen Geistern
In die so kluge Seele ein,
Euch selbst der Gottheit zu bemeistern?
Wie Kontet ihr denn auch wohl unerschaffen seyn?

(11) Ihr seyd gestürtzt; ihr seyd gebunden,
Ihr habt des Aufruhrs Lohn gefunden.
Was euch Vollkommen schön gemacht
Begräbet eine ewge Nacht.
Ihr habt des Höchsten Reich Verlassen,
Jetzt habt ihr nun ein eignes Reich.
Jetzt mögt ihr Gott und Engel hassen,
Ihr schadet ihnen nicht, selbst aber härmt ihr euch

(12) Gerechter Richter! deine Stärcke
Strahlt auch aus diesen deinem Wercke.
Auch selbst die Teufel Zeigen an
Dass sie dir Zitternd unterthan.
Sie müssen wieder Danck und Willen
So bald nur dein Befehl ergeht,
Ihm püncktlich und mit Furcht erfüllen.
Q unbewölckter Glantz von deiner Majestät.

(13) Und nun o Geist wirf deine Blicke
In dich und auf dich selbst zurücke
Bewundre deine Seltenheit
Jetzt ohne Ehrgeitz ohne Neid.
Je mehr ein Geist sich selbst erkennen,
Und seine Tugend wissen Kan,
Je tiefer ist das Meer Zu nennen,
Je weiter ist das Feld, das sich ihm aufgethan.

(14) Ihr überwunder schönen Seelen,
Die ihr in schwachen Leibes Höhlen
In Hütten dieser Sterblichkeit
Recht unumschranckte Fürsten seyd,
Ist nicht in euch das wahre Siegel
Von jenen Herscher abgedrückt?
Seyd ihr nicht aufgeklärte Spiegel
Worinnen Er sein Bild, sein göttlich Bild erblickt.

(15) In euch ist ein Verstand geleget
Der suchet was das Luft Meer träget,
Und was der Leib, die Kleine Welt,
Vor grosse Wunder in sich hält;
Der forschet, wie man hört und schmecket;
Und was in Thieren, Ertz und Kraut
Vor unerkante Kraft verstecket;
Ja der selbst der Natur in Hertz und Adern schaut.

(16) Mit diesen seligen Verstande
Ist mit unaufgelösten Bande
Des Willens freye Macht Vereint.
Er flieht was dem Zuwieder scheint,
Und sucht was der Vor glücklich schätzet,
Bleibt aber dennoch fesselfrey;
Sein edles Recht wird nicht Verletzet;
Nein er fällt der Vernunft nur stets aus Freundschaft bey.

(17) Auch fühlt die Seele ihre Triebe
Jetzt bindet sie die süsse Liebe,
Nun macht der Zorn die Schrancken auf
Jetzt hat die Freude ihren Lauf,
Nun hemt die Traurigkeit sie wieder,
Auch nimt hier das Gewissen Platz.
Ein Alexander netzt die Glieder
Die er vorher durchbohrt mit einen Thränen Schatz.

(18) Unendlicher, dein hohes Wesen
Giebt uns ein jeder Geist zu lesen
Den du aus nichts heraus gebracht,
Und Zu nichts irdischen gemacht;
Dem du ein Leben eingesencket
Wie, oder eine Ewigkeit
Der immer sinnt, der deutlich dencket
O Herr! o Unterthan! o Macht! o Seltenheit!

(19) Ein neues Wunder! wo die Sinnen
Mir fast Zergehn, mir fast Zerrinnen,
Besteigt die güldne Himmels Bahn,
Und sincket in den Ocean,
Zählt hie die Tropfen, dort die Sterne
Und ob die Zahl unendlich heisst
So ist sie dennoch weit und ferne
Von aller Engel Schaar Von aller Menschen Geist.

(20) O welche Menge Seraphinen,
Die ihren Herrn bey tausend dienen,
Bey Zehen tausend um ihn stehn,
Bey hundert tausend Von ihm gehn.
O welche grosse Legionen!
Die in dem Schwefel reichen Schlund,
Die in Avernens Klüften wohnen.
Welch ein Verschwornes Reich! welch ein Verstärckter Bund.

(21) Und o wie Viele Menschen-Geister!
Von Adam, dem der grosse Meister
Die erste Seele eingehaucht·
Bis dem, der erst den Odem braucht
Zur Zeit der letzten Feld-Posaune.
Wie Viele Welten grosser Gott!
Wie Viele Geister! ich erstaune
Und nenne dich mit Recht Jehova Zebaoth.

(22) Zur Ewigkeit kann sich mein Dencken
Nicht ohne Seelen-Schwindel lencken,
Zur Ewigkeit die bey dem Geist
Das Göttlichste und Höchste heisst.
Ach ich verliehre Sinn und Kräfte,
Wenn ich auf Zeiten ohne Zeit
Der Seele forschend Auge hefte.
Und finde doch sonst nichts als Ewig-Ewigkeit.

(23) — — — — — — — — — —
In diesen himlischen Revier(en)
O Schöpfer lass mir einen Blick
Auf dein geheiligt Meisterstück,
Um neuen Wunde(r)n nachzugraben!
Ja neue Wunder seh ich schon,
Die deiner Weissheit Zeichen haben.
O Himmel, stärcke du nur jetzt den matten Ton!

(24) Ich sahe alles war verschieden,
Was sich dort oben und hinieden
Und in den tiefen Gründen regt.
Was nur ein geistig Wesen hegt,
Hat andre Triebe und Gedancken,
Hat eine andre Eigenschaft,
Ich sahe ordentliche Schrancken,
Ein schönes Regiment woran nichts mangelhaft.

(25) Ich sahe heilge Feuer-Flammen
Um jenen Gottheits-Thron beysammen
Die auf den Winck des Fürsten sehn,
Und dan in alle Lande gehn.
Noch seh ich wie die Hölle tobe:
Jedoch er schrenckt ihr Rasen ein,
Zu andrer Vortheil, seinem Lobe
Und ihren eignen Fall. Auch das muss Weisheit seyn.

(26) Ihr frommen Geister hier und droben!
Euch ist ein Kleinod aufgehoben.
O ja! ein übergrosser Lohn!
Da steht ihr um den selgen Thron,
Da schöpft ihr nichts als neue Wonne,
Da schaut ihr Gottes Angesicht
Da wandelt ihr in ewger Sonne!
Die Leuchte ist das Lamm, Jehova ist das Licht.

(27) Mein Blick wird Kühn, mein Auge dreister:
Ich sehe euch, gefallne Geister,
Wie euch die Höllen-Fessel drückt,
Wie es euch quält, wenn ihr erblickt
Wie dort die reine Chöre spielen
Wie ihre Harfen, wie ihr Lied
Sich an dem lautern Strome kühlen
Um welchen sich ein Krantz von Lebens-Bäumen Zieht.

(28) Das müsst ihr sehn, und ewig leben.
Hilf Himmel! Das muss Marter geben!
Des Höchsten holder Gnaden-Blick,
Der Frommen Lust, der Engel Glück,
Bleibt euch Verdeckt, bleibt euch Verhüllet.
Seht! hier ist Weissheit im Gericht,
Er straft nachdem das Maas erfüllet,
Er lohnt ein gutes Werck, nachdem es am Gewicht.

(29) Ihr seyd ja wol, ihr Creaturen,
Unausgeforschte Weissheits Spuren!
Ach aber, grosses Geister-Heer,
Du bist ein bodenloses Meer
Und eine Tiefe ohne Ende
Und über Menschlichen Verstand!
Ein Wunder worauf Gottes Hände
Fast alle Allmachts Kraft und Weissheit aufgewandt.

(30) Hier Kan mein Sinn sich recht Versencken;
Hier kan er immer tiefer dencken,
Und findet doch nicht Grund und Ziel.
Der grossen Wunder sind Zu Viel.
Doch ist mein Geist nicht tief gedrungen
In euere Vollkommenheit
So werdet ihr wohl sonst besungen
So werden Geister seyn vor eure Würdigkeit.

---

(31) Licht Verhülle deine Blicke
Weil der Tag Zu traurig ist!
O du ewiges Geschicke,
Siehe da wie hart du bist!
Himmel lass mich lieber schweigen.
Nein ich soll noch Thränen Zeigen;
Nein ich soll noch Zähren streun
Und mit Seufzen zinsbar seyn.

(32) Freunde, lasst euch noch so nennen,
Dieser Nahme bleibt uns ja,
Freunde, wolt ihr euch den trennen:
O so lasst das Hertze da;
Liebsten Freunde wolt ihr scheiden;
O so lasst bey unsern Leiden
Und bey dem Verklagten Glück
Nur noch einen Trost Zurück.

(33) Jener Tempel steht uns offen
Und ihr blickt mit Lust hinein.
Eure Wahl ist wohl getroffen.
Aber kan das Balsam seyn
Der die tiefe Wunden heilet,
Die uns dieser Riss ertheilet.
Unsre Lindrung ist allein
Wenn ihr wollet Freunde seyn.

(34) Jene Stellen werden Wüsten,
Wo wir euren Fleiss gesehn;
Wo wir euch am Morgen grüss(t)en,
Werden öde Spuren stehn.
Doch der Schmertz wird auch Vertrieben,
Wenn uns unsre Freunde lieben.
Seht, wie manchen Zähren-Guss
Eure Freundschaft hemmen muss.

(35) Jenes Muster ist Verschwunden
Das sich unser Fleiss erwehlt;
Ach ihr sonst so süssen Stunden!
Unser süsses Beyspiel fehlt.
Wie soll ich es wieder wagen?
Soll ich noch von neuen Klagen?
Nein der Freunde treues Hertz
Ueberwiegt auch diesen Schmertz.

(36) Nun ich sehe schon von weiten,
Wie du deines Landes Zier,
Und ein Kleinod unsrer Zeiten;
Du, ja Du, geliebtes Vier,
Dich, ja dich seh ich so steigen.
Nim den letzten Wehmuts-Zeugen
Und den letzten Liebes-Zoll:
Theure Krone lebe wohl!

Herder und J. W. Petersen.

Von

DANIEL JACOBY.

In Herders christlichen Liedern und Hymnen (Werke zur schönen Litteratur und Kunst IV, 141 f. 1827. 16⁰) findet sich ein Gedicht mit der Ueberschrift: „Die Gemeine des Herrn. Nach Petersen." Wie Lessing, der im achten Briefe, die neueste Litteratur betreffend, sich aufs wärmste des „Schwärmers" angenommen hat — Petersen, sagt er, war ein sehr gelehrter und sinnreicher Mann, und kein gemeines poetisches Genie —, so hatte Herder von Petersens Begabung eine gute Meinung. Manche seiner Stimmen aus Zion, so urtheilt Herder, lassen sich wie Idyllen lesen, liebliche Bilder voll reiner Empfindung und hoher Wahrheit (Werke hggb. von Suphan 23, 491).

„Der Stimmen aus Zion Erster und Ander Theil" erschienen o. O. 1698 in zweiter Auflage; die erste, welche ich nicht gesehen habe, ist nach Goedeke (Grundriss 528) 1696 gedruckt worden. „Neue Stimmen aus Zion" 1701 o. O. Diese prosaischen Lieder, wie Lessing sie nennt, sind freie Dichtungen: ein jeder Theil enthält hundert „Psalmen", im ganzen also dreihundert. Ueber jedem Psalm eine Ueberschrift, von Petersen gemacht, „auff dass der Sinn desto besser ausgedrücket würde". Eine allgemeine Melodie ist dem ersten Psalm beigefügt, „nach welcher alle andere, wie auch die Psalmen Davids, können gesungen werden" (Vorrede Petersens). Eigene Erfahrungen und Empfindungen spricht er in einer schlichten, durch kräftige Bilder belebten Sprache aus, für seine gottseligen Brüder, „die Stillen im Lande" (s. Psalm 48) tapfer eintretend.

Der Psalm 13 hat die Ueberschrift: „Die wunderbare Gemeinschafft der oberen Kirche mit der Kirche auff Erden und ihren Gliedern, durch Christum das Haupt seiner Gemeine:

Gleichwie die Gottlosen mit den bösen Geistern durch den
Drachen Gemeinschafft haben, und gar genau verbunden seyn."
Daher die Ueberschrift bei Herder: so hat er auch in der
Adrastea die wortreicheren Ueberschriften Petersens zu Psalm
15 und 16 geändert: „Das Licht am Abend" und „Das Mass
jedes Zeitalters". Aber nicht die prosaische Fassung des
13. Psalmes hat Herder für sein Gedicht vor Augen gehabt.
Im Jahre 1721, sechs Jahre vor seinem Tode, veröffentlichte
Petersen „CCC Stimmen aus Zion ... in förmliche Lieder über-
setzt. In drey Theile abgefasst." Die oben genannten 300
Psalmen in ungebundener Sprache sind hier in Verse und
Reime gebracht; die Ueberschriften ganz dieselben, ebenso der
Inhalt. Das ist besonders hervorzuheben, weil Koch in seiner
Geschichte des Kirchenlieds (I, 6, 121) so redet, als ob die
300 Psalmen in Liedern nicht denselben Inhalt hätten wie die
prosaischen in der Sammlung von 1698 und 1701 Herder
hat nun den 13. Psalm aus dieser Sammlung von 1721 benutzt S. 41—44. Da bisher meines Wissens darüber nichts
genaueres gesagt ist — Koberstein V⁵, 265 weiss nur, dass
ein Lied Herders schon aus dem Jahr 1769[1]) Petersen nachgebildet wurde —, so ist eine nähere Betrachtung wol nicht
unerwünscht. Herder hat zunächst wesentlich gekürzt. Sein
Gedicht enthält 7, Petersens 15 Strophen: die Strophen 1,
5—8, 12—14 bei Petersen sind gestrichen. Der Inhalt ist
so viel möglich beibehalten, meistens hat Herder sehr glücklich
geändert, z. B. in Strophe 3 und 6, nur sind die beiden letzten
Verse der sechsten noch hart. Er hat prosaische Wendungen
bei Petersen getilgt, er hat den trochaeischen Rhythmus reiner
bewahrt und durchgeführt, den Reim meist beibehalten, ausser
wo der ganze Vers einer Aenderung bedürftig schien. Aber
der Leser urtheile selbst: eine klare Uebersicht gewährt die

---

1) Die Jahreszahl 1769 ist zwar bei Herder a. a. O. bemerkt, aber
auf diese Datierung der Gattin Herders ist nicht sicher zu bauen. Der
Herausgeber der Gedichte Herders, Herr Dr. Redlich in Hamburg, wird
zur Zeit uns auch darüber näheres berichten, wenn er zu diesem Theil
seiner Aufgabe gelangt. — Der Vf. dieser Zeilen hat für die Allgemeine
Deutsche Biographie über J. W. Petersen und dessen Frau geschrieben,
der Artikel wird im 25. Band erscheinen.

Gegenüberstellung; die cursiv gedruckten Worte sind Herders Eigenthum.

Petersen.	Herder.
2) Seht! es stehen Harffen-Spieler gegen über jenem Hauss: Diese spielen nicht wie Schüler; Voller Wunder ist das Hauss: Jeder spricht nach seiner Weise ins besonder und allein, iedoch stimmen alle ein kräfftig wirckend GOtt zum Preise: Wie der Geist wird ausgesand siebenfach in alle Land.	1) *Hört!* es *singen* Harfenspieler *Droben hoch im Heiligthum! Hört und lernt, des Himmels* Schüler *Alle singen Gottes Ruhm!* Jeder *ganz* nach seiner Weise *Tief von Herzen* und allein, *Und* doch stimmen alle ein *Lieblich, einig,* Gott zum Preise! *Hört! so* wird der Geist *gesandt* Siebenfach in alle Land.

3) Wie sie droben lieblich spielen, so erthönt es in dem Saal, In den Kammern von so vielen und von ihrem Wiederhall. In den Kammern ist es stille, sie sind heilig, lauter rein, da vernimmt man auch allein solchen Klang in solcher Stille. Dieser Harffen-Spieler Thon klingt wohl für des HErren Thron.	2) Wie sie droben lieblich spielen, so ertönet *überall, Wo hier Seelen himmlisch fühlen, Zarter, leiser* Wiederhall. *Tief im Herzen wird's so stille! Ist's so* heilig, *lieblich,* rein! Da *ertönt denn engelfein Harfen*klang in *sanfter* Stille, *Und der* Harfen *Himmels*ton *Tönet auf zu Gottes* Thron.

4) Ein gantz neues Lied sie singen, Das kein Mensch sonst lernen kan, als die sich zum Lamme dringen, die die Erstgeburt geht an. Diese sind keusch und Jungfrauen und mit Weibern nicht befleckt, deren Gang dahin sich streckt, wo sich GOttes Lamm läst schauen: Deren Hertz aufrichtig ist, fern von aller falschen List.	3) *All'* ein neues Lied sie singen, Das kein *andrer* lernen kann, Als die *auf* zum Lamme dringen *Auf der Ueberwinder Bahn. Rein und heilig* und Jungfrauen, *Alle Christus Ebenbild, Alle seines Sinns erfüllt, Er in allen anzuschauen! Von der Sünde rein und gut Sie gewaschen durch sein Blut.*

9) Erd und Himmel ist verbunden durch der Erstgebohrnen Zahl: Weil sie droben überwunden, hört man ihren Freuden-Schall, und da klingts auch hier auf Erden in der Brüder Hertzen schön, solcher Klang ist angenehm; Eintracht muss gekrönet werden. Doch der erste Bruder ist aller Orten JEsus Christ.	4) Erd' und Himmel ist verbunden Durch der *Ueberwinder* Zahl. *Wie die* droben überwunden, Hört man ihren Freudenschall *Wiederklingen* hier auf Erden; *Wie sie droben lobend steh'n, Werden wir auch lobend geh'n, Lobend dort* gekrönet werden! *Ihr und unser* Bruder ist, Aller *Bruder,* Jesus Christ.

Petersen.	Herder.

Petersen:

10) Ein Geist, aber viele Kräffte;
Und so geht der eine Geist
durch die Stimmen und Geschäffte,

die er alle singen heist:
Ein Lied ist es, das sie singen.
Wenn GOtt redt im Heiligthum
ist es stille um und um:
Bald macht er die Harffen klingen,
wenn der Spieler Hertze wird
von des Geistes Krafft berührt.

11) Alles ist ein Strahl von Oben,
und des Geistes Ueberfluss,
wenn sie GOttes Wercke loben:
JEsus alles wircken muss,
er ist das Wort aller Stimmen,
aller Lichter Glantz und Licht:
Alle die ihm sind verpflicht,
lieblich wohl zusammen stimmen.
Ein Glied giebt dem andern Stärck
eins wirckt in des andern Werck.

15) Aller Heilgen Chor anstimme
und Lobsinge unserm GOtt!
Jeder sing in seiner Stimme
Danck dem HErren Zebaoth!
Nehmt die Harffen, Harffen-
                Spieler!
Lobet ihn in einem Geist,
biss ihr ewig euch befleisst
wie die Meister, nicht wie Schüler,
wenn ihr steht am gläsern Meer,
hoch zu preisen GOttes Ehr.

Herder:

5) *Und* Ein Geist *in allen* Kräften
Und der Eine *Gottes*geist
Geht durch Stimmen und Ge-
                schäfte,
Die er alle *kl*ingen heisst:
Ein Lied *Gottes,* das sie singen
Ueberall im Heiligthum,
Hoch und nieden, um und um
Ist es stille, *und sie s*ingen,
Wie jedwedes Tiefe wird
Von *der* Geisteskraft *gerührt.*

6) Alles ist ein Strahl von oben,
Eines Geistes Ueberfluss,
Wenn sie Gottes Werke loben,
Wie er alles wirken muss.
Jesus Wort *in allen* Stimmen,
Aller Lichter *Jesus* Licht!
Wie in seinem Angesicht
Alle Strahlen lieblich stimmen,
Und in *seinem Gottes-*Werk
Aller Glieder *eine* Stärk'!

7) Aller *Glieder* Chor anstimme[1])
Und lobsinge unserm Gott,
Jeder sing' in seiner Stimme
Dank dem Herren Zebaoth.
Nehmt die Harfen, Harfenspieler,

Lobet ihn in Einem Geist!
Himmel, Erde! preiset, preist!
Ihr die Meister, *ihr die* Schüler,
All in Einem Chore preist
Gott *in Einem, Einem Geist!*

---

1) Falsch im Texte anstimme*t*, lobsinge*t*, sing*t*. Der Reim auf Stimme ergibt das ebenso wie der Abdruck bei Petersen.

Briefe von Johann Heinrich Voss.

Mitgetheilt

von

AUGUST ESCHEN.

Eine kleine Anzahl Briefe, welche Johann Heinrich Voss in den Jahren 1796—1798 an Friedr. Aug. Eschen schrieb (vergl. Bd. XI, Heft 4 dieser Zeitschrift, S. 560 ff.) werden hier mitgetheilt, weil sie in mancher Hinsicht nicht ohne Interesse sind. Hinzugefügt sind ein Brief Eschens an Voss, sowie Auszüge aus einigen Briefen desselben an seinen Vater, welche sein Verhältniss zu Voss und das spätere Zerwürfniss mit ihm näher beleuchten.

Der frühere Schüler hieng anfangs mit unbegrenzter Verehrung an dem Lehrer, und wenn auch nach und nach sein Blick freier wurde, und er ein unbefangeneres und richtigeres Urtheil gewann über das, was seinem Vorbilde fehlte, so ist doch die dankbare Verehrung immer dieselbe geblieben.

Auch Voss war seinem Schüler anfangs herzlich zugethan, er beehrte ihn mit seinem Vertrauen, beauftragte ihn mit der Ueberwachung und Correctur des Druckes der Vergilschen Eklogen und nahm aufrichtig Theil an allem, was seine Studien und sein Leben betraf, allein, wie es ihm leider bei vielen seiner Freunde ergieng, mit der Zeit nahm seine Zuneigung ab, und er hatte dem früheren Lieblinge über viele Dinge Vorwürfe zu machen. Gewiss war es anfangs Vorsicht und guter Wille, was ihn veranlasste Eschen vor der Veröffentlichung frühreifer Producte zu warnen, aber bald mischte sich auch etwas anderes hinein. Von Natur argwöhnisch und misstrauisch war er nur zu sehr geneigt, Anfeindung, Neben-

buhlerei, das Bestreben, ihn zu verdrängen oder die ihm gebührende Ehre zu schmälern, überall aufzufinden, namentlich
konnte er ein eingreifen in sein eigentlichstes Feld, die Uebersetzung aus den Classikern und die Idylle, schwer ertragen.
Empfindlich gegen jeden Tadel, war er entrüstet über jede
Kritik, welche nicht unbedingtes Lob über seine Leistungen
aussprach, und fand Tadel, wo keiner beabsichtigt war. Eifersüchtig verlangte er, dass seine Freunde nur ihm anhangen
sollten und sich streng von allen absondern, die er als seine
Feinde betrachtete. So nahm er es sehr übel, dass Eschen
dem Umgange mit den beiden ihm verhassten Brüdern
Schlegel nicht entsagte, sondern gern mit ihnen verkehrte,
wenn er sich auch keineswegs so sehr ihrem Einflusse hingab,
wie Schiller an einer Stelle eines Briefes an Goethe (vom 8. Mai
1798) meint, sondern sich immer ein freies Urtheil über sie be-
wahrte, wie aus seinen Briefen hervorgeht. Wenn Voss aber
zürnte, so zürnte er sehr und nahm es mit Worten nicht
genau, wie in seinen vielen litterarischen Fehden sich zeigt,
namentlich auch mit Heyne, gegen den auch in den nachfolgenden Briefen (II) ein gerade nicht feiner Ausfall los-
gelassen wird. Er konnte dann sehr ausfallend und heftig
werden. Das geschah nun namentlich, als Eschen mit seiner
Uebersetzung der Horazischen Oden auftrat, während Voss
selbst die gleiche Arbeit beabsichtigte. Er fand dies Verfahren
des Schülers undankbar, unbescheiden und anmassend, liess
sich darüber in wegwerfendster Weise aus, ehe er noch die
Uebersetzung kannte. Eschen konnte dies gar nicht fassen,
hoffte noch immer ihn wieder zu versöhnen, schickte ihm auch
ein Exemplar seines Werkes und erwartete eine Aeusserung
darüber. Aber Voss war zu erbittert, er brach nicht nur mit
seinem Schüler, der dann nach ganz kurzer Zeit sein trauriges
Ende fand, sondern auch mit dessen Vater, dem ihm bis dahin
befreundeten Justizrath Eschen, dessen Haus er von da an
nicht wieder betreten hat. Dazu mochte übrigens ausser dem
Zerwürfniss mit dem Sohne ein sehr ärgerlicher Handel mit-
wirken, in den er mit dem Vater verwickelt wurde, und der
hier noch erwähnt werden mag.

Herbst in seiner bekannten Vossischen Lebensbeschreibung

und, auf dessen Autorität hin, Heussner in seiner Festschrift: „Joh. Heinr. Voss als Schulmann in Eutin" stellen die Sache so dar, als ob Eschen votierendes Mitglied des Consistoriums und zugleich Partei gewesen sei bei Entscheidung der Frage, ob er für seine drei Söhne zur Zahlung des vollen Schulgeldes von 24 Thlr. verpflichtet sei, auch wenn diese an den neusprachlichen Privatstunden keinen Antheil genommen hätten. So lag die Sache denn doch nicht, Eschen hatte durchaus kein persönliches Interesse an der Streitfrage, da von 1799—1801, während welcher Zeit der Fall spielte, keiner seiner Söhne Vossens Unterricht genoss. Für den Unterricht in den gewöhnlichen Gymnasialfächern wurde ein sehr geringes Schulgeld bezahlt, dagegen der in sogenannten Privatstunden, an denen aber alle Schüler Theil zu nehmen pflegten, ertheilte Unterricht in den neueren Sprachen besser vergütet. Da nun durch französische Emigranten Gelegenheit zu anderweitigem französischem Unterricht geboten war, hatten verschiedene Eltern diese Gelegenheit benutzt, und weigerten sich nun Voss für die nicht genossenen Stunden zu bezahlen. Dieser wandte sich deshalb 1799 an das Consistorium mit dem Antrage, dass 1) die Verpflichtung zur Zahlung des vollen Schulgeldes für alle Schüler ausgesprochen werde, einerlei ob sie an den sogenannten Privatstunden Theil nähmen oder nicht, und 2) eine Ermässigung des Schulgeldes nicht stattfinden solle, wenn mehrere Söhne derselben Familie gleichzeitig die Schule besuchten, was eben gebräuchlich gewesen war. Die Mitglieder des Consistoriums stimmten schriftlich über den Antrag ab, theils für theils wider; Eschen, der sich auf den rein juristischen Standpunct stellt, erklärt sich in einem ausführlichen Votum dagegen, und dies Votum ragt durch seine scharfe und logische Beweisführung unter den übrigen hervor. Das fand auch Stolberg, damals Praesident des Consistoriums, und er veranlasste Eschen, sein Votum, allerdings ein durchaus ungehöriges Verfahren, vertraulich Voss mitzutheilen, der dadurch wol eine andere Meinung von der Sache gewinnen und seinen Antrag zurücknehmen werde. Aber diese erwartete Wirkung blieb aus, Voss gerieth in die grösste Aufregung, suchte zuerst Eschen zur Aenderung seiner Erklärung zu

bewegen, und als dies nicht gelang, behandelte er das ihm
vertraulich mitgetheilte Schriftstück als die Parteischrift eines
Gegners, gegen welche er in einer neuen Eingabe in masslos
heftiger Weise zu Felde zog. Durch den Weggang Stolbergs
blieb die Sache eine Zeitlang liegen, später wurde von neuem
votiert, ob die letztgenannte Eingabe, welche ihres Tones
wegen sofort hätte zurückgegeben werden sollen, bei den
Acten bleiben dürfe, welches die Majorität beschloss, weil sie
vor mehr als Jahresfrist einmal angenommen worden sei.
Endlich wurden sämmtliche Acten dem Herzoge zur Entscheidung vorgelegt mit einer Erklärung Eschens, wie Voss zur
Kenntniss seines Votums gekommen sei. Dieser sprach seinen
Tadel über das gedachte Verfahren aus, entschied, dass Vossens
Gesuch Billigkeits halber zu bewilligen sei, zugleich aber liess
er demselben in besonderem Auftrage durch den Superinten-
denten einen Verweis ertheilen, weil „in seiner Verantwortung
die Grenze der Mässigung und des gegen ein Mitglied des
Consistorii zu beobachtenden Anstands überschritten zu sein
scheine". Voss „unterwirft sich mit der Ehrfurcht, die dem
höchsten Ausspruche gebührt. Um indess bei der Nachwelt
seinen guten Namen zu sichern, bittet er um die Erlaubniss,
dass seine Entschuldigung zu den Acten gelegt werde." Und
nun sucht er sein Verfahren in drei Puncten zu rechtfertigen,
womit die unerquickliche Angelegenheit schliesst.

I.

Giebichenstein, 16. Juni 96.

Nach Jena soll ich nicht kommen, lieber Eschen. Heute Mittag
hofte ich abreisen zu können; aber (Gott verzeihe es den Störern)
ich finde kein Mittel, die Reise vergnügt zu endigen, als daß ich,
ohne Weiteres, mein Angesicht nach Halberstadt wende. Ein einziger Tag blieb noch in meiner Gewalt; an diesem einzigen Tage
in Jena, was hätte ich viel anders vornehmen können, als antworten,
warum nur diesen einzigen Tag. Nicht wahr, Lieber, es ist Schade.
Die nächste Woche gehts nach Eutin zurück.

Von dem Drucke der Eklogen weiß ich nichts, ein Probebogen,
den mir Ihr Buchdrucker Goepferdt (ich male Hammerichs Hand
nach) schicken sollte, irrt vielleicht in der Welt herum. Machen
Sies, Lieber, wie es Ihnen gut deucht. Auch die Wahl der Lettern

für Titel und Ueberschrift (die in Eutin nur aus der Armut der
Druckerei könnten gewählt werden) überlasse ich Ihnen und Ihren
Rathgebern. Danken Sie dem Hrn. Hofr. Schütz für sein gütiges
Erbieten, das bei der Menge seiner wichtigeren Geschäfte eine große
Aufopferung ist; aber misbrauchen Sie den gutmütigen Mann nicht
zu sehr. Die gedrohte Auffoderung war Scherz, wofür er ihn selbst
annahm. Halte ers mit der Anzeige meiner Sache, wie er will
oder kann.

Hier ist das mühsame Register, welches Ihnen und unserm
Bach auch nicht wenig Mühe beim Corrigiren machen wird. Wenn
es, mit gleichen Lettern gedruckt, den 2. Band, welcher die lezten
5 Eklogen enthält, zu sehr verdicken sollte; so nehme der Buchdrucker sie so klein, wie bei dem Landbau, Gespaltene Kolumnen
verstehn sich von selbst.

Empfehlen Sie mich dem Hrn. Hofr. Schiller, und wem ich
sonst noch willkommen gewesen wäre; und grüßen Sie Freund Bach[1]).
Wenn der arme Kindt[1]) nur nicht, durch Wilhelms Nachricht
verführt, eine vergebliche Reise macht! Ich erwarte es kaum, da
ihm an Einem Tage nicht viel liegen konnte.

Leben Sie wohl, mein lieber Eschen, und schreiben Sie mir
bald ein Zettelchen nach Eutin. .

Voß.

II.

Eutin, 1. Sept. 96.

Endlich, doch endlich der lang erwartete Probebogen, mein
lieber Freund Eschen! Ich dachte schon die alles verschlingenden
Raubfranken hätten auch alles Papier dort herum in Requisition
gesezt. Aber daß Hr. Göpferdt auf eigenen oder Hammerichs
Antrieb, den Struvischen[2]) Probedruck, woran wir so viel typo-
grafische Eleganz verwandt hatten, ganz und gar aus der Acht ließ:
das war seine Schuld. Jezt wird er umsezen und ändern müssen;
und ich bevollmächtige Sie, mein Lieber, ihm strenge auf die Finger
zu sehn. Die Kolumne, wo nicht des Textes, doch wenigstens des
Kommentars, muß um einen Strohhalm schmaler sein; der Text
muß mehr Licht haben; und die Anmerkungen müssen ebenso, wie .
die Inhalte, gedruckt werden. Ich habe auf dem Probebogen alles
bis zum Uebermaß deutlich zu machen gesucht. Wo der Göpferdtische
Kopf noch nicht faßt; da müssen Sie und Bach meine Ausleger
sein. Geben Sie dem Künstler nur zu verstehn, daß unsere typo-
grafischen Grundsätze nicht auf unserm eigenen Boden erzielt, sondern aus den Kunstwerken der Baskerville (und welche hochtönende

---

1) Frühere Schüler von Voss aus Eutin.
2) Buchdruckerei in Eutin.

Namen Ihnen sonst einfallen) entlehnt worden sein. Dann wird er
schon sanftmütig an den Schriftkasten treten.

Vielen Dank, mein lieber Freund für Ihre Nachrichten, meinen
und Heynens Homer betreffend. In 6 Blättern wird man mir
Sprachverderb die Fülle nachweisen. Ich werde mein Urtheil in
Demut anhören, und es der alles entscheidenden Zeit anheimstellen.
Heynens Bestreben war von jeher nach Pöbelruhm. Jezt wird er,
wie ein rothjackiger Menschenfreund auf der Bühne hinter seinen
Wurmgläsern, mit Anstand von dem gnädigsten Beifall hoher Po-
tentaten sein gaffendes Völklein unterhalten können.

Ich bin seit meiner Reise mit einem heftigen Ohrenbrummen
geplagt, das ich mir auf der Roßtrappe durch Erhizung zuzog. Alle
Mittel sind umsonst; und ich danke dem Himmel, daß der lezte
Bogen des Almanachs vorigen Posttag nach Hamburg gegangen ist.
Dabei ist mir die Schule, obgleich ich nur 2—3 Stunden gebe, eine
drückende Last. Ich erwarte, daß der Bischof mir einen Gehülfen
ansezen werde. Verlangt er meinen Rath, so kann ich von der
gütigen Nachweisung d. Hrn. Pr. Woltmann Gebrauch machen.
Spalding hat mir auch den Hrn. Bredow in Berlin vorgeschlagen.

Ich wollte Ihnen noch ein paar Zusäze zu meinem Kommentar
schicken; aber heute ist mirs nicht möglich. Sie haben doch das
Mspt. in Händen?

Werden Sie was dagegen haben, lieber Eschen, wenn ich
künftiges Jahr mit meiner Frau nach Jena komme? Ich habe so
etwas mit dem Hrn. v. Humbold verabredet. Reisen ist die wahre
Panacee für uns beide; nur kein Bergklettern in der Hize. Der
Hr. v. Humbold wird sich bei seiner Zurückkunft in Jena nach
Ihnen und Bach erkundigen. Sein Umgang wird Ihnen angenehm
und lehrreich sein.

Sagen Sie mir doch, was der Magister Bielefeld (mein halb-
jähriger Hörer, nicht Schüler) für Sachen treibt. Er hat mich mit
Gedichten und einer Vorlesung heimgesucht; und schrieb mir in
Poesie und Prosa gleich originell, oder urheitlich, um mich mit
Würde auszudrücken. Ich danke es den Göttern Griechenlands, daß
ich Ihrer und mehrerer, die meine Schule besuchten, mich mit an-
genehmeren Empfindungen erinnere. Gerne hätte ich Ihnen über die
horazische Ode etwas gesagt; aber ich kann nicht vor dem Beelzebub,
der mir auf dem Gehörfell trommelt und schnurrt. Theilen Sie mir
ferner mit, was Sie in Ihren Nebenstunden ausarbeiten. Sie versäumen doch nicht, die Herren Litteraturmeisterer in Ihrer Gegend
Verse lesen zu lehren.

Empfehlen Sie mich d. Hrn. Schiller und Schütz; und sein
Sie und Bach von uns allen auf das freundschaftlichste gegrüßt

der Ihrige

Voß.

III.

Eutin, 4. Sept. 96.

Der Bischof hat jezt entschieden, l. Fr., daß ich die 500 ℔, wovon ich einen Mitarbeiter besoldete, für mich behalte, und ein Mitarbeiter auf neue Bedingungen angesezt wird. Er bekommt, wie ich glaube, 200 ℔ und Aussicht auf Beförderung. Ich schreibe heute an Hr. B r e d o w, der aber vielleicht schon ein Amt hat. Damit also keine Zeit verloren werde, bitte ich Sie, zu veranstalten, daß die Freunde des Hrn. Pr. W o l t m a n n (dem Sie mich bestens empfehlen) ihre Neigung zu der Stelle dem G r a f e n S t o l b e r g erklären, und die Briefe, weil der Graf abwesend ist, an mich addressiren. Sie erkundigen sich unter der Hand, was Sie von der Wissenschaft u. dem Character dieser Herren erfahren können.

Meinen Brief mit dem corrigirten Probebogen werden Sie durch H a m m e r i c h erhalten oder erhalten haben. Sein Sie ja strenge gegen G ö p f e r d t, daß er von meiner Anweisung nicht abweiche.

Diese Zusäze bitte ich einzuschalten. Ein Besuch und das Ohrenbrummen nöthigt mich abzubrechen.

Ich bin und bleibe

der Ihrige
V o ß.

IV.

Eutin, 11. Sept. 1796.

Hr. Hofr. S c h ü z hat die Güte gehabt, mir die Rec. meines H o m e r s zu schicken: Monstrum horrendum, informe, ingens, cui lumen ademtum! Daß doch das Völklein nie ausstirbt, womit schon H a g e d o r n so bekannt war: Ich weiß ein Volk, das immer lernen sollte, und immer lehrt! u. s. w.

Doch lassen wir unsern Belehrer, der es uns endlich erlauben wird, wenn wir nicht Lust haben, an seinem Gängelbande in die schöne Ewigkeit einzugehn. Meine Schriften haben noch alle das Glück gehabt, nie bei ihrer Erscheinung gut zu sein, aber nach einiger Zeit es gewesen zu sein.

Ich wollte Sie bitten, mein lieber Eschen, noch diese Stellen in meinen Kommentar einzuschalten. Sollte G ö p f e r d t, wider Vermuten, Umstände machen, so zu drucken, wie ichs haben will; so nehmen Sie das Mspt. zurück.

Mein Ohrensausen verändert sich doch; welches ich für Anzeige von Besserung halte. Hätte ich nur erst einen Gehülfen! Dann reise ich mit meiner Frau im Oct. zu ihrer Mutter und zu E s m a r c h, und seze mich dann auf meiner behaglichen Winterstube behaglich an den Komm. der Georgica, um im Mai wieder ausfliegen zu können.

Grüßen Sie herzlich unsern Freund Bach, der mir auch einmal schreiben muß. Buck handelt ja unvernünftig.

Ich umarme Sie, mein guter Eschen. Sie werden Ihren Eltern Freude machen, und mir,

Ihrem aufrichtigen Freunde
Voß.

V.

Auszug aus einem Briefe von F. A. Eschen an seinen Vater.

Jena d. 31. März 1797.

— — Neulich kam Friederich Schlegel zu mir. Nachdem wir von manchen Dingen gesprochen hatten, so kam das Gespräch auf Voßens Homer. Ich sagte ihm frei heraus, wie schief man bisher noch darüber geurtheilt habe. Er merkte sogleich, daß alles was ich sagte auch seinen Bruder, und ihn vorzüglich, traf, und sogleich sagte er mir: ich könnte doch nicht anders als zufrieden sein mit der Recension seines Bruders, wenn auch nicht in einzelnen Theilen, worin auch er nicht gleicher Meinung mit ihm wäre, doch im Ganzen. Ich antwortete ihm, daß der Fall bei mir grade umgekehrt wäre, daß ich einzelnes in der Recension seines Bruders wohl gut finden könne, daß aber die ganze Anlage und die ganze Ansicht falsch sei. Wir fuhren fort zu reden, und als ich ihm gleich nachher noch stärkere Dinge sagte, so nahm er plözlich seinen Hut, schützte Geschäfte vor und empfahl sich. Solche Zwistigkeiten sind bei uns nicht selten, aber statt uns von einander zu entfernen, bringen sie uns einander näher, und jeder schäzt und schont die Freiheit des andern.

VI.

Berlin 28. Jun. 97.

Wir reisen von hier am Montage (2. Jul.) und kommen am Mittwoch (4. Jul.) in Giebichenstein an. Ich hoffe, Sie wird nichts hindern, mein lieber Eschen, einige Tage mit uns zu leben. Ich befinde mich wohl, bei abwechselndem Sausen, muß aber noch immer als ein Genesender mich in Acht nehmen. Schon deswegen wünschte ich nicht, daß durch Hr. Schlegel das Geräusch vermehrt würde. Wir bleiben in G. 5 Tage. Sagen Sie dies unsern Freunden und leben Sie wohl. Eben lese ich Ihren Hymnus mit der Bleifeder in der Hand.

Der Ihrige
Voß.

Können Sie mir nicht von Hr. Schütz Abdrücke meiner Erklärung gegen Lenz mitbringen und die Bogen der Ekl. von dem Schluße der 5. Ekloge an?

VII.

Aus einem Briefe von F. A. Eschen an seinen Vater.

Jena d. 14. Juli 1797.

Bester Vater,

Gestern Morgen um 11 Uhr kam ich aus Halle von meinem Voß zurück, und dies wird die spätere Beantwortung Ihres Briefes entschuldigen — Doch ich eile zu Voß. Aus Berlin schrieb Voß mir, daß er am 3ten aus Berlin abreisen und am 5ten in Giebichenstein ankommen würde. Dienstag Morgen also (den 4ten) des Morgens um 4 Uhr machte ich mit einem Freunde, v. Bostel, mich auf und wir zogen zu Fuße der Landstraße von Halle nach. Der Tag war außerordentlich schön, und wir beiden Reisenden unterhielten uns beinahe von nichts anderem als von Voß und der Freude ihn zu sehn. — — — — — — — — —

Nach dem Essen ging ich allein nach Giebichenstein, das nur eine Viertelstunde von Halle entfernt liegt. Wie ich in den Hof trat, hörte ich, Voß sei eben angekommen, und mit seiner Ernestine, mit Reichardt und dessen Frau, mit Abraham und Hans[1]) im Garten. Ich eilte schnell dahin, und ging durch einige schmale dunkele Gänge, und ohne daß sie es gewahr wurden, sprang ich mit einmal aus einem solchen schmalen Gange heraus und stand vor ihnen. Ernestine erkannte mich sogleich und rief: da ist Eschen! Voß erkannte mich nicht so plözlich: aber als er mich nun erkannte, und wir uns nun nach der Trennung zum ersten Male umarmten — diese hohe Freude kann nicht beschrieben, sie kann nur gefühlt werden. — Reichardt bewillkommte mich darauf und machte mir Vorwürfe, daß ich nicht gleich bei ihm abgetreten wäre, da er mich doch so herzlich und aufrichtig eingeladen hätte: er schien beinahe empfindlich darüber, doch ward er mir bald wieder gut, als ich ihm sagte, daß ich einen Freund mit nach Halle gebracht hätte. Hätte er jezo nur irgend Platz gehabt, so würde er uns dennoch beide in Giebichenstein einquartiert haben, da dies nicht war, so bedung er sich dieses aus, daß ich des Morgens gleich hinauskommen und den ganzen Tag in Giebichenstein zubringen müßte. Daß dieses nicht unterblieb, können Sie leicht denken, und erst um 11 oder 11½ kam ich des Abends nach Halle zurück. — Schon am ersten Nachmittage hatten Voß und ich uns bald von der übrigen Gesellschaft entfernt, und gingen allein in den Gängen des überaus schönen Gartens auf und nieder. — — — — — — — — — — — —

---

1) Söhne von Voss.

Darauf sprachen wir vieles, sehr vieles über Jena, Weimar, über
die Gelehrten daselbst, über den Zustand der Literatur u. s. w.
Schon aus Berlin hatte mir Voß geschrieben, daß er meinen Hymnus
an den Hermes gesehn habe, und mit der Bleifeder in der Hand
dabei sitze. Ich fragte ihn jezo darnach, und er sagte mir, daß er
nur im Anfange ein Wort, das ich vorher verworfen hatte, des
Rhytmus wegen zurückgenommen habe, daß er bald aber gesehen
habe, wie die Uebersezung gearbeitet sei, und nicht weiter corrigirt
habe. Wahrscheinlich hatte er damals keine Zeit weiter dazu. Doch
bald kamen wir von dem Hymnus wieder ab, und da wir über so
viele für mich wichtigere Dinge zu sprechen hatten, so habe ich die
ganze Zeit nachher, die ich bei Voß war, nicht wieder daran gedacht. Da Reichardt sah, wie viel wir zusammen sprachen, und da
er für Voß fürchtete, daß es ihn angreifen möchte, so verbot er
ihm am Abende, diesen Tag nicht mehr über wichtige Dinge zu
reden; und Voß legte sich selbst das Gebot auf, diesen Abend kein
bedeutendes Wort mehr mit mir zu reden. — Wie unendlich habe
ich mich gefreut, Voß so gesund und wohl zu finden. Ich hatte ihn
mir blaß und abgefallen vorgestellt, aber um desto freudiger er-
staunte ich, als ich ihn unverändert fand, und noch von beßerer
Farbe, als damals, wo ich ihn verließ. Daß eine kleine Schwäche
ihn noch nicht verlassen hat, und daß ein langes Sprechen ihn
ermattet, ist nicht zu verwundern, und dieses wird die Zeit leicht
wieder herstellen. Ernestine ist immer dieselbe, dasselbe reine anspruchslose Bild der Natur, eben so still und gut und herzlich, wie
ich sie immer gekannt habe. Hans begegnete mir in einem Gange:
ich erkannte ihn schneller als er mich; ich habe mich gewundert,
wie groß er geworden ist. Abraham, den ich später sah, erkannte
mich gleich, wie ich ihn.

— — — — — — — — — — — — — — — — — — — —
— — — — — — — — — — — — — — — — — — — —

— — Den Nachmittag hatte ich wieder viele Gelegenheit, mit
Voß zu sprechen, und dieser Nachmittag ist mir so unvergeßlich,
wie jede Stunde, die ich in Giebichenstein zugebracht habe. Wir
sprachen über meine Studien und über meinen künftigen Lebensplan,
und mit allem, was ich Voß darüber sagte, war er durchaus zufrieden. Er wird Ihnen es sagen, daß ich auf dem Wege, den ich
erwählte, nicht umherschweife, sondern ihn strenge verfolge. Das
Ziel, welches am Ende desselben steht, mag sein, welches es will,
ich werde es mit Macht ergreifen und dabei glücklich sein. Ich
werde jede Fähigkeit in mir auszubilden suchen, und nichts zu unter-
graben, was der Welt vielleicht Frucht bringen könnte. — Auch
über mein Verhältniß zu Bötticher, Schlegel, Schütz u. s. w.
sprachen wir, und auch hierüber wird Voß Ihnen sagen, was ich
von diesen Menschen halte, und daß ich sie kenne. Und man lernt

sie noch beßer kennen, wenn man von ihnen zu Voß geht, aus einem
Puppenspiel in die reine Natur. — — — — — — — — —
— — — — — — — — — — — — — — — —

Nach dem was Wolf und was ich von Friedr. Schlegel sagte,
hat er eine günstigere Meinung von ihm erhalten, als er zuvor hatte.
— — — — — — — — — — — — — — — —
— — — — — — — — — — — — — — — —

Wie wir beim Thee saßen, sagte ich zu Voß, bei dem ich saß,
er habe mir meine Uebersezung zurückgeschickt, und vieles da unterstrichen, wo er glaube, daß ich aus Unachtsamkeit gegen die Quantität gefehlt habe: dies sei aber von mir aus Gründen geschehen,
weil ich nicht glaubte, daß man dem Verstande keine Gewalt einräumen dürfe auf dem Gebiete des Gehörs. Voß antwortete mir:
ich würde schwerlich mit dieser Meinung zu irgend einem sichern
Resultate kommen, auch er wäre einst durch alle die Schwierigkeiten,
welche diese Sache hätte, hindurchgegangen, und wäre endlich zu
Resultaten gekommen, worüber er vieles geschrieben habe. Wir
gingen darauf von der Gesellschaft weg und auf sein Zimmer, und
er zeigte mir hier das, was er hierüber aufgeschrieben hatte. Wir
sprachen noch vieles über diese Sache, und zuletzt gab er mir sein
Manuscript, um, wenn es noch möglich wäre, es mir abzuschreiben,
damit es nicht verloren ginge, und damit, wenn er es nicht thäte, ich
vielleicht die Sache einst weiter ausführen könnte. Hernach sprachen
wir über Homer und über Wolffs Ideen in seinen Prolegomenis, und
ich bin ganz mit dem, was Voß mir darüber sagte, einverstanden. Ich
war diesen Montag sehr frühe hinausgegangen, um Voß einen Aufsaz
über die Form und Anlage der Horazischen Briefe vorzulesen,
wovon ich ihm schon den Tag zuvor gesagt hatte. Er war mit dem
Aufsaze zufrieden, und fand das, was ich darin gegen Klopstock,
Wieland, Hermann und Schlegel gesagt (welchen lezteren ich
nicht genannt, aber deutlich genug bezeichnet habe) wahr und nicht
zu stark. Ich werde diesen Aufsaz weiter ausarbeiten und eine
Uebersezung einer Horazischen Epistel hinzufügen; dann werde ich
ihn, wenn ich ihn an Voß vorher geschickt und seine Meinung
darüber gehört habe, vielleicht in das dritte Stück des Lyceums
geben. —
— — — — — — — — — — — — — — — —

Darauf, als es an die Stunde der Trennung ging, sprach ich noch
manches mit Voß und Reichardt. Voß sagte, er wünsche, ich
wäre erst wieder bei ihm. Reichardt lud mich ein, sobald ich nur
könnte, wieder zu ihm zu kommen. Wir nahmen darauf von einander Abschied, und von diesem Abschiede kann ich Ihnen ebensowenig sagen, als von unserm Wiedersehn. Ich wußte selbst nicht,
wo ich war, als Voß mich noch einmal an der Thür umarmte und

mich an sich drückte — ein unaussprechliches Gefühl ergriff mich,
und auf dem Wege nach Halle zurück ging ich stumm neben meinem
Gefährten und suchte dieses Gefühl mir deutlich zu machen — —

— — — — — — — — — — — — — — — — — — — —

Diese wenigen Tage, die ich mit Voß, Wolf und Reichardt lebte,
gehören unter die schönsten meines Lebens, und ich möchte sie
nicht um alles geben. Mir war es fast, als lernte ich Voß jezt erst
von neuem kennen, und doch kannte ich ihn so schon lange! — —
— — Voß gab mir auch seine Uebersezungen vom Ovid, und ich
habe mich oft damit in eine Laube des Gartens geschlichen und
darin gelesen. Einiges las Voß selbst daraus vor. — —

VIII.

Eutin, den 25. Sept. 97.

Zu meiner gewöhnlichen Briefscheu, liebster Eschen kommen
jezt ernsthaftere Entschuldigungen. Das Pflanzenleben bekommt mir
am besten. Sie haben sich das gewiß schon selbst zu meiner Rechtfertigung gesagt. Der Brunnen hat das Sausen meist weggespült;
es wird wohl noch einmal zu einem verntünftigen Leben kommen.

Hier die Horazische Epistel mit der Einleitung; beide haben
mir Vergnügen gemacht. Was ich anders wünschte, habe ich angemerkt. Der Ton der Abhandlung ist manchmal etwas docirend,
den konnte ich nicht wegbringen. Die Miene des Zufälligen wäre,
zumal vor einer Horazischen Epistel, schicklicher als: Nun wollen
wir das, nun das! Indeß für den lieben Deutschen mag es wohl so
besser sein.

Ihr Hymnus hat mir sehr gefallen; ich werde, wenn mich die
Laune anwandelt, etwas daran zu glätten suchen. Die übrigen Gedichte sind gute Uebungen, die Besseres versprechen. Es fehlt an
innerem Gehalt. Lassen Sie sich nicht verleiten, etwas Unreifes zu
drucken. Wie man zuerst auftrit, davon hängt vieles ab.

Ich habe eine unruhige Nacht gehabt. Empfehlen Sie mich
meinem Freunde Wolf, dem ich die Eklogen lieber ohne Brief als
später zusenden will. Wegen Ihres Ex. werde ich Hammerich —
[hier fehlt ein Wort, weil ein kleines Stückchen am Rande des
Briefes abgerissen ist]

Ihr aufrichtiger
Voß.

IX.

Eutin 28. Februar 1798.

Unsre Verbindung, mein Theuerster, ist die eines Vaters und
Sohns. Ich bin Ihretwegen in Unruhe und muß ein ernsthaftes Wort
sprechen.

Sie haben meine Warnungen in Giebichenstein mit Wohlwollen aufgenommen. Sie haben mich durch Ihre Aeusserungen beruhigt. Ich habe Ihrem Vater meine Beruhigung mitgetheilt. Sie hätten, sagten wir uns, den ernsten Entschluß, mit den Kenntnissen, die den Menschen ausbilden und veredeln, auch solche zu verbinden, die zu einem Amte führen. Sie wollten den Hauptzweck Ihrer akademischen Jahre nicht vernachlässigen. Sie wollten das edlere Selbst, das Sie in sich fühlten, nicht durch Hize des Treibhauses zeitigen, sondern durch Gottes Sonne zur Reife bringen. Sie wollten den Umgang Andersrathender und Andershandelnder meiden, überzeugt, daß mit solchen sich oft zusammen zu denken und zusammen zu fühlen, etwas — Anfaulendes habe.

Das, was ich seitdem höre, hat meine Ruhe nicht ganz erhalten. O möchten Sie mir sagen können, daß ich Unrecht habe, Sie, mein Geliebter, an dem ich Freude zu erleben hoffe, auch, bei kleinen Abweichungen, forthoffen werde!

Zuerst hat es mich (ich sage es ungern) geschmerzt, daß Sie auf meine treue, durch eigne Erfahrung bewährte Warnung, nichts Jugendliches mehr drucken zu lassen, mit keiner Silbe geantwortet haben. Bald darauf fand ich in dem Merkur, den Bötticher (Sie kennen ihn) zusammenraft, allerlei gedruckt, das Sie von mir nicht gedruckt erwartet hätten. Dann hörte ich, Sie hätten die Uebersezung des Don Quixote unter Händen, und schon einen Verleger dafür. Ich halte es für Ihr Glück, daß ein anderer Ihnen den Kranz abläuft, weil ein so erlaufener Kranz, als worauf Sie und Hr. Tiek es anlegten, nicht von parnassischem Laube sein könnte. Endlich sagte man mir, daß Sie dem Umgange mit dem nichtigen und niedrig handelnden Schlegel keinesweges entsagt haben. Auch fand ich in der Rec. der Dorothea eine Stelle über veredelte Sprache, die mich anfeindete, und ein Gespräch über mich voraussezte.

Ihr Plan, die akademischen Jahre durch einen Aufenthalt in der Schweiz zu unterbrechen, hatte meinen Beifall. Die Geschichte der Zeit wird Sie von der Schweiz entfernen, hoffe ich. Aber nun wollen Sie jede Hofmeisterstelle aunehmen. Wäre es nun nicht gerathener, Ihre juristischen Collegia auszuhören, und dann zu thun, was die Umstände rathen?

Sie wissen von alten Zeiten her, daß ich kein sonderlicher Verehrer des Magens bin. Er soll nicht über Kopf und Herz gesezt werden; aber untergeordnet verdient er Achtung, und Pflege, oder Kopf und Herz gehen mit ihm zu Grunde.

Ich hielt Sie, mein geliebter Eschen, für hinlänglich gesezt, den Anlockungen des litterarischen Freibeuternestes, das in Jena sich eingenistet hat, zu widerstehn. Es scheint mir, Sie haben die Probe des Nil admirari nicht gehalten. Ich sende keinen Sohn weder nach Göttingen noch nach Jena, wegen des bösen Tons, der in beiden Monopolien der anmaßenden Gelahrtheit und Schönthuerei herrscht.

Noch ist nichts verloren, mein Lieber. Nur ernsthaft sich um- gesehn, und zurück in sich selbst. Sie sind und bleiben der gute, fleißige, richtig denkende und empfindende, und, was die Grazie aller Tugenden ist, der bescheidene Eschen.

Ich umarme Sie mit inniger Vaterliebe

Ihr

Voß.

X.

Aus einem Briefe von F. A. Eschen an J. H. Voß
(ohne Datum).

Meinen herzlichsten Dank bringe ich Ihnen für Ihre letzten Worte, welche Sie mir gesandt haben, und ich freue mich des neuen Beweises Ihrer innigen Theilnahme an allem, was mein inneres und äußeres Wohl betrifft. Es fodert daher nicht nur meine Pflicht, sondern die Stimme meines Herzens Ihnen von dem Wege Rechen- schaft zu geben, der mich zu beidem führen soll, und entweder die wirklichen Abweichungen davon zu gestehen und dann einzulenken, oder die scheinbaren zu rechtfertigen. Ich werde so zu Ihnen reden, wie ich zu meinem Vater reden würde, und jezo habe ich nur dieses Verhältniß vor Augen. — Was ich Ihnen damals in Giebichenstein sagte, könnte ich Ihnen jezt mit eben der inneren Freiheit und Ruhe wiederholen. Die Vorsäze, die ich dort Ihnen mittheilte, und denen Sie Beifall gaben, habe ich nicht mit anderen vertauscht: sie lenken noch jezt, wie sie es immer thun sollen, meine Handlungen. — Mein Vater schrieb mir einst, er bäte mich, mich nicht mit der Schrift- stellerei zu befaßen, meinen Namen nicht in die Druckerpresse zu geben, und sagte mir zugleich, daß Sie mit der Seinigen Ihre Bitte vereinigten. Ihre Bitte mußte mir sehr viel werth sein, dieses wußten Sie sicher, und ich durfte daher nicht erst den Buchstaben meinen Dank anvertrauen, dessen Sie bei allem, was nur von Ihnen kommen kann, gewiß sind. Meine Handlungen blieben mir dabei frei, wenn ich diese mit Gründen gegen mich rechtfertigen konnte, denn nur die Gründe der eigenen Vernunft können für den vernünftigen Menschen Geseze sein, worin, wie mir dünkt, die wahre Freiheit besteht. Diese Rechtfertigung glaubte ich mir damals geben zu können, als ich die beiden kleinen Oden und die kleine Epistel aus dem Horaz in den Merkur rücken ließ. Nicht die geringsten Ansprüche habe ich dabei gemacht, und ich überließ es gänzlich Wielands Urtheil, der über die Aufnahme der Gedichte und Uebersezungen in den Merkur allein entscheidet, ob sie Werth genug hätten, in einem so ephemerischen Journale zu erscheinen. Wieland nahm sie mit Dank auf und gab mir späterhin, wenn ich es wollte, eine Stelle für eine Uebersezung irgend eines Homeridischen Hymnus. Wenn sie auch nur wenigen

gefielen, so hatte ich erlangt, was ich wollte: denn ich glaube nicht,
daß nur das ganz vollkommene dem Publikum dürfe vorgelegt
werden; auch das halbvollkommne führt dem vollkommnen entgegen und befördert es. Sollte es in der Welt der schönen Kunst
anders sein, als in der übrigen Welt? Ich kann es mir kaum denken.
Sobald wir hier der Kindheit entwachsen sind, und durch innere und
äußere Bildung Kenntnisse und Kräfte gewonnen haben, so sind wir
verpflichtet, das Gute wie dort das Schöne stufenweise zu befördern:
wo nicht die Kraft fehlt, ist gänzliche Ruhe versagt, und diejenige,
die auch nur wenig sich äußern kann, muß für das Ganze thätig
sein; auch durch sie gewinnt es nothwendig. So wie wir hier das
Gute nicht um der Glückseligkeit willen thun sollen, so kann auch
dort, wo wir das Schöne befördern, nur bei demjenigen, der nicht
weiß was und warum er es thut, der Ruhm die Triebfeder seines
Handelns sein, denn jenes ist nothwendig, dieser meistens nur zufällig und trifft nicht die Sache sondern nur den Menschen. Wer
von dem wenigen Guten, was der Jüngling jezt nur zu befördern
vermag, auf eine gleiche Bahn des Mannes schlöße, und von dem
jezigen sein Urtheil schon für alles folgende festsezte, der könnte
den Grund dafür nur aus eigener Beschränktheit hernehmen: denn
wo wirkliche Kraft ist, da entwickelt sie sich aus dem kleinsten
Puncte ins unendliche. — Dies und mehreres, dessen Ausführung
Sie mir gewiß erlassen, habe ich mir oft gesagt, und darum hoffe
ich, sollte es mich auch dann, wenn ich etwas besseres zu geben
vermöchte, nicht reuen, das weniger gute gegeben zu haben, und
dieses wird jenem nicht Schaden bringen können. Ich bin mir bewußt, daß mich nicht jene kleinliche Ehrsucht, welche hier so viele
aus der gelehrten Welt um mich her zu treiben scheint, getrieben
hat, und ich bin in dieser Rücksicht um so wachsamer auf mich,
weil man nur zu leicht und zu gerne sich mit scheinbaren Gründen
täuscht, um nur jene im Hinterhalt liegende Ehrsucht decken zu
können, und die innere Stimme, welche uns gegen den verborgenen
Verräther warnt, zu überschreien. — — — -- — — —

Das Nil admirari ist mir eins der ersten Geseze, und einige
meiner Freunde, die nicht durchaus von dieser admiratio sich frei
gemacht hatten, gaben mir deshalb gewiß oft einen Mangel an Em-
pfänglichkeit und Sinn für das Schöne und Große Schuld.

XI.

Aus einem Briefe von F. A. Eschen an seinen Vater
vom 9. April 1798.

Daß Voß meine Gründe für Schriftstellerei für „philosophische
Spizfindigkeiten, womit ein im Hinterhalt lauernder feindlicher

Dämon den edleren Genius beschleiche", erklärt hätte, war grade
das, was ich am wenigsten erwartete. Ueber jenen versteckten
Dämon und über das, was ich von jener Eigenliebe und Ruhmsucht
hielt, habe ich mich in demselben Briefe deutlich erklärt. Voß mußte
also entweder diese Erklärung nicht für meines Herzens Meinung
halten und mir also einen bösen Willen zuschreiben, der sich durch
scheinbare Gründe rechtfertigen wollte, oder er glaubte, daß ich den
guten Willen durch jenen Schein, den ich treuherzig genug für Wahrheit und für etwas wirkliches hielte, betäubt und ihm seine Kraft genommen habe. Das erstere glaubte Voß unmöglich, eben so wenig,
wie Sie es glauben werden; denn ich wüßte nichts, wodurch ich
irgend einmal einem solchen Glauben Entstehung und Nahrung hätte
geben können: wenn aber das leztere, so war es ja, meinen guten
Willen vorausgesezt, leicht mich zurückzuführen, von wo ich mich
verirrt hatte, und mir jenen trügenden Schein und die Ursache
seines Truges zu zeigen: bei dem guten Willen glaube ich dann
wohl auch guten Verstand genug zu haben, um die Wahrheit ein-
zusehen. Doch Sie selbst stellen mir einige Fragen auf, welche
mich auf jenen schlauen Betrug aufmerksam machen sollen. Zur
Beantwortung derselben will ich deshalb demjenigen, was ich an
Voß schrieb, einiges hinzufügen. Ich kann dieses leicht, da ich
über diese Sache viel mit Fichte und meinem Freunde Hülsen
geredet habe, welche dem was ich sagte Recht gaben, und welche
Philosophen genug sind um philosophische Spizfindigkeiten von
philosophischen Wahrheiten zu unterscheiden.— — —

XII.

Aus einem Briefe von F. A. Eschen an seinen Vater.

Montelier, den 2. Sept. 1799.

— — Daß meine Uebersezung der Horazischen Oden schon
angekündigt ist, erfahre ich von Ihnen zuerst. Ich hatte meinem
Freunde Gries den Auftrag dazu gegeben, wenn er es nöthig finden
sollte, daß sie außer der Ankündigung bei einigen Proben im Deutschen Merkur bekannt gemacht würde. Diese Proben, wenn Sie
sie allenfalls gesehen haben, zeugen noch von der ersten Arbeit und
sind jezt ganz von mir geändert. Wenn mein Brief an Schiller
richtig ankommt, so werden Sie vielleicht einige völlig ausgearbeitete
Hor. Oden im folgenden Musenalmanache finden. Die Arbeit hat
mir viele Freude gewährt, und mit keiner bin ich je so zufrieden
gewesen, und ich glaube auch, daß ich sie nirgends als in der Schweiz
würde vollendet haben. Daß Voß meinen Auftritt damit übelge-
nommen hat, thut mir wehe; ich fürchtete es beinahe vorher, aber
ich tröstete mich oft damit, daß Voßens Charakter und Ansicht der
Wissenschaft zu rein wäre, um hierüber so egoistisch zu urtheilen.

Daß Voß mich für stolz, anmaßend, von sich selbst eingenommen, verblendet u. s. w. hält, dies kann ich mir erklären, und darüber würde ich mich nicht wundern; aber daß er es übel nimmt, daß ich meine Kräfte an etwas versuche, woran er sie auch versucht, — dies kann ich bei Voß nicht begreifen. Und was nimmt er übel? Glaubt er ich beginne einen Streit mit ihm? Wer wirklich die Wissenschaft liebt, streitet nicht mit einem andern, sondern freut sich der Mitkämpfer für dieselbe Sache. Wenn Voß glaubt, ich wolle gegen ihn in die Schranken treten und die Lanze gegen ihn gebrauchen, dann gestehe ich aufrichtig, daß ich ihn nicht verstehe und nicht verstehen mag. Oder war der Römische Dichter Voßens Eigenthum, weil er ihn übersezte? und ziemte es dem Schüler, wenn er nicht undankbar sein wollte, schnell von seiner eigenen Bearbeitung derselben Materie abzustehen, wenn er des Lehrers Arbeit daran erfuhr? Auch das verstehe ich nicht. Oder glaubt Voß, ich thue dem Absaz seines Werkes durch das meinige Schaden? Das glaubt er nicht, und kann er nicht glauben, da er gewiß überzeugt ist und nothwendig überzeugt sein muß, daß meine Uebersezung mit der seinigen in durchaus keine Vergleichung wird kommen können. Also dies wird es sein: der Schüler sollte doch wohl einsehen, wenn er nicht ein eitler thörigter Mensch ist, daß die Arbeit des so sehr geübten, des als Uebersezer von den besten noch unübertroffenen Lehrers, gegen die seinige, die nach weniger Uebung in der Jugend u. s. w. gemacht ist, sich verhalten wird, wie das Gemählde eines Raphael gegen das eines Gemähldecopisten aus der Dresdener oder andern Galerie. Wenn es das ist, woher das Uebelnehmen? Bedauern mit mir könnte ich mir eher erklären. Aber hier kann ich doch einiges noch antworten: der Nahme Schüler und Lehrer thut, wie ich glaube, nichts zur Sache und ist in manchen Fällen ganz unpassend. Es ist nicht durchaus nothwendig, daß die eine Uebersezung vortreflich, die andere schlecht sei; denn ich glaube, daß bei einer Uebersezung des Horaz wie des Homer mehrere Arten und Ansichten stattfinden können; daß es nicht unmöglich wäre, daß Voßens Uebers. in ihrer Art unübertreflich wäre, und daß man dennoch auf eine andere Weise, wenn auch in dieser Weise nicht so vortreflich, übersezen könne, und etwas geben könne, was bei jener Uebers. wohl bestehen könnte, und dem Publikum nicht ohne Nuzen wäre, da es beide Ansichten, beide Sprachbehandlungen und Gedankenwendungen mit einander vergleichen und dadurch den Römischen Dichter sich um manches klarer machen würde. Daß man es der Mühe werth finden werde, diese Vergleichung zu machen, das zu hoffen bin ich freilich übermüthig genug, und mit diesem Uebermuthe habe ich so fleißig gearbeitet, als ich konnte. Auch gestehe ich gern, daß die Zufriedenheit und Aufforderung meiner Freunde die Arbeit fortzusezen, als

ich unschlüßig war, ob ich mit Voß auftreten wollte, daß Wielands
außerordentliches Vergnügen an meinen lezten Arbeiten und seine
Aufforderung am Attischen Museum mitzuarbeiten und ihm etwas
aus dem Griechischen Ueberseztes zu geben, es möchte sein, was es
wolle, Prosa oder Poesie, mich in dem Muthe und Eifer bei meiner
Arbeit sehr unterstüzt hat. Eine Uebers. des Horaz von mir sollte
überdieß Voßen gar nicht unerwartet gewesen sein, da er weiß,
daß ich mehrere Briefe und Oden schon lange vor seinem Unternehmen drucken ließ, daß ich schon einen Aufsaz über die Hor.
Briefe, womit er zufrieden war, und ich jezt sehr unzufrieden bin,
zum Drucke gegeben hatte. — Wenn Voß so dächte wie ich — ob
meine Denkart die richtige ist weiß ich nicht, glaube es aber, da
sie auch die meiner Freunde ist — so würde Voß sich über das
Vertrauen auf meine Kraft freuen und nur besorgt sein, ich öchte
nicht ganz mit Ehren auftreten. Von Concurrenz, ins Gehege fallen,
von Undankbarkeit am allerwenigsten würde er sich dann nichts
träumen laßen und, wenn er gute Meinung genug von mir hätte,
die heftigen Urtheile so lange zurückhalten, bis meine Uebersezung
erschiene und für mich das Wort führen könnte. Doch genug von
diesen ärgerl. Kleinigkeiten, wenn ich wieder zu Voß komme, sollen
solche Anstöße bald gehoben sein, und er wird mich besser kennen
lernen. Sollte Voß sich auch gegen Sie geäußert haben, so bitte
ich Sie, es mir zu schreiben, und ich werde dann einige wenige
Worte an Voß schreiben; wenn nicht, so schweige ich still, erwarte
die Zukunft und gehe meinen Gang so unbekümmert und ruhig
fort als zuvor. Ich bin nur froh, daß ich mit mir selbst nicht dabei
in Widerspruch komme. — — —

XIII.

Aus einem Briefe von F. A. Eschen an seinen Vater.

Rümligen bei Bern den 30. Mai 1800.

— — — Das beiliegende Exemplar meiner Uebersezung bitte
ich Sie so zu empfangen, als ich es Ihnen gebe, als ein mit freudi-
gem Herzen gegebenes Geschenk und als Zeichen meiner kindlichen
Liebe. — An den Hofrath Voß habe ich auch eins geschickt, mit
wenigen Worten zur Beilage. Ich wünsche, daß er sich darüber
gegen Sie äußert, und daß Sie diese Aeußerungen mir mittheilen.

XIV.

Aus einem Briefe von F. A. Eschen an A. W. Schlegel (im Besitz
der K. öff. Bibliothek zu Dresden).[1])

Rümligen bei Bern den 30. Mai 1800.

— — — Daß die fehlervollen Proben meiner Uebersezung
[der Horazischen Oden] im Teutschen Merkur[2]) nur Proben der
ersten Arbeit waren, die ich bekannt zu machen sehr Unrecht hatte,
werden Sie bey dem Lesen dieser lezten Arbeit, glaube ich, leicht
sehen, und daß ich alle meine Kräfte aufwandte, um jedem einzelnen Gedichte den eigenen gemäßen Ton zu geben, bald durch leichtere,
bald durch kühnere Wendungen. Auch im Sylbenmaße suchte ich
die Kraft und Schönheit des Originals zu erreichen und habe deshalb vorzüglich im Sapphischen Sylbenmaße mir selten statt der
Spondäen die schlaff machenden Trochäen erlaubt. — Doch wozu
vor Ihnen hiervon reden, was Sie so schnell bemerken?

Ob ich diesen Sommer irgend etwas anderes übersezen werde,
zweifle ich; da ich die Homeridischen Hymnen bis zum Winter
zurücklegen werde, und durch meine bisherigen Uebersezungen vielleicht Gewandtheit der Sprache genug erhielt und genug vor den
versibus rerum inopibus nugisque canoris[3]) gewarnt ward, um
an mir jezt ernstlicher versuchen zu können, ob eine eigene
Muse mir Antwort giebt, oder nicht. Was mir einige Hofnung zu
dieser Antwort giebt, ist, daß ich so schlechte Sachen, als im
Schillerschen Musenallmanache von mir abgedruckt sind, nicht mehr
machen könnte: und lieber auch mag die blinde Themis meine Gefährtin durchs Leben seyn als eine solche plaudernde Muse.

---

1) Vergl. Waitz, Caroline und ihre Freunde. Leipzig 1882. S. 74 f.

2) Neuer Teutscher Merkur 1799 Mai S. 49—53: „Proben einer
neuen Uebersetzung der Horazischen Oden". Im Jahrgange 1797 des
Merkurs hatte Eschen die Oden III, 9 und V, 15 und den Brief I, 13
veröffentlicht (Jul. S. 216—218, Oktob. S. 139—142).

3) Horat. de arte poet. 322.

Zweite Fortsetzung der Nachträge zu „S. Hirzels Verzeichniss einer Goethe-Bibliothek, herausgegeben von L. Hirzel" und zu „Goethes Briefen, von F. Strehlke".

Von

WOLDEMAR Freiherrn v. BIEDERMANN.

1784.

Pfälzisches Museum. Erster Band. Vom Jahre 1783 bis 1784. Mannheim. Im Verlage der Herausgeber der ausländischen schönen Geister. [4. Heft 1784. S. 446—451 unter der Überschrift „Fragment" ohne Namen des Verfassers erster Druck von Goethes Aufsatz „Die Natur".]

1837.

Denkwürdigkeiten und vermischte Schriften von K. A. Varnhagen von Ense. Erster Band. Mannheim. Verlag von Heinrich Hoff. 1837. [S. 489 ff. erster Druck des grössten Theils von Goethes Brief an Fr. v. Grotthuss v. 17. Febr. 1814.]

1842.

Geschichte der Teutschen von Heinrich Luden. Erster Band. Höchstes hast du vollbracht, mein Volk, Schmachvolles erduldet, Stets dir selber nur gleich, hast du das Schönste bewahrt. Wirst du bereinst dich deiner bewußt .... Jena, Friedrich Luden. 1842. [Das Motto auf dem Titel hat Luden von Goethe erhalten, besage Briefs von Dahlmann an W. Grimm d. d. Jena 21. Febr. 1842. — Dieses Motto steht auch 1842 auf dem Titel des 2., sowie 1843 auf dem Titel des 3. Bandes.]

1885.

Die Grenzboten. Zeitschrift für Politik, Literatur und Kunst. 44. Jahrgang. 3. Quartal. Nr. 38. Ausgegeben am 17. Sep-

tember 1885. Inhalt . . . . Goethiana. 1. Zu Goethes Ver=
hältniß zu Carlyle. Von Ewald Flügel . . . . [S. 561 Zuschrift Goethes an Carlyle v. 14. Juni 1830, „Sendung an
Herrn Carlyle. 1. Goethes Farbenlehre" —]

1886.

Goethe - Jahrbuch. Herausgegeben von Ludwig Geiger.
Siebenter Band. Mit dem ersten Jahresbericht der Goethe-
Gesellschaft. Frankfurt a/M. Literarische Anstalt Rütten &
Loening. 1886. [S. 3—75 Briefe Goethes an seine
Schwester: v. 21. Juni 1765, „Liebe Schwester. Damit du"
— v. 12. u. 13. Oct. 1765, „Liebes Schwestergen Es wäre"
nebst Nachschr. an d. Vater „Hn. Raht Lange habe" — v.
18. Oct. 1765, „Ma soeur, ma chere soeur. Me voilà" —
v. 6. Dec. 1765, „Mädgen, Ich habe eben jetzo" — v. 7. Dec.
1765, „Antwort auf d. Brief v. 21. Nov." — zwisch. 7. u. 12.
Dec. 1765, „Antwort auf d. Brief vom 6 Xbr. 65" — v. 12.
u. 23. Dec. 1765, „Liebe Schwester Es ist heute" — v. 31. Dec.
1765 sow. 2., 17. u. 18. Jan. 1766, „Liebe Schwester! Das
Jahr" — v. 14. März 1766, „Chère Soeur Il faut que" —
v. 30. März sow. 11., 14., 28. u. 31. Mai 1766, „Ma chere soeur
It is ten a clok" — v. 27. Spt. sow. 12., 13. u. 18. Oct. 1766,
„Bon jour ma petite savante" — v. 11.—15. Mai 1767, „Liebste
Schwester, Beschämt, von allen Seiten" — aus Aug. 1767, „Mon
petit bon, bon, Je ne dirai" — aus Aug. 1767, „Pour ma soeur.
Oui pipi" — v. 12.—14. Oct. 1767, „Meine Schwester, Es
ist heute"; S. 76—118 Briefe an Behrisch: aus Oct. (?)
1766, „Je serois bien ravi" — v. 12. Oct. 1766, „Bon jour
mon cher! Ma petite" — v. ? „Ich muss dir etwas schriftlich" — v. ? „Noch so eine Nacht" — aus Oct. 1767, „Hoch-
zeitlied, an meinen Freund" — v. 16. Oct. 1767, „Gott weiß,
ich binn" — v. 17. Oct. 1767, „Es ist noch ebensoviel" —
v. 24. Oct. 1767, „Gestern einen Brief" — v. 2. u. 3. Nov.
1767, „Dass du vom Sonnabend" — v. 7. Nov. 1767, „Es ist
schon sechs" — v. 10.—14. Oct. (Nov.) 1767, „Es ist gut dass
ich" — v. 20.—21. Nov. 1767, „Einen launischen Abend" — v.
27. Nov. 1767, „So viel ich jetzo" — v. 4. Dec. 1767, „Hören
Sie nur Mosier" — v. 15. Dec. 1767, „Das war nun doch" —

kurz vor 26. Dec. 1767, „Du kriegst heute" — Ende März 1768, „Wenn dir an einem Briefe" — v. 26. Apr. 1768, „Lange nicht geschrieben Behrisch" — aus Mai 1768, „Da hast du die Lieder"; S. 153—167 Briefe an F. S. Voigt: Erlass der grh. Oberaufsicht an diesen v. 12. Oct. 1823 — Br. v. 28. März 1814, „Ew. Wohlgebohren Erhalten hierbey das Original" — v. 26. März 1816, „Der mir übersendete so" — v. 27. Fbr. 1821, „Ew. Wohlgeb. möchte vor allen Dingen" — v. 2. Mai 1821, „Mit eiliger" — v. 22. Nov. 1826, „Ew. Wohlgeb. die mir zu so hohen" — v. 27. Jan. 1827, „Ew. Wohlgeb. versäume nicht zu vermelden" — v. 26. Fbr. 1828, „Ew. Wohlgeb. erhalten hiebey abgeredtermassen" — v. 3. März 1828, „Ew. Wohlgeb. habe nicht verfehlen" — v. 28. Juli 1828, „Ew. Wohlgeb. übersende, in Gefolg" — v. 25. Oct. 1829, „Ew: Wohlgeb. erzeigen mir" — v. 11. Nov. 1829, „Ew Wohlgeb. sage den verpflichtetsten"; S. 168—198: Briefe an Knebel v. 1780, „Hier zu deinem Briefe", v. 1782 (?), „Beyliegendes wollte ich dir", v. 31. Oct. 1798, „Ich höre durch Trabitius", v. 6. Fbr. 1800, „Du wirst so gut seyn", v. 25. Dec. 1805, „Hier die Stelle aus Lucrez", v. ? „Ich sage dir nur"; an Herz. Ernst II. v. Gotha v. 24. Jan. 1781, „Durchlauchtigster Herzog Gnädigster Herr. Wenn mich"; ans Amt Weimar v. 10. März 1784, „Die zu Ende vorigen"; an v. Franckenberg v. 2. Sept. 1788, „Ew. Exzell. überschicke die verlangte"; an Kirms v. 10. Oct. 1795, „Von Ew. Wohlgeb. Bemühungen" und v. 18. Aug. 1799, „Herr Vohs war"; an Gädicke v. 23. Dec. 1799, „Der zurückkommende Bogen"; an v. Einsiedel (?) v. 1803 (?), „So eben zeigt sich"; an Karl August v. 28. März 1807, „Unterthänigster Vortrag. Das Fach"; an Hammer v. 25. Spt. 1810, „Der Landschaftsmaler Herr Hammer"; an v. Müller v. 12. März 1814, „Ew. Hochwohlgeb sende den Berkaischen"; an Frau v. Grothuss v. 9. Mai 1814, „Unter dem 23. April" u. v. 9. Mai 1824, „Dass Sie mir, theuerste Freundin"; an Liebich aus Juli 1814, „Für den an mich ergangenen"; an v. Voigt, „Alles was Ew. Exzell."; an ? v. 16. März 1821, „Das werthe Büchlein"; an P. A. Wolff v. 21. (23. ?) Spt. 1821, „Ihr lieber Brief, mein Werthester"; an Riemer v.

6. Dec. 1821, „Wollten Sie, mein Werthester"; an Reichel
v. 3. Aug. 1828, „Unterzeichneter sendet in beygehenden", v.
19. Aug. 1828, „Ew. Wohlgeb. verfehle nicht baldigst", v.
9. Jan. 1829, „Ew: Wohlgebornen haben vollkommen", v.
2. April 1830, „Indem ich wiederholend" u. v. 8. Juli 1830,
„Ew: Wohlgeb. halte für nöthig"; an Doris Zelter v. 21.
Oct. 1828, „Ohne mich lange"; an Frau v. Schiller v. ?
„Durch einen sehr lästigen". — S. 268 „Ilmenau" mit älteren
Lesarten. S. 274 Agenda 1828. S. 275 Theaterzettel der
Oper Circe von Goethe. S. 282 abweichende Fassung aus
„Faust II. Theil". (Die Bitte bei Herders Tode S. 298 f. ist
selbstverständlich nicht von Goethe.)]

Schriften der Goethe-Gesellschaft. Im Auftrage des Vorstandes herausgegeben von Erich Schmidt. 2. Band. Weimar.
Verlag der Goethe-Gesellschaft. 1886.

[Auch unter dem Titel:] Tagebücher und Briefe Goethe's
aus Italien an Frau von Stein und Herder. Mit Beilagen.
Weimar . . . . [S. 1 an Fr. v. Stein „Ich vermuthe, dass du"
— S. 2 an Herder „Ich bin in grosse" — S. 2 an Fr. v. St.
v. 27. Aug. 1786, „Meiner lieben schicke ich" — S. 3 an
dies. v. 30. Aug. 1786, „Nun geht es mit mir" — S. 4 an
dies. v. 1. Spt. 1786, „Nun noch ein Lebewohl" — S. 5 an
dies. v. 2. Spt. 1786, „Morgen Sonntags" — S. 6 an dies. v.
18. Spt. 1786, „Auf ein ganz kleines" — S. 7 an dies. „Wieder ein kleines Lebenszeichen"; S. 9—313 Goethes Tagebücher; S. 317 an Herders v. 2. Spt. 1786, „Ich lasse Euch
meinen" — S. 318 an Herders v. 18. Spt. 1786, „Ein kleines
Blättchen" — S. 319 an Herder aus Oct. 1786 „$H\ \pi o \lambda \lambda \alpha$
$\beta \varrho o \tau o \iota \varsigma$" — S. 321 an Herders v. 10. Nov. 1786, „Vierzehn
Tage bin ich" — S. 324 an Herders v. 2. Dec. 1786, „Bald
hoffe ich nun" — S. 327 an Herders v. 13./16. Dec. 1786,
„Wie herzlich freut es" — S. 331 an Herder v. 29. Dec. 1786,
„Endlich kann ich Dir" — S. 334 an Herder v. 13. Jan. 1787,
„Hier, lieber Bruder, die Iphigenia" — S. 337 an Herder v.
13. Jan. 1787, „Hier mein lieber wenn" — S. 338 an Herder
v. 25. Jan. 1787, „Du erhältst diesmal" — S. 343 an Herders v. 3. Fbr. 1787, „Auf Euern Brief" — S. 346 an Herders v. 17. Fbr. 1787, „Heute kommt mir die frohe"; S. 351

an Karl August v. 3. Nov. 1786, „Endlich kann ich den Mund" — S. 353 an dens. v. 1. Nov. 1786, „Endlich bin ich in dieser Hauptstadt"; S. 356 an Minister v. Fritsch v. 20. Fbr. 1787, „Hochwohlgeborner Freiherr .... Ew. Excellenz erlauben" — S. 358 an dens. v. 28. Oct. 1787, „Hochwohlgeborner Freiherr .... Ew. Excellenz erhalten" — S. 361 an dens. v. 29. März 1788, „Hochwohlgeborner Freiherr .... Solang als unser gnädigster"; S. 374, 402—405 u. 423 ff. Reisebemerkungen; S. 398—402 Verzeichniss aus Rom geschriebener Briefe; S. 412 Verzeichniss von Schriftstücken; S. 436 Beschreibung einer Zeichnung; S. 443 Vertheilung der Göschenschen Ausgabe der Schriften; S. 471 in Rom aufgestelltes Namensverzeichniss.]

Goethe-Forschungen von Woldemar Freiherr von Biedermann. Neue Folge. Mit zwei Bildnissen und zwei Facsimile. Leipzig, F. W. von Biedermann. 1886. [Beilagen: Facsimile des im Arch. f. L.-G. XII, 616 f. abgedruckten Briefgedichts an Merck und des ebend. XII, 168 f. gedruckten Bruchstücks aus „G. v. Berlichingen"; S. 8 ff. berichtigter Neudruck des zuerst im Goethe-Jahrb. II, 229 f. gedruckten Chorgesangs aus „Faust"; S. 390 f. u. 400 f. Briefe an H. Voss v. 21. März 1804, „Die Rec. hat mir viel" u. an v. Quandt v. 22. März 1829, „Ew. Hochwohlgeb. danke verpflichtet"; S. 428 Neudruck der chinesische Dichtungen betr. Stellen aus d. Tagebuch v. 1827; Neudruck von Briefen an Gräfin Egloffstein, Kirms, Ernst Müller[1]), Weller u. einen Unbekannten; S. 183 ff. angebl. von Goethe geschriebenes Lied zum Brunnenfeste in Tennstädt.]

Fauſt von Goethe. Mit Einleitung und fortlaufender Erklärung herausgegeben von K. J. Schröer. Erſter Theil. Zweite durchaus revibirte Auflage. Heilbronn, Verlag von Gebr. Henninger. 1886. [Auf neuerlicher Handschriftenprüfung beruhend.]

Die Vögel von Goethe. In der urſprünglichen Geſtalt herausgegeben von Wilhelm Arndt. Leipzig, Verlag von Veit & Comp. 1886.

---

1) Der Brief an E. Müller ist im Register der „Goethe-Forschungen" übersehen.

Erinnerungen an Moritz Seebeck, wirkl. Geheimerath der Universität Jena. Nebst einem Anhange: Goethe und Thomas Seebeck. Von Kuno Fischer. Mit Moritz Seebecks Bildniß. Heidelberg, Carl Winter's Universitätsbuchhandlung. 1886. [Neudruck der Bruchstücke aus Goethes Briefwechsel mit Th. Seebeck.]

Beilage zur Allgemeinen Zeitung. 1886. Nr. 10. München, Sonntag, 10. Januar. [S. 140 Codicill Goethes, seinen Briefwechsel mit Schiller betr.]

— — — Nr. 13. München, Mittwoch, 13. Januar. [S. 177 Goethes Eintrag in Jos. Raabes Stammbuch.]

Frankfurter Zeitung und Handelsblatt. Nr. 124. Dienstag, 4. Mai 1886. [Tagebucheintrag Goethes am 5. Juni 1816.]

Die Grenzboten. Zeitschrift für Politik, Literatur und Kunst. 45. Jahrgang, 2. Quartal. Nr. 25. Ausgegeben am 17. Juni 1886. Inhalt .... Notizen. Ein Stammbuchblatt Goethe's .... S. 588. Fr. Wilh. Grunow. Leipzig. [S. 589 Stammbuchbl. f. Joh. Paul Brack v. 29. Fbr.—Dec.? — 1769.]

Didaskalia. Unterhaltungsblatt des Frankfurter Journals. Nr. 194. Freitag, 20. August 1886. [S. 775 Brief an Geh. R. Ant. v. Klein v. 17. Apr. 1789, „Verehrungswerther Hr. Geheimerath! Ich danke".]

Neue Freie Presse. Morgenblatt. Nr. 7866. Wien, Mittwoch, den 21. Juli 1886. [S. 2 Br. an Carlyle v. 26. Oct. 1824, „Wenn ich, mein verehrtester".]

— — — Nr. 7876. Wien, Donnerstag, den 22. Juli 1886. [S. 1 Br. an Carlyle v. 12. Juli 1827 ist derselbe, der bei Froude u. im „Magaz. f. d. Lit. d. In- u. Auslandes" unt. 20. Juli steht.]

— — — Nr. 8021. Wien, Samstag, den 25. December 1886. [S. 2 Briefe an Christiane Vulpius v. 7. (27.?) Aug. u. 10. Spt. 1792, sow. Tagebucheinträge v. 4.—8. Juni 1816.]

Chronik des Wiener Goethe-Vereins. Nr. 1. Wien, Sonntag, den 17. October 1886. 1. Jahrgang. [S. 7 Stammbuchgedicht f. Bertha Loder, nachmals Fr. v. Lützow v. 13. Mai 1809, facsimilirt.]

— — — Nr. 3. Wien, Sonntag, den 14. November 1886

[S. 2 Stammbucheintr. f. Senator Schübler in Heilbronn v. 12. Apr. 1776.]

Die Gegenwart. Wochenschrift für Literatur, Kunst und öffentliches Leben. Herausgeber: Theophil Zolling in Berlin. Nr. 33. Berlin, ben 14. August 1886. Band XXX. [S. 106 f. Goethes Stammbuchsgedicht für Casimira Wołowska mit Varianten, sow. franz. Uebersetzung desselben.]

Sonntags-Beilage zur Norddeutschen Allgemeinen Zeitung. Nr. 46. Sonntag, 14. November 1886. [S. 183 Vers „An meine liebe Mutter" in Bogatzkys „Schatzkästlein".]

Zeitschrift für Vergleichende Litteraturgeschichte. Herausgegeben von Dr. Max Koch, Professor an der Universität Marburg i. H. Ersten Bandes zweites Heft. [Vignette] Berlin 1886, August Hettler. [S. 110 u. 113 Stellen aus Briefen an F. v. Einsiedel v. 12. Fbr. 1803 u. 11. März 1807.]

Das Magazin für die Litteratur des In- und Auslandes. Wochenschrift der Weltlitteratur. 1832 gegründet von Joseph Lehmann. 55. Jahrgang. Herausgegeben von Karl Bleibtreu . . . . Verlag von Wilhelm Friedrich in Leipzig. Nr. 50. Leipzig, den 11. Dezember 1886. [S. 788 Schluss des Briefes an Carlyle v. 17. Oct. 1830, mitgeth. v. Eug. Oswald.]

Das Goethe-Nationalmuseum in Weimar. Erinnerungen an Goethe und Alt-Weimar von Robert Keil. Weimar, Alexander Huschkes Hofbuchhandlung. [Enth. S. 26 „Repertorium über die Goethesche Repositur"; S. 35 Goethes Stammbucheintr. für s. Mutter.]

CLXXII. Katalog des Antiquarischen Lagers von Albert Cohn in Berlin W, Nr. 53 Mohrenstrasse. [Vignette] Autographen und historische Documente, Sammlung des verstorbenen Herrn Friedrich Roeth in Augsburg. Dritte Abtheilung. Deutsche und ausländische Dichter und Nationalschriftsteller. Berlin. Albert Cohn, 53 Mohrenstrasse, W, 1886. [S. 72 f. Titel und Datum zur Oper „Circe"; Datum — 9. März 1814 — e. Briefs an Kanzl. v. Müller; Dat. v. Briefen an Factor Reichel — 3. Aug. 1828, 19. Aug. 1828, 9. Jan. 1829, 2. Apr. 1830, 8. Juli 1830 — Stelle aus Br. an Reichel v. 2. Apr. 1830.]   .

CLXXVII. Katalog des Antiquarischen Lagers von Albert
Cohn . . . . Autographen und historische Documente . . . .
[S. 11 Neudruck einer Stelle aus Br. an Merck v. 5. Jan.
1777; Drucke das Ilmen. Bergwerk betr.; Signatur e. Theater-
zettels; S. 12 Br. an Frau v. Schiller v. 25. März 1824,
„Sie erhalten hierbey, theure verehrte" — Dat. e. Briefs ohne
Adr. v. 19. Spt. 1830.]

Katalog einer umfangreichen und bedeutenden Autographen-
Sammlung . . . . welche . . . . von Leo Liepmannssohn. Antiquariat, Berlin . . . Montag, den 8. März 1886 öffentlich
versteigert wird. Berlin. Leo Liepmannssohn. Antiquariat.
[S. 64 Dat. — 5. Mai 1831 — e. Briefs an Conta.]

Lager-Catalog Nr. 161 des antiquarischen Bücherlagers
von J. A. Stargardt, Berlin SW 19 Zimmer-Strasse. Inhaltsverzeichniss . . . . Autographen berühmter Dichter und Schriftsteller Nr. 810—908 . . . . [Nr. 825 Stelle aus obigem Brief
an Conta v. 5. Mai 1831 u. Schluss desselben.]

Rudolph Lepke's 582. Berliner Auctions-Katalog. Ver-
steigerung: Mittwoch, den 16. Juni 1886 und folg. Tage von
10 Uhr ab. — Auction von werthvollen Kupferstichen, Radirungen, Holzschnitten, Autographen und Büchern etc. . . . .
[S. 35 Brief aus Berka an d. Mitglieder der Auseinander-
setzungscommission zu Handen des Min. v. Voigt v. 25. Mai
1814; Entwürfe zu Briefen an Prof. Marx v. 4. Mai 1827
u. an Prof. Döbereiner v. 6. desselb. Monats.]

Neue Mittheilungen über die Veruntreuung des Manuscriptes von Wallensteins Lager.

Von

Moritz Alb. Spiess.

In dem Nachlasse Karl August Böttigers, im Besitz der Kgl. öffentl. Bibliothek zu Dresden, befinden sich zwei Bände Briefe des Freiherrn zu Racknitz in Dresden an Böttiger[1]). Racknitz war seit 1790 Hausmarschall des kursächsischen Hofes und hatte als solcher die Verwaltung der herrschaftlichen Schlösser und Gärten unter sich. In seiner Stellung darauf angewiesen, für die geschmackvolle Einrichtung der ihm anvertrauten Räume zu sorgen, schrieb er das bekannte Werk „Darstellung und Geschichte des Geschmacks . . .“[2]), welchem Schiller und Goethe in den Xenien folgende Abfertigung zu Theil werden liessen:

Neueste Schule.

Ehemals hatte man einen Geschmack; nun gibt es Geschmäcke;
Aber sagt mir, wo sitzt dieser Geschmäcke Geschmack?

An deutsche Baulustige.

Kamtschadalisch lehrt man euch bald die Zimmer verzieren,
Und doch ist Manches bei euch schon kamtschadalisch genug.

Wie sehr Racknitz über diesen Angriff der beiden Dichter empört war, ergibt sich am besten aus seinem Brief an Böttiger vom 29. December 1796[3]):

---

1) Racknitz, Briefe an C. A. Böttiger, 154. und 155. Quartband des Nachlasses.
2) Vergl. Abendzeitung 1818. Nr. 149 f.
3) Racknitz I Nr. 8.

„Ehe ich diesen langen Brief beschliesse", schreibt er, „muss·
ich Sie lieber Böttcher recht inständigst ersuchen, Schillern und
Göthen wegen denen Xenien die Ruthe zu geben, oder selbige
wenigstens auf Erbsen knien zu lassen; nicht aus der Ursach dieweiln Sie mir die Ehre erzeuget, mich mit in denen Xenien para-
diren zu lassen, dieses ist mir in Wahrheit gantz gleichgültig, und
dieses um so mehr, dieweiln das was sie von meinem Werke sagen,
im Grunde nichts gesagt ist, aber es thut mir als ein Deutscher
Leid, dass solche verdienstvolle und ausgezeichnete Männer wie
Göthe und Schiller einen solchen unanständigen Weg einschlagen
um ihren Witz zu zeigen; Männer von Verdienst und Manier die
sich unter verdienstvolle Gelehrte rechnen wollen, müssen nie die
Achtung beleidigen, welche sie andern schuldig sind, es ist ärger-
lich, kränkend und demüthigend für uns Deutsche, wann unsere
verdienstvolle Männer sich so unanständig betragen, findet man
wohl dergleichen Unfug, unter denen englischen, französischen, oder
italienischen Gelehrten? Man hat es indessen doch den Xenien zu
verdanken dass man um den sehr wohlfeilen Preis von 3 ℔: eine
halbe Stunde recht hertzlich über die Antwort auf selbige, welche
Sie wohl lieber Böttcher gelesen werden haben, und welche den
Titel führet an die Sudelköche von Jena lachen kann; so lächerlich
aber auch alles dieses für den Zuschauer ist, und sich die Buchhändler recht wohl dabei befinden, und vielleicht dergleichen Possen
gerne theuer bezalen; so bleibt es dennoch immer recht traurig,
wenn deutsche verdienstvolle Männer sich so mit Koth bewerfen.
Man versichert hier das Göthe und Herder mit einander zerfallen." —

Dagegen hatte sich Böttiger in seiner Recension über
das 1. Heft des Werkes höchst anerkennend über die Leistung
Racknitzens ausgesprochen[1]). Ein Danksagungsschreiben des
Freiherrn bahnte zwischen beiden Männern einen Briefwechsel
an, der bis zu Böttigers Uebersiedelung nach Dresden im
Jahre 1804 lebhaft geführt wurde. Enthalten die Briefe auch
im allgemeinen Privatangelegenheiten, die wenig interessieren,
wie den Austausch von Ideen über den weitern Inhalt des
freiherrlichen Werkes, Pläne, die beide schmiedeten, um für
Böttiger eine Anstellung in Dresden zu erreichen, so finden
sich doch auch dann und wann in ihnen Aeusserungen über
hervorragende Zeitgenossen, welche unsere Aufmerksamkeit

---

1) Allgem. Literaturzeitung 30. März 1796.

erregen und der Mittheilung werth erscheinen. Namentlich
aber wird die bereits sattsam bekannte Neigung Böttigers zu
Indiscretionen aufs neue durch sie in ein helles Licht gestellt.
Die betreffenden Stellen beziehen sich auf Schillers Kraniche
des Ibykus und auf Wallensteins Lager.

In Betreff ersterer ist allerdings die Ergibigkeit unsrer
Quelle eine sehr geringe, und wenn wir nicht von andrer
Seite wüssten, dass Schiller am 6. September 1797 die Kraniche des Ibykus vor dem Drucke an Böttiger schickte, um
zu erfahren, ob sich nichts darin mit altgriechischen Ge-
bräuchen in Widerspruch befände, so würden wir die Andeutungen in unseren Briefen kaum verstehen. Böttiger gab
am 8. Sept. das Manuscript mit einem günstigen Urtheil zurück,
hatte aber inzwischen die Gelegenheit benutzt, eine Abschrift
zu nehmen und dieselbe nach Dresden an Racknitz zu senden, der sie weiter an Körner gab, durch den dann Schiller
zu seiner Ueberraschung von der Sache erfuhr[1]). Nun finden
wir in einem Brief Racknitzens an Böttiger vom 29. Sept.
1797[2]) einen Dank für den Empfang einer Schillerschen
Ballade, welche, wie das Datum des Briefes zeigt, die obige
sein muss. Grösseres Interesse gewinnt die Stelle dadurch,
dass Racknitz Gelegenheit nimmt, sein Urtheil über Schillers
Handschuh anzufügen. Er schreibt:

— „Vielen Dank . . . für die uns zugesendeten Gedichte von
Schillern und Göthe, die Ballade von Schillern gefällt mir recht
wohl, indessen kenne ich Balladen von Schillern die mir noch besser
gefallen, unter andern eine welche meine Lieblings Ballade ist, wo
der Ritter mitten unter Löwen, Tygers und Leoparden den Hand-
schu seiner Schönen aufheben muss, dieses erfüllet, und nachhero
seiner Schönen selbigen ins Gesicht wirft, diese finde ich vortrefflich."

Weit wichtiger erscheinen die auf Wallensteins Lager
bezüglichen Mittheilungen. Im Novemberheft des Journals
des Luxus und der Moden für 1798 erschien ein Aufsatz

---

1) Schillers Kalender S. 49. Schillers Briefwechsel mit Körner IV
S. 51 und 54. Briefwechsel zwischen Schiller und Goethe⁴ Nr. 359
und 361, 2.

2) Racknitz I Nr. 8.

Böttigers über die Einrichtung des erneuerten Weimarer Theaters und über die Eröffnungsvorstellung in demselben, über Wallensteins Lager. Für diese Recension hatte Böttiger die Anzeige des Wallenstein von Goethe in der Allgemeinen Zeitung vom 12. October 1798 und das Manuscript von Wallensteins Lager benutzt, das er sich wahrscheinlich am 13. October nach der zweiten Vorstellung zu verschaffen gewusst hatte[1]). Angeblich gebrauchte er das Manuscript nur für den genannten Aufsatz, in Wirklichkeit liess er aber auch eine Abschrift davon machen.

Bald darauf sandte er dieselbe an Racknitz, der ihn um Mittheilung von Stellen aus dem Wallenstein gebeten hatte. Am 21. October 1798 schreibt nämlich Racknitz[2]):

— „sehr viel Vergnügen würde es uns auch verursachen, wenn Sie uns im Vertrauen versteht sich denn da es gedruckt werden soll, so wäre es sehr unartig wenn schon etwas davon vorher bekannt wäre, vom Wallenstein, wären es auch nur einige Stellen aus selbigen abgeschrieben senden könnten."

Am 11. November schickt Racknitz bereits das erhaltene zurück[3]):

— „Schon seit acht Tagen hatte ich mir vorgenommen Ihre beyden letzten Briefe zu beantworten, es blieb mir aber immer dazu zu wenig Zeit übrig; doch zur Sache. Dank für die Mittheilung der Einleitung zu dem Stück Piccolomini und Wallenstein, welches ich Ihnen hierbey wiederum zurücksende; es hat mir vieles Vergnügen verursachet selbiges durchzulesen; die Darstellung des Gemäldes der dermaligen Zeiten finde ich meisterhaft, doch bleiben mir dabey zwey Sachen zu bemerken. 1. Warum ist das Stück in sogenannten Knittel Jamben es scheint mir dass das Gemälde getreuer und täuschender dargestellt hätte werden können, wenn die Einleitung in Prosa geschrieben worden wäre."

Racknitz spricht hierauf noch seine Zweifel aus, dass Schiller mit Recht in seinem Stücke Grenadiere aufführe, die

---

1) Boxberger, Veruntreuung des Manuscriptes von Wallensteins Lager: Archiv für Litteraturgesch. 1880. Bd. 9 S. 342 ff.

2) Racknitz I Nr. 23.

3) Racknitz I Nr. 24.

nach Racknitzens Ansicht erst unter Ludwig XIV. im Jahre
1667 auftreten.

Die zurückerhaltene Abschrift wanderte nun wahrscheinlich, Spuren eifrigen lesens an sich tragend, nach Kopenhagen.
Wenigstens schreibt Friederike Brun in Kopenhagen, welche
im Januar 1799 von Böttiger Wallensteins Lager zugeschickt
erhielt[1]): „Erlauben Sie mir dem abgegriffenen Ansehen des
Mskrpts hinzuzufügen, dass es nicht frisch in meine Hände
kam —"[2]).

Friederike Brun überliess das Exemplar der Gräfin Schimmelmann auf einige Tage für eine Aufführung am Geburtstage ihres Gemahls. Von dieser bevorstehenden Aufführung
schrieb die Gräfin Schimmelmann an Schiller, der sofort auf
Böttiger als den Urheber der Indiscretion rieth. Goethe,
davon benachrichtigt, war darüber sehr erregt, zumal Böttiger
ihm kurz vorher selbst einen ähnlichen Streich gespielt hatte[3]),
und liess alsbald ein Verhör des Theaterpersonals veranstalten,
das auch ergab, dass Böttiger das Theaterexemplar in den
Händen gehabt hatte.

Böttiger schrieb, nachdem er über die Sache befragt
worden war, an den Hofkammerrath Kirms, der bei dem Verhör zugegen gewesen war, dass er sich das Manuscript nur
auf einige Stunden für seinen Aufsatz im Modejournal habe
geben lassen, und dass er kein Wort daraus abgeschrieben
habe. Dann schickte er einen Brief an Friederike Brun voller
Vorwürfe über ihre Treulosigkeit, zugleich aber auch eine
Anweisung zum anfertigen eines ostensiblen Briefes, der darthun sollte, dass man das Stück in Kopenhagen nur aus
Zeitungsrecensionen und Briefen kennen gelernt habe. Den nach
diesem Recepte angefertigten Brief schickte Böttiger an Kirms
und dieser an Goethe, der sofort den groben Täuschungsver-
such durchschaute. Auch nach Dresden sandte Böttiger ein

---

1) Boxberger S. 340.

2) Boxberger S. 353. Seine Ausführungen über den Kopenhagener
Fall haben mir im folgenden als Grundlage gedient.

3) H. Düntzer, Schiller und Goethe, Uebersichten und Erläuterungen
zum Briefwechsel S. 159. Anm. zu Brief 416. Vergl. Briefwechsel zw.
Sch. u. G.⁴ Nr. 405.

Schreiben voll von Besorgniss, dass ebenso die Dresdner
Freunde das Stück unvorsichtiger Weise verbreitet haben
könnten, worauf er folgende Antwort vom 16. März 1799
erhielt[1]).

„Bester Freund

Um die in wenigen Augenblicken von mir abgehende Post
nicht zu versäumen, wie auch in diesen Augenblick durch dringende
Geschäfte gehindert kann ich Ihnen nur einige aber indessen doch
meines erachtens nach beruhigende Zeilen schreiben. Ich kann
Ihnen auf mein Ehren Wort versichern dass wir es uns nicht er-
rinnern wissen, meiner guten Frau und mir, das uns eine Sache so
kränkend und schmertzhaft gewesen wäre, als das was den Inhalt
Ihres Briefes ausmachte, und ich kann Ihnen versichern, dass so
lange wir nicht von Ihnen wiederum Nachricht erhalten werden
haben durch welche wir zufrieden gestellet werden können, unssre
häusliche Ruhe und Zufriedenheit gestöret seyn wird, und dieses um
so mehr dieweilen wir unsser Ehrenwort, welches jedem recht-
schaffnen heilig seyn muss geben können dass wir in der gantzen
Sache unschuldig sind, und Körners nicht ein Wort von uns erfahren, dass wir eine Abschrift des Wallensteins erhalten, und durch
uns sicher nicht eine Abschrift allhier stattfindet; überhaupt scheint
es mir nicht dass allhier eine Abschrift des Stückes existiret, ich
hätte glaube ich gantz sicher Nachricht davon; soviel aber kann ich
Ihnen sagen, dass schon eine geraume Zeit zuvor ehe wir die Abschrift des Manuskriptes erhielten, Körners das Manusskript, wahrscheinlich durch Schillern erhalten hatten und es uns als sie einmal den Abend bey uns zu brachten vorlasen, als wir dahero das
Manusskript erhielten, war das Stück nicht einmal mehr etwas neues
für uns, dieses aber bleibt noch vor der Hand, wann es nicht in der
Folge nothwendig seyn sollte unter uns. In diesem Augenblick
haben wir in der Geschwindigkeit folgendes für am besten in der
Sache gehalten, meine gute Frau nehmlich welche Sie bestens
grüsst und äusserst über die Sache gekränket und betrübt ist, hat
an Ihnen beigefügten Brief geschrieben, welche sie antidatirt hat,
und welchen Sie zu Ihrer Legitimation öffentlich vorzeigen können;
sollte zu Ihrer Rechtfertigung in der Folge noch mehr nothwendig
seyn so schreiben Sie mir es nur, soviel können Sie überzeugt seyn,
dass wenn die Sache noch mehrere Unannehmlichkeiten für Sie
haben sollte, ich die Sache nicht sitzen lasse, und sollte ich mich
an den Hertzog selbst, welcher wie ich mich Ursache zu schmeicheln
habe mein Freund ist, wenden, und mich bey ihm über Göthen,
wegen des ungegründeten Verdachts, |dass das Manusskripts durch

---

1) Racknitz I Nr. 31.

uns allhier bekannt geworden sey beschweren. Soll ich es Ihnen recht aufrichtig gestehen, mir scheint es, dass man bey Ihnen über Ihre Talente, und über die Art und Weise wie Sie sich durch selbige in der gelehrten Welt auszeichnen, die Aufmerksamkeit so Sie verursachen, und den Beyfall so Sie erhalten eyfersüchtig ist, und man suchet Ihnen dahero Händel. Dieses kann nun wohl der Fall an einen Ort seyn, wo so viele Genies, Dichters, u. Gelehrte wie in Weimar zusammengedrängt seyn, und an welchen gerne jeder der Erste und wichtigste seyn möchte. Einen der grössten Beweise Ihrer Freundschaft für uns welchen Sie uns geben können, ist uns so balde als möglich einige beruhigende Zeilen zu gewähren."

Der Brief von Frau von Racknitz lautet[1]):

— „Ueberall ertöhnt das Lob von Wallensteins Lager überall spricht man davon und ich habe es noch nicht bekommen können. Gelesen habe ich es dennoch schon aber nicht durch unsren guten Freund Böttcher der doch an den Ursprung, an der Quelle von so vielen Schönen ist, der gewis in genauer Verbindung mit den Verfasser ist — nicht durch ihm, durch andre habe ich es kennen lernen ja! Gute Nachbarn u. d. g. das will ich fleissig bitten, den ohne diese guten Nachbahr wüsste ich noch nichts vom schönen Wallenstein und könnte nicht gros damit thun dass ich ihm schon vor der Aufführung gelesen nun — ich will nichts weiter davorsagen aber damit müssen Sies gut machen das Sie mir bald einen Gesang von den mir Körners geredet und den ich noch nicht kenne schicken. Ich glaube es ist von einem Kapuziner. — —

Dresden am 1ten Märtz
1799.   Charlotte v. Racknitz."

Die Behauptung derer von Racknitz, dass sie das Lager schon vor der Aufführung durch Körner gekannt, ist jedesfalls nicht zu bestreiten. Aber es war dies die erste Fassung, welche Schiller bereits am 19. Juni 1797 an Körner geschickt hatte[2]). In der Gestalt, in welcher das Lager aufgeführt wurde, hat es Körner erst im März 1799 von Schiller erhalten[3]). Diese erste Fassung war bei weitem kürzer als die zweite und enthielt noch nicht die Kapuzinerpredigt: darum die wohl absichtlich nähere Kenntniss der Sache verbergende Bemerkung am Schlusse des Briefes von Frau von Racknitz.

---

1) Racknitz II Nr. 64.
2) Schillers Kalender S. 44.
3) Briefwechsel zw. Sch. u. G. Nr. 586.

Da jedoch Goethe nur dann gesonnen war, weitere
Schritte in der Angelegenheit zu thun, wenn Böttiger, gestützt
auf den von Friederike Brun fabricierten Brief, sich mit seiner
Unschuld in der Sache laut brüste, dieser aber wohlweislich
schwieg, so trat weder die Stilübung der Frau von Racknitz
in Wirksamkeit, noch brauchte ihr Gatte seine Drohung, sich
an den Herzog wenden zu wollen, auszuführen.

So schrieb denn auch Racknitz, nachdem Böttiger beruhigende Nachricht gegeben hatte, am 11. April 1799[1]):

— „Sie haben uns durch [ihre] beiden Briefe würklich wiederum aufgeheitert, indem es uns äusserst beunruhigend war, dass
wir einen Mann welchen wir so schätzen und lieben Verdrus und
Unannehmlichkeiten zugezogen sollten haben und gleichwohl glaub-
ten wir von unsrer Unschuld überzeugt seyn zu können; ich hoffe
doch dass sich die Sache gegeben wird haben, und dass man Sie
dermalen ungepurrt und ungeneckt lässt.“

Nach den angeführten Briefstellen unterliegt es keinem
Zweifel mehr, dass Böttiger sich der Veruntreuung des
Schillerschen Manuscriptes schuldig gemacht hat. Indessen
will es uns scheinen, dass man mit ihm wegen dieser
Handlung nicht allzu scharf ins Gericht gehen darf. Böttiger
war Theaterrecensent. Wollte er dem Publicum sobald wie
möglich mit dem neuesten aufwarten, so musste er bei Novi-
täten, die vor der Drucklegung gegeben wurden, versuchen,
sich das Theatermanuscript zu verschaffen. Wurden doch
auch von andrer Seite die beiden Dichter beständig umlauert.
So schreibt z. B. Schiller, als die Braut von Messina aufgeführt worden war, an Goethe[2]): „Vorsichts halber bitte ich
Sie das Theater-Exemplar der Braut von Messina sich aus-
liefern zu lassen. Ich weiss dass hier Jagd darauf gemacht
wird und die Anzeigemacher könnten desselben benöthigt sein.“

Dass Böttiger selbst schon das Geschäft öfters mit Erfolg betrieben hatte, erfahren wir aus dem obenerwähnten,
von Goethe angestellten Verhör[3]). Bei demselben sagte der

---

1) Racknitz I Nr. 32.
2) Sch. G. Briefwechsel[4] Nr. 840. Ueber die Datierung des Briefes
vergl. Düntzer S. 260. Anm. zu Brief 890.
3) Boxberger S. 342.

Wöchner Schall aus, „dass er das erwähnte Manuscript niemandem als dem Herrn Oberkonsistorialrath Böttiger geborgt
habe, welches schon mehrmals bei bedeutenden Stücken
geschehen sei". Wie nahe lag es da, Abschriften zu machen
und diese dann an die guten Freunde zu versenden, zumal
für einen Mann wie Böttiger, dessen ganze litterarische Stellung darauf beruhte, dass er stets mit interessanten Neuigkeiten aufwarten konnte. Diese Vielgeschäftigkeit eines Journalisten und die durch sie bedingte Eilfertigkeit brachte von
selbst mit sich, dass Böttiger in seinen Berichten und Be-
sprechungen häufig höchst oberflächlich verfuhr und es mit
der Wahrheit nicht allzu genau nahm. Auch in unserem Falle
ertappen wir ihn bei einer neuen Flüchtigkeit. Während er
nämlich in dem obenerwähnten Aufsatz[1]) Goethes Anzeige in
der Allgemeinen Zeitung vom 12. October 1798 citiert und
ihn richtig als Verfasser nennt, schreibt er in der Minerva für
1811 denselben Artikel Schillern zu[2]).

　Doch gibt es, um wieder auf die Verbreitung Schillerscher
und Goethischer Manuscripte zurückzukommen, noch einen weiteren Entschuldigungsgrund für Böttiger. Zum Theil waren die
Dichter selbst an dem vorzeitigen bekanntwerden ihrer Arbeiten
schuld, da sie dieselben nicht selten noch als Handschrift an
Freunde und Bekannte sandten und die Erlaubniss ertheilten, sie
in der Familie oder im engen Freundeskreise vorzulesen. Der
Reiz, eher als ein andrer sterblicher ein Gedicht von Goethe
oder Schiller lesen zu können, mochte dann leicht den Anlass
bieten, dasselbe weiter mitzutheilen, und es ist in solchen
Fällen schwer zu sagen, wo die Indiscretion anfieng. So
sorgte Schiller, wie wir sahen, um die Sicherheit des Theater-

---

1) S. 391.
2) Minerva 1811 S. 37. Hoffmeister hat in seiner Nachlese zu
Schillers Werken IV, 593 die angeführte Hindeutung Böttigers auf
Goethe als den Verfasser des Aufsatzes in der Allg. Zeitg. nicht erwähnt. Auch ist in dem von ihm S. 594 citierten Goethischen Briefe
(jetzt Nr. 520 des Briefwechsels) nicht von Abschriften des Lagers, die
an Posselt abgehen sollen, die Rede, sondern von solchen des Prologs,
den der Schauspieler spricht, und dieser, nicht der Bericht über die
Eröffnung des Weimarer Theaters findet sich am 24. October 1798 in
der Allg. Zeit. abgedruckt.

exemplares der Braut von Messina, und doch hatte er wenige
Wochen vorher das Stück an Körner nach Dresden geschickt[1]),
durch den es wahrscheinlich weiter bekannt wurde. Wenigstens schreibt Kotzebue am 25. April 1803 aus Berlin an
Böttiger[2]):

„Ueber die Braut von M. werden Sie künftige Woche einen
langen Aufsatz in meiner Zeitschrift [dem Freimüthigen] finden,
den ich aus zweyen zusammengeschmolzen habe, die mir aus Weimar und Dresden eingesandt worden. Sagen Sie Schiller, dass
ich in Dresden das ganze Manuscript für 2 Frdor von einem Bedienten, der zugleich Schreiber bey einem Geschäftsmann ist, hätte
kaufen können; er soll sich also in acht nehmen. Er hat das
Mscpt. an einen Freund in Dr. geliehen, der es der halben Stadt
wiedergeliehen hat. Ich habe mehrere ganze Scenen daraus erhalten, mich ihrer aber natürlich nicht bedient, nur einzelne Stellen
habe ich als Belege ausgehoben. Ich sage dies alles, theils damit
S. vorsichtig werde, theils damit Niemand in Weimar in Verdacht
gerathe, mir die Belegstellen mitgetheilt zu haben, denn nur drey
oder vier sind aus Weimar; und, wie ich glaube, nur aus dem Gedächtniss citirt."

Körner war es auch, der Racknitz die Bekanntschaft mit
Schillers Handschuh vermittelte. Er erhielt nämlich die drei
Balladen: Taucher, Handschuh und Ring des Polykrates wahrscheinlich noch Ende Juni 1797 von Schiller zugeschickt[3]).
Die oben angeführten Worte aus Racknitzens Briefe vom
29. Sept. 1797 (S. 390) beweisen aber, dass dieser die Ballade
mit dem Verse kannte: „und er wirft ihr den Handschuh ins
Gesicht", nicht aber mit der späteren gemilderten Fassung
des Schlusses.

Um Böttiger zuvorzukommen, glaubte Goethe eine wirksame Gegenmassregel darin gefunden zu haben, dass er die
Anzeigen des Wallenstein selbst übernahm. Das beste Mittel
aber, um die „Anzeigemacher" aufs trockne zu setzen, war

---

1) Die erste Aufführung der Braut von Messina war am 19. März
1803. Vergl. Schillers Kalender S. 142. — Am 14. Februar 1803 schickte
Schiller die Braut an Körner, vgl. Schillers Briefwechsel mit Körner
IV S. 313.

2) Böttigers Nachlass Bd. 110. 4°. Nr. 55.

3) Schillers Kalender S. 44. Schillers Briefw. mit Körner IV
S. 37 f.

jedesfalls strenge Verwahrung des Manuscriptes. Das erfuhr Böttiger an sich selbst, der in Sachen Wallensteins nicht wieder in die Lage kam, vorzeitige Mittheilungen zu machen, da Goethe fortan die grösste Vorsicht beobachtete. So konnte er über die Piccolomini kurz vor ihrer Aufführung an Racknitz nur schreiben, dass das Stück Denksprüche für die ganze Nation besitze, die man sich zur Pflicht macht auswendig zu lernen[1]): Worte, die ihm übrigens so gefielen, dass er sie nicht nur in seinem Aufsatze im Journal der Moden (Februar 1799), sondern auch in der Minerva (1811) wiederholte.

1) Racknitz I Nr. 29. Brief vom 14. Februar 1799.

Briefe von Friedrich Schlegel.

Mitgetheilt
von
L. Lier, E. Schmidt, J. Minor.

I. Friedrich Schlegels Briefe an C. A. Böttiger.

Mitgetheilt von Leonhard Lier.

In demselben Octavbändchen in dem Nachlass C. A. Böttigers auf der Kgl. öffentl. Bibliothek zu Dresden, welches einige bereits an dieser Stelle [1]) veröffentlichte Briefe A. W. Schlegels an Böttiger enthält, finden sich auch 17 Briefe Fr. Schlegels an Böttiger aus den Jahren 1796—1797 (15) und 1813 (2).

Grösstentheils der Jugendperiode Friedrich Schlegels angehörig dürften sie als eine Ergänzung zu J. Minors Ausgabe der Jugendschriften willkommen sein, zumal die Briefe aus Jena, da für Friedrichs Aufenthalt daselbst die brieflichen Quellen nur spärlich fliessen [2]).

Leider sind die Originale mit so flüchtiger und ungleichmässiger Hand geschrieben, dass einige Worte trotz wiederholter, sorgfältiger Prüfung entweder gar nicht oder doch nur unsicher entziffert werden konnten. Doch sind diese Lücken für das Verständniss der Briefe ohne Bedeutung.

1.
Dressden, den 7ten Januar 1796.

Hochzuehrender Herr Konsistorialrath!

Ich würde Ihnen schon längst für die Güte, einen Aufsatz von mir dem H. Hofrath Wieland für den Merkur [3]) zu empfehlen, für

---

1) Archiv für Litteraturgeschichte III. 1873. S. 152—161.
2) R. Haym, Romant. Schule S. 886.
3) „Ueber die Grenzen des Schönen": N. Teutscher Merkur. 1795. 5. Stück. May. Nr. V S. 79—91. Minor, Jugendschriften I S. 21. Haym, Romant. Schule S. 182.

Ihre mir sehr schmeichelhafte Aufmerksamkeit auf meine noch sehr
unreifen Versuche und Ihre mir sehr werthe Aeusserungen gegen den
Professor Becker meinen wärmsten Dank gesagt haben, wenn ich
nicht immer noch gehofft hätte, Ihnen zugleich ein Zeichen meiner
Verehrung und eine Frucht meines Fleisses überreichen zu können.
Der Abdruck einer Sammlung von Aufsätzen zur Geschichte der
Griechischen Poesie hat sich aber so lange verschoben, dass ich
nicht länger darauf warten mag und kann. Jedoch hoffe ich, dass
der Verleger, dem ich Auftrag dazu gegeben habe, Ihnen wenigstens
in einigen Wochen das erste Bändchen zusenden wird.

Es ist nicht ohne eine gewisse Furchtsamkeit, dass ich einem
so grossen Kenner der Griechen einen so unvollkommenen Anfang
eines umfassenden Entwurfes überreiche. Ich fühle den unermess-
lichen Umfang desselben so sehr, dass nur das Bewusstsein einer
unerschütterlichen Beharrlichkeit mich dabey fest erhalten kann. —
Auf der andern Seite ist aber auch der Beyfall der Kenner derjenige Lohn der Anstrengung, nach dem ich am meisten strebe; auf-
richtige Beurtheilung derselben ein nothwendiges Mittel, ihn allmählich der Ausführung immer näher zu bringen. Ich wage es im
voraus Sie, hochgeehrtester Gönner, um die Mittheilung einer strengen
Prüfung zu bitten, jedoch nur unter der Bedingung, dass Sie diese
Bitte nicht als eine zudringliche Aufforderung, sondern als einen
bescheidenen Wunsch ansehen mögen. — Bis dahin wage ich es,
eine kleine Skizze in der Berl. Mon Schr. dieses Jahres Jul. u.
Aug.[1]) Ihrer Aufmerksamkeit zu empfehlen und um Ihre Kritik
zu bitten. —

Sehr erwünscht ist mir Ihre Anfrage an Hrn. P. Becker[2]) wegen
Uebersetzungen aus dem Griechischen für das Attische Museum von
Wieland und sehr schmeichelhaft die Voraussetzung, dass ich etwas
dieser Sammlung würdiges zu leisten im Stande sey. Ich werde
mich glücklich schätzen zu diesem Zweck zu arbeiten, werde gern
thun, was meine Kräfte vermögen, und wünsche nur über die Art
und Weise das Nähere zu erfahren. — Sie werden mich unendlich
verpflichten, wenn Sie mich in dieser Hinsicht dem grossen Manne
empfehlen wollen. Was lässt sich nicht von dem Kommentator des
Horazes, dem Uebersetzer des Luzian und dem Dichter des Agathon
für ein Attisches Museum erwarten! Von ihm, der so oft er es ge-
wollt, seine unsterblichen Werke mit den schönsten Blüthen des
Attizismus gewürzt hat!

---

1) Es kann nur gemeint sein „Ueber die Diotima": Berlin. Mon.
Schr. 26. Bd. Juliheft S. 30 ff., Augustheft S. 154 ff., 1795 (nicht 96).
Minor a. a. O. I S. 46. Haym a. a. O. S. 184.

2) Seit 1795 Inspector der Antikengalerie in Dresden, Herausgeber
der Leipziger Monatschrift f. Damen.

Ich empfehle mich Ihrer ferneren Gewogenheit und bin mit grösster Dankbarkeit u. vollkommenster Hochachtung

Euer Wohlgeboren

gehorsamster

Friedrich Schlegel.

(Gelehrter. Mohrenstrasse nro 748.)

2.

Hochzuverehrender Herr Konsistorialrath!

Ich sage Ihnen für Ihre gütige Zuschrift meinen wärmsten Dank, so wie auch für die Erlaubniss, die ich Ihrer Empfelung verdanke. Ich schätze mich in der That glücklich zu einem so schönen und nützlichen Unternehmen, wie das Attische Museum nach meinen Kräften beytragen zu dürfen. Was Sie mir vom Inhalte des ersten Hefts schreiben, hat meine Begierde ganz rege gemacht. — Ich werde die aufgetragene Uebersetzung[1]) unverzüglich anfangen, Ihre lehrreichen Winke sorgfältig benutzen und nichts verabsäumen, Ihre u. des H. Hofrath Wielands Zufriedenheit zu verdienen.

Sie verlangen, dass ich das Honorar fixiren soll. In Rücksicht auf die Grösse des Formats glaube ich, dass 7 bis 8 *ß* nicht unmässig wäre. Ich habe diess jedoch nur auf Ihr ausdrückliches Verlangen geschrieben. Ich überlasse die Bestimmung des Honorars gänzlich Ihrer Entscheidung und habe daher gleich heute an H. H. W. ein paar Zeilen eingelegt.

Casanova ist wirklich gestorben und hat schöne Gemählde, einige Gipse und Modelle hinterlassen, aber keine Antiken. Das Mscrpt, von welchem in beyliegender Anktündigung[2]) die Rede ist, ist wirklich in französischer Sprache fertig, auch der grösste Theil der dazu gehörigen Kupferplatten. Auch ist ein beträchtlicher Theil des Mscrpts von einem gewissen Berger[3]), wie man sagt, schlecht ins Deutsche übersetzt. Göschen hat den Erben 3000 *ß* geboten und auch Breitkopf hat sich bemüht. Sie verlangen aber 10 000 und werden die Herausgabe nun selbst besorgen. Was daraus werden wird, muss die Zeit lehren. Der älteste Sohn steht in dem

---

1) „Epitafios d. Lysias" und „Kunsturtheil des Dionysius über den Isocrates": Minor I S. 181. 194 fg. Haym a. a. O. S. 193.

2) Im Original ist hier ein „Avertissement" dieses Werkes „Théorie sur la Peinture" beigeheftet. 2 Bl. in 8°. „Dresde ce 1. Juin 1792", „Jean Casanova, Directeur et Professeur de l'Academie Electorale de Peinture".

3) Berger, Traugott Benjamin, geb. 1754, Churfürstlich Sächs. Obersteuersecretair, vgl. J. A. Kläbe, Neuestes gelehrtes Dresden. Leipzig 1796. S. 12.

Rufe eines unordentlichen Mannes. Der Preiss ist bis auf 24 Thlr. erhöht[1]), die alten Pränumeranten ausgenommen. Becker, der sich Ihrer Freundschaft empfiehlt, hat einen Theil des Mscrpts gelesen. Er versicherte, dass es nothwendig vor dem Druck von einer gelehrten Hand noch retouchirt werden müsste. Es sey voller Invectiven gegen Winkelmann.

Es ist mir ungemein schmeichelhaft gewesen, dass Sie Sich für meine Sammlung bey Bertuch so gütig interessirt haben. Glauben Sie wohl, dass ich zu einer Uebersetzung der Politik des Aristoteles oder der Gesetze des Plato, versteht sich mit vollständigem Kommentar, Einleitung u. s. w. einen Verleger fände? Diese Unternehmungen sind lange der Gegenstand meiner Wünsche. Doch kann ich nicht eher anfangen, bis ich einen Verleger weiss. Mit der Republik des Plato, die mit in meine Plane gehörte, ist mir jemand zuvorgekommen. In Stolbergs auserwählten Plat. Gesprächen[2]) steht eine Ankündigung mit vielem Lobe. Doch liessen sich die Gesetze wohl allein bearbeiten, wenn die Einleitung vollständig wäre.

Wird das Attische Museum monathlich oder vierteljährig erscheinen?

Ich empfehle mich Ihrer ferneren Gewogenheit und bin mit grösster Verehrung

gehorsamster D.

Friedrich Schlegel.

Dressden den 28ten Januar.

[Am Rande.] Ich werde mich in meinen Beyträgen an die Orthographie in der neuen Ausgabe von Wielands Werken halten.

3.

Dressden, den 10ten März 96.

Wie viel Freude mir Ihr und Vater Wielands gütiger Brief gemacht hat, kann ich Ihnen nicht beschreiben. Ich hoffe, dass Sie die Verspätung der Antwort, die auf so gütige Briefe unverantwortlich scheint, einigermassen entschuldigen werden. Die ersten Tage vergingen, ehe ich über Ihre Anfrage betr. Casanova etwas bestimmtes antworten konnte, und seit acht Tagen drückt mich eine Unpässlichkeit, von der ich noch nicht ganz frey bin. — Von C's Familie ist nichts zu erfahren. Bis auf die älteste Tochter, sind es lockere Menschen, welches auch für die Besorgung des Mscrpts üble

---

1) Ursprünglich 20 Thlr.

2) Auserlesene Gespräche d. Platon übers. v. L. Graf zu Stolberg. I. Theil. Vorrede (Ges. Werke Bd. 17 S. XII). Boie hatte eine fast vollendete Uebersetzung d. Rep. hinterlassen, die Wolf zu Ende führen sollte.

Besorgnisse erregen muss. Die Familie hat selbst nicht einmal gewusst, wie alt Cas. gewesen sey. In Kläbe's[1]) gelehrten Dressden. 1796. 8⁰. bey Hilscher. Dressden. 18 gg. finden sich wohl die vollständigsten Notizen zu seinem Leben. Sie sind authentisch; denn kurz vor seinem Tode hat er selbst sie geliefert.

Dass ich Ihnen unendlich verpflichtet bin, mich W. empfohlen zu haben, dass ich mich glücklich schätze, an dem A. M. Antheil zu nehmen und mein Möglichstes thun werde Ihre Zufriedenheit zu verdienen, kann ich Ihnen nicht oft genug wiederhohlen. — Haben wir nicht Hoffnung in dem A. M. auch bald etwas von Ihnen zu sehn?

Ich habe in dem Briefe an W. absichtlich keine Zeit bestimmt, wenn ich die Rede des Lys. u. das Stück des Dion. zu übersenden hoffe. Doch kann ich Ihnen wohl sagen, dass ich [!] wenigstens die erste, hoffentlich auch das andre geraume Zeit vor Wielands Abreise eintreffen wird. Ich bin nur etwa noch 8 Tage anderweit beschäftigt, dann kann ich meine ganze Musse der Vollendung der angefangenen Rede und der zweiten Arbeit widmen.

Den ersten Band meiner Griech. Versuche werde ich Ihnen erst zur Ostermesse überreichen können. Ich bitte im voraus um Ihre Kritik, besonders über die zweite Abhandlung. —

Dassdorf[2]) hat einmal an der Uebersetzung des Cas. Mscrpt gearbeitet. Jetzt aber hat dieselbe ein gewisser Berger, der mir unbekannt ist. — Glauben Sie wohl, dass ein historisches Gemählde: Die alten Athener, (eine Charakteristik der Athener in der weniger bekannten, oft übersehnen Periode, welche doch die Grundlage aller nachfolgenden ist, von dem Punkt, da der Attizismus aus einem bloss nüanzirten Ionismus ein spezifisch verschiedner Nazionalcharakter wurde, bis zur $\alpha\kappa\mu\eta$ des Attischen Staates) für das A. M. schicklich seyn würde? Eine Uebersetzung des Platonischen Gorgias mit einem Kommentar über das Verhältniss der Gr. Philosophen u. Rhetoren? Oder eins der berühmten rhetor. Symplegmen von Aeschines u. Demosthenes? — Man muss viel durchdenken, damit etwas reif werde.

Für die Nachricht von Garve's Arist. Politik[3]) danke ich

---

1) Joh. Gottl. Kläbe a. a. O. S. 21—28 (nicht 18 ff.). Schlegels Angabe des Verlegers ist irrig. Das Buch ist in Leipzig „bey Voss und Comp." erschienen. — Kläbe gibt hier an, die „Théorie sur la Peinture" sei eben erschienen, doch hat sich das Werk weder auf d. kgl. öff. Bibl. zu Dresden, noch auf der Hof- u. Staatsbibl. zu München finden lassen.

2) Dassdorf, Karl Wilhelm, seit 1775 an der kgl. Bibl. zu Dresden. J. A. Kläbe a. a. O. S. 26.

3) Sie wurde erst nach Garves Tod herg. v. G. G. Fülleborn. Breslau, 1. Theil. 1799; 2. Th. 1802.

recht sehr. Sie war mir neu. Ich habe wenig Verbindungen und
bin hier in vielen litterar. Stücken εξωκεανισθεις. Ich habe zwar
einen Verleger, ich muss aber alles noch reifer durchdenken, was ich
Ihnen letzthin schrieb. — Ich möchte für Stolbergen gern wenigstens
einen Theil des Plato retten. Die κακομουσie dieses απειροκαλος,
ich meyne den heillosen Einfall, die Platonischen Gespräche, die so
behandelt werden müssten wie die Horazischen Briefe von Wieland,
so nackt in die Welt hinauszustossen, hat meine ganze Irascibilität
entzündet. Er übersetzt aber lesbar genug, um mir die Freude zu
verleiden. Im Meysten habe ich gute Anlage und die bildende Hand
eines grossen Meisters erkannt. Am Anfange und Ende viel Gutes:
sed reliqua ραθυμοτερα. p. 64. ein böser Fleck, der Grund der Irrthümer in der Mitte z. vom Zweck und den Paradoxen der Plat.
Rep. nicht glücklich. Ihr gehorsamster

Friedrich Schlegel.

4.

Dresden, den 7ten May 1796.

Mein Freund Körner hat mich gewiss Ihrem gütigen Andenken, meiner Bitte gemäss, aufs wärmste empfohlen. Vielleicht
hat er mich auch entschuldigt, dass ich Ihren gütigen Brief erst
jetzt beantworte, und zwar ohne meine Antwort mit dem Epitafios
oder mit dem 1ten Bande der Versuche begleiten zu können. Er
kennt wenigstens die angenehmen und unangenehmen Hindernisse,
welche es mir unmöglich gemacht haben, den Epitafios vor der bestimmten Zeit und vor der nun früher angesetzten Abreise des H.
H. Wielands einzusenden. Doch wird er ganz gewiss zur bestimmten Zeit, vor Ende Mays in Weimar eintreffen.

Ein Bruder von mir, A. W. S., der sich schon lange Ihre persönliche Bekanntschaft gewünscht hat, und den ich, da er eben über
Leipzig nach Jena und Weimar abgereisst ist, Ihrer gütigen Aufnahme im voraus empfehle; mein ältester und genauster Freund,
dessen Umgang ich seit Jahren entbehrt hatte, hielt sich einen
Monat bey uns auf. Sie kennen Dresden, seine Geselligkeit, seine
Schönheiten der Natur und der Kunst; seine anziehende Kraft für
jeden genussfähigen Fremden. Sie werden es verzeihlich finden,
dass ich von meinem Bruder unzertrennlich war. Die natürliche
Folge davon indessen musste seyn, dass auch nicht ein Augenblick mein blieb. Ich rechne für diessmal zuversichtlich auf Ihre
Güte u. Nachsicht.

Da mein erster Versuch fürs A. M. beynah ganz vollendet ist
und ich jetzt meine ganze ungestörte Musse dieser Arbeit widme:
so würde ich es möglich machen können, denselben noch in den
Pfingsttagen abzusenden, wenn ich nicht binnen dieser Zeit drey
Tage auf eine kleine nothwendige Reise wenden müsste. Eine

Krankheit meines Druckers hat die Erscheinung des 1ten Bandes der
Griechischen Versuche zur O.[ster] M.[esse] unmöglich gemacht.
Dieser unerwarteten Verdriesslichkeit war meine Geduld nicht gewachsen, und ich gestehe, dass ich einige Zeit dadurch zu freundschaftlichen Mittheilungen und ruhigen Geschäften ganz unfähig
gemacht wurde. —

Ich sage Ihnen meinen wärmsten Dank für Ihre gütige Theilnahme an dieser Unternehmung, welche für mich von so grosser
Wichtigkeit ist. Mit meinem Verleger bin ich vollkommen zufrieden
u. habe Ursache es zu seyn. Für jetzt ist meine Thätigkeit auch
ganz auf dieses Unternehmen und auf meine Theilnahme am A. M.
beschränkt. Ueber kurz oder lang aber könnte allerdings eine Verbindung mit einer Buchhandlung, zu der Wielands Empfehlung mir
behülflich seyn könnte, von sehr grossem Werthe für mich seyn.
Doch bedürfen meine Gr. Versuche von einer andern Seite gar sehr der
freundschaftlichen Beförderung. Mein Nahme ist noch völlig unbekannt,
und Schriften der Art sind schwer in lebhaften Umlauf zu bringen.
Es ist mein lebhaftester Wunsch, dass gleich mit der Erscheinung
desselben kompetente Richter öffentlich darüber urtheilen und die
Aufmerksamkeit des Publikums anregen mögen. Sehn Sie diess,
theuerster Gönner, als die vorläufige Ankündigung einer angelegent-
lichen Bitte an, mit der ich mich bald sowohl an Sie als auch an
Vater Wieland wenden werde.

Dieses Briefchen an W. (welches ihm hoffentlich niemand vorzulesen braucht, wie wohl ich allen Hoffnungen auf Kalligraphie für
immer entsagen muss) enthält meinen lebhaftesten Dank für die
ausserordentliche Freude, welche mir das 1te Heft des A. M. gemacht hat. Ich kann Ihnen nicht ausdrücken, wie sehr durch die
eigne Ansicht und nähere Bekanntschaft, mein Wunsch an dem
treflichen Unternehmen ernsten u. daurenden Antheil zu nehmen,
erhöht, und meine Freude es zu dürfen erhöht ist. W's Panegyr.[1]
ist in der That ein vollkommnes Vorbild jeder ähnlichen Arbeit.
Ich werde diesem grossen Ziele mit angestrengten Kräften mich
möglichst zu nähern suchen. Ueber Agathodämon habe ich nicht gewagt, ihm selbst etwas zu sagen. Doch wünschte ich, dass Sie mir
eins und das andre darüber mittheilten. Es ist gewiss nur sehr
wenigen Sokratischen Geistern gegeben diese Reife des Alters mit
dieser Wärme u. Frischheit der Jugend zu vereinigen.

Ihren Attischen Mythen[2]), so wie dem im Messkatalog angekündigten Didasscalicus sehe ich mit Sehnsucht u. Ungeduld
entgegen.

Sehr erfreulich war es mir, dass Sie meinen Vorschlag einer

---

1) Panegyrikos des Isocrates mit Einl. u. Anm. Att. Museum I, 1.
2) Brief 8. Anm.

Darstellung der alten Athener Ihres Beyfalls würdigen und für das A. M. zweckmässig finden. Sehr angenehm ist es mir, dass ich mir zur Uebersetzung des Isokr. von Dion. übrige Zeit nehmen darf. Es war auch nothwendig, wenn diess Wagstück nicht misslingen soll. Da W's Brief indessen einen völlig bestimmten Antrag enthielt, so liess ich mir zu diesem Zwecke sogleich die Reisk. Ausgabe des D. kommen, da ich mich bisher mit der Sylburgschen[1]) von einem Freund geliehenen beholfen habe. Ich werde nun auch die Musse dieses Sommers zu diesem Versuch nutzen und Ihnen die Ausbeute im August hoffentlich selbst überreichen. — Sehr schmeichelhaft u. anlockend war für mich Ihre u. des verehrungswürdigen Wiel. gütige Einladung, den Winter in Weimar zuzubringen. Entschieden ist es, dass ich im August Dr. verlasse u. die Zeit bis Michaelis in Jena u. Weimar verweile, und also dann das Glück haben werde, Sie persöhnlich kennen zu lernen. Ob meine Verhältnisse mir erlauben werden, meinen Winteraufenthalt in Ihrer Nähe zu bestimmen, kann ich noch nicht mit Gewissheit bestimmen: doch hoffe ichs mit der grössten Wahrscheinlichkeit. — Sehr erfreulich würde mirs seyn, noch vorher die Bekanntschaft Ihrer Frau Gemahlin zu machen. Sobald ich erfahre, dass sie hier sey, werde ich aus meinem Dorfe in die Stadt eilen und mich glücklich schätzen von Ihnen mit Ihr reden zu können. — Ich bitte mich Ihr im voraus angelegentlichst zu empfehlen. — In Pillnitz selbst kann ich mich trotz einem eingebohrnen Dressdner zum Cicerone anbieten.

Wenn der trefliche Voss auch bey Ihnen ist, so bitte ich ihm meine Verehrung und meinen Dank für die vielfache Belehrung, die ich aus den mythologischen Briefen geschöpft habe, zu bezeugen.

Vor einigen Tagen machte ich die Bekanntschaft des Mag. Eichstädt[2]), der mir sehr wohl gefallen hat. Nur wünschte ich ihm die Entschlossenheit, sich eine seinen Anlagen und Neigungen günstige Lage zu schaffen, oder nur zu wählen. Sie wissen wahrscheinlich die Wahl, zwischen der er jetzt schwankt. Ich würde Thorn weniger fürchten als Leipzig. Ein steter Aufenthalt in diesem Geist tödtenden Ort muss allen Schwung lähmen.

Ganz der Ihrige
Friedrich Schlegel.

1) Frankfurt 1586.

2) Eichstädt, Heinr. Carl Abraham (1772—1848), Begründer der Neuen Jenaischen Litteraturzeitung.

5.

Pillnitz[1]) den 7ten Junius.

Ich sage Ihnen meinen wärmsten Dank für das Ueberschickte und für Ihre nachsichtsvolle Beurtheilung meines ersten Versuchs in dieser Art. Aber ich fürchte nur, dass Sie allzu schonend urtheilen, und bitte nochmahls um freymüthige Strenge. Ich besorge die Treue auf Kosten der Lesbarkeit erreicht zu haben. —
Nun gleich zum Hauptpunkt, da ein anhaltendes Kopfweh mir für heute nicht erlaubt, mich nach Herzenslust mit Ihnen zu unterhalten. — Glücklicherweise habe ich eigentlich dem Sinn nach nichts behauptet, was mit der Frage von der Aechtheit des Epit. zusammenhinge; der unschickliche Ausdruck „der Urkundlichkeit" hätte aber freilich Anstoss geben müssen. Est ist mir daher nicht schwer geworden, dieser Stelle eine solche Wendung zu geben, dass das Ganze allenfalls auch für sich ohne Anstoss von Stapel laufen darf. Freilich würden Sie den Werth desselben durch eine $\epsilon\pi\iota\kappa\rho.[\iota\sigma\iota\varsigma]$ der Art sehr erhöhen und mir selbst würde es äusserst interessant sein, Ihre Meinung vollständig darüber zu vernehmen. Aber auch in diesem Fall bitte ich die beygefügten Aenderungen in m. Mscr. anzunehmen. Finden Sie es nöthig, irgend einen Ausdruck, der Anstoss geben könnte, zu mildern, oder wegzustreichen, auch in der beygefügten Note, etwa den Ausfall[2]) gegen Reiske*), so werden Sie mich sehr dadurch verpflichten. — Ich hoffe, dass ich kein Aergerniss geben werde, wenn Sie auch unglücklicherweise keine Musse oder Lust hätten, uns mit einer solchen $\epsilon\pi\iota\kappa\rho.$ zu beschenken. Ich selbst bin aber durchaus ohne die nöthigen Hülfsmittel eine solche zu liefern, wenn ich mir auch, wo schon solche Häupter der Kritik geurtheilt haben, eine Stimme anmassen wollte. — Ich müsste doch zum wenigsten alle untergeschobnen Reden durchforschen können, um dem Sophisten recht hinter die Schliche zu kommen. Dann müsste ich alle Lexikographen zu Hand haben, die ich hier noch viel weniger haben kann als eine vollständige Samml.

---

*) Da ich den Beweis, der zu lang geworden seyn würde, weglassen musste. Dann müsste der folgende Punkt anfangen: Diejenigen Einwürfe zwar etc.

---

1) Schlegel wohnte dort bei seinem Schwager, dem Hofsecretair Ernst.

2) Böttiger hat hier offenbar nichts geändert. Die betreffende Anmerkung, wie sie Minor I, 188 nach dem ersten Druck gibt, enthält den in S. W. Bd. I-V S. 203 (Anm. 9) gestrichenen Satz: „Reiske'n kann ich, für diesmahl wenigstens, nicht zu den »scharfsinnigen« Forschern rechnen."

der Reden: denn die Art von Gründen, nach welchen Voss das Alter
der Orfischen u. Homeridischen Gedichte zu bestimmen versucht hat,
scheinen mir hier die einzigen entscheidenden.

Ueberdem muss ich Ihnen bekennen, weiss ich noch durchaus nicht, wie meine Untersuchung ausfallen würde. Zwar sehe
ich eine Möglichkeit, von Ihrer gemässigten Meinung überzeugt zu
werden. Die Hypothese aber, dass das Ganze unächt sey, kommt
mir jetzt im höchsten Grade unglaublich vor. Aber auch was das
erste betrift, so würde ich mich nur grammatischen Beweisen gefangen geben. Selbst den Grund, welchen Sie anführen, so furcht-
bar er scheint, halte ich nicht für ganz unbeantwortlich. Doch ich
verspare das aufs mündliche.

Reiske's, der überhaupt keine grosse Autorität bei mir hat, Anm.
hatte keinen andern Eindruck auf mich gemacht, als s. gewöhn-
lichen leichtsinnigen und ungeschickten Conjekturen. Valk u. Wolfs
Meynung war mir unbekannt. Es ist für mich im Studium der neuern
Kritiker noch sehr viel nachzuholen. Theils raubten mir die
Klassiker selbst alle Zeit, theils die hiesigen Tage. Als die Bibl.
noch offen war, habe ich einigemal umsonst nach Wolf Lept. gefragt.
Die faulen Menschen (Dassdorf nehme ich immer aus) haben die
Erfindung gemacht, die Bücher, wie die grossen Herren, auch wenn
sie zu Hause sind, zu verläugnen.

Thun Sie nun, werthester Freund, was Sie für gut finden.
Gern hätte ich wohl eine Zeile Nachricht, wie Sie mit meinen
Aenderungen zufrieden sind, und was Sie beschlossen haben. Bis
zum 25ten dieses Juni trift mich Ihr Brief bei Reichardt zu
Giebichenstein bei Halle; nachher sicher in Jena, beim Kaufmann
Beyer am Markt. Ich reise am 19ten von hier über Halle, um
Wolf und R.[1]) kennen zu lernen, nach Jena, wo ich bis Mich. bei
meinem Bruder wohne, aber mit der nächsten guten Gelegenheit
einen Besuch bey Ihnen mache. Was den Winter betrift, so bin ich
noch nicht entschieden.

Ich werde mich unverzüglich an den Ulyssesbogen machen.

Den 17ten gehe ich nach der Stadt und werde dann bey Ihrer
Frau Gemahlin meine Aufwartung machen.

Behalten Sie mich in gütigem Andenken u. empfelen Sie mich
Ws Gewogenheit. — Der Vorschuss, den Sie mir in s. Nahmen geschickt haben, war mir sehr willkommen. Ich danke Ihnen nochmahls dafür.

Wie sehr freue ich mich, dass Sie meinen Bruder so gütig beurtheilen und ihm sein langes Aussenbleiben verziehen haben!

Ganz der Ihrige

Friedrich Schlegel.

_____

1) Reichardt.

Ich kann Ihnen nicht genug danken, dass Sie mich über den Fehler meines Versuches belehrt haben, da ich beim ersten Eintritt ins Publikum den Verdacht der αχρισις am ungernsten auf mich laden möchte.

6.

Pillnitz, den 17ᵗᵉⁿ Jun. 96.

Erst heute wage ichs Ihnen Nachricht zu geben, da ich Ihnen gewiss sagen kann, dass der Lysias mit nächster fahrender Post abgehn und den 24ᵗᵉⁿ früh in Ihren Händen seyn wird.

Es ist unmöglich, dass Sie selbst auf mich so ungehalten sind, als ich selbst es auf mich oder vielmehr auf meinen Unstern war. Ich gerieth ordentlich in Verzweiflung, als ich Ihren Brief erhielt und erfuhr, dass der Druck auf mich warte. Ich beschwöre Sie nur, keinen Schluss daraus auf die Zukunft zu machen. so sehr es auch von übler Vorbedeutung zu seyn scheint, dass ich gleich das erstemal mein Versprechen so schlecht gehalten. Nur die ausserordentlichsten Hindernisse konnten es verursachen. Darüber hoffe ich mich mündlich bey Ihnen völlig zu rechtfertigen.

Wenn nur dieser erste Versuch meiner Uebersetzungsgabe Ihren Beyfall einigermassen erhält, so wie die Vorschläge, mit denen ich ihn begleiten werde! damit ich wenigstens dadurch wieder gut mache, was meine Zögerung Uebles gestiftet hat.

Mein Bruder ist durch seine eifrige Theilnahme an den Horen in naher Verbindung mit Schiller, welcher ihm sehr freundschaftlich zuvorkommt. Ich zweifle, ob mein Bruder jetzt noch in Jena. Eine nothwendige Reise[1]) von 2 bis 3 Wochen wird ihn davon ent-

---

1) Als Zweck und Ziel dieser Reise dürfen wir vielleicht einen Besuch bei Caroline Böhmer in Mainz annehmen. Denn A. W. Schlegel schreibt in einem undatirten Brief an Schiller, den der Herausgeber in den Preuss. Jahrb. IX, 213 in den Juni 1796 verlegt: "Ich habe Göthe'n [A. W. Schlegel war „gestern" in Weimar gewesen] von meiner Reise und ihrer Ursache gesagt. Er erinnerte sich meine Freundin in Maynz bey Forster gesehen zu haben...." (im Jahre 1792, wo Caroline nach Mainz kam). A. W. Schlegel kam also damals wol von Mainz nach Weimar und lernte dort auch Herder und Böttiger kennen, die er nach Friedrichs Aeusserung an Böttiger vom 17. Juni 1796: „Er (A. W.) ist so begierig Ihre und Herders Bekanntschaft zu machen..." noch nicht persönlich kannte. Da nun Friedrich am 21. Juni (Brief 7) seinen Lysias an Böttiger abschickt und A. W. in dem erwähnten Brief an Schiller schreibt: „Böttiger habe ich auch gesprochen — er hatte eben von meinem Bruder die übersetzte Rede des Lysias ... bekommen", so ist dieser Brief A. W. Schlegels an Schiller Ende Juni, vielleicht den 24.(25.) Juni zu datiren, 24. Juni, wenn das Mscpt. Friedrichs wirklich in Böttigers Händen war.

fernen. Er ist so begierig Ihre und Herders Bekanntschaft zu machen, dass er gewiss nach Weimar kommt, so bald seine Arbeiten u. seine Verhältnisse es ihm nur erlauben.

Alles übrige mit dem Lysias.

Ganz der Ihrige
Friedrich Schlegel.

7.

Pillnitz den 21ten Jun. 96.

Endlich kann ich, den Göttern sei Dank, meine Schuld lösen und Ihnen den Lysias mit allem Zubehör versehen schicken. Haben Sie nur die Freundschaft für mich und die Schonung für mein reuiges Herz, mir recht bald zu schreiben, wie ungehalten Sie auf mich sind, weil ich mir sonst das schlimmste denke.

Zugleich bitte ich um Ihr offenherziges und strenges Urtheil über diese Erstgeburth meiner Uebersetzerlust. — Ich würde mich ausserordentlich freun, wenn Sie und W. mit diesem unvollkommnen Versuche einigermassen zufrieden wären und meine Bereitwilligkeit zu fernern Arbeiten sich gefallen liessen.

Ich wage in dieser Rücksicht einige Vorschläge als vorläufige Anfrage beizufügen.

Da mir W. schrieb: „er wünsche, dass ich mich in der Folge noch an mehr Reden des Lysias machen und vorzüglich solche auswählen möchte, die für die Charakteristik der Athener interessant wären"; so wäre meine Meinung, dass ich etwa alle Reden des Lysias, welche Urkunden zu der interessanten Geschichte der αναρχιας προ Ευκλειδου sind, zusammen übersetzte und mit einer historischen Einleitung über diese Periode aus den Klassikern und einer επικρισις von mir über den oligarchischen Terrorismus der 30 Tyrannen begleitete; ein Ganzes, welches jedoch nicht in einem Stück des A. M. gedruckt zu werden brauchte, sondern zerschnitten werden könnte. Diese Reden sind nach der Reisk. Ausgabe: XII. XIII. XVI. XXVI. XXXI. XXXIV.[1]) Die vier letzten sind sehr klein, und die erste scheint mir auch in aesthetischer Rücksicht (ich habe sie nur eben in dieser Hinsicht sorgfältig gelesen) unter die vorzüglichsten Werke des Lys. zu gehören.

Ausser diesen wäre vielleicht die erste Rede[2]) in der R. A. auch aesthetisch vorzüglich u. zugleich als Beitrag zur Geschichte

---

1) Orat. Graec. Vol. V. Leipzig 1772. XII. Κατὰ Ἐρατοσθένους, τοῦ γενομένου τῶν τριάκοντα S. 381. XIII. Κατὰ Ἀγοράτου ἐνδείξεως S. 447. XVI. Ἐν βουλῇ Μαντιθέῳ δοκιμαζομένῳ ἀπολογία S. 570. XXVI. Περὶ τῆς Εὐάνδρου δοκιμασίας S. 785. XXXI. Κατὰ Φίλωνος δοκιμασίας S. 869. XXXIV. Περὶ τοῦ μὴ καταλῦσαι τὴν πάτριον πολιτείαν Ἀθήνησι λόγος S. 917.

2) I. Ὑπὲρ τοῦ Ἐρατοσθένους φόνου ἀπολογία S. 1.

der Attischen Ehegesetze interessant. Aber wäre es nicht besser, alle Reden der Att. R.[edner], die sich auf Ehegesetze und was dem anhängt beziehen, zusammenzunehmen und als ein Ganzes zu behandeln?

Die Uebersetzung des Gillies[1]) ist hier nicht zu haben gewesen. Bei der Einleitung und auch bei der Beurtheilung hätte ich mehr leisten können, wenn mein Büchervorrath nicht ietzt so klein wäre.

Was urtheilen Sie von dem kl.[einen] Bruchstück des Hyperides?[2]) Mir scheint es sehr verdächtig.

Ich bitte um Nachricht, ob ich mich gleich an den Ulyssesbogen wagen soll, oder ob es Zeit hat, bis wir uns sehn?

Nun noch eine dringende Bitte und einen mir sehr wichtigen Vorschlag.

Ich reise in der letzten Hälfte des Jul. wahrscheinlich über Halle, um Wolf, den Sie mit einem Wort charakterisirt haben, von Angesicht zu Angesicht zu schauen; steige zwar bei meinem Bruder in Jena ab, bin aber sobald, als ich eine wohlfeile Gelegenheit [finde,] zum Besuch bei Ihnen. Die gänzliche Veränderung des Aufenthaltes verursacht mir, der noch nicht unter die ricos hombres gehört, eine grosse Menge kleiner Ausgaben, die mich in Masse drängen. Wäre es möglich, dass Sie mir noch vor meiner Abreise, oder lieber gleich, etwa 3 Ldrs. (wenn Sie glauben, dass das Honorar so viel betragen kann) schicken könnten? Ich würde Ihnen und Vater Wiel. sehr verpflichtet sein. Ist es nicht thunlich, so bitte ich mir die Zeit zu bestimmen, wo ich darauf hoffen darf.

Das war die Bitte. Nun der Vorschlag. Seit anderthalb Jahren liegt eine Geschichte der Attischen Tragödie beynahe vollendet unter meinen Papieren. Mit der Att. Trag. erneuerte s.[ich] vor viertehalb Jahren mein Hellenisches Studium und sie ist seit der Zeit der Mittelpunkt meiner Untersuchungen geblieben. Ich hatte die Schrift für meine Sammlung bestimmt; aus vielen Gründen aber kann sie in Jahren noch nicht darin erscheinen. Diese Gründe mündlich. Könnte Sie vielleicht nach einer sorgfältigen Feile eine Aufnahme in das A. M. verdienen? Sie würde das Publikum auf die angekündigten Uebersetzungen vorbereiten. Auf einmal ganz würde sie zu lang seyn; (mein Konvolut ist eine Hand hoch, aber es muss noch gewaltig in die Presse) sie liesse sich aber sehr wohl in drey mässig lange Aufsätze, nach den tragischen Triumvirn, zertheilen. Sagen Sie mir darüber ein Wort und auch was ich im Falle der Acceptazion für Bedingungen zu hoffen hätte. — Das darf ich kühnlich sagen:

---

1) The orations of Lysias and Isocrates, translated from the Greek by John Gillies. London 1778. 4°.

2) Dieses Bruchstück übersetzt in einer Anm. S. W. IV S. 200. Att. Mus. I, 2, 259.

wenige haben wohl die Att. Trag. so eifrig untersucht wie ich, und
blosse Wiederhohlungen des Bekannten enthält mein Versuch gewiss nicht.

Ueber die kritische Philosophie werden wir gewiss recht lustig
mit einander reden. Vor der Hand gilt mir Sokrates noch mehr
als Kant. Wieland möchte ich gern für diesen Beweiss seiner
Vorsorge schriftlich danken, wenn nicht das Schiff nach Dressden
in Begriff wäre abzusegeln. Daher verzeihen Sie auch wohl die
Flüchtigkeit dieses Briefs.

Ganz der Ihrige
Friedrich Schlegel.

Der Herm. de metris[1]) liegt seit einer Woche ungelesen auf
meinem Tisch. Ich hatte zuvor bei Eichstädt in Oschatz darin
geblättert, und da wollte er mir nicht zusagen. Ich fand Klopstocks Wortfüsse, Moritzens Aufschlag[2]) u. Kants Kategorien
unverständlich durcheinander gemengt. Ich werde es nächstens
studieren.

8.

Jena den 26ten August 96.

Gleich nach Empfang Ihres gütigen Briefs an meinen Bruder
gingen wir zusammen zu dem Buchdrucker Göpfert u. ich übergab
ihm das Mscr. des Lysias. Ich hoffte Ihnen noch melden zu können,
dass ich den ersten Bogen zur zweyten Korrektur wirklich empfangen:
allein bis jetzt ist noch nichts erfolgt. Die Ursache ist, dass die
Kommunikazion mit dem Papierhändler, von dem er das Papier
dazu erwartet, durch den Krieg zwar nicht gehemmt, aber doch
erschwert ist.

Meinen Bruder müssen seine vielen Arbeiten bey Ihnen entschuldigen, dass er nicht sogleich Ihren gütigen Brief beantwortet.
Er ist schon zweymahl bey Schütz[3]) gewesen, um mit ihm in Betreff
Ihres sehr werthen Auftrages betreffend die Terpsichore[4]), Abrede
zu nehmen: er hat ihn aber noch nicht treffen können. Könnten
wir Sie doch recht bald einmahl in W. besuchen! Die Hoffnung, es

---

1) G. Hermann, de metris poetarum graecorum et romanorum
(Leipzig 1796). Vgl. C. Bursian, Gesch. d. class. Philol. in Deutschl.
II S. 672 ff.

2) K. Phil. Moritz, Versuch einer deutschen Prosodie. Berlin,
Weyer (Sander) 1786. 8°. S. 66.

3) Herausg. der Allg. Litteraturzeitung.

4) Bezieht sich auf die Recension A. W. Schlegels über Herders
Terpsichore in d. A. L.-Z. Archiv für Litteraturgeschichte Bd. 3 S. 154.
A. W. v. Schlegels Werke hggb. von Böcking Bd. 10 S. 376—407,
vgl. S. X.

mit meinem Bruder zusammen thun zu können, hielt mich allein
ab, mich nicht sogleich allein auf den Weg zu machen. Wenn ich
aber wüsste, dass Wieland bald zurück käme, so würde ich es bis zu
seiner Ankunft aufschieben, da ich nicht weiss, ob sich eine zweite
Reise sogleich würde thun lassen. Hat er darüber schon etwas bestimmt, und bestimmen können?

Ich habe hier auch nur die Sylb.[1]) Ausgabe des Dionys
gefunden und möchte Sie wohl ersuchen, mir bey Gelegenheit, aber
doch wo möglich bald die edit. Reisk.[2]), wenn Sie mir solche verschaffen könnten, zum Behuf der Uebersetzung gütigst zu senden.
Ich wünschte aber den V[ten] u. VI[ten] Band beyde zu haben. Nach
Beendigung dieser Arbeit denke ich sogleich an die alten Athener
zu gehn.

Was mich in Dressden abgehalten hat, Ihrer Frau Gemahlinn
meine Aufwartung zu machen, war die Niederkunft meiner Schwester,
die mich sehr unerwartet in den letzten Tagen überraschte und
Ursache war, dass ich noch bis auf den letzten Augenblick in Pillnitz
blieb. —

In Leipzig habe ich einige sehr angenehme Tage bey dem
wackern Eichstädt zugebracht. —

Halten Sie dafür, dass die Uebersetzung aus Dionys für sich
bestehn kann, oder dass Sie einer kleinen Einleitung bedarf, die
dem Leser den rechten Gesichtspunkt für Griech. Kritik an die
Hand gäbe? —

Haben wir Ihre Behandlung der Attischen Mythen[3]) schon im
II[ten] Stück zu hoffen?

Ueber die Aechtheit des Lysias habe ich nichts Wesentliches
hinzusetzen können: doch habe ich eine Kleinigkeit geändert.

Ueber den Druck meiner Schrift habe ich immer noch keine
weitere Nachricht erhalten. Wenn ich die Ehre habe Sie zu sehn,
so bringe ich wenigstens II Bogen mit.

Wenn mein Bruder nicht kann, oder noch gar zu lange warten
muss, so wird meine Geduld reissen, und ich werde mich allein auf
den Weg machen, um den Mann zu sehn, der sich schon so viele
Ansprüche auf meine Dankbarkeit erworben hat. Mit grösster Hochachtung

Ganz der Ihrige
Friedrich Schlegel.

Um den Dionys. möchte ich recht bald bitten.

---

1) Fr. Sylburg, Frankfurt 1586. 2 Voll. fol.

2) Leipzig 1774 ff.

3) Attische Mythen u. Sprichwörter. Erster Abschnitt. Pallas
Musica u. Apollo d. Marsyastödter. Att. Mus. Bd. 1 Heft 2. 1796
S. 279—358.

9.

Jena den 5ten Sept. 96.

Sehr vielen Dank sage ich Ihnen für die gütige Mittheilung des Dionysius aus Ihrer Bibliothek, für die Mittheilung des Mscrpts, welches mir so viel Belehrung als Vergnügen gewährt hat, und für die Nachrichten von Wieland.

Bey Göpferd bin ich Ihrem Auftrage gemäss vorgestern gewesen. Er hatte das Papier aber noch nicht bekommen. Er sagte mir, wenn er es nicht mit nächstem Posttage bekäme, so würde er andre Maassregeln nehmen.

Mein Bruder ist sehr begierig, Ihr Urtheil über die Rez. des Voss[1]) zu erfahren, und wird die Anzeige der Terps. so viel an ihm liegt beschleunigen.

Ich hoffe Sie recht bald mit ihm gemeinschaftlich zu sehn, und freue mich recht oft dieser Hoffnung.

Könnte ich nur Ihre sehr gütige, und mir, als ein Beweiss Ihrer Güte sehr werthe Aufforderung, meine Meynung über den Gegenstand, der in der mitgetheilten Abhandlung[2]) so vortreflich behandelt ist, [abzugeben,] durch eine nicht ganz unbedeutende Anmerkung rechtfertigen. — Meine kleinen Anmerkungen bitte ich nur als einen Beweiss anzusehn, wie sehr geehrt ich mich durch Ihr Zutrauen fühle. —

Ihrer Uebersetzung des κιβδαλον σᾶν[3]) wünschte ich ein erläuterndes Wort beygefügt, weil sie mir so keinen ganz klaren Begriff giebt. Sollte Klopstocks[4]) Uebersetzung: unreines San (Grammat. Gespr. S. 30) nicht durch das: θηριωδους γαρ και αλογου μαλλον, η λογικης εφαπτεσθαι δοκει φωνης ὁ συριγμος — des Dionysius bestätigt werden? Ich habe kein Lexikon als den Scapula[5]). Nach diesem und den Stellen daselbst zu urtheilen war bey dem κιβδ. der Nebenbegriff des von Schlacke nicht Gereinigten, Unreinen noch näher und gewöhnlicher, als der des Untergeschobenen, woran das „falschgemüntzte" vorzüglich erinnert.

Bey der angeführten Stelle Nep. Alc. II erinnerte ich mich an eine vollständigere desselben Inhalts des Ephorus bey Strabo (liber IX. p. 615 B ed. Casaub. 1707). Ich finde sie in meinen Excerpten nur in Uebersetzung, wage also nicht zu entscheiden ob

---

1) Rec. des Vossischen Homer 1796. A. L.-Z. Haym S. 166. A. W. v. Schlegels Werke hggb. von Böcking Bd. 10 S. 115—193, vgl. ebenda S. VII.

2) Siehe S. 413 Anm. 3.

3) Siehe Att. M. a. a. O. S. 341 fg.

4) Sämmtl. WWe. Leipzig (Göschen) 1844. IX, 22.

5) Ioannis Scapulae Lexicon Graecolatinum. Editio secunda. Basileae. MDXXCIX.

Nepos sie vor Augen gehabt. „Thebae sey eben deswegen (weil s.
Bildung nur krieg[er]isch, wissenschaftl. und gesellige Bildung aber
vernachlässigt sey) mit Epaminondas Tod in sein altes Nichts zurück-
gesunken."

Zur Charakteristik der Attischen Ansicht der böotischen Fälle
von Essprodukt und auch vom böotischen Dialekt scheint mir
der *Βοιωτος* in den Acharn. des Komikers ein sehr unterhaltender
Beytrag. Da Ihre Anmerkung doch zur erschöpfenden Abhandlung
unter Ihren Händen geworden ist, so hätte ich wünschen können,
dass Sie auch noch diesen Zug in Ihr Gemählde aufgenommen hätten.
— Könnte ich Ihnen nur einen bedeutendern Beweiss geben, wie
aufmerksam ich Ihre belehrende Abhandlung gelesen habe, als diese
paar Worte!

Schon gestern würde ich Ihnen geschrieben haben, wenn nicht
Eichstädt mich hier auf einer Durchreise nach Zeiz überrascht
hätte. Er empfiehlt sich Ihrer Gewogenheit aufs angelegentlichste.
— Seiner Schwatzhaftigkeit ist also auch dieser Gegenstand nicht
zu gering gewesen! Sie kennen seine treuherzige Liebhaberey für
jedes komische Fragment[1]), wäre es auch nur ein Minimum, wie
das, was der Metriker Hermann veranlasste.

Darf ich Sie vorläufig fragen, ob die alten Athener noch im
3ten Stück Ihre Stelle finden werden? Ich habe sehr viel dazu
vorzuarbeiten und zwar bald auch ganz freye Musse dazu. Ist es
aber erst fürs 4te Stück bestimmt, so schöbe ich auch diese Vorarbeit noch etwas länger hinaus.

Erhalten Sie mir Ihre Gewogenheit.

Ihr gehorsamster

Friedrich Schlegel.

N. S. Wolf sah ich nicht. Ich habe Reichardt in L.[eipzig]
kennen lernen und die Konvenienz wiederrieth in s. Abwesenheit
einige Tage in Halle zu seyn. Aufgeschoben ist nicht aufgehoben.
Von Eichstädt ist sobald für das A. M. nichts zu erwarten. —
Meinen Aufsatz in Deutschl.[2]) beurtheilen Sie allzugütig.

Mir wäre es gar recht, wenn die alten Athener schon im 3ten Stück
erscheinen könnten.

---

1) Sollte hier ein „Fragment" Fr. Schlegels gemeint sein? Doch
habe ich kein hierher passendes entdecken können. Vgl. auch die Bemerkung Schlegels über Hermanns Metrik am Schluss von Nr. 7 dieser
Briefe. Hatte Schlegel dieselbe Bemerkung Eichstädt gegenüber gethan,
und dieser sie verbreitet?

2) Vgl. die Anmerkung S. 416.

10.

Ich kann diesen Brief an Sie, theuerster Freund, nicht auf die
Post geben, ohne Ihnen für alles Gute und Liebe, was Sie uns in
W. erwiesen, herzlich zu danken. H. Pr. Herder bitte ich mich u.
mein. Br. aufs angelegentlichste zu empfehlen.

Der Bogen F des II^{ten} St. des A. M. ist heute früh aus der
zweiten Korrektur von mir abgeholt. Sobald mein Lysias ganz
abgedruckt ist, werde ich denselben an H. Hofr. Wieland schicken.
Bis dahin bitte ich demselben meine und meines Bruders tiefste
Verehrung zu versichern. — Ich habe seiner Erinnerung gemäss, die
i in y nach der Adelungschen Orthogr. verändert. Ich weiss nicht,
welcher böse Genius mir eingab, W. habe auch hier die Orthographie
seiner neuen Schriften beybehalten; und bey der letzten Abschrift
hatte ich das I^{te} Stück des M. nicht zur Hand. Auch die Verwechse-
lungen des ß und ss sind getilgt. — Ich bin äusserst begierig W's
Urtheil über diesen ersten Versuch meiner Uebersetzerneigung
zu erfahren. — Gelegentlich möchte ich wohl wissen, ob ich in der
Bearbeitung des Dionysius sicher fortfahren darf. —

Haben Sie den Allmanach schon erhalten u. wie hat er auf die
Olympier in W. gewirkt?

$$\alpha\sigma\beta\varepsilon\sigma\tau o\varsigma\ \delta'\ \alpha\varrho\ \varepsilon\nu\omega\varrho\tau o\ \gamma\varepsilon\lambda\omega\varsigma\ \mu\alpha\varkappa\alpha\varrho\varepsilon\sigma\sigma\iota\ \vartheta\varepsilon o\iota\sigma\iota$$

Nicht wahr? — Ich bitte Sie nun auch Wiel. meine 10 Bogen[1]) zu
geben, damit er wenigstens die Epigramme, welche Schiller auf
mich gemacht hat, verstehen möge. — Freylich mögen die Seligen
wohl lachen, wenn ein Riese und ein Zwerg mit einander Arm in
Arm gehn u. der lahme Hephästos auch thut, was der raschen Hebe
so schön steht. —

Versichern Sie den H. H. Wiel. meiner tiefen Verehrung und
empfehlen uns Ihrer Frau Gemahlin und behalten uns in gütigem
Andenken.

Der Ihrige
Fr. Schlegel.

11.

Vor 14 Tagen, theuerster Freund, schrieb ich einige Zeilen an
Sie, mit der gehorsamsten Bitte, mir so bald als möglich gütigst zu

---

1) Gemeint sind wol die ersten 10 Bogen der 1797 erschienenen
„Griechen und Römer", aus denen ein Fragment und ein Auszug in
Reichardts „Deutschland" bereits 1796 veröffentlicht waren; siehe Haym
S. 187. Minor I S. 115. Vgl. auch Mich. Bernays, Fr. Schlegel u. die Xenien,
Grenzboten 1869. II. Sem. 2. Bd. S. 455 fg. und Fr. Schlegel an Schiller
(Dresden d. 28. Juli 1796) Brief III Preuss. Jahrb. IX.

melden, ob ich in der mir von H. Hofrath Wieland seit vorigem
Winter wiederhohlt aufgetragenen Bearbeitung des Dionysius mit
Sicherheit fortfahren dürfe. — Vor länger als 8 Tagen, da mein
Lysias völlig abgedruckt war, schrieb ich an H. Hofr. W. mit
Bitte um dessen Urtheil. — Ich muss beynahe fürchten, dass beyde
Briefe oder doch einer von beyden verlohren sey. Es ist diess um
so verdriesslicher, da in dem an Sie ein Brief von Reichardt ein-
geschlossen war.

Ich wiederhohle nun meine Bitte an Sie, und bitte mich bey W.
zu entschuldigen, falls mein Brief an ihn verlohren seyn sollte. Ich
bin sehr begierig sein Urtheil über meinen Versuch zu erfahren.

Mit dem Druck scheint es jetzt nicht mehr so rasch zu gehn.
Doch sind Sie davon wahrscheinlich selbst besser unterrichtet. Als
ich neulich dort war, hörte ich nur klagende Erzählungen, dass zwey
Bogen auf Ihren strengen Befehl hätten umgedruckt werden müssen.
So viel ich aus dem nicht sehr deutlichen Reden abnehmen können,
schien es, als sey auch im Druck meines Stücks ein Fehler vor-
gefallen. Ist diess der Fall, so beklage ich nur, dass Sie mir nichts
darüber im voraus geschrieben haben. Ich konnte um so weniger
auf die Vermuthung kommen, da auf dem ersten Bogen, der mir
gebracht wurde, auf welchem nur einige Seiten meiner Einleitung
standen, eine eigenhändige Anmerkung von W.*) befindlich war, auch
mir G.[öpfert] sagte, er habe die Bogen einzeln nach Weimar ge-
sendet, dass G's Einrichtung nach der des 1ten Heftes Ihren Wünschen
nicht gemäss sey.

Noch gestehe ich Ihnen mit der Offenherzigkeit, zu der Ihre
freundschaftliche Güte mich berechtigt, dass ich sehr wünschen
muss, das Wenige, was ich etwa vom Honorar noch zu erwarten
habe, sobald als möglich ist und Ihre Einrichtung erlaubt, zu
erhalten.

Sie werden bald von mir eine beträchtliche Abhandlung über
die Homerische Poesie mit Rücksicht auf die Wolfischen Proleg.
gedruckt finden[1]). Ich bitte im voraus um Ihre Kritik.

H. Hofr. Wieland bitte ich recht bald u. H. Präs. Herder
gelegentlich meine tiefe Verehrung zu bezeugen. Mein Bruder empfiehlt sich Ihnen aufs angelegentlichste.

Ganz der Ihrige

Friedrich Schlegel.

---

*) Der also den Fehler hätte bemerken müssen, und dessen Ab-
änderung ohne Zweifel befohlen haben würde. [Am Rande.]

---

1) Minor I S. 215. Haym S. 194.

12.

Jena den 1ten Febr. 97.

Hiebey überreiche ich Ihnen, werthester Freund, ein Exemplar meiner Erstgeburth[1]), welches Sie gütigst aufzunehmen geliebea werden. So hoffe ich wenigstens, ohngeachtet Sie über die adnotatiunculam an meinen Bruder Θυμικωτερως schreiben. Wollen Sie meinen Sohn mit Feuer taufen? — Sonst hätte ich Sie vielleicht zu Gevatter gebeten und auf Rath u. Urtheil privatim et publice Rechnung gemacht zur Beförderung des gegenwärtigen und Vervollkommnung des nächstfolgenden Bruders. —

Dass W. mit meinen Lysiacis zufrieden ist, freut mich ungemein. Empfehlen Sie mich dem Verehrungswürdigen. — Wolf ist in Rücksicht des Epitafios nicht ganz verschiedener Meynung. Er hält ganze Stücke gegen das Ende für ächt. Ich war mehrere Wochen in Halle[2]) u. habe da nicht die Nächte, aber viele Tage pergraecirt und homerisirt. Freund und Feind scheinen seine Hypothesen in der Regel nicht gehörig zu fassen. Die Holländer sind noch beym Schreiben. Wyttenb.[ach] hat neulich angekündigt, er würde ihm schreiben, quibus in rebus nos ambo (der andre ist Rnhnken) consentientes inter nos dissentiamus a te.

Beyliegenden Brief und Exemplar bitte gehorsamst an Herder zu befördern.

Ganz der Ihrige

Friedrich Schlegel.

P. S. Wenn Sie Ihr Exemplar des Dionysios wieder zurück verlangen, so bitte ich um Nachricht.

13.

Jena den 13ten März 97.

Herzlichen Dank, werthester Freund, für das Ueberschickte. Es kann mir nicht anders als sehr erfreulich seyn, wenn mein Werkchen bey solchen Kennern des Alterthums, wie Sie sind, vielseitige Discussionen veranlasst. Auch der Ton Ihrer Gegenschrift[3]) kaan mir im Ganzen nicht misfallen, da ja so vieles äusserst Schmeichelhafte für mich darin ist, ohngeachtet wohl einige rhetorikoterische

---

1) Die Griechen u. Römer. Historische u. krit. Versuche etc. 1797.

2) Siehe Archiv f. L. a. a. O. S. 158. A. W. Schlegel an Böttiger, Jena, 5. Jan. 1797: „Mein Bruder ist noch nicht zurück. Er arbeitet in Halle fleissig an d. letzten Redaktion s. Grundrisses d. Geschichte der Griech. Poesie" etc.

3) N. Teutscher Merkur. 1797. März S. 224—233.

Stellen darin sind, welche, was mich betrift, über das Richtige hinaus, oder seitwärts davon abgehn. Z. B. ich wünsche alle Athenerinnen zu eben so viel Diotimen zu machen, da ja meine ganze kleine Abhandlung, wenn sie irgend ein Verdienst hat, s.[ich] grade das anmassen darf, die Verschiedenheiten der Dorischen u. Attischen Weiblichkeit etwas genauer als bisher zu charakterisiren. Die Gründe, welche Sie bis jetzt gebraucht, sind mir freylich nicht hinreichend; und ich gestehe Ihnen, dass ich auf ganz andre gefasst war. Eine so rühmliche Anfoderung erfoderte freylich wohl gleich eine Antwort. Leider lässt s.[ich] das aber nicht möglich machen. Seit drey Wochen bin ich Tag und Nacht in Schlaf u. Wachen mit der Geschichte der Griech. Poesie[1]) beschäftigt. Mit andern Worten: ich schreibe das Werk ins Reine, welches noch zur O. M. bey Unger erscheint. Diess mag mich auch entschuldigen, dass ich Ihren letzten sehr freundschaftlichen u. Wielands äusserst schmeichelhaften u. äusserst gütigen Brief nicht gleich auf der Stelle beantwortet habe. Sagen Sie aber, wenn ich bitten darf, dem guten Alten nicht mehr von meiner Beschäftigung, als nöthig ist, um mein Stillschweigen noch einige Zeit bey ihm zu entschuldigen. Versichern Sie, dass ich den Dionysios zur gehörigen Zeit fertig schaffen werde. Gut ists, dass ich schon vorgearbeitet habe. Besser wäre es freylich, ich hätte eher gewusst, dass ich ihn sicher machen könnte. Dann würde er nun ganz fertig seyn. Ich brauche dazu jede übrige Stunde und ich werde dann bald auch noch Tage daran wenden können. Lassen Sie mich bald den äussersten Termin wissen, wo er geliefert seyn muss. Sie könnten es ja wohl so einrichten, dass mein Aufsatz in dem III^ten Stück die letzte Stelle bekäme. Ich darf mir wohl auch die Freyheit nehmen, was ich über Dion. zu sagen habe, nicht als Prolog, sondern als Epilog folgen zu lassen. Denn dafür ist noch weniger vorgearbeitet, als für die Uebersetzung. Auf alle Fälle seyn Sie versichert, dass ich meinen Posten nicht verlassen und den Termin halten werde; u. beruhigen Sie auch, wenn ich bitten darf, Wiel. darüber. Ich gehe sehr con amore an diess Geschäft.

Es versteht sich, dass einer der ersten recht freyen u. heitern Tage dazu angewandt wird, mit den leichten Truppen, die Sie gegen mich haben aufmarschiren lassen, ein kleines Gefecht anzufangen, mit aller Jovialität, die der Gegenstand erlaubt. Wenn ich auch nicht von Ihrem gütigen Anerbieten, eine Replik in den Merkur einzurücken, Gebrauch machen sollte: so werde ich Sie Ihnen doch vor dem Druck mittheilen und eine freundschaftliche Rücksprache darüber mit Ihnen halten.

---

1) Geschichte der Poesie der Griechen und Römer. Ersten Bandes erste Abtheilung. Berlin, bey I. Fr. Unger 1798. — Minor I S. 231 ff.

27*

Noch vorher werde ich jedoch eine Anzeige Ihres Spec.[1]) fertigen.
Dass es noch nicht geschehn ist, verzeihn Sie wohl bei sothanen
Umständen. Möchten Sie uns nur bald das Werk selbst schenken!

Ich brauche zur Nachlese, und weil ich bey einer solchen
Arbeit durchaus ganz im alten Element leben muss, sehr vile
Bücher, an denen es hier so sehr fehlt. Auch liegt mir oft unendlich viel an einer sehr kleinen Notiz. Könnten Sie mir die Werke
des Dio Chrysostomus auf kurze Zeit schicken: so würden Sie
mich sehr verpflichten. Es müsste aber so bald als möglich seyn.
Denn sonst komme ich über die Stellen weg, zu denen ich ihn vorzüglich brauchen wollte.

Behalten Sie mich in freundschaftlichem Andenken.   Ganz
der Ihrige

Friedrich Schlegel.

Von Eichstädt weiss ich gar nichts. Es ist mir sehr lieb,
dass ein Ausdruck in der übrigens sehr schmeichelhaften Notiz[2])
meines Buchs im Merkur durch einen Druckfehler unverständlich.
Man könnte das so deuten, als ob ich Schillers aesthetische Briefe
auf die Gr. angewandt. [Folgen drei unlesbar gemachte Zeilen.]

14.

Jena den 11ten April 97.

Herzlichen Dank für Ihren sehr gütigen u. sehr angenehmen
Brief, theuerster Freund. Ich habe sogleich mit Göpferd Zeit u.
Raum für meinen Beytrag zum A. M. besprochen. In Rücksicht
des letztern habe ich gleich von Anfang her meine Einrichtung auf
die kleinstmögliche gemacht. Historische Anmerkungen habe
ich durchaus weggelassen, da sie hier doch nur von dem Haupt-
gesichtspunkte entfernen würden. Alles, was ich über Ds. ausser
der Uebersetzung zu sagen habe, wird sich [auf] 8—10 Seiten sagen
lassen, nur die Uebersetzung lässt s.[ich] aber freylich nicht abkürzen.
Ich kann noch nicht genau bestimmen, wie viel sie betragen wird.
Göpferd bestimmt mir nur höchstens 3 Bogen, welches freylich
nicht viel Raum. Allenfalls müsste mein Epilog ganz wegbleiben,

---

1) P. Terentii Afri comoediae. Novae editionis specimen proposuit
Carl Aug. Böttiger. 1795. XX u. 68 S. gr. 8. Leipzig, C. Crusius. Vgl.
Archiv für Littg. Bd. 18 S. 565.

2) N. T. Merkur 1797. März. S. 297 (Literarische Durchflüge). Es
werden hier Fr. Schlegels „Griechen u. Römer" angezeigt, ein Werk,
„welches die neue Untersuchung über die öffentliche (sic!) Erziehung mit
vieler Einsicht auf die Musterschriften des Alterthums überträgt . . ."

oder bis zum nächsten Stück verspart werden. Sobald Göpf. mein Mscrpt*) hat, lasse ich es taxiren u. gebe Ihnen Nachricht.

Endlich kann ich Ihnen mit Gewissheit sagen, dass ich eine Anzeige Ihres Spec., theuerster Freund, in diesen Tagen einliefern werde. Hätte ich es nur mit voller Musse thun können! Sie werden daher auch verzeihn, wenn meine Anz. mehr ein Auszug des Plans mit wenigen Bemerkungen, als weitläuftige Beurth. ist. Doch bedurfte es auch hier nur des ersten um alle Freunde der Attischen Musen auf die Erfüllungen Ihrer Verheissungen begierig zu machen. Darf ich Sie fragen, wannher wir diss werden hoffen dürfen?

Auch Ihren ostrakographischen Heften[1]) sehe ich mit grossem Interesse entgegen.

Was Sie mir von Goethe schreiben, war mir sehr angenehm, u. ich danke Ihnen bestens für die Mittheilung. Ich hatte schon hier aus einigen Gesprächen mit ihm ersehen, dass er sich für meine Studien interessirt, u. auch meinen ersten Versuch gelesen hat. — Es ist mir ungemein erfreulich, grade durch diese Stimme die Bestätigung zu erhalten, dass ich obwohl ein Laye in der Kunst, doch nicht ganz ohne allen Beruf über dieselbe schreibe.

Dem verehrungswürdigen Wieland meine achtungsvollste Empfehlung. Die Flüchtigkeit dieses Briefs enthält schon die Bitte, mich bey ihm nochmahls über mein Nichtschreiben zu entschuldigen. Nochmahls die besten Empfehlungen von den Meinigen, die gestern nach der Vaterstadt Ihrer Frau Gemahlin abgereisst sind.

Ganz der Ihrige
Friedrich Schlegel.

15.

Jena Am 11ten May 1797.

Werthester Freund,

Endlich kann ich heute gewiss die Anzeige Ihres vortrefflichen Spec.²) revidiren, abschreiben u. einliefern. Werden Sie mir verzeihen können, dass es erst ietzt geschieht? Ich hoffe es von Ihrer Güte, wenn ich Ihnen sage, dass ich mit meinem Werk wirklich nicht fertig geworden sey, und dass ich die ganze Zeit her von meiner Gesundheit viel gelitten habe. — Lassen Sie mich die Bitte,

---

*) der Uebersetzung. Die επιγρ. will ich nicht eher ins Reine schreiben, bis ich sehe, wie es geht.

---

1) Böttiger, griechische Vasengemälde mit archäologischen und artistischen Erläuterungen Bd. 1 Heft 1—3. Weimar 1797—1800. 8°.

2) Vgl. Archiv für Littg. Bd. 18 S. 565.

Ihr Versprechen eines solch. Terent: bald zu erfüllen, auch privatim wiederhohlen. —

Ich erwarte schon seit gestern Nachmittag die Correctur vom
II^ten Bogen des A. M. Sie erhalten Sie wahrscheinlich mit diesem
Brief zugleich. —

Nun hätte ich eine sehr grosse Bitte an Sie, werthester Freund.
Könnten Sie vielleicht veranlassen, dass ich das Honorar für
diesen Beytrag gleich erhielte? Oder muss ich desfalls an Wieland schreiben? Es wäre mir in einer gewissen Absicht äusserst
nothwendig und lieb, wenn ich diess Geld am 15ten May schon
in Händen haben könnte. W. machte mir für diesen Beytrag Hoffnung, mehr Hon. zu erhalten, als ich für den ersten gefodert.
Allein ich darf wohl nicht hoffen, dass dieser Beytrag Anspruch
darauf habe, die Kürze der Uebersetzung etwa ausgenommen.

Auch bitte ich Sie um Ihre Censur meines Versuchs. Ich
habe es so gut gemacht, als ich konnte. Dem verehrungswürdigen Wieland bitte ich sobald Sie ihn sehn, meine Entschuldigung
über mein Nichtschreiben zu erneuern. Gewiss soll es aber bald
geschehn. —

Von Eichstädt weiss ich immer noch nicht, ob er kömmt.
Es sollte mich sehr wundern. Sein Dram. Satyr.[1]) habe ich erst
gelesen, aber unter uns gesagt, ganz unerwartet schlecht gefunden.

Ich werde dem Intell. Blatt der A. L. Z. nächstens wohl auch
etwas zu verdienen geben. Der junge Woltmann[2]) wird sich eine
ernsthafte Züchtigung von mir erhohlen. Nähmlich über etwas,
was von seinem aus Gibbon gestohlnen Theoderich im XII^ten
Stück Deutschl. gesagt ist. Fatal ist mir dabey die Collision mit
den Horen, da ich mich zwar verpflichtet u. berechtigt halte, was
dort von Woltmanns Theoderich gesagt ist, zu rechtfertigen, mich aber
doch keineswegs zu jener ganzen Recens. bekennen kann u. will. —
Lächeln muss ich, dass Deutschl. noch (seiner würdig) mit Lärm u.
Zank abtritt von der Bühne. Deutschl. war so ein schöner Titel.
Es heisst beynah so viel als Allerley für Alle u. von Allen. Unter

---

1) De dramate Graecorum comico satyrica. 1791.

2) Diese Stelle bezieht sich auf die bekannte Recension Fr. Schlegels
über die Horen im 12. Stücke des Journals „Deutschland" 1797. Woltmann erliess gegen den Vorwurf, den Schlegel seiner Darstellung des
Theoderich gemacht hatte, eine Erklärung im Intelligenzblatt der Allg.
Litt.-Zeitg. Nr. 65. Sonnabend, den 20ten May 1797. S. 544. Fr. Schlegels
Gegenerklärung, daselbst Nr. 76. Sonnabend, den 17ten Junius 1797.
S. 631/32, worin er sich als Verf. der Rec. bekennt, aber jene Anzeige
der Horen, „alles das, was darin von W's Th.(eoderich) gesagt wird,
ausgenommen, als anonym" betrachtet wissen will (!). Vgl. A WSchlegel
an Schiller. Preuss. Jahrb. IX. Brief 13 (1. Juni 1797).

den Titel Deutschl. passt Alles. — In dem Lyceum der schönen Künste, welches diese Messe bey Unger erscheint, werde ich nun etwas ernsthafter in jedem Stück auftreten. Im ersten Hefte bitte ich Sie einen Aufsatz über Forster[1]) nicht zu übersehn. Vielleicht liest ihn auch Herder. Es hat mich immer sehr gefreut, dass H. ohngeachtet des allgemeinen Bannfluchs, Fs zuweilen in vollen Ehren gedacht hat.

Sie würden mich verpflichten, wenn Sie jedermann, den es interessiren kann, mittheilten, was ich Ihnen von W. schrieb. Es sind Billets darüber zwischen uns gewechselt, die ich jedem Freunde, der sie hören will, mittheile; weil ich das für die beste Züchtigung für diesen jungen Verbrecher aus Eitelkeit halte. —

Ihr letzter gütiger Brief hat mir grosse Freude gemacht. Möchte ich bald einen ähnlichen erhalten.

Ganz der Ihrige
Friedrich Schlegel.

Vielleicht entwerfe ich bey dieser Gelegenheit einmahl eine lesenswürdige Charakteristik der woltmannischen Historie.

16.

Wien den 6 März 1813.

Herrn Konsistorialrath
Böttiger in Dresden.

Hochgeehrtester Herr Konsistorialrath,

Bei dem jetzt angefangenen zweiten Jahrgange des deutschen Museums, wodurch das ganze Unternehmen zu grösserer Festigkeit gediehen ist, bin ich so frei, auch Sie zur Theilnahme aufzufordern. Sie werden zwar gesehen haben, dass ich dieses deutsche Museum ziemlich strict nehme. Indess hoffe ich, werden Sie Sich dadurch nicht ausgeschlossen fühlen, wenn auch Ihre Forschungen nicht zunächst deutsche Gegenstände betreffen. Beiträge von Ihnen würden sich auch rigoröse Leser gewiss mit dem grössten Vergnügen als Ausnahmen gefallen lassen.

Zugleich empfehle ich diese Zeitschrift angelegentlichst Ihrem vielgeltenden Urtheil; an Gelegenheit ein solches Ihren Ueberzeugungen nach aussprechen zu können, wird es wohl nicht fehlen.

Ihre Theilnahme an unsrer Literaturzeitung erfreut mich sehr. Wollten Sie gebetenermassen dem Museum eine gleiche schenken, so würde die Verlagshandlung in Ansehung des Honorars mit Vergnügen das Möglichste thun.

---

1) Minor II S. 119 ff. Haym S. 235 ff.

Das Februarstück ist doch schon in Ihren Händen? In Hoffnung baldiger gütiger Antwort bin ich mit wahrer Hochachtung

Ihr ergebenster

Friedrich Schlegel
k. k. Hofsecretär.

In einem der nächsten Hefte des Museums werden Sie einen interessanten Briefwechsel[1]) von W i e l a n d, u. einigen andern deutschen Gelehrten unsrer frühern classischen Zeit finden.

Möchten Sie uns besonders aus dem Reichthum Ihrer antiquarischen und artistischen Bemerkungen hie und da etwas mittheilen.

Die Redaction der hiesigen Litter. Zeit., an der auch ich einigen Antheil nehme, war sehr erfreut die mir von Bar. H u m b o l d t mitgetheilte Nachricht von Ihrem gütigen Anerbieten, dieselbe durch Ihren Beytritt zu beehren, zu vernehmen.

17.

Wien den 3 April 1813.

Herrn Hofrath Böttiger
Dresden

Hochgeehrtester Herr Hofrath,

Die Fortdauer Ihrer gütigen Gesinnung gegen mich und das deutsche Museum, welche Sie in Ihrem Schreiben vom 12ten März so schmeichelhaft verheissen, konnte nicht anders als sehr angenehm für mich seyn, und ich erkenne ganz den Werth Ihrer Anerbietungen zur thätigen Theilnahme, da Ihre anderweitigen Beschäftigungen einen so grossen Theil Ihrer Musse in Anspruch nehmen. Zwar nehme ich im Allgemeinen nicht gern Proben und etwas, welches die Bestimmung hat, nächstens wieder abgedruckt zu werden, auf, wie Sie leicht denken können; indess bei Ihnen versteht sich eine Ausnahme schon von selbst; bei der Sabina freilich müsste ich Sie ersuchen, mir anzuzeigen, wann sie in Druck erscheinen wird. Ueber W i e l a n d würde etwas um so willkommener u. passender seyn, da ich im Besitz einer noch ungedruckten Sammlung Wielandischer Briefe bin, von der nächstens etwas im Museum erscheinen wird. Also bitte ich Sie, so viel Ihre Zeit zulässt, dieses recht bald einzuschicken; dass Sie dabei so gütige Rücksichten in Ansehung der Auswahl nehmen wollen, verdient doppelten Dank. In Ansehung des Honorars wird die Buchhandlung ihr Bestes thun.

---

1) Deutsches Mus. 1813. 5. Heft. Briefe von Wieland, Ramler, Lessing u. a. Von den Jahren 1770—1786.

In Hoffnung baldiger Gewährung meiner Bitten bin ich mit wahrer Achtung und Freundschaft

Ihr ergebenster

Friedrich Schlegel.

Je eher wir eine Probe aus den Wielandischen Denk-würdigkeiten[1]) erhalten könnten, je willkommener würde es uns seyn.

II. Friedrich Schlegels Briefe an F. J. Niethammer[2]).

Mitgetheilt von E. Schmidt.

1.

Dressden, den 16ten März 96.

Hochzuverehrender Herr Professor,

Für die gütigst übersandten beyden Hefte Ihres trefflichen Journals[3]) statte ich Ihnen meinen verbindlichsten Dank ab. Es freut mich ungemein, dass meine Rec. der Kantischen Schrift[4]) Ihren Beyfall hat. Ich habe die Ehre Sie Ihnen hiebey in einer veränderten Form zurückzuschicken, wie Sie mich dazu aufgemuntert haben. Ich habe nur Anfang und Ende u. ein paar Stellen in der Mitte[5]) zu ändern nöthig gefunden, und es scheint mir nichts in meinem Aufsatze zu seyn, was mit der Recens. im 1ten Heft in

----

1) Deutsches Museum. 1813. 7. Heft. S. 3 – 26. Klopstock u. Wieland oder die Traubenpflege in Osmannstädt. Bruchstück aus Ch. M. Wieland's Denkwürdigkeiten vom Jahre 1797. Vom Hofrathe Böttiger.

2) Die folgenden Briefe hat mir Erich Schmidt bei seinem Abgange von Wien abschriftlich mit der Bemerkung zurückgelassen: „Vorige Ostern (1885) zeigte mir eine für deutsche Litteratur lebhaft interessierte Collegin in Erlangen ein Bündel Briefe aus dem Nachlasse des bekannten Philosophen und Herausgebers des philosophischen Journals Niethammer, die ihr von Frl. Döderlein, einer Verwandten des Adressaten, anvertraut worden waren und mir nun zu freier Benutzung freundlichst geliehen wurden. Die Schreiben F. Schlegels verdienen zunächst mitgetheilt zu werden. E. S." Die Anmerkungen habe ich hinzugefügt. J. Minor.

3) Das „Philosophische Journal einer Gesellschaft Teutscher Gelehrten" erschien seit 1795, herausgegeben von Niethammer.

4) Der Kantischen Schrift zum ewigen Frieden; s. meine Ausgabe der Jugendschriften Schlegels 2, 57 ff.

5) Die Worte „und ein paar . . . . Mitte" später hinzugefügt.

Kollision käme [1]). Ich habe sie sorgfältig in dieser Rücksicht gelesen. Eine neue Umarbeitung würde mich viel weiter führen, als
ich für jetzt gehn kann. Das System der Politik an dem ich arbeite kann erst in einigen Jahren vollendet seyn. Doch scheinen
mir diese provisorischen Gedanken der Mittheilung nicht unwerth.
Ohnehin würde die Umarbeitung für ein Journal viel zu weitläuftig
geworden seyn.

Ueber die verspätete Antwort bedürfen Sie gar keiner Entschuldigung. Nur wünschte ich, dass Sie mir gleich nach Empfang
über die Nichtaufnahme der Kant. Rez. Nachricht gegeben hätten.
— Können Sie den beyliegenden Aufsatz nicht einrücken lassen, so
thut es mir leid, dass ich ferner nicht dass Vergnügen haben kann
an Ihrem Unternehmen Theil zu nehmen. Da ich es zur ausdrücklichen Bedingung gemacht, die Rez. falls sie nicht gedruckt werden könnte, mir so gleich zurückzusenden, werden Sie diess nicht
eigensinnig finden. Ich hatte meine Gründe dazu. Uebrigens ist
mein aufrichtiger Wunsch, an Ihrer trefflichen Zeitschrift einen
eifrigen und steten Antheil zu nehmen derselbe und meine Ansprüche sind die mässigsten, die ein Mitarbeiter an einen Herausgeber machen kann.

Sobald ich die Versicherung von Ihnen erhalte, dass der Aufsatz eingerückt wird, werde ich die angefangne Rez.[ension] der Horen
vollenden und Ihnen sogleich zusenden. Ich werde sie so sehr als
möglich zusammendrängen. Sie können versichert seyn, dass ich
im Urtheilen nie auf Persönlichkeiten Rücksichten nehmen werde.
— Lassen Sie mich aber über Ihre Wünsche noch etwas bestimm-
teres wissen. Für den Ton der Rez. erkenne ich kein anderes allgemein gültiges Gesetz, als dass er liberal seyn muss. Ueber
diese Liberalität gestehe ich jedem Herausgeber sehr gern eine
gewisse Censur zu: um so mehr Ihnen. Auch über den Umfang
einer Rez. erwarte ich die genaue Bestimmung des Herausgebers,
der das Ganze anordnet und alle Konvenienzen gegen einander abzuwägen weiss. Enger kann ich aber meine Freyheit des Urtheils
nicht beschränken. — Haben Sie Gründe an eine Rez. der Horen
noch speziellere Forderungen zu machen, so erbiete ich mich
Ihnen statt dessen lieber eine Revision der Aesthetik seit
Kant zu liefern, worin ich mich aber nur auf die Schriften dieses
Iuhalts von Kant, Heydenreich, Mainong u. Schiller ein-
schränken würde, nebst den wenigen beyläufigen aesthet. Bemerkungen in Reinholds, Schmidts u. Fichtes Schriften.

---

1) Das „Philosophische Journal" enthält im Jahrgang 1796, erstes
Heft S. 81 ff. eine Anzeige der Kantischen Schrift, welche trotz Einwendungen und Einschränkungen von der grössten Achtung vor dem
berühmten Verfasser eingegeben ist. — Im folgenden drei Zeilen ausgestrichen.

Die erste der aesthet. Abhandlungen von denen ich Ihnen schrieb, werde ich Ihnen in wenigen Wochen zusenden können. Ich würde sie sehr gern in einer Sammlung gedruckt sehn, die sich durch eine treffliche Auswahl auszeichnet u. die besten Denker Deutschlands unter ihre Mitarbeiter zählt.

Meine Gedanken über Fichte's System in einer andern Form oder Rez. werde ich wohl erst etwas später Ihnen zusenden können.

Sie haben sehr wohl gethan die Rez. des Condorcet abzukürzen[1]). Ich habe sie noch nicht verglichen, weil ich Ihren Brief, den ich vor wenigen Stunden erhielt, sogleich beantworten wollte. Ueber das Misverständniss, welches Ihre Anmerkung[2]) veranlasst hat, würde es mir interessant seyn, mit Ihnen reden zu können. Schriftlich würde es sehr weitläuftige Discussionen veranlassen.

Ich freue mich im Voraus auf die interessante Unterhaltung, welche mir Ihr Aufsatz im ersten Heft[3]) gewähren wird. — Ich bitte um eine baldige Antwort, und falls Sie den beyliegenden Aufsatz nicht einrücken können, bitte ich denselben mit umgehender Post an Michaelis[4]) zu senden.

Ihr ergebenster

Friedrich Schlegel.

In grösster Eil.

Ich bitte nochmals recht sehr um schleunige Antwort.

F. S.

2.

Dressden den 27ten März 96.

Ich ergreife gern jede Möglichkeit, unsre Verbindung zu beyderseitiger Zufriedenheit zu erhalten, und die Aussicht, welche mir Ihr Brief dazu eröffnet, war mir angenehm.

Es ist aber ein neues Misverständniss zwischen uns getreten. Wenn ich auch einen sehr unmässigen Werth auf meine Versuche legte, so könnte es mir doch nicht einfallen, Ihnen mit der Zurückhaltung derselben zu drohen, da Sie so viele und so gute Mitarbeiter haben, dass Sie mich leicht entbehren können. Indessen halte ich es allerdings für einen Herausgeber für wichtig, auch keinen irgend brauchbaren Mitarbeiter abzuschrecken.

---

1) Fr. Schlegels Recension von Condorçets Esquisse im Philosophischen Journal 1795 (Jugendschriften 2, 50 ff.).

2) Jugendschriften 2, 55 Anmerkung.

3) Das Philosophische Journal enthält im ersten Heft des Jahrgangs 1796 nur den Beginn eines Aufsatzes: „Philosophische Briefe über Religions-Indifferentismus und einige damit verwandte Begriffe".

4) Hofbuchhändler in Neu-Strelitz, Verleger des Journals.

Meine Meynung war nur, dass wenn ich befürchten müsste,
dass meine Beyträge so unangenehmen Verzögerungen und Misver-
ständnissen fernerhin ausgesetzt seyn würden, ich mich genöthigt
sähe, so ungern ich solches auch thun würde, die für das
Journal bestimmten Beyträge, als eine kleine Sammlung für sich
drucken zu lassen. Es liegt mir daran die aesthetischen Aufsätze,
so bald als möglich dem Publicum vorzulegen, weil ich mich in
einer kritischen Schrift die zu Ostern erscheint auf mein aesthet.
System bezogen, und die Bekanntmachung desselben in der Vorrede
angekündigt habe[1]). — Es ist schwer ohne persönliche Bekanntschaft sich zu einem gelehrten Zweck zu vereinigen. Glückt es ja,
so ist es oft nur ein ohngefähres glückliches Zusammentreffen. Man
kann sich gegenseitig schätzen, und ist doch beständigen Misver-
ständnissen ausgesetzt; wie unser Beyspiel bestätigt.

Allerdings hatte ich es bey Mich.[aelis] zur ausdrücklichen
Bedingung [gemacht], den Aufsatz sogleich zurück[zu]senden. Ja
ich habe diess mehr als einmal geschrieben, und zuletzt da ich keine
Antwort bekam (es war unterdessen ein Brief an mich verloren
gegangen) schrieb ich ihm dass ich die Nichtzurücksendung als eine
Erklärung der Aufnahme ansehen würde, dass ich jenes ‚sogleich‘
nicht auch an Sie geschrieben habe, wie ich glaubte gethan zu
haben, ist eine blosse Vergessenheit. — Indessen wünschte ich doch
sehr, Sie hätten es supplirt, da es sich bey einem Aufsatz, der eine
ephemerische Beziehung hat, beynahe von selbst versteht. Ich
glaube nicht dass diess mehr ist, als man von der nothwendigen
Pünktlichkeit eines Herausgebers erwarten darf. Es ist wenigstens der einzige Anspruch, welchen ich an einen Herausgeber mache,
und [es wird mir], wenn Sie sich geneigt sähen, ihn zu befriedigen
Ehre u. Vergnügen seyn, an Ihrer Zeitschrift ferner Theil zu nehmen.

Wenn demjenigen, was Sie an dem Aufsatze, welchen Sie noch
in Händen haben, vermissen, durch Wegstreichen abgeholfen
werden kann, so thun Sie solches, wie es Ihnen gut dünkt; so weit
es geschehen kann, ohne etwas hinzuzusetzen. Wo nicht, so
schicken Sie mir denselben sobald als möglich zurück. Ich bitte
dann aber, dass Sie die Stellen, welche Sie für überflüssig halten
mit rother Dinte etwa bezeichnen, oder mir etwas darüber schreiben.
Ich werde es versuchen, ihn in eine andre Form zu bringen, ohne
ihn zu verlängern. Ob es mir möglich seyn wird, daran zweifle
ich sehr.

Für den ersten der aesthet. Aufsätze wünschte ich sehr, dass
Sie eine Stelle in dem nächsten Stück, welche noch nicht besetzt
ist, bestimmen könnten.

---

1) Es kann nur die Vorrede zu den „Griechen und Römern“ gemeint sein, in welcher aber eine ausdrückliche Ankündigung nicht vorkommt (Jugendschriften 1, 77 ff.).

Lassen Sie mich gütigst Ihre Gedanken über die Recension der Horen, oder die Revision der krit. Aesthetik wissen. Ich fühle mich mehr zu letztem geneigt. Doch würde ich auch an der ersten con amore arbeiten. — Nur so viel darüber[1]). Kürzer als der Aufsatz, den Sie in Händen haben, könnte sie durchaus nicht werden. Ich würde am längsten bey den aesthet. Briefen u. dem Aufsatz von Weisshuhn verweilen. Was die Aufsätze von Humbold u. Bendavid betrifft, so bin ich weder in der Physiologie noch in der Baukunst so bewandert, dass ich ins Detail gehn könnte. Herders u. Jacobis Aufsätze scheinen mir für eine ernstliche philos. Prüfung nicht reif genug. Ueber Erhards polit. Aufsatz könnte ich nur sehr weitläuftig oder sehr kurz seyn, und würde das letzte wählen, weil die Abhandlung mir überhaupt ziemlich mittelmässig zu seyn scheint. Doch würde ich mich bemühen, über jeden dieser Aufsätze etwas bedeutendes zu sagen. — In den aesthet. Briefen finde ich vieles zu billigen, aber auch vieles zu bestreiten, und zu widerlegen, u. ich bin gewohnt Lob und Tadel so stark zu sagen als ich sie empfinde. Der Ton hoffe ich wird so seyn, dass niemand über die Aufnahme den Herausgeber tadeln wird. Das Urtheil selbst ist meine Sache. Um so mehr da die Recensenten Ihres Journals meist anonym sind. Oder haben Sie diese Einrichtung abgeändert? Ich hasse die Anonymität[2]), u. so sonderbar es klingt ich würde anonym nicht so freymüthig urtheilen können.

In der Revision der aesthet. Schr. würde ich auch auf Weisshuhns[3]) Aufsatz Rücksicht nehmen, die manches enthält, was mir ernstliche Prüfung zu verdienen scheint. Auf andre Schriften kann ich aber keine Rücksicht nehmen, weil mein Büchervorrath nicht sehr gross, und die Schriften zur Kantischen Philosophie, die berühmtesten ausgenommen, hier schwer zu haben sind. Ist Ihnen etwas Wichtiges ausser den von mir genannten bekannt, so nennen Sie es mir, damit ichs zu dem Zweck mir kann kommen lassen. Dalbergs Aesthetik habe ich gelesen, allerdings sehe ich ein, dass Vollständigkeit bey einer solchen Revision wichtig ja fast unumgänglich nothwendig ist. Freylich würde ich es gern sehn, wenn Sie diese Rev. mir überlassen wollten. Indessen kann ich mich doch nicht entschliessen, auch bey dem beträchtlichsten Rabatt Bücher, welche keinen bleibenden Werth für mich haben, an Geldesstatt anzunehmen, da ich meine umfassenden litterarischen Bedürf-

1) Alle im folgenden genannten Aufsätze stehen im ersten Jahrgange der Horen; die Tafel findet man verzeichnet im Briefwechsel zwischen Schiller und Cotta 670 ff.

2) Vgl. Novalis an Friedrich Schlegel (Raich S. 8): „Dein Grundsatz, nie anonym zu schreiben . . ".

3) Horen 1795, 5. Stück: „Das Spiel in strengster Bedeutung".

nisse nur zu sehr und auf das durchaus Nothwendige beschränken muss. Käme es darauf an, dass die Revision noch v o r meiner Reise zu Ihnen in das Journal gerückt würde, so wäre es ja vielleicht nicht unmöglich, dass z w e y sich dazu vereinigten; dass ich die von mir genannten Schriften revidirte, Sie das Fehlende supplirten. Ich wünsche darüber Ihre Gedanken zu wissen.

Ich empfehle auch Ihrer fernern Gewogenheit Freundschaft, und bin mit der aufrichtigsten Hochachtung und mit der Bitte um baldige Antwort,

Ihr Ergebenster
Friedrich Schlegel.

3.

Dressden den 22ten April 1796.

Hochzuverehrender Herr Professor,
Würdiger Freund,

Erlauben Sie mir immer auch die letzte Benennung noch vor der persönlichen Bekanntschaft zu anticipiren. Ihr Betragen gegen mich flösst mir die aufrichtigste Hochachtung und den lebhaftesten Wunsch ein, recht bald in eine noch nähere Bekanntschaft mit Ihnen zu treten.

Den Versuch über den Republikanism [1]) erhalten Sie hiebey mit beträchtlichen Aenderungen zurück. Sollte es wegen des Ausgestrichenen u. Verbesserten für den Setzer nicht leserlich seyn, so haben Sie wohl die Gewogenheit, ihn auf meine Rechnung abschreiben zu lassen. Mit Dank nehme ich Ihr Versprechen an denselben in seiner ietzigen Gestalt aufzunehmen, und füge nur noch die Bitte hinzu, dass es b a l d geschehen möge.

Sehr angenehm ist es mir, dass Sie mir die Recension der Horen, an der ich mit Lust u. Liebe arbeiten werde, überlassen wollen. Nur muss ich bis Mitte Mays um Frist bitten. Ich habe den Anfang bey Seite gelegt, da ich nach Ihrem vorigen Schreiben nicht wusste, ob ich Ihre Forderungen würde befriedigen können. Seit einigen Wochen lebt hier ein Bruder von mir[2]), von dem ich lange getrennt war. So lange er bleibt, kann ich nichts vornehmen, was Anstrengung und Ausdauer verlangt. In 8—14 Tagen wird er über Leipzig nach Jena reisen. Ich empfehle ihn im voraus Ihrer freundschaftlichen Aufnahme und beneide ihn um das Vergnügen Ihrer Bekanntschaft, welches mir wahrscheinlich erst in der Mitte Augusts zu Theil werden wird.

---

1) Die oben S. 425 f. besprochene Recension über Kants Schrift zum ewigen Frieden.

2) Haym, romantische Schule S. 164. Preussische Jahrbücher 9, 211 f.

Ich glaube nicht, dass dieser Aufschub der Recension der Horen nachtheilig seyn kann. Grade bey diesem Werke war es vielleicht gut die ersten Aufwallungen so verschiedener Leidenschaften abzuwarten, um für ein unbefangenes Urtheil Gehör zu finden.

Den aesthetischen Aufsatz hoffe ich Ihnen gleich mit der Recension der Horen zu senden. Ich danke Ihnen recht sehr für Ihr gütiges Versprechen, denselben bald zum Druck zu befördern.

An einer Rezension des Naturrechts von Fichte würde ich mit grossem Vergnügen arbeiten. Haben Sie noch keine bestellt, so bin ich so frey, mich Ihnen dazu anzubieten. Ich wünsche desfalls Antwort. Haben Sie nicht Zeit mir zu schreiben, so bitte ich Sie, solches mündlich durch meinen Freund, den ApellationsRath Körner, oder durch meinen Bruder zu thun.

Kann die Revision der aesthetischen Schriften seit Kant nicht etwas Anstand haben bis ich bey Ihnen in Jena seyn werde? — Es würde mir vielleicht dann nicht schwer werden, alle Bücher aus Privatbibliotheken, Lesebibliotheken u. Buchhandlungen zusammenzutreiben: aber ich glaube, man kann sie füglich mit Stillschweigen übergehen.

Die Revision würde ich mit dem ersten aesthet. Aufsatze, oder bald nachher übersenden.

Was ich über Fichte's System zu sagen habe, will ich noch eine Weile reif werden lassen. Ich werde die Form von Briefen wählen.

Am Ende des künftigen Sommers werde ich wahrscheinlich das Vergnügen haben, Sie persönlich kennen zu lernen.

Ich bitte um eine recht baldige Antwort, und bin in der angenehmen Hoffnung unsre Verbindung wiederhergestellt u. dauerhaft erneuert zu sehen, und mit aufrichtiger Hochachtung

Ihr ergebenster
Friedrich Schlegel.

4.

Berlin. Den 26ten August. 97.

Theuerster Freund,

Ausser viel Zerstreuungen und Abhaltungen verschiedner Art war auch die Hoffnung u. der Wunsch, meinen ersten Brief mit einem Beytrag für Ihr Journal begleiten zu können, Ursache, dass ich Ihnen nicht eher Nachricht von mir gab. Die Meinigen werden Ihnen gesagt haben, dass ich mich leidlich wohl befinde, u. mich lebhaft an meine wenigen aber theuren Jenaischen Freunde erinnere, unter denen Sie eine so grosse Stelle einnehmen. Ich habe auch alle mögliche Ursache, mein Andenken lebhaft dort zu erhalten, da ich bald genug zurückkehre, um oft an jene Zeit zu denken, aber spät genug, um unter der Zeit etwas vergessen zu werden. Doch hoffe ich, wird diess bei Ihnen wenigstens u. bei dem theuren Fichte, dem ich nächstens schreibe, nicht der Fall seyn. —

Ich denke Ihnen nächstens den Begriff der Philologie schicken zu können. Ich denke damit eine ziemlich lange Reihe von philosoph. Aufsätzen zu eröffnen, die zusammen eine vollständige Philosophie der Philologie bilden werden, und in die sich alles hineinfügen wird, wovon ich Sie manchmal auf unsern Spaziergängen unterhalten habe. — Mein Vorrath dazu ist sehr angewachsen, u. die letzte Vollendung des ersten Aufsatzes (von dem Sie u. Fichte aber keine strenge Methode fodern müssen, da es nur eine Art von Einleitung seyn soll) wartet nur auf eine Ebbe in meinen Arbeiten fürs Lyceum. — Ich hoffe, dass das Ganze seine Stelle in Ihrem Journal verdienen soll. —

Schellings Lob auf Jakobi ist etwas schaal u. bombastisch. Wenn er so fortfährt, so werde ich noch Jakobi besser zu loben versuchen.

Ueberhaupt scheint mirs, als wäre Gefahr vorhanden, Schelling möchte sich aus einander schreiben.

Denken Sie nur, den alten Californier[1]) habe ich noch nicht mit Augen gesehen. Ich halte mich mehr an die angenehme, als an die gelehrte Gesellschaft. Die Philosophie liegt freylich hier im Argen. Doch habe ich einen Prediger Schleyermacher gefunden, der Fichtes Schriften studirt u. das Journal mit einem andern Interesse, als dem der Neugier u. Persönlichkeit liest.

Wenn Sie mich mit einigen Zeilen erfreuen, so theilen Sie mir ja Ihren ganzen Vorrath von Neuigkeiten der philosoph. Literatur mit. — Genz soll nicht die Gans seyn. Gewissheit kann ich Ihnen heute darüber noch nicht geben. Im nächsten Stück der Deutschen Monatsschr. ist ein Aufsatz von Heusinger, der Aufmerksamkeit verdient, versteht sich nur in Rücksicht auf die Tendenz[2]).

Wenn ich nur einmahl wieder die Freude haben könnte, mit Ihnen auf Ihrem Zimmer einen Morgenspatziergang, oder mit Ihnen u. Mad. Döderlein in den Jenaischen Bergen einen Abendspatziergang zu machen, so dürfte ich Sie nicht blos schriftlich um die Fortdauer Ihrer Freundschaft bitten.

Ganz der Ihrige
Friedrich Schlegel.

Meine herzlichsten Grüsse an Fichte u. meine besten Empfehlungen an Mad. Döderlein.

Adresse aussen:

Herrn Professor Niethammer.

---

1) Nicolai.

2) Von J. H. G. Heusinger brachte die deutsche Monatsschrift (Leipzig, bey Sommer) in den Monaten März, Juni und Juli 1797 und September 1798 eine populäre Darstellung des Kantischen Systems.

5.

Berlin. Den 5ten May. 98.

Ich habe mich sehr gefreut, dass Sie mir letzthin wieder Nachricht von sich gegeben haben, liebster Freund, und auch über die
Veranlassung Ihres Briefs; dass Sie mit U.[nger] in Verbindung
getreten sind. Wenn er Ihnen auch jetzt, da er durch Ueberladung
und weil er sich einigemal übereilt, beynah übertrieben vorsichtig
ist, keine besseren Bedingungen gemacht hat, als jeder andere Buchhändler, so werden Sie doch in der Folge gewiss fühlen, wie angenehm es ist, mit einem solchen nicht bloss im strengsten Sinne
rechtlichen sondern auch feinen und edeln Manne in Verbindung
zu stehn. Besonders da Sie das Gegentheil zu empfinden durch
Michaelis so viele Gelegenheit gehabt haben. Sein Comtoir in
Strelitz selbst, ist, wie ich so eben höre, auf Befehl der dortigen
Kanzley versiegelt. Er hat sich den halben Winter hier herum-
getrieben, aber wenig bey mir sehn lassen.

Mein Bruder wird Ihnen in unserm gemeinschaftlichen Namen
ein Exempl. vom ersten Stück unsers Athenaeums schon gegeben
haben, oder doch bald geben können. Das zweite Stück werde ich
Ihnen selbst schicken, so bald es fertig ist, das heisst, in einigen
Wochen. Die Existenz dieses Journals muss mich nebst der
Gr.[iechischen] Poesie bey Ihnen so weit diess möglich ist, entschuldigen, wegen meiner Untheilnahme am Philosoph. Journ.[1]) doch
bin ich fest entschlossen, den Garve[2]) nicht unrecensirt zu lassen
und wenigstens eine meiner Versprechungen an Sie bald zu erfüllen.
Die einzige Form, in der ich die strenge Gerechtigkeit mit der
Pflicht der Gnade gegen den alten Mann, der den Augenkrebs hat,
leidlich zu verbinden weiss, wäre die dialogische.

Gut, dass Sie meiner bey solchen Mitarbeitern wie Hülsen
und Schelling nicht sonderlich bedürfen! — Der Brief des ersten
hat mir in hohem Grade gefallen. Die letzten Uebersichten von
Sch. habe ich in dem Messgedränge noch nicht lesen können.

Der alte Nicolai[3]) hat einmal wieder einige Federn entzwey-
geschrieben, und sich unter andern auch an mir etwas zu Gute gethan, was ich ihm gern gönne. Sie können denken dass das Journal
u. Fichte auch sein Theil bekommt. Beyde werden ihn doch
hoffentlich bloss auf dem Umschlage abfertigen? — Werden Sie
denn gar nicht in Ihrem Journ. erscheinen? —

---

1) Vgl. Caroline I, 208.

2) Jugendschriften 2, S. VI.

3) Nicolais „Leben und Meinungen Sempronius Gundiberts eines
deutschen Philosophen" 1798. Ueber die Angriffe, welche in demselben
gegen das Niethammersche Journal gerichtet sind, vgl. meine Ausgabe
„Jugendfreunde Lessings" S. 302.

Die Uebersendung des Athen. wird mir Gelegenheit geben, Ihnen öfter zu schreiben. Ich fasse mich daher heute nur kurz und bitte Sie und Ihre liebe Frau mich nicht zu vergessen, biss ich Sie künftigen Winter wieder sehe.

Ihr Friedrich Schlegel.

6.

Dresden. Den 6ten Jul. 98.

Für heute, werther Freund, nutze ich nur die Gelegenheit, um Ihnen mit kurzen Worten zu melden, dass ich meinen Bruder hieher begleitet habe, um einen Theil des Sommers hier zuzubringen[1]), und dass ich Sie also bitten muss, die neuen Stücke des philosophischen Journals, denen ich mit grosser Sehnsucht entgegensehe, hieher zu adressiren. Ich habe das Journ. bis zum XII^{ten} Stück 97. inclus. Nun muss doch wohl schon mehr erschienen seyn? —

Wir bitten Sie um die Gefälligkeit, die Exempl. unsers Athenaeums, welche für Jena bestimmt sind, gütigst zu besorgen. In wenigen Tagen werden Sie ein Packet mit den Exemplaren des zweyten Stückes erhalten. Die Note, wie sie zu vertheilen sind, werde ich einlegen.

Ich freue mich sehr, dass Schelling zu Ihnen kommt, da Jena doch einer der Pole meiner Existenz ist, und jeder interessante Mann mehr ist also eine angenehme Aussicht wenigstens für die Zukunft. Aber auch um meines Bruders willen freue ich mich darüber, der ihn in Leipzig persönlich kennen lernen, und ihm sehr geneigt ist.

Ich fürchte nur Ihr werdet mich immer mehr vergessen, je weniger ich in einer so ausgesuchten Gesellschaft vermisst werden kann. Doch hoffe ich meinen alten Platz wenigstens dann wieder zu finden, wenn ich zurückkomme. Diess bitte ich auch Fichte'n nebst den herzlichsten und wärmsten Grüssen zu sagen. Noch eine kleine Bitte. Mein Bruder hat für mich auf die Moral von Fichte praenumerirt u. mir auch das Exempl. vollständig geschickt u. mitgebracht, bis auf die Vorrede, welche bey seiner Abreise noch nicht fertig war. Wollten Sie diese wohl für mich bei der Behörde in meines Bruders Namen fodern und mit der nächsten Sendung des philosophischen Journals an mich befördern?

Meine besten Empfehlungen an Ihre Frau Gemahlin:

Ganz der Ihrige
Friedrich Schlegel.

Heute kann ich Sie ebenfalls nur in wenigen Zeilen begrüssen — ich behalte es mir vor Ihnen nächstens umständlicher zu schreiben.

Die 6 Ex. vom 2ten St. Athenäum, die wir dem Buchhändler

---

1) Haym a. a. O. S. 367 f.

aufgetragen haben, Ihnen zu schicken, sind bestimmt 1) für Sie,
2) für Ihre Journalgesellschaft, 3) für Schiller, 4) für Fichte,
5) für Schütz und 6) für Hufeland.

Zu meiner grossen Freude höre ich, dass Schelling nach Jena
kommt. Könnte er nicht in unsrer Wohnung das Zimmer unten be-
wohnen, wo Dr. Meyer gewohnt hat. Es würde uns sehr angenehm
seyn, ihn zum Hausgenossen zu haben. Schlagen Sie es ihm doch
vor, wenn das Zimmer auf den Winter noch nicht versagt ist[1]).

Empfehlen Sie mich Ihrer lieben Gattin und den Bekannten,
die sich meiner erinnern.

Ganz der Ihrige
A. W. Schlegel.

Auch tausend Grüsse von mir. Ihr seyd wohl in baldiger Erwartung des Söhnleins[2]).

III. Briefe von Friedrich Schlegel an Windischmann.

Mitgetheilt von J. Minor[3]).

1.

Frankfurt, den 4ten September
1818.

Geliebter Freund!

Ich muss meinem vorigen Briefe von gestern nur gleich noch
einen zweiten nachschicken. Ich habe so eben eine lange Unterredung mit dem F.[ürsten] M.[etternich] gehabt, und er hat mir
gesagt, dass ich noch hier bleiben soll; bis Anfang Oktober, wo er
mich nach Wien schicken wird. Diess ändert denn einigermassen
meinen gestern gemachten Vorschlag. Denn nachdem in diesen
Tagen, so lange der Fürst noch hier ist, ich keines Augenblickes
Meister bin, und jeder Augenblick mir kostbar ist, dazu alle Ruhe
fehlt, die ich mir doch zu dem Wenigen, (aber Besten) was noch an
der Arbeit fehlt, lassen möchte, ich auch besonders mit L. recht
gründlich sprechen und Seiner in Ruhe geniessen möchte; so bitte
ich dass L. sofern meine Wenigkeit auf die Bestimmung seiner Reise
mit Einfluss haben soll, nur erst Dienstag den 7ten, oder auch Montag
den 6ten Abends kommen möge. Grüssen Sie ihn übrigens aus
ganzem Herzen von mir und lassen Sie mich am bewussten Orte
empfohlen seyn. Der F.[ürst] ist sehr gut für mich gesinnt, und
was ich heute mit ihm gesprochen, ist doch auch ein Faden, woran

---

1) Erich Schmidt verweist auf Plitt, aus Schellings Leben 1, 228.

2) Die zweite Nachschrift von anderer Hand; wie Erich Schmidt
vermuthet, von Carolinens Hand.

3) Die Originale besitze ich selber.

28*

sich viel Gutes knüpfen kann, derselben Art, als jenes für welches der K. so warm fühlt und so königlich denkt. Ich hoffe daher auf Nachsicht; bin übrigens doch mehrentheils fertig.

Ich hätte nun wohl Zeit selbst nach A.[schaffenburg] zu kommen und alles mitzubringen, doch wird vielleicht besser seyn, es nicht zu thun. Ich werde mit L. darüber reden.

Wenn Creuzer etwas über Stransky und seine Familie erfahren hat, so theilen Sie es mir mit. — Ist denn noch keine Entscheidung für Sie da?[1]) — Ich warte mit Sehnsucht darauf.

Herzlich

Ihr Freund

F. S.

2.

Frankfurt, den 18ten September
1818.

Theuerster Freund!

Vor allen Dingen meinen herzlichsten Glückwunsch zuvor, Ihnen und allen den Ihrigen; aus Freundesherzen mit den besten Wünschen zu einem glücklichen Antritt des neuen Lebens dargebracht. Erhalte ich denn nun aber weiter keinen Brief von Ihnen? Ich hatte auch Antwort auf manche Anfrage erwartet. Vergessen Sie auch das wegen des magnetisirten Wassers nicht. —

Ich gehe heute Nachmittag auf den Johannisberg, um mir dort die letzten Befehle des F.[ürsten] M.[etternich] zu hohlen, da er mich auch ungemein gütig dahin eingeladen hat. Persönlich stehe ich sehr gut bey ihm; aber das entscheidet bey weitem für meine Lage noch nicht.

Ich reise nun wohl in wenig Tagen, nicht vor dem 22ten, aber vielleicht auch nicht später, wenigstens nicht viel. Erwünscht wäre mir und Freude gewährend, wenn ich noch hier, noch vor der Abreise, etwas von der Widmung des Gegebenen erführe, ein günstiges Zeichen von K. und ein Wink für das Fernere. Reden Sie desfalls mit L. der meine ganze Freundschaft gewonnen hat, und dem ich nach erhaltenem ersten Lebenszeichen ausführlich schreiben werde. Schreiben auch Sie mir, theuerster Freund, alles über diese Sache, was Sie noch für heilsam und gut finden, mir zu rathen, anzudeuten oder mitzutheilen.

Wegen des obigen Wunsches versteht es sich jedoch, dass mir zwar lieb wäre, noch hier ein erstes günstiges Wort zu erhalten. Aber auf keine Weise darf man sich beeilen oder drängen, um es zu erhalten. Doch darin verlasse ich mich ganz auf L.s ungemeine Klugheit. Der Brief kann von L. oder Ihnen, wer mir immer schreibt, nur grade hieher an mich gesandt werden; es ist kein Bedenken dabey.

1) Windischmann wurde im Jahre 1818 nach Bonn berufen; s. Nr. 2.

Mein Bruder war in Coblenz[1]), und dort muss es sich nun entschieden haben, ob er nach Berlin muss, oder nach Bonn geht, was er sehr wünscht und weit vorzieht. Ich hoffe es auch, habe aber noch keine Nachricht von ihm; ich habe ihm viel von Ihnen erzählt. Herzliche Grüsse an alle die Ihrigen.

Ihr Freund
Schl.

Bis jetzt ist meine Absicht, über Stuttgart zu reisen; sollte ich aber doch über Aschaffenburg gehn, so werde ich trachten bey Tage zu kommen und zeige es Ihnen vorher an[2]).

3.

Wien, den 17ten Juny 1820.

Innigst geliebter Freund!

Es giebt Begebenheiten und Epochen im menschlichen Leben, welche sich der Mittheilung durch die Rede, wenigstens die schriftliche, gänzlich entziehen; und wo das Wort selbst auf der Lippe erstirbt, und stumm in die Brust zurückkehrt; geschweige denn dass es in freundlicher und glücklicher Beweglichkeit an der weithin leitenden Feder leicht dahin gleiten könnte. Und so war es denn auch seit ³/₄ Jahren mit mir der Fall, der leidenvollsten Epoche meines Lebens, die ich je in Erfahrung gebracht habe, so dass mir dagegen die Bedrängungen des in Deiner Nähe verlebten Sommers 1818 wie ein heitres Gewitter im schönsten Frühlinge in der Erinnerung stehen. Entschuldige daher mein Stillschweigen oder vielmehr bedaure mich desfalls; ungeachtet ich mir oft gewünscht habe, grade mit Dir eine Stunde reden zu können, was mir einen grossen Trost gegeben haben würde.

Viel kann ich Dir jetzt auch noch nicht sagen. Also nur im Allgemeinen so viel. Meine Lage ist immer noch eben so zweifelhaft, unbefriedigend, recht eigentlich widersinnig, bedrückt und sorgenvoll wie vor 2 Jahren, dass ich sogar verlegen seyn würde, um hinreichend triftige Vernunftgründe aufzufinden, dieses Erwarten ohne Erwartung noch länger fortzusetzen; wenn nicht der Krankheitszustand meiner Frau als eine Art von Gottesurtheil dazwischen getreten wäre, wobey alle Vernunftgründe aufhören. Ich beschäftigte mich mit Planen, auf längere Zeit nach Rom zu meiner Frau zurück-

---

1) Nach der Hochzeit mit Sophie Paulus reiste Wilhelm Schlegel, ohne die Gattin, nach Frankfurt, Coblenz und Bonn, um beim Minister v. Hardenberg die Entscheidung für Bonn zu erwirken, was auch gelang. Görresbriefe 3, 336.

2) November 1818 ist Schlegel wieder in Wien.

zukehren, wozu Aussicht schien, es ausführen zu können[1]), da
Bucholtz Anfang dieses Jahres nach Italien ging und schon hatte
ich um den Urlaub angefragt, der eben keine Schwierigkeiten gehabt
haben würde. Allein jetzt entschieden die Aerzte, sowohl hier als
dort, dass meine Frau Rom und Italien durchaus sobald als möglich
verlassen müsse. Sie war die ersten ⁵/₄ Jahre in Italien gesünder
als sie je seit einer langen Reihe von Jahren gewesen ist. Der
vorige heisse Sommer aber, da sie aus Furcht vor den Räubern und
andrer Umstände wegen nicht aufs Land gehen konnte, und in Rom
blieb, hat sie überwältigt; es folgte ein harter Fieberanfall mit
Leberzufällen vermischt und als Leberkrankheit charakterisirt, nach
dem andern. Sie war fast den ganzen Winter krank und noch zu
Ostern hatte sie einen harten Anfall. Endlich hat sie sich doch so
weit erholt, dass sie am 27ten März Rom verlassen konnte, und
zwar macht sie die Rückreise mit Bucholtz, was ich als ein grosses
Glück mit Dank gegen die Vorsehung erkenne. Ich hoffe sie nun
in 14 Tagen hier zu sehen; jetzt wird sie in Mayland seyn, und die
Reise war ihr sehr wohl bekommen. Könnte ich sie nur auch in
einer gründlich befriedigten Lage und dauerhaften häuslichen Einrichtung erwarten und empfangen. So ist meine Freude nur halb
und gestört, da noch keine meiner Erwartungen in Erfüllung gegangen ist. — Das einzige, was mir diese peinliche Lage und den
hiesigen Aufenthalt versüsst und mir bis jetzt gelungen, ist die
nun endlich doch zu Stande gekommene — Concordia[2]), die ich
Dir hiemit ans Herz lege und Dich als Freund meiner und der
Sache selbst, aus allen Kräften und von ganzer Seele dazu einlade.
Die Ankündigung wirst Du wohl verstehen, nämlich wie sie im
Innersten gemeynt ist; und ich hoffe auch alles übrige soll grade
so fest stehen und hingestellt werden, wie es jetzt seyn muss. Auf
Dich ist ganz vorzüglich mit dabey gerechnet, und ich kann wohl
sagen, dass es mit im Vertrauen auf Deine Hülfe geschehen ist,
wenn ich es endlich mit frischem Muth darauf gewagt habe. Was
ich von Dir wünsche, kannst Du leicht selbst wissen; Philosophie
überhaupt, vorzüglich aber auch Naturphilosophie, da es vorzüglich solchen mit aller Naturwissenschaft vertrauten, katholischen
Drabava wie Dir, obliegt, „Christum in der Natur", so wie es jetzt

---

1) Dorothea lebte seit April 1818 bei ihren Söhnen Veit in Rom.
Schlegel war 1819 gleichfalls dort. In der zweiten Hälfte 1820 kam
Dorothea zurück und verbrachte den folgenden Winter kränkelnd. Auch
Friedrich war melancholisch und schrieb nicht einmal an seinen Bruder
Wilhelm.

2) Schlegels „Concordia" erschien 1820—1823 in 6 Heften. „Signatur
des Zeitalters" ist der erste Artikel überschrieben, der das ganze erste
Heft füllt. Windischmann hat nichts beigesteuert.

an der Zeit ist, zu verkündigen und auch mir von dieser Seite unter die Arme zu greifen. — Ich selbst behalte mir besonders die rein philosophisch und historischphilosophische Parthie vor; das beste, was ich gebe, ist eine — „Signatur des Zeitalters". — Uebrigens aber ist mir auch **alles** andre, was Du mir geben willst, willkommen, wie sich von selbst versteht. So weit es Deine Lage erlaubt, theile mir auch alles mit über den gegenwärtigen Stand der katholischen Sache in dortiger und der benachbarten Gegend. Von hier aus will ich das Gleiche Dir ein andermal berichten. — Noch will ich bemerken, dass da das Journal sehr wohlfeil verkauft wird, ich für jetzt nicht mehr als 5 Ducaten für den Bogen für Dich werde bestimmen können; wenigstens noch nicht gewiss weiss, ob ich das Honorar auf 6 D.[ucaten] werde erhöhen können. — Je eher Du etwas schicken kannst, je lieber ist es mir. Vor allem aber, vergilt mir nicht gleiches mit gleichem und antworte mir gleich. Von nun an, und besonders, wenn Du Dich der Concordia annimmst, wirst Du keinen trägen Briefschreiber an mir finden; darauf kannst Du Dich verlassen, und wollen wir von nun an, recht lebhaft und in beständigem Verkehr [und] freundschaftlicher Mittheilung bleiben.

Durch die Bundesgesandtschaft-Gelegenheit über Frankfurt wirst Du nächstens ein Packet mit gedruckten Sachen erhalten; verschiedenes was ich hier in einem religiösen Journal[1]) den Winter geschrieben und auch ein Exemplar der Recension über Rhode etc. So traurig auch der Winter für mich war, so habe ich doch manches gearbeitet, und zwar alles in dieser neuen Art, auf dem jetzigen Wege meiner eigentlichen Bestimmung. Wilhelmen schicke ich auch nächstens auf dem gleichen Wege ein langes Gedicht. Sage ihm indessen meinen innigsten Dank für seine beyden Briefe, die mir die grösste Freude gemacht haben, so wohl wegen der guten Nachrichten, als dass er so brüderlichen Antheil an mir nimmt. Er soll nur heute noch Geduld haben; theile ihm alles obige meine Lage betreffende mit. Den nächsten Posttag, wo ich ihm schreibe, kann ich dann vielleicht auch etwas näheres über die Ankunft meiner Frau melden; so wie auch noch einiges weitere über die Concordia.

Empfiel mich mit den herzlichsten Grüssen Deiner lieben Frau und allen den Deinigen. Wenn ich meiner Fantasie recht etwas zu Gute thun will, so denke ich mir, wie ich bey Euch war, und ob es mir wohl noch einmal so gut werden wird, wieder einige Wochen unter Euch und in Deiner Familie, die ich so ganz liebe und mich

---

1) Die Recension über Rhode (Werke VIII, 201 ff.) ist in den Wiener Jahrbüchern gedruckt. Sonst ist mir aus dieser Zeit ausser der „Concordia" nur die Abhandlung „über die deutsche Kunstausstellung in Rom im Jahre 1819" (Werke VIII, 155) bekannt. Das „religiöse Journal" kenne ich auch noch nicht.

da zu Hause fühle, zu verleben. Noch ganz insbesondre bitte ich meinen Liebling, die weise Mimi zu grüssen.

Euch beyde, meine Freunde, Dich und Wilhelm, bitte ich bey allem, was dort sich begiebt und gestaltet oder für das weitere anlässt, auch an mich zu denken und ein wachsames Auge auf jede Möglichkeit, die mir günstig seyn könnte, zu behalten. Denn wie wohl ich nun den Anker der Concordia glücklich hier ausgeworfen habe, so ist es doch noch kein Hafen, in den ich eingelaufen bin. Merke das ja wohl, und rede auch mit W. darüber.

Gott beschütze Dich und die Deinigen. Ich umarme Dich von Herzensgrunde als

Dein Dich liebender Freund
Friedrich Schl.

Gieb mir ausführliche Nachricht, wie es jetzt mit Deinen Augen geht?

4.

Wien, den 23ten April 1823.

Geliebter Freund und Bruder in Christo! — Ich bitte Dich, nimm niemahls mein Stillschweigen oder das Briefschweigen zum Massstabe meiner Freundschaft. Ich empfinde recht oft ein sehnliches Verlangen, Dich wieder zu sehen, und würde mich glücklich fühlen, mich einmal ganz von Herzen mit Dir aussprechen zu können. Besonders in der letzten Zeit hat mich der Wunsch danach oft lebhaft ergriffen. Ich habe seit diesen letzten Jahren der Trennung zu vieles erlebt, erlernt und erfahren, als dass mir auch nur der Gedanke kommen könnte, diese neue Welt, in welche mich der Strom des Lebens geführt hat, in einem kurzen Briefe eröffnen zu wollen, wo man sich über so vieles nicht aussprechen darf und schwer verständlich machen kann.

Ich war in der letzten Zeit sehr fleissig; acht Bände meiner Werke[1]) sind nun fertig; ich rücke der philosophischen Abtheilung schon näher, für welche mir Deine Theilnahme und Beurtheilung vorzüglich werth und wichtig seyn wird. Ich wünschte indessen wohl, dass Du in den beyden ersten Bänden von der Litteratur, die Zusätze über die indische Philosophie, über das alte Testament, die Bibel überhaupt, die Reformation und neueste Zeit am Schluss, aufmerksam lesen und mir Deine Meynung gelegentlich darüber sagen möchtest, was mir sehr zur Aufmunterung und Benutzung für die folgenden Bände dienen könnte.

Sehr gefreut habe ich mich über alles, was ich von Dir und Deinen Kindern von mehreren Seiten her gehört habe; Gott segne Dich ferner in allen den Deinigen. Die letzten, mir sehr erfreulichen

---

1) Seit 1821 beschäftigte Schlegel die Herausgabe seiner Schriften.

Nachrichten von Dir, welche mir ausser denen von A.[ugust] W.[ilhelm] zugekommen, waren die in Deinem Briefe vom 10ᵗᵉⁿ Febr. an F. Hoh.[1]) enthaltenen, welchen er mir ganz zu lesen gab. Hier wäre nun Anlass, vieles zu reden, aber wie viel ich auch sagen möchte, es würde immer noch mehreres übrig bleiben, um es schweigend zu verwahren. Denn dieses war nun seit einem Jahre ein grosser Theil meines Lebens; eine Erfahrung, aus der ich unendlich viel erlernt habe, die mir aber eine tiefe Wunde und Quelle nie versiegender Schmerzen in der Seele zurückgelassen hat. Leicht, wie der Sohn Isai, als Hirtenknabe, kommen wir über den Jordan dahingeschritten, und was früher nicht recht gewesen seyn mochte, war wieder bedeckt und schon versöhnt für diese neue Bahn und Stufe des Guten und göttlicher Widmung. Alles liess sich zu der herrlichsten Hoffnung an, in überströmender Fülle kamen die Gnaden zugeflossen — bis die Höhe erreicht war; aber schnell war der Uebergang, und desto schmerzlicher der Fall. Mehr kann ich jetzt nicht sagen; es ist mir in zweifacher Hinsicht das Geheimniss klar geworden, wie verschwenderisch Gott die Seinigen mit Gnaden überhäuft, nämlich diejenigen, welche er für seine ausserordentlichen Wege bestimmt hat, und welche Unzahl, welches Uebermass von Gnaden verlohren gehn durch die Schuld der Menschen, verschüttet und zerstreut werden! Es ist dieses der traurigste Winter meines Lebens gewesen; indessen war mir aber doch wunderbar geholfen, so dass ich mehr gearbeitet habe, als je, mehr vielleicht als in drey andern Wintern[2]). — Ueber das Alles müssten wir einmal Tagelang in irgend einer stillen Waldeinsamkeit reden können. — Herzlich würde ich mich freuen den M. Mich. kennen zu lernen; ich gehe in allen Dingen gern zur Quelle (die für den andern freylich nur erste Staffel seyn sollte) und ich denke ihn mir wenigstens von Seiten des gleicherweise erfahrnen Undanks, als nah verwandt mit mir, und auch mich angehend; so dass der Gedanke an ihn etwas rührendes für mich hat.

[Zacharias] Wern.[er] habe ich die letzte Zeit seines Lebens weniger gesehen; er war müde, und fühlte sich selbst zu Ende gehen. Er hat aber bis auf den letzten Augenblick mit dem gewohnten Eifer fort gepredigt, und sein Tod ist sehr sanft gewesen; sein Blick und Gesicht, als Leichnam, war so ruhig, wie ich ihn nie im Leben gesehen. Er hat die Redemptoristen zu Erben eingesetzt, deren Haus er jedoch kurz vorher wieder verlassen hatte; und hat auch sonst in seinem Nachlass alles sehr gerecht und verständig eingerichtet.

--- ---

1) Fürst Hohenlohe?

2) Die Arbeit bezieht sich hauptsächlich auf die Umarbeitung der Werke und die „Concordia". Sonst hat Schlegel nur den Aufsatz über die heilige Cäcilia von Ludwig Schnorr geschrieben (Werke VI, 239 ff.).

Ich habe nun eine besondere Bitte an Dich, geliebter Freund! Ich wünschte nämlich grade von einem so denkenden und so klar und richtig in katholischen Dingen urtheilenden Manne, wie Du, eine genaue und bestimmte Nachricht, von dem neuerdings zu Kölln errichteten Institut der Soeurs grises oder Barmherzigen Schwestern zu haben; woran mir ganz besonders gelegen ist, so dass Du mir um so mehr einen wahren Freundschaftsdienst erzeigen wirst, je baldigere und je ausführlichere Antwort Du mir geben wirst über diesen Punkt meiner Anfrage. Schreibe mir also, wie lange dieses Institut besteht, wie viele ihrer sind, ob sie Novizen haben und wie viele, ob sie alle Deutscher Geburt und aus den dortigen Provinzen, oder ob auch Fremde darunter sind; welchen Werken der Wohlthätigkeit sie sich widmen, vorzüglich aber von welchem Geiste sie beseelt, und ob sie wahrhaft nützlich in christlicher Thätigkeit wirksam sind, unter wessen geistlicher Leitung sie stehen, und wie die Geistliche Behörde sich gegen sie benimmt, wie das Publikum und Volk über sie urtheilt und ob sie bey diesem geachtet sind, ob sie auch von der Regierung gern gesehen, geschützt und reell unterstützt werden. Auch persönlich, ob sie mehrentheils bloss von gemeinem Stande, oder ob auch Personen von Erziehung darunter sind. — Ich muss hiebey immer noch an unsre gute Marie Alberti denken, welche wie Du weisst, als Soeur grise zu Münster gestorben ist. — Alle diese, so wie auch die Fragen, welche Dir selbst etwa noch ausserdem einfallen, bitte ich Dich mir gründlich zu beantworten, wofür ich Dir sehr dankbar seyn werde, und der Erfüllung meiner Bitte mit Erwartung entgegensehe. — Vergilt mir also in dieser Hinsicht nicht gleiches mit gleichem, und lass mich bald von Dir hören. — Ich werde indessen fortfahren, fleissig zu arbeiten, damit ich baldigst bis zum XII^{ten} Band meiner Werke gelange. Wenn ich nur nicht so sehr dabei angespannt wäre, so möchte ich auch gern einmal einige Blätter, für sich bestehend, in die Welt schicken, über einiges, was Du wohl als Semina und Fermenta der Zukunft in den ersten zwey Bänden der neu bearbeiteten Litt.[eratur] hier und [da] bemerkt haben wirst, ich möchte es Aphorismen über die siderische Anschauung nennen. — Es muss aber noch unter uns bleiben. — Meine Frau ist wohl abwechselnd leidend in der Gesundheit, doch geht es im Ganzen ziemlich gut. Die herzlichsten Grüsse an alle die Deinigen, Frau und Kinder, besonders auch meine liebe Mimi.

F. S.

Eugen Wolff, Karl Gotthelf Lessing. Berlin, Weidmann, 1886.

Von Lessings Familie haben seither sein Bruder Theophilus, der älteste nach ihm, und seine Frau Eva Monographien erhalten. Es war billig und zu erwarten, dass auch der bedeutend jüngere, aber doch seinem grossen Bruder in seiner ganzen Geistesrichtung ähnlichste, als Schriftsteller neben jenem öfter genannte, längere Zeit mit ihm persönlich und immer brieflich verkehrende Karl, der nach des grossen Bruders Tode sein Biograph und der liebevolle Herausgeber seiner Schriften wurde, eine Monographie erhielt. Dies ist in vorliegender Schrift in anständiger, angemessener und würdiger Weise geschehen. Und zwar fasst dieselbe naturgemäss ihren Helden von zwei Seiten gleich eingehend ins Auge: sie berücksichtigt Karl Lessing ebenso als Schriftsteller auf den Spuren seines Bruders — er hatte sich bekanntlich wie dieser besonders der dramatischen Thätigkeit gewidmet — wie als schriftstellerischen Herold der geistigen Thätigkeit Gottholds. Sie ist eine zum Behuf der Erlangung der Jenaischen Doctorwürde verfasste Dissertation und zeugt für das demnach vorauszusetzende jugendliche Alter des Verfassers von ziemlicher Belesenheit und massvollem, besonnenem Urtheil. Eine Quelle für die Biographie hat er übrigens weder gekannt noch benutzt: Kreyssigs Afraner-Album, Meissen, 1876. Dort würde er seine Vermuthung auf S. 6 bestätigt gefunden haben. Karl Lessing besuchte die Fürstenschule zu Meissen vom 26. Mai 1756 bis 3. Mai 1761. Das Verhältniss von Fechners und meiner Thätigkeit bei der Herausgabe unbekannter dramatischer Entwürfe und Fragmente G. Lessings in Hempels Lessing stellt sich der Verfasser nicht ganz richtig vor. S. 76, 1. Z. wollte er wol „am Rasenden Hercules" schreiben statt: „am Rasenden Roland". S. 28 weist der Verfasser zuerst eine Recension von H. L. Wagners „Kindermörderin" im „Berlinischen litterarischen Wochenblatt" von 1776 (II S. 153 ff.) als von Karl Lessing herrührend nach (vgl. Schmidt, H. L. Wagner, 2. Aufl. S. 135, Anm. 64). Dagegen kann ich sein Urtheil über Richardson (S. 70) nicht unterschreiben: „Richardsons Romane sind trotz ihrer moralisierenden Tendenz gefahrdrohend unsittlich, seine Heldinnen leben und sterben voll inbrünstiger Liebe zu ihren gewissenlosen Verführern." Das ist der Eindruck durchaus nicht, den die „Pamela“ und die „Clarissa“ auf mich gemacht haben: ich halte sie für durchaus sittlich. Das sind aber auch alle Ausstellungen, die ich an der vorliegenden Schrift zu machen habe, und ich wünsche, dass der Verfasser seine Studien auch ferner dem fruchtbaren Gebiete unserer deutschen Litteratur zuwenden möge.

Robert Boxberger.

Miscellen.

1.

Ein Dichterdiplom Johann Rists.

Im Programm des Gymnasiums zu Burg vom Jahre 1866 hat O. Frick ein Diplom veröffentlicht, in welchem der Hofpfalzgraf und Pastor zu Wedel Johann Rist unter dem 24. April 1665 dem Rector der Havelberger Domschule Georg Strubius die Würde eines gekrönten Dichters ertheilt[1]). Aus zwei ebenfalls mitgetheilten Briefen Rists erhellt, dass diese ganze Angelegenheit recht geschäftsmässig betrieben wurde. Ein Freund des Candidaten, der Handelsmann Johann Becker in Havelberg, trägt dessen Begehren brieflich Rist vor, und dieser ist auch gern bereit, die Dichterkrone zu ertheilen, nachdem er die beigelegten Poemata Strubes „Abends spät etwas durchgelauffen“, wenn ihm Strube acht Thaler übersende, „welche ganz und gar auf das Diploma gehen, also daß ich pro labore keinen Heller bekomme“. Doch stellt er es in die Discretion des gekrönten, ob derselbe seine Dankbarkeit mit einem Fässlein des stärkesten Havelberger Biers, „welches gar leicht zu Wasser auf Hamburg kann gebracht werden“, sehen lassen wolle. Zugleich verheisst er, ihn später in den 1660 gestifteten Elbischen Schwanenorden aufzunehmen, was auch, wie aus Candorins [= Conrad von Höveln] Zimber-Swan 1667 S. 241 (Musophilus = Georg Strubius) hervorgeht, wirklich geschehen ist. Eine kleine Ergänzung zu Fricks Veröffentlichung vermag ich zu bieten, nachdem mir durch die Güte des Herrn Schulvorstehers F. Budczies in Berlin ein andres, zwei Monate früher von Rist ausgestelltes Diplom, welches sich im Besitze des Herrn Rechnungsrathes F. Warnecke befindet, zugänglich geworden ist. Es enthält die von Wedel an der Elbe am 20. Februar

---

1) Bei Goedeke, Grundriss[2] 3, 79—87 fehlt die Schrift Fricks. Th. Hansen hat in seinem heutigen Ansprüchen nicht genügenden Buche über Johann Rist und seine Zeit 1872 S. 176—182 ihren Inhalt wiederholt.

1665 datierte Bestallung des kurfürstlich brandenburgischen Ge-
richtsverwesers, späteren Bürgermeisters zu Cremmen, Johannes
Grüwel (1638—1710), der sich als Chronist und Verfasser einer
Poetik und verschiedener recht mittelmässiger Gedichte einen Namen
gemacht hat[1]), zum kaiserlichen Notar und zugleich zum Poeta
laureatus. Da bei der Belehnung mit dem ersteren Amte der Candidat persönlich erscheinen musste, um den Notareid zu leisten und
dann Pitschierring, Schreibzeug, Federn und Papier mit eigenen
Händen zu empfangen, so geschah auch die Dichterkrönung, für
welche Grüwel eine Empfehlung des Brandenburger Rectors Balthasar
Kindermann, im Schwanenorden Kurandor genannt, mitbrachte, in
feierlicherer Weise als in dem oben erwähnten Falle, im Beisein
mehrerer angesehener Personen. Der Aufnahme in den Elbschwanen-
orden ist Grüwel, obwol im Diplome ihrer nicht gedacht wird, so
wenig wie Strube entgangen; denn 1667 führt ihn der oben genannte Candorin unter dem Ordensnamen Laureander auf.

Das Diplom ist bis auf das fehlende „grosse Hoff-Pfaltzgräf-
liche Siegel", welches an einer grünen Schnur befestigt war, wol
erhalten. In einem mit Goldarabesken und den Worten „Halt im
Gedechtnisz Jesum Christum" verzierten braunen Lederband in
Quart befinden sich die zehn Pergamentblätter mit der Urkunde.
Voran geht ein Papierblatt mit Rists Wappen in Kupferstich[2]) und
ein gleiches mit Grüwels Wappen, einem Herzen, folgt; das letztere
Wappen ist auch in einem kleineren Kupferstiche wiederholt. Der
Wortlaut stimmt, abgesehen von den Personalien und von der die
Mitte des Documents einnehmenden Bestallung zum Notar, völlig
mit dem von Frick abgedruckten Diplome überein und kann daher
zur Ergänzung des verloren gegangenen Anfanges des letzteren be-
nutzt werden. Ich lasse also zum Schlusse die bei Frick fehlenden
Worte folgen:

„Ich Johannes Rist, bestalter Königlicher Prediger zu Wedel
an der Elbe, dero Römischen Kaiserlichen Maiestätt verordneter
Pfaltz vnd Hoffgrafe, auch von Deroselben Kaiserlichem Hofe aus
Edelgekrönter Poet, den auch Fürstlicher Meklenburgischer geheimer und Consistorial Raht, Bekenne hiermit öffentlich und mache

---

1) Adelung zu Jöcher 2, 1634. Lücke im Cremmener Wochenblatt
1884 Nr. 34 und 35 (30. April und 3. Mai). Zarncke, Berichte d. sächs.
Ges. d. Wiss. 1887, 60 und 72. Korrespondenzblatt des Ver. f. nd.
Sprachforschung 11, 66 und 83. G. G. Küster, Collectio opusculorum
hist. Marchicam illustr. Stück 16—17, 1—44 (1734). Grüwels Cremmische
Schaubüne auf der kgl. Bibliothek zu Berlin: Macr. boruss. quart 54
und Macr. germ. quart 93. Seine Brandenburgische Bienenkunst erschien
noch Berlin 1719 (nicht 1709) und 1773.

2) Ein gevierteter Schild, in dem der 1. und 4. Platz Halbmond
und Stern, der 2. und 3. einen Schwan zeigen. „M. Bülck Hamb. sc."

Kund und zu wissen Jedermenniglich, das demnach der Aller Durch-
lauchtigster Großmächtigster vnd vnüberwindlichster Fürst vnd Herr,
Herr FERDINAND der Dritte, Erwehleter Römischer Kaiser, zu
allen Zeiten Mehrer des Reichs, in Germanien, zu Hungarn, Böhaim,
Dalmatienn, Kroatien vnd Schlavonien König, Ertz-Hertzog zu Öster-
reich, Hertzog zu Burgund, zu Braband, zu Steier, zu Kärnten, zu
Krain, zu Lützenburg, zu Wyrtenberg, Ober- und Nieder Schlesien,
Fürst zu Schwaben, Marggrave des Heiligen Römischen Reichs zu
Burgou, zu Mähren, Ober und Nieder Laußnitz, Gefürsteter [Grafe zu
Habsburg, . . .]."

Berlin.　　　　　　　　　　　　　　　　　Johannes Bolte.

2.

Zur Kunst über alle Künste (1672).

Von der deutschen Bearbeitung von Shakespeares „*The Taming
of the Shrew*", welche Reinhold Köhler 1864 in musterhafter Weise
neu herausgegeben hat, sind bisher drei Exemplare bekannt, von
denen die in den öffentlichen Bibliotheken zu Weimar und Dresden
befindlichen völlig mit einander übereinstimmen, während das bei
A. Cohn, Shakespeare in Germany 1865 S. CXXIV und bei R. Köhler,
Jahrbuch der deutschen Shakespearegesellschaft 1, 417 (1865) beschriebene Exemplar der Wiener Hofbibliothek ein Blatt weniger
enthält und auch sonst in Kleinigkeiten, doch nicht im Titelblatt,
von der andern Ausgabe abweicht. Ein viertes Exemplar, das ich
auf der Landesbibliothek zu Cassel (Fab. Roman. Duodez 114) fand,
stimmt mit dem Wiener in der Seitenzahl (238, von denen die
letzte unpaginiert ist und die sieben vorgehenden irrthümlicher Weise
331—337 bezeichnet sind) überein, hat aber noch einen dem eigentlichen Titelblatt voraufgehenden Kupfertitel. Derselbe stellt einen
Ausblick aus einem Thore auf eine Pappelallee dar, durch welche
ein Reisewagen fährt. Oben darüber sieht man einen von einer
nackten Frau und einem Totengerippe gehaltenen Kranz, in welchem
die Worte stehen: „Die | Wieder | kom̄ende | *ANGELI* | *CA*."
Völlig unklar ist mir die Bedeutung dieser Darstellung und ihr Zusammenhang mit dem Inhalte des Stückes. Ich bemerke jedoch, dass
das Kupferblatt nicht etwa aus einem andern Werke entnommen
und hier eingeklebt ist, sondern mit dem 12. Blatt (S. 23—24)
zusammenhängt.

Leider ist der geistvolle und gelehrte Verfasser der Kunst über
alle Künste, welcher wol in Hessen oder in der Rheinpfalz gesucht
werden muss, noch nicht ermittelt. Ueber die von ihm für das angehängte „singende Possenspiel" benutzte Vorlage behalte mir vor
gelegentlich zu handeln.

Berlin.　　　　　　　　　　　　　　　　　Johannes Bolte.

3.

Zu Herders Gedicht „Dem jungen Baron Budberg".

In der Handschriftensammlung, die Anton Georg Bosse (geb.
1792, gest. 1860), Pastor zu Wolfahrt in Livland, angelegt hat und die
sich gegenwärtig im Besitze des Autographensammlers Paia von
Petrovič in Mitau befindet, der mit bereitwilligster Liebenswürdigkeit mir den Einblick in dieselbe und die Benutzung gestattet hat,
findet sich unter anderen interessanten Briefen und Aufzeichnungen
das Gedicht Herders, das in dessen Werken Hempelsche Ausgabe
I, 251 unter dem Titel: „Dem jungen Baron Budberg" abgedruckt
ist. — Herder selbst gibt an, dass er es „in ein Exemplar der Versuche über den Charakter und die Werke der besten italienischen
Dichter" von Meinhard eingetragen habe. Nicht unmöglich ist es,
dass das Blatt der Handschriftensammlung das Original ist, die
Handschrift des Dichters ist unverkennbar; auf dem Blatte hat Pastor
Bosse vermerkt: „vom General-Superintendenten Sonntag erhalten".
In Bezug auf den Text zeigt sich die Abweichung, dass der Schluss
nicht, wie in der Hempelschen Ausgabe,

> Und noch Dir Deine Zeit und Deine Jugendfreuden
> Und Deine Muse selbst fast — mag beneiden!

lautet, sondern:

> und noch Dir Deine Zeit und Deine Jugendfreuden
> und Deine Musen, selbst mag — fast beneiden!

Fellin.   Th. von Riekhoff.

4.

Aus einem Briefe Karl Bertuchs an Böttiger.

**Mitgetheilt nach dem im Besitze der Dresdener Bibliothek vorhandenen
Original.**

„Goethe denkt bald nach Carlsbad zu reisen. Letzthin war
er göttlich bei M^de Schopenhauer, wo er über Schillers Cyclus
Wallenstein sprach, welcher heute und den Sonnabend gegeben
wird. »Freilich«, sagte er unter anderm, »verlautet jetzt von dem
guten Schiller, dass er kein Dichter sey (dieses predigt Passow
seinen Primanern, und stand 2 Schritte von Gthe) doch wir haben
da so unsere eigene Meinung darüber.« Mit dreimal caustischer
Lauge sprach er scherzend über die poetische Anarchie, wo der
neueste Dichter zum grössten ausgerufen werde, und kam auf die
Landshuter Erklärung (von Ast?) dass Friedrich Schlegel zum

Herkules unter den Dichtern proklamirt sey — und jetzt anstatt
mit dem Schlegel, mit der Keule herumwandle, an der als Excrescenz
auch ein Aestchen bemerkbar sey, etc. etc. Kurz G. documentirte
hier so ganz seine hohe Meisterschaft, und liess einmal hell sehen,
wie er über die Alfanzereyen der Zeit eigentlich denkt. Wenn er
doch öfters und auch öffentlich darinn wetterte, damit dem Unfug
etwas gesteuert werde. — Phöbus Apollo erhalte uns noch lang
die wenigen ältern Stammherrn unserer Literatur, die mit jeden
Peitschenhiebe die wahren bösen Stellen des literarischen Körpers
zu treffen wissen. Doch das über Goethe gesagte entre nous . . . . .
Weimar d. 21. April 1808."

Paul Emil Richter.

5.

Der Verfasser des Firlifimini.

Bernhard Seuffert hat in der Anzeige, welche er Ludwig Geigers
Schriftchen „Firlifimini und andere Curiosa" (Berlin 1885) in der
„Deutschen Litteraturzeitung" (6. Jahrg. Nr. 43 Sp. 1517 f.) ge-
widmet hat, auf eine Stelle in Böttigers „Litterarischen Zuständen
und Zeitgenossen" (I S. 153) aufmerksam gemacht, in der Friedrich
Schulz (geb. zu Magdeburg am 1. Jan. n. St. 1762, gest. zu Mitau
am 27. Sept. a. St. 1798) „sicher mit Grund" als Verfasser des
„Firlifimini" bezeichnet werde. Wie richtig Böttigers Angabe und
ihre Beurtheilung durch Seuffert ist, ergibt der Artikel Friedrich
Schulz in v. Reckes und Napierskys Allgemeinem Schriftsteller- und
Gelehrten-Lexikon der Provinzen Livland, Esthland und Kurland
(Bd. 4 1832 S. 145 ff.), worin man ein von Schulz selbst geschriebenes Verzeichniss der von ihm verfassten Bücher abgedruckt findet,
in welchem in der That auch der Titel „Firlifimini. Dessau 1784"
erscheint. Durch die damit festgestellte Thatsache, dass Friedrich
Schulz in einer Periode seines Lebens, während welcher er nicht
viel mehr als ein jugendlicher Penny a liner war, den Roman „Leben
und Todt des Dichters Firlifimini" geschrieben hat, wird freilich die
litteraturgeschichtliche Bedeutung dieses von Geiger in seinen wesent-
lichsten Theilen neu veröffentlichten Buches nur vermindert, nicht
vermehrt.

Verbesserungen und Nachträge.

Bd. 9 S. 504 Z. 17. Für „diesmal(?)“ l. „dann“.

Bd. 10 S. 220 ff. (Zu Schillers Balladen.) — S. 221: „des Jenaischen Schlosses, in welchem letzteren Schiller bekanntlich eine Zeit lang seine Wohnung hatte“ ist, wie mich Düntzer freundlichst belehrt, unrichtig; die an dem Nebengebäude des Schlosses angebrachte Gedenktafel hatte mich zu diesem Irrthum verleitet. — S. 225 unten: Wie ich leider jetzt erst sehe, ist Goedeke gleichfalls die bewusste Stelle im Briefwechsel aufgefallen, und er verwerthet sie für eine Wahrscheinlichmachung der Quelle von Goethes „Gott und Bajadere“ (Grundriss I, 822 Anmkg.). — S. 226 oben: „Goethe gerade in jenen Jahren mit der Katalogisierung der Jenaischen Bibliothek eifrig beschäftigt“ ist in dieser Fassung zu viel gesagt, wie mich Düntzer belehrt; denn Schnausse starb erst 1797 und die Bibliotheksangelegenheiten beschäftigten Goethe ernstlich erst nach Büttners Tode (1801). Ich hatte folgende Stelle des Briefwechsels im Auge: „Ich fange nun schon an, mich dergestalt an mein einsames Schloss- und Bibliothekwesen zu gewöhnen, dass ich mich kaum herausreissen kann und meine Tage neben den Büttnerschen Laren, zwar unbemerkt, aber doch nicht ganz ungenutzt verstreichen“ (Goethes Brief vom 23. Mai 1797). — S. 228: „oder vielmehr dessen deutsche Bearbeitung . . als der Fundort des Balladenstoffes.“ Düntzer bestreitet das letztere. — Bd. 11 S. 557 (Zu Langbeins Schwänken): Der Schwank „Stille Rache“ ist eine Nachbildung der dritten Novelle des Heptameron der Marguerite de Navarre, wo die Geschichte erzählt wird von Alfonso V. König von Aragonien (1442 König von Neapel). Die von dem Edelmann über die Thüre seines Hauses gesetzte Inschrift lautet in Langbeins Vorlage:

> Io porto le corna ci ascun lo vede;
> Ma talle porta chi no le crede.

Hermann Ullrich.

Bd. 15 S. 20. Inzwischen ist mir noch eine kurze Bearbeitung der Sage von Eginhard und Emma bekannt geworden, die sich ein Volkslied nennt, aber offenbar sehr jungen Datums ist. Es wird darin nur der zweite Theil der Sage behandelt.

Als Kaiser Karl auf weitem Zuge
In niedrer Herberg kehrte ein,
Trat schwanenweiss mit Schürz und Tuche
Zu ihm die Wirthin jung und fein.

„Dies wurde, Herr, für Euch gefangen",
Sprach sie, und setzte auf den Tisch
Mit schüchternen, verschämten Wangen
Des grossen Kaisers Lieblingsfisch.

Doch mundet nicht dem Herrn der Bissen,
Ist's gleich ein selt'nes Leibgericht;
Er ruft, von Wehmuth hingerissen:
,Wie ihr gelingt es keiner nicht!

Oft brachte sie mir diese Speise,
Die still von ihr bereitet ward,
Und lauschte kindlich, froh und leise —
O Emma, Emma, Eginhard!'

Da stürzten zu des Kaisers Füssen
Der muntre Wirth, die junge Frau,
Bedeckten seine Hand mit Küssen,
Mit heisser Thränen Perlenthau.

,Du, Emma?' rief mit süssem Leben
Der grosse Kaiser freudenvoll.
,Kommt an mein Herz, euch sei vergeben,
Vergessen aller Schmerz und Groll!'

Er nahm in seinen Arm sie beide,
Ward Emma anzusehn nicht satt,
Und nannt' im Rausch der Vaterfreude
Den kleinen Flecken Sel'genstadt.

Auf eine ungleich ausführlichere Bearbeitung endlich hatte der
Herausgeber des Archivs die Liebenswürdigkeit mich hinzuweisen. Es
ist eine Dichtung Hauswalds in 45 sechszeiligen Strophen, abgedruckt
im Neuen Teutschen Merkur 1806, April, S. 287. [1]) Der Verfasser folgt

---

1) In einer Anmerkung des Herausgebers — das Gedicht war in dem
Nachlasse des Verfassers gefunden worden — heisst es: „Es haben sich
schon mehrere und zum Theil sehr genannte Romanzendichter unserer
Nation an diesem Stoffe (man erinnert sich wohl noch der schönen Erzählung desselben, die der für unsere Litteratur unvergessene Sturz
aus dem Chronico Laurishamensi davon gegeben hat, Schriften T. II.
S. 294) entweder bewührt oder versündigt." Danach ist anzunehmen,
dass mir noch einige ältere deutsche Bearbeitungen der Sage unbekannt
geblieben sind.

der Lorscher Chronik, von der er nur in wenigen Puncten abweicht.
So ist bei ihm das Verhältniss der liebenden ein reines, unschuldiges:

> Und dennoch fühlten sie, wer wird mir's glauben?
> Nichts als den Drang der reinsten Sympathie,
> Und küssten, zwar so zärtlich, wie die Tauben,
> Doch auch so fromm, so unschuldsvoll wie sie.
> Gewesen wär' ein andrer freilich dreister,
> Doch Eginhard war seines Herzens Meister (Str. 13).

Als der Kaiser in der Nacht die liebenden erblickt, lässt er Emma
in ihrem Zimmer einschliessen und Eginhard verhaften. Letzterer wird
an dem Erker, in welchem jene wohnt, vorbei in den Kerker abgeführt
und dort in Ketten gelegt. Emma aber schreibt einen Brief an den
Kaiser, worin sie alle Schuld auf sich nimmt, ihren Vater darüber auf-
klärt, wie rein ihr Liebesverhältniss zu Eginhard gewesen sei, und
schliesslich Hand an sich zu legen droht, wenn ihrem geliebten ein Leid
geschehen sollte. — Endlich sind bei dem Gerichte, das über die liebenden gehalten wird, die Räthe für harte Strafe, während sie in dem Lorscher Texte es ablehnen, in der Sache ein Urtheil zu fällen.

Die Sprache ist nicht immer sehr poetisch, wodurch der Eindruck
der Dichtung stellenweise recht beeinträchtigt wird:

> Und kostete es Kragen ihm und Kehle,
> Am nächsten Abend ist er im Rondeele (Str. 11).

> Da war nun freilich Holland sehr in Nöthen (Str. 22).

Die vierte Strophe lautet:

> So tanzte bunt und kraus, trotz Bart und Mantel,
> Um die Prinzessin manches Amtsgesicht;
> Wie wenn in Welschland etwan die Tarantel
> Beim Mittagsschlaf ein Dutzend Bauern sticht:
> Doch gab's dabei auch manchmal derbe Spähne,
> Denn alle machten Augen wie die Hähne.

Recht ungeschickt und überflüssig ist die letzte Strophe:

> So gut als diesem wird es heut zu Tage
> Wol keinem Schreiber auf der weiten Welt,
> Die Väter führen eine andre Sprache:
> Ist auch der Herr von Adel? hat er Geld? —
> Und was ein Kaiser that, das thäte leider
> In unsern Zeiten kaum ein reicher Schneider.

Endlich sind ein par Anachronismen untergelaufen:

> Der Steuerrath vergass die Landesschulden (Str. 3).

> Ein Blick nach ihm, ein Schlag mit ihrem Fächer
> Verrieth ihm bald, wie lieb er Emma sei (Str. 8).

> Auch sieht Papa noch endlich ohne Brille (Str. 10).

Erlangen, 14. Nov. 1886.　　　　　　　　　　　H. Varnhagen.

29*

Bd. 15 S. 61 ff. In meinen Mittheilungen über Hölderlin hatte ich es für unwahrscheinlich erklärt, dass Hölderlin, wie Schwab erzählt, auf der Rückreise von Bordeaux in seine Heimat Paris berührt habe. Da Schwabs sonstige Angaben über diese Reise, wie ich nachgewiesen, auf irrthümlichen Voraussetzungen beruhen, meinte ich ihm in diesem Puncte um so weniger Glauben schenken zu dürfen, als für die Hinreise nach Bordeaux, wie Hölderlin seiner Mutter schreibt, ihm, als einem fremden, von der Obrigkeit in Strassburg ausdrücklich der Weg über Lyon angerathen ward und weil der für die Rückreise benutzte Pass nur die Weisung: „à laisser passer et librement circuler de Bordeaux à Strasbourg département du bas Rhin" und kein anderes Visa als das des Maire von Strassburg enthält.

Nun aber ist von Herrn Gustav Scheidel, Vorsteher der Lateinschule zu Lauterburg im Elsass, in der „Strassburger Post" vom 27. Nov. 1886 Nr. 329 aus dem Nachlass Leo von Seckendorfs ein Brief Hölderlins an diesen aus Nürtingen vom 12. März 1804 veröffentlicht, in welchem es u. a. heisst: „Die Antiquen in Paris haben besonders mir ein eigentliches Interesse für die Kunst gegeben, so dass ich mehr darin studiren möchte." Hiernach könnte man versucht werden zu glauben, dass Hölderlin auf der Rückreise von Bordeaux in die Heimat in der That seinen Weg über Paris genommen habe. Wahrscheinlich ist es mir jedoch nicht. Denn in einem Briefe Hölderlins an Bohlendorf aus Nürtingen vom 2. December 1802 (s. Schwab, Fr. Hölderlins sämmtliche Werke Bd. II S. 86—88), in welchem er über seinen Aufenthalt in Frankreich aus frischer Erinnerung berichtet, erwähnt er nur „die Hütten des südlichen Frankreich" und „die Gegenden, die an die Vendee grenzen". Auch wo er in diesem Briefe von dem durch die Antiken empfangenen Eindruck redet: „Der Anblick der Antiquen hat mir einen Eindruck gegeben, der mir nicht allein die Griechen verständlicher macht, sondern überhaupt das Höchste der Kunst" — — nennt er Paris nicht. Die Hinreise nach Bordeaux hatte er in winterlicher Jahreszeit zu Fusse gemacht. Am 30. December 1801 war ihm in Strassburg die Erlaubniss zur Weiterreise ertheilt worden, am 9. Januar 1802 hatte er Lyon erreicht, war von dort, wie er seiner Mutter schreibt, über die „überschneiten Höhen der Auvergne in Sturm und Wildniss" gewandert, und am 28. Januar in Bordeaux eingetroffen, hatte mithin den Weg von Strassburg nach Bordeaux in 28—29 Tagen zurückgelegt. Die Vermuthung liegt nahe, dass er auf diesem Wege Vienne berührt habe und durch den Anblick der dort vorhandenen Antiken (s. Millin, Voyage dans les départements du midi de la France. Tome II. A Paris 1807. Chap. 36—38) begeistert worden sei.

Ueber die Gründe, welche Hölderlins anscheinend plötzlichen Aufbruch von Bordeaux veranlassten, herrscht ein Dunkel, welches heute schwerlich noch zu lichten sein wird. Jedesfalls aber müssen wir annehmen, dass er in einer krankhaften Stimmung schied, die kaum den

Wunsch, Paris zu besuchen, aufkommen liess. Zweifellos machte er, wie die Hinreise, so auch die Rückreise zu Fusse. Zwischen der Ausfertigung des Passes in Bordeaux und dem Strassburger Visa liegen ebenfalls 29 Tage. Sein Aufenthalt in Paris könnte daher jedesfalls nur von sehr kurzer Dauer gewesen sein. Und wäre sein Geist dort noch so lebendig und frei gewesen, um von den Antiken einen solchen Eindruck zu empfangen, wie er an Seckendorf schreibt, dann bliebe die Frage ungelöst, welche Einwirkungen darnach den armen getroffen haben konnten, dass er, nur wenige Wochen später, nach Waiblingers Erzählung bei Matthisson eintritt „leichenblass, abgemagert, von hohlem, wildem Auge, langem Haar und Bart, und gekleidet wie ein Bettler, und, als Matthisson ihn nicht erkennt, mit dumpfer, geisterhafter Stimme murmelt: «Hölderlin» und verschwindet".

Mir erscheint es daher ungleich wahrscheinlicher, dass zu der erwähnten Aeusserung Hölderlins in dem Briefe an Seckendorf ein nicht lange vorher erschienenes Kupferwerk den Anstoss gab: „Le Musée français, recueil complet des tableaux, statues et bas-reliefs, qui composent la collection nationale. Publié par Robillard-Peronville et Laurent. Tome I. A Paris XI = 1803." Dieser Band enthält nämlich in seiner 5. Abtheilung: „La table et les statues antiques" die Statuen des Musée Napoléon in Abbildungen, welche wol geeignet erscheinen in lichteren Zeiten, wie sie Hölderlin damals noch öfter beschieden waren, seine muthmasslich schon durch die Antiken in Vienne geweckte Aufmerksamkeit zu fesseln.

Berlin.   Carl C. T. Litzmann.

Bd. 15 S. 209 f. Joh. Bolte hatte die Güte, auf die abweichende Fassung des „Dictamen australis vini proprietates explicans" hinzuweisen, welche sich im cod. lat. Monac. 4394 (ca. 1475) findet und von Wattenbach im Anzeiger für Kunde der deutschen Vorzeit 1879 Sp. 100 mitgetheilt worden ist. Der Dresdner Text ist neuerdings von Herm. Jos. Liessem in seinem „Bibliographischen Verzeichniss der Schriften Hermanns van dem Busche" (Progr. des Kaiser Wilhelm-Gymn. zu Köln 1887 S. 7), unter Verbesserung des „nequaquam" der vorvorletzten Zeile in „nequam", abgedruckt worden.

Bd. 15 S. 380 ist unter 1884 einzuschalten: Pommersche Lebens- und Landesbilder. Nach gedruckten und ungedruckten Quellen entworfen von Hermann Petrich, Archidiakonus an St. Marien zu Treptow a. R. Zweiter Teil: Aus dem Zeitalter der Befreiung. Erster Halbband. Stettin, Léon Saunier's Buchhandlung. (Paul Saunier.) 1884. [S. 113 Brief Goethes an G. L. Kosegarten vom 14. Juli 1818, „Das so unterhaltende".]

Register.

Lightning Source UK Ltd.
Milton Keynes UK
UKHW020750011218
333087UK00005B/126/P